Fonctions de plusieurs variables

CALCUL DIFFÉRENTIEL ET INTÉGRAL

LE PROJET HARVARD

Fonctions de plusieurs variables

William G. McCallum, *University of Arizona* – Daniel E. Flath, *University of South Alabama*
Andrew M. Gleason, *Harvard University* – Sheldon P. Gordon, *Suffolk County Community College*
David Mumford, *Harvard University* – Brad G. Osgood, *Stanford University*
Deborah Hughes-Hallett, *Harvard University* – Douglas Quinney, *University of Keele*
Wayne Raskind, *University of Southern California* – Jeff Tecosky-Feldman, *Haverford College*
Joe B. Thrash, *University of Southern Mississippi* – Thomas W. Tucker, *Colgate University*
Avec la collaboration de Paul M. N. Feehan, *Harvard University* et Adrian Iovita,
Centre interuniversitaire en calcul mathématique algébrique

Supervision de l'édition française
Benjamin Smith
École polytechnique de Montréal

Traduit de l'américain par
Suzanne Geoffrion et Louise Durocher

Chenelière/McGraw-Hill
MONTRÉAL • TORONTO

Fonctions de plusieurs variables

William G. McCallum, Deborah Hughes-Hallett,
    Andrew M. Gleason *et al.*

Traduction de : *Multivariable Calculus*
    de McCallum, Hughes-Hallett, Gleason *et al.*
    (ISBN 0-471-31151-0)
    © 1997 John Wiley & Sons, Inc.

© 1999 Les Éditions de la Chenelière inc.

Éditeur : Michel Poulin
Coordination : Denis Fallu
Révision linguistique : Ginette Laliberté
Correction d'épreuves : Lucie Lefebvre
Infographie : Claude Bergeron
Couverture : Norman Lavoie

Données de catalogage avant publication (Canada)

Vedette principale au titre :

Fonctions de plusieurs variables

Traduction de : Multivariable Calculus.

Comprend un index.

ISBN 2-89461-260-5

1. Calcul différentiel. 2. Calcul intégral. 3. Fonctions de
plusieurs variables réelles. I. McCallum, William Gordon.

QA 303.M82614 1999   515'.84   C98-941636-4

Chenelière/McGraw-Hill
7001, boul. Saint-Laurent
Montréal (Québec)
Canada H2S 3E3
Téléphone : (514) 273-1066
Télécopieur : (514) 276-0324
chene@dlcmcgrawhill.ca

ISBN 2-89461-260-5

Dépôt légal : 2ᵉ trimestre 1999
Bibliothèque nationale du Québec
Bibliothèque nationale du Canada

Imprimé au Canada
2 3 4 5 W 03 02 01

Nous reconnaissons l'aide financière du gouvernement du Canada
par l'entremise du Programme d'Aide au Développement de
l'Industrie de l'Édition pour nos activités d'édition.

L'Éditeur a fait tout ce qui était en son pouvoir pour retrouver les
copyrights. On peut lui signaler tout renseignement menant à la
correction d'erreurs ou d'omissions.

PRÉFACE

En général, les étudiants estiment que le calcul différentiel et intégral constitue un obstacle intellectuel difficilement surmontable, qui leur est imposé par des autorités invisibles et sans pitié. Le calcul différentiel et intégral semble également agir comme un filtre en éliminant de leur programme bon nombre des étudiants de première année. Parfois, cette situation est engendrée par les professeurs, mais souvent elle découle des manuels que les professeurs adoptent. Au fil des ans, on a expérimenté plusieurs approches pour enseigner le calcul, mais très peu d'entre elles ont pu rendre la signification réelle des notions en jeu. La plupart des manuels mettent l'accent sur les aspects algébriques du calcul ainsi que sur les manipulations. Rares sont ceux qui parviennent cependant à inculquer aux étudiants les notions, parfois les plus simples, qui sous-tendent les théories du calcul. Par conséquent, on trouve dans ces manuels, au lieu des exercices stimulants qui devraient constituer le point de départ à la compréhension du calcul différentiel et intégral, des calculs ennuyeux que les étudiants doivent effectuer au moyen de formules qu'ils ne comprennent pas et qu'ils ne sont pas amenés à interpréter.

Dans le manuel *Fonctions de plusieurs variables* du Projet Harvard, les auteurs poursuivent dans la foulée du premier manuel, *Fonctions d'une variable*, et corrigent ces lacunes en mettant l'accent sur la signification des notions qui sous-tendent le calcul différentiel et intégral et en tentant de restaurer l'intuition des étudiants.

Du cas particulier à la théorie

Le ton est donné dès le premier chapitre, où la notion de fonction de deux variables est introduite par l'étude des isothermes sur une carte météorologique. On poursuit en décrivant des fonctions au moyen de valeurs numériques sous forme tabulaire avant de donner une définition algébrique de ces fonctions. Ce n'est qu'à ce moment qu'on définit de façon formelle la notion de fonction de deux variables et qu'on donne son interprétation géométrique en tant que surface à l'intérieur d'un espace tridimensionnel. Les auteurs approfondissent ces fonctions en considérant leurs sections transversales, avant de retourner à la notion de courbes de niveau (l'interprétation de leur espacement), à leur représentation algébrique de même que géométrique. Tout au long de ce chapitre, le lecteur apprend, grâce aux solutions détaillées proposées dans les exemples, comment expliquer la signification des phénomènes mathématiques en langage courant. À la fin de ce chapitre, le lecteur devrait avoir une très bonne intuition de ce qu'est une fonction de deux variables et de la manière d'extraire l'information qu'elle contient. Cette approche pédagogique qui consiste à aborder l'étude du calcul en passant des aspects particuliers et pratiques aux aspects généraux et théoriques est adoptée pour le reste du manuel.

Les exercices

Ce manuel se distingue également par son incomparable collection d'exercices. Il y a évidemment des problèmes de routine qui viennent vérifier si le lecteur a bien compris les définitions et les techniques. Mais surtout, le manuel contient une multitude d'exercices inspirés du monde réel que le lecteur doit modéliser, résoudre et interpréter. Ces exercices sont tirés de divers domaines de la science et devraient intéresser les ingénieurs et les physiciens, tout comme les chimistes, les économistes, les biologistes, de même que celles et ceux qui poursuivront leurs études en mathématiques.

Les preuves

Les étudiants sont souvent intimidés par l'approche formelle de démonstration des théorèmes adoptée par certains manuels. Les auteurs du présent ouvrage évitent généralement ce formalisme en présentant des arguments raisonnés qui font appel au bon sens, mais qui ne sacrifient pas pour autant la rigueur et la beauté de la preuve mathématique. Le théorème est formulé sous forme de conclusion logique et naturelle à cette chaîne de raisonnement.

Et encore

L'enseignant habitué à enseigner cette matière aura beaucoup de plaisir à voir la manière originale avec laquelle les auteurs ont traité certains sujets classiques. En voici quelques exemples :
• Il est rare que des manuels de ce niveau présentent la preuve du test de la dérivée seconde partielle pour les extremums locaux d'une fonction. Ici, elle découle aisément et de manière naturelle du test des polynômes quadratiques et de l'approximation quadratique de Taylor.
• Le thème récurrent et unificateur de la paramétrisation constitue une autre nouveauté : on utilise la paramétrisation des courbes pour représenter le mouvement et calculer les intégrales curvilignes ainsi que la paramétrisation des surfaces et des solides pour prouver les théorèmes de Green, Gauss et Stokes par un changement de variables.
• Le manuel propose une excellente version moderne de l'explication par Newton des lois du mouvement de Kepler à l'aide du calcul vectoriel et des produits vectoriels. Cette explication sera aussi claire pour les non-physiciens que pour les étudiants en physique.

Pour toutes ces raisons, je suis persuadé que, grâce à ce manuel, les étudiants apprécieront davantage l'étude des mathématiques et seront plus convaincus de sa pertinence dans leur formation d'ingénieurs ou de scientifiques.

Je tiens à féliciter la maison d'édition Chenelière/McGraw-Hill de permettre aux étudiants francophones d'avoir accès à cet ouvrage dans leur langue. Comme les manuels en français sur le sujet sont très rares, j'estime que celui-ci viendra répondre à un grand besoin.

Benjamin Smith
École polytechnique de Montréal

AVANT-PROPOS

Le calcul différentiel et intégral est l'une des plus grandes réalisations de l'intellect humain. Inspirés des problèmes d'astronomie, Newton et Leibniz en jetèrent les bases il y a 300 ans. Depuis ce temps, le calcul différentiel et intégral ne cesse de répondre à quantité de questions en mathématiques, en sciences physiques, en ingénierie, en sciences humaines et en biologie.

Le grand succès du calcul différentiel et intégral est attribuable à sa capacité exceptionnelle de ramener les problèmes complexes à l'application de règles et de procédures simples. C'est d'ailleurs là que réside le danger de son enseignement : si l'on se limite à appliquer des règles et des procédures, on perd de vue les mathématiques mêmes et leur valeur pratique. Tout comme *Fonctions d'une variable,* ce manuel vient mettre l'accent sur l'enseignement des concepts autant que sur les procédures.

Les principes de base

Les deux principes qui nous ont guidés pendant l'élaboration du manuel *Fonctions d'une variable* demeurent valables. Le premier visait à restaurer le contenu mathématique du calcul différentiel et intégral :

> **La règle de trois :** *Chaque sujet doit être présenté du point de vue géométrique, numérique et algébrique.*

Nous encourageons constamment les étudiants à réfléchir sur la signification géométrique et numérique des opérations effectuées. Nous ne cherchons pas à passer sous silence l'aspect purement algébrique du calcul différentiel et intégral, mais plutôt à insister sur celui-ci en accordant une signification aux symboles. D'ailleurs, dans les problèmes d'application, nous demandons continuellement aux étudiants d'expliquer leurs réponses en langage courant.

Le deuxième principe, inspiré par Archimède, vise à rétablir l'aspect pratique de la compréhension du calcul :

> **La méthode d'Archimède :** *Les définitions et les procédures formelles émergent de l'analyse des problèmes pratiques.*

Archimède croyait qu'on pouvait comprendre les problèmes mathématiques en examinant au préalable les problèmes mécaniques ou physiques[1]. C'est pour cette même raison que notre manuel a été élaboré en fonction des problèmes pratiques. Chaque fois que cela s'est avéré possible, nous avons commencé par poser d'abord le problème pratique, puis nous en avons tiré les conclusions générales. Par « problèmes pratiques », nous entendons généralement (mais pas

---

1. [...] J'ai pensé qu'il était approprié de vous expliquer en détail [...] la particularité d'une certaine méthode qui vous permettra de débuter par des recherches sur certains problèmes mathématiques au moyen de la mécanique. Cette procédure, j'en suis persuadé, est également utile pour la démonstration des théorèmes eux-mêmes. Même si certaines choses me semblaient claires grâce à une méthode mécanique, elles ont dû, par la suite, être démontrées à l'aide de la géométrie. En effet, la recherche avec ladite méthode ne fournissait pas une démonstration concrète. Toutefois, il est évidemment plus facile, quant on a déjà acquis certaines connaissances grâce à la méthode, de fournir la preuve que de la trouver sans avoir déjà des connaissances sur la matière. Traduction libre d'un extrait tiré de *The Method,* dans *The works of Archimedes,* publié et traduit en anglais par Sir Thomas L. Heath, Dover, NY.

toujours) des applications dans le monde réel. Ces deux principes nous ont amenés à créer un programme d'études entièrement renouvelé – beaucoup plus qu'il n'y paraît à la simple consultation de la table des matières.

La technologie

Pour l'étude du calcul différentiel et intégral à plusieurs variables en particulier, les techniques informatiques peuvent être très profitables pour l'étudiant car elles favorisent la pensée mathématique. Par exemple, les graphes de surface et les courbes de niveau illustrent magnifiquement les fonctions à plusieurs variables. L'habileté à utiliser efficacement ces techniques en tant qu'outils revêt une très grande importance. Les étudiants devront user de discernement pour déterminer à quel moment ils devront recourir à de telles techniques.

Néanmoins, le manuel n'exige pas l'emploi de logiciels ou de techniques particulières. Idéalement, les étudiants devraient avoir accès à un outil pouvant leur permettre de tracer des graphes de surface, des courbes de niveau et des champs vectoriels et de calculer numériquement des intégrales multiples et des intégrales curvilignes.

Les connaissances préalables exigées de l'étudiant

Les étudiants qui utilisent le présent manuel devraient avoir suivi avec succès le cours de calcul différentiel et intégral à une variable. Cependant, il n'est pas nécessaire qu'ils aient utilisé le premier volume du Projet Harvard, *Fonctions d'une variable,* pour comprendre la matière du présent manuel.

Cet ouvrage stimule la pensée des étudiants bien préparés, bien qu'il demeure accessible à ceux qui ont un moindre niveau de connaissances. L'approche numérique, graphique et algébrique permet aux étudiants d'aborder la matière de façon différente. Cette approche encourage en effet les étudiants à poursuivre leurs efforts d'apprentissage, ce qui permet de réduire le taux d'échec scolaire.

Le contenu

Notre approche, au moment de la conception du présent manuel, a été la même que pour le premier volume. Nous avons fondé notre matière sur une bonne base, puis nous avons compilé une liste des sujets que nous jugions fondamentaux, et ce, après en avoir discuté avec des mathématiciens, des ingénieurs, des physiciens, des chimistes, des biologistes et des économistes. Pour répondre à des exigences particulières d'enseignement ou aux besoins propres des étudiants, il est possible d'ajouter ou de supprimer des sujets, ou même de modifier l'ordre de présentation.

Tout au long du manuel, nous supposons que les fonctions d'une variable ou de plusieurs variables sont définies sur des régions ayant des frontières lisses par morceaux.

Chapitre 1 : Les fonctions de plusieurs variables

Nous introduisons les fonctions de plusieurs variables selon différents points de vue, en utilisant des graphes de surface, des courbes de niveau et des tables. Ce chapitre joue le même rôle dans ce cours que le chapitre 1 dans le cours de calcul différentiel et intégral à une variable. Il donne aux étudiants les habiletés nécessaires pour apprendre à lire des graphes et des courbes de niveau et à penser graphiquement, à lire des tables et à penser numériquement. Les étudiants peuvent alors leur ajouter les habiletés algébriques pour modéliser le monde réel. Une attention particulière a été portée à la notion de section transversale d'une fonction, obtenue en faisant varier une variable indépendamment d'une autre. Nous avons découvert qu'il était utile d'étudier cette notion avant de passer à l'analyse des dérivées partielles et des gradients. L'étudiant devra approfondir les fonctions linéaires en vue d'aborder les notions de linéarité locale. Ce chapitre se termine par une section sur la continuité.

Chapitre 2 : Un outil fondamental : les vecteurs

Nous définissons les vecteurs comme des objets géométriques ayant une direction et une norme, en nous servant des vecteurs de déplacement comme modèles. Nous présentons ensuite la représentation des vecteurs en fonction des coordonnées. De plus, nous donnons des définitions géométriques et algébriques équivalentes du produit scalaire et du produit vectoriel.

Chapitre 3 : La dérivation des fonctions de plusieurs variables

Nous présentons les notions de base de la dérivée partielle, de la dérivée directionnelle, du gradient et de la différentielle. Tout en respectant l'esprit du premier manuel, nous inscrivons ces notions dans le cadre de la linéarité locale. Nous utilisons également la linéarité locale pour présenter la notion de différentiabilité et pour démontrer la règle de la dérivée en chaîne. Nous expliquons les dérivées partielles d'ordre supérieur, leur interprétation dans les équations aux dérivées partielles et leur application aux approximations de Taylor. Le chapitre se termine par une section sur la différentiabilité.

Chapitre 4 : L'optimisation : les extremums locaux et absolus

Nous appliquons les notions du chapitre précédent aux problèmes d'optimisation. Nous présentons le test de la dérivée seconde pour les extremums locaux en considérant d'abord le cas des polynômes quadratiques et en faisant appel à l'approximation quadratique de Taylor. En outre, nous présentons l'existence des extremums absolus pour les fonctions continues dans les régions fermées et bornées. Dans la section traitant de l'optimisation sous contrainte, nous discutons des multiplicateurs de Lagrange, des contraintes d'égalité et d'inégalité et des problèmes comportant plus d'une contrainte.

Chapitre 5 : L'intégration de fonctions de plusieurs variables

Tout d'abord, nous illustrons graphiquement l'intégrale définie à variables multiples en considérant le problème de l'estimation de la population totale à partir de courbes de densité de population, et ce, par l'application de grilles de plus en plus fines. Nous poursuivons avec des exemples numériques en recourant à des tables, et nous présentons deux méthodes de calcul des intégrales multiples : la méthode analytique (au moyen d'intégrales itérées) et la méthode numérique (avec la méthode de Monte-Carlo). Nous discutons des intégrales doubles et triples en coordonnées cartésiennes, polaires, sphériques et cylindriques. Aussi, nous parlons des applications concernant les probabilités.

Chapitre 6 : Les courbes et les surfaces paramétrées

Nous commençons par représenter des courbes de manière paramétrique, puis nous utilisons les courbes paramétrées pour représenter le mouvement. Après avoir défini la vitesse et l'accélération géométriquement, nous donnons des formules en fonction des composantes. Nous poursuivons avec une section sur les surfaces paramétrées et nous discutons du lien entre les représentations implicites, explicites et paramétriques des surfaces au moyen du théorème de la fonction implicite. La dernière section traite d'une application originale du calcul différentiel et intégral : l'explication par Newton des lois de Kepler sur le mouvement des planètes.

Chapitre 7 : Les champs vectoriels

Dans ce bref chapitre, nous présentons les fonctions vectorielles à plusieurs variables, les champs vectoriels. Ce chapitre jette les bases de l'approche géométrique pour les trois chapitres subséquents sur les intégrales curvilignes, les intégrales de flux et la divergence et le rotationnel. Nous commençons par des exemples physiques tels que les champs vectoriels de vitesse et les champs de force, et nous incluons plusieurs représentations de champs vectoriels afin que l'étudiant renforce son intuition géométrique. Nous discutons également des lignes de courant des champs vectoriels et de leur relation avec les systèmes d'équations différentielles.

Chapitre 8 : Les intégrales curvilignes

Nous présentons la notion d'intégration d'un champ vectoriel le long d'un chemin. Nous cherchons à stimuler l'intuition en utilisant les représentations de champs vectoriels avec des chemins surimposés avant de présenter la méthode de calcul des intégrales curvilignes de manière paramétrique. Nous discutons ensuite des champs conservatifs, des champs gradients et du théorème fondamental du calcul pour les intégrales curvilignes. Nous poursuivons avec une discussion sur les champs vectoriels non conservatifs et le théorème de Green et nous exposons le test du rotationnel pour un champ vectoriel conservatif. Le chapitre se termine par la présentation de la preuve du théorème de Green au moyen de la formule du changement de variables.

Chapitre 9 : Les intégrales de flux

Nous présentons l'intégrale de flux d'un champ vectoriel au moyen d'une surface paramétrée de la même manière que pour les intégrales curvilignes. Tout d'abord, nous donnons une définition sans coordonnées, puis nous discutons d'exemples où l'intégrale de flux (ou du moins son signe) peut être calculée géométriquement. Ensuite, nous montrons comment calculer les intégrales de flux sur les graphes de surface, les portions de cylindres et les portions de sphères. La dernière section concerne l'application des intégrales de flux sur des surfaces paramétrées arbitraires.

Chapitre 10 : Le calcul de champs vectoriels

Nous présentons la divergence et le rotationnel sans coordonnées : la divergence en terme de densité du flux et le rotationnel en fonction de la densité de circulation. Nous donnons ensuite les formules utilisant les coordonnées cartésiennes. Dans le manuel *Fonctions d'une variable,* nous avons développé le théorème fondamental du calcul différentiel en insistant sur le fait que l'intégrale du taux de variation correspond à la variation totale. De la même manière, nous développons d'abord le théorème de divergence en montrant que l'intégrale de la densité de flux sur un volume correspond au flux total vers l'extérieur du volume, puis le théorème de Stokes, en démontrant que l'intégrale de la densité de circulation sur une surface équivaut à la circulation totale autour de sa frontière. Nous discutons des trois théorèmes fondamentaux du calcul à variables multiples, et nous montrons comment ils mènent au test de rotationnel tridimensionnel pour un champ vectoriel conservatif. Nous terminons en exposant le théorème de divergence et le théorème de Stokes et en utilisant la formule du changement de variables.

Nos expériences

En élaborant les notions qui figurent dans le présent manuel, nous savions qu'il fallait tester ce matériel dans une grande variété d'établissements. Avant de produire la première édition, les membres du projet et des collègues de plus d'une centaine d'écoles aux États-Unis ont expérimenté des versions préliminaires du manuel. Le cours a été testé dans des institutions de toutes tailles, et dans des contextes très variés. Ainsi, nous avons pu recueillir quantité de recommandations précieuses que nous avons incorporées dans la présente édition du manuel.

À l'intention des étudiants : comment apprendre avec ce manuel

- Ce manuel est sans doute différent de bon nombre de manuels de mathématiques que vous connaissez ; il vous sera sans doute utile de connaître d'avance certaines de ces différences. À chaque étape, ce manuel met l'accent sur la signification (des points de vue pratique, graphique et numérique) des symboles que vous employez. Contrairement à la pratique courante, nous mettons beaucoup moins l'accent sur l'application laborieuse de recettes et de formules. Nous nous concentrons davantage sur l'interprétation de ces formules. Nous vous demanderons souvent d'expliquer vos idées en langage courant ou d'illustrer une réponse à l'aide d'un graphe.

- Ce manuel contient les principales notions du calcul différentiel et intégral à plusieurs variables expliquées en langage courant. Pour bien utiliser le présent manuel, vous devrez bien lire les notions présentées, vous interroger à leur sujet et réfléchir attentivement. Si vous ne l'avez jamais fait avec d'autres manuels, prévoyez la lecture du texte en détail et pas seulement celle des exemples.

- Peu d'exemples dans le texte correspondent à ceux des exercices ; vous ne pourrez donc pas faire les exercices en recherchant des exemples similaires. Pour réussir les exercices, vous devrez comprendre les notions du calcul différentiel et intégral.

- Bon nombre des problèmes traités dans ce manuel sont à solution ouverte. Cela signifie qu'il existe plus d'une bonne approche et plus d'une bonne solution. Parfois, la résolution d'un problème dépend du bon sens, lequel n'est pas explicité dans le problème puisqu'il fait partie de votre vie de tous les jours.

- Dans le présent manuel, nous supposons que vous utilisez une calculatrice ou un ordinateur capable de tracer des fonctions, de trouver (approximativement) les racines des équations et de calculer des intégrales numériquement. Dans de nombreuses situations, vous ne pourrez pas trouver la solution exacte à un problème, mais vous pourrez utiliser une calculatrice ou un ordinateur pour obtenir une approximation raisonnable. La réponse ainsi obtenue est généralement aussi utile qu'une réponse exacte. Néanmoins, le problème ne mentionne pas toujours la nécessité d'utiliser une calculatrice. Vous devrez donc user de discernement.

- Dans le présent manuel, nous tentons d'accorder une importance égale aux trois méthodes de description des fonctions : graphique (une image), numérique (une table des valeurs) et algébrique (une formule). Parfois, il vous sera plus facile de traiter un problème donné avec une méthode plutôt qu'une autre. Par exemple, vous pourriez avoir avantage à remplacer le graphe d'une parabole par son équation ou à tracer une table des valeurs pour étudier son comportement. Vous devez demeurer souple dans le choix de votre approche : si un point de vue ne fonctionne pas, essayez-en un autre.

- Les étudiants qui ont utilisé ce manuel ont trouvé qu'il était utile d'avoir des discussions en petits groupes. Bon nombre des problèmes proposés dans le manuel peuvent vous amener dans plusieurs directions ; il pourrait être intéressant de les aborder en tenant compte du point de vue d'autres étudiants. Si le travail de groupe n'est pas réalisable, informez-vous pour savoir si votre professeur est en mesure d'organiser une session de discussion au cours de laquelle vous pourriez travailler sur d'autres problèmes.

- Vous vous demandez sans doute ce que ce manuel vous apprendra. Si vous investissez suffisamment d'efforts, vous arriverez à comprendre l'un des plus importants outils de la science – le calcul différentiel et intégral – et vous aurez une idée claire de la manière dont les mathématiques peuvent être utiles à l'ère de la technologie.

William G. McCallum Sheldon P. Gordon Wayne Raskind
Deborah Hughes-Hallet David Mumford Jeff Tecosky-Feldman
Daniel E. Flath Brad G. Osgood Joe B. Thrash
Andrew M. Gleason Douglas Quinney Thomas W. Tucker

TABLE DES MATIÈRES

CHAPITRE 4   L'OPTIMISATION : LES EXTREMUMS LOCAUX ET ABSOLUS   181

CHAPITRE 5   L'INTÉGRATION DE FONCTIONS DE PLUSIEURS VARIABLES   221

CHAPITRE 6   LES COURBES ET LES SURFACES PARAMÉTRÉES   279

ANNEXES   473

RÉPONSES AUX PROBLÈMES IMPAIRS   497

INDEX   507

CHAPITRE UN

LES FONCTIONS DE PLUSIEURS VARIABLES

Bon nombre de quantités dépendent de plus d'une variable : les récoltes dépendent de la quantité de pluie et de la quantité d'engrais utilisée ; le taux de réaction chimique est fonction de la température et de la pression de l'environnement dans lequel elle s'effectue ; la force de l'attraction gravitationnelle entre deux corps est fonction de leur masse et de la distance entre eux ; le taux de retombée d'une explosion volcanique dépend de la distance par rapport au volcan et de la durée de l'explosion. Chaque exemple comporte une fonction de plusieurs variables. Dans le présent chapitre, on étudiera différentes manières d'analyser les fonctions de plusieurs variables.

1.1   LES FONCTIONS DE DEUX VARIABLES

La notation de la fonction

On suppose qu'on prévoit contracter un emprunt de cinq ans pour acheter une voiture et qu'on doit calculer le montant des versements mensuels. Ce montant dépend à la fois de la quantité d'argent empruntée et du taux d'intérêt. Ces quantités peuvent varier séparément : le montant du prêt peut varier tandis que le taux d'intérêt demeure stable, ou le taux d'intérêt peut varier tandis que le montant du prêt reste le même. Pour calculer le versement mensuel, on doit connaître ces deux données. Si le versement mensuel est de m \$, le montant du prêt de L \$ et le taux d'intérêt de r %, alors on exprime le fait que m est fonction de L et de r en écrivant :

$$m = f(L, r).$$

Cette notation est semblable à celle qu'on utilise pour une fonction d'une variable. La variable m s'appelle la variable dépendante et les variables L et r, les variables indépendantes. La lettre f désigne la *fonction* ou la règle qui donne la valeur de m correspondant aux valeurs données de L et de r.

On peut représenter la fonction de deux variables graphiquement, numériquement au moyen d'une table des valeurs ou algébriquement à l'aide d'une formule. Dans la présente section, on donnera des exemples de chacune de ces trois manières de représenter une fonction.

Un exemple graphique : une carte météorologique

La figure 1.1 présente une carte météorologique tirée d'un journal. Quels renseignements fournit-elle ? Cette carte indique la température maximale prévue (en degrés Fahrenheit) T °F aux États-Unis ce jour-là. Les courbes isothermes (ou les isothermes) divisent le pays en zones, selon que T corresponde à 60, à 70, à 80, à 90 ou à 100 °F. (*Iso* signifie « même » et *therme* signifie « chaleur ».) Noter que la courbe isotherme divisant les zones de 80 °F et de 90 °F relie tous les points où la température atteint exactement 90 °F.

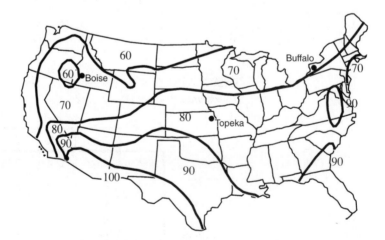

Figure 1.1 : Carte météorologique présentant les températures maximales T
prévues au cours d'une journée d'été

Exemple 1   Estimez la valeur prévue de T à Boise, dans l'Idaho ; à Topeka, au Kansas ; à Buffalo, dans l'État de New York.

Solution   Boise et Buffalo se situent dans la zone de 70, et Topeka se trouve dans la zone de 80. Ainsi, la température prévue à Boise et à Buffalo se situe entre 70 °F et 80 °F, et la température à

Topeka est comprise entre 80 °F et 90 °F. En fait, on peut en apprendre davantage. Bien que Boise et Buffalo soient dans la zone de 70 °F, Boise est très près de T = isotherme 70 °F, tandis que Buffalo est très près de T = isotherme 80. On estime donc que la température se situera en bas de l'échelle de 70 °F (71, 72...) à Boise et en haut de l'échelle de 70 °F (...78, 79) à Buffalo. Topeka se trouve environ à mi-chemin entre T = isotherme 80 et T = isotherme 90. Ainsi, on devine que la température à Topeka se situera dans les 80 °F. En fait, les températures maximales véritables ce jour-là étaient de 71 °F à Boise, de 79 °F à Buffalo et de 86 °F à Topeka.

La température maximale prévue T, illustrée par la carte météorologique, est fonction de (c'est-à-dire qu'elle dépend de) deux variables, généralement de la longitude et de la latitude, ou des milles est-ouest et des milles nord-sud par rapport à un point fixe, par exemple Topeka. La carte météorologique de la figure 1.1 s'appelle une *carte des courbes de niveau* ou *diagramme des courbes de niveau* de cette fonction. La section 1.3 présente une autre manière de visualiser les fonctions de deux variables en utilisant des surfaces ; la section 1.4 examine les cartes des courbes de niveau en détail.

Un exemple numérique : la consommation de bœuf

On suppose qu'un producteur de bœuf souhaite connaître la quantité de bœuf que les gens achèteront. Cette quantité dépend de l'argent dont ils disposent et du prix du bœuf. La consommation de bœuf C (en livres par semaine et par ménage) est fonction du revenu des ménages I (en milliers de dollars par année) et du prix du bœuf p (en dollars par livre). La notation de cette fonction est :

$$C = f(I, p).$$

Le tableau 1.1 contient les valeurs de cette fonction. Les valeurs de p sont présentées sur la rangée du haut, les valeurs de I se trouvent sur le côté gauche et les valeurs correspondantes de $f(I, p)$ sont données dans le tableau[1]. Par exemple, pour trouver la valeur de $f(40, 3,50)$, on observe la rangée correspondant à $I = 40$ sous $p = 3,50$, où on trouve le nombre 4,05. Ainsi,

$$f(40, 3,50) = 4,05.$$

Cela signifie qu'en moyenne, si le revenu d'un ménage atteint 40 000 $/année et que le prix du bœuf est de 3,50 $/lb, la famille en achètera 4,05 lb/semaine.

TABLEAU 1.1 *Quantité de bœuf achetée (livres/ménage/semaine)*

		Prix du bœuf p ($/lb)			
		3,00	3,50	4,00	4,50
	20	2,65	2,59	2,51	2,43
Revenu d'un ménage par année I (1000 $)	40	4,14	4,05	3,94	3,88
	60	5,11	5,00	4,97	4,84
	80	5,35	5,29	5,19	5,07
	100	5,79	5,77	5,60	5,53

Noter la manière dont ce tableau diffère de la table des valeurs d'une fonction d'une variable, où une rangée ou une colonne suffit pour dresser la liste des valeurs de la fonction.

---

1. Adapté de LIPSEY, Richard G., *An Introduction to Positive Economics*, 3e édition, Londres, Weidenfeld et Nicolson, 1971.

Ici, plusieurs rangées et plusieurs colonnes sont nécessaires, car la fonction a une valeur pour chaque *paire* de valeurs des variables indépendantes.

Des exemples algébriques : les formules

Dans les exemples de carte météorologique et de consommation de bœuf, il n'existe pas de formule pour la fonction sous-jacente. C'est habituellement le cas pour les fonctions représentant des données réelles. Par contre, pour bon nombre de modèles idéalisés en physique, en ingénierie ou en économique, il existe des formules exactes.

Exemple 2   Donnez une formule pour calculer la fonction $M = f(B, t)$, où M est la quantité d'argent disponible dans un compte en banque t années après un dépôt initial de B \$, si l'intérêt s'accumule à un taux de 5 % par année composé : a)   annuellement ;   b)   continuellement.

Solution   a) La capitalisation annuelle signifie que M augmente d'un facteur de 1,05 chaque année. Donc,

$$M = f(B, t) = B(1,05)^t.$$

b) La capitalisation continue signifie que M s'accroît selon la fonction exponentielle e^{kt}, où $k = 0,05$. Donc,

$$M = f(B, t) = Be^{0,05t}.$$

Exemple 3   Un cylindre aux extrémités fermées a un rayon r et une hauteur h. Si son volume est V et que son aire est A, trouvez les formules pour calculer la fonction $V = f(r, h)$ et $A = g(r, h)$.

Solution   Puisque l'aire de la base circulaire est πr^2, on a

$$V = f(r, h) = \text{Aire de la base} \cdot \text{Hauteur} = \pi r^2 h.$$

L'aire du côté est la circonférence du fond $2\pi r$ multipliée par la hauteur h, ce qui donne $2\pi rh$. Par conséquent,

$$A = g(r, h) = 2 \cdot \text{Aire de la base} + \text{Aire du côté} = 2\pi r^2 + 2\pi rh.$$

Une stratégie d'analyse des fonctions de deux variables : faire varier une variable à la fois

On peut en apprendre beaucoup sur les fonctions de deux ou de plusieurs variables en laissant seulement une variable varier à la fois et en maintenant les autres fixes, ce qui donne une fonction d'une variable.

La vague

On suppose qu'on se trouve dans un stade où les spectateurs font la vague. Il s'agit d'un rituel au cours duquel les spectateurs se lèvent debout et se rassoient de telle manière qu'une vague se crée et se déplace autour du stade. Normalement, une seule vague peut faire le tour du stade, mais on suppose qu'il y a une suite continue de vagues. Quel type de fonction permettrait de décrire le mouvement des spectateurs ? Pour simplifier, on considère uniquement une rangée de spectateurs. On analyse la fonction qui décrit le mouvement de chaque personne dans la rangée. Il s'agit d'une fonction de deux variables : x (le numéro du siège) et t (le temps en secondes). Pour chaque valeur de x et de t, on écrit $h(x, t)$ pour obtenir la hauteur (en pieds) de la tête du spectateur au-dessus du sol dans le siège numéro x au temps t. On suppose qu'on a

$$h(x, t) = 5 + \cos(0,5x - t).$$

Exemple 4 a) Expliquez la signification de $h(x, 5)$ en fonction de la vague. Trouvez la période de $h(x, 5)$. Que représente cette période ?

b) Expliquez la signification de $h(2, t)$ en fonction de la vague. Trouvez la période de $h(2, t)$. Que représente cette période ?

Solution a) Si on définit $t = 5$, on prend un moment particulier dans le temps ; si on laisse x varier, il faut observer toute cette rangée à ce moment. Ainsi, la fonction $h(x, 5) = 5 + \cos(0,5x - 5)$ donne les hauteurs le long de la rangée au moment $t = 5$. La figure 1.2 montre le graphe de $h(x, 5)$, qui représente une vue instantanée de la rangée à $t = 5$. Les hauteurs forment une vague de période 4π ou d'environ 12,6 sièges. Cette période indique que la longueur de la vague est d'environ 13 sièges.

b) Si on définit $x = 2$, on se concentre sur le spectateur du siège n° 2 ; si on laisse t varier, il faut observer le mouvement de ce spectateur dans le temps. Par conséquent, la fonction $h(2, t)$ décrit le mouvement du spectateur dans le siège n° 2 en fonction du temps. La figure 1.3 montre le graphe de $h(2, t) = 5 + \cos(1 - t)$. Noter que la valeur de h varie entre 4 et 6 pi selon que le spectateur se rassoit ou se tient debout. La période est de 2π ou d'environ 6,3 s. Cette période représente le temps nécessaire pour que le spectateur se lève et se rassoie une fois.

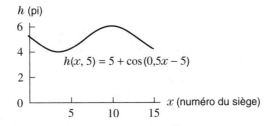

Figure 1.2 : La fonction $h(x, 5)$ montre la forme de la vague au temps $t = 5$.

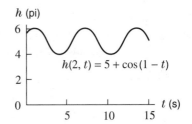

Figure 1.3 : La fonction $h(2, t)$ montre le mouvement du spectateur dans le siège n° 2.

En général, la fonction d'une variable $h(a, t)$ donne le mouvement du spectateur dans le siège a. La figure 1.3 montre le mouvement de la personne dans le siège n° 2. Si on choisit une personne dans un autre siège, on obtient une fonction similaire, sauf que le graphe peut être décalé vers la droite ou vers la gauche.

Exemple 5 Montrez que le graphe de $h(7, t)$ a la même forme que le graphe de $h(2, t)$.

Solution Le mouvement de la personne dans le siège n° 7 est décrit par

$$h(7, t) = 5 + \cos(0,5(7) - t) = 5 + \cos(3,5 - t).$$

Puisque $h(2, t) = 5 + \cos(1 - t)$, on peut réécrire $h(7, t)$ ainsi :

$$h(7, t) = 5 + \cos(1 + 2,5 - t) = 5 + \cos(1 - (t - 2,5)) = h(2, t - 2,5).$$

On voit que $h(7, t)$ est la même fonction que $h(2, t)$, sauf que t a été remplacé par $t - 2,5$. Ainsi, le graphe de $h(7, t)$ est le graphe de $h(2, t)$ décalé de 2,5 s vers la droite, ce qui signifie 2,5 s plus tard. Autrement dit, le spectateur dans le siège n° 7 se lève 2,5 s plus tard que la personne dans le siège n° 2 (voir la figue 1.4 à la page suivante). C'est cet écart qui fait voyager la vague autour du stade. Si tous les spectateurs se levaient et s'asseyaient en même temps, il n'y aurait pas de vague.

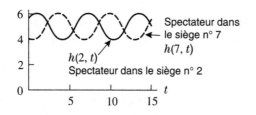

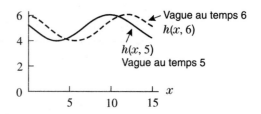

Figure 1.4 : Comparaison du mouvement des spectateurs dans les sièges n°s 2 et 7

Figure 1.5 : Forme de la vague en $t = 5$ et en $t = 6$

Exemple 6   Utilisez les résultats de l'exemple 5 pour trouver la vitesse de la vague.

Solution   Puisque le spectateur dans le siège n° 7 fait le même mouvement que le spectateur dans le siège n° 2, mais qu'il le fait 2,5 s plus tard, la vague s'est déplacée de 5 sièges en 2,5 s. Par conséquent, la vitesse est de $5/2{,}5 = 2$ sièges/s.

Exemple 7   Utilisez les fonctions $h(x, 5)$ et $h(x, 6)$ pour montrer que la vitesse de la vague est de 2 sièges/s.

Solution   La figure 1.5 montre les graphes de $h(x, 5) = 5 + \cos(0{,}5x - 5)$ et de $h(x, 6) = 5 + \cos(0{,}5x - 6)$, autrement dit, les vues instantanées de la vague en $t = 5$ et en $t = 6$. La forme de la vague en $t = 6$ est la même que la forme en $t = 5$, quoiqu'elle soit décalée vers la droite d'environ deux sièges. En conséquence, la vague se déplace à un rythme d'environ 2 sièges/s. Pour confirmer que la vitesse correspond exactement à 2 sièges/s, il faut utiliser l'algèbre. Quand $t = 5$, l'équation de la vague est

$$h(x, 5) = 5 + \cos(0{,}5x - 5),$$

qui a un sommet là où

$$0{,}5x - 5 = 0,$$

donc en

$$x = 10,$$

c'est-à-dire dans le 10e siège. Une seconde plus tard, en $t = 6$, l'équation de la vague est

$$h = 5 + \cos(0{,}5x - 6),$$

qui a un sommet là où

$$0{,}5x - 6 = 0,$$

donc en

$$x = 12,$$

autrement dit au 12e siège. Par conséquent, la vague s'est déplacée de 2 sièges en 1 s.

Les données sur le bœuf

Pour une fonction donnée par une table des valeurs, telles les données sur la consommation de bœuf, on permet à une seule variable de varier à la fois en analysant une rangée ou une colonne. Par exemple, pour établir le revenu à 40, on consulte la rangée $I = 40$. Cette rangée donne les valeurs de la fonction $f(40, p)$. Puisque I est fixe, on a maintenant la fonction d'une variable qui montre la quantité de bœuf achetée à différents prix par les ménages qui gagnent 40 000 \$/année. Le tableau 1.2 montre que $f(40, p)$ diminue quand p augmente. Les autres rangées révèlent la même chose ; pour chaque tranche de revenu I, la consommation de bœuf diminue quand le prix p augmente.

TABLEAU 1.2 *Consommation de bœuf par les ménages gagnant 40 000 \$*

p	3,00	3,50	4,00	4,50
$f(40, p)$	4,14	4,05	3,94	3,88

Une carte météorologique

Que se produit-il sur la carte météorologique de la figure 1.1 quand on permet à une seule variable de varier à la fois ? On suppose que x représente les milles est-ouest à partir de Topeka et y, les milles nord-sud. On suppose aussi qu'on se déplace le long de la ligne est-ouest passant par Topeka. On maintient y fixe à zéro et on laisse x varier. Le long de cette ligne, la température maximale T passe de 60 °F le long de la côte ouest à 70 °F dans le Nevada et dans l'Utah, à 80 °F à Topeka et à 90 °F un peu avant la côte est, puis elle retourne dans les 80 °F. Un graphe possible est présenté à la figure 1.6. Il existe d'autres possibilités de graphes, car on ne connaît pas avec certitude la manière dont la température varie entre les courbes de niveau.

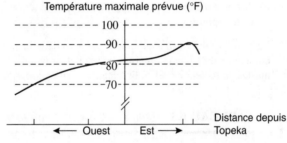

Figure 1.6 : Température maximale prévue sur une ligne est-ouest passant par Topeka

Problèmes de la section 1.1

Les problèmes 1 à 3 se rapportent à la carte météorologique de la figure 1.1.

1. Donnez les variations de température maximales quotidiennes pour
   a) la Pennsylvanie ;   b) le Dakota du Nord ;   c) la Californie.

2. Tracez le graphe de la température maximale prévue T sur une ligne nord-sud passant par Topeka.

3. Tracez les graphes de la température maximale prévue sur une ligne nord-sud et sur une ligne est-ouest passant par Boise.

Pour les problèmes 4 à 8, reportez-vous au tableau 1.1, où p est le prix du bœuf et I, le revenu annuel d'un ménage.

4. Construisez un tableau montrant la quantité d'argent M que le ménage moyen dépense pour l'achat de bœuf (en dollars par ménage et par semaine) en fonction du prix du bœuf et du revenu du ménage.

5. Dressez des tableaux de la consommation de bœuf en fonction de p, avec I fixe en $I = 20$ et en $I = 100$. Dressez des tableaux de la consommation de bœuf en fonction de I, avec p fixe en $p = 3,00$ et en $p = 4,00$. Notez vos observations sur les tableaux.

6. Comment la consommation de bœuf varie-t-elle en fonction du revenu des ménages si le prix du bœuf est maintenu constant ?

7. Dressez un tableau de la proportion P du revenu des ménages allouée à l'achat de bœuf chaque semaine en fonction du prix et du revenu. (Notez que P est la fraction du revenu consacrée à l'achat de bœuf.)

8. Exprimez P, la proportion du revenu des ménages allouée à l'achat de bœuf chaque semaine, en termes de la fonction originale $f(I, p)$, qui donnait la consommation en fonction de p et de I.

9. Tracez le graphe de la fonction du compte en banque f de l'exemple 2 a) en maintenant B fixe en trois différentes valeurs et en laissant varier t seulement. Puis, tracez le graphe de f, en maintenant f fixe en trois différentes valeurs et en laissant seulement B varier. Justifiez vos observations.

10. Vous prévoyez faire un long voyage en voiture et votre dépense principale se limite à l'essence.

   a) Dressez un tableau montrant la manière dont le coût d'essence quotidien varie en fonction du prix de l'essence (en dollars par gallon) et du nombre de gallons que vous achetez chaque jour.
   b) Si votre voiture fait 30 mi/gal d'essence, construisez un tableau montrant la manière dont votre coût d'essence quotidien varie en fonction de la distance parcourue chaque jour et du prix de l'essence.

11. Considérez l'accélération provoquée par la gravité g à une hauteur h au-dessus de la surface d'une planète de masse m.

   a) Si m est maintenu constant, g est-il une fonction croissante ou décroissante de h ? Justifiez votre réponse.
   b) Si h est maintenu constant, g est-il une fonction croissante ou décroissante de m ? Justifiez votre réponse.

12. La *température ajustée au facteur de refroidissement éolien* vous indique à quel point il fait froid, compte tenu de la combinaison du vent et de la température. Le tableau 1.3 montre la température ajustée au facteur de refroidissement éolien en fonction de la vitesse du vent et de la température.

TABLEAU 1.3   *Température ajustée au facteur de refroidissement éolien*

Vitesse du vent (mi/h)	Température (°F)							
	35	30	25	20	15	10	5	0
5	33	27	21	16	12	7	0	−5
10	22	16	10	3	−3	−9	−15	−22
15	16	9	2	−5	−11	−18	−25	−31
20	12	4	−3	−10	−17	−24	−31	−39
25	8	1	−7	−15	−22	−29	−36	−44

   a) Si la température est de 0 °F et que la vitesse du vent est de 15 mi/h, quelle température a-t-on l'impression qu'il fait ?
   b) Si la température est de 35 °F, quelle vitesse de vent fera en sorte qu'on aura l'impression qu'il fait 22 °F ?
   c) Si la température est de 25 °F, quelle vitesse de vent fera en sorte qu'on aura l'impression qu'il fait 20 °F ?
   d) Si le vent souffle à 15 mi/h, quelle température donnera l'impression qu'il fait 0 °F ?

13. En vous référant au tableau 1.3, construisez des tableaux des températures ajustées au facteur de refroidissement éolien en fonction de la vitesse du vent pour des températures de 20 °F et de 0 °F.

14. En vous référant au tableau 1.3, construisez des tableaux des températures ajustées au facteur de refroidissement éolien en fonction de la température pour des vents de 5 mi/h et de 20 mi/h.

15. Supposez que la fonction pour la vague du stade (voir la sous-section « La vague ») est donnée par $h(x, t) = 5 + \cos(x - 2t)$. Comment cette vague se compare-t-elle à la vague originale ? Quelle est la vitesse de cette vague (en sièges par seconde) ?

16. Supposez que la vague du stade (voir la sous-section « La vague ») se déplace dans le sens inverse, soit de droite à gauche plutôt que de gauche à droite. Donnez une formule possible pour h.

Les problèmes 17 à 20 concernent la vibration d'une corde de guitare. Supposez que vous pincez une corde de guitare et que vous observez sa vibration. La figure 1.7 présente des vues instantanées de la corde de guitare à des intervalles donnés en millisecondes.

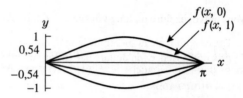

Figure 1.7 : Vibration d'une corde de guitare :
$f(x, t) = \cos t \sin x$ pour quatre valeurs de t

Songez à la corde de guitare fermement étirée le long de l'axe des x de $x = 0$ à $x = \pi$. Chaque point sur la corde a une valeur de x, $0 \le x \le \pi$. Quand la corde vibre, chaque point sur la corde se déplace vers l'avant et vers l'arrière, d'un côté ou de l'autre de l'axe des x. Soit $y = f(x, t)$ le déplacement au temps t du point sur la corde situé à x unités de l'extrémité gauche. Alors, une formule possible pour $y = f(x, t)$ est

$$y = f(x, t) = \cos t \sin x, \quad 0 \le x \le \pi, \quad t \text{ (en millisecondes)}.$$

17. a) Tracez les graphes de y par rapport à x pour des valeurs de t fixes, $t = 0, \pi/4, \pi/2, 3\pi/4, \pi$.
    b) En vous basant sur les graphes obtenus en a), expliquez la raison pour laquelle cette fonction pourrait représenter la vibration d'une corde de guitare.

18. Expliquez ce que les fonctions $f(x, 0)$ et $f(x, 1)$ représentent en termes de vibration de la corde.

19. Expliquez ce que les fonctions $f(0, t)$ et $f(1, t)$ représentent en termes de vibration de la corde.

20. Décrivez les mouvements des cordes de guitare donnés par les expressions ci-après.

    a) $y = g(x, t) = \cos 2t \sin x$ b) $y = h(x, t) = \cos t \sin 2x$.

1.2 L'ESPACE À TROIS DIMENSIONS

Les coordonnées cartésiennes d'un espace à trois dimensions

On imagine que trois axes de coordonnées se croisent à l'*origine* : un axe vertical et deux axes horizontaux ayant des angles droits l'un par rapport à l'autre (voir la figure 1.8 à la page suivante). On considère le plan des xy comme un plan horizontal, avec l'axe des z qui s'étend verticalement au-dessus et au-dessous du plan. Les mentions x, y et z montrent quelle partie de chaque axe est positive ; l'autre côté est négatif. On situe généralement les *axes* de telle sorte qu'en observant le plan des xy à partir de la partie positive de l'axe des z, on obtient une vue usuelle de ce plan. On précise l'emplacement d'un point dans un espace à trois dimensions en donnant ses coordonnées (x, y, z) par rapport à ces axes. On considère les coordonnées comme des instructions expliquant la manière de se diriger vers un point. On part de l'origine, on se déplace de x unités le long de l'axe des x, puis de y unités dans la direction parallèle à l'axe des y et finalement de z unités dans la direction parallèle à l'axe des z. Les coordonnées peuvent être positives, nulles ou négatives ; la coordonnée nulle signifie « ne pas se déplacer dans cette direction » et la coordonnée négative signifie « se déplacer dans la direction négative qui est parallèle à cet axe ». Par exemple, l'origine a les coordonnées (0, 0, 0) puisqu'on s'y rend à partir de l'origine en ne faisant rien du tout.

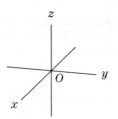

Figure 1.8 : Axes de coordonnées dans un espace à trois dimensions

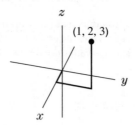

Figure 1.9 : Le point (1, 2, 3) dans un espace à trois dimensions

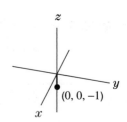

Figure 1.10 : Le point (0, 0, −1) dans un espace à trois dimensions

---

Exemple 1   Décrivez la position des points ayant les coordonnées (1, 2, 3) et (0, 0, −1).

Solution   On se rend au point (1, 2, 3) en partant de l'origine et en se déplaçant de 1 unité le long de l'axe des x, de 2 unités dans la direction parallèle à l'axe des y et de 3 unités vers le haut, dans la direction parallèle à l'axe des z (voir la figure 1.9).

Pour se rendre à (0, 0, −1), on ne se déplace pas du tout dans les directions x et y, mais on se déplace de 1 unité dans la direction négative de l'axe des z. Le point se situe donc sur la partie négative de l'axe des z (voir la figure 1.10). On peut vérifier si la position du point est indépendante de l'ordre des déplacements de x, y et z.

Exemple 2   Vous partez de l'origine, passez le long de l'axe des y à une distance de 2 unités dans la direction positive et puis vous vous déplacez verticalement vers le haut d'une distance de 1 unité. Quelles sont les coordonnées de votre position finale ?

Solution   On part du point (0, 0, 0). Lorsqu'on passe le long de l'axe des y, la coordonnée y augmente pour se chiffrer à 2. En se déplaçant verticalement, on augmente la coordonnée z pour la faire passer à 1 ; la coordonnée x ne change pas parce qu'on ne se déplace pas dans la direction x. Les coordonnées finales sont donc (0, 2, 1). [Voir la figure 1.11.]

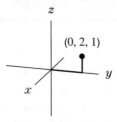

Figure 1.11 : On a atteint le point (0, 2, 1) en se déplaçant de 2 unités le long de l'axe des y et de 1 unité vers le haut.

Il est souvent utile de visualiser un système de coordonnées à trois dimensions comme s'il s'agissait d'une pièce. L'origine est le coin où deux murs se croisent au niveau du plancher. L'axe des z est l'intersection verticale des deux murs ; les axes des x et des y sont les intersections de chaque mur avec le sol. Les points ayant des coordonnées négatives se prolongent derrière un mur, dans la pièce voisine ou sous le plancher.

Les graphes des équations dans un espace à trois dimensions

On peut tracer les graphes d'équations comportant les variables x, y et z dans un espace à trois dimensions.

Exemple 3   À quoi ressemblent les graphes des équations $z = 0$, $z = 3$ et $z = -1$?

Solution   Quand on trace le graphe d'une équation, on dessine l'ensemble de tous les points dans l'espace dont les coordonnées satisfont à l'équation. Donc, pour tracer le graphe de $z = 0$, il faut visualiser l'ensemble des points dont la coordonnée z est zéro. Si la coordonnée z est zéro, alors il faut se trouver au même niveau vertical que l'origine, c'est-à-dire sur le plan horizontal qui contient l'origine. Donc, le graphe de $z = 0$ est le plan du milieu de la figure 1.12. Le graphe de $z = 3$ est un plan parallèle au graphe de $z = 0$, mais qui se trouve à 3 unités au-dessus de celui-ci. Le graphe de $z = -1$ est un plan parallèle au graphe de $z = 0$, mais à 1 unité au-dessous de celui-ci.

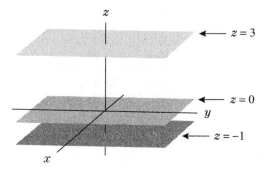

Figure 1.12 : Plans $z = -1$, $z = 0$ et $z = 3$

Le plan $z = 0$ contient les axes de coordonnées x et y et s'appelle donc le plan de coordonnées des xy ou le plan des xy. Il existe deux autres plans de coordonnées. Le plan des yz contient les axes des y et des z, et le plan des xz contient les axes des x et des z (voir la figure 1.13).

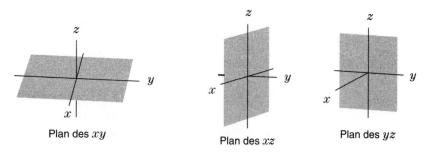

Plan des xy Plan des xz Plan des yz

Figure 1.13 : Les trois plans de coordonnées

Exemple 4   Lequel des points $A = (1, -1, 0)$, $B = (0, 3, 4)$, $C = (2, 2, 1)$ ou $D = (0, -4, 0)$ se trouve le plus près du plan des xz ? Lequel des points se trouve sur l'axe des y ?

Solution   La coordonnée y donne la distance d'un point par rapport au plan des xz. Le point A est le plus près de ce plan, car il a la plus petite coordonnée y. Pour se rendre à un point sur l'axe des y, on se déplace le long de l'axe des y, mais on ne se déplace pas du tout dans les directions x ou z. Par conséquent, un point sur l'axe des y a des coordonnées x et z égales à zéro. Parmi les quatre points, le seul qui satisfasse à ces critères est D (voir la figure 1.14).

En général, si un point a une coordonnée qui est égale à zéro, il se trouve dans l'un des plans de coordonnées. Si un point a deux coordonnées qui sont égales à zéro, il se trouve sur l'un des axes de coordonnées.

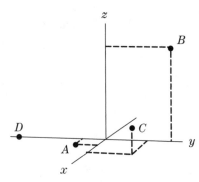

Figure 1.14 : Lequel des points se trouve le plus près du plan des xz ? Lequel se trouve sur l'axe des y ?

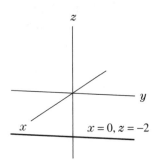

Figure 1.15 : Droite $x = 0$, $z = -2$

Exemple 5   Vous vous trouvez à deux unités au-dessous du plan des xy dans le plan des yz. Quelles sont vos coordonnées ?

Solution   Puisque vous vous trouvez à 2 unités au-dessous du plan des xy, votre coordonnée z correspond à -2. Puisque vous vous trouvez dans le plan des yz, votre coordonnée x est zéro ; votre coordonnée y peut être n'importe quelle valeur. Par conséquent, vous vous trouvez au point $(0, y, -2)$. L'ensemble de tous ces points forme une droite parallèle à l'axe des y, à 2 unités au-dessous du plan des xy dans le plan des yz (voir la figure 1.15).

Exemple 6   Vous vous trouvez au point $(4, 5, 2)$ et vous regardez vers le point $(0{,}5, 0, 3)$. Regardez-vous vers le haut ou vers le bas ?

Solution   Le point auquel vous vous trouvez a comme coordonnée z la valeur 2, tandis que le point vers lequel vous regardez a comme coordonnée z la valeur 3. Donc, vous regardez vers le haut.

Exemple 7   Imaginez que le plan des yz de la figure 1.15 est une page de ce manuel. Décrivez la région se trouvant derrière la page.

Solution   La partie positive de l'axe des x ressort de la page ; si on se déplace dans la direction positive de l'axe des x, on se trouvera sur le devant de la page. La région de l'endos de la page correspond aux valeurs négatives de x. Donc, il s'agit de l'ensemble de tous les points dans l'espace à trois dimensions satisfaisant à l'inégalité $x < 0$.

La distance

Dans un espace à deux dimensions, la formule pour trouver la distance entre deux points (x, y) et (a, b) est donnée par

$$\text{Distance} = \sqrt{(x-a)^2 + (y-b)^2}.$$

La distance entre deux points (x, y, z) et (a, b, c) dans un espace à trois dimensions est représentée par PG à la figure 1.16. Le côté PE est parallèle à l'axe des x, EF est parallèle à l'axe des y et FG est parallèle à l'axe des z.

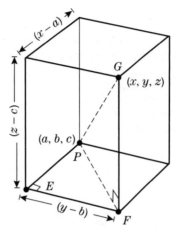

Figure 1.16 : La diagonale PG donne la distance entre les points (x, y, z) et (a, b, c).

En utilisant deux fois le théorème de Pythagore, on obtient

$$(PG)^2 = (PF)^2 + (FG)^2 = (PE)^2 + (EF)^2 + (FG)^2 = (x-a)^2 + (y-b)^2 + (z-c)^2.$$

Par conséquent, une formule pour trouver la distance entre les points (x, y, z) et (a, b, c) dans un espace à trois dimensions est

$$\boxed{\text{Distance} = \sqrt{(x-a)^2 + (y-b)^2 + (z-c)^2}.}$$

Exemple 8 Trouvez la distance entre $(1, 2, 1)$ et $(-3, 1, 2)$.

Solution La formule donne

$$\text{Distance} = \sqrt{(-3-1)^2 + (1-2)^2 + (2-1)^2} = \sqrt{18} = 4,24.$$

Exemple 9 Trouvez une expression pour calculer la distance entre l'origine et le point (x, y, z).

Solution L'origine a les coordonnées $(0, 0, 0)$. Donc, la distance entre l'origine et (x, y, z) est donnée par

$$\text{Distance} = \sqrt{(x-0)^2 + (y-0)^2 + (z-0)^2} = \sqrt{x^2 + y^2 + z^2}.$$

Exemple 10 Trouvez l'équation d'une sphère de rayon 1 dont le centre se trouve à l'origine.

Solution La sphère est constituée de tous les points (x, y, z) dont la distance par rapport à l'origine est 1, autrement dit, qui satisfont à l'équation

$$\sqrt{x^2 + y^2 + z^2} = 1.$$

Il s'agit d'une équation de la sphère. Si on élève au carré les deux côtés, on obtient l'équation ayant la forme

$$x^2 + y^2 + z^2 = 1.$$

Noter que cette équation représente la *surface* de la sphère. La balle pleine renfermée dans la sphère est représentée par l'inégalité $x^2 + y^2 + z^2 \leq 1$.

Problèmes de la section 1.2

1. Lequel des points suivants : $A = (1,3, -2,7, 0)$, $B = (0,9, 0, 3,2)$ ou $C = (2,5, 0,1, -0,3)$ se trouve le plus près du plan des yz ? Lequel des points se trouve dans le plan des xz ? Lequel est le plus éloigné du plan des xy ?

2. Lequel des points suivants : $A = (23, 92, 48)$, $B = (-60, 0, 0)$ ou $C = (60, 1, -92)$ se trouve le plus près du plan des yz ? Lequel des points se trouve dans le plan des xz ? Lequel est le plus éloigné du plan des xy ?

3. Vous vous trouvez au point $(-1, -3, -3)$. Vous vous tenez droit et faites face au plan des yz. Vous vous déplacez de 2 unités vers l'avant, vous vous tournez vers la gauche et vous vous déplacez encore de 2 unités. Quelle est votre position finale ? Du point de vue d'un observateur qui regarde le système de coordonnées de la figure 1.18, vous trouvez-vous devant ou derrière le plan des yz ? Vous trouvez-vous à gauche ou à droite du plan des xz ? Vous trouvez-vous au-dessous ou au-dessus du plan des xy ?

4. Vous vous trouvez au point $(3, 1, 1)$ et faites face au plan des yz. Supposez que vous vous tenez debout. Vous vous déplacez de 2 unités vers l'avant, vous tournez vers la gauche et vous vous déplacez encore de 2 unités. Quelle est votre position finale ? Du point de vue d'un observateur qui regarde le système de coordonnées de la figure 1.18, vous trouvez-vous devant ou derrière le plan des yz ? Vous trouvez-vous à gauche ou à droite du plan des xz ? Vous trouvez-vous au-dessous ou au-dessus du plan des xy ?

Tracez les graphes des équations des problèmes 5 à 7 dans un espace à trois dimensions.

5. $x = -3$ 6. $y = 1$ 7. $z = 2$ et $y = 4$

8. Trouvez une formule pour calculer la distance la plus courte entre un point (a, b, c) et l'axe des y.

9. Décrivez l'ensemble des points dont la distance depuis l'axe des x est 2.

10. Décrivez l'ensemble des points dont la distance depuis l'axe des x est égale à leur distance par rapport au plan des yz.

11. Lequel, parmi les points $P = (1, 2, 1)$ et $Q = (2, 0, 0)$, est le plus près de l'origine ?

12. Parmi les trois points suivants : $P_1 = (1, 2, 3)$, $P_2 = (3, 2, 1)$ et $P_3 = (1, 1, 0)$, quels sont les deux points qui se trouvent le plus près l'un de l'autre ?

13. Un cube se situe de telle sorte que ses quatre coins supérieurs ont les coordonnées $(-1, -2, 2)$, $(-1, 3, 2)$, $(4, -2, 2)$ et $(4, 3, 2)$. Donnez les coordonnées du centre du cube.

14. Un solide rectangulaire se trouve placé de telle sorte que sa longueur est parallèle à l'axe des y et que ses faces supérieures et inférieures sont parallèles au plan $z = 0$. Si le centre de l'objet se trouve en $(1, 1, -2)$ et qu'il a une longueur de 13, une hauteur de 5 et une largeur de 6, donnez les coordonnées des huit coins et tracez la figure en identifiant les huit coins.

15. Lequel, parmi les points $P_1 = (-3, 2, 15)$, $P_2 = (0, -10, 0)$, $P_3 = (-6, 5, 3)$ et $P_4 = (-4, 2, 7)$, est le plus près de $P = (6, 0, 4)$?

16. Sur un ensemble d'axes des x, des y et des z orienté selon la figure 1.8, dessinez une droite. Celle-ci passe par l'origine, se trouve dans le plan des xz et est positionnée de telle sorte que si vous vous déplacez le long de la droite et que votre coordonnée x augmente, votre coordonnée z diminue.

17. Sur un ensemble d'axes des x, des y et des z orienté selon la figure 1.8, dessinez une droite. Celle-ci passe par l'origine, se trouve dans le plan des yz et est positionnée de telle sorte que si vous vous déplacez le long de la droite et que votre coordonnée y augmente, votre coordonnée z diminue.

18. Trouvez l'équation de la sphère de rayon 5 centrée à l'origine.

19. Trouvez l'équation de la sphère de rayon 5 centrée en (1, 2, 3).

20. Soit la sphère

$$(x-1)^2 + (y+3)^2 + (z-2)^2 = 4.$$

a) Trouvez l'équation des cercles (le cas échéant) où la sphère croise chaque plan de coordonnées.
b) Trouvez les points (le cas échéant) où la sphère croise chaque axe de coordonnées.

1.3 LES GRAPHES DES FONCTIONS DE DEUX VARIABLES

Comment visualiser une fonction de deux variables

La carte météorologique présentée au début du chapitre est une manière de visualiser une fonction de deux variables. Dans la présente section, on verra comment visualiser une fonction de deux variables au moyen d'une autre méthode, soit en utilisant une surface dans un espace à trois dimensions.

Le graphe d'une fonction et la manière de le tracer

Pour une fonction d'une variable $y = f(x)$, le graphe de f est l'ensemble de tous les points (x, y) dans un espace à deux dimensions tels que $y = f(x)$. En général, ces points se trouvent sur une courbe du plan. Lorsqu'un ordinateur ou une calculatrice trace le graphe de f, il calcule l'approximation en traçant des points dans le plan des xy et en reliant les points consécutifs par des segments de droite. Plus il y a de points, plus l'approximation est précise.

On considère maintenant une fonction de deux variables.

> Le **graphe** d'une fonction de deux variables f est l'ensemble de tous les points (x, y, z) tels que $z = f(x, y)$. En général, le graphe d'une fonction de deux variables est une surface dans un espace à trois dimensions.

Le traçage du graphe de la fonction $f(x, y) = x^2 + y^2$

Pour tracer le graphe de f, on doit relier les points comme on le fait pour une fonction d'une variable. On doit d'abord construire une table des valeurs de f, telle celle du tableau 1.4 (page suivante).

TABLEAU 1.4   *Table des valeurs de* $f(x, y) = x^2 + y^2$

		y						
		–3	–2	–1	0	1	2	3
	–3	18	13	10	9	10	13	18
	–2	13	8	5	4	5	8	13
	–1	10	5	2	1	2	5	10
x	0	9	4	1	0	1	4	9
	1	10	5	2	1	2	5	10
	2	13	8	5	4	5	8	13
	3	18	13	10	9	10	13	18

Maintenant, on trace les points. Par exemple, on trace $(1, 2, 5)$, car $f(1, 2) = 5$ et on trace $(0, 2, 4)$, car $f(0, 2) = 4$. Ensuite, on relie les points correspondant aux rangées et aux colonnes du tableau. Le résultat est un genre de « grille ». En remplissant l'espace entre les lignes, on obtient une surface. C'est ainsi que l'ordinateur a tracé les graphes des figures 1.17 et 1.18. Plus le nombre de points tracés est élevé, plus l'image ressemble à la surface de la figure 1.19.

Il faut vérifier si les graphes sont logiques. Noter que le graphe passe par l'origine puisque $(x, y, z) = (0, 0, 0)$ satisfait à $z = x^2 + y^2$. On observe que si x est maintenu fixe et que y peut varier, le graphe descend et remonte ensuite, tout comme les données dans les rangées du tableau 1.4. De même, si y est maintenu fixe et que x peut varier, le graphe descend et remonte ensuite, comme dans les colonnes du tableau 1.4.

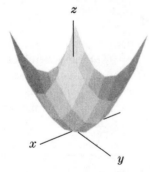

Figure 1.17 : Image de $f(x, y) = x^2 + y^2$ pour $-3 \leq x \leq 3, -3 \leq y \leq 3$

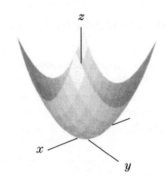

Figure 1.18 : Image de $f(x, y) = x^2 + y^2$ où un plus grand nombre de points est tracé

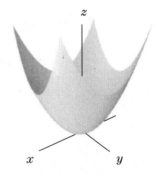

Figure 1.19 : Graphe de $f(x, y) = x^2 + y^2$ pour $-3 \leq x \leq 3, -3 \leq y \leq 3$

De nouveaux graphes à partir d'anciens

On peut utiliser le graphe d'une fonction pour visualiser les graphes des fonctions connexes.

Exemple 1   Soit $f(x, y) = x^2 + y^2$. Décrivez, en langage courant, les graphes des fonctions ci-après.
a) $g(x, y) = x^2 + y^2 + 3$ b) $h(x, y) = 5 - x^2 - y^2$ c) $k(x, y) = x^2 + (y - 1)^2$

Solution   On sait, par la figure 1.19, que le graphe de f a la forme d'un bol dont le sommet se situe à l'origine. À partir de cela, on peut trouver ce à quoi les graphes de g, de h et de k ressembleront.

a) La fonction $g(x, y) = x^2 + y^2 + 3 = f(x, y) + 3$. Donc, le graphe de g est le graphe de f mais rehaussé de 3 unités (voir la figure 1.20).

b) Puisque $-x^2 - y^2$ est l'opposé de $x^2 + y^2$, le graphe de $-x^2 - y^2$ a la forme d'un bol renversé. Ainsi, le graphe de $h(x, y) = 5 - x^2 - y^2 = 5 - f(x, y)$ ressemble à un bol renversé avec un sommet en $(0, 0, 5)$, comme le montre la figure 1.21.

c) Le graphe de $k(x, y) = x^2 + (y - 1)^2 = f(x, y - 1)$ a la forme d'un bol dont le sommet est en $x = 0$, $y = 1$, puisque c'est là que $k(x, y) = 0$, comme le montre la figure 1.22.

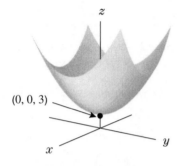

Figure 1.20 : Graphe de
$g(x, y) = x^2 + y^2 + 3$

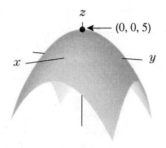

Figure 1.21 : Graphe de
$h(x, y) = 5 - x^2 - y^2$

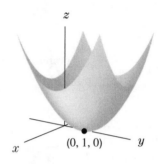

Figure 1.22 : Graphe de
$k(x, y) = x^2 + (y - 1)^2$

Exemple 2   Décrivez le graphe de $G(x, y) = e^{-(x^2 + y^2)}$. Quelle est sa symétrie ?

Solution   Puisque la fonction exponentielle est toujours positive, le graphe se trouve entièrement au-dessus du plan des xy. À partir du graphe de $x^2 + y^2$, on voit que $x^2 + y^2$ est zéro à l'origine et qu'il devient plus grand quand on s'éloigne de l'origine dans quelque direction que ce soit. Ainsi, $e^{-(x^2 + y^2)}$ est 1 à l'origine et il devient plus petit quand on s'éloigne de l'origine dans quelque direction que ce soit. Il ne peut aller au-dessous du plan des xy ; au contraire, il s'aplanit, se rapprochant de plus en plus du plan. On dit que la surface est *asymptotique* au plan des xy (voir la figure 1.23).

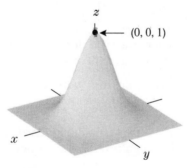

Figure 1.23 : Graphe de $G(x, y) = e^{-(x^2 + y^2)}$

On considère maintenant un point (x, y) sur le cercle $x^2 + y^2 = r^2$. Puisque

$$G(x, y) = e^{-(x^2 + y^2)} = e^{-r^2},$$

la valeur de la fonction G est la même pour tous les points sur le cercle. Ainsi, on dit que le graphe de G a une *symétrie circulaire*.

Les sections transversales et le graphe d'une fonction

On a vu qu'une manière efficace d'analyser une fonction de deux variables consistait à laisser une variable varier pendant un certain temps alors que l'autre est maintenue fixe.

> Pour une fonction $f(x, y)$, la fonction qu'on obtient en maintenant x fixe et en laissant y varier s'appelle une **section transversale** de f où x est fixe. Le graphe de la section transversale de $f(x, y)$ avec $x = c$ est la courbe (ou section transversale) qu'on obtient en faisant croiser le graphe de f avec le plan $x = c$. On définit une section transversale de f où y est fixe de la même manière.

Par exemple, la section transversale de $f(x, y) = x^2 + y^2$ avec $x = 2$ est $f(2, y) = 4 + y^2$. Le graphe de cette section transversale est la courbe qu'on obtient en faisant croiser le graphe de f avec le plan perpendiculaire de l'axe des x en $x = 2$ (voir la figure 1.24).

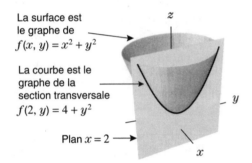

Figure 1.24 : Section transversale de la surface $z = f(x, y)$ par le plan $x = 2$

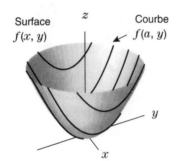

Figure 1.25 : Courbes $z = f(a, y)$ avec a constant : sections transversales avec x fixe

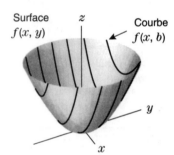

Figure 1.26 : Courbes $z = f(x, b)$ avec b constant : sections transversales avec y fixe

La figure 1.25 montre les graphes d'autres sections transversales de f avec x fixe ; la figure 1.26 présente les graphes de sections transversales avec y fixe.

Exemple 3   Décrivez les sections transversales de la fonction $g(x, y) = x^2 - y^2$ avec y fixe et ensuite avec x fixe. Utilisez ces sections transversales pour décrire la forme du graphe de g.

Solution   Les sections transversales avec y fixe en $y = b$ sont données par

$$z = g(x, b) = x^2 - b^2.$$

Par conséquent, chaque section transversale avec y fixe donne une parabole s'ouvrant vers le haut, avec au minimum $z = -b^2$. Les sections transversales avec x fixe sont de la forme

$$z = g(a, y) = a^2 - y^2,$$

qui sont des paraboles s'ouvrant vers le bas avec un maximum de $z = a^2$ (voir les figures 1.27 et 1.28). Le graphe de g est présenté à la figure 1.29. On doit remarquer que les paraboles s'ouvrent vers le haut dans la direction x et qu'elles s'ouvrent vers le bas dans la direction y. On dit que la surface a la *forme d'une selle*.

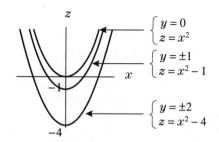

$$\begin{cases} y = 0 \\ z = x^2 \end{cases}$$
$$\begin{cases} y = \pm 1 \\ z = x^2 - 1 \end{cases}$$
$$\begin{cases} y = \pm 2 \\ z = x^2 - 4 \end{cases}$$

Figure 1.27 : Sections transversales de $g(x, y) = x^2 - y^2$ avec y fixe

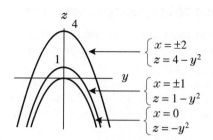

$$\begin{cases} x = \pm 2 \\ z = 4 - y^2 \end{cases}$$
$$\begin{cases} x = \pm 1 \\ z = 1 - y^2 \end{cases}$$
$$\begin{cases} x = 0 \\ z = -y^2 \end{cases}$$

Figure 1.28 : Sections transversales de $g(x, y) = x^2 - y^2$ avec x fixe

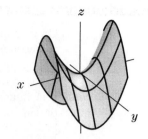

Figure 1.29 : Graphe de $g(x, y) = x^2 - y^2$ montrant des sections transversales

Les fonctions linéaires

Les fonctions linéaires sont cruciales dans le calcul différentiel et intégral d'une fonction d'une variable. Elles sont également importantes dans le calcul des fonctions de variables multiples. On peut sans doute deviner la forme du graphe de la fonction linéaire de deux variables. (C'est un plan.)

Exemple 4   Décrivez le graphe de $f(x, y) = 1 + x - y$.

Solution   Le plan $x = a$ est vertical et parallèle au plan des yz. Par conséquent, la section transversale avec $x = a$ est la droite $z = 1 + a - y$ qui a une pente décroissante dans la direction y. De même, le plan $y = b$ est parallèle au plan des xz. Par conséquent, la section transversale avec $y = b$ est la droite $z = 1 + x - b$ qui a une pente croissante dans la direction x. Puisque toutes les sections transversales sont des droites, on s'attend à ce que le graphe soit un plan plat qui a une pente décroissante dans la direction y et croissante dans la direction x. C'est en effet le cas (voir la figure 1.30).

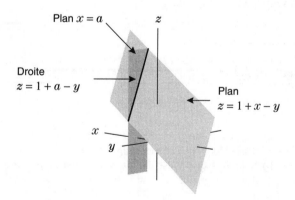

Figure 1.30 : Graphe du plan $z = 1 + x - y$ montrant la section transversale avec $x = a$

Quand une variable est absente : les cylindres

On suppose qu'on trace le graphe d'une équation telle $z = x^2$ à laquelle il manque une variable. À quoi ressemble la surface ? Puisque y est absent de l'équation, les sections transversales avec y fixe font partie de la même parabole, soit $z = x^2$. En laissant y varier vers le haut et vers le bas le long de l'axe des y, cette parabole balaye la surface en forme de dépression présentée à la figure 1.31. Les sections transversales avec x fixe sont des droites horizontales qu'on obtient en découpant la surface à l'aide d'un plan perpendiculaire à l'axe des x.

Figure 1.31 : Cylindre
parabolique $z = x^2$

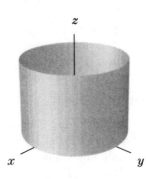

Figure 1.32 : Cylindre
circulaire $x^2 + y^2 = 1$

Cette surface s'appelle un *cylindre parabolique,* car elle est formée à partir d'une parabole de la même manière qu'un cylindre régulier est formé à partir d'un cercle. Elle a une section transversale parabolique plutôt que circulaire.

Exemple 5   Tracez le graphe de l'équation $x^2 + y^2 = 1$ dans un espace à trois dimensions.

Solution   Bien que l'équation $x^2 + y^2 = 1$ ne désigne pas une fonction, la surface qui la représente peut être tracée au moyen de la méthode utilisée pour $z = x^2$. Le graphe de $x^2 + y^2 = 1$ dans le plan des xy est un cercle. Puisque z n'apparaît pas dans l'équation, l'intersection de la surface avec tout plan horizontal sera le même cercle $x^2 + y^2 = 1$. Par conséquent, la surface est le cylindre présenté à la figure 1.32.

Problèmes de la section 1.3

1. La surface de la figure 1.33 est le graphe de la fonction $z = f(x, y)$ pour un x et un y positifs.

    a) Supposez que y est fixe et positif. Est-ce que z augmente ou diminue quand x augmente ? Tracez le graphe de z par rapport à x.
    b) Supposez que x est fixe et positif. Est-ce que z augmente ou diminue quand y augmente ? Tracez le graphe de z par rapport à y.

Figure 1.33

2. Faites concorder les visions suivantes quant au succès d'une entreprise avec les graphes de la figure 1.34.

   a) Notre succès se mesure en dollars, tout simplement. Le fait de travailler plus fort ne pourrait certainement pas nuire à l'entreprise, mais cela ne pourrait pas non plus en améliorer le rendement.
   b) Peu importe la quantité de travail ou d'argent que nous investissons dans l'entreprise, il est devenu impossible de la faire fonctionner.
   c) Bien que nous ne connaissions pas toujours la prospérité, nous avons l'impression que la quantité d'argent investi n'a pas d'importance. Dans la mesure où nous travaillerons tous fort, notre succès s'accroîtra.
   d) Le succès de l'entreprise est fondé sur notre dur labeur et nos investissements.

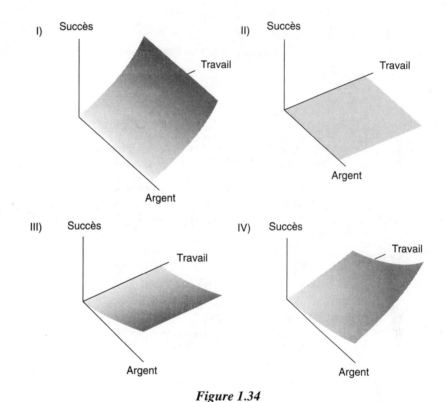

Figure 1.34

3. Pour chacune des fonctions suivantes, déterminez si la forme du graphe obtenu est celle d'un bol, d'une assiette ou ni l'un ni l'autre. Considérez l'assiette comme toute surface relativement plate et le bol comme tout ce qui peut contenir de l'eau, en supposant que l'axe des z est positif vers le haut.

   a) $z = x^2 + y^2$ b) $z = 1 - x^2 - y^2$ c) $x + y + z = 1$

   d) $z = -\sqrt{5 - x^2 - y^2}$ e) $z = 3$

4. Pour chaque fonction du problème 3, tracez le graphe des sections transversales :

   1. avec x fixe en $x = 0$ et en $x = 1$;
   2. avec y fixe en $y = 0$ et en $y = 1$.

5. Faites concorder les fonctions suivantes avec leurs graphes apparaissant à la figure 1.35 (page suivante).

   a) $z = \dfrac{1}{x^2 + y^2}$ b) $z = -e^{-x^2 - y^2}$ c) $z = x + 2y + 3$

   d) $z = -y^2$ e) $z = x^3 - \sin y$

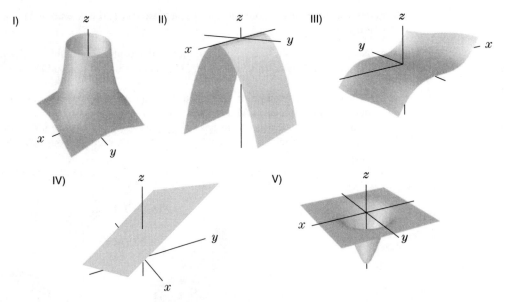

Figure 1.35

6. Vous aimez la pizza et le cola. Déterminez quel graphe de la figure 1.36 représente votre satisfaction (en fonction du nombre de pizzas et de colas que vous avez) dans les situations décrites ci-après.

   a) Il n'y a jamais trop de pizzas ou de colas.
   b) Il ne faut pas qu'il y ait trop de pizzas ou de colas.
   c) Il n'y a jamais trop de pizzas mais il ne faut pas qu'il y ait trop de colas.

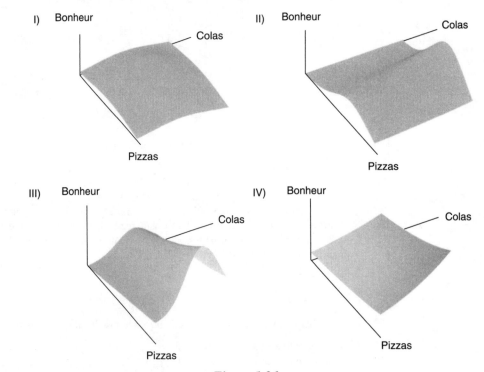

Figure 1.36

7. Pour chacun des graphes I à IV du problème 6, tracez

   a) deux sections transversales avec le nombre de pizzas fixe ;
   b) deux sections transversales avec le nombre de colas fixe.

8. La figure 1.37 présente les graphes des paraboles $z = f(x, b)$ pour $b = -2, -1, 0, 1, 2$. Lequel des graphes de $z = f(x, y)$ de la figure 1.38 correspond le mieux à ces renseignements ?

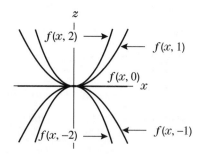

Figure 1.37

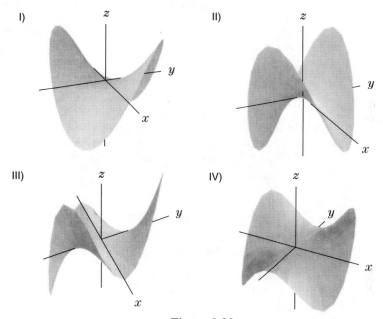

Figure 1.38

9. Imaginez une seule vague voyageant le long d'un canal. Supposez que x est la distance le long du canal à partir du centre, t, le temps et z, la hauteur de l'eau au-dessus du niveau d'équilibre. La figure 1.39 présente le graphe de z en fonction de x et de t.

a) Dessinez le profil de la vague pour $t = -1, 0, 1, 2$. (Montrez l'axe des x à droite et l'axe des z verticalement.)

b) La vague voyage-t-elle dans la direction positive ou négative de l'axe des x ?

c) Tracez une surface représentant une vague voyageant dans la direction opposée.

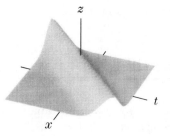

Figure 1.39

10. Décrivez, en langage courant, les sections transversales avec t fixe et les sections transversales avec x fixe de la fonction de la vibration de la corde de guitare

$$f(x, t) = \cos t \sin x, \quad 0 \le x \le \pi, \quad 0 \le t \le 2\pi$$

de la section 1.1. Expliquez la relation de ces sections transversales par rapport au graphe de f.

11. Utilisez un ordinateur ou une calculatrice pour tracer le graphe de la fonction de la vibration de la corde de guitare

$$g(x, t) = \cos t \sin 2x, \quad 0 \le x \le \pi, \quad 0 \le t \le 2\pi.$$

Faites le lien entre la forme du graphe des sections transversales avec t fixe et celle des sections transversales avec x fixe.

12. Utilisez un ordinateur ou une calculatrice pour tracer le graphe de la fonction d'une vague qui voyage :

$$h(x, t) = 3 + \cos(x - 0{,}5t), \quad 0 \le x \le 2\pi, \quad 0 \le t \le 2\pi.$$

Faites le lien entre la forme du graphe des sections transversales avec t fixe et celle des sections transversales avec x fixe.

13. Considérez la fonction f donnée par $f(x, y) = y^3 + xy$. Dessinez les graphes des sections transversales avec :

a) x fixe en $x = -1$, $x = 0$ et $x = 1$;   b) y fixe en $y = -1$, $y = 0$ et $y = 1$.

14. Un pendule en mouvement est constitué d'une masse attachée à l'extrémité d'une corde. À un moment donné, la corde fait un angle x avec la verticale et la masse a la vitesse y. À ce moment-là, l'énergie E du pendule est donnée par l'expression[2]

$$E = 1 - \cos x + \frac{y^2}{2}.$$

a) Considérez la surface représentant l'énergie. Tracez la section transversale de la surface :

1. perpendiculaire à l'axe des x en $x = c$;
2. perpendiculaire à l'axe des y en $y = c$.

b) Pour chacun des graphes des figures 1.40 et 1.41, utilisez votre réponse à la partie a) pour déterminer lequel est l'axe des x et lequel est l'axe des y, et pour inscrire des unités raisonnables sur chacun d'eux.

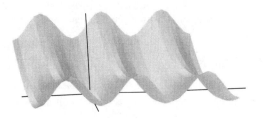

Figure 1.40

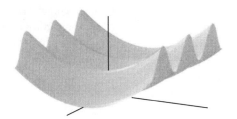

Figure 1.41

1.4 LES COURBES DE NIVEAU

La surface qui représente une fonction de deux variables donne habituellement une bonne idée du comportement général de cette fonction — par exemple, si elle est croissante ou décroissante

---

2. Adapté de CALLAHAN, James et Kenneth HOFFMAN, *Calculus in Context*, New York, W.H. Freeman, 1995.

quand une des variables augmente. Cependant, il est difficile de lire les valeurs numériques ou de voir tout le comportement d'une fonction à partir de la surface. Par conséquent, les fonctions de deux variables sont souvent représentées par des courbes de niveau, comme sur la carte météorologique étudiée au début du chapitre. De plus, les courbes de niveau ont l'avantage de pouvoir être appliquées aux fonctions de trois variables.

Les cartes topographiques

L'un des exemples les plus courants des courbes de niveau est la carte topographique (voir la figure 1.42). Cette carte donne le relief d'une région et constitue une manière efficace d'obtenir une vue d'ensemble du terrain, c'est-à-dire l'emplacement des montagnes et des régions plates. Sur de telles cartes topographiques, les régions moins élevées sont souvent colorées en vert et les régions plus élevées, en brun, en rouge ou en blanc.

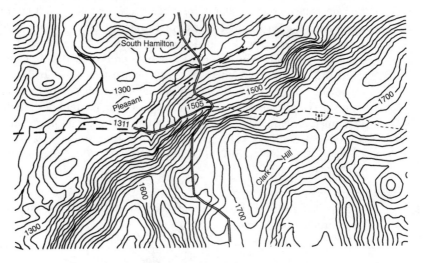

Figure 1.42 : Carte topographique montrant la région entourant South Hamilton, dans l'État de New York

Sur la carte topographique, les courbes qui séparent les élévations plus basses des élévations plus hautes sont appelées *courbes de niveau*, car elles soulignent la courbe ou la forme du terrain. Puisque chaque point le long de la même courbe a la même élévation, les courbes de niveau sont également appelées *courbes de relief* ou *ensembles de reliefs*. Moins les courbes sont espacées, plus le terrain est abrupt ; plus les courbes sont espacées, plus le terrain est plat. (À la condition, bien sûr, que l'altitude entre les courbes varie d'une manière constante.) Certains reliefs ont des caractéristiques distinctes. Un sommet de montagne est généralement entouré de courbes de niveau comme celles de la figure 1.43 (page suivante). Un col dans une chaîne de montagnes peut comporter des courbes qui ressemblent à celles de la figure 1.44. Une longue vallée a des courbes de niveau parallèles indiquant les altitudes croissantes des deux côtés de la vallée (voir la figure 1.45) ; une longue chaîne de montagnes comporte le même type de courbes de niveau, sauf que les altitudes diminuent des deux côtés de la chaîne. Noter que les indications d'altitude (exprimées en chiffres sur les courbes de niveau) sont aussi importantes que les courbes elles-mêmes.

Les courbes de niveau ne peuvent tout représenter. Comme le montre la figure 1.46, deux courbes correspondant à différentes altitudes ne peuvent se croiser. Le cas échéant, le point d'intersection des deux courbes aurait deux altitudes différentes, ce qui est impossible (on suppose que le terrain ne comporte aucune saillie). On suivra souvent la convention de traçage des courbes pour des valeurs de z également espacées.

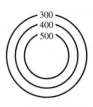

Figure 1.43 :
Sommet d'une
montagne

Figure 1.44 :
Col entre deux
montagnes

Figure 1.45 :
Longue vallée

Figure 1.46 :
Courbes de niveau
impossibles

La production de maïs

Les cartes topographiques peuvent être utiles pour présenter des renseignements sur une fonction de deux variables sans faire référence à une surface. On considérera ici la manière de représenter l'effet de différentes conditions météorologiques sur la production de maïs aux États-Unis. Que se produirait-il si la température moyenne augmentait (à cause du réchauffement de la planète, par exemple) ? Que se produirait-il si la hauteur des précipitations diminuait (à cause d'une sécheresse) ? On peut estimer l'effet de ces variations climatiques au moyen de la figure 1.47. Il s'agit d'un diagramme des courbes de niveau donnant la production de maïs $f(R, T)$ aux États-Unis en fonction de la hauteur des précipitations R (en pouces) et de la température moyenne T (en degrés Fahrenheit) durant la saison de culture[3]. On suppose que, à l'heure actuelle, $R = 15$ po et $T = 76$ °F. La production est mesurée en pourcentage de la production actuelle. Ainsi, la courbe en $R = 15$, $T = 76$ a une valeur de 100, autrement dit, $f(15, 76) = 100$.

Exemple 1   Utilisez la figure 1.47 pour estimer $f(18, 78)$ et $f(12, 76)$ et justifiez votre réponse en fonction de la production de maïs.

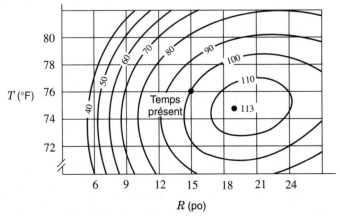

Figure 1.47 : Production de maïs en fonction de la hauteur
des précipitations et de la température

Solution   Le point d'intersection entre la coordonnée R 18 et la coordonnée T 78 se trouve sur la courbe $C = 100$, donc $f(18, 78) = 100$. Cela signifie que si la hauteur des précipitations annuelles se chiffrait à 18 po et que la température s'élevait à 78 °F, le pays produirait environ la même quantité de maïs qu'à l'heure actuelle, mais qu'il ferait plus chaud et plus beau qu'en ce moment.

Le point d'intersection entre la coordonnée R 12 et la coordonnée T 76 se trouve environ à mi-chemin entre les courbes $C = 80$ et $C = 90$, donc $f(12, 76) \approx 85$. Cela signifie que si la

---

3. Adapté de BEATY, S. et R. HEALY, *The Future of American Agriculture*, Scientific American, vol. 248, n° 2, février 1983.

hauteur des précipitations annuelles chutait à 12 po et que la température demeurerait à 76 °F, la production de maïs diminuerait pour représenter environ 85 % de la production actuelle.

Exemple 2   Décrivez, en langage courant, les sections transversales avec T et R constants passant par le point représentant les conditions actuelles. Donnez une explication logique à votre réponse.

Solution   Pour voir ce qu'il advient de la production de maïs si la température demeure fixe à 76 °C mais que la hauteur des précipitations varie, observez ce qui se produit le long de la droite horizontale $T = 76$. En partant du présent et en vous déplaçant vers la gauche le long de la droite $T = 76$, vous observerez que les valeurs inscrites sur les courbes diminuent. En d'autres mots, s'il y a une sécheresse, la production de maïs diminue. Inversement, si la hauteur des précipitations augmente, autrement dit, quand on se déplace du temps présent vers la droite le long de la droite $T = 76$, la production de maïs augmente. Celle-ci atteint un maximum de plus de 110 % quand $R = 21$ et diminue ensuite (lorsqu'il y a trop de précipitations, les champs sont inondés).

Au contraire, si la hauteur des précipitations demeure à la valeur actuelle et que la température augmente, on monte le long de la droite verticale $R = 15$. Dans ces circonstances, la production de maïs diminue ; une hausse de 2 °F provoque une chute de 10 % de la production. Ce résultat est logique puisque les températures plus chaudes entraînent une plus grande évaporation et des conditions plus arides, même si la hauteur des précipitations demeure constante à 15 po. De même, une diminution de la température entraîne une très faible hausse de la production qui atteint un maximum d'environ 102 % quand $T = 74$, suivie d'une diminution (le maïs ne poussera pas s'il fait trop froid).

Les diagrammes des courbes de niveau et les graphes

Les diagrammes des courbes de niveau et les graphes constituent deux manières différentes de représenter une fonction de deux variables. Comment passe-t-on de l'une à l'autre ? Dans le cas de la carte topographique, on a créé le diagramme des courbes de niveau en reliant tous les points à la même hauteur sur la surface et en laissant retomber cette courbe dans le plan des xy.

Comment peut-on aller dans l'autre direction ? On suppose qu'on veut tracer la surface représentant la fonction de la production de maïs $C = f(R, T)$ donnée par le diagramme des courbes de niveau de la figure 1.47. Le long de chaque courbe, la fonction a une valeur constante. Si on prend chaque courbe et qu'on la soulève au-dessus du plan à une hauteur égale à cette valeur, on obtient la surface de la figure 1.48.

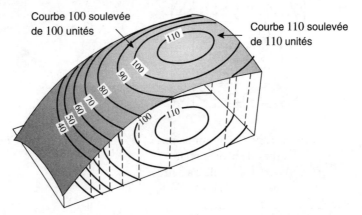

Figure 1.48 : Graphe de la fonction de la production de maïs à partir d'un diagramme des courbes de niveau

Noter que les courbes soulevées sont celles qu'on obtient en découpant la surface horizontalement. En général, on obtient le résultat suivant :

> Les courbes de niveau s'obtiennent à partir d'une surface qu'on découpe en plans horizontaux.

La recherche algébrique des courbes

Les équations algébriques pour les courbes d'une fonction f sont faciles à trouver si on a une formule pour $f(x, y)$. On suppose que la surface a l'équation

$$z = f(x, y).$$

Une courbe est obtenue si on découpe la surface ayant un plan horizontal à l'aide de l'équation $z = c$. Par conséquent, l'équation de la courbe à la hauteur c est donnée par

$$f(x, y) = c.$$

Exemple 3   Trouvez des équations pour les courbes de $f(x, y) = x^2 + y^2$ et dessinez un diagramme des courbes de niveau pour f. Reliez le diagramme des courbes de niveau au graphe de f.

Solution   La courbe à la hauteur c est donnée par

$$f(x, y) = x^2 + y^2 = c.$$

Il s'agit d'une courbe pour $c \geq 0$ seulement. Pour $c > 0$, il s'agit d'un cercle de rayon $\sqrt{c}$. Pour $c = 0$, c'est un seul point (l'origine). Ainsi, les courbes à une altitude de $c = 1, 2, 3, 4\ldots$ sont des cercles centrés à l'origine de rayon $1, \sqrt{2}, \sqrt{3}, 2\ldots$ La figure 1.49 présente le diagramme des courbes de niveau. La figure 1.50 montre le graphe de f en forme de bol. Noter que le graphe de f devient de plus en plus abrupt au fur à et mesure qu'on s'éloigne de l'origine. Cela est dû au fait que les courbes sont de plus en plus rapprochées quand on s'éloigne de l'origine ; par exemple, les courbes de $c = 6$ et de $c = 8$ sont plus près les unes des autres que les courbes de $c = 2$ et de $c = 4$.

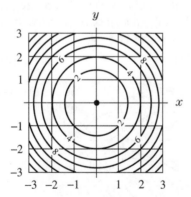

Figure 1.49 : Diagramme des courbes de niveau pour $f(x, y) = x^2 + y^2$ (valeurs paires de c seulement)

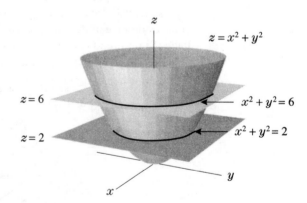

Figure 1.50 : Graphe de $f(x, y) = x^2 + y^2$

Exemple 4   Tracez le diagramme des courbes de niveau de $f(x, y) = \sqrt{x^2 + y^2}$ et reliez-le au graphe de f.

Solution   La courbe au niveau c est donnée par

$$f(x, y) = \sqrt{x^2 + y^2} = c.$$

Pour $c > 0$, il s'agit d'un cercle, comme dans l'exemple 3, mais ici le rayon est c plutôt que $\sqrt{c}$. Pour $c = 0$, c'est l'origine. Ainsi, si le niveau c augmente de 1, le rayon de la courbe s'accroît de 1. Cela signifie que les courbes sont des cercles concentriques également espacés (voir la figure 1.51) qui ne sont pas plus rapprochés lorsqu'on s'éloigne de l'origine. Par conséquent, le graphe de f a la même pente quand on s'éloigne de l'origine (voir la figure 1.52), ce qui en fait un cône plutôt qu'un bol.

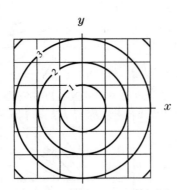

Figure 1.51 : Diagramme des courbes de niveau pour $f(x, y) = \sqrt{x^2 + y^2}$

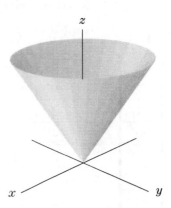

Figure 1.52 : Graphe de $f(x, y) = \sqrt{x^2 + y^2}$

Dans les exemples 3 et 4, les courbes de niveau sont des cercles concentriques, car les surfaces ont une symétrie circulaire. Toute fonction de deux variables qui dépend uniquement de la quantité $(x^2 + y^2)$ a une telle symétrie : par exemple, $G(x, y) = e^{-(x^2 + y^2)}$ ou $H(x, y) = \sin(\sqrt{x^2 + y^2})$.

Exemple 5   Dessinez un diagramme des courbes de niveau pour $f(x, y) = 2x + 3y + 1$.

Solution   La courbe au niveau c a l'équation $2x + 3y + 1 = c$. En réécrivant cette équation sous la forme $y = -(2/3)x + (c-1)/3$, on voit que les courbes sont des droites parallèles ayant la pente $-2/3$. L'intersection avec l'axe des y pour la courbe au niveau c est $(c-1)/3$. Chaque fois que c augmente de 3, l'intersection avec l'axe des y se déplace de 1. La figure 1.53 présente le diagramme des courbes de niveau.

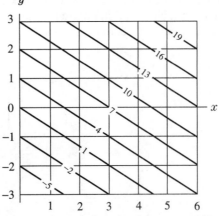

Figure 1.53 : Diagramme des courbes de niveau pour $f(x, y) = 2x + 3y + 1$

Les diagrammes des courbes de niveau et les tables

Parfois, on peut avoir une idée de ce à quoi ressemble le diagramme des courbes de niveau d'une fonction à partir de sa table.

Exemple 6   Reliez les valeurs de $f(x, y) = x^2 - y^2$ apparaissant dans le tableau 1.5 à son diagramme des courbes de niveau de la figure 1.54.

TABLEAU 1.5   *Table des valeurs de* $f(x, y) = x^2 - y^2$

y	-3	-2	-1	0	1	2	3
3	0	−5	−8	−9	−8	−5	0
2	5	0	−3	−4	−3	0	5
1	8	3	0	−1	0	3	8
0	9	4	1	0	1	4	9
−1	8	3	0	−1	0	3	8
−2	5	0	−3	−4	−3	0	5
−3	0	−5	−8	−9	−8	−5	0

x

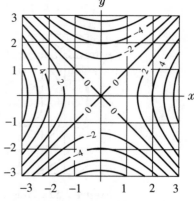

Figure 1.54 : Carte topographique de $f(x, y) = x^2 - y^2$

Solution   Les zéros le long des diagonales constituent l'une des caractéristiques remarquables des valeurs du tableau 1.5. Cela se produit parce que $x^2 - y^2 = 0$ le long des droites $y = x$ et $y = -x$. Donc, la courbe $z = 0$ est constituée de ces deux droites. Dans la région triangulaire de la table qui se trouve à droite des deux diagonales, les données sont positives. À gauche des deux diagonales, les données sont également positives. Par conséquent, dans le diagramme des courbes de niveau, les courbes positives se trouveront dans les régions triangulaires à droite et à gauche des droites $y = x$ et $y = -x$. De plus, le tableau montre que les nombres du côté gauche sont les mêmes que du côté droit. Par conséquent, chaque courbe aura deux segments, un à gauche et un à droite (voir la figure 1.54). Quand on s'éloigne de l'origine le long de l'axe des x, on croise des courbes qui correspondent à des valeurs successives de plus en plus grandes. Si on considère le graphe en forme de selle de $f(x, y) = x^2 - y^2$ présenté à la figure 1.55, cela correspondrait à grimper le long de l'une des arêtes de la selle pour se dégager. De même, les courbes négatives se présentent en paires dans les régions triangulaires supérieures et inférieures ; les valeurs deviennent de plus en plus négatives alors qu'on se rend sur l'axe des y. Cela correspond au fait de descendre de la selle le long des vallées qui sont submergées au-dessous du plan des xy de la figure 1.55. Noter qu'on pourrait également obtenir le diagramme des courbes de niveau en traçant la famille d'hyperboles $x^2 - y^2 = 0, \pm 2, \pm 4 \ldots$

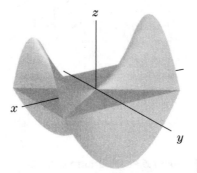

Figure 1.55 : Graphe de $f(x, y) = x^2 - y^2$ présentant le plan $z = 0$

L'utilisation des diagrammes des courbes de niveau : la fonction de production de Cobb-Douglas

On suppose qu'on exploite une petite imprimerie et qu'on décide de prendre de l'expansion, car le nombre de commandes excède la capacité de production. Comment devrait-on s'y prendre ? Devrait-on engager plus de travailleurs et former une équipe de nuit ? Devrait-on acheter des ordinateurs plus coûteux mais plus rapides qui permettraient au personnel actuel d'effectuer le travail exigé ? Ou devrait-on combiner ces deux solutions ?

Évidemment, en pratique, cette prise de décision comporte bon nombre d'autres considérations — par exemple, est-il possible d'engager du personnel compétent pour l'équipe de nuit ou existe-t-il des ordinateurs plus puissants ? Néanmoins, on pourrait modéliser la quantité P de travail que produit l'entreprise en fonction de deux variables : le nombre total N de travailleurs et la valeur totale V de l'équipement.

Quel comportement cette fonction de production aura-t-elle ? En général, en disposant de plus d'équipement et d'un plus grand nombre de travailleurs, on pourrait accroître la production. Cependant, s'il y a augmentation de l'équipement sans qu'il y ait accroissement du nombre de travailleurs, la production augmentera légèrement mais ne dépassera pas un point donné. (Si l'équipement est sous-utilisé, il sera inutile d'en acquérir davantage.) De même, si on augmente le nombre de travailleurs sans accroître la quantité d'équipement dont ils disposent, la production croîtra mais ne dépassera pas le point où l'équipement sera entièrement utilisé, car tous les nouveaux travailleurs n'auront pas d'équipement pour travailler.

Exemple 7   Expliquez la raison pour laquelle le diagramme des courbes de niveau de la figure 1.56 ne modélise pas le comportement prévu de la fonction de production, tandis que le diagramme des courbes de niveau de la figure 1.57 le fait.

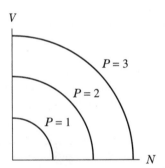

Figure 1.56 : Courbes inexactes de la production de l'imprimerie

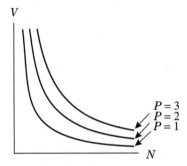

Figure 1.57 : Courbes exactes de la production de l'imprimerie

Solution   On observe le diagramme des courbes de niveau de la figure 1.56. Si on fixe V à une valeur particulière et qu'on laisse N augmenter, on se déplace vers la droite sur le diagramme des courbes de niveau. Ce faisant, on croise des courbes ayant des valeurs de P de plus en plus grandes, ce qui signifie que la production augmente à l'infini. Par ailleurs, à la figure 1.57, quand on se déplace dans la même direction, on se déplace presque parallèlement aux courbes, en les croisant de moins en moins souvent. Ainsi, la production augmente de plus en plus lentement quand N s'accroît tandis que V est maintenu fixe. De même, si on maintient N fixe et qu'on laisse V augmenter, le diagramme des courbes de niveau de la figure 1.56 montre que la production augmente à un rythme fixe, tandis que la figure 1.57 montre que la production augmente mais à un rythme décroissant. Par conséquent, la figure 1.57 concorde mieux avec le comportement prévu de la fonction de production.

La formule d'une fonction de production

On calcule souvent l'approximation des fonctions de production ayant le comportement qualitatif souhaité au moyen de formules ayant la forme

$$P = f(N, V) = cN^{\alpha}V^{\beta},$$

où P est la quantité totale produite et où c, α et β sont des constantes positives avec $0 < \alpha < 1$ et $0 < \beta < 1$.

Exemple 8   Montrez que les courbes de la fonction $P = cN^{\alpha}V^{\beta}$ ont approximativement la forme des courbes de la figure 1.57 (page précédente).

Solution   Les courbes sont celles où P est égal à une valeur constante, par exemple P_0, autrement dit, où

$$cN^{\alpha}V^{\beta} = P_0.$$

En déterminant V, on obtient

$$V = \left(\frac{P_0}{c}\right)^{1/\beta} N^{-\alpha/\beta}.$$

Par conséquent, V est une fonction puissance de N avec un exposant négatif. Donc, son graphe a la forme présentée à la figure 1.57.

Le modèle de production de Cobb-Douglas

En 1928, Cobb et Douglas ont utilisé une fonction semblable pour modéliser la production de toute l'économie des États-Unis dans le premier quart du siècle. En utilisant les estimations du gouvernement (P désignant la production annuelle totale entre 1899 et 1922, K, l'investissement total en capital durant la même période et L, la main-d'œuvre totale), ils ont découvert que la *fonction de production de Cobb-Douglas* permettait de calculer correctement l'approximation de P.

$$P = 1{,}01L^{0,75} K^{0,25}.$$

Il s'est avéré que cette fonction a bien modélisé l'économie des États-Unis, à la fois pour la période sur laquelle elle était basée et pour un certain temps par la suite.

Problèmes de la section 1.4

Pour les fonctions des problèmes 1 à 9, tracez le diagramme des courbes de niveau en identifiant au moins quatre courbes. Décrivez, en langage courant, les courbes et la manière dont elles sont espacées.

1. $f(x, y) = x + y$
2. $f(x, y) = xy$
3. $f(x, y) = x^2 + y^2$
4. $f(x, y) = 3x + 3y$
5. $f(x, y) = -x^2 - y^2 + 1$
6. $f(x, y) = x^2 + 2y^2$
7. $f(x, y) = \sqrt{x^2 + 2y^2}$
8. $f(x, y) = y - x^2$
9. $f(x, y) = \cos \sqrt{x^2 + y^2}$

10. La figure 1.58 est un diagramme des courbes de niveau des versements mensuels sur un emprunt de 5 ans contracté pour l'achat d'une voiture en fonction du taux d'intérêt et de la somme empruntée. Supposez que le taux d'intérêt est de 13 % et que vous décidez d'emprunter 6 000 $.

   a) Quels seront vos versements mensuels ?
   b) Si le taux d'intérêt diminue à 11 %, quelle somme supplémentaire pouvez-vous emprunter sans accroître vos versements mensuels ?
   c) Construisez un tableau montrant les sommes que vous pouvez emprunter sans accroître vos versements mensuels, en fonction du taux d'intérêt.

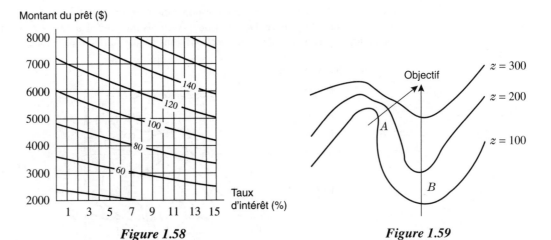

Figure 1.58

Figure 1.59

11. La figure 1.59 présente une carte topographique d'une pente ayant deux chemins, soit A et B.

   a) Par quel chemin, A ou B, grimperez-vous le plus abruptement ?
   b) Par quel chemin, A ou B, aurez-vous une meilleure vue panoramique (en supposant que les arbres ne bloquent pas la vue) ?
   c) Le long de quel chemin est-il le plus probable qu'il y ait un ruisseau ?

12. Chacun des diagrammes des courbes de niveau de la figure 1.60 montre la densité de la population dans une région donnée. Choisissez le diagramme des courbes de niveau qui correspond le mieux à chacune des situations suivantes. Plusieurs concordances sont possibles. Choisissez un diagramme raisonnable et justifiez votre choix.

   a) Le centre du diagramme est une ville.
   b) Le centre du diagramme est un lac.
   c) Le centre du diagramme est une usine.

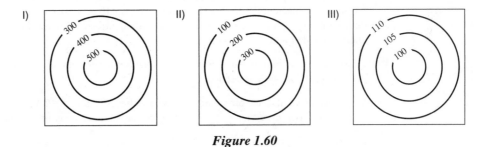

Figure 1.60

Pour chacune des surfaces des problèmes 13 à 15, tracez un diagramme des courbes de niveau possibles, identifiées avec des valeurs de z raisonnables. (Plusieurs réponses sont possibles.)

13.

14.

15.

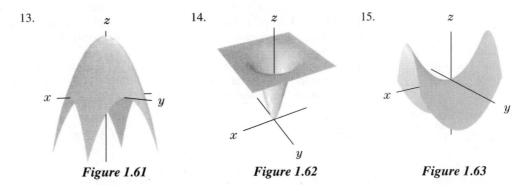

Figure 1.61

Figure 1.62

Figure 1.63

16. La figure 1.64 montre la densité de la population de renards P (en renards par kilomètre carré) pour le sud de l'Angleterre. Dessinez deux sections transversales de la densité de population P le long d'une droite nord-sud et deux sections transversales différentes le long d'une droite est-ouest.

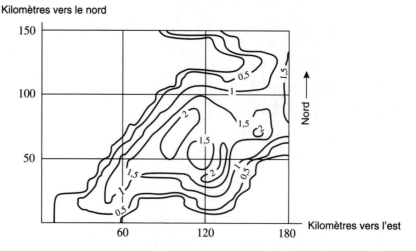

Figure 1.64 : Densité de population des renards du sud-ouest de l'Angleterre

17. Utilisez un ordinateur ou une calculatrice pour tracer le diagramme des courbes de niveau pour la fonction de la vibration d'une corde de guitare

$$f(x, t) = \cos t \sin 2x, \quad 0 \le x \le \pi, 0 \le t \le \pi.$$

Utilisez $c = -2/3, -1/3, 0, 1/3, 2/3$. (Vous ne pourrez faire ce calcul algébriquement.)

18. Au début du chapitre, on a présenté la fonction de la vague qui voyage

$$h(x, t) = 5 + \cos(0,5x - t).$$

Dessinez un diagramme des courbes de niveau en utilisant $c = 4, 4,5, 5, 5,5, 6$ pour cette fonction. Expliquez la manière dont votre diagramme des courbes de niveau relie les sections transversales de h dont on a également discuté au début du chapitre. Où les courbes sont-elles le plus rapprochées l'une de l'autre ? Le moins rapprochées ?

19. Dessinez des diagrammes des courbes de niveau pour chacun des graphes de satisfaction (pizza/cola) du problème 6 de la section 1.3.

20. Un fabricant vend deux biens, un à 3000 \$/unité et l'autre à 12 000 \$/unité. Supposez qu'une quantité q_1 du premier bien et q_2 du deuxième est vendue à un coût total de 4000 \$ au fabricant.

   a) Exprimez le profit du fabricant π en fonction de q_1 et de q_2.
   b) Tracez les courbes du profit constant dans le plan q_1q_2 pour $\pi = 10\,000$, $\pi = 20\,000$ et $\pi = 30\,000$ et la courbe de rentabilité $\pi = 0$.

21. La cornée est la surface antérieure de l'œil. Les spécialistes de la cornée utilisent un système de modélisation topographique (SMT) pour produire une « carte » de la courbure de la surface de l'œil. Un ordinateur analyse la lumière qui est réfléchie sur l'œil et dessine des courbes de niveau reliant les points de courbure constante. Les régions entre ces courbes sont colorées avec différentes couleurs.

   Les deux premières images de la figure 1.65 sont des sections transversales d'yeux ayant une courbure constante, la plus petite étant d'environ 38 unités et la plus grande, d'environ 50 unités. À des fins de contraste, le troisième œil a une courbure variable.

a) Décrivez, en langage courant, ce à quoi ressemblera la carte SMT d'un œil de courbure constante.

b) Dessinez la carte SMT d'un œil à l'aide de la section transversale de la figure 1.66. Supposez que l'œil est circulaire lorsqu'on le regarde de face et que la section transversale est la même dans toutes les directions. Inscrivez des identifications numériques raisonnables sur vos courbes de niveau.

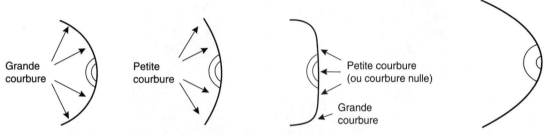

Figure 1.65 : Images d'yeux ayant différentes courbures

Figure 1.66

22. Faites concorder les tableaux 1.6 à 1.9 avec les diagrammes de courbes de niveau I) à IV) de la figure 1.67.

TABLEAU 1.6

$y \backslash x$	-1	0	1
-1	2	1	2
0	1	0	1
1	2	1	2

TABLEAU 1.7

$y \backslash x$	-1	0	1
-1	0	1	0
0	1	2	1
1	0	1	0

TABLEAU 1.8

$y \backslash x$	-1	0	1
-1	2	0	2
0	2	0	2
1	2	0	2

TABLEAU 1.9

$y \backslash x$	-1	0	1
-1	2	2	2
0	0	0	0
1	2	2	2

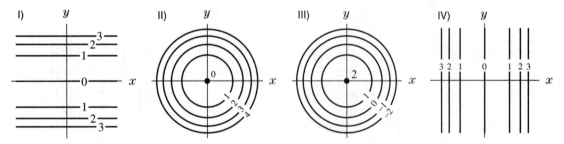

Figure 1.67

23. Faites concorder les surfaces a) à e) de la figure 1.68 (page suivante) avec les diagrammes des courbes de niveau I) à V) de la figure 1.69.

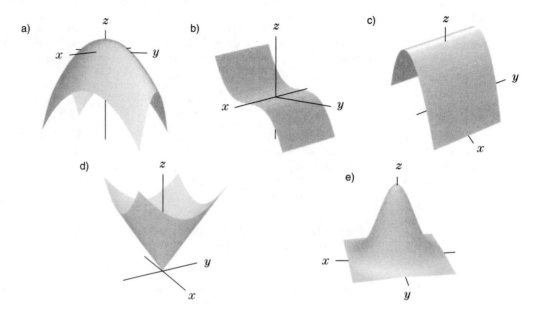

Figure 1.68

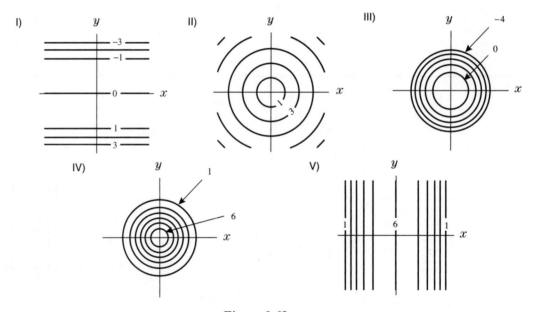

Figure 1.69

24. La carte de la figure 1.70 est tirée de la thèse de licence du professeur Robert Cook, directeur du Arnold Arboretum de Harvard. Elle montre les courbes de niveau de la fonction donnant la densité des espèces d'oiseaux reproducteurs à chaque point des États-Unis, du Canada et du Mexique.

    En utilisant la carte de la figure 1.70, déterminez si les énoncés suivants sont vrais ou faux. Justifiez vos réponses.

    a) En vous déplaçant du sud au nord du Canada, vous observez que la densité des espèces s'accroît.

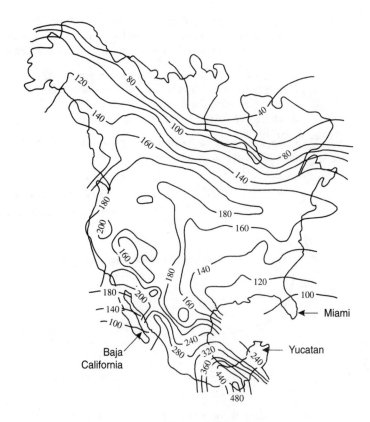

Figure 1.70

b) La densité des espèces dans la région avoisinante de Miami est supérieure à 100.

c) En général, les péninsules (par exemple la Floride, la Baja California et le Yucatan) ont des densités d'espèces plus faibles que les régions qui les entourent.

d) Le taux de variation le plus élevé sur le plan de la densité des espèces par rapport à la distance se situe au Mexique. Si vous croyez que cet énoncé est vrai, inscrivez le point et la direction qui correspondent au taux de variation maximal et expliquez la raison pour laquelle vous avez choisi ce point et cette direction.

25. La température T (en degrés Celsius) en n'importe quel point dans la région $-10 \leq x \leq 10$, $-10 \leq y \leq 10$ est donnée par la fonction

$$T(x, y) = 100 - x^2 - y^2.$$

a) Tracez les courbes isothermes (courbes de température constante) de $T = 100$ °C, $T = 75$ °C, $T = 50$ °C, $T = 25$ °C et $T = 0$ °C.

b) Supposez qu'un insecte qui cherche la chaleur est déposé en un point quelconque dans le plan des xy. Dans quelle direction doit-il se déplacer pour augmenter sa température le plus rapidement ? Comment cette direction est-elle reliée à la courbe de niveau par ce point ?

26.

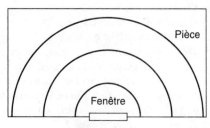

Figure 1.71

La figure 1.71 (page précédente) montre les courbes de niveau de la température H dans une pièce, à proximité d'une fenêtre qu'on vient tout juste d'ouvrir. Identifiez les trois courbes de niveau à l'aide de valeurs raisonnables de H si la maison se trouve dans les emplacements mentionnés ci-après.

a) Minnesota en hiver (où les hivers sont rigoureux).

b) San Francisco en hiver (où les hivers sont doux).

c) Houston en été (où les étés sont chauds).

d) Oregon en été (où les étés sont tempérés).

27. Faites concorder la fonction de production de Cobb-Douglas avec le graphe approprié de la figure 1.72 et avec les énoncés appropriés.

a) $F(L, K) = L^{0,25}K^{0,25}$ D) Si on fait tripler chaque donnée, le rendement triplera.

b) $F(L, K) = L^{0,5}K^{0,5}$ E) Si on fait quadrupler chaque donnée, le rendement doublera.

c) $F(L, K) = L^{0,75}K^{0,75}$ G) Si on fait doubler chaque donnée, le rendement triplera presque.

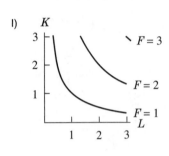
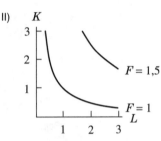
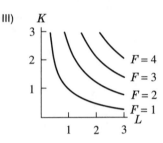

Figure 1.72

28. Considérez la fonction de production de Cobb-Douglas $P = f(L, K) = 1,01L^{0,75}K^{0,25}$. Quel est l'effet sur la production si on double la main-d'œuvre et le capital ?

29. La fonction de production générale de Cobb-Douglas a la forme

$$P = cL^{\alpha}K^{\beta}.$$

Une question économique importante porte sur ce qui arrivera à la production si on augmente proportionnellement la main-d'œuvre et le capital. Par exemple, la production doublera-t-elle si on double la main-d'œuvre et le capital ?

Selon les économistes, on parlera de

- *rendements d'échelle croissants* si le fait de doubler L et K fait plus que doubler P ;
- *rendements d'échelle constants* si le fait de doubler L et K fait doubler exactement P ;
- *rendements d'échelle décroissants* si le fait de doubler L et K fait moins que doubler P.

Quelles conditions portant sur α et β entraînent des rendements d'échelle croissants, constants ou décroissants ?

30. La figure 1.73 montre les courbes de la température le long d'un mur d'une pièce chauffée durant une journée d'hiver, où le temps est indiqué comme sur une horloge de 24 h. Une chaufferette se trouve dans le coin le plus à gauche du mur, et ce mur est percé d'une fenêtre. La chaufferette est commandée par un thermostat situé à environ 2 pi de la fenêtre.

a) Où se trouve la fenêtre ?

b) Quand la fenêtre est-elle ouverte ?

c) Quand le chauffage est-il allumé ?

d) Dessinez les graphes de la température le long du mur de la pièce à 6 h, à 11 h, à 15 h et à 17 h.

e) Dessinez le graphe de la température en fonction du temps à l'endroit où se trouve la chaufferette, à celui où se trouve la fenêtre et à mi-chemin entre les deux.

f) La température à l'endroit où se trouve la fenêtre est moins élevée à 17 h qu'à 11 h. Pourquoi ?

g) À quelle température croyez-vous que le thermostat est réglé ?

h) Où est situé le thermostat ?

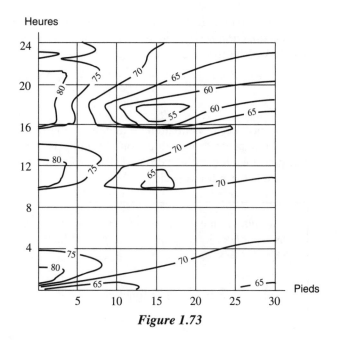

Heures

Pieds

Figure 1.73

1.5 LES FONCTIONS LINÉAIRES

Qu'est-ce qu'une fonction linéaire de deux variables ?

Les fonctions linéaires ont joué un rôle clé dans le calcul d'une fonction d'une variable, car bon nombre de fonctions d'une variable sont localement linéaires. (Autrement dit, leurs graphes ressemblent à une droite quand on les agrandit.) Dans le calcul d'une fonction de deux variables, les *fonctions linéaires* sont celles dont le graphe est un plan. Dans le chapitre 3, on verra que la plupart des fonctions de deux variables ont des graphes qui ressemblent à des plans quand on les agrandit.

Qu'est-ce qui fait qu'un plan est plat ?

Qu'est-ce qu'une fonction $f(x, y)$ doit comporter pour que son graphe $z = f(x, y)$ soit un plan ? Les fonctions linéaires d'*une* variable ont des graphes qui sont des droites, car ils ont une pente constante. Peu importe où on se trouve sur le graphe, la pente est la même : une augmentation donnée de la coordonnée x produit toujours la même augmentation de la coordonnée y. En d'autres mots, le rapport $\Delta y/\Delta x$ est constant. Dans un plan, la situation est un peu plus compliquée. Si on se promène dans un plan incliné, la pente n'est pas toujours la même : elle dépend de la direction dans laquelle on se dirige. Cependant, il demeure vrai que, en chaque point du plan, la pente est la même tant et aussi longtemps qu'on choisit la même direction. Si on marche dans la direction qui est parallèle à l'axe des x, on se trouve toujours en train de marcher vers le haut ou vers le bas avec la même inclinaison ; la même chose s'applique si on marche dans la direction qui est parallèle à l'axe des y. Autrement dit, les rapports de pente $\Delta z/\Delta x$ (où y est fixe) et $\Delta z/\Delta y$ (où x est fixe) sont tous les deux constants.

Exemple 1   On se trouve dans un plan qui croise l'axe des z en $z = 5$, qui a la pente 2 dans la direction x et la pente -1 dans la direction y. Quelle est l'équation du plan ?

Solution   Pour trouver l'équation du plan, il faut trouver une formule pour la coordonnée z du point dans le plan directement situé au-dessus du point (x, y) dans le plan des xy. Pour se rendre à ce point, il faut commencer par le point qui se trouve au-dessus de l'origine, où $z = 5$. Ensuite, il faut avancer de x unités dans la direction x. Puisque la pente dans la direction x est 2, la hauteur augmente de $2x$. Puis, il faut marcher de y unités dans la direction y; puisque la pente dans la direction y est -1, la hauteur diminue de y unités. Puisque la hauteur a changé de $2x - y$ unités, la coordonnée z est $5 + 2x - y$. Par conséquent, l'équation du plan est

$$z = 5 + 2x - y.$$

On peut écrire l'équation de toute fonction linéaire dont on connaît la valeur en un point (x_0, y_0), la pente dans la direction x et la pente dans la direction y. La situation est la même que pour l'équation d'une droite dans le cas d'une fonction d'une variable, sauf qu'il y a deux pentes à la place d'une seule.

Si un plan a une pente m dans la direction x, une pente n dans la direction y et qu'il passe par le point (x_0, y_0, z_0), alors son équation est

$$z = z_0 + m(x - x_0) + n(y - y_0).$$

Ce plan est le graphe de la fonction linéaire

$$f(x, y) = z_0 + m(x - x_0) + n(y - y_0).$$

Si on écrit $c = z_0 - mx_0 - ny_0$, alors on peut écrire $f(x, y)$ dans la forme équivalente

$$f(x, y) = c + mx + ny.$$

Tout comme pour un espace à deux dimensions, une droite est déterminée par deux points. Donc, dans un espace à trois dimensions, un plan est déterminé par trois points, pourvu que ceux-ci ne se trouvent pas sur une droite.

Exemple 2   Trouvez l'équation du plan qui passe par les trois points $(1, 0, 1)$, $(1, -1, 3)$ et $(3, 0, -1)$.

Solution   Les deux premiers points ont la même coordonnée x. Donc, on les utilise pour trouver la pente du plan dans la direction y. Quand la coordonnée y change pour passer de 0 à -1, la coordonnée z change pour passer de 1 à 3. Donc, la pente dans la direction y est $n = \Delta z / \Delta y = (3 - 1)/(-1 - 0) = -2$. Le premier et le troisième point ont la même coordonnée y. Par conséquent, on les utilise pour trouver la pente dans la direction x; il s'agit de $m = \Delta z / \Delta x = (-1 - 1)/(3 - 1) = -1$. Puisque le plan passe par $(1, 0, 1)$, son équation est

$$z = 1 - (x - 1) - 2(y - 0) \quad \text{ou} \quad z = 2 - x - 2y.$$

Il faut également s'assurer que les points $(1, -1, 3)$ et $(3, 0, -1)$ peuvent également satisfaire à cette équation.

L'exemple 2 a été simplifié du fait que deux des points avaient la même coordonnée x et que deux avaient la même coordonnée y. Une solution de rechange, qui fonctionne pour n'importe lequel des trois points, consiste à remplacer les valeurs x, y et z de chacun des trois points dans l'équation $z = c + mx + ny$. On peut résoudre simultanément les trois équations résultantes en c, m, n (voir le problème 2 un peu plus loin).

Les fonctions linéaires d'un point de vue numérique

Pour combler les sièges vides lors de leurs vols, les compagnies aériennes vendent des billets à prix réduit. Le tableau 1.10 montre le revenu d'une compagnie aérienne (en dollars) provenant des billets vendus pour une destination en particulier, en fonction du nombre de billets vendus au plein prix f et du nombre de billets vendus à prix réduit d.

TABLEAU 1.10 *Revenu provenant de la vente de billets (en dollars)*

		Billets au plein prix (f)			
		100	200	300	400
Billets à prix réduit (d)	200	39 700	63 600	87 500	111 400
	400	55 500	79 400	103 300	127 200
	600	71 300	95 200	119 100	143 000
	800	87 100	111 000	134 900	158 800
	1000	102 900	126 800	150 700	174 600

En observant une colonne, on voit que le revenu augmente de 15 800 $ pour chaque tranche de 200 billets supplémentaires vendus à prix réduit. Ainsi, chaque colonne est une fonction linéaire du nombre de billets vendus à prix réduit. De plus, chaque colonne a la même pente, soit 15 800/200 = 79 $/billet. Il s'agit du prix réduit d'un billet. De même, chaque rangée est une fonction linéaire et toutes les rangées ont la même pente, 239, qui est le plein prix d'un billet. Par conséquent, R est une fonction linéaire de f et de d donnée par

$$R = 239f + 79d.$$

On obtient le résultat général suivant :

On peut reconnaître une **fonction linéaire** à partir de son tableau, au moyen des caractéristiques suivantes :

- toutes les rangées et toutes les colonnes sont linéaires ;
- toutes les rangées ont la même pente ;
- toutes les colonnes ont la même pente (bien que les pentes des rangées et celles des colonnes soient généralement différentes).

Exemple 3 Le tableau ci-après présente certaines valeurs d'une fonction linéaire. Remplissez l'espace vide et donnez une formule pour la fonction.

$x \backslash y$	1,5	2,0
2	0,5	1,5
3	−0,5	?

Solution Dans la première colonne, la fonction diminue de 1 (passant de 0,5 à −0,5) quand x passe de 2 à 3. Puisque la fonction est linéaire, elle doit diminuer d'autant dans la deuxième colonne. La donnée manquante doit être 1,5 − 1 = 0,5. La pente de la fonction dans la direction x est −1. La pente dans la direction y est 2 puisque, dans chaque rangée, la fonction augmente de 1 quand y augmente de 0,5. À partir du tableau, on obtient $f(2, 1,5) = 0,5$. Par conséquent, la formule est

$$f(x, y) = 0,5 - (x - 2) + 2(y - 1,5) = -0,5 - x + 2y.$$

À quoi ressemble le diagramme des courbes de niveau d'une fonction linéaire ?

Considérez la fonction du revenu d'une compagnie aérienne donnée au tableau 1.10 (page précédente). Sa formule est

$$R = 239 f + 79 d,$$

où f est le nombre de billets vendus au plein prix et d, le nombre de billets vendus à prix réduit. La figure 1.74 donne le diagramme des courbes de niveau de cette fonction.

Noter que les courbes sont des droites parallèles. En termes pratiques, que signifie la pente ? On considère la courbe $R = 100\,000$; cela signifie qu'on observe des combinaisons de ventes de billets qui produisent $100\,000$ \$ de revenu. Si on se déplace vers le bas et vers la droite sur la courbe, la coordonnée f augmente et la coordonnée d diminue. On vend donc plus de billets au plein prix et moins de billets à prix réduit. Cela est logique, car pour obtenir un revenu fixe de $100\,000$ \$, il faut vendre plus de billets au plein prix si on vend moins de billets à prix réduit. Le compromis exact est fonction de la pente de la courbe ; le diagramme montre que chaque courbe a une pente d'environ -3. Cela signifie que, pour un revenu fixe, il faut vendre trois billets à prix réduit pour remplacer un billet au plein prix. On peut également constater ce fait en comparant les prix. Chaque billet vendu au plein prix rapporte 239 \$; pour gagner le même montant avec les billets à prix réduit, il faut vendre $239/79 \approx 3{,}03 \approx 3$ billets. Puisque le rapport des prix est indépendant du nombre de billets vendus, cette pente demeure constante sur la carte topographique. Ainsi, les courbes sont toutes des droites parallèles.

On doit également observer que les courbes sont également espacées. Cela signifie que, peu importe la courbe sur laquelle on se trouve, une augmentation fixe de l'une des variables entraînera la même augmentation de la valeur de la fonction. En fonction des revenus, cela signifie que, peu importe le nombre de billets vendus, un billet supplémentaire, qu'il soit vendu au plein prix ou à prix réduit, produira le même revenu qu'auparavant.

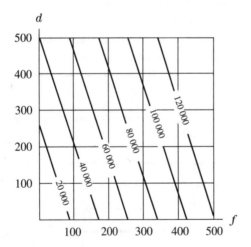

Figure 1.74 : Revenu en fonction du nombre de billets vendus au plein prix et à prix réduit

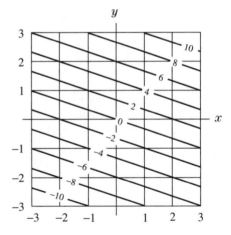

Figure 1.75 : Carte topographique de la fonction linéaire $f(x, y)$

Exemple 4   Trouvez l'équation de la fonction linéaire dont le diagramme des courbes de niveau est présenté à la figure 1.75.

Solution   On suppose qu'on part de l'origine sur la courbe $z = 0$. En se déplaçant de 2 unités dans la direction y, on se trouve à la courbe $z = 6$. Donc, la pente dans la direction y est $\Delta z / \Delta y = 6/2 = 3$. De même, en se déplaçant de 2 unités dans la direction x à partir de l'origine, on se trouvera à la courbe $z = 2$. Donc, la pente dans la direction x est $\Delta z / \Delta x = 2/2 = 1$. Puisque $f(0, 0) = 0$, on a $f(x, y) = x + 3y$.

Problèmes de la section 1.5

1. Supposez que z est une fonction linéaire de x et de y ayant la pente 2 dans la direction x et la pente 3 dans la direction y.

   a) Quel changement la variation de 0,5 en x et de $-0,2$ en y produit-elle en z ?
   b) Si $z = 2$ quand $x = 5$ et $y = 7$, quelle est la valeur de z quand $x = 4,9$ et $y = 7,2$?

2. Trouvez l'équation de la fonction linéaire $z = c + mx + ny$ dont le graphe contient les points $(0, 0, 0)$, $(0, 2, -1)$ et $(-3, 0, -4)$.

3. Trouvez la fonction linéaire dont le graphe est le plan passant par les points $(4, 0, 0)$, $(0, 3, 0)$ et $(0, 0, 2)$.

4. Trouvez une équation pour le plan contenant la droite dans le plan des xy où $y = 1$ et la droite dans le plan des xz où $z = 2$.

5. Trouvez l'équation de la fonction linéaire $z = c + mx + ny$ dont le graphe croise le plan des xz sur la droite $z = 3x + 4$ et croise le plan des yz sur la droite $z = y + 4$.

6. Trouvez la fonction linéaire $z = c + mx + ny$ dont le graphe croise le plan des xy sur la droite $y = 3x + 4$ et contient le point $(0, 0, 5)$.

7. La fonction représentée au tableau 1.11 est-elle linéaire ? Justifiez votre réponse.

TABLEAU 1.11

$u \backslash v$	1,1	1,2	1,3	1,4
3,2	11,06	12,06	13,07	14,07
3,4	11,75	12,82	13,89	14,95
3,6	12,44	13,57	13,89	14,95
3,8	13,13	14,33	15,52	16,71
4,0	13,82	15,08	16,34	17,59

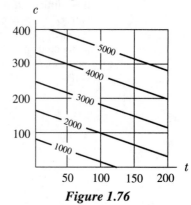

Figure 1.76

8. Une boutique d'articles de musique à prix réduits vend des disques compacts à un seul prix et des cassettes à un autre prix. La figure 1.76 présente le revenu (en dollars) de la boutique en fonction du nombre t de cassettes et du nombre c de disques compacts vendus. Quel est le prix des cassettes ? Quel est le prix des disques compacts ?

Pour les problèmes 9 et 10, trouvez les équations des fonctions linéaires avec les tableaux donnés.

9.

$x \backslash y$	-1	0	1	2
0	1,5	1	0,5	0
1	3,5	3	2,5	2
2	5,5	5	4,5	4
3	7,5	7	6,5	6

10.

$x \backslash y$	10	20	30	40
100	3	6	9	12
200	2	5	8	11
300	1	4	7	10
400	0	3	6	9

Les problèmes 11 et 12 présentent chacun une table des valeurs partielle pour une fonction linéaire. Remplissez les espaces vides.

11.

$x \backslash y$	0,0	1,0
0,0		1,0
2,0	3,0	5,0

12.

$x \backslash y$	−1,0	0,0	1,0
2,0	4,0		
3,0		3,0	5,0

Pour les problèmes 13 et 14, trouvez les équations des fonctions linéaires à l'aide des diagrammes des courbes de niveau.

13.

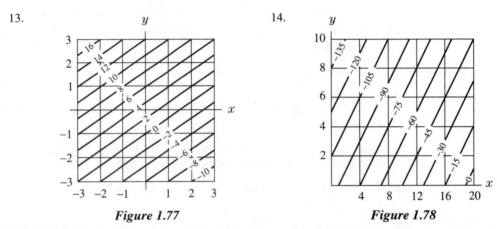

Figure 1.77

14.

Figure 1.78

Il est difficile de dessiner à la main le plan qui représente le graphe d'une fonction linéaire. Une méthode efficace, si les intersections avec les axes des x, des y et des z du graphe sont positives, consiste à tracer les intersections et à les relier par un triangle, comme le montre la figure 1.79. Ce triangle montre la partie du graphe dans l'octant où $x \geq 0$, $y \geq 0$ et $z \geq 0$. Si les intersections ne sont pas toutes positives, la même méthode s'applique si les axes des x, des y et des z sont dessinés selon une perspective différente. Utilisez cette méthode pour tracer les graphes des fonctions linéaires des problèmes 15 à 17.

Figure 1.79 : Graphe de la fonction linéaire ayant des intersections positives avec les axes x, des y et des z

15. $z = 6 - 2x - 3y$ 16. $z = 4 + x - 2y$ 17. $z = 2 - 2x + y$

18. Un fabricant crée deux produits à partir de deux matières premières. Soit q_1 et q_2 les quantités vendues des deux produits, p_1 et p_2 leurs prix, m_1 et m_2 les quantités achetées des deux matières premières. Laquelle des deux fonctions de a), b) et c) sera linéaire et pourquoi ? Dans chaque cas, supposez que toutes les variables sauf celles qui sont mentionnées sont maintenues fixes.

a) Les dépenses pour l'achat de matières premières en fonction de m_1 et de m_2.

b) Le revenu en fonction de q_1 et de q_2.

c) Le revenu en fonction de p_1 et de p_2.

19. Le bureau des admissions d'un collège utilise l'équation linéaire suivante pour prédire la note moyenne d'un nouvel étudiant :

$$z = 0{,}003x + 0{,}8y - 4,$$

où z est la note moyenne prévue sur une échelle de 0 à 4,3, x est la somme des résultats aux tests d'aptitudes scolaires en mathématiques et en oral sur une échelle de 400 à 1600, et y est la note moyenne de l'étudiant à l'école secondaire sur une échelle de 0 à 4,3. Le collège accepte les étudiants dont la note moyenne prévue est d'au moins 2,3.

a) Un étudiant ayant des résultats de 1050 aux tests d'aptitudes scolaires et une note moyenne à l'école secondaire de 3,0 sera-t-il admis ?

b) Tous les étudiants ayant 1600 aux tests d'aptitudes scolaires seront-ils admis ?

c) Tous les étudiants ayant une note moyenne de 4,3 à l'école secondaire seront-ils admis ?

d) Tracez un diagramme des courbes de niveau pour la note moyenne prévue z avec $400 \leq x \leq 1600$ et $0 \leq y \leq 4{,}3$. Ombrez les points correspondant aux étudiants qui seront admis.

e) Quelle situation est la plus profitable : avoir 100 points supplémentaires aux tests d'aptitudes scolaires ou avoir 0,5 de plus pour la note moyenne à l'école secondaire ?

20. Soit f la fonction linéaire $f(x, y) = c + mx + ny$, où c, m et n sont des constantes et où $n \neq 0$.

a) Montrez que toutes les courbes de f sont des droites ayant pour pente $-m/n$.

b) Montrez que, pour tout x et y,

$$f(x + n, y - m) = f(x, y).$$

c) Expliquez la relation qui existe entre les parties a) et b).

1.6   LES FONCTIONS AVEC PLUS DE DEUX VARIABLES

Dans les applications du calcul différentiel et intégral, des fonctions de n'importe quel nombre de variables peuvent se présenter. La densité de la matière dans l'univers est une fonction de trois variables puisqu'il faut trois nombres pour préciser un point dans l'espace. Si on veut étudier l'évolution de cette densité dans le temps, on doit ajouter une quatrième variable, soit le temps. Il faut être en mesure d'appliquer le calcul aux fonctions d'un nombre arbitraire de variables.

En ce qui concerne les fonctions de plus de deux variables, le principal problème est qu'il est difficile de les visualiser. Le graphe d'une fonction d'une variable est une courbe dans un espace à deux dimensions, le graphe d'une fonction de deux variables est une surface dans un espace à trois dimensions et, par conséquent, le graphe d'une fonction de trois variables serait un solide dans un espace à quatre dimensions. Puisqu'il est difficile de visualiser un espace à quatre dimensions ou tout espace avec un nombre de dimensions plus élevé, on n'utilisera pas les graphes des fonctions de trois variables ou plus.

Par contre, si on calcule la section transversale d'une fonction en maintenant une variable fixe, on peut représenter une fonction de trois variables. Il est également possible de donner des diagrammes des courbes de niveau pour ces fonctions, sauf que maintenant, les courbes sont des surfaces dans un espace à trois dimensions.

La représentation d'une fonction de trois variables par les diagrammes des courbes de niveau

On peut analyser une fonction de trois variables $f(x, y, z)$ en observant les sections transversales ayant une variable fixe. On suppose que z est maintenu fixe et on considère f comme une fonction des deux variables restantes x et y. Pour chaque valeur fixe $z = c$, on représente la fonction de deux variables $f(x, y, c)$ à l'aide d'un diagramme des courbes de niveau. Quand c varie, on obtient un ensemble complet de diagrammes des courbes de niveau.

Exemple 1   Un étang a 30 m de profondeur en son centre et mesure 200 m de longueur. L'étang est infesté d'algues. Supposez que vous désirez calculer approximativement la densité des algues en un point situé à z m au-dessous, x m à l'est et y m au nord du centre de la surface de l'étang à l'aide de la formule

$$f(x, y, z) = \frac{1}{10}\left(50 + \sqrt{x^2 + y^2}\right)(30 - z),$$

où la densité est mesurée en grammes par mètre cube. Dessinez des diagrammes des courbes de niveau pour f à la surface de l'étang et à une profondeur de 10 m. Décrivez, en langage courant, comment la densité des algues varie en fonction de la profondeur et de la distance à partir du centre de l'étang.

Solution   À la surface de l'étang, $z = 0$. Donc, la formule de la section transversale $z = 0$ est

$$f(x, y, 0) = \frac{1}{10}\left(50 + \sqrt{x^2 + y^2}\right)(30 - 0) = 150 + 3\sqrt{x^2 + y^2}.$$

Noter qu'on a maintenant une fonction de deux variables. Les courbes de cette fonction sont des cercles, puisque $f(x, y, 0)$ est constant quand $\sqrt{x^2 + y^2}$ est constant. Le diagramme des courbes de niveau est présenté à la figure 1.80.

À une profondeur de $z = 10$, on a

$$f(x, y, 10) = \frac{1}{10}\left(50 + \sqrt{x^2 + y^2}\right)(30 - 10) = 100 + 2\sqrt{x^2 + y^2}.$$

Le diagramme des courbes de niveau pour la section transversale $z = 10$ est présenté à la figure 1.81. En comparant les deux diagrammes des courbes de niveau, on voit qu'il y a plus d'algues en surface qu'en profondeur et qu'il y a plus d'algues près de la rive que près du centre de l'étang.

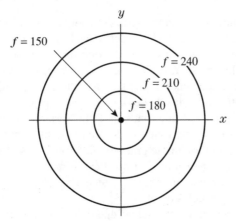

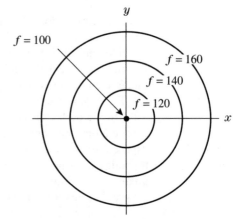

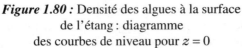

Figure 1.80 : Densité des algues à la surface de l'étang : diagramme des courbes de niveau pour $z = 0$

Figure 1.81 : Densité des algues dans l'étang, à 10 m de la surface : diagramme des courbes de niveau pour $z = 10$

Pour faire des prévisions météorologiques, il est important de connaître la pression barométrique et la température à la surface de la Terre ainsi que dans l'atmosphère au-dessus de la Terre. À la télévision, on entend parfois parler de dépression en surface et de dépression en altitude (les zones de basse hauteur influent sur le courant atmosphérique à grande vitesse). Les cartes de dépression en surface et de dépression en altitude qu'étudient les météorologistes sont des diagrammes des courbes de niveau à différentes altitudes de la fonction de pression ou de température. Ces cartes sont semblables aux diagrammes des courbes de niveau de la densité des algues de l'exemple 1.

La représentation d'une fonction de trois variables au moyen des tables

Dans l'exemple 1, on a visualisé les sections transversales de la fonction de trois variables $f(x, y, z)$ sous forme de diagrammes des courbes de niveau d'une fonction de deux variables. On peut également visualiser les sections transversales comme des tables des valeurs.

Exemple 2   Dans la section 1.1, la consommation de bœuf en fonction du prix p du bœuf et du revenu du ménage I a été donnée dans une table des valeurs. En fait, la consommation de bœuf d'un ménage dépend aussi de plusieurs autres facteurs, tels les prix des produits concurrents. On observera maintenant la consommation de bœuf C en fonction du prix q d'une viande concurrente, par exemple le poulet, ainsi que du prix du bœuf et du revenu du ménage. Autrement dit, $C = f(I, p, q)$. Cette fonction peut être donnée par un ensemble de tables, une pour chaque valeur différente du prix q du poulet. Les tableaux 1.12 et 1.13 montrent deux différentes sections transversales de la fonction de consommation f où q est maintenu fixe. Expliquez comment les deux tables sont reliées.

TABLEAU 1.12 *Consommation de bœuf quand le prix du poulet $q = 1,50$*

			p	
		3,00	3,50	4,00
	20	2,65	2,59	2,51
I	60	5,11	5,00	4,97
	100	5,80	5,77	5,60

TABLEAU 1.13 *Consommation de bœuf quand le prix du poulet $q = 2,00$*

			p	
		3,00	3,50	4,00
	20	2,75	2,75	2,71
I	60	5,21	5,12	5,11
	100	5,80	5,77	5,60

Solution   La comparaison des tables montre que pour les ménages ayant un revenu plus important (par exemple $I = 100$), les variations du prix du poulet ont peu d'effet sur la quantité de bœuf consommée (parce que le prix ne constitue pas un facteur qui influe sur leurs achats). Cependant, pour les ménages à faible revenu (par exemple $I = 20$), une hausse du prix du poulet (de $q = 1,50$ à $q = 2,00$) fait en sorte que les familles achètent davantage de bœuf.

La représentation d'une fonction de trois variables au moyen d'une famille de surfaces de niveau

Une fonction de deux variables $f(x, y)$ peut être représentée par une *famille* de courbes de niveau de la forme $f(x, y) = c$ pour différentes valeurs de la constante c.

> Une fonction de trois variables, $f(x, y, z)$, peut être représentée par une *famille* de surfaces de la forme $f(x, y, z) = c$, chacune étant appelée *surface de niveau*.

Exemple 3   Supposez que la température (en degrés Celsius) en un point (x, y, z) est donnée par $T = f(x, y, z) = x^2 + y^2 + z^2$. À quoi ressemblent les surfaces de niveau de la fonction f et que signifient-elles en termes de température ?

Solution   La surface de niveau correspondant à $T = 100$ est l'ensemble de tous les points où la température est de 100 °C, autrement dit, où $f(x, y, z) = 100$. Ainsi,

$$x^2 + y^2 + z^2 = 100.$$

Il s'agit de l'équation d'une sphère de rayon 10 dont le centre est à l'origine. De même, la surface de niveau correspondant à $T = 200$ est la sphère de rayon $\sqrt{200}$. Les autres surfaces de niveau seront des sphères concentriques. La température est constante sur chaque sphère. On peut visualiser la distribution de la température comme un ensemble de sphères imbriquées, semblable aux couches concentriques de l'oignon. Chaque sphère est identifiée par une température différente ; les températures sont d'abord basses au centre, puis de plus en plus élevées lorsqu'on s'éloigne du centre (voir la figure 1.82). Les surfaces de niveau deviennent de moins en moins espacées quand on s'éloigne de l'origine, car la température augmente plus rapidement au fur et à mesure qu'on s'éloigne de l'origine.

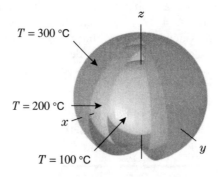

Figure 1.82 : Surfaces de niveau de $T = f(x, y, z) = x^2 + y^2 + z^2$ ayant chacune une température constante

En général, les surfaces de niveau d'une fonction sont imbriquées d'une manière quelconque ; il est donc souvent difficile de les dessiner. On utilise généralement des coupes pour montrer la surface interne, comme sur la figure 1.82.

Exemple 4   À quoi ressemblent les surfaces de niveau de $f(x, y, z) = x^2 + y^2$ et de $g(x, y, z) = z - y$?

Solution   La surface de niveau de f correspondant à la constante c est la surface constituée de tous les points satisfaisant à l'équation

$$x^2 + y^2 = c.$$

Puisqu'il n'y a pas de coordonnée z dans l'équation, z peut prendre n'importe quelle valeur. Pour $c > 0$, il s'agit d'un cylindre circulaire de rayon $\sqrt{c}$ autour de l'axe des z. Les surfaces de niveau sont des cylindres concentriques ; les plus étroits, situés près de l'axe des z, sont ceux où f a de petites valeurs, et les plus larges sont ceux qui ont des valeurs plus grandes (voir la figure 1.83). La surface de niveau de g correspondant à la constante c est la surface

$$z - y = c.$$

Cette fois, il n'y a pas de variable x. Donc, cette surface est celle qu'on obtient en prenant chaque point sur la droite $z - y = c$ dans le plan des yz et en laissant x aller vers l'avant et vers l'arrière. On obtient un plan qui croise le plan des yz diagonalement ; l'axe des x est parallèle à ce plan (voir la figure 1.84).

Exemple 5   À quoi ressemblent les surfaces de niveau de $f(x, y, z) = x^2 + y^2 - z^2$?

Solution   Dans la section 1.4, on a vu que la fonction quadratique de deux variables $g(x, y) = x^2 - y^2$ a un graphe en forme de selle et trois types de courbes. L'équation de la courbe $x^2 - y^2 = c$ donne une hyperbole s'ouvrant de droite à gauche quand $c > 0$, une hyperbole s'ouvrant du bas vers le haut quand $c < 0$ et une paire de droites qui se croisent quand $c = 0$. De même, la fonction

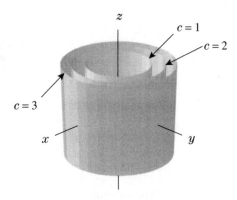

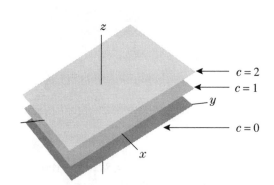

Figure 1.83 : Surfaces de niveau de
$f(x, y, z) = x^2 + y^2$

Figure 1.84 : Surfaces de niveau de
$g(x, y, z) = z - y$

quadratique de trois variables $f(x, y, z) = x^2 + y^2 - z^2$ a trois types de surfaces de niveau qui dépendent de la valeur de c dans l'équation $x^2 + y^2 - z^2 = c$. On suppose que $c > 0$, par exemple que $c = 1$. On réécrit l'équation comme suit : $x^2 + y^2 = z^2 + 1$ et on réfléchit à ce qui se produit quand on calcule la section transversale de la surface perpendiculaire à l'axe des z en maintenant z fixe. On obtient un cercle, $x^2 + y^2 =$ une constante, de rayon d'au moins 1 (puisque la constante $z^2 + 1 \geq 1$). Les cercles deviennent plus grands quand z augmente. Si on prenait plutôt la section transversale $x = 0$, on obtiendrait l'hyperbole $y^2 - z^2 = 1$. La figure 1.88 présente le résultat avec $a = b = c = 1$.

On suppose à la place que $c < 0$, par exemple que $c = -1$. Alors, les sections transversales horizontales de $x^2 + y^2 = z^2 - 1$ sont de nouveau des cercles, sauf que les rayons diminuent à zéro en $z = \pm 1$. De plus, entre $z = -1$ et $z = 1$ il n'y a pas de sections transversales du tout. La figure 1.89 présente ce résultat avec $a = b = c = 1$.

Quand $c = 0$, on obtient l'équation $x^2 + y^2 = z^2$. Une fois encore, les sections transversales horizontales sont des cercles, dont le rayon diminue toutefois exactement à zéro quand $z = 0$. La surface résultante, présentée à la figure 1.90 avec $a = b = c = 1$, est le cône $z = \sqrt{x^2 + y^2}$ qu'on a étudié à la section 1.4, ainsi que le cône inférieur $z = -\sqrt{x^2 + y^2}$.

Un catalogue de surfaces

À titre de référence, voici un petit catalogue des surfaces qu'on a vues.

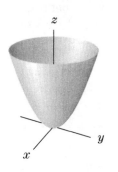

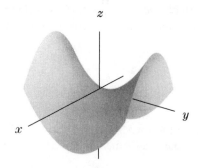

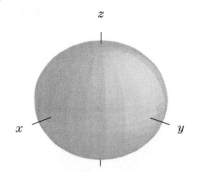

Figure 1.85 : Paraboloïde elliptique $z = \frac{x^2}{a^2} + \frac{y^2}{b^2}$

Figure 1.86 : Paraboloïde hyperbolique $z = -\frac{x^2}{a^2} + \frac{y^2}{b^2}$

Figure 1.87 : Ellipsoïde $\frac{x^2}{a^2} + \frac{y^2}{b^2} + \frac{z^2}{c^2} = 1$

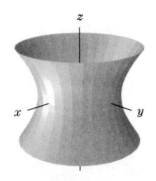

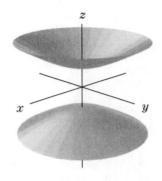

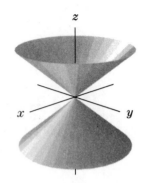

Figure 1.88 : Hyperboloïde à une nappe $\frac{x^2}{a^2} + \frac{y^2}{b^2} - \frac{z^2}{c^2} = 1$

Figure 1.89 : Hyperboloïde à deux nappes $\frac{x^2}{a^2} + \frac{y^2}{b^2} - \frac{z^2}{c^2} = -1$

Figure 1.90 : Cône $\frac{x^2}{a^2} + \frac{y^2}{b^2} - \frac{z^2}{c^2} = 0$

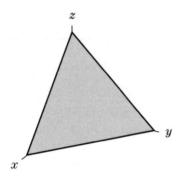

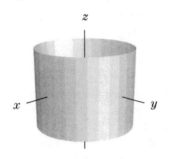

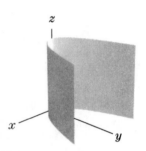

Figure 1.91 : Plan $ax + by + cz = d$

Figure 1.92 : Surface cylindrique $x^2 + y^2 = a^2$

Figure 1.93 : Cylindre parabolique $y = ax^2$

(On les considère comme des équations de fonctions de trois variables x, y et z.)

Comment les surfaces représentent des fonctions de deux variables et des fonctions de trois variables

Noter qu'on a utilisé des surfaces de deux manières différentes pour représenter les fonctions. Tout d'abord, on a utilisé une *seule* surface pour représenter une fonction de deux variables $z = f(x, y)$. Deuxièmement, on a utilisé une *famille* de surfaces de niveau pour représenter une fonction de trois variables $w = F(x, y, z)$. Ces surfaces de niveau ont l'équation $F(x, y, z) = c$.

Quelle est la relation entre ces deux emplois de surfaces ? Par exemple, on considère l'équation

$$z = x^2 + y^2 + 3.$$

On définit

$$G(x, y, z) = x^2 + y^2 + 3 - z.$$

Les points qui satisfont à $z = x^2 + y^2 + 3$ satisfont également à $x^2 + y^2 + 3 - z = 0$. Ainsi, la surface $z = x^2 + y^2 + 3$ est la même que la surface de niveau

$$G(x, y, z) = x^2 + y^2 + 3 - z = 0.$$

Par conséquent, on a les résultats suivants :

On peut toujours considérer une surface simple représentant une fonction de deux variables $z = f(x, y)$ comme un membre de la famille de surfaces de niveau représentant une fonction de trois variables $G(x, y, z) = f(x, y) - z$. Le graphe de $z = f(x, y)$ est la surface de niveau $G = 0$.

Inversement, on peut considérer un membre simple d'une famille de surfaces de niveau comme le graphe d'une fonction de la forme $z = f(x, y)$ s'il est possible de déterminer z. Par exemple, si $F(x, y, z) = x^2 + y^2 + z^2$, alors un membre de la famille de surfaces de niveau est la sphère

$$x^2 + y^2 + z^2 = 1.$$

Cette équation définit z implicitement en fonction de x et y. La résolution donne les deux fonctions

$$z = \sqrt{1 - x^2 - y^2} \quad \text{et} \quad z = -\sqrt{1 - x^2 - y^2}.$$

Le graphe de la première fonction correspond à la partie supérieure de la sphère et le graphe de la deuxième fonction, à la partie inférieure.

Problèmes de la section 1.6

1. On verse de l'eau chaude dans le coin d'une piscine rectangulaire, à la surface de l'eau. Tracez les diagrammes des courbes de niveau pour la température de l'eau de la piscine à la surface et pour la température à 1 m de profondeur.

2. La figure 1.94 montre les diagrammes des courbes de niveau de la température (en degrés Celsius) d'une pièce à trois moments différents. Décrivez le flux de chaleur dans la pièce. Qu'est-ce qui pourrait en être la cause ?

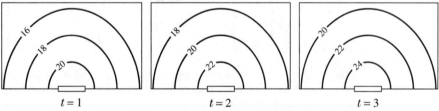

Figure 1.94

3. Faites concorder les fonctions suivantes avec les surfaces de niveau de la figure 1.95.

a) $f(x, y, z) = y^2 + z^2$ \qquad\qquad b) $h(x, y, z) = x^2 + z^2$

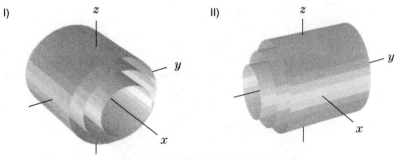

Figure 1.95

4. Décrivez, en langage courant, les surfaces de niveau de $f(x, y, z) = \sin(x + y + z)$.

5. Dessinez des diagrammes des courbes de niveau pour trois sections transversales différentes avec t fixe pour la fonction

$$f(x, y, t) = \cos t \cos \sqrt{x^2 + y^2}, \quad 0 \le \sqrt{x^2 + y^2} \le \pi/2.$$

6. La hauteur (en mètres) de l'eau d'un étang à partir du fond au temps t est donnée par la fonction $h(x, y, t) = 20 + \sin(x + y - t)$, où x et y sont mesurés horizontalement avec la partie positive de l'axe des y au nord et la partie positive de l'axe des x à l'est, et où t est en secondes. En considérant les diagrammes des courbes de niveau pour différentes valeurs de t, décrivez le mouvement de la surface de l'eau de l'étang.

7. Décrivez, en langage courant, les surfaces de niveau de $g(x, y, z) = e^{-(x^2 + y^2 + z^2)}$.

Pour les problèmes 8 et 9, donnez l'équation de la fonction linéaire $f(x, y, z) = ax + by + cz + d$ qui a les valeurs données pour les sections transversales avec $z = 1$ et $z = 4$.

8.   *Section transversale avec $z = 1$*   *Section transversale avec $z = 4$*

	y	
	3	5
x = 0	4	8
x = 1		

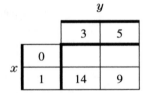

	y	
	3	5
x = 0		14
x = 1		9

9.   *Section transversale avec $z = 1$*   *Section transversale avec $z = 4$*

	y	
	3	5
x = 0	4	
x = 1		8

	y	
	3	5
x = 0		
x = 1	14	9

10. Pour les problèmes 8 et 9, supposez que les deux tables ne contiennent que trois valeurs. Pourriez-vous déterminer f ? Supposez que les deux tables n'ont que cinq valeurs. Pourriez-vous toujours déterminer f ?

11. Trouvez la fonction linéaire $f(x, y, z) = ax + by + cz + d$ qui a les diagrammes des courbes de niveau pour les sections transversales avec $z = 3$ et $z = 4$ présentées aux figures 1.96 et 1.97.

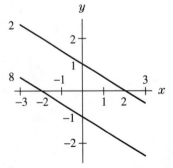

Figure 1.96 : Section transversale avec $z = 3$

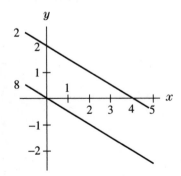

Figure 1.97 : Section transversale avec $z = 4$

12. À quoi ressemblent les surfaces de niveau de $f(x, y, z) = x^2 - y^2 + z^2$? (Indication : utilisez les sections transversales où y est constant plutôt que les sections transversales où z est constant.)

Utilisez le catalogue des surfaces pour identifier les surfaces des problèmes 13 à 19.

13. $-x^2 - y^2 + z^2 = 1$ 14. $-x^2 + y^2 - z^2 = 0$ 15. $x^2 + y^2 - z = 0$

16. $x^2 + y^2 = 1$ 17. $x^2 + y^2/4 + z^2 = 1$ 18. $x + y = 1$

19. $(x - 1)^2 + y^2 + z^2 = 1$

20. Décrivez la surface $x^2 + y^2 = (2 + \sin z)^2$. En général, si $f(z) \geq 0$ pour tout z, décrivez la surface $x^2 + y^2 = (f(z))^2$.

1.7 LES LIMITES ET LA CONTINUITÉ

La face verticale abrupte du Half Dome, au Yosemite National Park en Californie, a été formée durant la période glaciaire (voir la figure 1.98). Le terrain s'élève abruptement de près de 1000 pi lorsqu'on escalade la roche du côté ouest, alors qu'il est possible d'effectuer une ascension graduelle jusqu'au sommet du côté est.

Si on considère la fonction h qui représente la hauteur du terrain au-dessus du niveau de la mer en fonction de la longitude et de la latitude, alors h a une *discontinuité* le long du chemin à la base de l'escarpement du Half Dome. Si on observe la carte topographique de la région à la figure 1.99, on constate que, à la plupart des endroits, une faible variation de position donne lieu à une faible variation de hauteur, sauf à proximité de l'escarpement. À cet endroit, même si on fait un petit pas, on obtient une variation de hauteur importante. (On peut voir à quel point les courbes sont serrées lorsqu'on se rapproche de l'escarpement ; certaines se terminent abruptement le long de la discontinuité.)

Cette caractéristique géologique illustre les notions de continuité et de discontinuité. En gros, on dit qu'une fonction est *continue* en un point si ses valeurs à certains endroits à proximité du point sont proches de la valeur en ce point. Si ce n'est pas le cas, on dit que la fonction est *discontinue*.

On suppose généralement que la propriété de continuité, en termes simples, caractérise les fonctions qu'on étudie. De manière informelle, on s'attend (sauf dans des cas particuliers) à ce que les valeurs d'une fonction ne varient pas considérablement lorsqu'on modifie légèrement les données variables. C'est du moins ce qu'on tient pour acquis lorsqu'on modélise une fonction d'une variable à l'aide d'une courbe lisse. Même quand les fonctions sont présentées sous forme de tables de données, on suppose généralement que les valeurs manquantes de la fonction entre les points de données se trouvent à proximité des points mesurés.

Figure 1.98 : Half Dome du Yosemite National Park

Figure 1.99 : Carte topographique du Half Dome

Dans la présente section, on étudie les limites et la continuité de manière un peu plus formelle dans le contexte des fonctions de plusieurs variables. Pour simplifier, on étudie ces notions pour les fonctions de deux variables, mais on peut adapter la discussion aux fonctions de trois variables ou plus.

On peut démontrer que les sommes, les produits et les compositions des fonctions continues sont continus, tandis que le quotient de deux fonctions continues est continu partout où la fonction du dénominateur est non nulle. Par conséquent, chacune des fonctions

$$\cos(x^2 y), \quad \ln(x^2 + y^2), \quad \frac{e^{x+y}}{x+y}, \quad \ln(\sin(x^2 + y^2))$$

est continue en tous les points (x, y) où elle est définie.

Pour ce qui est des fonctions d'une variable, le graphe d'une fonction continue dans un domaine continu est intact — autrement dit, la surface ne contient pas de trous ou de fissures.

Exemple 1   En vous référant aux figures 1.100 à 1.103, déterminez lesquelles des fonctions suivantes semblent continues en $(0, 0)$.

a) $f(x, y) = \begin{cases} \dfrac{x^2 y}{x^2 + y^2}, & (x, y) \neq (0, 0), \\ 0, & (x, y) = (0, 0). \end{cases}$ b) $g(x, y) = \begin{cases} \dfrac{x^2}{x^2 + y^2}, & (x, y) \neq (0, 0), \\ 0, & (x, y) = (0, 0). \end{cases}$

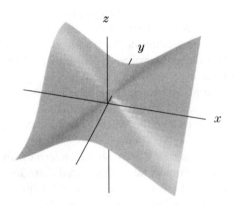

Figure 1.100 : Graphe de $z = x^2 y/(x^2 + y^2)$

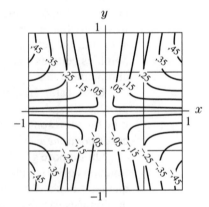

Figure 1.101 : Diagramme des courbes de niveau de $z = x^2 y/(x^2 + y^2)$

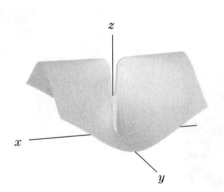

Figure 1.102 : Graphe de $z = x^2/(x^2 + y^2)$

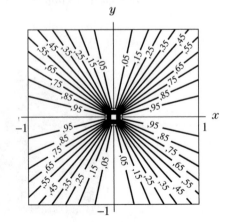

Figure 1.103 : Diagramme des courbes de niveau de $z = x^2/(x^2 + y^2)$

Solution a) Le graphe et le diagramme des courbes de niveau de f des figures 1.100 et 1.101 suggèrent que f se trouve à proximité de zéro quand (x, y) est près de $(0, 0)$. Autrement dit, les figures suggèrent que f est continu au point $(0, 0)$; le graphe semble ne pas avoir de fissures ou de trous en ce point.

Cependant, les figures ne peuvent indiquer si f est continu. Pour en être certain, il faut observer analytiquement la limite, comme dans l'exemple 2 a) un peu plus loin.

b) Le graphe de g et sa courbe près de $(0, 0)$, aux figures 1.102 et 1.103, suggèrent que g se comporte différemment de f : les courbes de g semblent « se heurter » à l'origine, et le graphe monte rapidement de 0 à 1 près de $(0, 0)$. De faibles variations en (x, y) près de $(0, 0)$ peuvent produire de grandes variations en g. Donc, on s'attend à ce que g ne soit pas continu au point $(0, 0)$. Une fois de plus, l'exemple 2 b) donne une analyse plus précise.

L'exemple 1 laisse entendre que la continuité *en* un point dépend du comportement d'une fonction à *proximité* de ce point. Pour étudier plus formellement ce comportement à proximité d'un point, il faut définir la limite d'une fonction de deux variables. On suppose que $f(x, y)$ est une fonction définie dans un ensemble à deux dimensions ne contenant pas nécessairement le point (a, b) mais comportant les points (x, y) arbitrairement proches de (a, b) ; on suppose que L est un nombre.

> La fonction f a une **limite** au point (a, b), qui s'écrit
>
> $$\lim_{(x, y) \to (a, b)} f(x, y) = L,$$
>
> si la différence $|f(x, y) - L|$ est aussi petite qu'on le souhaite quand la distance entre le point (x, y) et le point (a, b) est suffisamment petite mais non nulle.

On définit la continuité des fonctions de deux variables de la même manière que pour les fonctions d'une variable :

> Une fonction f est **continue au point** (a, b) si
>
> $$\lim_{(x, y) \to (a, b)} f(x, y) = f(a, b).$$
>
> Une fonction est **continue** si elle est continue en chaque point de son domaine.

Par conséquent, si f est continu au point (a, b), alors f doit être défini en (a, b) et la limite, $\lim_{(x, y) \to (a, b)} f(x, y)$, doit exister et être égale à la valeur $f(a, b)$. Si une fonction est définie en un point (a, b), mais qu'elle n'est pas continue en ce point, alors on dit que f est *discontinu* en (a, b).

On applique maintenant la définition de la continuité aux fonctions de l'exemple 1, ce qui montre que f est continu en $(0, 0)$ et que g est discontinu en $(0, 0)$.

Exemple 2 Soit f et g des fonctions définies partout dans un espace à deux dimensions (sauf à l'origine), comme suit :

a) $f(x, y) = \dfrac{x^2 y}{x^2 + y^2}$ b) $g(x, y) = \dfrac{x^2}{x^2 + y^2}$

Utilisez la définition de la limite pour montrer que $\displaystyle\lim_{(x, y) \to (0, 0)} f(x, y) = 0$ et que $\displaystyle\lim_{(x, y) \to (0, 0)} g(x, y)$ n'existe pas.

Solution   a) Le graphe et le diagramme des courbes de niveau de f suggèrent tous les deux que $\lim\limits_{(x,\,y)\,\to\,(0,\,0)} f(x,\,y) = 0$. Pour utiliser la définition de la limite, il faut estimer $|f(x,\,y) - L|$ avec $L = 0$:

$$|f(x,\,y) - L| = \left| \frac{x^2 y}{x^2 + y^2} - 0 \right| = \left| \frac{x^2}{x^2 + y^2} \right| |y| \leq |y| \leq \sqrt{x^2 + y^2}.$$

Maintenant, $\sqrt{x^2 + y^2}$ est la distance entre $(x,\,y)$ et $(0,\,0)$. Par conséquent, pour que $|f(x,\,y) - 0| < 0{,}001$, par exemple, il faut simplement que $(x,\,y)$ se trouve à moins de $0{,}001$ de $(0,\,0)$. Plus généralement, pour tout nombre positif u, aussi petit qu'il soit, on est certain que $|f(x,\,y) - 0| < u$ lorsque $(x,\,y)$ n'est pas plus loin que u de $(0,\,0)$. C'est ce qu'on entend quand on dit que la différence $|f(x,\,y) - 0|$ peut être aussi petite qu'on le souhaite si on choisit une distance suffisamment petite. Par conséquent, on conclut que

$$\lim\limits_{(x,\,y)\,\to\,(0,\,0)} \frac{x^2 y}{x^2 + y^2} = 0.$$

Noter que la fonction f a une limite au point $(0, 0)$ même si f n'a pas été défini en $(0, 0)$. Pour rendre f continu en $(0, 0)$, il faut définir sa valeur à zéro, comme on l'a fait dans l'exemple 1.

b) Même si la formule définissant la fonction g ressemble à celle de f, on a vu dans l'exemple 1 que le comportement de g à proximité de l'origine est très différent. Si on considère les points $(x, 0)$ se trouvant le long de l'axe des x comme étant près de $(0, 0)$, alors les valeurs $g(x, 0)$ sont égales à 1, tandis que si on considère les points $(0, y)$ se trouvant le long de l'axe des y comme étant près de $(0, 0)$, alors les valeurs de $g(0, y)$ sont égales à zéro. Par conséquent, à l'intérieur de tout disque (aussi petit qu'il soit) centré à l'origine, il y a des points où $g = 0$ et des points où $g = 1$. Donc, la limite $\lim_{(x,\,y)\,\to\,(0,\,0)} g(x, y)$ n'existe pas.

Tandis que les notions de limite et de continuité se ressemblent formellement pour les fonctions d'une et de deux variables, elles sont en quelque sorte plus subtiles dans le cas des variables multiples. La raison en est que sur la droite (une dimension), on peut approcher un point à partir de deux directions seulement (la gauche ou la droite), mais qu'avec deux dimensions, il y a un nombre infini de manières d'approcher un point donné.

Problèmes de la section 1.7

1. Montrez que la fonction f n'a pas de limite en $(0, 0)$ en examinant les limites de f quand $(x, y) \to (0, 0)$ le long de la courbe $y = kx^2$ pour différentes valeurs de k. La fonction est donnée par

$$f(x, y) = \frac{x^2}{x^2 + y}, \qquad x^2 + y \neq 0.$$

2. Montrez que la fonction f n'a pas de limite en $(0, 0)$ en examinant les limites de f quand $(x, y) \to (0, 0)$ le long de la droite $y = x$ et le long de la parabole $y = x^2$. La fonction est donnée par

$$f(x, y) = \frac{x^2 y}{x^4 + y^2}, \quad (x, y) \neq (0, 0).$$

3. Considérez la fonction suivante :

$$f(x, y) = \begin{cases} \dfrac{xy(x^2 - y^2)}{x^2 + y^2}, & (x, y) \neq (0, 0), \\ 0, & (x, y) = (0, 0). \end{cases}$$

a) Utilisez un ordinateur pour tracer le graphe et le diagramme des courbes de niveau de f.

b) Vos réponses à la partie a) suggèrent-elles que f est continu en $(0, 0)$? Justifiez votre réponse.

4. Considérez la fonction f, dont le graphe et le diagramme des courbes de niveau apparaissent aux figures 1.104 et 1.105, donnée par

$$f(x, y) = \begin{cases} \dfrac{xy}{x^2 + y^2}, & (x, y) \neq (0, 0), \\ 0, & (x, y) = (0, 0). \end{cases}$$

a) Montrez que $f(0, y)$ et $f(x, 0)$ sont des fonctions continues d'une variable.

b) Montrez que les rayons émanant de l'origine sont contenus dans les courbes de niveau de f.

c) La fonction f est-elle continue en $(0, 0)$?

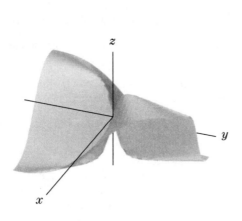

Figure 1.104 : Graphe de
$z = xy/(x^2 + y^2)$

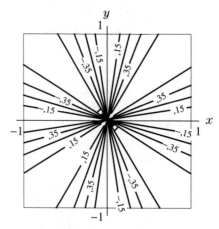

Figure 1.105 : Diagramme des courbes
de niveau de $z = xy/(x^2 + y^2)$

Pour les problèmes 5 à 9, calculez les limites des fonctions $f(x, y)$ quand $(x, y) \to (0, 0)$. Vous pouvez supposer que les polynômes, les fonctions exponentielles, logarithmiques et trigonométriques sont continus.

5. $f(x, y) = x^2 + y^2$

6. $f(x, y) = e^{-x-y}$

7. $f(x, y) = \dfrac{x}{x^2 + 1}$

8. $f(x, y) = \dfrac{x + y}{(\sin y) + 2}$

9. $f(x, y) = \dfrac{\sin(x^2 + y^2)}{x^2 + y^2}$ (Indication : vous pouvez supposer que $\lim_{t \to 0} (\sin t)/t = 1$.)

Pour les fonctions des problèmes 10 à 12, montrez que $\lim_{(x, y) \to (0, 0)} f(x, y)$ n'existe pas.

10. $f(x, y) = \dfrac{x + y}{x - y}$, $x \neq y$

11. $f(x, y) = \dfrac{x^2 - y^2}{x^2 + y^2}$

12. $f(x, y) = \dfrac{xy}{|xy|}$, $x \neq 0$ et $y \neq 0$

13. Montrez que les courbes de niveau de la fonction g définie dans l'exemple 1 b) de la section 1.7 sont des rayons émanant de l'origine. Trouvez la pente de la courbe $g(x, y) = c$.

14. Expliquez la raison pour laquelle la fonction suivante n'est pas continue le long de la droite $y = 0$.

$$f(x, y) = \begin{cases} 1 - x, & y \geq 0, \\ -2, & y < 0. \end{cases}$$

Pour les problèmes 15 et 16, déterminez s'il y a une valeur de c qui rend la fonction continue partout. Le cas échéant, trouvez-la. Sinon, expliquez pourquoi.

15. $f(x, y) = \begin{cases} c + y, & x \leq 3, \\ 5 - y, & x > 3. \end{cases}$ 16. $f(x, y) = \begin{cases} c + y, & x \leq 3, \\ 5 - x, & x > 3. \end{cases}$

PROBLÈMES DE RÉVISION DU CHAPITRE UN

1. Décrivez l'ensemble des points dont la coordonnée x est 2 et la coordonnée y est 1.

2. Trouvez le centre et le rayon de la sphère ayant l'équation $x^2 + 4x + y^2 - 6y + z^2 + 12z = 0$.

3. Trouvez l'équation du plan passant par les points $(0, 0, 2)$, $(0, 3, 0)$ et $(5, 0, 0)$.

4. Trouvez une fonction linéaire dont le graphe est le plan qui croise le plan des xy le long de la droite $y = 2x + 2$ et qui contient le point $(1, 2, 2)$.

5. Considérez la fonction $f(r, h) = \pi r^2 h$, qui donne le volume d'un cylindre de rayon r et de hauteur h. Tracez les sections transversales de f, d'abord en maintenant h fixe, puis en gardant r fixe.

6. Considérez la fonction $z = \cos \sqrt{x^2 + y^2}$.

   a) Tracez les courbes de niveau de cette fonction.
   b) Tracez une section transversale passant par la surface $z = \cos \sqrt{x^2 + y^2}$ dans le plan contenant les axes des x et des z. Inscrivez des unités sur les axes.
   c) Tracez la section transversale passant par la surface $z = \cos \sqrt{x^2 + y^2}$ dans le plan contenant l'axe des z et la droite $y = x$ dans le plan des xy.

Pour les problèmes 7 à 10, utilisez un ordinateur ou une calculatrice pour tracer le graphe d'une fonction ayant les formes données. Incluez les axes et l'équation utilisés pour le tracer.

7. Un cône ayant une section transversale s'ouvrant vers le bas et ayant son sommet à l'origine.

8. Un bol qui s'ouvre vers le haut et qui a son sommet en 5 sur l'axe des z.

9. Un plan pour lequel les intersections avec les axes des x, des y et des z sont toutes positives.

10. Un cylindre parabolique s'ouvrant à partir de la droite $y = x$ dans le plan des xy.

Déterminez si les énoncés des problèmes 11 à 15 doivent être vrais, pourraient être vrais ou ne pourraient pas être vrais. La fonction $z = f(x, y)$ est définie partout.

11. Les courbes de niveau correspondant à $z = 1$ et à $z = -1$ se croisent à l'origine.

12. La courbe de niveau $z = 1$ est constituée du cercle $x^2 + y^2 = 2$ et du cercle $x^2 + y^2 = 3$, mais d'aucun autre point.

13. La courbe de niveau $z = 1$ est constituée de deux droites qui croisent l'origine.

14. Si $z = e^{-(x^2 + y^2)}$, il existe une courbe de niveau pour toute valeur de z.

15. Si $z = e^{-(x^2 + y^2)}$, il existe une courbe de niveau passant par chaque point (x, y).

Pour chacune des fonctions des problèmes 16 à 19, tracez un graphe des courbes de niveau dans la région $-2 < x < 2$ et $-2 < y < 2$. Dans chaque cas, quelle est l'équation et la forme des courbes de niveau?

16. $z = \sin y$ 17. $z = 3x - 5y + 1$ 18. $z = 2x^2 + y^2$ 19. $z = e^{-2x^2 - y^2}$

20. Supposez que vous vous trouvez dans une pièce de 30 pi de longueur à l'extrémité de laquelle on a placé une chaufferette. Le matin, la température de la pièce est de 65 °C. Vous allumez la

chaufferette, et la température de la pièce atteint rapidement 85 °C. Soit $H(x, t)$ la température à x pi de la chaufferette, t min après qu'elle a été allumée. La figure 1.106 montre le diagramme des courbes de niveau de H. Quelle est la température à 10 pi de la chaufferette 5 min après qu'elle a été allumée ? 10 min après qu'elle a été allumée ?

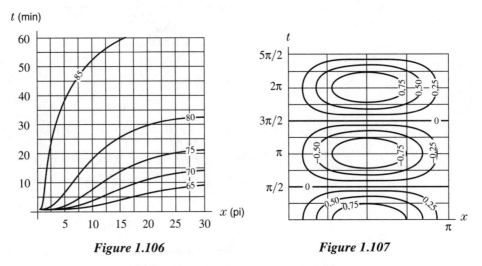

Figure 1.106   **Figure 1.107**

21. En utilisant le diagramme des courbes de niveau de la figure 1.106, tracez les graphes des fonctions d'une variable $H(x, 5)$ et $H(x, 20)$. Interprétez les deux graphes en termes simples et expliquez la différence entre eux.

22. La figure 1.107 montre le diagramme des courbes de niveau pour la fonction de la vibration de la corde de guitare présentée au début du chapitre :

$$f(x, t) = \cos t \sin x, \quad 0 \le x \le \pi.$$

En utilisant le diagramme, décrivez, en langage courant, les sections transversales de f avec t fixe et les sections transversales de f avec x fixe. Expliquez ce que vous voyez en regard du comportement de la corde.

Trouvez les équations des fonctions linéaires des problèmes 23 et 24 à l'aide des diagrammes des courbes de niveau.

23.   **24.**

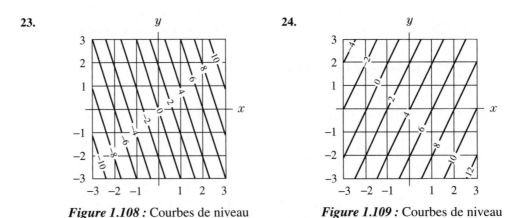

Figure 1.108 : Courbes de niveau   **Figure 1.109 :** Courbes de niveau
de $g(x, y)$ de $h(x, y)$

25. La figure 1.110 (page suivante) montre les courbes de l'intensité de la lumière en fonction de l'emplacement et du temps dans un guide d'ondes microscopiques.

  a) Tracez les graphes montrant l'intensité en fonction de l'emplacement aux intervalles de temps suivants : 0, 2, 4, 6, 8 et 10 nanosecondes.

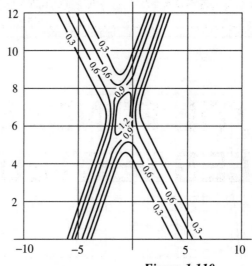

Figure 1.110

b) Si vous pouviez créer une animation montrant comment le graphe de l'intensité varie dans le temps en fonction de l'emplacement, à quoi ressemblerait-elle ?

c) Tracez un graphe de l'intensité en fonction du temps aux emplacements −5, 0 et 5 microns à partir du centre du guide d'ondes.

d) Décrivez le comportement des faisceaux de lumière dans le guide d'ondes.

CHAPITRE DEUX

UN OUTIL FONDAMENTAL : LES VECTEURS

Dans le calcul des fonctions d'une variable, on a représenté les données comme la vitesse par des nombres. Cependant, pour pouvoir spécifier la vitesse d'un objet en mouvement dans l'espace, on doit savoir à quelle vitesse et dans quelle direction il se déplace. Dans le présent chapitre, on utilisera les *vecteurs* pour représenter des données qui ont une direction et une norme.

2.1   LES VECTEURS DE DÉPLACEMENT

On suppose qu'un pilote doit planifier un vol de Dallas à Pittsburgh. Le pilote doit connaître deux choses : la distance à parcourir (pour ne pas manquer de carburant) et la direction à prendre (pour ne pas manquer la destination). Ces deux données ensemble permettent de préciser le déplacement ou le *vecteur de déplacement* entre les deux villes.

> Le **vecteur de déplacement** d'un point à l'autre est une flèche dont l'origine se trouve au premier point et dont l'extrémité se trouve au second point. La **norme** (ou longueur) du vecteur de déplacement est la distance entre les points et elle est représentée par la longueur de la flèche. La **direction** du vecteur de déplacement est la direction de la flèche.

La figure 2.1 montre les vecteurs de déplacement de Dallas à Pittsburgh, d'Albuquerque à Oshkosh et de Los Angeles à Buffalo, dans le Dakota du Sud. Ces vecteurs de déplacement ont la même longueur et la même direction. On dit que les vecteurs de déplacement entre les villes correspondantes sont les mêmes, même s'ils ne coïncident pas. En d'autres mots,

> On considère les vecteurs de déplacement qui s'orientent dans la même direction et qui ont la même norme comme étant les mêmes, et ce même s'ils ne coïncident pas.

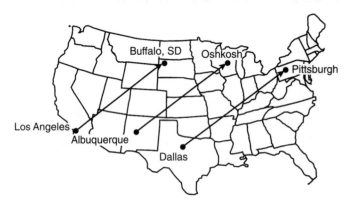

Figure 2.1 : Vecteurs de déplacement entre les villes

La notation et la terminologie

Le vecteur de déplacement constitue le premier exemple d'un vecteur. Les vecteurs ont une norme et une direction ; par comparaison, une quantité spécifiée seulement par un nombre, mais pas par une direction, est appelée un *scalaire*[1]. Par exemple, le temps de vol de Dallas à Pittsburgh est une quantité scalaire. Le déplacement est un vecteur puisqu'il faut connaître sa longueur et sa direction pour le préciser.

Dans le présent manuel, on ajoute une flèche au-dessus des vecteurs $\vec{v}$ pour les différencier des scalaires. Dans d'autres manuels, on utilise un *v* en caractère gras pour représenter un vecteur. On se sert de la notation $\vec{PQ}$ pour désigner le vecteur de déplacement d'un point P à un point Q. La norme d'un vecteur $\vec{v}$ se représente ainsi : $\|\vec{v}\|$.

---

1. Nommés ainsi par W.R. Hamilton, car ils ne sont que des nombres sur l'*échelle* de $-\infty$ à ∞.

L'addition et la soustraction des vecteurs de déplacement

On suppose que la NASA télécommande un robot sur Mars. Elle le fait avancer de 75 m dans une direction, puis de 50 m dans une autre direction (voir la figure 2.2). Où le robot finit-il par se trouver ? On suppose que les déplacements sont représentés par les vecteurs $\vec{v}$ et $\vec{w}$, respectivement. Alors, la somme $\vec{v} + \vec{w}$ donne la position finale.

> La **somme** $\vec{v} + \vec{w}$ de deux vecteurs $\vec{v}$ et $\vec{w}$ est la combinaison du déplacement provenant d'abord de l'application de $\vec{v}$, puis de $\vec{w}$ (voir la figure 2.3). La somme $\vec{w} + \vec{v}$ donne le même déplacement.

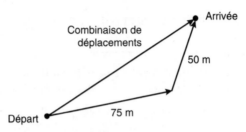

Figure 2.2 : Somme des déplacements du robot sur Mars

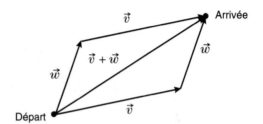

Figure 2.3 : Somme $\vec{v} + \vec{w} = \vec{w} + \vec{v}$

On suppose que deux robots différents partent du même point de départ. L'un d'eux se déplace le long d'un vecteur de déplacement $\vec{v}$ et le second, le long d'un vecteur de déplacement $\vec{w}$. Quel est le vecteur de déplacement $\vec{x}$ du premier robot au second ? (Voir la figure 2.4.) Puisque $\vec{v} + \vec{x} = \vec{w}$, on définit $\vec{x}$ comme étant la différence $\vec{x} = \vec{w} - \vec{v}$. En d'autres mots, $\vec{w} - \vec{v}$ fait passer de $\vec{v}$ à $\vec{w}$.

> La **différence** $\vec{w} - \vec{v}$ est le vecteur de déplacement qui, lorsqu'il est ajouté à $\vec{v}$, donne $\vec{w}$. Ainsi, $\vec{w} = \vec{v} + (\vec{w} - \vec{v})$ (voir la figure 2.4).

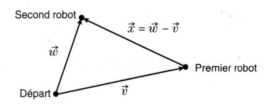

Figure 2.4 : Différence $\vec{w} - \vec{v}$

Si le robot se retrouve à son point de départ, alors son vecteur de déplacement total est le *vecteur nul* $\vec{0}$. Le vecteur nul n'a pas de direction.

> Le **vecteur nul** $\vec{0}$ est un vecteur de déplacement de longueur nulle.

La multiplication scalaire des vecteurs de déplacement

Si $\vec{v}$ représente un vecteur de déplacement, le vecteur $2\vec{v}$ représente un déplacement dont la longueur est le double de celle de $\vec{v}$ dans la même direction. De la même façon, $-2\vec{v}$ représente un déplacement deux fois supérieur à $\vec{v}$ dans la direction opposée (voir la figure 2.5).

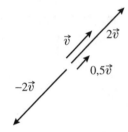

Figure 2.5 : Multiples scalaires du vecteur $\vec{v}$

> Si λ est un scalaire et que $\vec{v}$ est un vecteur de déplacement, le **multiple scalaire** de $\vec{v}$ **par** λ, représenté par $\lambda\vec{v}$, est le vecteur de déplacement qui a les propriétés suivantes :
> - Le vecteur de déplacement $\lambda\vec{v}$ est parallèle à $\vec{v}$, et il s'oriente dans la même direction si $\lambda > 0$, et dans la direction opposée si $\lambda < 0$;
> - La norme de $\lambda\vec{v}$ est $|\lambda|$ fois celle de $\vec{v}$, c'est-à-dire que $\|\lambda\vec{v}\| = |\lambda|\,\|\vec{v}\|$.

Noter que $|\lambda|$ représente la valeur absolue du scalaire λ tandis que $\|\lambda\vec{v}\|$ représente la norme du vecteur $\lambda\vec{v}$.

Exemple 1   Expliquez pourquoi $\vec{w} - \vec{v} = \vec{w} + (-1)\vec{v}$.

Solution   Le vecteur $(-1)\vec{v}$ a la même longueur que $\vec{v}$, mais il s'oriente dans la direction opposée. La figure 2.6 montre que le déplacement combiné $\vec{w} + (-1)\vec{v}$ est le même que le déplacement $\vec{w} - \vec{v}$.

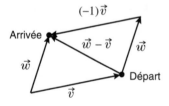

Figure 2.6 : Explication de $\vec{w} - \vec{v} = \vec{w} + (-1)\vec{v}$

Les vecteurs parallèles

Deux vecteurs $\vec{v}$ et $\vec{w}$ sont *parallèles* si l'un d'eux est un multiple scalaire de l'autre, autrement dit si $\vec{w} = \lambda\vec{v}$.

Les composantes des vecteurs de déplacement : les vecteurs $\vec{i}$, $\vec{j}$ et $\vec{k}$

On suppose qu'on vit dans une ville dont les rues, d'est en ouest et du nord au sud, ont la même distance entre elles. On veut expliquer à une personne comment se rendre d'un endroit à un autre. Il y a de fortes chances pour qu'on explique à cette personne qu'elle doit franchir un certain nombre de rues d'est en ouest ou du nord au sud. Par exemple, pour aller de P à Q (voir la figure 2.7), on doit franchir quatre rues vers l'est et une rue vers le sud. Si $\vec{i}$ et $\vec{j}$ sont tels qu'ils sont illustrés à la figure 2.7, alors le vecteur de déplacement de P à Q est $4\vec{i} - \vec{j}$.

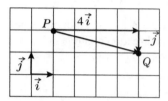

Figure 2.7 : Le vecteur de déplacement de P à Q est $4\vec{i} - \vec{j}$.

On applique la même idée à l'espace à trois dimensions. D'abord, on choisit un système cartésien d'axes de coordonnées. Les trois vecteurs de longueur 1 présentés à la figure 2.8 sont le vecteur $\vec{i}$ qui s'oriente vers la partie positive de l'axe des x, le vecteur $\vec{j}$ qui s'oriente vers la partie positive de l'axe des y et le vecteur $\vec{k}$ qui s'oriente vers la partie positive de l'axe des z.

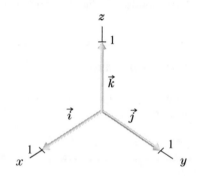

Figure 2.8 : Vecteurs $\vec{i}$, $\vec{j}$ et $\vec{k}$ dans l'espace à trois dimensions

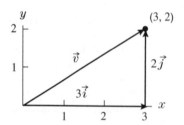

Figure 2.9 : On décompose $\vec{v}$ en composantes en écrivant $\vec{v} = 3\vec{i} + 2\vec{j}$.

La notation de vecteurs de déplacement à l'aide de $\vec{i}$, de $\vec{j}$ et de $\vec{k}$

On peut exprimer tout déplacement à trois dimensions ou dans le plan comme une combinaison de déplacements dans les directions des coordonnées. Par exemple, la figure 2.9 montre qu'on peut représenter le vecteur de déplacement $\vec{v}$ depuis l'origine jusqu'au point $(3, 2)$ comme une somme des vecteurs de déplacement le long de l'axe des x et des y :

$$\vec{v} = 3\vec{i} + 2\vec{j}.$$

C'est ce qu'on appelle la *décomposition de $\vec{v}$ en composantes*. En général,

> On **décompose** $\vec{v}$ en composantes en le désignant sous la forme
> $$\vec{v} = v_1\vec{i} + v_2\vec{j} + v_3\vec{k}.$$
> On appelle $v_1\vec{i}$, $v_2\vec{j}$ et $v_3\vec{k}$ les **composantes** de $\vec{v}$.

Une autre notation pour les vecteurs

Bon nombre de personnes adoptent la notation d'un vecteur à trois dimensions qui consiste en une suite de trois nombres, c'est-à-dire

$$\vec{v} = (v_1, v_2, v_3) \quad \text{plutôt que} \quad \vec{v} = v_1\vec{i} + v_2\vec{j} + v_3\vec{k}.$$

Puisque la première notation peut porter à confusion mais pas la deuxième, on utilise généralement celle-ci.

Exemple 2   Décomposez en composantes le vecteur de déplacement $\vec{v}$ depuis le point $P_1 = (2,\ 4,\ 10)$ jusqu'au point $P_2 = (3, 7, 6)$.

Solution   Pour passer de P_1 à P_2, on se déplace de 1 unité dans la direction positive de l'axe des x, de 3 unités dans la direction positive de l'axe des y et de 4 unités dans la direction négative de l'axe des z. Par conséquent, $\vec{v} = \vec{i} + 3\vec{j} - 4\vec{k}$.

Exemple 3   Déterminez si le vecteur $\vec{v} = 2\vec{i} + 3\vec{j} + 5\vec{k}$ est parallèle à chacun des vecteurs suivants :

$$\vec{w} = 4\vec{i} + 6\vec{j} + 10\vec{k}, \quad \vec{a} = -\vec{i} - 1,5\vec{j} - 2,5\vec{k}, \quad \vec{b} = 4\vec{i} + 6\vec{j} + 9\vec{k}$$

Solution   Puisque $\vec{w} = 2\vec{v}$ et que $\vec{a} = -0,5\vec{v}$, les vecteurs $\vec{v}$, $\vec{w}$ et $\vec{a}$ sont parallèles. Cependant, $\vec{b}$ n'est pas un multiple de $\vec{v}$ (puisque, par exemple, $4/2 \neq 9/5$). Donc, $\vec{v}$ et $\vec{b}$ ne sont pas parallèles.

De façon générale, la figure 2.10 montre comment exprimer le vecteur de déplacement entre deux points en composantes :

Composantes des vecteurs de déplacement

Le vecteur de déplacement du point $P_1 = (x_1,\ y_1,\ z_1)$ au point $P_2 = (x_2,\ y_2,\ z_2)$ est exprimé sous forme de composantes par

$$\overrightarrow{P_1P_2} = (x_2 - x_1)\vec{i} + (y_2 - y_1)\vec{j} + (z_2 - z_1)\vec{k}.$$

Les vecteurs position : le déplacement d'un point depuis l'origine

Un vecteur de déplacement dont l'origine est située au point $(0, 0, 0)$ est appelé un *vecteur position*. Ainsi, tout point $(x_0,\ y_0,\ z_0)$ dans l'espace est associé au vecteur position $\vec{r}_0 = x_0\vec{i} + y_0\vec{j} + z_0\vec{k}$ (voir la figure 2.11). En général, un vecteur position donne le déplacement d'un point depuis l'origine.

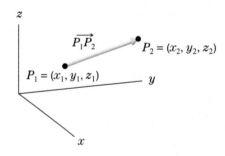

Figure 2.10 : Vecteur de déplacement
$\overrightarrow{P_1P_2} = (x_2 - x_1)\vec{i} + (y_2 - y_1)\vec{j} + (z_2 - z_1)\vec{k}$

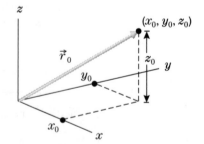

Figure 2.11 : Vecteur position
$\vec{r}_0 = x_0\vec{i} + y_0\vec{j} + z_0\vec{k}$

Les composantes du vecteur nul

Le vecteur de déplacement nul a une norme égale à zéro et s'écrit $\vec{0}$. Donc, $\vec{0} = 0\vec{i} + 0\vec{j} + 0\vec{k}$.

La norme d'un vecteur en composantes

Pour un vecteur $\vec{v} = v_1\vec{i} + v_2\vec{j}$, on utilise le théorème de Pythagore pour trouver sa norme $\|\vec{v}\|$ (voir la figure 2.12).

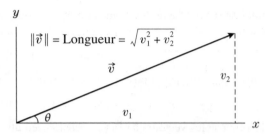

Figure 2.12 : Norme $\|\vec{v}\|$ d'un vecteur à deux dimensions $\vec{v}$

Dans l'espace à trois dimensions, pour un vecteur $\vec{v} = v_1\vec{i} + v_2\vec{j} + v_3\vec{k}$, on a

$$\text{Norme de } \vec{v} \quad = \|\vec{v}\| = \text{Longueur de la flèche} = \sqrt{v_1^2 + v_2^2 + v_3^2}.$$

Par exemple, si $\vec{v} = 3\vec{i} - 4\vec{j} + 5\vec{k}$, alors $\|\vec{v}\| = \sqrt{3^2 + (-4)^2 + 5^2} = \sqrt{50}$.

L'addition et la multiplication scalaire de vecteurs en composantes

On suppose que les vecteurs $\vec{v}$ et $\vec{w}$ sont donnés en composantes :

$$\vec{v} = v_1\vec{i} + v_2\vec{j} + v_3\vec{k} \quad \text{et} \quad \vec{w} = w_1\vec{i} + w_2\vec{j} + w_3\vec{k}.$$

Alors,

$$\vec{v} + \vec{w} = (v_1 + w_1)\vec{i} + (v_2 + w_2)\vec{j} + (v_3 + w_3)\vec{k},$$

et

$$\lambda\vec{v} = \lambda v_1\vec{i} + \lambda v_2\vec{j} + \lambda v_3\vec{k}.$$

Les figures 2.13 et 2.14 illustrent ces propriétés pour l'espace à deux dimensions. Finalement, $\vec{v} - \vec{w} = \vec{v} + (-1)\vec{w}$. Donc, on peut écrire $\vec{v} - \vec{w} = (v_1 - w_1)\vec{i} + (v_2 - w_2)\vec{j} + (v_3 - w_3)\vec{k}$.

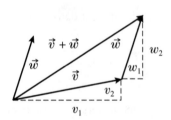

Figure 2.13 : Somme de $\vec{v} + \vec{w}$ en composantes

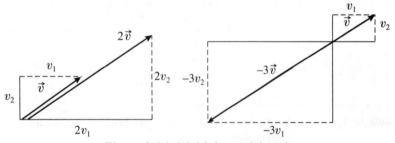

Figure 2.14 : Multiples scalaires de vecteurs montrant $\vec{v}$, $2\vec{v}$ et $-3\vec{v}$

Comment décomposer un vecteur en composantes

On se demande peut-être comment trouver les composantes d'un vecteur à deux dimensions, étant donné sa longueur et sa direction. On suppose que le vecteur $\vec{v}$ a une longueur v et forme un angle de θ avec l'axe des x, mesuré dans le sens contraire des aiguilles d'une montre (voir la figure 2.15). Si $\vec{v} = v_1\vec{i} + v_2\vec{j}$, la figure 2.15 montre que

$$v_1 = v\cos\theta \quad \text{et} \quad v_2 = v\sin\theta.$$

Par conséquent, on décompose $\vec{v}$ en composantes en écrivant

$$\vec{v} = (v\cos\theta)\vec{i} + (v\sin\theta)\vec{j}.$$

On décompose les vecteurs à trois dimensions en utilisant les cosinus de direction (voir le problème 29).

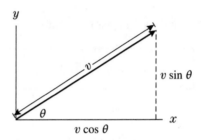

Figure 2.15 : Décomposition d'un vecteur : $\vec{v} = (v\cos\theta)\vec{i} + (v\sin\theta)\vec{j}$

Exemple 4   Décomposez $\vec{v}$ en composantes si $v = 2$ et $\theta = \pi/6$.

Solution   On a $\vec{v} = 2\cos(\pi/6)\vec{i} + 2\sin(\pi/6)\vec{j} = 2(\sqrt{3}/2)\vec{i} + 2(1/2)\vec{j} = \sqrt{3}\,\vec{i} + \vec{j}$.

Les vecteurs unitaires

Un *vecteur unitaire* est un vecteur de norme 1. Les vecteurs $\vec{i}$, $\vec{j}$ et $\vec{k}$ sont des vecteurs unitaires orientés dans les directions des axes de coordonnées. Souvent, il est utile de trouver un vecteur unitaire qui est dans la même direction qu'un vecteur $\vec{v}$ donné. On suppose que $\|\vec{v}\| = 10$; un vecteur unitaire qui est dans la même direction que $\vec{v}$ est $\vec{v}/10$. En général, un vecteur unitaire dans la direction de tout vecteur non nul $\vec{v}$ est

$$\vec{u} = \frac{\vec{v}}{\|\vec{v}\|}.$$

Exemple 5   Trouvez un vecteur unitaire $\vec{u}$ qui est dans la direction du vecteur $\vec{v} = \vec{i} + 3\vec{j}$.

Solution   Si $\vec{v} = \vec{i} + 3\vec{j}$, alors $\|\vec{v}\| = \sqrt{1^2 + 3^2} = \sqrt{10}$. Ainsi, un vecteur unitaire qui est dans la même direction est donné par

$$\vec{u} = \frac{\vec{v}}{\sqrt{10}} = \frac{1}{\sqrt{10}}(\vec{i} + 3\vec{j}) = \frac{1}{\sqrt{10}}\vec{i} + \frac{3}{\sqrt{10}}\vec{j} \approx 0{,}32\vec{i} + 0{,}95\vec{j}.$$

Exemple 6   Trouvez un vecteur unitaire au point (x, y, z) qui s'oriente radialement vers l'extérieur en s'éloignant de l'origine.

Solution   Le vecteur partant de l'origine et allant à (x, y, z) est le vecteur position

$$\vec{r} = x\vec{i} + y\vec{j} + z\vec{k}.$$

Par conséquent, si on place son origine en (x, y, z), il s'orientera vers l'extérieur de l'origine. Sa norme est

$$\|\vec{r}\| = \sqrt{x^2 + y^2 + z^2}.$$

Donc, un vecteur unitaire qui s'oriente dans la même direction est

$$\frac{\vec{r}}{\|\vec{r}\|} = \frac{x\vec{i} + y\vec{j} + z\vec{k}}{\sqrt{x^2 + y^2 + z^2}} = \frac{x}{\sqrt{x^2 + y^2 + z^2}}\,\vec{i} + \frac{y}{\sqrt{x^2 + y^2 + z^2}}\,\vec{j} + \frac{z}{\sqrt{x^2 + y^2 + z^2}}\,\vec{k}.$$

Problèmes de la section 2.1

1. Les vecteurs $\vec{w}$ et $\vec{u}$ sont présentés à la figure 2.16. Faites concorder les vecteurs $\vec{p}$, $\vec{q}$, $\vec{r}$, $\vec{s}$, $\vec{t}$ avec cinq vecteurs parmi les suivants : $\vec{u} + \vec{w}$, $\vec{u} - \vec{w}$, $\vec{w} - \vec{u}$, $2\vec{w} - \vec{u}$, $\vec{u} - 2\vec{w}$, $2\vec{w}$, $-2\vec{w}$, $2\vec{u}$, $-2\vec{u}$, $-\vec{w}$, $-\vec{u}$.

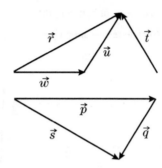

Figure 2.16

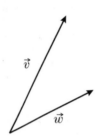

Figure 2.17

2. Étant donné les vecteurs de déplacement $\vec{v}$ et $\vec{w}$ à la figure 2.17, tracez les vecteurs ci-après.

   a) $\vec{v} + \vec{w}$ b) $\vec{v} - \vec{w}$ c) $2\vec{v}$ d) $2\vec{v} + \vec{w}$ e) $\vec{v} - 2\vec{w}$.

Pour les problèmes 3 à 8, effectuez les opérations indiquées sur les vecteurs suivants :

$$\vec{a} = 2\vec{j} + \vec{k}, \qquad \vec{b} = -3\vec{i} + 5\vec{j} + 4\vec{k}, \qquad \vec{c} = \vec{i} + 6\vec{j}$$

$$\vec{x} = -2\vec{i} + 9\vec{j}, \qquad \vec{y} = 4\vec{i} - 7\vec{j}, \qquad \vec{z} = \vec{i} - 3\vec{j} - \vec{k}.$$

3. $\|\vec{z}\|$ 4. $\vec{a} + \vec{z}$ 5. $5\vec{b}$

6. $2\vec{c} + \vec{x}$ 7. $\|\vec{y}\|$ 8. $2\vec{a} + 7\vec{b} - 5\vec{z}$

Pour les problèmes 9 à 12, effectuez les calculs indiqués.

9. $(4\vec{i} + 2\vec{j}) - (3\vec{i} - \vec{j})$ 10. $(\vec{i} + 2\vec{j}) + (-3)(2\vec{i} + \vec{j})$

11. $-4(\vec{i} - 2\vec{j}) - 0{,}5(\vec{i} - \vec{k})$ 12. $2(0{,}45\vec{i} - 0{,}9\vec{j} - 0{,}01\vec{k}) - 0{,}5(1{,}2\vec{i} - 0{,}1\vec{k})$

Trouvez la longueur des vecteurs des problèmes 13 à 16.

13. $\vec{v} = \vec{i} - \vec{j} + 3\vec{k}$ 14. $\vec{v} = \vec{i} - \vec{j} + 2\vec{k}$

15. $\vec{v} = 1{,}2\vec{i} - 3{,}6\vec{j} + 4{,}1\vec{k}$ 16. $\vec{v} = 7{,}2\vec{i} - 1{,}5\vec{j} + 2{,}1\vec{k}$

Un chat est assis par terre au point (1, 4, 0) et guette un écureuil perché au sommet d'un arbre. L'arbre a une unité de hauteur, et sa base est au point (2, 4, 0). Trouvez les vecteurs de déplacement pour les problèmes 17 à 20.

17. De l'origine au chat.   18. Du bas de l'arbre à l'écureuil.

19. Du bas de l'arbre au chat.   20. Du chat à l'écureuil.

21. Sur le graphe de la figure 2.18 (page suivante), tracez deux fois le vecteur $\vec{v} = 4\vec{i} + \vec{j}$, une fois depuis l'origine et une autre fois depuis le point (3, 2).

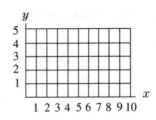

Figure 2.18

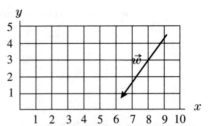

Figure 2.19 : Échelle : 1 longueur de carreau = 0,25 po

Décomposez les vecteurs des problèmes 22 à 26 en composantes.

22. Le vecteur illustré à la figure 2.19.

23. Un vecteur partant du point $P = (1, 2)$ et se terminant au point $Q = (4, 6)$.

24. Un vecteur partant du point $Q = (4, 6)$ et se terminant au point $P = (1, 2)$.

25.

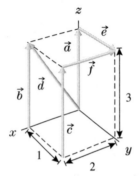

26.

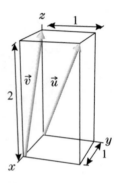

27. Trouvez la longueur des vecteurs $\vec{u}$ et $\vec{v}$ du problème 26.

28. Trouvez un vecteur qui s'oriente dans la même direction que $\vec{i} - \vec{j} + 2\vec{k}$, mais qui a une longueur 2.

29. a) Trouvez un vecteur unitaire partant du point $P = (1, 2)$ et orienté vers le point $Q = (4, 6)$.
    b) Trouvez un vecteur de longueur 10 orienté dans la même direction.

30. Parmi les vecteurs suivants, lesquels sont parallèles ?

$$\vec{u} = 2\vec{i} + 4\vec{j} - 2\vec{k} \qquad \vec{v} = \vec{i} - \vec{j} + 3\vec{k} \qquad \vec{w} = -\vec{i} - 2\vec{j} + \vec{k}$$

$$\vec{p} = \vec{i} + \vec{j} + \vec{k} \qquad \vec{q} = 4\vec{i} - 4\vec{j} + 12\vec{k} \qquad \vec{r} = \vec{i} - \vec{j} + \vec{k}$$

31. La figure 2.20 montre une molécule ayant quatre atomes en position O, A, B et C. Vérifiez si chaque atome dans la molécule se trouve à 2 unités de chaque autre atome.

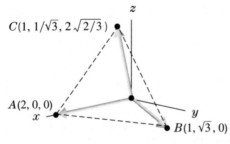

Figure 2.20

Pour les problèmes 32 et 33, considérez la carte de la figure 1.1 du chapitre 1.

32. Si vous quittez Topeka le long des vecteurs suivants, la température augmente-t-elle ou diminue-t-elle ?

    a) $\vec{u} = 3\vec{i} + 2\vec{j}$ \qquad b) $\vec{v} = -\vec{i} - \vec{j}$ \qquad c) $\vec{w} = -5\vec{i} - 5\vec{j}$

33. En partant de Buffalo, tracez un vecteur orienté dans la direction où la température augmente le plus rapidement. En partant de Boise, tracez un vecteur orienté dans la direction où la température diminue le plus rapidement.

34. Un camion se déplace vers le nord à 30 km/h et approche d'une intersection. Sur une route perpendiculaire, une voiture de police circule vers l'ouest en direction de cette intersection à 40 km/h. Supposez que les deux véhicules atteignent l'intersection dans exactement 1 h. Trouvez le vecteur qui représente le déplacement du camion par rapport à celui de la voiture de police.

35. Montrez que les médianes d'un triangle se croisent en un point situé au tiers de leur longueur.

36. Montrez que les lignes qui relient le centroïde (le point d'intersection des médianes) d'une face du tétraèdre et le sommet opposé se rencontrent en un point situé au quart du chemin de chaque centroïde à son sommet opposé.

2.2 LES VECTEURS EN GÉNÉRAL

Mis à part le déplacement, bon nombre de quantités ont une norme et une direction, et elles sont additionnées et multipliées par des scalaires de la même façon que les déplacements. Une telle quantité est appelée un *vecteur* et est représentée par une flèche, tout comme les déplacements. La longueur de la flèche est la *norme* du vecteur et la direction de la flèche, sa direction.

Le vecteur vitesse

La vitesse d'un corps en mouvement, par exemple 80 km/h, n'est qu'un nombre ; il s'agit donc d'un scalaire. Le vecteur vitesse, d'autre part, indique en plus la direction du mouvement ; il s'agit d'un vecteur. Par exemple, si une voiture se dirige vers le nord-est à 80 km/h, alors son vecteur vitesse est un vecteur de longueur 80 orienté vers le nord-est.

> Le **vecteur vitesse** d'un objet en mouvement est un vecteur dont la norme est la vitesse de l'objet et dont la direction est celle du mouvement.

Exemple 1   Une voiture se dirige vers le nord à une vitesse de 100 km/h, tandis qu'un avion qui survole cette voiture se dirige horizontalement vers le sud-ouest à une vitesse de 500 km/h. Tracez les vecteurs vitesse de la voiture et de l'avion.

Solution   La figure 2.21 montre les vecteurs vitesse. Le vecteur vitesse de l'avion est cinq fois plus long que celui de la voiture, car sa vitesse est cinq fois plus grande.

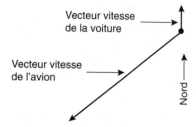

Figure 2.21 : Le vecteur vitesse de la voiture est de 100 km/h vers le nord et celui de l'avion, de 500 km/h vers le sud-ouest.

L'exemple 2 montre que les vecteurs vitesse de deux mouvements s'additionnent pour donner le vecteur vitesse du mouvement combiné, tout comme le font les déplacements.

Exemple 2   Un bateau se déplace avec un vecteur vitesse $\vec{v}$ et à une vitesse de 8 km/h par rapport à l'eau. De plus, la rivière a un courant $\vec{c}$ et une vitesse de 1 km/h (voir la figure 2.22). Quelle est la signification physique du vecteur $\vec{v} + \vec{c}$?

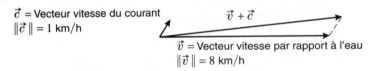

$\vec{c}$ = Vecteur vitesse du courant
$\|\vec{c}\| = 1$ km/h

$\vec{v} + \vec{c}$

$\vec{v}$ = Vecteur vitesse par rapport à l'eau
$\|\vec{v}\| = 8$ km/h

Figure 2.22 : Le vecteur vitesse du bateau par rapport au lit
de la rivière est la somme $\vec{v} + \vec{c}$.

Solution   Le vecteur $\vec{v}$ montre le mouvement du bateau par rapport à la rivière, tandis que $\vec{c}$ montre le mouvement de l'eau par rapport au lit de la rivière. Imaginez que, pendant 1 h, le bateau se déplace d'abord à 8 km/h par rapport à l'eau, qui demeure immobile ; ce déplacement est représenté par $\vec{v}$. Puis, imaginez que l'eau se déplace à 1 km/h tandis que le bateau reste stationnaire par rapport à l'eau ; ce déplacement est représenté par $\vec{c}$. Le déplacement combiné est représenté par $\vec{v} + \vec{c}$. Par conséquent, le vecteur $\vec{v} + \vec{c}$ représente le vecteur vitesse du bateau par rapport au lit de la rivière.

Noter que la vitesse effective du bateau n'est pas nécessairement de 9 km/h, à moins que le bateau ne se déplace dans la direction du courant. Même si on additionne les vecteurs vitesse, on n'additionne pas nécessairement leurs normes.

La multiplication scalaire s'applique également aux vecteurs vitesse. Par exemple, si $\vec{v}$ est un vecteur vitesse, alors $-2\vec{v}$ représente un vecteur vitesse d'une norme deux fois supérieure dans la direction opposée.

Exemple 3   Une balle de vecteur vitesse $\vec{v}$ frappe un mur en angle droit puis rebondit avec une vitesse réduite de 20 %. Exprimez le nouveau vecteur vitesse en fonction de l'ancien.

Solution   Le nouveau vecteur vitesse est de $-0{,}8\vec{v}$, où le signe négatif exprime le fait que le nouveau vecteur vitesse est dans la direction opposée à l'ancien.

On peut représenter les vecteurs vitesse en composantes de la même manière qu'on l'a fait précédemment (voir la sous-section « Comment décomposer un vecteur en composantes »).

Exemple 4   Représentez les vecteurs vitesse de la voiture et de l'avion de l'exemple 1 en utilisant des composantes. Faites en sorte que le nord soit la partie positive de l'axe des y, que l'est soit la partie positive de l'axe des x et que le haut soit la partie positive de l'axe des z.

Solution   La voiture se déplace vers le nord à 100 km/h. Donc, la composante y de son vecteur vitesse est $100\vec{j}$ et la composante x est $0\vec{i}$. Puisque la voiture se déplace horizontalement, la composante z est $0\vec{k}$. On a donc

$$\text{Vecteur vitesse de la voiture} = 0\vec{i} + 100\vec{j} + 0\vec{k} = 100\vec{j}.$$

Le vecteur vitesse de l'avion a également une composante $\vec{k}$ égale à zéro. Puisqu'il se dirige vers le sud-ouest, ses composantes $\vec{i}$ et $\vec{j}$ ont des coefficients négatifs (le nord et l'est sont positifs). Puisque l'avion se déplace à 500 km/h, en 1 h il aura parcouru $500/\sqrt{2} \approx 354$ km vers l'ouest et 354 km vers le sud (voir la figure 2.23). Par conséquent,

$$\text{Vecteur vitesse de l'avion} = -(500\cos 45°)\vec{i} - (500\sin 45°)\vec{j} \approx -354\vec{i} - 354\vec{j}.$$

Bien entendu, si la voiture monte une pente ou si l'avion amorce une descente pour l'atterrissage, alors la composante $\vec{k}$ ne sera pas nulle.

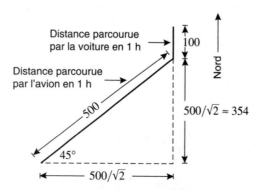

Figure 2.23 : Distance parcourue par l'avion et la voiture en 1 h

L'accélération

L'accélération constitue un autre exemple de quantité vectorielle. L'accélération, comme le vecteur vitesse, est constituée d'une norme et d'une direction — par exemple, l'accélération due à la gravité est de 9,81 m/s^2 verticalement et vers le bas.

La force

La force est un autre exemple de quantité vectorielle. On suppose qu'on pousse sur une porte ouverte. Le résultat dépend de la force de la poussée et de la direction de celle-ci. Par conséquent, pour préciser une force, on doit donner sa norme (ou puissance) et la direction dans laquelle elle agit. Par exemple, la force gravitationnelle exercée sur un objet par la Terre est un vecteur qui s'oriente de l'objet vers le centre de la Terre ; sa norme est la puissance de la force gravitationnelle.

Exemple 5   La Terre gravite autour du Soleil selon une ellipse. La force gravitationnelle exercée sur la Terre et le vecteur vitesse de celle-ci sont régis par les lois suivantes :
La *loi sur la gravitation de Newton* : la norme de l'attraction gravitationnelle F entre deux masses m_1 et m_2 séparées par une distance r est donnée par $F = Gm_1m_2/r^2$, où G est une constante. Le vecteur de force se trouve le long de la droite entre les masses.
Deuxième loi de Kepler : la droite reliant une planète au Soleil balaye des aires égales en des temps égaux.

a) Tracez des vecteurs qui représentent la force gravitationnelle du Soleil sur la Terre en deux positions différentes dans l'orbite de la Terre.
b) Tracez le vecteur vitesse de la Terre en deux points dans son orbite.

Solution   a) La figure 2.24 (page suivante) illustre la Terre en orbite autour du Soleil. Noter que le vecteur de force gravitationnelle est toujours orienté vers le Soleil et qu'il est plus grand quand la Terre est plus proche du Soleil, et ce à cause du terme r^2 dans le dénominateur. (En fait, la véritable orbite ressemble davantage à un cercle que celle qu'on présente ici.)

b) Le vecteur vitesse est orienté dans la direction du mouvement de la Terre. Par conséquent, le vecteur vitesse est tangent à l'ellipse (voir la figure 2.25 à la page suivante). De plus, le vecteur vitesse est plus long aux points de l'orbite où la planète se déplace rapidement, car la norme du vecteur vitesse est la vitesse. La deuxième loi de Kepler permet de déterminer quand la Terre se déplace rapidement et quand elle se déplace lentement. Au cours d'une période fixe, par exemple un mois, la droite reliant la Terre au Soleil balaye un secteur qui a une certaine aire. La figure 2.25 montre deux secteurs balayés au cours de deux différents intervalles de un mois. La loi de Kepler stipule que les aires des deux secteurs sont les mêmes. Ainsi, la Terre doit se déplacer davantage en un mois quand elle est proche du Soleil que lorsqu'elle en est éloignée. Par conséquent, la Terre se déplace plus rapidement quand elle est proche du Soleil et plus lentement quand elle en est éloignée.

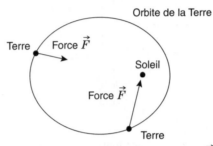

Figure 2.24 : Force gravitationnelle $\vec{F}$ exercée par le Soleil sur la Terre : la norme est supérieure lorsque la Terre est proche du Soleil

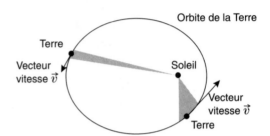

Figure 2.25 : Vecteur vitesse $\vec{v}$ de la Terre : la norme est supérieure lorsque la Terre est proche du Soleil

Les propriétés de l'addition et de la multiplication scalaire

En général, on additionne, on soustrait et on multiplie les vecteurs par les scalaires de la même manière que les vecteurs de déplacement. Ainsi, pour tout vecteur $\vec{u}$, $\vec{v}$ et $\vec{w}$ et tout scalaire α et β, on a les propriétés suivantes :

Commutativité	**Associativité**	
1. $\vec{v} + \vec{w} = \vec{w} + \vec{v}$	**2.** $(\vec{u} + \vec{v}) + \vec{w} = \vec{u} + (\vec{v} + \vec{w})$	
	3. $\alpha(\beta\vec{v}) = (\alpha\beta)\vec{v}$	
Distributivité	**Identité**	
4. $(\alpha + \beta)\vec{v} = \alpha\vec{v} + \beta\vec{v}$	**6.** $1 \cdot \vec{v} = \vec{v}$	**8.** $\vec{v} + \vec{0} = \vec{v}$
5. $\alpha(\vec{v} + \vec{w}) = \alpha\vec{v} + \alpha\vec{w}$	**7.** $0 \cdot \vec{v} = \vec{0}$	**9.** $\vec{w} + (-1) \cdot \vec{v} = \vec{w} - \vec{v}$

Pour les problèmes 16 à 23 à la fin de la présente section, il faudra en justifier les résultats en fonction des vecteurs de déplacement.

L'utilisation des composantes

Exemple 6 Un avion, qui se dirige vers l'est à une vitesse aérienne de 600 km/h, affronte un vent de 50 km/h soufflant vers le nord-est. Trouvez la direction de l'avion et son vecteur vitesse relative au sol.

Solution On choisit un système de coordonnées avec l'axe des x s'orientant vers l'est et l'axe des y s'orientant vers le nord (voir la figure 2.26).

Le vecteur vitesse aérienne indique le vecteur vitesse de l'avion par rapport à l'air stable. Ainsi, l'avion se déplace vers l'est avec un vecteur vitesse de $\vec{v} = 600\vec{i}$ par rapport à l'air stable. De plus, l'air se déplace avec un vecteur vitesse $\vec{w}$. En écrivant $\vec{w}$ sous forme de composantes, on a

$$\vec{w} = (50\cos 45°)\vec{i} + (50\sin 45°)\vec{j} = 35{,}4\vec{i} + 35{,}4\vec{j}.$$

Le vecteur $\vec{v} + \vec{w}$ représente le déplacement de l'avion par rapport au sol pendant 1 h. Ainsi, $\vec{v} + \vec{w}$ est le vecteur vitesse de l'avion par rapport au sol. Les composantes sont

$$\vec{v} + \vec{w} = 600\,\vec{i} + (35{,}4\,\vec{i} + 35{,}4\,\vec{j}) = 635{,}4\,\vec{i} + 35{,}4\,\vec{j}.$$

La direction du mouvement de l'avion par rapport au sol est donnée par l'angle θ de la figure 2.26, où

$$\tan\theta = \frac{35{,}4}{635{,}4}.$$

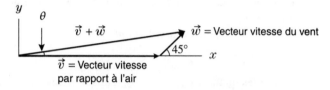

Figure 2.26 : Le vecteur vitesse de l'avion par rapport au sol est la somme $\vec{v} + \vec{w}$.

Donc,

$$\theta = \arctan\left(\frac{35{,}4}{635{,}4}\right) = 3{,}2°.$$

Le vecteur vitesse au sol est le vecteur vitesse de l'avion par rapport au sol. Donc,

$$\text{Vecteur vitesse au sol} = \sqrt{635{,}4^2 + 35{,}4^2} = 636{,}4 \text{ km/h}.$$

Ainsi, le vecteur vitesse de l'avion par rapport au sol a été légèrement augmenté par le vent. (C'est ce qu'on avait prédit, car le vent influe sur la direction dans laquelle l'avion se déplace.) L'angle θ montre la distance dont l'avion est détourné de sa trajectoire par le vent.

Les vecteurs à n dimensions

À l'aide de l'autre notation $\vec{v} = (v_1, v_2, v_3)$ pour un vecteur à trois dimensions, on peut définir un vecteur à n dimensions comme une suite de n nombres. Ainsi, on peut définir un vecteur à n dimensions comme suit :

$$\vec{c} = (c_1, c_2, ..., c_n).$$

L'addition et la multiplication scalaire sont définies par les formules

$$\vec{v} + \vec{w} = (v_1, v_2, ..., v_n) + (w_1, w_2, ..., w_n) = (v_1 + w_1, v_2 + w_2, ..., v_n + w_n)$$

et

$$\lambda\vec{v} = \lambda(v_1, v_2, ..., v_n) = (\lambda v_1, \lambda v_2, ..., \lambda v_n).$$

Pourquoi a-t-on besoin de vecteurs à n dimensions ?

On peut utiliser les vecteurs dans un espace à deux et à trois dimensions pour modéliser le déplacement, les vecteurs vitesse ou les forces. Mais que dire des vecteurs à n dimensions ? Il existe une autre interprétation utile des vecteurs à trois dimensions : on peut les considérer comme une liste de trois données différentes — par exemple, le déplacement parallèle aux axes des x, des y et des z. De la même manière, on peut interpréter le vecteur n

$$\vec{c} = (c_1, c_2, ..., c_n)$$

comme une manière de garder n données différentes de façon organisée. Par exemple, un vecteur de *population* $\vec{N}$ montre le nombre d'enfants et d'adultes d'une population :

$$\vec{N} = (\text{Nombre d'enfants, Nombre d'adultes}),$$

ou, si on désire connaître les catégories d'âge plus en détail, on peut donner le nombre de personnes dans chaque catégorie d'âge de cette population par tranches de 10 ans (jusqu'à 110 ans) sous la forme

$$\vec{N} = (N_1, N_2, N_3, N_4, ..., N_{10}, N_{11}),$$

où N_1 est la population âgée entre 0 et 9 ans, N_2 est la population âgée entre 10 et 19 ans, et ainsi de suite.

Un vecteur de *consommation*

$$\vec{q} = (q_1, q_2, ..., q_n)$$

montre les quantités $q_1, q_2, ..., q_n$ consommées de chacun des n biens. Un vecteur de *prix*

$$\vec{p} = (p_1, p_2, ..., p_n)$$

contient les prix de n articles différents.

En 1907, Hermann Minkowski a utilisé des vecteurs à quatre composantes pour présenter les *coordonnées spatio-temporelles,* où on a attribué à chaque événement un vecteur de position $\vec{v}$ avec quatre coordonnées, trois pour sa position dans l'espace et une pour le temps :

$$\vec{v} = (x, y, z, t).$$

Exemple 7   Supposez que le vecteur $\vec{I}$ représente le nombre de photocopies (en milliers) que quatre centres de photocopies produisent chacun au mois de décembre et que $\vec{J}$ représente le nombre de photocopies produites dans les mêmes centres de photocopies durant les 11 mois précédents (il s'agit du cumul jusqu'à ce jour). Si $\vec{I} = (25, 211, 818, 642)$ et $\vec{J} = (331, 3227, 1377, 2570)$, calculez $\vec{I} + \vec{J}$. Que représente cette somme ?

Solution   La somme est

$$\vec{I} + \vec{J} = (25 + 331, 211 + 3227, 818 + 1377, 642 + 2570) = (356, 3438, 2195, 3212).$$

Chaque terme dans $\vec{I} + \vec{J}$ représente la somme du nombre de photocopies faites en décembre plus celles des 11 mois précédents, soit le nombre total de photocopies faites durant toute l'année dans ce centre de photocopies.

Exemple 8   Le vecteur de prix $\vec{p} = (p_1, p_2, p_3)$ représente les prix (en dollars) de trois biens. Trouvez un vecteur qui donne les prix des mêmes biens en cents.

Solution   Les prix en cents sont respectivement $100p_1$, $100p_2$ et $100p_3$. Donc, le nouveau vecteur de prix est

$$(100p_1, 100p_2, 100p_3) = 100\vec{p}.$$

Problèmes de la section 2.2

Dans les problèmes 1 à 4, déterminez si la quantité donnée est un vecteur ou un scalaire.

1. La distance entre Seattle et Saint-Louis.

2. La population des États-Unis.

3. Le champ magnétique en un point sur la surface de la Terre.

4. La température en un point sur la surface de la Terre.

5. Une voiture se déplace à une vitesse de 50 km/h. Supposez que la partie positive de l'axe des y représente la direction nord et que la partie positive de l'axe des x représente la direction est. Décomposez en composantes le vecteur vitesse (à deux dimensions) de la voiture si elle se déplace dans chacune des directions suivantes :

   a) est ; b) sud ; c) sud-est ; d) nord-est.

6. Quelle voiture se déplace le plus rapidement : une voiture dont le vecteur vitesse est $21\,\vec{i} + 35\,\vec{j}$ ou une voiture dont le vecteur vitesse est $40\,\vec{i}$? Supposez que les unités sont les mêmes pour les deux directions.

7. Un objet en mouvement a un vecteur vitesse de $50\,\vec{i} + 20\,\vec{j}$ (en mètres par seconde). Exprimez le vecteur vitesse en kilomètres par heure.

8. Une voiture circule dans le sens contraire des aiguilles d'une montre sur la piste illustrée à la figure 2.27, ralentit dans les virages et accélère dans les portions droites. Tracez les vecteurs vitesse aux points P, Q et R.

9. Une voiture de course circule à une vitesse constante, dans le sens contraire des aiguilles d'une montre, sur la piste illustrée à la figure 2.27. À quel point sur la piste la voiture a-t-elle le plus long vecteur d'accélération et dans quelle direction se dirige-t-elle approximativement ? (Rappelez-vous que l'accélération correspond au taux de variation du vecteur vitesse.)

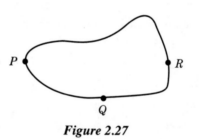

Figure 2.27

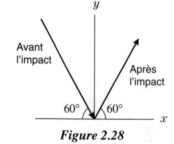

Figure 2.28

10. Une particule se déplace à une vitesse v, frappe une barrière à un angle de 60° et rebondit à un angle de 60° dans la direction opposée, sa vitesse réduite de 20 % (voir la figure 2.28). Trouvez le vecteur vitesse de l'objet après l'impact.

11. Une classe comprend cinq élèves. Leurs notes à l'examen de mi-trimestre (sur 100) sont données par le vecteur $\vec{v} = (73, 80, 91, 65, 84)$. Leurs notes à l'examen de fin de trimestre (sur 100) sont données par $\vec{w} = (82, 79, 88, 70, 92)$. Si l'examen de fin de trimestre compte deux fois plus que celui de la mi-trimestre, trouvez un vecteur qui donne les notes finales (en pourcentage) des élèves.

12. Peu après avoir décollé, un avion monte vers le nord-ouest dans un air stable, à une vitesse aérienne de 200 km/h, et s'élève à un rythme de 300 m/min. Décomposez en composantes son vecteur vitesse dans un système de coordonnées dans lequel l'axe des x est orienté vers l'est, l'axe des y est orienté vers le nord et l'axe des z est orienté vers le haut.

13. Un avion se dirige vers le nord-est à une vitesse aérienne de 700 km/h, mais un vent souffle du nord-est à une vitesse de 60 km/h. Dans quelle direction l'avion finit-il par se diriger ? Quelle est sa vitesse relative au sol ?

14. Un avion vole à une vitesse de 600 km/h contre un vent qui souffle du nord-est à une vitesse de 50 km/h. Dans quelle direction l'avion doit-il se diriger pour aller vers l'est ?

15. Un avion se dirige vers l'est et s'élève à un rythme de 80 km/h. Si sa vitesse aérienne est de 480 km/h et qu'un vent souffle à 100 km/h vers le nord-est, quelle est la vitesse relative au sol de l'avion ?

Utilisez la définition géométrique de l'addition et de la multiplication scalaire pour expliquer chacune des propriétés des problèmes 16 à 23.

16. $\vec{w} + \vec{v} = \vec{v} + \vec{w}$

17. $(\alpha + \beta)\vec{v} = \alpha\vec{v} + \beta\vec{v}$

18. $\alpha(\vec{v} + \vec{w}) = \alpha\vec{v} + \alpha\vec{w}$

19. $(\vec{u} + \vec{v}) + \vec{w} = \vec{u} + (\vec{v} + \vec{w})$

20. $\alpha(\beta\vec{v}) = (\alpha\beta)\vec{v}$

21. $\vec{v} + \vec{0} = \vec{v}$

22. $1\vec{v} = \vec{v}$

23. $\vec{v} + (-1)\vec{w} = \vec{v} - \vec{w}$

2.3 LE PRODUIT SCALAIRE

On a appris comment additionner des vecteurs ; peut-on multiplier deux vecteurs ? Dans les deux prochaines sections, on verra deux manières différentes de le faire : par le *produit scalaire,* qui donne un scalaire, et par le *produit vectoriel,* qui donne un vecteur.

Le produit scalaire : définition

Le produit scalaire crée le lien entre la géométrie et l'algèbre. On sait déjà comment calculer la norme d'un vecteur à partir de ses composantes ; le produit scalaire permet de calculer l'angle entre deux vecteurs. Pour deux vecteurs $\vec{v} = v_1\vec{i} + v_2\vec{j} + v_3\vec{k}$ et $\vec{w} = w_1\vec{i} + w_2\vec{j} + w_3\vec{k}$ (voir la figure 2.29), on définit un scalaire comme suit :

> Les deux définitions suivantes du **produit scalaire** $\vec{v} \cdot \vec{w}$ sont équivalentes.
>
> - **Définition géométrique**
>
> $\vec{v} \cdot \vec{w} = \|\vec{v}\| \|\vec{w}\| \cos\theta$ où θ est l'angle entre $\vec{v}$ et $\vec{w}$ et $0 \le \theta \le \pi$.
>
> - **Définition algébrique**
>
> $\vec{v} \cdot \vec{w} = v_1 w_1 + v_2 w_2 + v_3 w_3$.
>
> Noter que le produit scalaire de deux vecteurs est un *nombre*.

Pourquoi ne donne-t-on pas qu'une seule définition de $\vec{v} \cdot \vec{w}$? La raison en est que ces deux définitions sont d'importance égale ; la définition géométrique donne une image de ce que le produit scalaire signifie et la définition algébrique donne une manière de le calculer.

Comment peut-on savoir que les deux définitions sont équivalentes, autrement dit, qu'elles définissent véritablement la même chose ? Premièrement, on observe que les deux définitions donnent le même résultat dans un exemple particulier. Puis on montre pourquoi elles sont équivalentes en général.

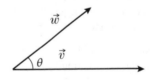

Figure 2.29 : Vecteurs $\vec{v}$ et $\vec{w}$

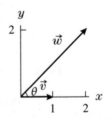

Figure 2.30 : Le calcul du produit scalaire des vecteurs $\vec{v} = \vec{i}$ et $\vec{w} = 2\vec{i} + 2\vec{j}$ de manière géométrique et algébrique donne le même résultat.

Exemple 1 Supposez que $\vec{v} = \vec{i}$ et que $\vec{w} = 2\vec{i} + 2\vec{j}$. Calculez géométriquement et algébriquement $\vec{v} \cdot \vec{w}$.

Solution Pour utiliser la définition géométrique, on consulte la figure 2.30. L'angle entre les vecteurs est de $\pi/4$ ou $45°$, et les normes des vecteurs sont données par

$$\|\vec{v}\| = 1 \quad \text{et} \quad \|\vec{w}\| = 2\sqrt{2}.$$

Par conséquent,

$$\vec{v} \cdot \vec{w} = \|\vec{v}\| \|\vec{w}\| \cos\theta = 2\sqrt{2} \cos\left(\frac{\pi}{4}\right) = 2.$$

À l'aide de la définition algébrique, on obtient le même résultat :

$$\vec{v} \cdot \vec{w} = 1 \cdot 2 + 0 \cdot 2 = 2.$$

Pourquoi les deux définitions du produit scalaire donnent-elles le même résultat ?

Dans l'exemple 1, les deux définitions donnent la même valeur pour le produit scalaire. Pour montrer que les définitions algébrique et géométrique du produit scalaire donnent toujours le même résultat, on doit montrer que, pour tout vecteur $\vec{v} = v_1\vec{i} + v_2\vec{j} + v_3\vec{k}$ et $\vec{w} = w_1\vec{i} + w_2\vec{j} + w_3\vec{k}$ avec un angle θ entre eux :

$$\|\vec{v}\| \|\vec{w}\| \cos\theta = v_1w_1 + v_2w_2 + v_3w_3.$$

Il existe une autre méthode. Cette dernière, qui ne fait pas appel à la trigonométrie, est donnée au problème 33, à la fin de cette section.

L'utilisation de la loi des cosinus. On suppose que $0 < \theta < \pi$, de sorte que les vecteurs $\vec{v}$ et $\vec{w}$ forment un triangle (voir la figure 2.31). Selon la loi des cosinus, on a

$$\|\vec{v} - \vec{w}\|^2 = \|\vec{v}\|^2 + \|\vec{w}\|^2 - 2\|\vec{v}\| \|\vec{w}\| \cos\theta.$$

Ce résultat est aussi vrai pour $\theta = 0$ et $\theta = \pi$. On calcule la longueur en utilisant les composantes

$$\|\vec{v}\|^2 = v_1^2 + v_2^2 + v_3^2$$

$$\|\vec{w}\|^2 = w_1^2 + w_2^2 + w_3^2$$

$$\|\vec{v} - \vec{w}\|^2 = (v_1 - w_1)^2 + (v_2 - w_2)^2 + (v_3 - w_3)^2$$

$$= v_1^2 - 2v_1w_1 + w_1^2 + v_2^2 - 2v_2w_2 + w_2^2 + v_3^2 - 2v_3w_3 + w_3^2.$$

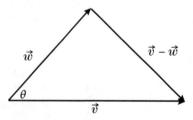

Figure 2.31 : Triangle utilisé dans la justification de
$$\|\vec{v}\| \|\vec{w}\| \cos\theta = v_1w_1 + v_2w_2 + v_3w_3$$

En remplaçant par la loi des cosinus et en annulant, on voit que

$$-2v_1w_1 - 2v_2w_2 - 2v_3w_3 = -2\|\vec{v}\| \|\vec{w}\| \cos\theta.$$

Ainsi, on a le résultat qu'on souhaite, à savoir

$$v_1w_1 + v_2w_2 + v_3w_3 = \|\vec{v}\| \|\vec{w}\| \cos\theta.$$

Les propriétés du produit scalaire

On peut justifier les propriétés suivantes du produit scalaire en utilisant la définition algébrique (voir le problème 26 à la fin de cette section). Pour une interprétation géométrique de la propriété 3, voir le problème 30.

> **Propriétés du produit scalaire.** Pour tout vecteur $\vec{u}$, $\vec{v}$ et $\vec{w}$ et tout scalaire λ,
> 1. $\vec{v} \cdot \vec{w} = \vec{w} \cdot \vec{v}$
> 2. $\vec{v} \cdot (\lambda \vec{w}) = \lambda(\vec{v} \cdot \vec{w}) = (\lambda \vec{v}) \cdot \vec{w}$
> 3. $(\vec{v} + \vec{w}) \cdot \vec{u} = \vec{v} \cdot \vec{u} + \vec{w} \cdot \vec{u}$

La perpendicularité, la norme et les produits scalaires

Deux vecteurs sont perpendiculaires si l'angle entre eux est de $\pi/2$ ou 90°. Puisque $\cos(\pi/2) = 0$, si $\vec{v}$ et $\vec{w}$ sont perpendiculaires, alors $\vec{v} \cdot \vec{w} = 0$. Inversement, si $\vec{v} \cdot \vec{w} = 0$, alors $\cos\theta = 0$. Donc, $\theta = \pi/2$ et les vecteurs sont perpendiculaires. Ainsi, on a le résultat suivant :

> Deux vecteurs non nuls $\vec{v}$ et $\vec{w}$ sont **perpendiculaires** ou **orthogonaux** si et seulement si
> $$\vec{v} \cdot \vec{w} = 0.$$

Par exemple, $\vec{i} \cdot \vec{j} = 0$, $\vec{j} \cdot \vec{k} = 0$, $\vec{i} \cdot \vec{k} = 0$.

Si l'on prend le produit scalaire d'un vecteur avec lui-même, alors $\theta = 0$ et $\cos\theta = 1$. Pour tout vecteur $\vec{v}$,

> La norme et le produit scalaire sont reliés comme suit :
> $$\vec{v} \cdot \vec{v} = \|\vec{v}\|^2.$$

Par exemple, $\vec{i} \cdot \vec{i} = 1$, $\vec{j} \cdot \vec{j} = 1$, $\vec{k} \cdot \vec{k} = 1$.

L'utilisation du produit scalaire

Selon la situation, une définition du produit scalaire peut être plus appropriée que l'autre. Dans l'exemple 2, la définition géométrique est la seule qu'on pourra utiliser, car on n'a pas de composantes. Dans l'exemple 3, on utilisera la définition algébrique.

Exemple 2   Supposez que le vecteur $\vec{b}$ est fixe et qu'il a une norme égale à 2 ; le vecteur $\vec{a}$ est libre de faire une rotation et a une norme égale à 3. Quelles sont les valeurs maximale et minimale du produit scalaire $\vec{a} \cdot \vec{b}$ quand le vecteur fait une rotation dans toutes les positions possibles ? Quelles positions de $\vec{a}$ et de $\vec{b}$ donnent ces valeurs ?

Solution   La définition géométrique donne $\vec{a} \cdot \vec{b} = \|\vec{a}\| \|\vec{b}\| \cos\theta = 3 \cdot 2\cos\theta = 6\cos\theta$. Par conséquent, la valeur maximale de $\vec{a} \cdot \vec{b}$ est 6, et on l'obtient quand $\cos\theta = 1$. Donc, $\theta = 0$, soit quand $\vec{a}$ et $\vec{b}$ sont orientés dans la même direction. La valeur minimale de $\vec{a} \cdot \vec{b}$ est de -6, et on l'obtient quand $\cos\theta = -1$. Donc, $\theta = \pi$ quand $\vec{a}$ et $\vec{b}$ sont orientés dans des directions opposées (voir la figure 2.32).

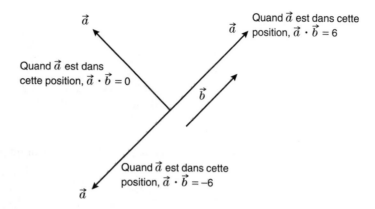

Figure 2.32 : Valeurs maximale et minimale de $\vec{a} \cdot \vec{b}$ obtenues depuis un vecteur fixe $\vec{b}$ de longueur 2 et un vecteur en rotation $\vec{a}$ de longueur 3

Exemple 3   Parmi les vecteurs à trois dimensions suivants, lesquels sont perpendiculaires entre eux ?

$$\vec{u} = \vec{i} + \sqrt{3}\,\vec{k}, \qquad \vec{v} = \vec{i} + \sqrt{3}\,\vec{j}, \qquad \vec{w} = \sqrt{3}\,\vec{i} + \vec{j} - \vec{k}.$$

Solution   La définition géométrique indique que deux vecteurs sont perpendiculaires si et seulement si leur produit scalaire est égal à zéro. Puisque les vecteurs sont donnés en composantes, on calcule les produits scalaires en utilisant la définition algébrique

$$\vec{v} \cdot \vec{u} = (\vec{i} + \sqrt{3}\,\vec{j} + 0\vec{k}) \cdot (\vec{i} + 0\vec{j} + \sqrt{3}\,\vec{k}) = 1 \cdot 1 + \sqrt{3} \cdot 0 + 0 \cdot \sqrt{3} = 1,$$

$$\vec{v} \cdot \vec{w} = (\vec{i} + \sqrt{3}\,\vec{j} + 0\vec{k}) \cdot (\sqrt{3}\,\vec{i} + \vec{j} - \vec{k}) = 1 \cdot \sqrt{3} + \sqrt{3} \cdot 1 + 0(-1) = 2\sqrt{3}\,,$$

$$\vec{w} \cdot \vec{u} = (\sqrt{3}\,\vec{i} + \vec{j} - \vec{k}) \cdot (\vec{i} + 0\vec{j} + \sqrt{3}\,\vec{k}) = \sqrt{3} \cdot 1 + 1 \cdot 0 + (-1) \cdot \sqrt{3} = 0.$$

Donc, les deux seuls vecteurs perpendiculaires sont $\vec{w}$ et $\vec{u}$.

Les vecteurs normaux et l'équation d'un plan

Dans la section 1,5, on a écrit l'équation d'un plan à partir de sa pente x, sa pente y et son intersection avec l'axe des z. Maintenant, on écrit l'équation d'un plan en utilisant un vecteur et un point se trouvant dans le plan. Un *vecteur normal* à un plan est un vecteur qui est perpendiculaire à ce plan, c'est-à-dire qu'il est perpendiculaire à tout vecteur de déplacement entre deux points dans le plan. Soit $\vec{n} = a\vec{i} + b\vec{j} + c\vec{k}$ un vecteur normal au plan, $P_0 = (x_0, y_0, z_0)$, un point fixe dans le plan et $P = (x, y, z)$, tout autre point dans le plan. Alors $\overrightarrow{P_0P} = (x - x_0)\vec{i} + (y - y_0)\vec{j} + (z - z_0)\vec{k}$ est un vecteur dont l'extrémité et l'origine se trouvent tous les deux dans le plan (voir la figure 2.33 à la page suivante). Par conséquent, les vecteurs $\vec{n}$ et $\overrightarrow{P_0P}$ sont perpendiculaires, donc $\vec{n} \cdot \overrightarrow{P_0P} = 0$. La définition algébrique du produit scalaire donne $\vec{n} \cdot \overrightarrow{P_0P} = a(x - x_0) + b(y - y_0) + c(z - z_0)$. Alors, on obtient le résultat suivant :

L'équation du plan avec un vecteur normal $\vec{n} = a\vec{i} + b\vec{j} + c\vec{k}$ et contenant le point $P_0 = (x_0, y_0, z_0)$ est

$$a(x - x_0) + b(y - y_0) + c(z - z_0) = 0.$$

Soit $d = ax_0 + by_0 + cz_0$ (une constante). On peut écrire l'équation du plan sous la forme

$$ax + by + cz = d.$$

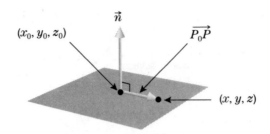

Figure 2.33 : Plan avec $\vec{n}$ normal et contenant un point fixe (x_0, y_0, z_0)

Exemple 4   Trouvez l'équation du plan perpendiculaire à $-\vec{i} + 3\vec{j} + 2\vec{k}$ et passant par le point $(1, 0, 4)$.

Solution   L'équation du plan est

$$-(x - 1) + 3(y - 0) + 2(z - 4) = 0,$$

ce qui se simplifie par

$$-x + 3y + 2z = 7.$$

Exemple 5   Trouvez un vecteur normal au plan avec l'équation

a) $x - y + 2z = 5$ b) $z = 0{,}5x + 1{,}2y$

Solution   a) Puisque les coefficients de $\vec{i}$, de $\vec{j}$ et de $\vec{k}$ dans un vecteur normal sont les coefficients de x, de y et de z dans l'équation du plan, un vecteur normal est $\vec{n} = \vec{i} - \vec{j} + 2\vec{k}$.

b) Avant qu'on ne puisse trouver un vecteur normal, on réécrit l'équation du plan sous la forme

$$0{,}5x + 1{,}2y - z = 0.$$

Par conséquent, un vecteur normal est $\vec{n} = 0{,}5\vec{i} + 1{,}2\vec{j} - \vec{k}$.

Le produit scalaire à n dimensions

La définition algébrique du produit scalaire peut s'appliquer aux vecteurs à des dimensions plus élevées.

Si $\vec{u} = (u_1, \ldots, u_n)$ et $\vec{v} = (v_1, \ldots, v_n)$, alors le produit scalaire de $\vec{u}$ et $\vec{v}$ est le **scalaire**

$$\vec{u} \cdot \vec{v} = u_1 v_1 + \ldots + u_n v_n.$$

Exemple 6   Un magasin de vidéos vend des vidéocassettes, des cassettes, des CD-ROM et des jeux vidéo. On définit le vecteur de quantité $\vec{q} = (q_1, q_2, q_3, q_4)$, où q_1, q_2, q_3, q_4 désignent les quantités vendues de chaque article, et le vecteur de prix $\vec{p} = (p_1, p_2, p_3, p_4)$, où p_1, p_2, p_3, p_4 représentent le prix de chaque article. Que représente le produit scalaire $\vec{p} \cdot \vec{q}$?

Solution   Le produit scalaire est $\vec{p} \cdot \vec{q} = p_1 q_1 + p_2 q_2 + p_3 q_3 + p_4 q_4$. La quantité $p_1 q_1$ représente le revenu du magasin pour la vente de vidéocassettes, $p_2 q_2$ représente le revenu pour la vente de cassettes, et ainsi de suite. Le produit scalaire représente le revenu total du magasin pour la vente de ces quatre articles.

La décomposition d'un vecteur en composantes : les projections

Dans la section 2.1, on a décomposé un vecteur en composantes parallèles aux axes. Maintenant, on verra comment décomposer un vecteur $\vec{v}$ en composantes appelées $\vec{v}_{\text{parallèle}}$ et $\vec{v}_{\text{perpendiculaire}}$, qui sont respectivement parallèle et perpendiculaire à un vecteur non nul donné $\vec{u}$ (voir la figure 2.34).

La projection de $\vec{v}$ sur $\vec{u}$, dont le libellé est $\vec{v}_{\text{parallèle}}$, mesure (en un certain sens) l'alignement du vecteur $\vec{v}$ avec le vecteur $\vec{u}$. La longueur de $\vec{v}_{\text{parallèle}}$ est la longueur de l'ombre projetée par $\vec{v}$ sur une droite dans la direction de $\vec{u}$.

Pour calculer $\vec{v}_{\text{parallèle}}$, on suppose que $\vec{u}$ est un vecteur unitaire. (Sinon, on en crée un en le divisant par sa norme.) Puis, la figure 2.34 a) montre que, si $0 \leq \theta \leq \pi/2$,

$$\|\vec{v}_{\text{parallèle}}\| = \|\vec{v}\| \cos \theta = \vec{v} \cdot \vec{u} \qquad (\text{puisque } \|\vec{u}\| = 1).$$

Maintenant, $\vec{v}_{\text{parallèle}}$ est un multiple scalaire de $\vec{u}$, et puisque $\vec{u}$ est un vecteur unitaire,

$$\vec{v}_{\text{parallèle}} = (\|\vec{v}\| \cos \theta)\vec{u} = (\vec{v} \cdot \vec{u})\vec{u}.$$

Un raisonnement similaire montre que si $\pi/2 < \theta \leq \pi$, comme à la figure 2.34 b), cette formule pour $\vec{v}_{\text{parallèle}}$ s'applique toujours. Le vecteur $\vec{v}_{\text{perpendiculaire}}$ est donné par

$$\vec{v}_{\text{perpendiculaire}} = \vec{v} - \vec{v}_{\text{parallèle}}.$$

Par conséquent, on obtient les résultats suivants :

Projection de $\vec{v}$ sur la droite dans la direction du vecteur unitaire $\vec{u}$

Si $\vec{v}_{\text{parallèle}}$ et $\vec{v}_{\text{perpendiculaire}}$ sont des composantes de $\vec{v}$ qui sont respectivement parallèle et perpendiculaire à $\vec{u}$, alors

$$\text{Projection de } \vec{v} \text{ dans } \vec{u} = \vec{v}_{\text{parallèle}} = (\vec{v} \cdot \vec{u})\vec{u} \qquad \text{pourvu que } \|\vec{u}\| = 1$$

et

$$\vec{v} = \vec{v}_{\text{parallèle}} + \vec{v}_{\text{perpendiculaire}}, \qquad \text{donc} \qquad \vec{v}_{\text{perpendiculaire}} = \vec{v} - \vec{v}_{\text{parallèle}}.$$

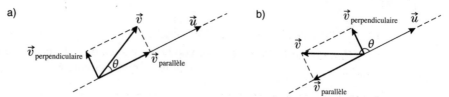

Figure 2.34 : Décomposition de $\vec{v}$ en composantes parallèle et perpendiculaire à $\vec{u}$
a) $0 < \theta < \pi/2$ b) $\pi/2 < \theta < \pi$

Exemple 7   La figure 2.35 montre la force que le vent exerce sur un voilier. Trouvez la composante de la force dans la direction suivie par le voilier.

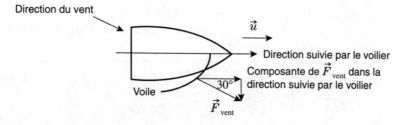

Figure 2.35 : Vent soufflant sur un voilier

Solution   Soit $\vec{u}$ un vecteur unitaire dans la direction suivie par le voilier. La force du vent sur la voile forme un angle de 30° avec $\vec{u}$. Ainsi, la composante de cette force dans la direction de $\vec{u}$ est

$$\vec{F}_{\text{parallèle}} = (\vec{F} \cdot \vec{u})\vec{u} = \|\vec{F}\| \ (\cos 30°)\vec{u} = 0{,}87\|\vec{F}\|\vec{u}.$$

Ainsi, le voilier est poussé vers l'avant avec environ 87 % de la force totale exercée par le vent. (En fait, l'interaction du vent et de la voile est beaucoup plus complexe que ne le suggère ce modèle.)

Une interprétation physique du produit scalaire : le travail

En physique, le mot *travail* a une signification légèrement différente de sa signification courante. En physique, quand une force de norme F agit sur un objet sur une distance d, on dit que le *travail* W effectué par la force est

$$W = Fd,$$

pourvu que la force et le déplacement soient dans la même direction. Par exemple, si un corps de 1 kg tombe sur une distance de 10 m sous l'effet de la force gravitationnelle (en newtons) qui est de 9,8 N, alors le travail (en joules) effectué par la gravité est

$$W = (9{,}8 \text{ N}) \cdot (10 \text{ m}) = 98 \text{ J}.$$

Que se produit-il si la force et le déplacement ne sont pas dans la même direction ? On suppose qu'une force $\vec{F}$ agit sur un objet qui se déplace avec un vecteur de déplacement $\vec{d}$. Soit θ l'angle entre $\vec{F}$ et $\vec{d}$. Premièrement, on suppose que $0 \leq \theta \leq \pi/2$. La figure 2.36 montre comment on peut décomposer $\vec{F}$ en composantes qui sont respectivement parallèle et perpendiculaire à $\vec{d}$.

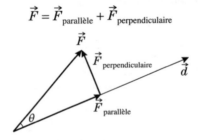

Figure 2.36 : Décomposition de la force $\vec{F}$ en deux forces : une force parallèle à $\vec{d}$ et l'autre, perpendiculaire à $\vec{d}$

Puis, le travail effectué par $\vec{F}$ est défini comme

$$W = \|\vec{F}_{\text{parallèle}}\| \ \|\vec{d}\|.$$

On peut voir, à partir de la figure 2.36, que $\vec{F}_{\text{parallèle}}$ a une norme $\|\vec{F}\| \cos \theta$. Donc, le travail est donné par le produit scalaire.

$$W = (\|\vec{F}\| \cos \theta)\|\vec{d}\| = \|\vec{F}\| \ \|\vec{d}\| \cos \theta = \vec{F} \cdot \vec{d}.$$

La formule $W = \vec{F} \cdot \vec{d}$ s'applique également quand $\pi/2 < \theta \leq \pi$. Dans ce cas, le travail accompli par la force est négatif, et l'objet se déplace contre la force. Par conséquent, on obtient la définition suivante :

Le **travail** W accompli par une force $\vec{F}$ agissant sur un objet dans un déplacement $\vec{d}$ est donné par

$$W = \vec{F} \cdot \vec{d}.$$

Noter que si les vecteurs $\vec{F}$ et $\vec{d}$ sont parallèles et dans la même direction, avec des normes F et d, alors cos θ = cos 0 = 1. Donc, $W = \|\vec{F}\| \|\vec{d}\| = Fd$, qui est la définition originale. Quand les vecteurs sont perpendiculaires, cos θ = cos $\frac{\pi}{2}$ = 0. Donc, $W = 0$, et aucun travail n'est accompli selon la définition technique du mot. Par exemple, si on transporte horizontalement une boîte lourde dans une pièce en restant à la même hauteur, aucun travail n'est accompli par la gravité, car la force de gravité est verticale, mais ce déplacement est horizontal.

Problèmes de la section 2.3

Pour les problèmes 1 à 6, exécutez les opérations suivantes sur les vecteurs à trois dimensions ci-après.

$$\vec{a} = 2\vec{j} + \vec{k} \qquad \vec{b} = -3\vec{i} + 5\vec{j} + 4\vec{k} \qquad \vec{c} = \vec{i} + 6\vec{j} \qquad \vec{y} = 4\vec{i} - 7\vec{j} \qquad \vec{z} = \vec{i} - 3\vec{j} - \vec{k}$$

1. $\vec{c} \cdot \vec{y}$
2. $\vec{a} \cdot \vec{z}$
3. $\vec{a} \cdot \vec{b}$
4. $(\vec{a} \cdot \vec{b})\vec{a}$
5. $(\vec{a} \cdot \vec{y})(\vec{c} \cdot \vec{z})$
6. $((\vec{c} \cdot \vec{c})\vec{a}) \cdot \vec{a}$

7. Calculez l'angle entre les vecteurs $\vec{i} + \vec{j} + \vec{k}$ et $\vec{i} - \vec{j} - \vec{k}$.

8. Quelles paires de vecteurs sont parallèles et lesquelles sont perpendiculaires : $\sqrt{3}\,\vec{i} + \vec{j}$, $3\vec{i} + \sqrt{3}\,\vec{j}$, $\vec{i} - \sqrt{3}\,\vec{j}$?

9. Pour quelles valeurs de t les vecteurs $\vec{u} = t\vec{i} - \vec{j} + \vec{k}$ et $\vec{v} = t\vec{i} + t\vec{j} - 2\vec{k}$ sont-ils perpendiculaires ? Existe-t-il des valeurs de t pour lesquelles $\vec{u}$ et $\vec{v}$ sont parallèles ?

Pour les problèmes 10 à 12, trouvez un vecteur normal au plan donné.

10. $2x + y - z = 5$
11. $z = 3x + 4y - 7$
12. $2(x - z) = 3(x + y)$

Pour les problèmes 13 à 17, trouvez l'équation d'un plan qui satisfait aux conditions données.

13. Perpendiculaire au vecteur $-\vec{i} + 2\vec{j} + \vec{k}$ et passant par le point $(1, 0, 2)$.

14. Perpendiculaire au vecteur $5\vec{i} + \vec{j} - 2\vec{k}$ et passant par le point $(0, 1, -1)$.

15. Perpendiculaire au vecteur $2\vec{i} - 3\vec{j} + 7\vec{k}$ et passant par le point $(1, -1, 2)$.

16. Parallèle au plan $2x + 4y - 3z = 1$ et passant par le point $(1, 0, -1)$.

17. Parallèle à $3x + y + z = 4$ et passant par le point $(-2, 3, 2)$.

18. Soit S le triangle ayant les sommets $A = (2, 2, 2)$, $B = (4, 2, 1)$ et $C = (2, 3, 1)$.

    a) Trouvez la longueur du côté le plus court de S.
    b) Trouvez le cosinus de l'angle BAC au sommet A.

19. Écrivez $\vec{a} = 3\vec{i} + 2\vec{j} - 6\vec{k}$ comme la somme de deux vecteurs, l'un parallèle à $\vec{d} = 2\vec{i} - 4\vec{j} + \vec{k}$ et l'autre, perpendiculaire à $\vec{d}$.

20. Trouvez les points où le plan $z = 5x - 4y + 3$ croise chacun des axes de coordonnées. Puis, trouvez les longueurs des côtés et les angles du triangle formé par ces points.

21. Trouvez l'angle séparant les plans $5(x - 1) + 3(y + 2) + 2z = 0$ et $x + 3(y - 1) + 2(z + 4) = 0$.

22. Un gymnase de basket-ball a 25 m de haut, 80 m de large et 200 m de long. Pendant la mi-temps, les meneuses de claques veulent tendre deux cordes, chacune partant des coins du gymnase, plus haut que le panier, et allant jusqu'aux coins diagonalement opposés du plancher du gymnase. Quel est le cosinus de l'angle formé par les deux cordes au point où elles se croisent ?

23. Un vecteur de consommation de trois biens est défini par $\vec{x} = (x_1, x_2, x_3)$, où x_1, x_2, x_3 sont les quantités consommées des trois biens. Imaginez une contrainte budgétaire représentée par l'équation $\vec{p} \cdot \vec{x} = k$, où $\vec{p}$ est le vecteur de prix des trois biens et où k est une constante. Montrez que la

différence entre deux vecteurs de consommation correspondant aux points qui satisfont à la même contrainte budgétaire est perpendiculaire au vecteur de prix $\vec{p}$.

24. Un sprint de 100 m se déroule sur une piste dans la direction du vecteur $\vec{v} = 2\,\vec{i} + 6\,\vec{j}$. Le vecteur vitesse du vent $\vec{w}$ est de $5\,\vec{i} + \vec{j}$ km/h. Selon les règles de la course, pour être légale, la vitesse du vent mesurée dans la direction du sprint ne doit pas excéder 5 km/h. Les résultats de la course seront-ils invalidés en raison d'une vitesse de vent illégale ? Justifiez votre réponse.

25. Rappelez-vous que dans un espace à deux ou à trois dimensions, si θ est l'angle entre $\vec{v}$ et $\vec{w}$, le produit scalaire est donné par

$$\vec{v} \cdot \vec{w} = \|\vec{v}\| \, \|\vec{w}\| \cos \theta.$$

On utilise cette relation pour définir l'angle entre deux vecteurs à n dimensions. Si $\vec{v}$ et $\vec{w}$ sont des vecteurs à n dimensions, alors le produit scalaire $\vec{v} \cdot \vec{w} = v_1 w_1 + v_2 w_2 + \cdots + v_n w_n$ est utilisé pour définir[2] l'angle θ par

$$\cos \theta = \frac{\vec{v} \cdot \vec{w}}{\|\vec{v}\| \, \|\vec{w}\|} \qquad \text{pourvu que } \|\vec{v}\|, \|\vec{w}\| \neq 0.$$

On utilise maintenant cette notion d'angle pour mesurer à quel point deux populations sont génétiquement proches l'une de l'autre. Le tableau 2.1 montre les fréquences relatives de quatre allèles (variantes d'un gène) dans quatre populations.

TABLEAU 2.1

Allèle	Inuit	Bantous	Anglais	Coréen
A_1	0,29	0,10	0,20	0,22
A_2	0,00	0,08	0,06	0,00
B	0,03	0,12	0,06	0,20
O	0,67	0,69	0,66	0,57

Soit $\vec{a}_1$ le vecteur présentant les fréquences relatives de la population inuit ;

$\vec{a}_2$ le vecteur présentant les fréquences relatives de la population bantoue ;

$\vec{a}_3$ le vecteur présentant les fréquences relatives de la population anglaise ;

$\vec{a}_4$ le vecteur présentant les fréquences relatives de la population coréenne.

La distance génétique entre deux populations est définie comme étant l'angle entre les vecteurs correspondants. En vous basant sur cette définition, diriez-vous que la population anglaise est plus proche génétiquement des Bantous ou des Coréens ? Justifiez votre réponse[3].

26. Montrez pourquoi chacune des propriétés présentées dans la sous-section « Les propriétés du produit scalaire » découle de la définition algébrique du produit scalaire.

$$\vec{v} \cdot \vec{w} = v_1 w_1 + v_2 w_2 + v_3 w_3.$$

27. Qu'est-ce que la propriété 2 présentée dans la sous-section « Les propriétés du produit scalaire » indique géométriquement ?

28. Montrez que les vecteurs $(\vec{b} \cdot \vec{c})\vec{a} - (\vec{a} \cdot \vec{c})\vec{b}$ et $\vec{c}$ sont perpendiculaires.

29. Montrez que si $\vec{u}$ et $\vec{v}$ sont deux vecteurs tels que

$$\vec{u} \cdot \vec{w} = \vec{v} \cdot \vec{w}$$

---

2. Le résultat du problème 34 montre que la quantité de droite de cette équation se situe entre -1 et 1. Cette définition est donc logique.

3. Adapté de CAVALLI-SFORZA et EDWARDS, *Models and Estimations Procedures*, Am J. Hum. Genet., vol. 19, 1967, p. 223-257.

pour chaque vecteur $\vec{w}$, alors

$$\vec{u} = \vec{v}.$$

30. La figure 2.37 montre que, étant donné trois vecteurs $\vec{u}$, $\vec{v}$ et $\vec{w}$, la somme des composantes de $\vec{v}$ et de $\vec{w}$ dans la direction de $\vec{u}$ est la composante de $\vec{v} + \vec{w}$ dans la direction de $\vec{u}$. (Même si la figure est tracée dans un espace à deux dimensions, ce résultat est également vrai dans un espace à trois dimensions.) Utilisez cette figure pour expliquer pourquoi la définition géométrique du produit scalaire satisfait à $(\vec{v} + \vec{w}) \cdot \vec{u} = \vec{v} \cdot \vec{u} + \vec{w} \cdot \vec{u}$.

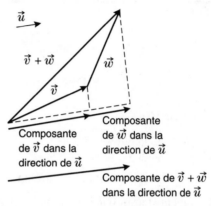

Figure 2.37 : La composante de $\vec{v} + \vec{w}$ dans la direction de $\vec{u}$ est la somme des composantes de $\vec{v}$ et de $\vec{w}$ dans cette direction.

31. a) En utilisant la définition géométrique du produit scalaire, montrez que

$$\vec{u} \cdot (-\vec{v}) = -(\vec{u} \cdot \vec{v}).$$

   (Indication : considérez ce qu'il advient de l'angle quand vous multipliez $\vec{v}$ par -1.)

   b) En utilisant la définition géométrique du produit scalaire, montrez que, pour tout scalaire négatif λ,

$$\vec{u} \cdot (\lambda \vec{v}) = \lambda (\vec{u} \cdot \vec{v}),$$

$$(\lambda \vec{u}) \cdot \vec{v} = \lambda (\vec{u} \cdot \vec{v}).$$

32. La loi des cosinus pour un triangle ayant des longueurs latérales a, b et c, et ayant un angle C opposé au côté c, indique que

$$c^2 = a^2 + b^2 - 2ab \cos C.$$

   Dans la sous-section « Pourquoi les deux définitions du produit scalaire donnent-elles le même résultat ? », on utilise la loi des cosinus pour montrer que les deux définitions du produit scalaire sont équivalentes. Dans ce problème, vous utiliserez la définition géométrique du produit scalaire et les propriétés déjà énumérées pour démontrer la loi des cosinus. (Indication : considérez $\vec{u}$ et $\vec{v}$ comme les vecteurs de déplacement de C vers les autres sommets et exprimez c^2 en fonction de $\vec{u}$ et de $\vec{v}$.)

33. Suivez les étapes suivantes et utilisez les résultats des problèmes 30 et 31 pour montrer (sans trigonométrie) que les définitions géométrique et algébrique du produit scalaire sont équivalentes.

    Suivez ces étapes. Soit les vecteurs $\vec{u} = u_1 \vec{i} + u_2 \vec{j} + u_3 \vec{k}$ et $\vec{v} = v_1 \vec{i} + v_2 \vec{j} + v_3 \vec{k}$. Écrivez $(\vec{u} \cdot \vec{v})_{\text{géométriquement}}$ pour obtenir le résultat du produit scalaire calculé géométriquement. Substituez $\vec{u} = u_1 \vec{i} + u_2 \vec{j} + u_3 \vec{k}$ et utilisez les problèmes 30 et 31 pour calculer l'expansion de $(\vec{u} \cdot \vec{v})_{\text{géométriquement}}$. Puis remplacez par $\vec{v}$ et faites l'expansion. Finalement, calculez géométriquement les produits scalaires $\vec{i} \cdot \vec{i}$, $\vec{i} \cdot \vec{j}$, etc.

34. Supposez que $\vec{v}$ et $\vec{w}$ sont des vecteurs quelconques. Considérez la fonction suivante de t :

$$q(t) = (\vec{v} + t\vec{w}) \cdot (\vec{v} + t\vec{w}).$$

a) Expliquez pourquoi $q(t) \geq 0$ pour tout t réel.
b) Calculez l'expansion de $q(t)$ comme polynôme quadratique en t en utilisant les propriétés déjà énumérées.
c) En utilisant le discriminant de la quadratique, montrez que

$$|\vec{v} \cdot \vec{w}| \leq \|\vec{v}\|\,\|\vec{w}\|.$$

2.4 LE PRODUIT VECTORIEL

Dans la section 2.3, on a combiné deux vecteurs pour obtenir un nombre qui est le produit scalaire. Dans la présente section, on verra une autre manière de combiner deux vecteurs, cette fois-ci pour obtenir un vecteur, le *produit vectoriel*. Toute paire de vecteurs à trois dimensions forme un parallélogramme. On définit le produit vectoriel en utilisant ce parallélogramme.

L'aire d'un parallélogramme

On considère le parallélogramme formé par les vecteurs $\vec{v}$ et $\vec{w}$ avec un angle de θ entre eux. Puis, la figure 2.38 montre que

$$\text{Aire du parallélogramme} = \text{Base} \cdot \text{Hauteur} = \|\vec{v}\|\,\|\vec{w}\|\sin\theta.$$

Comment doit-on calculer l'aire du parallélogramme à partir des composantes $\vec{v}$ et $\vec{w}$: $\vec{v} = v_1\vec{i} + v_2\vec{j} + v_3\vec{k}$ et $\vec{w} = w_1\vec{i} + w_2\vec{j} + w_3\vec{k}$? Le problème 27, un peu plus loin, montre que, si $\vec{v}$ et $\vec{w}$ sont dans le plan des xy, alors $v_3 = w_3 = 0$, et donc

$$\text{Aire du parallélogramme} = |v_1w_2 - v_2w_1|.$$

Que se produit-il si $\vec{v}$ et $\vec{w}$ ne se trouvent pas dans le plan des xy ? Le produit vectoriel permet de calculer l'aire du parallélogramme formé par deux vecteurs.

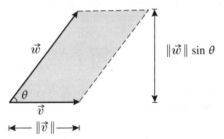

Figure 2.38 : Le parallélogramme formé par $\vec{v}$ et $\vec{w}$
a une aire $= \|\vec{v}\|\,\|\vec{w}\|\sin\theta$.

Le produit vectoriel : définition

On définit le produit vectoriel des vecteurs $\vec{v}$ et $\vec{w}$, représenté par $\vec{v} \times \vec{w}$, comme étant un vecteur perpendiculaire à $\vec{v}$ et à $\vec{w}$. La norme de ce vecteur est l'aire du parallélogramme formé par les deux vecteurs. La direction de $\vec{v} \times \vec{w}$ est donnée par le vecteur normal $\vec{n}$ au plan défini par $\vec{v}$ et $\vec{w}$. Si $\vec{n}$ doit être un vecteur unitaire, il y a alors deux choix pour $\vec{n}$: il doit être orienté à partir du plan dans des directions opposées. On en choisit un selon la loi suivante (voir la figure 2.39) :

La **règle de la main droite :** On place $\vec{v}$ et $\vec{w}$ de manière que leurs origines coïncident, puis on replie les doigts de la main droite à travers le plus petit des deux angles de $\vec{v}$ à $\vec{w}$; le pouce pointe dans la direction du vecteur normal $\vec{n}$.

Comme pour le produit scalaire, il existe deux définitions équivalentes du produit vectoriel :

Les deux définitions suivantes du **produit vectoriel** $\vec{v} \times \vec{w}$ sont équivalentes :

- **Définition géométrique**

  Si $\vec{v}$ et $\vec{w}$ ne sont pas parallèles, alors

  $$\vec{v} \times \vec{w} = \left(\begin{matrix} \text{Aire du parallélogramme} \\ \text{avec les côtés } \vec{v} \text{ et } \vec{w} \end{matrix} \right) \vec{n} = (\|\vec{v}\| \, \|\vec{w}\| \sin \theta)\vec{n},$$

  où $0 \leq \theta \leq \pi$ est l'angle entre $\vec{v}$ et $\vec{w}$, et où $\vec{n}$ est le vecteur unitaire perpendiculaire à $\vec{v}$ et à $\vec{w}$ qui est orienté dans la direction donnée par la règle de la main droite. Si $\vec{v}$ et $\vec{w}$ sont parallèles, alors $\vec{v} \times \vec{w} = \vec{0}$.

- **Définition algébrique**

  $$\vec{v} \times \vec{w} = (v_2 w_3 - v_3 w_2)\vec{i} + (v_3 w_1 - v_1 w_3)\vec{j} + (v_1 w_2 - v_2 w_1)\vec{k},$$

  où $\vec{v} = v_1\vec{i} + v_2\vec{j} + v_3\vec{k}$ et $\vec{w} = w_1\vec{i} + w_2\vec{j} + w_3\vec{k}$.

Noter que la norme de la composante $\vec{k}$ est l'aire d'un parallélogramme à deux dimensions et que les autres composantes ont une forme similaire. Les problèmes 25 et 26, à la fin de la présente section, montrent que les définitions algébrique et géométrique du produit vectoriel donnent le même résultat.

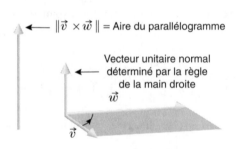

Figure 2.39 : Aire du parallélogramme $= \|\vec{v} \times \vec{w}\|$

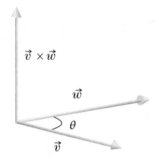

Figure 2.40 : Produit vectoriel $\vec{v} \times \vec{w}$

Contrairement au produit scalaire, le produit vectoriel est défini seulement pour les vecteurs à trois dimensions. La définition géométrique montre que le produit vectoriel est *invariant par rapport à la rotation*. On suppose que les deux vecteurs $\vec{v}$ et $\vec{w}$ sont des tiges de métal soudées ensemble. On fixe une troisième tige dont la direction et la longueur correspondent à $\vec{v} \times \vec{w}$ (voir la figure 2.40). Puis, peu importe la manière dont on fait tourner cet ensemble de tiges, la troisième sera tout de même le produit vectoriel des deux premières.

On se souvient plus facilement de la définition algébrique en l'écrivant comme un déterminant 3×3 (voir l'annexe C).

$$\vec{v} \times \vec{w} = \begin{vmatrix} \vec{i} & \vec{j} & \vec{k} \\ v_1 & v_2 & v_3 \\ w_1 & w_2 & w_3 \end{vmatrix} = (v_2 w_3 - v_3 w_2)\vec{i} + (v_3 w_1 - v_1 w_3)\vec{j} + (v_1 w_2 - v_2 w_1)\vec{k}.$$

Exemple 1   Trouvez $\vec{i} \times \vec{j}$ et $\vec{j} \times \vec{i}$.

Solution   Les vecteurs $\vec{i}$ et $\vec{j}$ ont tous les deux une norme de 1 et l'angle entre eux est de $\pi/2$. Selon la règle de la main droite, le vecteur $\vec{i} \times \vec{j}$ est dans la direction de $\vec{k}$, alors $\vec{n} = \vec{k}$ et on a

$$\vec{i} \times \vec{j} = \left(\|\vec{i}\| \, \|\vec{j}\| \, \sin \frac{\pi}{2} \right) \vec{k} = \vec{k}.$$

De la même façon, la règle de la main droite indique que la direction de $\vec{j} \times \vec{i}$ est $-\vec{k}$. Donc,

$$\vec{j} \times \vec{i} = \left(\|\vec{j}\| \, \|\vec{i}\| \, \sin \frac{\pi}{2} \right) (-\vec{k}) = -\vec{k}.$$

Des calculs semblables indiquent que $\vec{j} \times \vec{k} = \vec{i}$ et que $\vec{k} \times \vec{i} = \vec{j}$.

Exemple 2   Pour tout vecteur $\vec{v}$, trouvez $\vec{v} \times \vec{v}$.

Solution   Puisque $\vec{v}$ est parallèle à lui-même, $\vec{v} \times \vec{v} = \vec{0}$.

Exemple 3   Trouvez le produit vectoriel de $\vec{v} = 2\vec{i} + \vec{j} - 2\vec{k}$ et $\vec{w} = 3\vec{i} + \vec{k}$, puis vérifiez que le produit vectoriel est perpendiculaire à $\vec{v}$ et à $\vec{w}$.

Solution   En écrivant $\vec{v} \times \vec{w}$ comme déterminant et en calculant son expansion en trois déterminants deux par deux, on a

$$\vec{v} \times \vec{w} = \begin{vmatrix} \vec{i} & \vec{j} & \vec{k} \\ 2 & 1 & -2 \\ 3 & 0 & 1 \end{vmatrix} = \vec{i} \begin{vmatrix} 1 & -2 \\ 0 & 1 \end{vmatrix} - \vec{j} \begin{vmatrix} 2 & -2 \\ 3 & 1 \end{vmatrix} + \vec{k} \begin{vmatrix} 2 & 1 \\ 3 & 0 \end{vmatrix}$$

$$= \vec{i} \, (1(1) - 0(-2)) - \vec{j} \, (2(1) - 3(-2)) + \vec{k} \, (2(0) - 3(1))$$

$$= \vec{i} - 8\vec{j} - 3\vec{k}.$$

Pour vérifier que $\vec{v} \times \vec{w}$ est perpendiculaire à $\vec{v}$, on calcule le produit scalaire :

$$\vec{v} \cdot (\vec{v} \times \vec{w}) = (2\vec{i} + \vec{j} - 2\vec{k}) \cdot (\vec{i} - 8\vec{j} - 3\vec{k}) = 2 - 8 + 6 = 0.$$

De la même manière,

$$\vec{w} \cdot (\vec{v} \times \vec{w}) = (3\vec{i} + 0\vec{j} + \vec{k}) \cdot (\vec{i} - 8\vec{j} - 3\vec{k}) = 3 + 0 - 3 = 0.$$

Par conséquent, $\vec{v} \times \vec{w}$ est perpendiculaire à $\vec{v}$ et à $\vec{w}$.

Les propriétés du produit vectoriel

La règle de la main droite indique que $\vec{v} \times \vec{w}$ et $\vec{w} \times \vec{v}$ sont orientés dans des directions opposées. Les normes de $\vec{v} \times \vec{w}$ et $\vec{w} \times \vec{v}$ sont les mêmes. Donc, $\vec{w} \times \vec{v} = -(\vec{v} \times \vec{w})$. (Voir la figure 2.41.)

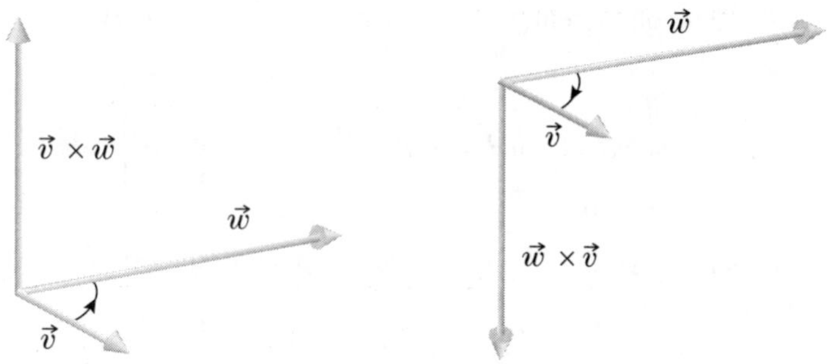

Figure 2.41 : Diagramme montrant que $\vec{v} \times \vec{w} = -(\vec{w} \times \vec{v})$

Cela explique la première des propriétés suivantes. Les deux autres sont établies dans les problèmes 17, 21 et 25, à la fin de la présente section.

Propriétés du produit vectoriel

Pour les vecteurs $\vec{u}$, $\vec{v}$, $\vec{w}$ et λ scalaire :

1. $\vec{w} \times \vec{v} = -(\vec{v} \times \vec{w})$
2. $(\lambda \vec{v}) \times \vec{w} = \lambda(\vec{v} \times \vec{w}) = \vec{v} \times (\lambda \vec{w})$
3. $\vec{u} \times (\vec{v} + \vec{w}) = \vec{u} \times \vec{v} + \vec{u} \times \vec{w}.$

L'équivalence des deux définitions du produit vectoriel

Les problèmes 22 et 25 feront appel à des arguments géométriques pour montrer que le produit vectoriel est distributif par rapport à l'addition. Le problème 26 montrera ensuite comment on peut déduire la formule de la définition algébrique du produit vectoriel à partir de la définition géométrique.

L'équation d'un plan déterminée par trois points

L'équation d'un plan est déterminée par un point $P_0 = (x_0, y_0, z_0)$ dans le plan et par un vecteur normal $\vec{n} = a\vec{i} + b\vec{j} + c\vec{k}$:

$$a(x - x_0) + b(y - y_0) + c(z - z_0) = 0.$$

Cependant, on peut également déterminer un plan par trois points qu'il contient (en supposant qu'ils ne se trouvent pas sur une droite). Dans ce cas, on peut trouver une équation du plan. On détermine d'abord deux vecteurs dans le plan, puis on trouve un vecteur normal en utilisant le produit vectoriel, comme dans l'exemple 4.

Exemple 4   Trouvez une équation du plan contenant les points $P = (1, 3, 0)$, $Q = (3, 4, -3)$ et $R = (3, 6, 2)$.

Solution   Puisque les points P et Q sont dans le plan, le vecteur de déplacement entre eux, soit $\overrightarrow{PQ}$, est dans le plan, où

$$\overrightarrow{PQ} = (3 - 1)\vec{i} + (4 - 3)\vec{j} + (-3 - 0)\vec{k} = 2\vec{i} + \vec{j} - 3\vec{k}.$$

Le vecteur de déplacement $\overrightarrow{PR}$ est aussi dans le plan, où

$$\overrightarrow{PR} = (3 - 1)\vec{i} + (6 - 3)\vec{j} + (2 - 0)\vec{k} = 2\vec{i} + 3\vec{j} + 2\vec{k}.$$

Par conséquent, un vecteur normal $\vec{n}$ au plan est donné par

$$\vec{n} = \vec{PQ} \times \vec{PR} = \begin{vmatrix} \vec{i} & \vec{j} & \vec{k} \\ 2 & 1 & -3 \\ 2 & 3 & 2 \end{vmatrix} = 11\vec{i} - 10\vec{j} + 4\vec{k}.$$

Puisque le point $(1, 3, 0)$ est dans le plan, l'équation du plan est

$$11(x - 1) - 10(y - 3) + 4(z - 0) = 0,$$

ce qui se simplifie par

$$11x - 10y + 4z = -19.$$

Il conviendrait de vérifier que P, Q et R satisfont à l'équation du plan.

Les aires et les volumes trouvés à l'aide du produit vectoriel et des déterminants

On peut utiliser le produit vectoriel pour calculer l'aire du parallélogramme ayant les côtés $\vec{v}$ et $\vec{w}$. On dit que $\vec{v} \times \vec{w}$ est le *vecteur aire* du parallélogramme. La définition géométrique du produit vectoriel indique que $\vec{v} \times \vec{w}$ est normal au parallélogramme et donne le résultat suivant :

L'aire d'un parallélogramme ayant les côtés $\vec{v} = v_1\vec{i} + v_2\vec{j} + v_3\vec{k}$ et $\vec{w} = w_1\vec{i} + w_2\vec{j} + w_3\vec{k}$ est donnée par

$$\text{Aire} = \|\vec{v} \times \vec{w}\|, \qquad \text{où} \qquad \vec{v} \times \vec{w} = \begin{vmatrix} \vec{i} & \vec{j} & \vec{k} \\ v_1 & v_2 & v_3 \\ w_1 & w_2 & w_3 \end{vmatrix}.$$

Exemple 5 Trouvez l'aire du parallélogramme ayant les côtés $\vec{v} = 2\vec{i} + \vec{j} - 3\vec{k}$ et $\vec{w} = \vec{i} + 3\vec{j} + 2\vec{k}$.

Solution On calcule le produit vectoriel :

$$\vec{v} \times \vec{w} = \begin{vmatrix} \vec{i} & \vec{j} & \vec{k} \\ 2 & 1 & -3 \\ 1 & 3 & 2 \end{vmatrix} = (2 + 9)\vec{i} - (4 + 3)\vec{j} + (6 - 1)\vec{k} = 11\vec{i} - 7\vec{j} + 5\vec{k}.$$

L'aire du parallélogramme ayant les côtés $\vec{v}$ et $\vec{w}$ est la norme du vecteur $\vec{v} \times \vec{w}$:

$$\text{Aire} = \|\vec{v} \times \vec{w}\| = \sqrt{11^2 + (-7)^2 + 5^2} = \sqrt{195}.$$

Le volume d'un parallélépipède

On considère le parallélépipède ayant des côtés formés par $\vec{a}$, $\vec{b}$ et $\vec{c}$ (voir la figure 2.42). Puisque la base est formée par les vecteurs $\vec{b}$ et $\vec{c}$, on a

$$\text{Aire de la base du parallélépipède} = \|\vec{b} \times \vec{c}\|.$$

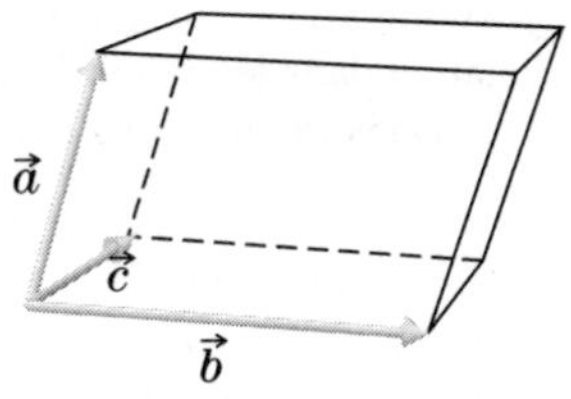

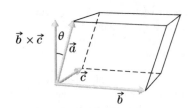

Figure 2.42 : Volume d'un parallélépipède

Figure 2.43 : Les vecteurs $\vec{a}$, $\vec{b}$ et $\vec{c}$ sont appelés un ensemble de droite.

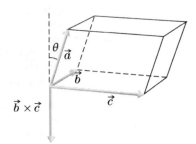

Figure 2.44 : Les vecteurs $\vec{a}$, $\vec{b}$ et $\vec{c}$ sont appelés un ensemble de gauche.

On peut disposer les vecteurs $\vec{a}$, $\vec{b}$ et $\vec{c}$ comme dans la figure 2.43 ou comme dans la figure 2.44. Dans l'un ou l'autre des cas,

$$\text{Hauteur du parallélépipède} = \|\vec{a}\| \cos\theta,$$

où θ est l'angle entre $\vec{a}$ et $\vec{b} \times \vec{c}$. Dans la figure 2.43, l'angle θ est inférieur à $\pi/2$. Donc, le produit $(\vec{b} \times \vec{c}) \cdot \vec{a}$, appelé le *produit triple,* est positif. Par conséquent, dans ce cas,

$$\text{Volume du parallélépipède} = \text{Base} \cdot \text{Hauteur} = \|\vec{b} \times \vec{c}\| \cdot \|\vec{a}\| \cos\theta = (\vec{b} \times \vec{c}) \cdot \vec{a}.$$

Dans la figure 2.44, l'angle $\pi - \theta$, entre $\vec{a}$ et $\vec{b} \times \vec{c}$, est supérieur à $\pi/2$. Donc, le produit $(\vec{b} \times \vec{c}) \cdot \vec{a}$ est négatif. Par conséquent, dans ce cas, on a

$$\text{Volume} = \text{Base} \cdot \text{Hauteur} = \|\vec{b} \times \vec{c}\| \cdot \|\vec{a}\| \cos\theta = -\|\vec{b} \times \vec{c}\| \cdot \|\vec{a}\| \cos(\pi - \theta)$$

$$= -(\vec{b} \times \vec{c}) \cdot \vec{a} = \left|(\vec{b} \times \vec{c}) \cdot \vec{a}\right|.$$

Alors, dans les deux cas, le volume est donné par $\left|(\vec{b} \times \vec{c}) \cdot \vec{a}\right|$. En utilisant les déterminants, on peut écrire

---

Le volume d'un parallélépipède ayant des côtés $\vec{a}$, $\vec{b}$, $\vec{c}$ est donné par

$$\text{Volume} = \left|(\vec{b} \times \vec{c}) \cdot \vec{a}\right| = \text{Valeur absolue du déterminant} \begin{vmatrix} a_1 & a_2 & a_3 \\ b_1 & b_2 & b_3 \\ c_1 & c_2 & c_3 \end{vmatrix}.$$

Problèmes de la section 2.4

1. Trouvez $\vec{k} \times \vec{j}$.

2. Est-ce que $\vec{i} \times \vec{i} = \vec{i} \cdot \vec{i}$? Justifiez votre réponse.

Dans les problèmes 3 à 6, trouvez $\vec{a} \times \vec{b}$.

3. $\vec{a} = \vec{i} + \vec{k}$ et $\vec{b} = \vec{i} + \vec{j}$.

4. $\vec{a} = -\vec{i}$ et $\vec{b} = \vec{j} + \vec{k}$.

5. $\vec{a} = \vec{i} + \vec{j} + \vec{k}$ et $\vec{b} = \vec{i} + \vec{j} - \vec{k}$.

6. $\vec{a} = 2\vec{i} - 3\vec{j} + \vec{k}$ et $\vec{b} = \vec{i} + 2\vec{j} - \vec{k}$.

7. Si $\vec{a} = 3\vec{i} + \vec{j} - \vec{k}$ et que $\vec{b} = \vec{i} - 4\vec{j} + 2\vec{k}$, trouvez $\vec{a} \times \vec{b}$ et vérifiez que $\vec{a} \times \vec{b}$ est perpendiculaire à $\vec{a}$ et à $\vec{b}$.

8. Si $\vec{v} \times \vec{w} = 2\vec{i} - 3\vec{j} + 5\vec{k}$ et que $\vec{v} \cdot \vec{w} = 3$, trouvez $\tan\theta$ où θ représente l'angle entre $\vec{v}$ et $\vec{w}$.

9. Supposez que $\vec{a}$ est un vecteur fixe de longueur 3 dans la direction de la partie positive de l'axe des x et que le vecteur $\vec{b}$ de longueur 2 est libre de faire une rotation dans le plan des xy. Quelles sont les valeurs maximale et minimale de la norme de $\vec{a} \times \vec{b}$? Dans quelle direction se trouve $\vec{a} \times \vec{b}$ quand $\vec{b}$ fait une rotation ?

10. Vous utilisez un simulateur de combat pour des avions de chasse. Le moniteur vous indique que deux missiles se dirigent vers votre avion dans les directions $3\vec{i} + 5\vec{j} + 2\vec{k}$ et $\vec{i} - 3\vec{j} - 2\vec{k}$. Dans quelle direction devriez-vous tourner pour avoir le plus de chances possible d'éviter ces deux missiles ?

Trouvez une équation pour le plan passant par les points des problèmes 11 et 12.

11. $(1, 0, 0), (0, 1, 0), (0, 0, 1)$.   12. $(3, 4, 2), (-2, 1, 0), (0, 2, 1)$.

13. À l'aide des points $P = (0, 1, 0)$, $Q = (-1, 1, 2)$ et $R = (2, 1, -1)$, trouvez

a) l'aire du triangle PQR ;
b) l'équation d'un plan qui contient P, Q et R.

14. Trouvez un vecteur parallèle à l'intersection des plans $2x - 3y + 5z = 2$ et $4x + y - 3z = 7$.

15. Trouvez l'équation du plan passant par l'origine et qui est perpendiculaire à la droite de l'intersection des plans du problème 14.

16. Trouvez l'équation du plan passant par le point $(4, 5, 6)$ et qui est perpendiculaire à la droite de l'intersection des plans du problème 14.

17. Utilisez la définition algébrique du produit vectoriel pour vérifier que

$$\vec{a} \times (\vec{b} + \vec{c}) = (\vec{a} \times \vec{b}) + (\vec{a} \times \vec{c}).$$

18. Dans ce problème, on arrive à la définition algébrique du produit vectoriel par un chemin différent. Soit $\vec{a} = a_1\vec{i} + a_2\vec{j} + a_3\vec{k}$ et $\vec{b} = b_1\vec{i} + b_2\vec{j} + b_3\vec{k}$. On recherche un vecteur $\vec{v} = x\vec{i} + y\vec{j} + z\vec{k}$ qui est perpendiculaire à $\vec{a}$ et à $\vec{b}$. Considérez cette exigence pour construire deux équations pour x, y et z. Éliminez x et déterminez y en fonction de z. Puis éliminez y et déterminez x en fonction de z. Puisque z peut être n'importe quelle valeur (la direction de $\vec{v}$ reste inchangée), sélectionnez la valeur de z qui permet d'éliminer le dénominateur dans l'équation obtenue. Comment l'expression résultante pour $\vec{v}$ se compare-t-elle à la formule qu'on a développée (avant l'exemple 1) ?

19. Supposez que $\vec{a}$ et $\vec{b}$ sont des vecteurs dans le plan des xy tels que $\vec{a} = a_1\vec{i} + a_2\vec{j}$ et $\vec{b} = b_1\vec{i} + b_2\vec{j}$ avec $0 < a_2 < a_1$ et $0 < b_1 < b_2$.

a) Tracez $\vec{a}$ et $\vec{b}$ et le vecteur $\vec{c} = -a_2\vec{i} + a_1\vec{j}$. Ombrez le parallélogramme formé par $\vec{a}$ et $\vec{b}$.
b) Quelle est la relation entre $\vec{a}$ et $\vec{c}$? (Indication : trouvez $\vec{c} \cdot \vec{a}$ et $\vec{c} \cdot \vec{c}$.)
c) Trouvez $\vec{c} \cdot \vec{b}$.
d) Expliquez pourquoi $\vec{c} \cdot \vec{b}$ donne l'aire du parallélogramme formé par $\vec{a}$ et $\vec{b}$.
e) Vérifiez si, dans ce cas, $\vec{a} \times \vec{b} = (a_1 b_2 - a_2 b_1)\vec{k}$.

20. Si $\vec{a} + \vec{b} + \vec{c} = \vec{0}$, montrez que

$$\vec{a} \times \vec{b} = \vec{b} \times \vec{c} = \vec{c} \times \vec{a}.$$

Géométriquement, qu'est-ce que cela implique pour $\vec{a}$, $\vec{b}$ et $\vec{c}$?

21. Si $\vec{v}$ et $\vec{w}$ sont des vecteurs non nuls, utilisez la définition géométrique du produit vectoriel pour expliquer pourquoi

$$(\lambda\vec{v}) \times \vec{w} = \lambda(\vec{v} \times \vec{w}) = \vec{v} \times (\lambda\vec{w}).$$

Considérez les cas $\lambda > 0$ et $\lambda = 0$ et $\lambda < 0$ séparément.

22. Utilisez un parallélépipède pour montrer que $\vec{a} \cdot (\vec{b} \times \vec{c}) = (\vec{a} \times \vec{b}) \cdot \vec{c}$ pour tout vecteur $\vec{a}$, $\vec{b}$ et $\vec{c}$.

23. Montrez que $\|\vec{a} \times \vec{b}\|^2 = \|\vec{a}\|^2 \|\vec{b}\|^2 - (\vec{a} \cdot \vec{b})^2$.

24. Pour les vecteurs $\vec{a}$ et $\vec{b}$, soit $\vec{c} = \vec{a} \times (\vec{b} \times \vec{a})$.

    a) Montrez que $\vec{c}$ se trouve dans le plan contenant $\vec{a}$ et $\vec{b}$.
    b) Montrez que $\vec{a} \cdot \vec{c} = 0$ et que $\vec{b} \cdot \vec{c} = \|\vec{a}\|^2 \|\vec{b}\|^2 - (\vec{a} \cdot \vec{b})^2$. (Indication : référez-vous aux problèmes 22 et 23.)
    c) Montrez que

    $$\vec{a} \times (\vec{b} \times \vec{a}) = \|\vec{a}\|^2 \vec{b} - (\vec{a} \cdot \vec{b}) \vec{a}.$$

25. Utilisez le résultat du problème 22 pour montrer que le produit vectoriel est distributif par rapport à l'addition. Premièrement, utilisez la distributivité pour le produit scalaire afin de montrer que, pour tout vecteur $\vec{d}$,

    $$\left[(\vec{a} + \vec{b}) \times \vec{c} \right] \cdot \vec{d} = \left[(\vec{a} \times \vec{c}) + (\vec{b} \times \vec{c}) \right] \cdot \vec{d}.$$

    Ensuite, montrez que, pour tout vecteur $\vec{d}$,

    $$\left[((\vec{a} + \vec{b}) \times \vec{c}) - (\vec{a} \times \vec{c}) - (\vec{b} \times \vec{c}) \right] \cdot \vec{d} = 0.$$

    Finalement, expliquez pourquoi vous ne pouvez pas conclure que

    $$(\vec{a} + \vec{b}) \times \vec{c} = (\vec{a} \times \vec{c}) + (\vec{b} \times \vec{c}).$$

26. Considérez le fait que $\vec{i} \times \vec{i} = \vec{0}$, $\vec{i} \times \vec{j} = \vec{k}$, $\vec{i} \times \vec{k} = -\vec{j}$, et ainsi de suite, de même que les propriétés du produit vectoriel énoncées précédemment, pour établir la définition algébrique du produit vectoriel.

27. Soit $\vec{a} = a_1 \vec{i} + a_2 \vec{j}$ et $\vec{b} = b_1 \vec{i} + b_2 \vec{j}$ deux vecteurs non parallèles à deux dimensions, comme à la figure 2.45.

    a) Utilisez l'identité $\sin(\beta - \alpha) = (\sin \beta \cos \alpha - \cos \beta \sin \alpha)$ afin de vérifier la formule pour trouver l'aire du parallélogramme formé par $\vec{a}$ et $\vec{b}$:

    $$\text{Aire du parallélogramme} = |a_1 b_2 - a_2 b_1|.$$

    b) Montrez que $a_1 b_2 - a_2 b_1$ est positif quand la rotation de $\vec{a}$ à $\vec{b}$ s'effectue dans le sens contraire des aiguilles d'une montre et qu'il est négatif quand elle s'effectue dans le sens des aiguilles d'une montre.

28. Considérez le tétraèdre déterminé par trois vecteurs $\vec{a}$, $\vec{b}$ et $\vec{c}$ apparaissant à la figure 2.46. Le *vecteur aire* d'une face est un vecteur perpendiculaire à cette face qui s'oriente vers l'extérieur et dont la norme est l'aire de la face. Montrez que la somme des quatre vecteurs de l'aire qui sont orientés vers l'extérieur des faces est égale au vecteur nul.

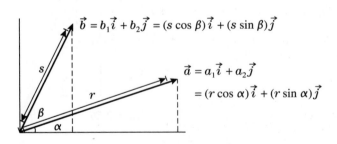

Figure 2.45

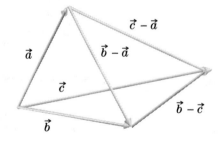

Figure 2.46

PROBLÈMES DE RÉVISION DU CHAPITRE DEUX

1. Étant donné les vecteurs de déplacement $\vec{u}$ et $\vec{v}$ de la figure 2.47, tracez les vecteurs ci-après.

   a) $(\vec{u} + \vec{v}) + \vec{u}$ b) $\vec{v} + (\vec{v} + \vec{u})$ c) $(\vec{u} + \vec{u}) + \vec{u}$

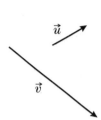

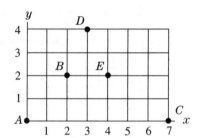

Figure 2.47   **Figure 2.48**

2. La figure 2.48 montre cinq points A, B, C, D et E.

   a) Lisez les coordonnées des cinq points, puis décomposez en composantes les deux vecteurs suivants : $\vec{u} = (2,5)\overrightarrow{AB} + (-0,8)\overrightarrow{CD}$, $\vec{v} = (2,5)\overrightarrow{BA} - (-0,8)\overrightarrow{CD}$.
   b) Quelle est la relation entre $\vec{u}$ et $\vec{v}$? Pourquoi deviez-vous vous y attendre ?

3. Trouvez les composantes d'un vecteur $\vec{p}$ qui a la même direction que $\overrightarrow{EA}$ dans la figure 2.48 et dont la longueur est égale à 2 unités.

4. Pour chacun des quatre énoncés ci-dessous, répondez aux questions suivantes : cet énoncé est-il sensé ? Si oui, est-ce vrai pour tous les choix possibles de $\vec{a}$ et de $\vec{b}$? Sinon, justifiez votre réponse. Rédigez des phrases complètes.

   a) $\vec{a} + \vec{b} = \vec{b} + \vec{a}$ b) $\vec{a} + \|\vec{b}\| = \|\vec{a} + \vec{b}\|$ c) $\|\vec{b} + \vec{a}\| = \|\vec{a} + \vec{b}\|$

   d) $\|\vec{a} + \vec{b}\| = \|\vec{a}\| + \|\vec{b}\|$

5. Deux côtés adjacents d'un hexagone régulier sont donnés comme les vecteurs $\vec{u}$ et $\vec{v}$ de la figure 2.49. Étiquetez les côtés qui restent en fonction de $\vec{u}$ et de $\vec{v}$.

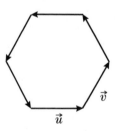

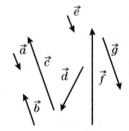

Figure 2.49   **Figure 2.50**

6. La figure 2.50 montre sept vecteurs $\vec{a}$, $\vec{b}$, $\vec{c}$, $\vec{d}$, $\vec{e}$, $\vec{f}$ et $\vec{g}$.

   a) Y a-t-il deux vecteurs égaux ? Écrivez toutes les paires égales.
   b) Pouvez-vous trouver un scalaire x tel que $\vec{a} = x\vec{g}$? Si c'est le cas, trouvez un tel x ; sinon, justifiez votre réponse.
   c) Même question qu'à la partie b) mais pour l'équation $\vec{b} = x\vec{d}$.
   d) Pouvez-vous résoudre l'équation $\vec{f} = u\vec{c} + v\vec{d}$ pour les scalaires u et v ? Si c'est le cas, trouvez-les ; sinon, justifiez votre réponse.

7. Pour quelles valeurs de t les paires de vecteurs suivantes sont-elles parallèles ?

   a) $2\vec{i} + (t^2 + \frac{2}{3}t + 1)\vec{j} + t\vec{k}$, $6\vec{i} + 8\vec{j} + 3\vec{k}$

   b) $t\vec{i} + \vec{j} + (t-1)\vec{k}$, $2\vec{i} - 4\vec{j} + \vec{k}$

   c) $2t\vec{i} + t\vec{j} + t\vec{k}$, $6\vec{i} + 3\vec{j} + 3\vec{k}$

Utilisez la définition géométrique pour calculer les produits vectoriels des problèmes 8 et 9.

   8. $2\vec{i} \times (\vec{i} + \vec{j})$ **9.** $(\vec{i} + \vec{j}) \times (\vec{i} - \vec{j})$

Calculez les produits vectoriels des problèmes 10 et 11 à l'aide de la définition algébrique.

   10. $((\vec{i} + \vec{j}) \times \vec{i}) \times \vec{j}$ **11.** $(\vec{i} + \vec{j}) \times (\vec{i} \times \vec{j})$

12. Vrai ou faux ? $\vec{a} \times \vec{b} = -(\vec{b} \times \vec{a})$ pour tout $\vec{a}$ et $\vec{b}$. Justifiez votre réponse.

13. Trouvez l'aire du triangle ayant les sommets $P = (-2, 2, 0)$, $Q = (1, 3, -1)$ et $R = (-4, 2, 1)$ en utilisant le produit vectoriel.

14. Trouvez l'équation du plan qui passe par l'origine et qui est parallèle à $z = 4x - 3y + 8$.

15. Trouvez un vecteur normal au plan $4(x - 1) + 6(z + 3) = 12$.

16. Trouvez l'équation du plan passant par les points $(0, 0, 2)$, $(0, 3, 0)$ et $(5, 0, 0)$.

17. Considérez le plan $5x - y + 7z = 21$.

   a) Trouvez un point sur l'axe des x de ce plan.
   b) Trouvez deux autres points dans le plan.
   c) Trouvez un vecteur perpendiculaire au plan.
   d) Trouvez un vecteur parallèle au plan.

18. Soit les points $P = (1, 2, 3)$, $Q = (3, 5, 7)$ et $R = (2, 5, 3)$.

   a) Trouvez un vecteur unitaire perpendiculaire à un plan contenant P, Q et R.
   b) Trouvez l'angle entre PQ et PR.
   c) Trouvez l'aire du triangle PQR.
   d) Trouvez la distance entre R et la droite passant par P et Q.

19. Trouvez tous les vecteurs $\vec{v}$ dans le plan de telle sorte que $\|\vec{v}\| = 1$ et $\|\vec{v} + \vec{i}\| = 1$.

20. Trouvez tous les vecteurs $\vec{w}$ à trois dimensions de telle sorte que $\|\vec{w}\| = 1$ et que $\|\vec{w} + \vec{i}\| = 1$. Décrivez géométriquement cet ensemble.

21. L'ensemble des populations de chacun des 50 États est-il un vecteur ou une quantité scalaire ?

22. Le vecteur prix des fèves, du riz et du tofu est $(0{,}30, 0{,}20, 0{,}50)$ en dollars par livre. Exprimez-le en dollars par once.

23. Un objet est attaché par une corde rigide à un point fixe et tourne 30 fois/min dans un plan horizontal. Montrez que la vitesse de l'objet est constante, mais que le vecteur vitesse ne l'est pas. Qu'est-ce que cela laisse entendre au sujet de l'accélération ?

24. Un objet se déplace dans le sens contraire des aiguilles d'une montre, à une vitesse constante, autour d'un cercle $x^2 + y^2 = 1$, où x et y sont mesurés en mètres. Il effectue une révolution/minute.

   a) Quelle est sa vitesse ?
   b) Quel est son vecteur vitesse 30 s après qu'il a passé le point $(1, 0)$? Votre réponse change-t-elle si l'objet se déplace dans le sens des aiguilles d'une montre ? Justifiez votre réponse.

25. Dans un jeu de guerre, vous tirez avec un pistolet laser inoffensif et tentez de toucher une cible que vos adversaires portent à la taille. Supposez que vous vous tenez à l'origine d'un système de coordonnées à trois dimensions et que le plan des xy représente le plancher. Supposez que la hauteur de la taille est à 3 pi au-dessus du niveau du sol et que le niveau des yeux est à 5 pi au-dessus du sol. Trois de vos amis sont vos adversaires. L'un d'eux se tient de telle sorte que sa cible se trouve à

30 pi le long de l'axe des x ; le deuxième est couché sur le sol, et sa cible est au point $x = 20$, $y = 15$; le troisième se tient en embuscade, et sa cible se trouve à 8 pi au-dessus du point $x = 12$, $y = 30$.

a) Si vous visez avec votre pistolet en le tenant au niveau des yeux, trouvez le vecteur entre votre arme et chacune des trois cibles.

b) Si vous tirez depuis la hauteur de la taille en tenant votre pistolet à 1 pi à droite du centre de votre corps et que vous faites face à l'axe des x, trouvez le vecteur entre votre pistolet et chacune des trois cibles.

26. Un aéroport se trouve au point (200, 10, 0), et un avion qui s'en approche se trouve au point (550, 60, 4). Supposez que le plan des xy est horizontal, que l'axe des x est orienté vers l'est et l'axe des y, vers le nord. Supposez également que l'axe des z est vers le haut et que toutes les distances sont données en kilomètres. L'avion vole vers l'ouest, à une altitude constante et à une vitesse de 500 km/h, et ce pendant une demi-heure. Il vole ensuite à 200 km/h en se dirigeant directement vers l'aéroport.

a) Trouvez le vecteur vitesse de l'avion alors qu'il vole à une altitude constante.

b) Trouvez les coordonnées du point à partir duquel l'avion amorce sa descente.

c) Trouvez le vecteur vitesse de l'avion lorsqu'il descend.

27. Un paquebot est tiré par deux remorqueurs. Le plus gros remorqueur exerce une force qui est de 25 % plus grande que celle du petit remorqueur, dans un angle de 30° au nord-est. Dans quelle direction le petit remorqueur doit-il tirer pour s'assurer que le paquebot maintienne le cap à l'est ?

28. Un homme souhaite ramer sur la plus courte distance possible, du nord au sud, sur une rivière dont le courant a un vecteur vitesse de 4 km/h vers l'est. L'homme peut ramer à 5 km/h.

a) Dans quelle direction devrait-il s'orienter ?

b) S'il y a un vent du sud-ouest qui souffle à 10 km/h, dans quelle direction devrait-il mettre le cap pour traverser directement la rivière ? Que se produit-il ?

29. a) Un vecteur $\vec{v}$ de norme v forme un angle α avec la partie positive de l'axe des x, un angle β avec la partie positive de l'axe des y et un angle γ avec la partie positive de l'axe des z. Montrez que

$$\vec{v} = v \cos \alpha \vec{i} + v \cos \beta \vec{j} + v \cos \gamma \vec{k}.$$

b) Cos α, cos β et cos γ sont appelés des *cosinus directeurs*. Montrez que

$$\cos^2 \alpha + \cos^2 \beta + \cos^2 \gamma = 1.$$

30. Trouvez le vecteur $\vec{v}$ ayant toutes les propriétés suivantes :

1. La longueur est de 10 ;
2. L'angle est de 45° avec la partie positive de l'axe des x ;
3. L'angle est de 75° avec la partie positive de l'axe des y ;
4. La composante $\vec{k}$ est positive.

31. À l'aide de vecteurs, montrez que les bissectrices perpendiculaires d'un triangle se croisent en un point.

32. Trouvez la distance entre le point $P = (2, -1, 3)$ et le plan $2x + 4y - z = -1$.

33. Trouvez une équation du plan qui passe par les trois points (1, 1, 1), (1, 4, 5) et (−3, −2, 0). Trouvez la distance entre l'origine et le plan.

34. Deux droites dans l'espace sont en biais si elles ne sont pas parallèles et ne se croisent pas. Déterminez la distance minimale entre deux droites ainsi placées.

CHAPITRE TROIS

LA DÉRIVATION DES FONCTIONS DE PLUSIEURS VARIABLES

Pour une fonction d'une variable $y = f(x)$, la dérivée $dy/dx = f'(x)$ donne le taux de variation de y par rapport à x. Pour une fonction de deux variables $z = f(x, y)$, le taux de variation n'*existe pas,* puisque x ou y peut varier alors que l'autre variable est maintenue fixe ou les deux peuvent varier simultanément. Cependant, on peut considérer le taux de variation par rapport à chacune des variables indépendantes. Ce chapitre présente ces *dérivées partielles* et différentes façons de les utiliser, ce qui permet d'obtenir une vue d'ensemble de la manière dont la fonction varie.

3.1   LA DÉRIVÉE PARTIELLE

La dérivée d'une fonction d'une variable mesure son taux de variation. Dans la présente section, on voit comment une fonction de deux variables a deux taux de variation : un taux quand x varie (alors que y est maintenu constant) et un autre quand y varie (alors que x est maintenu constant).

Le taux de variation de la température d'une tige de métal : un problème avec une variable

On imagine une tige de métal inégalement chauffée se situant le long de l'axe des x, alors que son extrémité gauche se trouve à l'origine et que x est mesuré en mètres (voir la figure 3.1). Soit $u(x)$ la température (en degrés Celsius) de la tige au point x. Le tableau 3.1 donne les valeurs de $u(x)$. On voit que la température augmente quand on se déplace le long de la tige et qu'elle atteint son maximum en $x = 4$, après quoi elle commence à diminuer.

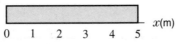

Figure 3.1 : Tige de métal inégalement chauffée

TABLEAU 3.1   *Température $u(x)$ de la tige*

x(m)	0	1	2	3	4	5
$u(x)$ (°C)	125	128	135	160	175	160

Exemple 1   Estimez la dérivée $u'(2)$ à l'aide du tableau 3.1 et expliquez ce que signifie la réponse en fonction de la température.

Solution   On définit la dérivée $u'(2)$ comme étant la limite des quotients de différence

$$u'(2) = \lim_{h \to 0} \frac{u(2 + h) - u(2)}{h}.$$

En choisissant $h = 1$ de telle sorte qu'on puisse utiliser les données du tableau 3.1, on obtient

$$u'(2) \approx \frac{u(2 + 1) - u(2)}{1} = \frac{160 - 135}{1} = 25.$$

Cela signifie que la température augmente à un taux d'environ 25 °C/m alors qu'on passe par $x = 2$ en allant de gauche à droite.

Le taux de variation de la température d'une plaque de métal

On imagine une fine plaque de métal rectangulaire inégalement chauffée située dans le plan des xy, dont le coin inférieur gauche se trouve à l'origine ; x et y sont mesurés en mètres. La température (en degrés Celsius) au point (x, y) est de $T(x, y)$ [voir la figure 3.2 et le tableau 3.2]. Comment T varie-t-il près du point $(2, 1)$? On considère la droite horizontale $y = 1$ contenant le point $(2, 1)$. La température le long de cette droite est la section transversale $T(x, 1)$ de la fonction $T(x, y)$, où $y = 1$. On suppose qu'on écrit $u(x) = T(x, 1)$.

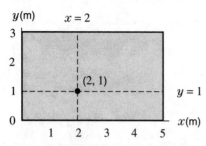

Figure 3.2 : Plaque de métal inégalement chauffée

TABLEAU 3.2 *Température (en degrés Celsius) d'une plaque de métal*

y (m)						
3	85	90	**110**	135	155	180
2	100	110	**120**	145	190	170
1	**125**	**128**	**135**	**160**	**175**	**160**
0	120	135	**155**	160	160	150
	0	1	2	3	4	5

x (m)

Quelle est la signification de la dérivée $u'(2)$? Il s'agit du taux de variation de la température T *dans la direction* x au point (2, 1), y étant maintenu fixe. On note ce taux de variation $T_x(2, 1)$, de sorte que

$$T_x(2, 1) = u'(2) = \lim_{h \to 0} \frac{u(2 + h) - u(2)}{h} = \lim_{h \to 0} \frac{T(2 + h, 1) - T(2, 1)}{h}.$$

On appelle $T_x(2, 1)$ la *dérivée partielle de T par rapport à x au point* (2, 1). En prenant $h = 1$, on peut lire les valeurs de T dans la rangée où $y = 1$ du tableau 3.2, ce qui donne

$$T_x(2, 1) \approx \frac{T(3, 1) - T(2, 1)}{1} = \frac{160 - 135}{1} = 25 \; °\text{C/m}.$$

Le fait que $T_x(2, 1)$ est positif signifie que la température de la plaque augmente lorsqu'on dépasse le point (2, 1) en laissant croître x (autrement dit, horizontalement et de gauche à droite dans la figure 3.2).

Exemple 2   Estimez le taux de variation de T dans la direction y au point (2, 1).

Solution   La température le long de la droite $x = 2$ est la section transversale de T avec $x = 2$, autrement dit, la fonction $v(y) = T(2, y)$. Si on note $T_y(2, 1)$ le taux de variation de T dans la direction de l'axe des y en (2, 1), alors

$$T_y(2, 1) = \lim_{h \to 0} \frac{v(1 + h) - v(1)}{h} = \lim_{h \to 0} \frac{T(2, 1 + h) - T(2, 1)}{h}.$$

On appelle $T_y(2, 1)$ la *dérivée partielle de T par rapport à y au point* (2, 1). En prenant $h = 1$ de manière à pouvoir utiliser la colonne où $x = 2$ dans le tableau 3.2, on obtient

$$T_y(2, 1) \approx \frac{T(2, 1 + 1) - T(2, 1)}{1} = \frac{120 - 135}{1} = -15 \; °\text{C/m}.$$

Puisque $T_y(2, 1)$ est négatif, cela signifie que la température diminue quand y augmente.

La définition de la dérivée partielle

On étudie l'influence de x et de y séparément sur la valeur de la fonction $f(x, y)$, en maintenant une variable fixe et en laissant l'autre varier. Cela mène aux définitions ci-après.

Dérivées partielles de f par rapport à x et à y

Pour tous les points où la limite existe, on définit les **dérivées partielles au point (a, b)** par

$$f_x(a, b) = \begin{array}{c} \text{Taux de variation de } f \text{ par rapport} \\ \text{à } x \text{ au point } (a, b) \end{array} = \lim_{h \to 0} \frac{f(a + h, b) - f(a, b)}{h},$$

$$f_y(a, b) = \begin{array}{c} \text{Taux de variation de } f \text{ par rapport} \\ \text{à } y \text{ au point } (a, b) \end{array} = \lim_{h \to 0} \frac{f(a, b + h) - f(a, b)}{h}.$$

Si on laisse a et b varier, on obtient les **fonctions de dérivées partielles** $f_x(x, y)$ et $f_y(x, y)$.

Tout comme pour les dérivées ordinaires, il existe une autre notation :

Autre notation pour les dérivées partielles

Si $z = f(x, y)$, on peut écrire

$$f_x(x, y) = \frac{\partial z}{\partial x} \qquad \text{et} \qquad f_y(x, y) = \frac{\partial z}{\partial y},$$

$$f_x(a, b) = \frac{\partial z}{\partial x}\bigg|_{(a, b)} \qquad \text{et} \qquad f_y(a, b) = \frac{\partial z}{\partial y}\bigg|_{(a, b)}.$$

On utilise le symbole ∂ pour distinguer les dérivées partielles des dérivées ordinaires. Dans les cas où les variables indépendantes ont des noms différents de x et de y, il faut adapter la notation en conséquence. Par exemple, les dérivées partielles de $f(u, v)$ sont notées f_u et f_v.

La visualisation des dérivées partielles sur un graphe

La dérivée ordinaire d'une fonction d'une variable est la pente de son graphe. Comment peut-on visualiser la dérivée partielle $f_x(a, b)$? Le graphe d'une fonction d'une variable $f(x, b)$ est la courbe où le plan vertical $y = b$ coupe le graphe de $f(x, y)$ [voir la figure 3.3]. Par conséquent, $f_x(a, b)$ est la pente de la droite tangente à cette courbe en $x = a$.

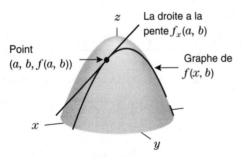

Figure 3.3 : La courbe $z = f(x, b)$ sur le graphe de f a la pente $f_x(a, b)$ en $x = a$.

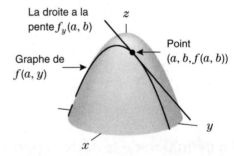

Figure 3.4 : La courbe $z = f(a, y)$ sur le graphe de f a la pente $f_y(a, b)$ en $y = b$.

De même, le graphe de la fonction $f(a, y)$ est la courbe où le plan vertical $x = a$ coupe le graphe de f et la dérivée partielle $f_y(a, b)$ est la pente de cette courbe en $y = b$ (voir la figure 3.4).

Exemple 3   À chaque point identifié sur le graphe de la surface $z = f(x, y)$ de la figure 3.5, dites si chacune des dérivées partielles est positive ou négative.

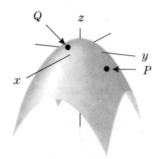

Figure 3.5 : Déterminer les signes de f_x et de f_y en P et en Q

Solution   La partie positive de l'axe des x pointe vers l'extérieur de la page. On imagine qu'on s'oriente dans cette direction en partant du point identifié par P; on effectue une descente abrupte. Donc, la dérivée partielle par rapport à x est négative en P, avec une valeur absolue relativement grande. La même chose s'applique pour la dérivée partielle par rapport à y en P, puisqu'il y a également une descente abrupte dans la direction positive de l'axe des y.

Au point identifié par Q, et en se dirigeant dans la direction positive de l'axe des x, on effectue une descente douce, tandis que lorsqu'on se dirige dans la direction positive de l'axe des y, on effectue une ascension douce. Par conséquent, la dérivée partielle f_x en Q est négative mais petite (autrement dit, elle s'approche de zéro), et la dérivée partielle f_y est positive mais petite.

L'estimation des dérivées partielles à partir d'un diagramme des courbes de niveau

Le graphe d'une fonction $f(x, y)$ rend souvent les signes des dérivées partielles très clairs. Cependant, les estimations numériques de ces dérivées sont beaucoup plus faciles à calculer à partir d'un diagramme des courbes de niveau qu'à partir d'un graphe de surface. Si l'on se déplace parallèlement à l'un des axes sur le diagramme des courbes de niveau, la dérivée partielle correspond au taux de variation de la valeur de la fonction sur les courbes. Par exemple, si les valeurs sur les courbes augmentent quand on se déplace dans la direction positive, alors la dérivée partielle doit être positive.

Exemple 4   La figure 3.6 (page suivante) montre le diagramme des courbes de niveau pour la température $H(x, t)$ [en degrés Celsius] d'une pièce en fonction de la distance x (en mètres) d'une chaufferette et du temps t (en minutes) après que la chaufferette a été allumée. Quels sont les signes de $H_x(10, 20)$ et de $H_t(10, 20)$? Estimez ces dérivées partielles et expliquez ce que signifient concrètement les réponses.

Solution   Le point $(10, 20)$ se trouve presque sur la courbe $H = 25$. Quand x augmente, on se déplace vers la courbe $H = 20$, donc H diminue et $H_x(10, 20)$ est négatif. Cela est logique, car la courbe $H = 30$ se trouve à gauche : au fur et à mesure qu'on s'éloigne de la chaufferette, la température baisse. Par contre, quand t augmente, on se déplace vers la courbe $H = 30$, donc H augmente ; quand t diminue, H diminue. Par conséquent, $H_t(10, 20)$ est positif. Cela laisse entendre que, au fur et à mesure que le temps s'écoule, la pièce se réchauffe.

Pour estimer les dérivées partielles, il faut utiliser un quotient de différence. En observant le diagramme des courbes de niveau, on voit qu'il existe un point sur la courbe $H = 20$ situé à environ 14 unités à droite du point $(10, 20)$. En conséquence, H diminue de 5 quand x augmente de 14. Donc, on trouve

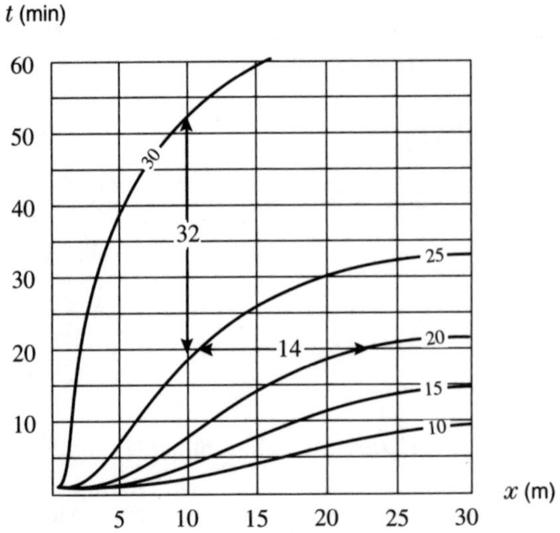

Figure 3.6 : Température d'une pièce chauffée : la chaufferette en $x = 0$ est allumée à $t = 0$

$$\text{Taux de variation de } H \text{ par rapport à } x = H_x(10, 20) \approx \frac{-5}{14} \approx -0{,}36 \text{ °C/m.}$$

Cela signifie que, près du point situé à 10 m de la chaufferette, 20 min plus tard, la température chute d'environ 0,36 (ou d'un tiers de degré) à chaque mètre qu'on s'éloigne de la chaufferette.

Pour estimer $H_t(10, 20)$, on remarque que la courbe $H = 30$ se trouve à environ 32 unités directement au-dessus du point (10, 20). Donc, H augmente de 5 quand t augmente de 32. Ainsi,

$$\text{Taux de variation de } H \text{ par rapport à } t = H_t(10, 20) \approx \frac{5}{32} = 0{,}16 \text{ °C/m.}$$

Cela signifie que, 20 min plus tard, la température augmente d'environ 0,16 (ou d'un sixième de degré) chaque minute, au point situé à 10 m de la chaufferette.

L'emploi d'unités pour interpréter les dérivées partielles

La signification de la dérivée partielle s'explique souvent au moyen des unités.

Exemple 5   Supposez que votre poids w (en livres) est fonction $f(c, n)$ du nombre c de calories que vous consommez quotidiennement et du nombre n de minutes d'exercices que vous faites tous les jours. En utilisant les unités pour w, c et n, interprétez, en langage courant, les énoncés suivants :

$$\frac{\partial w}{\partial c}(2000, 15) = 0{,}02 \quad \text{et} \quad \frac{\partial w}{\partial n}(2000, 15) = -0{,}025.$$

Solution   Les unités de $\partial w / \partial c$ sont en livres par calorie. L'énoncé

$$\frac{\partial w}{\partial c}(2000, 15) = 0{,}02$$

signifie que si vous consommez actuellement 2000 calories/jour et que vous faites de l'exercice pendant 15 min tous les jours, vous pèserez 0,02 lb de plus par calorie supplémentaire consommée quotidiennement, ou environ 2 lb pour chaque tranche supplémentaire de 100 calories par jour. Les unités de $\partial w/\partial n$ sont en livres par minute. L'énoncé

$$\frac{\partial w}{\partial n}(2000,\ 15) = -0{,}025$$

signifie que, pour la même consommation de calories et le même nombre de minutes d'exercices, vous pèserez 0,025 lb de moins pour chaque minute supplémentaire d'exercices que vous effectuerez tous les jours ou environ 1 lb de moins pour chaque entraînement supplémentaire de 40 min par jour. Donc, si vous mangez 100 calories de plus chaque jour et faites environ 80 min d'exercices de plus par jour, votre poids devrait demeurer environ le même.

Problèmes de la section 3.1

1. En utilisant des quotients de différence, estimez $f_x(3,\ 2)$ et $f_y(3,\ 2)$ pour la fonction donnée par

$$f(x,\ y) = \frac{x^2}{y+1}.$$

[Rappel : un quotient de différence est une expression de la forme $\big(f(a+h,\ b) - f(a,\ b)\big)/h$.]

2. Utilisez des quotients de différence avec $\Delta x = 0{,}1$ et $\Delta y = 0{,}1$ pour estimer $f_x(1,\ 3)$ et $f_y(1,\ 3)$, où

$$f(x,\ y) = e^{-x}\sin y.$$

Puis, donnez de meilleures estimations en utilisant $\Delta x = 0{,}01$ et $\Delta y = 0{,}01$.

3. Le versement mensuel P de l'hypothèque (en dollars) sur une maison est fonction de trois variables

$$P = f(A,\ r,\ N),$$

où A est le montant emprunté (en dollars), r est le taux d'intérêt et N est le nombre d'années qui restent avant que l'hypothèque ne soit entièrement remboursée.

a) $f(92\ 000,\ 14,\ 30) = 1090{,}08$. Qu'est-ce que cela vous indique du point de vue financier ?

b) $\dfrac{\partial P}{\partial r}(92\ 000,\ 14,\ 30) = 72{,}82$. Quelle est, du point de vue financier, la signification du nombre 72,82 ?

c) Vous attendriez-vous à ce que $\partial P/\partial A$ soit positif ou négatif ? Justifiez votre réponse.

d) Vous attendriez-vous à ce que $\partial P/\partial N$ soit positif ou négatif ? Justifiez votre réponse.

4. Supposez que vous empruntez A \$ à un taux d'intérêt de r %/mois et que vous remboursez sur une période de t mois en effectuant des versements mensuels de P \$, comme le détermine la fonction $P = g(A,\ r,\ t)$. Que vous indiquent les énoncés suivants du point de vue financier ?

a) $g(8000,\ 1,\ 24) = 376{,}59$ b) $\dfrac{\partial g}{\partial A}(8000,\ 1,\ 24) = 0{,}047$

c) $\dfrac{\partial g}{\partial r}(8000,\ 1,\ 24) = 44{,}83$

5. Supposez que x est le prix moyen d'une nouvelle voiture et que y est le prix moyen d'un gallon d'essence. Alors, le nombre de nouvelles voitures achetées en une année q_1 dépend à la fois de x et de y, donc $q_1 = f(x,\ y)$. De même, si q_2 est la quantité d'essence achetée en un an, alors $q_2 = g(x,\ y)$.

a) Selon vous, que représenteront les signes de $\partial q_1/\partial x$ et de $\partial q_2/\partial y$? Justifiez votre réponse.

b) Selon vous, que représenteront les signes de $\partial q_1/\partial y$ et de $\partial q_2/\partial x$? Justifiez votre réponse.

6. Un médicament est injecté dans les veines d'un patient. La fonction $c = f(x,\ t)$ représente la concentration du médicament à une distance x, dans la direction du débit sanguin mesuré au point d'injection, et au temps t depuis le moment de l'injection. Quelles sont les unités des dérivées

partielles suivantes ? Qu'est-ce qu'elles signifient concrètement ? Selon vous, quels seront leurs signes ?

a) $\partial c / \partial x$ b) $\partial c / \partial t$

7. Supposez que P est votre versement mensuel sur votre voiture (en dollars) et que $P = f(P_0, t, r)$, où P_0 \$ est la somme empruntée, t est le nombre de mois nécessaires pour payer l'emprunt et r % est le taux d'intérêt. Quels sont les unités, les significations du point de vue financier et les signes de $\partial P / \partial t$ et de $\partial P / \partial r$?

8. La surface $z = f(x, y)$ est présentée à la figure 3.7. Les points A et B se trouvent dans le plan des xy.

     a) Quel est le signe de $f_x(A)$?   b) Quel est le signe de $f_y(A)$?

     c) Supposez que P est un point dans le plan des xy qui se déplace le long d'une droite passant entre A et B. Comment le signe de $f_x(P)$ change-t-il ? Comment le signe de $f_y(P)$ change-t-il ?

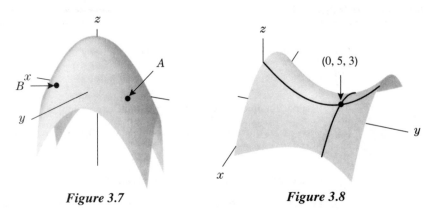

Figure 3.7   **Figure 3.8**

9. Considérez la surface en forme de selle $z = f(x, y)$ dont le graphe est tracé à la figure 3.8.

     a) Quel est le signe de $f_x(0, 5)$?   b) Quel est le signe de $f_y(0, 5)$?

Pour les problèmes 10 à 12, reportez-vous au tableau 1.3, qui donne la température ajustée au facteur de refroidissement du vent C (en degrés Fahrenheit), en fonction $f(w, T)$ de la vitesse du vent w (en milles par heure) et de la température T (en degrés Fahrenheit). La température ajustée au facteur de refroidissement du vent vous indique à quel point il fait froid, compte tenu de la combinaison du vent et de la température.

10. Estimez $f_w(10, 25)$. Que signifie concrètement votre réponse ?

11. Estimez $f_T(5, 20)$. Que signifie concrètement votre réponse ?

12. À partir du tableau 1.3, vous pouvez voir que, quand la température est de 20 °F, la température ajustée au facteur de refroidissement du vent chute en moyenne d'environ 2,6 °F pour chaque hausse de 1 mi/h de la vitesse du vent, lorsque celui-ci passe de 5 à 10 mi/h. Sur quelle dérivée partielle cela vous informe-t-il ?

13. La figure 3.9 montre un diagramme des courbes de niveau pour le versement mensuel P, en fonction du taux d'intérêt r % et du montant L, sur un prêt de 5 ans. Estimez $\partial P / \partial r$ et $\partial P / \partial L$ aux points suivants. Dans chaque cas, donnez les unités. Que signifie concrètement votre réponse ?

     a) $r = 8, L = 4000$ b) $r = 8, L = 6000$ c) $r = 13, L = 7000$

14. La figure 3.10 donne le diagramme des courbes de niveau du nombre n de renards par kilomètre carré dans le sud-ouest de l'Angleterre. Estimez $\partial n / \partial x$ et $\partial n / \partial y$ aux points identifiés par A, B et C, où l'axe des x représente les kilomètres est-ouest et l'axe des y, les kilomètres nord-sud.

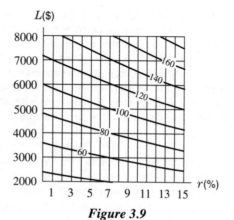

Figure 3.9

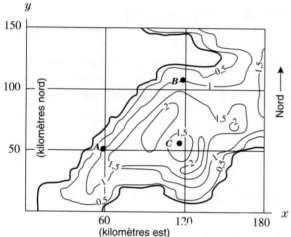

Figure 3.10

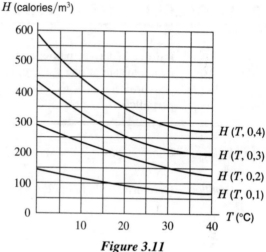

Figure 3.11

On peut éliminer le brouillard dans un aéroport en chauffant l'air. La quantité de chaleur requise pour effectuer le travail est fonction de la température de l'air et de l'humidité du brouillard. Les problèmes 15 à 17 font intervenir la figure 3.11, laquelle montre la chaleur $H(T, w)$ requise (en calories par mètre cube de brouillard) en fonction de la température T (en degrés Celsius) et du contenu en eau w (en grammes par mètre cube de brouillard). Noter que la figure 3.11 n'est pas un diagramme des courbes de niveau, mais qu'elle présente les sections transversales de H avec w fixe en 0,1, en 0,2, en 0,3 et en 0,4.

15. Utilisez la figure 3.11 pour trouver une valeur approximative pour $H_T(10, 0,1)$. Que signifie concrètement la dérivée partielle ?

16. Construisez une table des valeurs pour $H(T, w)$ à partir de la figure 3.11 et utilisez-la pour estimer $H_T(T, w)$ pour $T = 10$, 20 et 30 ainsi que $w = 0,1$, 0,2 et 0,3.

17. Répétez le problème 16 pour $H_w(T, w)$ en $T = 10$, 20 et 30 et en $w = 0,1$, 0,2 et 0,3. Que signifient concrètement ces dérivées partielles ?

18. Le débit cardiaque, représenté par c, est le volume de sang circulant dans le cœur d'une personne par unité de temps. Les résistances vasculaires systémiques (RVS), représentées par s, sont les résistances au sang qui circule dans les veines et dans les artères. Soit p la pression sanguine d'une personne. Alors p est fonction de c et de s, donc $p = f(c, s)$.

a) Que représente $\partial p/\partial c$?

Supposez maintenant que $p = kcs$, où k est une constante.

b) Tracez les courbes de niveau de p. Que représentent-elles ? Identifiez les axes.

c) Pour une personne qui a un cœur faible, il est souhaitable que la résistance contre laquelle le cœur pompe soit moindre, et que la pression sanguine demeure stable. On peut administrer de la nitroglycérine à cette personne pour faire diminuer les RVS et de la dopamine pour accroître son débit cardiaque. Représentez cette combinaison de médicaments sur un graphe montrant les courbes de niveau. Inscrivez un point A sur le graphe représentant l'état de la personne avant qu'on lui administre des drogues et un point B pour représenter son état subséquent.

d) Immédiatement après une crise cardiaque, le débit cardiaque d'une personne diminue, ce qui provoque une chute de la pression sanguine. Une erreur courante que font les nouveaux médecins consiste à faire revenir la pression sanguine du patient au niveau normal en utilisant des médicaments pour faire croître les RVS plutôt que de faire augmenter le débit cardiaque. Sur un graphe des courbes de niveau de p, inscrivez un point D qui représente le patient avant la crise cardiaque, un point E représentant le patient immédiatement après la crise cardiaque et un troisième point F représentant le patient après que le médecin lui a administré les médicaments pour faire diminuer ses RVS.

3.2   LE CALCUL ALGÉBRIQUE DES DÉRIVÉES PARTIELLES

Puisque la dérivée partielle $f_x(x, y)$ est la dérivée ordinaire de la fonction $f(x, y)$ avec y maintenu constant et que $f_y(x, y)$ est la dérivée ordinaire de $f(x, y)$ avec x maintenu constant, on peut utiliser toutes les formules de dérivation du calcul d'une variable pour trouver les dérivées partielles.

Exemple 1   Soit $f(x, y) = \dfrac{x^2}{y + 1}$. Trouvez $f_x(3, 2)$ algébriquement.

Solution   On considère le fait que $f_x(3, 2)$ est égal à la dérivée de $f(x, 2)$ en $x = 3$. Puisque

$$f(x, 2) = \frac{x^2}{2 + 1} = \frac{x^2}{3},$$

en dérivant par rapport à x, on obtient

$$f_x(x, 2) = \frac{\partial}{\partial x}\left(\frac{x^2}{3}\right) = \frac{2x}{3} \qquad \text{et donc} \qquad f_x(3, 2) = 2.$$

Exemple 2   Calculez les dérivées partielles par rapport à x et par rapport à y pour les fonctions ci-après.

a) $f(x, y) = y^2 e^{3x}$ b) $z = (3xy + 2x)^5$ c) $g(x, y) = e^{x + 3y} \sin(xy)$

Solution   a) Il s'agit du produit de la fonction de x (à savoir e^{3x}) et d'une fonction de y (à savoir y^2). Quand on dérive par rapport à x, on considère la fonction de y comme une constante et réciproquement. Par conséquent,

$$f_x(x, y) = y^2 \frac{\partial}{\partial x}(e^{3x}) = 3y^2 e^{3x},$$

$$f_y(x, y) = e^{3x} \frac{\partial}{\partial y}(y^2) = 2y e^{3x}.$$

b) Ici, on utilise la règle de la dérivée en chaîne :

$$\frac{\partial z}{\partial x} = 5(3xy + 2x)^4 \frac{\partial}{\partial x}(3xy + 2x) = 5(3xy + 2x)^4(3y + 2),$$

$$\frac{\partial z}{\partial y} = 5(3xy + 2x)^4 \frac{\partial}{\partial y}(3xy + 2x) = 5(3xy + 2x)^4 3x = 15x(3xy + 2x)^4.$$

c) Puisque chaque fonction dans le produit est une fonction de x et de y, il faut utiliser la règle du produit pour chaque dérivée partielle :

$$g_x(x, y) = \left(\frac{\partial}{\partial x}(e^{x+3y})\right) \sin(xy) + e^{x+3y}\frac{\partial}{\partial x}(\sin(xy)) = e^{x+3y}\sin(xy) + e^{x+3y}y\cos(xy),$$

$$g_y(x, y) = \left(\frac{\partial}{\partial y}(e^{x+3y})\right) \sin(xy) + e^{x+3y}\frac{\partial}{\partial y}(\sin(xy)) = 3e^{x+3y}\sin(xy) + e^{x+3y}x\cos(xy).$$

Pour les fonctions de trois variables ou plus, on trouve les dérivées partielles au moyen de la même méthode : on dérive par rapport à une variable, en considérant les autres variables comme des constantes. Pour une fonction $f(x, y, z)$, la dérivée partielle $f_x(a, b, c)$ donne le taux de variation de f par rapport à x le long de la droite $y = b$, $z = c$.

Exemple 3 Trouvez toutes les dérivées partielles de $f(x, y, z) = \dfrac{x^2 y^3}{z}$.

Solution Pour trouver $f_x(x, y, z)$, par exemple, on considère y et z comme étant fixes, ce qui donne

$$f_x(x, y, z) = \frac{2xy^3}{z} \quad \text{et} \quad f_y(x, y, z) = \frac{3x^2y^2}{z} \quad \text{et} \quad f_z(x, y, z) = -\frac{x^2y^3}{z^2}.$$

L'interprétation des dérivées partielles

Exemple 4 Une corde de guitare qui vibre, initialement au repos le long de l'axe des x, est présentée à la figure 3.12. Soit x la distance (en mètres) depuis l'extrémité gauche de la corde. Au temps t (en secondes), le point x a été déplacé verticalement de $y = f(x, t)$ mètres à partir de sa position au repos, où

$$y = f(x, t) = 0{,}003 \sin(\pi x) \sin(2765t).$$

Évaluez $f_x(0,3, 1)$ et $f_t(0,3, 1)$ et expliquez concrètement ce que chacun signifie.

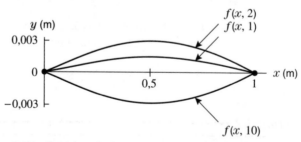

Figure 3.12 : Position de la corde de guitare qui vibre en différents temps : graphe de $f(x, t)$ pour $t = 1, 2, 10$

Solution En dérivant $f(x, t) = 0{,}003 \sin(\pi x) \sin(2765t)$ par rapport à x, on a

$$f_x(x, t) = 0{,}003\pi \cos(\pi x) \sin(2765t).$$

En particulier, en substituant $x = 0{,}3$ et $t = 1$, on obtient

$$f_x(0,3, 1) = 0{,}003\pi \cos(\pi(0,3)) \sin(2765) \approx 0{,}002.$$

Pour voir ce que $f_x(0,3, 1)$ signifie, il faut réfléchir à la fonction $f(x, 1)$. Le graphe de $f(x, 1)$ qui se trouve à la figure 3.13 est une vue instantanée de la corde au temps $t = 1$. Par conséquent, la dérivée $f_x(0,3, 1)$ est la pente de la corde au point $x = 0,3$, à l'instant où $t = 1$. De même, en prenant la dérivée $f(x, t) = 0,003 \sin(\pi x) \sin(2765t)$ par rapport à t, on obtient

$$f_t(x, t) = (0,003)(2765) \sin(\pi x) \cos(2765t) = 8,3 \sin(\pi x) \cos(2765t).$$

Puisque $f(x, t)$ est en mètres et t en secondes, la dérivée $f_t(0,3, 1)$ est en mètres par seconde. Ainsi, en remplaçant $x = 0,3$ et $t = 1$,

$$f_t(0,3, 1) = 8,3 \sin(\pi(0,3)) \cos(2765(1)) \approx 6 \text{ m/s}.$$

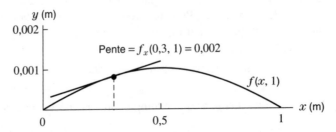

Figure 3.13 : Graphe de $f(x, 1)$: vue instantanée de la forme de la corde à $t = 1$ s

Pour savoir ce que signifie $f_t(0,3, 1)$, on réfléchit à la fonction $f(0,3, t)$. Le graphe de $f(0,3, t)$ est un graphe de position par rapport au temps et il tient compte du mouvement vers le haut et vers le bas du point sur la corde où $x = 0,3$ (voir la figure 3.14). La dérivée $f_t(0,3, 1) = 6$ m/s est la vitesse de ce point sur la corde au temps $t = 1$. Puisque $f_t(0,3, 1)$ est positif, on sait que le point se déplace vers le haut quand $t = 1$.

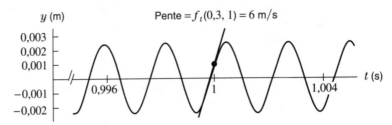

Figure 3.14 : Graphe de $f(0,3, t)$: position par rapport au temps du point $x = 0,3$ m depuis l'extrémité de la corde de guitare

---

Problèmes de la section 3.2

1. Soit $f(x, y) = \dfrac{x^2}{y + 1}$. Trouvez $f_y(3, 2)$ algébriquement.

2. Soit $f(u, v) = u(u^2 + v^2)^{3/2}$.

    a) Utilisez un quotient de différence pour calculer l'approximation de $f_u(1, 3)$ avec $h = 0,001$.

    b) Maintenant, évaluez $f_u(1, 3)$ exactement. L'approximation de la partie a) était-elle raisonnable ?

Trouvez les dérivées partielles indiquées pour les problèmes 3 à 34. Supposez que les variables sont restreintes à un domaine sur lequel la fonction est définie.

3. z_x si $z = x^2 y + 2x^5 y$

4. z_x si $z = \sin(5x^3 y - 3xy^2)$

5. g_x si $g(x, y) = \ln(ye^{xy})$

6. F_m si $F = mg$

7. $\dfrac{\partial}{\partial x}(a\sqrt{x})$

8. $\dfrac{\partial}{\partial x}(xe^{\sqrt{xy}})$

9. $\dfrac{\partial}{\partial y}(3x^5 y^7 - 32x^4 y^3 + 5xy)$

10. z_y si $z = \dfrac{3x^2 y^7 - y^2}{15xy - 8}$

11. $\dfrac{\partial A}{\partial h}$ si $A = \frac{1}{2}(a + b)h$

12. $\dfrac{\partial}{\partial m}\left(\frac{1}{2}mv^2\right)$

13. $\dfrac{\partial}{\partial B}\left(\dfrac{1}{u_0}B^2\right)$

14. $\dfrac{\partial}{\partial r}\left(\dfrac{2\pi r}{v}\right)$

15. F_v si $F = \dfrac{mv^2}{r}$

16. $\dfrac{\partial}{\partial v_0}(v_0 + at)$

17. $\dfrac{\partial F}{\partial m_2}$ si $F = \dfrac{Gm_1 m_2}{r^2}$

18. a_v si $a = \dfrac{v^2}{r}$

19. $\dfrac{\partial}{\partial T}\left(\dfrac{2\pi r}{T}\right)$

20. $\dfrac{\partial}{\partial t}\left(v_0 t + \frac{1}{2}at^2\right)$

21. u_E si $u = \frac{1}{2}\epsilon_0 E^2 + \dfrac{1}{2\mu_0}B^2$

22. $\dfrac{\partial f_0}{\partial L}$ si $f_0 = \dfrac{1}{2\pi\sqrt{LC}}$

23. $\dfrac{\partial y}{\partial t}$ si $y = \sin(ct - 5x)$

24. $\dfrac{\partial}{\partial M}\left(\dfrac{2\pi r^{3/2}}{\sqrt{GM}}\right)$

25. z_x si $z = \dfrac{1}{2x^2 ay} + \dfrac{3x^5 abc}{y}$

26. $\dfrac{\partial \alpha}{\partial \beta}$ si $\alpha = \dfrac{e^{x\beta - 3}}{2y\beta + 5}$

27. $\dfrac{\partial}{\partial \lambda}\left(\dfrac{x^2 y\lambda - 3\lambda^5}{\sqrt{\lambda^2 - 3\lambda + 5}}\right)$

28. $\dfrac{\partial m}{\partial v}$ si $m = \dfrac{m_0}{\sqrt{1 - v^2/c^2}}$

29. $\dfrac{\partial}{\partial w}\left(\sqrt{2\pi xyw - 13x^7 y^3 v}\right)$

30. $\dfrac{\partial}{\partial w}\left(\dfrac{x^2 yw - xy^3 w^7}{w - 1}\right)^{-7/2}$

31. z_x et z_y pour $z = x^7 + 2^y + x^y$

32. $z_x(2, 3)$ si $z = (\cos x) + y$

33. $\left.\dfrac{\partial z}{\partial y}\right|_{(1, 0,5)}$ si $z = e^{x + 2y}\sin y$

34. $\left.\dfrac{\partial f}{\partial x}\right|_{(\pi/3, 1)}$ si $f(x, y) = x\ln(y\cos x)$

35. Considérez la fonction $f(x, y) = x^2 + y^2$.

a) Estimez $f_x(2, 1)$ et $f_y(2, 1)$ en utilisant le diagramme des courbes de niveau de f à la figure 3.15 (page suivante).

b) Estimez $f_x(2, 1)$ et $f_y(2, 1)$ à partir d'une table des valeurs pour f avec $x = 1,9, 2, 2,1$ et $y = 0,9, 1, 1,1$.

c) Comparez vos estimations des parties a) et b) aux valeurs exactes de $f_x(2, 1)$ et de $f_y(2, 1)$ trouvées algébriquement.

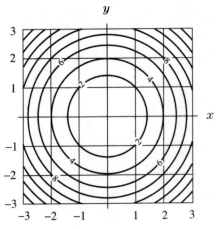

Figure 3.15

36. Montrez que la fonction de Cobb-Douglas

$$Q = bK^{\alpha}L^{1-\alpha}, \quad \text{où} \quad 0 < \alpha < 1$$

satisfait à l'équation

$$K\frac{\partial Q}{\partial K} + L\frac{\partial Q}{\partial L} = Q.$$

37. L'argent d'un compte en banque produit de l'intérêt à un taux continu r. La quantité d'argent B \$ dans le compte dépend du montant déposé P \$ et du temps t pendant lequel ce montant demeure en banque, selon la formule

$$B = Pe^{rt}.$$

Trouvez $\partial B/\partial t$ et $\partial B/\partial P$ et interprétez chacun du point de vue financier.

38. Une barre de 1 m est chauffée inégalement à une température (en degrés Celsius), à une distance de x m d'une extrémité, au temps t donné par

$$H(x, t) = 100e^{-0,1t}\sin(\pi x) \qquad 0 \le x \le 1.$$

a) Tracez le graphe de H par rapport à x pour $t = 0$ et $t = 1$.
b) Calculez $H_x(0,2, t)$ et $H_x(0,8, t)$. Que signifient concrètement (en fonction de la température) ces deux dérivées partielles ? Expliquez la raison pour laquelle chacune d'elles a ce signe.
c) Calculez $H_t(x, t)$. Quel est son signe ? Quelle est sa signification en fonction de la température ?

39. Soit $h(x, t) = 5 + \cos(0,5x - t)$ la fonction décrivant la vague du stade décrite au début du chapitre 1. La valeur de $h(x, t)$ donne la hauteur de la tête du spectateur assis dans le siège x au temps t s. Évaluez $h_x(2, 5)$ et $h_t(2, 5)$ et interprétez chacun en regard de la vague.

40. Y a-t-il une fonction f qui a les dérivées partielles suivantes ? Le cas échéant, quelle est-elle ? Y en a-t-il d'autres ?

$$f_x(x, y) = 4x^3y^2 - 3y^4,$$
$$f_y(x, y) = 2x^4y - 12xy^3.$$

3.3   LA LINÉARITÉ LOCALE ET DIFFÉRENTIELLE

Dans les sections 3.1 et 3.2, on a étudié une fonction de deux variables en laissant une variable varier à la fois. On laisse maintenant les deux variables varier de pair afin de construire une approximation linéaire pour les fonctions de deux variables.

Le rapprochement pour observer la linéarité locale

Pour une fonction d'une variable, la linéarité locale signifie que lorsqu'on zoome sur un graphe, celui-ci ressemble à une droite (voir l'annexe A). Au fur et à mesure qu'on zoome sur le graphe d'une fonction de deux variables, le graphe ressemble habituellement à un plan, qui est le graphe d'une fonction linéaire de deux variables (voir la figure 3.16).

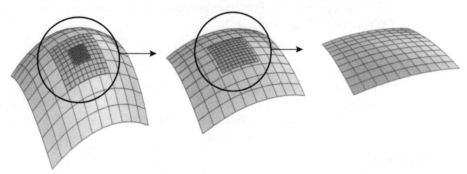

Figure 3.16 : Zoom sur le graphe d'une fonction de deux variables jusqu'à ce qu'il ressemble à un plan

De même, la figure 3.17 montre trois vues successives des courbes de niveau près d'un point. Quand on se rapproche d'elles, les courbes ressemblent de plus en plus à des droites parallèles également espacées, lesquelles sont les courbes d'une fonction linéaire. (Quand on zoome, il faut ajouter un plus grand nombre de courbes.)

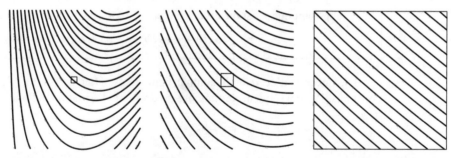

Figure 3.17 : Zoom sur un diagramme des courbes de niveau jusqu'à ce que les droites semblent parallèles et également espacées

On peut également observer ce gros plan numériquement en s'en rapprochant à l'aide de tables des valeurs. Le tableau 3.3 (page suivante) montre trois tables des valeurs pour $f(x, y) = x^2 + y^3$ près de $x = 2$, $y = 1$, chacune d'elles présentant une vue plus rapprochée que la précédente. Noter que chaque table ressemble davantage à la table d'une fonction linéaire.

TABLEAU 3.3 *Zoom sur les valeurs de* $f(x, y) = x^2 + y^3$ *près de* $(2, 1)$ *jusqu'à ce que la table semble linéaire*

		y					y					y		
		0	1	2			0,9	1,0	1,1			0,99	1,0	1,01
	1	1	2	9		1,9	4,34	4,61	4,94		1,99	4,93	4,96	4,99
x	2	4	5	12	x	2,0	4,73	5,00	5,33	x	2,00	4,97	5,00	5,03
	3	9	10	17		2,1	5,14	5,41	5,74		2,01	5,01	5,04	5,07

Un zoom algébrique : la différentiabilité

En observant un plan lorsqu'on se rapproche d'un point, on s'aperçoit (pourvu que le plan ne soit pas vertical) que $f(x, y)$ est relativement bien estimé à proximité de ce point au moyen d'une fonction linéaire, $L(x, y)$:

$$f(x, y) \approx L(x, y).$$

Le graphe de la fonction $z = L(x, y)$ est le plan tangent à ce point. Si l'approximation est suffisamment bonne, on dit que $f(x, y)$ est *différentiable* en ce point. La section 3.10 explique la manière dont on peut déterminer si l'approximation est suffisamment bonne. Les fonctions qu'on rencontre seront différentiables en la plupart des points de leur domaine.

Le plan tangent

Le plan qu'on voit lorsqu'on zoome sur une surface s'appelle le *plan tangent* à la surface en ce point. La figure 3.18 montre le graphe d'une fonction avec un plan tangent.

Quelle est l'équation du plan tangent ? Au point (a, b), la pente x du graphe de f est la dérivée partielle $f_x(a, b)$ et la pente y est $f_y(a, b)$. Par conséquent, en utilisant l'équation d'un plan présentée à la section 1.5, on obtient le résultat suivant :

Plan tangent à la surface $z = f(x, y)$ au point (a, b)

En supposant que f est différentiable en (a, b), l'équation du plan tangent est

$$z = f(a, b) + f_x(a, b)(x - a) + f_y(a, b)(y - b).$$

Ici, on considère a et b comme étant fixes. Donc, $f(a, b)$, $f_x(a, b)$ et $f_y(a, b)$ sont constants. Par conséquent, le membre de droite de l'équation est une fonction linéaire de x et de y.

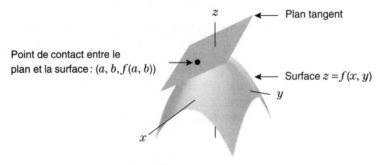

Figure 3.18 : Plan tangent à la surface $z = f(x, y)$ au point (a, b)

Exemple 1 Trouvez l'équation du plan tangent à la surface $z = x^2 + y^2$ au point (3, 4).

Solution On a $f_x(x, y) = 2x$. Par conséquent, $f_x(3, 4) = 6$ et $f_y(x, y) = 2y$, donc $f_y(3, 4) = 8$. De plus, $f(3, 4) = 3^2 + 4^2 = 25$. Ainsi, l'équation du plan tangent en (3, 4) est

$$z = 25 + 6(x - 3) + 8(y - 4) = -25 + 6x + 8y.$$

La linéarisation locale

Puisque le plan tangent se situe à proximité de la surface, près du point où ils se rencontrent, les valeurs de z sur le plan tangent se trouvent près des valeurs de $f(x, y)$ pour les points situés près de (a, b). Ainsi, en remplaçant z par $f(x, y)$ dans l'équation du plan tangent, on obtient l'approximation suivante :

Approximation du plan tangent de $f(x, y)$ pour (x, y) près du point (a, b)

Si f est différentiable en (a, b), on peut calculer l'approximation de $f(x, y)$:

$$f(x, y) \approx f(a, b) + f_x(a, b)(x - a) + f_y(a, b)(y - b).$$

On considère a et b comme étant fixes. Donc, l'expression du membre de droite est linéaire en x et en y. Le membre de droite de cette approximation s'appelle la **linéarisation locale** de f près de $x = a$, $y = b$.

La figure 3.19 présente l'approximation graphique du plan tangent.

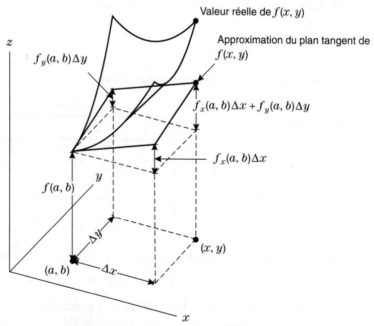

Figure 3.19 : Linéarisation locale : approximation de $f(x, y)$ par la valeur z du plan tangent

Exemple 2   Trouvez la linéarisation locale de $f(x, y) = x^2 + y^2$ au point (3, 4). Estimez $f(2,9, 4,2)$ et $f(2, 2)$ en utilisant la linéarisation et comparez vos réponses aux valeurs exactes.

Solution   Soit $z = f(x, y) = x^2 + y^2$. Dans l'exemple 1, on a trouvé que l'équation du plan tangent en (3, 4) était

$$z = 25 + 6(x - 3) + 8(y - 4).$$

Par conséquent, pour (x, y) près de (3, 4), on a la linéarisation locale

$$f(x, y) \approx 25 + 6(x - 3) + 8(y - 4).$$

En substituant $x = 2,9$, $y = 4,2$, on obtient

$$f(2,9, 4,2) \approx 25 + 6(-0,1) + 8(0,2) = 26.$$

Cela se compare avantageusement à la valeur exacte $f(2,9, 4,2) = (2,9)^2 + (4,2)^2 = 26,05$.

Cependant, la linéarisation locale ne donne pas une bonne approximation aux points qui sont éloignés de (3, 4). Par exemple, si $x = 2$, $y = 2$, la linéarisation locale donne

$$f(2, 2) \approx 25 + 6(-1) + 8(-2) = 3,$$

tandis que la valeur exacte de la fonction est $f(2, 2) = 2^2 + 2^2 = 8$.

Exemple 3   Pour concevoir des chaudières sécuritaires, il faut connaître le comportement de la vapeur sous l'effet des changements de température et de pression. On publie des tables de vapeur, comme celle qui apparaît dans le tableau 3.4, lesquelles donnent les valeurs de la fonction $V = f(T, P)$, où V est le volume (en pieds cubes) de 1 lb de vapeur à une température T (en degrés Fahrenheit) et à une pression P (en livres par pouce carré).

a) Donnez une fonction linéaire qui permet de calculer l'approximation de $V = f(T, P)$ pour T près de 500 °F et pour P près de 24 lb/po^2.

b) Estimez le volume de 1 lb de vapeur à une température de 505 °F et à une pression de 24,3 lb/po^2.

TABLEAU 3.4   *Volume (en pieds cubes) de 1 lb de vapeur à différentes températures et pressions*

		Pression P (lb/po^2)			
		20	22	24	26
Température T (°F)	480	27,85	25,31	23,19	21,39
	500	28,46	25,86	23,69	21,86
	520	29,06	26,41	24,20	22,33
	540	29,66	26,95	24,70	22,79

Solution   a) On veut obtenir la linéarisation locale autour du point $T = 500$, $P = 24$, laquelle est

$$f(T, P) \approx f(500, 24) + f_T(500, 24)(T - 500) + f_P(500, 24)(P - 24).$$

On lit la valeur $f(500, 24) = 23,69$ dans le tableau.

Ensuite, il faut calculer l'approximation de $f_T(500, 24)$ en utilisant un quotient de différence. À partir de la colonne $P = 24$, on calcule le taux de variation moyen entre $T = 500$ et $T = 520$:

$$f_T(500, 24) \approx \frac{f(520, 24) - f(500, 24)}{520 - 500} = \frac{24,20 - 23,69}{20} = 0,0255.$$

Noter que $f_T(500, 24)$ est positif, car la vapeur prend de l'expansion lorsqu'elle est chauffée.

Puis, il faut calculer l'approximation de $f_P(500, 24)$ en observant la rangée $T = 500$ et en calculant le taux de variation moyen entre $P = 24$ et $P = 26$:

$$f_P(500, 24) \approx \frac{f(500, 26) - f(500, 24)}{26 - 24} = \frac{21{,}86 - 23{,}69}{2} = -0{,}915.$$

Noter que $f_P(500, 24)$ est négatif, car lorsqu'on augmente la pression de la vapeur, on fait diminuer son volume. En utilisant ces approximations pour les dérivées partielles, on obtient la linéarisation locale suivante :

$$V = f(T, P) \approx 23{,}69 + 0{,}0255\,(T - 500) - 0{,}915\,(P - 24)\ \text{pi}^3 \quad \begin{array}{l} \text{pour } T \text{ près de } 500\ {}^\circ\text{F} \\ \text{et } P \text{ près de } 24\ \text{lb/po}^2. \end{array}$$

b) On s'intéresse au volume en $T = 505\ {}^\circ\text{F}$ et en $P = 24{,}3\ \text{lb/po}^2$. Puisque ces valeurs se trouvent à proximité de $T = 500\ {}^\circ\text{F}$ et $P = 24\ \text{lb/po}^2$, on utilise la relation linéaire de la partie a).

$$V \approx 23{,}69 + 0{,}0255\,(505 - 500) - 0{,}915\,(24{,}3 - 24) = 23{,}54\ \text{pi}^3.$$

La linéarité locale et les fonctions de trois variables ou plus

Les approximations linéaires locales des fonctions de trois variables ou plus suivent le même modèle que pour les fonctions de deux variables. La linéarisation locale de $f(x, y, z)$ en (a, b, c) est donnée par

$$f(x, y, z) \approx f(a, b, c) + f_x(a, b, c)(x - a) + f_y(a, b, c)(y - b) + f_z(a, b, c)(z - c).$$

La différentielle

On s'intéresse souvent au changement de valeur de la fonction quand on passe du point (a, b) à un point (x, y) situé à proximité. Alors, on utilise la notation

$$\Delta f = f(x, y) - f(a, b) \quad \text{et} \quad \Delta x = x - a \quad \text{et} \quad \Delta y = y - b$$

pour réécrire l'approximation du plan tangent

$$f(x, y) \approx f(a, b) + f_x(a, b)(x - a) + f_y(a, b)(y - b)$$

sous la forme

$$\Delta f \approx f_x(a, b)\Delta x + f_y(a, b)\Delta y.$$

Pour un a et un b fixes, le membre de droite de cette équation est une fonction linéaire de Δx et de Δy qu'on peut utiliser pour estimer Δf. Cette fonction linéaire s'appelle la *différentielle*. Pour définir la différentielle en général, on introduit les nouvelles variables dx et dy pour représenter les changements en x et en y.

La différentielle d'une fonction $z = f(x, y)$

La **différentielle** df (ou dz) en un point (a, b) est la fonction linéaire de dx et de dy donnée par la formule

$$df = f_x(a, b)\,dx + f_y(a, b)\,dy.$$

On note souvent la différentielle en un point général $df = f_x\,dx + f_y\,dy$.

Noter que la différentielle df est une fonction de quatre variables a, b et dx, dy.

Exemple 4   Calculez les différentielles des fonctions ci-après.

a) $f(x, y) = x^2 e^{5y}$ b) $z = x \sin(xy)$ c) $f(x, y) = x \cos(2x)$

Solution   a) Puisque $f_x(x, y) = 2xe^{5y}$ et $f_y(x, y) = 5x^2 e^{5y}$, on a

$$df = 2xe^{5y}\, dx + 5x^2 e^{5y}\, dy.$$

b) Puisque $\partial z/\partial x = \sin(xy) + xy \cos(xy)$ et $\partial z/\partial y = x^2 \cos(xy)$, on a

$$dz = (\sin(xy) + xy \cos(xy))\, dx + x^2 \cos(xy)\, dy.$$

c) Puisque $f_x(x, y) = \cos(2x) - 2x \sin(2x)$ et $f_y(x, y) = 0$, on a

$$df = (\cos(2x) - 2x \sin(2x))\, dx + 0\, dy = (\cos(2x) - 2x \sin(2x))\, dx.$$

Exemple 5   La densité ρ (en grammes par centimètre cube) du gaz carbonique CO_2 dépend de sa température T (en degrés Celsius) et de sa pression P (en atmosphères). Le modèle de gaz idéal pour le CO_2 donne ce qu'on appelle l'équation d'état

$$\rho = \frac{0,5363P}{T + 273,15}.$$

Calculez la différentielle $d\rho$. Expliquez les signes des coefficients de dT et de dP.

Solution   La différentielle de $\rho = f(T, P)$ est

$$d\rho = f_T(T, P)\, dT + f_P(T, P)\, dP = \frac{-0,5363P}{(T + 273,15)^2}\, dT + \frac{0,5363}{T + 273,15}\, dP.$$

Le coefficient de dT est négatif parce que l'augmentation de la température entraîne l'expansion du gaz (si la pression est maintenue constante) et fait donc diminuer sa densité. Le coefficient de dP est positif, car l'augmentation de la pression entraîne la compression du gaz (si la température est maintenue constante) et fait donc augmenter sa densité.

D'où provient la notation de la différentielle ?

On note la différentielle comme une fonction linéaire des nouvelles variables dx et dy. Vous vous demandez sans doute pourquoi on a choisi ces noms pour les variables. La raison est historique : les gens qui ont inventé le calcul différentiel et intégral considéraient dx et dy comme des variations « infinitésimales » de x et de y. L'équation

$$df = f_x dx + f_y dy$$

était considérée comme une version infinitésimale de l'approximation linéaire locale

$$\Delta f \approx f_x \Delta x + f_y \Delta y.$$

En dépit des problèmes reliés à la définition exacte du terme *infinitésimale*, certains mathématiciens, scientifiques et ingénieurs considèrent la différentielle en fonction des infinitésimales.

La figure 3.20 illustre une manière de considérer les différentielles, laquelle combine la définition et ce point de vue informel. Elle montre le graphe de f ainsi qu'une vue microscopique du graphe autour du point $(a, b, f(a, b))$. Puisque f est localement linéaire en un point, l'image agrandie ressemble à un plan tangent. Au microscope, on utilise un système de coordonnées grossies dans lequel l'origine se trouve au point $(a, b, f(a, b))$, et les coordonnées dx, dy et dz se situent le long des trois axes. Le graphe de la différentielle df est le plan tangent, lequel a l'équation $df = f_x(a, b)\, dx + f_y(a, b)\, dy$ dans les coordonnées grossies.

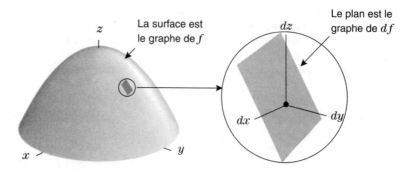

Figure 3.20 : Graphe de f et une vue microscopique montrant le plan tangent dans le système de coordonnées grossies

Problèmes de la section 3.3

Pour les fonctions des problèmes 1 à 3, trouvez l'équation du plan tangent au point donné.

1. $z = e^y + x + x^2 + 6$ au point $(1, 0, 9)$ 2. $z = ye^{x/y}$ au point $(1, 1, e)$

3. $z = \frac{1}{2}(x^2 + 4y^2)$ au point $(2, 1, 4)$

4. On a demandé à un étudiant de trouver l'équation du plan tangent à la surface $z = x^3 - y^2$ au point $(x, y) = (2, 3)$. La réponse de l'étudiant était

$$z = 3x^2(x - 2) - 2y(y - 3) - 1.$$

   a) À première vue, comment pouvez-vous dire que cette réponse est fausse ?
   b) Quelle erreur l'étudiant a-t-il faite ?
   c) Trouvez la bonne réponse.

5. Trouvez la linéarisation locale de la fonction $f(x, y) = x^2y$ au point $(3, 1)$.

6. a) Vérifiez la linéarité locale de $f(x, y) = e^{-x} \sin y$ près de $x = 1$, $y = 2$ en construisant une table des valeurs de f pour $x = 0{,}9$, $1{,}0$, $1{,}1$ et $y = 1{,}9$, $2{,}0$, $2{,}1$. Exprimez les valeurs de f avec quatre chiffres après la décimale. Puis, construisez une table des valeurs pour $x = 0{,}99$, $1{,}00$, $1{,}01$ et $y = 1{,}99$, $2{,}00$, $2{,}01$ montrant de nouveau quatre chiffres après la décimale. Les deux tables semblent-elles presque linéaires ? La deuxième table semble-t-elle plus linéaire que la première ?
   b) Donnez la linéarisation locale de $f(x, y) = e^{-x} \sin y$ en $(1, 2)$ en utilisant d'abord vos tables et ensuite en considérant le fait que $f_x(x, y) = -e^{-x} \sin y$ et que $f_y(x, y) = e^{-x} \cos y$.

7. Donnez la linéarisation locale de la fonction du montant du versement mensuel pour l'emprunt sur une voiture en chacun des points analysés au problème 13 de la section 3.1.

8. Dans l'exemple 3 de la section 3.3, on a trouvé une approximation linéaire de $V = f(T, p)$ près de $(500, 24)$. Maintenant, trouvez une approximation linéaire près de $(480, 20)$.

9. Dans l'exemple 3 de la section 3.3, on a trouvé une approximation linéaire de $V = f(T, p)$ près de $(500, 24)$.

   a) Vérifiez la précision de cette approximation en comparant sa valeur prévue aux quatre valeurs voisines de la table. Que remarquez-vous ? Quelles valeurs prévues sont précises ? Lesquelles ne le sont pas ? Justifiez votre réponse.
   b) Suggérez une approximation linéaire de $f(T, p)$ près de $(500, 24)$ qui n'a pas la propriété que vous avez remarquée à la partie a). [Indication : estimez les dérivées partielles d'une manière différente.]

10. La figure 3.21 (page suivante) présente un transistor dont l'état est déterminé en tout temps par les trois courants i_b, i_c et i_e et les deux tensions v_b et v_c. On peut déterminer ces cinq quantités

uniquement à partir des mesures de i_b et de v_c puisqu'il y a des fonctions f et g (appelées les *caractéristiques* du transistor) telles que $i_c = f(i_b, v_c)$, $v_b = g(i_b, v_c)$ et que $i_e = -i_b - i_c$. Les unités sont des microampères (μA) pour i_b, des volts (V) pour v_c et des milliampères (mA) pour i_c.

À partir de la figure 3.22, trouvez l'approximation linéaire de f qui est valable quand le transistor fonctionne avec i_b près de $-300\ \mu A$ et v_c près de $-8V$.

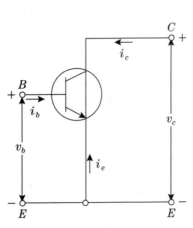

Figure 3.21

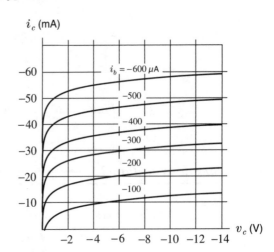

Figure 3.22 : Graphes de f en fonction de v_c avec i_b fixe

Trouvez les différentielles des fonctions des problèmes 11 à 14.

11. $f(x, y) = \sin(xy)$

12. $z = e^{-x} \cos y$

13. $g(u, v) = u^2 + uv$

14. $h(x, t) = e^{-3t} \sin(x + 5t)$

Trouvez les différentielles des fonctions des problèmes 15 à 18 aux points donnés.

15. $f(x, y) = xe^{-y}$ en $(1, 0)$

16. $g(x, t) = x^2 \sin(2t)$ en $(2, \pi/4)$

17. $P(L, K) = 1{,}01 L^{0,25} K^{0,75}$ en $(100, 1)$

18. $F(m, r) = Gm/r^2$ en $(100, 10)$

19. Trouvez la différentielle de $f(x, y) = \sqrt{x^2 + y^3}$ au point $(1, 2)$. Utilisez-la pour estimer $f(1{,}04, 1{,}98)$.

20. Une plaque inégalement chauffée a une température de $T(x, y)$ [en degrés Celsius] au point (x, y). Si $T(2, 1) = 135$, $T_x(2, 1) = 16$ et $T_y(2, 1) = -15$, estimez la température au point $(2{,}04, 0{,}97)$.

21. Une mole de gaz d'ammoniaque est contenue dans un récipient susceptible d'en changer le volume (un compartiment scellé par un piston, par exemple). L'énergie totale U (en joules) de l'ammoniaque est une fonction du volume V (en mètres cubes) du récipient et de la température T (en kelvins) du gaz. La différentielle dU est donnée par

$$dU = 840\ dV + 27{,}32\ dT.$$

a) Comment l'énergie change-t-elle si le volume est maintenu constant et si la température est légèrement augmentée ?

b) Comment l'énergie change-t-elle si la température est maintenue constante et si le volume est légèrement augmenté ?

c) Trouvez le changement approximatif d'énergie si le gaz est comprimé de $100\ \text{cm}^3$ et chauffé de 2 K.

22. Le coefficient β d'expansion thermale d'un liquide correspond au changement de volume V (en mètres cubes) d'une quantité fixe de liquide par rapport à la hausse de sa température T (en degrés Celsius) :

$$dV = \beta V\ dT.$$

a) Soit ρ la densité (en kilogrammes par mètre cube) de l'eau en fonction de la température. Écrivez une expression pour $d\rho$ en fonction de ρ et de dT.

b) Le graphe de la figure 3.23 montre la densité de l'eau en fonction de la température. Utilisez-le pour estimer β quand $T = 20$ °C et quand $T = 80$ °C.

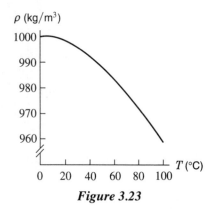

Figure 3.23

23. Un pendule de période T et de longueur l a été utilisé pour déterminer g à partir des formules

$$g = \frac{4\pi^2 l}{T^2} \quad \text{et} \quad l = s + \frac{k^2}{s}, \quad k < s.$$

Si les mesures de k et de s sont précises à 1 % près, trouvez l'erreur de pourcentage maximale en l. Si la mesure de T est précise à 0,5 % près, trouvez l'erreur de pourcentage maximale dans la valeur calculée de g.

24. La période T de l'oscillation (en secondes) d'une horloge à balancier est donnée par $T = 2\pi\sqrt{l/g}$, où g est l'accélération provoquée par la gravité. La longueur du balancier l dépend de la température t selon la formule $l = l_0(1 + \alpha t)$, où l_0 est la longueur du balancier à la température t_0 et où α est une constante qui caractérise l'horloge. Celle-ci est réglée à la période appropriée à la température t_0. Combien de secondes par jour l'horloge perd-elle ou gagne-t-elle quand la température est de $t_0 + \Delta t$? Montrez que cette perte ou ce gain est indépendant de l_0.

25. a) Écrivez une formule pour le nombre π en n'utilisant que le périmètre L et l'aire A d'un cercle.

b) Supposez que L et A sont déterminés expérimentalement. Montrez que si les erreurs relatives (ou en pourcentage) des valeurs mesurées de L et de A sont λ et μ, respectivement, alors l'erreur relative (ou en pourcentage) qui en découle dans π est $2\lambda - \mu$.

3.4 LES GRADIENTS ET LES DÉRIVÉES DIRECTIONNELLES DANS LE PLAN

Le taux de variation dans une direction arbitraire : la dérivée directionnelle

Les dérivées partielles d'une fonction f indiquent le taux de variation de f dans les directions parallèles à l'axe des coordonnées. Dans la présente section, on examinera la manière de calculer le taux de variation de f dans une direction arbitraire.

Exemple 1   La figure 3.24 (page suivante) présente la température (en degrés Celsius) au point (x, y). Estimez le taux de variation moyen de la température quand on marche du point A au point B.

Solution   Au point A, on se trouve sur la courbe $H = 45$ °C. Au point B, on est sur la courbe $H = 50$ °C. Le vecteur de déplacement de A à B a la composante x approximative de $-100\vec{i}$ et la

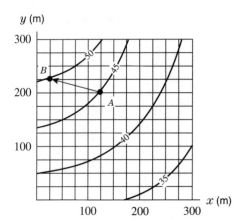

Figure 3.24 : Estimation du taux de variation sur une carte de la température

composante y approximative de $25\vec{j}$. Donc, sa longueur est $\sqrt{(-100)^2 + 25^2} \approx 103$. Par conséquent, la température augmente de 5 °C quand on se déplace de 103 m. Donc, le taux de variation moyen de la température dans cette direction est d'environ $5/103 \approx 0{,}05$ °C/m.

On suppose qu'on veut calculer le taux de variation d'une fonction $f(x, y)$ au point $P = (a, b)$ dans la direction du vecteur unitaire $\vec{u} = u_1\vec{i} + u_2\vec{j}$. Pour $h > 0$, on considère le point $Q = (a + hu_1, b + hu_2)$, dont le déplacement à partir de P est $h\vec{u}$ (voir la figure 3.25). Puisque $\|\vec{u}\| = 1$, la distance entre P et Q est h. Par conséquent,

$$\begin{array}{l}\text{Taux de variation moyen} \\ \text{en } f \text{ de } P \text{ à } Q\end{array} = \frac{\text{Variation en } f}{\text{Distance entre } P \text{ et } Q} = \frac{f(a + hu_1, b + hu_2) - f(a, b)}{h}.$$

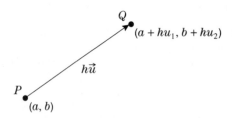

Figure 3.25 : Déplacement de $h\vec{u}$ du point (a, b)

Si on prend la limite quand $h \to 0$, on obtient le taux de variation instantané et la **définition** suivante :

Dérivée directionnelle de f en (a, b) dans la direction d'un vecteur unitaire $\vec{u}$

Si $\vec{u} = u_1\vec{i} + u_2\vec{j}$ est un vecteur unitaire, on définit la dérivée directionnelle $f_{\vec{u}}$ par

$$f_{\vec{u}}(a, b) = \begin{array}{c}\text{Taux de variation de} \\ f \text{ dans la direction} \\ \text{de } \vec{u} \text{ en } (a, b)\end{array} = \lim_{h \to 0} \frac{f(a + hu_1, b + hu_2) - f(a, b)}{h},$$

pourvu que la limite existe.

Noter que si $\vec{u} = \vec{i}$, alors $u_1 = 1$, $u_2 = 0$. Donc, la dérivée directionnelle est f_x, puisque

$$f_{\vec{i}}(a, b) = \lim_{h \to 0} \frac{f(a + h, b) - f(a, b)}{h} = f_x(a, b).$$

De même, si $\vec{u} = \vec{j}$, alors la dérivée directionnelle $f_{\vec{j}} = f_y$.

Qu'arrive-t-il s'il n'y a pas de vecteur unitaire ?

On a défini $f_{\vec{u}}$ pour $\vec{u}$ comme étant un vecteur unitaire. Si $\vec{v}$ n'est pas un vecteur unitaire, $\vec{v} \neq \vec{0}$, on construit un vecteur unitaire $\vec{u} = \vec{v}/\|\vec{v}\|$ dans la même direction que $\vec{v}$ et on définit le taux de variation de f dans la direction de $\vec{v}$ par $f_{\vec{u}}$.

Exemple 2   Pour chacune des fonctions f, g et h de la figure 3.26, déterminez si la dérivée directionnelle au point indiqué est positive, négative ou nulle dans la direction du vecteur $\vec{v} = \vec{i} + 2\vec{j}$ et dans la direction du vecteur $\vec{w} = 2\vec{i} + \vec{j}$.

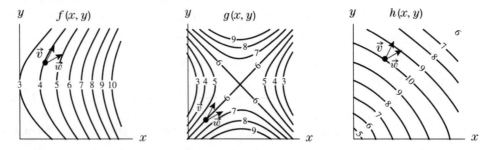

Figure 3.26 : Diagrammes des courbes de niveau de trois fonctions avec les vecteurs de direction $\vec{v} = \vec{i} + 2\vec{j}$ et $\vec{w} = 2\vec{i} + \vec{j}$ identifiés sur chacun

Solution   Sur le diagramme des courbes de niveau de f, le vecteur $\vec{v} = \vec{i} + 2\vec{j}$ semble être tangent à la courbe. Par conséquent, dans cette direction, la valeur de la fonction ne change pas. Donc, la dérivée directionnelle dans la direction de $\vec{v}$ est nulle. Le vecteur $\vec{w} = 2\vec{i} + \vec{j}$ s'oriente, à partir de la courbe identifiée par 4, vers la courbe identifiée par 5. Ainsi, les valeurs de la fonction sont croissantes et la dérivée directionnelle dans la direction de $\vec{w}$ est positive.

Sur le diagramme des courbes de niveau de g, le vecteur $\vec{v} = \vec{i} + 2\vec{j}$ s'oriente, à partir de la courbe identifiée par 6, vers la courbe identifiée par 5. Donc, la fonction est décroissante dans cette direction. Par conséquent, le taux de variation est négatif. Par ailleurs, le vecteur $\vec{w} = 2\vec{i} + \vec{j}$ s'oriente, à partir de la courbe identifiée par 6, vers la courbe identifiée par 7. Ainsi, la dérivée directionnelle dans la direction de $\vec{w}$ est positive.

Finalement, sur le diagramme des courbes de niveau de h, les deux vecteurs s'orientent, à partir de la courbe $h = 10$, vers la courbe $h = 9$. Donc, les deux dérivées directionnelles sont négatives.

Exemple 3   Calculez la dérivée directionnelle de $f(x, y) = x^2 + y^2$ en $(1, 0)$ dans la direction du vecteur $\vec{i} + \vec{j}$.

Solution   Tout d'abord, il faut trouver le vecteur unitaire orienté dans la même direction que le vecteur $\vec{i} + \vec{j}$. Puisque ce vecteur a une longueur de $\sqrt{2}$, le vecteur unitaire est

$$\vec{u} = \frac{1}{\sqrt{2}}(\vec{i} + \vec{j}) = \frac{1}{\sqrt{2}}\vec{i} + \frac{1}{\sqrt{2}}\vec{j}.$$

Par conséquent,

$$f_{\vec{u}}(1, 0) = \lim_{h \to 0} \frac{f(1 + h/\sqrt{2}, h/\sqrt{2}) - f(1, 0)}{h} = \lim_{h \to 0} \frac{(1 + h/\sqrt{2})^2 + (h/\sqrt{2})^2 - 1}{h}$$

$$= \lim_{h \to 0} \frac{\sqrt{2}h + h^2}{h} = \lim_{h \to 0} (\sqrt{2} + h) = \sqrt{2}.$$

Le calcul des dérivées directionnelles à partir des dérivées partielles

Si f est différentiable, on verra maintenant comment utiliser la linéarité locale afin de trouver une formule pour la dérivée directionnelle qui ne comporte pas de limite. Si $\vec{u}$ est un vecteur unitaire, la définition de $f_{\vec{u}}$ énonce que

$$f_{\vec{u}}(a, b) = \lim_{h \to 0} \frac{f(a + hu_1, b + hu_2) - f(a, b)}{h} = \lim_{h \to 0} \frac{\Delta f}{h},$$

où $\Delta f = f(a + hu_1, b + hu_2) - f(a, b)$ est la variation en f. On écrit Δx pour la variation en x, donc $\Delta x = (a + hu_1) - a = hu_1$. De même, $\Delta y = hu_2$. En utilisant la linéarité locale, on a

$$\Delta f \approx f_x(a, b)\Delta x + f_y(a, b)\Delta y = f_x(a, b)hu_1 + f_y(a, b)hu_2.$$

Par conséquent, en divisant par h, on obtient

$$\frac{\Delta f}{h} \approx \frac{f_x(a, b)hu_1 + f_y(a, b)hu_2}{h} = f_x(a, b)u_1 + f_y(a, b)u_2.$$

Cette approximation devient exacte quand $h \to 0$. Donc, on a la formule suivante :

$$\boxed{f_{\vec{u}}(a, b) = f_x(a, b)u_1 + f_y(a, b)u_2.}$$

Exemple 4   Utilisez la formule précédente pour calculer la dérivée directionnelle de l'exemple 3. Vérifiez si vous obtenez la même réponse que précédemment.

Solution   On calcule $f_{\vec{u}}(1, 0)$, où $f(x, y) = x^2 + y^2$ et où $\vec{u} = \dfrac{1}{\sqrt{2}}\vec{i} + \dfrac{1}{\sqrt{2}}\vec{j}$.

Les dérivées partielles sont $f_x(x, y) = 2x$ et $f_y(x, y) = 2y$. Donc, comme précédemment,

$$f_{\vec{u}}(1, 0) = f_x(1, 0)u_1 + f_y(1, 0)u_2 = (2)\left(\frac{1}{\sqrt{2}}\right) + (0)\left(\frac{1}{\sqrt{2}}\right) = \sqrt{2}.$$

Le vecteur gradient

Noter que l'expression $f_{\vec{u}}(a, b)$ peut s'écrire comme le produit scalaire de $\vec{u}$ et d'un nouveau vecteur :

$$f_{\vec{u}}(a, b) = f_x(a, b)u_1 + f_y(a, b)u_2 = (f_x(a, b)\vec{i} + f_y(a, b)\vec{j}) \cdot (u_1\vec{i} + u_2\vec{j}).$$

Le nouveau vecteur $f_x(a, b)\vec{i} + f_y(a, b)\vec{j}$ est important. On obtient alors la définition suivante :

Le **vecteur gradient** d'une fonction différentiable au point (a, b) est

$$\operatorname{grad} f(a, b) = f_x(a, b)\vec{i} + f_y(a, b)\vec{j}.$$

La formule de la dérivée directionnelle peut s'écrire en fonction du gradient comme suit :

La dérivée directionnelle et le gradient

Si f est différentiable en (a, b), alors

$$f_{\vec{u}}(a, b) = f_x(a, b)u_1 + f_y(a, b)u_2 = \text{grad } f(a, b) \cdot \vec{u},$$

où $\vec{u} = u_1\vec{i} + u_2\vec{j}$ est un vecteur unitaire.

Exemple 5   Trouvez le vecteur gradient de $f(x, y) = x + e^y$ au point $(1, 1)$.

Solution   En utilisant la définition, on a

$$\text{grad } f = f_x\vec{i} + f_y\vec{j} = \vec{i} + e^y\vec{j}.$$

Donc, au point $(1, 1)$,

$$\text{grad } f(1, 1) = \vec{i} + e\vec{j}.$$

Une autre notation pour le gradient

On peut considérer $\dfrac{\partial f}{\partial x}\vec{i} + \dfrac{\partial f}{\partial y}\vec{j}$ comme s'il s'agissait du résultat de l'application de l'opérateur vectoriel (prononcé « del »)

$$\nabla = \frac{\partial}{\partial x}\vec{i} + \frac{\partial}{\partial y}\vec{j}$$

de la fonction f. Par conséquent, on obtient l'autre notation

$$\text{grad } f = \nabla f.$$

Que révèle le gradient ?

En fait, $f_{\vec{u}} = \text{grad } f \cdot \vec{u}$ permet de voir ce que représente le vecteur gradient. On suppose que θ est l'angle entre les vecteurs grad f et $\vec{u}$. Au point (a, b), on a

$$f_{\vec{u}} = \text{grad } f \cdot \vec{u} = \|\text{grad } f\| \underbrace{\|\vec{u}\|}_{1} \cos \theta = \|\text{grad } f\| \cos \theta.$$

On suppose que grad f est fixe et que $\vec{u}$ peut effectuer une rotation (voir la figure 3.27, page suivante). La valeur maximale de $f_{\vec{u}}$ est obtenue quand cos $\theta = 1$. Donc, $\theta = 0$ et $\vec{u}$ s'oriente vers grad f. Alors,

$$\text{Maximum } f_{\vec{u}} = \|\text{grad } f\| \cos 0 = \|\text{grad } f\|.$$

La valeur minimale de $f_{\vec{u}}$ est obtenue quand cos $\theta = -1$. Donc, $\theta = \pi$ et $\vec{u}$ s'oriente dans la direction opposée à grad f. Ensuite,

$$\text{Minimum } f_{\vec{u}} = \|\text{grad } f\| \cos \pi = -\|\text{grad } f\|.$$

Quand $\theta = \pi/2$ ou $3\pi/2$, alors cos $\theta = 0$; la dérivée directionnelle est nulle.

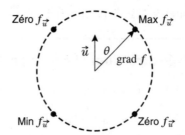

Figure 3.27 : Valeurs de la dérivée directionnelle à différents
angles par rapport au gradient

Les propriétés du vecteur gradient

On a vu que le vecteur gradient s'oriente dans la direction du taux de variation le plus élevé en un point et que la norme du vecteur gradient correspond à ce taux de variation.

La figure 3.28 montre qu'en un point quelconque (n'importe lequel), le vecteur gradient est perpendiculaire à la courbe de niveau passant par ce point. Si f est différentiable au point (a, b), la linéarité locale indique que les courbes de f autour du point (a, b) semblent droites, parallèles et également espacées. Le taux de variation le plus élevé s'obtient par un déplacement dans la direction qui conduit à la courbe de niveau suivante et qui s'effectue sur la distance la plus courte possible, c'est-à-dire dans la direction perpendiculaire à la courbe. Par conséquent, on a ce qui suit :

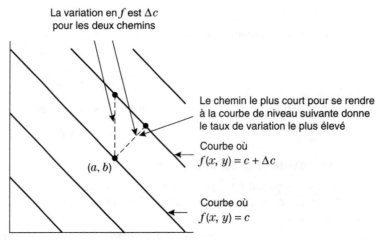

Figure 3.28 : Vue rapprochée des courbes de niveau autour de (a, b)
montrant que le gradient est perpendiculaire aux courbes de niveau

---

Propriétés géométriques du vecteur gradient

Si f est une fonction différentiable au point (a, b) et si grad $f(a, b) \neq \vec{0}$, alors

- la direction de grad $f(a, b)$ est :
  - perpendiculaire à la courbe de niveau de f passant par (a, b) ;
  - dans la direction où le taux de variation de f est le plus élevé ;
- la norme du vecteur gradient $\|\text{grad } f\|$ est :
  - le taux de variation maximal de f en ce point ;
  - grande quand les courbes de niveau sont rapprochées et petite quand elles sont distancées les unes des autres.

Des exemples de dérivées directionnelles et de vecteurs gradients

Exemple 6   Expliquez la raison pour laquelle les vecteurs gradients aux points A et C de la figure 3.29 ont cette direction et cette norme relative.

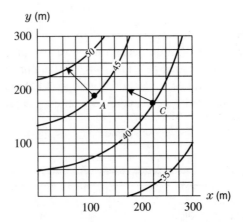

Figure 3.29 : Carte de température montrant les directions et les normes relatives de deux vecteurs gradients

Solution   Le vecteur gradient s'oriente vers l'augmentation la plus importante de la fonction. Cela signifie que, dans la figure 3.29, le gradient s'oriente vers les températures les plus chaudes. La norme du vecteur gradient mesure le taux de variation. Le vecteur gradient en A est plus long que le vecteur gradient en C, car les courbes sont plus rapprochées en A. Donc, le taux de variation est plus grand.

L'exemple 2 de la présente section montre comment le diagramme des courbes de niveau peut indiquer le signe de la dérivée directionnelle. Dans l'exemple 7, on calcule la dérivée directionnelle dans trois directions : deux directions qui sont près de celle du vecteur gradient et une qui ne l'est pas.

Exemple 7   Utilisez le gradient pour trouver la dérivée directionnelle de $f(x, y) = x + e^y$ au point $(1, 1)$ dans la direction des vecteurs $\vec{i} - \vec{j}, \vec{i} + 2\vec{j}, \vec{i} + 3\vec{j}$.

Solution   Dans l'exemple 5, on a trouvé

$$\operatorname{grad} f(1, 1) = \vec{i} + e\vec{j}.$$

Un vecteur unitaire dans la direction de $\vec{i} - \vec{j}$ est $\vec{s} = (\vec{i} - \vec{j})/\sqrt{2}$. Donc,

$$f_{\vec{s}}(1, 1) = \operatorname{grad} f(1, 1) \cdot \vec{s} = (\vec{i} + e\vec{j}) \cdot \left(\frac{\vec{i} + \vec{j}}{\sqrt{2}}\right) = \frac{1 - e}{\sqrt{2}} \approx -1,215.$$

Un vecteur unitaire dans la direction de $\vec{i} + 2\vec{j}$ est $\vec{v} = (\vec{i} + 2\vec{j})/\sqrt{5}$. Donc,

$$f_{\vec{v}}(1, 1) = \operatorname{grad} f(1, 1) \cdot \vec{v} = (\vec{i} + e\vec{j}) \cdot \left(\frac{\vec{i} + 2\vec{j}}{\sqrt{5}}\right) = \frac{1 + 2e}{\sqrt{5}} \approx 2,879.$$

Un vecteur unitaire dans la direction de $\vec{i} + 3\vec{j}$ est $\vec{w} = (\vec{i} + 3\vec{j})/\sqrt{10}$. Donc,

$$f_{\vec{w}}(1, 1) = \operatorname{grad} f(1, 1) \cdot \vec{w} = (\vec{i} + e\vec{j}) \cdot \left(\frac{\vec{i} + 3\vec{j}}{\sqrt{10}}\right) = \frac{1 + 3e}{\sqrt{10}} \approx 2,895.$$

Maintenant, il faut examiner les réponses et les comparer à la valeur de $\|\text{grad } f\| = \sqrt{1 + e^2}$ $\approx 2,896$. L'une des réponses n'est pas proche de cette valeur. Les deux autres, $f_{\vec{v}} = 2,879$ et $f_{\vec{w}} = 2,895$, le sont, mais elles sont légèrement plus petites que $\|\text{grad } f\|$. Puisque $\|\text{grad } f\|$ est le taux de variation maximal de f en ce point, on s'attend à ce que, pour *tout* vecteur unitaire $\vec{u}$,

$$f_{\vec{u}}(1, 1) \leq \|\text{grad } f\|$$

avec égalité quand $\vec{u}$ se trouve dans la direction de grad f. Puisque $e \approx 2,718$, les vecteurs $\vec{i} + 2\vec{j}$ et $\vec{i} + 3\vec{j}$ s'orientent tous les deux approximativement, mais pas exactement, vers le vecteur gradient grad $f(1, 1) = \vec{i} + e\vec{j}$. Par conséquent, les valeurs de $f_{\vec{v}}$ et de $f_{\vec{w}}$ sont toutes les deux proches de la valeur de $\|\text{grad } f\|$. La direction du vecteur $\vec{i} - \vec{j}$ n'est pas proche de la direction de grad f, et la valeur de $f_{\vec{s}}$ n'est pas proche de la valeur de $\|\text{grad } f\|$.

Problèmes de la section 3.4

1. Supposez que $f(x, y) = x + \ln y$. En utilisant des quotients de différence comme pour l'exemple 1 de la présente section, estimez

   a) le taux de variation de f quand vous quittez le point $(1, 4)$ et que vous vous dirigez vers le point $(3, 5)$;
   b) le taux de variation de f quand vous arrivez au point $(3, 5)$.

2. En utilisant la limite d'un quotient de différence, calculez le taux de variation de $f(x, y) = 2x^2 + y^2$ au point $(2, 1)$ quand vous vous orientez vers le vecteur $\vec{u} = (\vec{i} + \vec{j})/\sqrt{2}$.

Pour les problèmes 3 à 8, référez-vous à la figure 3.30, qui montre les courbes de niveau pour $f(x, y)$, afin d'estimer les dérivées directionnelles.

3. $f_{\vec{i}}(3, 1)$

4. $f_{\vec{j}}(3, 1)$

5. $f_{\vec{u}}(3, 1)$, où $\vec{u} = (\vec{i} - \vec{j})/\sqrt{2}$

6. $f_{\vec{u}}(3, 1)$, où $\vec{u} = (-\vec{i} + \vec{j})/\sqrt{2}$

7. Pour quelle partie de la région rectangulaire présentée à la figure 3.30 $f_{\vec{i}}$ est-il positif ?

8. Pour quelle partie de la région rectangulaire présentée à la figure 3.30 $f_{\vec{j}}$ est-il négatif ?

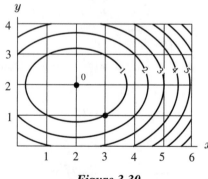

Figure 3.30

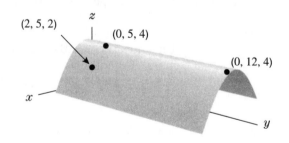

Figure 3.31

9. La surface $z = g(x, y)$ est présentée à la figure 3.31. Quel est le signe de chacune des dérivées directionnelles suivantes ?

   a) $g_{\vec{u}}(2, 5)$, où $\vec{u} = (\vec{i} - \vec{j})/\sqrt{2}$
   b) $g_{\vec{u}}(2, 5)$, où $\vec{u} = (\vec{i} + \vec{j})/\sqrt{2}$

10. Si $f(x, y) = x^2 + \ln y$, trouvez : a) grad f ; b) grad f en $(4, 1)$.

Pour les problèmes 11 à 22, trouvez le gradient de la fonction donnée z. Supposez que les variables sont restreintes à un domaine sur lequel la fonction est définie.

11. $z = \sin(x/y)$

12. $z = xe^y$

13. $z = (x + y)e^y$

14. $z = \tan^{-1}(x/y)$

15. $z = \sin(x^2 + y^2)$

16. $z = xe^y/(x + y)$

17. $f(m, n) = m^2 + n^2$

18. $f(x, y) = \frac{3}{2}x^5 - \frac{4}{7}y^6$

19. $f(s, t) = \frac{1}{\sqrt{s}}(t^2 - 2t + 4)$

20. $f(\alpha, \beta) = \frac{2\alpha + 3\beta}{2\alpha - 3\beta}$

21. $f(\alpha, \beta) = \sqrt{5\alpha^2 + \beta}$

22. $f(x, y) = \sin(xy) + \cos(xy)$

Pour les problèmes 23 à 26, calculez le gradient au point précisé.

23. $f(m, n) = 5m^2 + 3n^4$ en $(5, 2)$

24. $f(x, y) = x^2y + 7xy^3$ en $(1, 2)$

25. $f(x, y) = \sqrt{\tan x + y}$ en $(0, 1)$

26. $f(x, y) = \sin(x^2) + \cos y$ en $\left(\frac{\sqrt{\pi}}{2}, 0\right)$

27. Soit $f(x, y) = (x + y)/(1 + x^2)$. Trouvez la dérivée directionnelle en $P = (1, -2)$ dans la direction des vecteurs ci-après.

    a) $\vec{v} = 3\vec{i} - 2\vec{j}$ b) $\vec{v} = -\vec{i} + 4\vec{j}$

    c) Quelle est la direction de l'augmentation la plus importante en P ?

28. On a demandé à un étudiant de trouver la dérivée directionnelle de $f(x, y) = x^2e^y$ au point $(1, 0)$ dans la direction de $\vec{v} = 4\vec{i} + 3\vec{j}$. La réponse de l'étudiant était

$$f_{\vec{u}}(1, 0) = \nabla f(1, 0) \cdot \vec{u} = \frac{8}{5}\vec{i} + \frac{3}{5}\vec{j}.$$

    a) À première vue, comment pouvez-vous dire que cette réponse est fausse ?

    b) Quelle est la bonne réponse ?

29. Trouvez la dérivée directionnelle de $f(x, y) = e^x \tan(y) + 2x^2y$ au point $(0, \pi/4)$ dans les directions ci-après :   a) $\vec{i} - \vec{j}$ b) $\vec{i} + \sqrt{3}\vec{j}$

30. Trouvez la dérivée directionnelle de $z = x^2y$ au point $(1, 2)$ dans la direction faisant un angle de $5\pi/4$ avec l'axe des x. Dans quelle direction la dérivée directionnelle est-elle la plus grande ?

31. Trouvez le taux de variation de $f(x, y) = x^2 + y^2$ au point $(1, 2)$ dans la direction du vecteur $\vec{u} = 0{,}6\vec{i} + 0{,}8\vec{j}$.

32. La dérivée directionnelle de $z = f(x, y)$ au point $(2, 1)$ et qui s'oriente vers le point $(1, 3)$ est $-2/\sqrt{5}$, et la dérivée directionnelle qui s'oriente vers le point $(5, 5)$ est 1. Calculez $\partial z/\partial x$ et $\partial z/\partial y$ au point $(2, 1)$.

33. Considérez la fonction $f(x, y)$. Si vous partez du point $(4, 5)$ et que vous vous déplacez vers le point $(5, 6)$, la dérivée directionnelle est 2. En partant du point $(4, 5)$ et en vous déplaçant vers le point $(6, 6)$, vous obtenez la dérivée directionnelle 3. Trouvez ∇f au point $(4, 5)$.

34. La température en n'importe quel point dans le plan est donnée par la fonction

$$T(x, y) = \frac{100}{x^2 + y^2 + 1}.$$

    a) Quelle est la forme des courbes de niveau de T ?

    b) Quelle est la région la plus chaude dans le plan ? Quelle est la température en ce point ?

    c) Trouvez la direction de l'augmentation de température la plus élevée au point $(3, 2)$. Quelle est l'ampleur de l'augmentation la plus élevée ?

    d) Trouvez la direction de la diminution de température la plus grande au point $(3, 2)$.

    e) Trouvez une direction, au point $(3, 2)$, dans laquelle la température n'augmente pas ou ne diminue pas.

35. Une fonction différentiable $f(x, y)$ a la propriété selon laquelle $f_x(4, 1) = 2$ et $f_y(4, 1) = -1$. Trouvez l'équation de la droite tangente à la courbe de niveau de f passant par le point $(4, 1)$.

36. La figure 3.32 représente les courbes de niveau $f(x, y) = c$; les valeurs de f sur chaque courbe sont identifiées. Dans chacune des parties suivantes, déterminez si la quantité donnée est positive, négative ou nulle. Justifiez votre réponse.

   a) La valeur de $\nabla f \cdot \vec{i}$ en P.
   b) La valeur de $\nabla f \cdot \vec{j}$ en P.
   c) $\partial f / \partial x$ en Q.
   d) $\partial f / \partial y$ en Q.

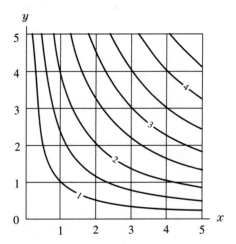

Figure 3.32

37. Dans la figure 3.32, lequel est le plus grand : $\|\nabla f\|$ en P ou $\|\nabla f\|$ en Q ? Expliquez comment vous avez fait pour le savoir.

38. Le graphe de la figure 3.33 montre les courbes de niveau d'une fonction $z = f(x, y)$. Aux points $(1, 1)$ et $(1, 4)$ sur le graphe, tracez un vecteur représentant grad f. Expliquez comment vous avez déterminé la direction approximative et la norme de chaque vecteur.

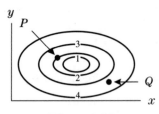

Figure 3.33 : Courbes de niveau de f

39. La figure 3.35 est un graphe de la dérivée directionnelle $f_{\vec{u}}$ au point (a, b) par rapport à θ, l'angle présenté à la figure 3.34.

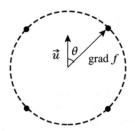

Figure 3.34

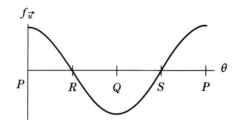

Figure 3.35

a) Quels points sur le graphe de la figure 3.35 correspondent au taux d'augmentation le plus élevé de f ? Lesquels correspondent au taux de diminution le plus élevé ?

b) Inscrivez des points sur le cercle de la figure 3.34 correspondant aux points P, Q, R et S.

c) Quelle est la norme de la fonction tracée à la figure 3.35 ? Quelle est sa formule ?

40. Dans ce problème, on examine une autre manière d'expliquer la formule $f_{\vec{u}}(a, b) = \operatorname{grad} f(a, b) \cdot \vec{u}$. Supposez que vous agrandissez la fonction $f(x, y)$ au point (a, b). Au moyen de la linéarité locale, les courbes de niveau autour de (a, b) ressemblent aux courbes de niveau d'une fonction linéaire (voir la figure 3.36). Supposez également que vous voulez trouver la dérivée directionnelle $f_{\vec{u}}(a, b)$ dans la direction d'un vecteur unitaire $\vec{u}$. Si vous vous déplacez de P à Q, une courte distance h dans la direction de $\vec{u}$, alors la dérivée directionnelle est approchée au moyen du quotient de différence

$$\frac{\text{Variation en } f \text{ entre } P \text{ et } Q}{h}.$$

a) Utilisez le gradient pour montrer que

$$\text{Variation en } f \approx \|\operatorname{grad} f\| (h \cos \theta).$$

b) Utilisez la partie a) pour justifier la formule $f_{\vec{u}}(a, b) = \operatorname{grad} f(a, b) \cdot \vec{u}$.

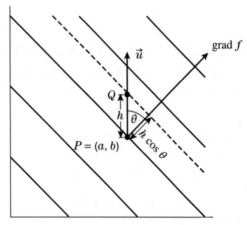

Figure 3.36

3.5 LES GRADIENTS ET LES DÉRIVÉES DIRECTIONNELLES DANS L'ESPACE

Les dérivées directionnelles des fonctions de trois variables

On calcule les dérivées directionnelles d'une fonction de trois variables de la même manière qu'on calcule celles d'une fonction de deux variables. Si la fonction f est différentiable au point (a, b, c) et si $\vec{u} = u_1\vec{i} + u_2\vec{j} + u_3\vec{k}$ est un vecteur unitaire, alors le taux de variation de $f(x, y, z)$ dans la direction de $\vec{u}$ au point (a, b, c) est

$$f_{\vec{u}}(a, b, c) = f_x(a, b, c)u_1 + f_y(a, b, c)u_2 + f_z(a, b, c)u_3.$$

On peut justifier ce résultat en utilisant la linéarité locale de la même manière que pour les fonctions de deux variables.

Exemple 1 Trouvez la dérivée directionnelle de $f(x, y, z) = xy + z$ au point $(-1, 0, 1)$ dans la direction du vecteur $\vec{v} = 2\vec{i} + \vec{k}$.

Solution La norme de $\vec{v}$ est $\|\vec{v}\| = \sqrt{2^2 + 1} = \sqrt{5}$. Donc, un vecteur unitaire dans la même direction que $\vec{v}$ est

$$\vec{u} = \frac{\vec{v}}{\|\vec{v}\|} = \frac{2}{\sqrt{5}}\vec{i} + 0\vec{j} + \frac{1}{\sqrt{5}}\vec{k}.$$

Les dérivées partielles de f sont

$$f_x(x, y, z) = y \quad \text{et} \quad f_y(x, y, z) = x \quad \text{et} \quad f_z(x, y, z) = 1.$$

Par conséquent,

$$f_{\vec{u}}(-1, 0, 1) = f_x(-1, 0, 1)u_1 + f_y(-1, 0, 1)u_2 + f_z(-1, 0, 1)u_3$$

$$= (0)\left(\frac{2}{\sqrt{5}}\right) + (-1)(0) + (1)\left(\frac{1}{\sqrt{5}}\right) = \frac{1}{\sqrt{5}}.$$

Le vecteur gradient d'une fonction de trois variables

On définit le gradient d'une fonction de trois variables de la même manière que pour une fonction de deux variables :

$$\operatorname{grad} f(a, b, c) = f_x(a, b, c)\vec{i} + f_y(a, b, c)\vec{j} + f_z(a, b, c)\vec{k}.$$

Géométriquement, le gradient est le vecteur s'orientant vers la plus grande augmentation de f, dont la norme est le taux d'augmentation dans cette direction.

Tout comme le vecteur gradient d'une fonction de deux variables est perpendiculaire aux courbes de niveau, le gradient d'une fonction de trois variables est perpendiculaire aux surfaces de niveau. La raison en est la même : la fonction a la même valeur partout sur une surface de niveau. Donc, pour changer la valeur le plus rapidement possible, il faut s'éloigner directement de la surface de niveau, autrement dit, il faut être perpendiculaire à la surface.

Exemple 2 Soit $f(x, y, z) = x^2 + y^2$ et $g(x, y, z) = -x^2 - y^2 - z^2$. Que pouvez-vous dire à propos de la direction des vecteurs suivants ?

a) $\operatorname{grad} f(0, 1, 1)$;   b) $\operatorname{grad} f(1, 0, 1)$;   c) $\operatorname{grad} g(0, 1, 1)$;   d) $\operatorname{grad} g(1, 0, 1)$.

Solution Le cylindre $x^2 + y^2 = 1$ à la figure 3.37 est une surface de niveau de f et contient les points $(0, 1, 1)$ et $(1, 0, 1)$. Puisque la valeur de f ne change pas du tout dans la direction de l'axe des z, tous les vecteurs gradients sont horizontaux. Ils sont perpendiculaires au cylindre et s'orientent vers l'extérieur, car la valeur de f augmente quand les vecteurs gradients vont vers l'extérieur.

De même, les points $(0, 1, 1)$ et $(1, 0, 1)$ se trouvent également sur la même surface de niveau de g, à savoir $g(x, y, z) = -x^2 - y^2 - z^2 = -2$, qui est la sphère $x^2 + y^2 + z^2 = 2$. La figure 3.38 présente une partie de cette surface de niveau. Cette fois-ci, les vecteurs gradients s'orientent vers l'intérieur, puisque les signes négatifs signifient que la fonction augmente (de grandes valeurs négatives à de faibles valeurs négatives) au fur et à mesure qu'on se déplace vers l'intérieur de la sphère.

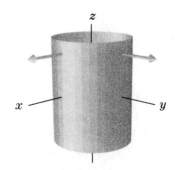

Figure 3.37 : Surface de niveau $f(x, y, z) = x^2 + y^2 = 1$ avec deux vecteurs gradients

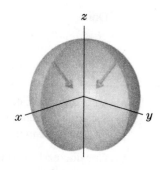

Figure 3.38 : Surface de niveau $g(x, y, z) = -x^2 - y^2 - z^2 = -2$ avec deux vecteurs gradients

Exemple 3 Considérez les fonctions $f(x, y) = 4 - x^2 - 2y^2$ et $g(x, y) = 4 - x^2$. Calculez un vecteur perpendiculaire à chacun des éléments ci-après.

a) La courbe de niveau de f au point $(1, 1)$.
b) La surface $z = f(x, y)$ au point $(1, 1, 1)$.
c) La courbe de niveau de g au point $(1, 1)$.
d) La surface $z = g(x, y)$ au point $(1, 1, 3)$.

Solution a) Le vecteur dont on a besoin est un vecteur à deux composantes dans le plan. Puisque grad $f = -2x\vec{i} - 4y\vec{j}$, on a

$$\text{grad } f(1, 1) = -2\vec{i} - 4\vec{j}.$$

Un multiple non nul de ce vecteur est perpendiculaire à la courbe de niveau au point $(1, 1)$.

b) Dans ce cas, on recherche un vecteur à trois composantes dans l'espace. Pour le trouver, on réécrit $z = 4 - x^2 - 2y^2$ comme surface de niveau de la fonction F, où

$$F(x, y, z) = 4 - x^2 - 2y^2 - z = 0.$$

Ensuite,

$$\text{grad } F = -2x\vec{i} - 4y\vec{j} - \vec{k}.$$

Donc,

$$\text{grad } F(1, 1, 1) = -2\vec{i} - 4\vec{j} - \vec{k},$$

et grad $F(1, 1, 1)$ est perpendiculaire à la surface $z = 4 - x^2 - 2y^2$ au point $(1, 1, 1)$. Noter que $-2\vec{i} - 4\vec{j} - \vec{k}$ ne constitue pas la seule réponse possible : tout multiple de ce vecteur fera l'affaire.

c) On recherche un vecteur à deux composantes. Puisque grad $g = -2x\vec{i} + 0\vec{j}$, on a

$$\text{grad } g(1, 1) = -2\vec{i}.$$

Tout multiple de ce vecteur est également perpendiculaire à la courbe de niveau.

d) On recherche un vecteur à trois composantes. On réécrit $z = 4 - x^2$ comme surface de niveau de la fonction G, où

$$G(x, y, z) = 4 - x^2 - z = 0.$$

Ensuite,

$$\text{grad } G = -2x\vec{i} - \vec{k}.$$

Donc,

$$\text{grad } G(1, 1, 3) = -2\vec{i} - \vec{k},$$

et tout multiple de grad $G(1, 1, 3)$ est perpendiculaire à la surface $z = 4 - x^2$ en ce point.

Exemple 4

a) Un excursionniste, sur une surface $f(x, y) = 4 - x^2 - 2y^2$ au point $(1, -1, 1)$, commence à escalader le sentier le plus escarpé. Quelle est la relation entre le vecteur grad $f(1, -1)$ et un vecteur tangent au sentier qui se trouve au point $(1, -1, 1)$ et qui s'oriente vers le haut ?

b) Considérez la surface $g(x, y) = 4 - x^2$. Quelle est la relation entre grad $g(-1, -1)$ et un vecteur tangent au sentier le plus escarpé en $(-1, -1, 3)$?

c) Au point $(1, -1, 1)$ sur la surface $f(x, y) = 4 - x^2 - 2y^2$, calculez un vecteur perpendiculaire à la surface et un vecteur $\vec{T}$ tangent à la courbe la plus escarpée.

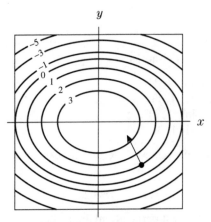

Figure 3.39 : Diagramme des courbes de niveau pour $z = f(x, y) = 4 - x^2 - 2y^2$ montrant la direction de grad $f(1, -1)$

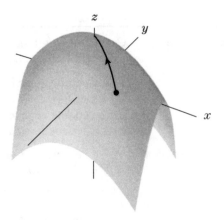

Figure 3.40 : Graphe de $f(x, y) = 4 - x^2 - 2y^2$ montrant le sentier le plus escarpé à partir du point $(1, -1, 1)$

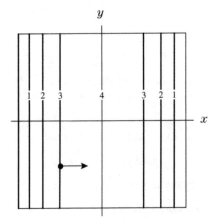

Figure 3.41 : Diagramme des courbes de niveau pour $z = g(x, y) = 4 - x^2$ montrant la direction de grad $g(-1, -1)$

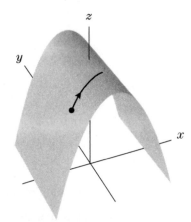

Figure 3.42 : Graphe de $g(x, y) = 4 - x^2$ montrant le sentier le plus escarpé à partir du point $(-1, -1, 3)$

Solution a) L'excursionniste, au point $(1, -1, 1)$, se trouve directement au-dessus du point $(1, -1)$, dans le plan des xy. Le vecteur grad $f(1, -1)$ se trouve dans un espace à deux dimensions, et il s'oriente dans la direction où f augmente le plus rapidement. Par conséquent, grad $f(1, -1)$ se trouve directement au-dessous d'un vecteur tangent au sentier de l'excursionniste en $(1, -1, 1)$ et s'oriente en amont (voir les figures 3.39 et 3.40).

b) Le point $(-1, -1, 3)$ se trouve au-dessus du point $(-1, -1)$. Le vecteur grad $g(-1, -1)$ s'oriente dans la direction où g augmente le plus rapidement et se trouve directement au-dessous du sentier le plus escarpé (voir les figures 3.41 et 3.42).

c) La surface est représentée par $F(x, y, z) = 4 - x^2 - 2y^2 = 0$. Puisque grad $F = -2x\vec{i} - 4y\vec{j} - \vec{k}$, la normale $\vec{N}$ à la surface est donnée par

$$\vec{N} = \text{grad } F(1, -1, 1) = -2(1)\vec{i} - 4(-1)\vec{j} - \vec{k} = -2\vec{i} + 4\vec{j} - \vec{k}.$$

On prend les composantes $\vec{i}$ et $\vec{j}$ de $\vec{T}$ comme étant le vecteur grad $f(1, -1) = -2\vec{i} + 4\vec{j}$. Par conséquent, pour un $a > 0$ quelconque, soit

$$\vec{T} = -2\vec{i} + 4\vec{j} + a\vec{k}.$$

On veut que $\vec{N} \cdot \vec{T} = 0$, alors

$$\vec{N} \cdot \vec{T} = (-2\vec{i} + 4\vec{j} - \vec{i}) \cdot (-2\vec{i} + 4\vec{j} + a\vec{k}) = 4 + 16 - a = 0.$$

Par conséquent, $a = 20$, d'où

$$\vec{T} = -2\vec{i} + 4\vec{j} + 20\vec{k}.$$

Exemple 5 Trouvez l'équation du plan tangent à la sphère $x^2 + y^2 + z^2 = 14$ au point $(1, 2, 3)$.

Solution On écrit la sphère sous forme de surface de niveau comme suit :

$$f(x, y, z) = x^2 + y^2 + z^2 = 14.$$

On a

$$\text{grad } f = 2x\vec{i} + 2y\vec{j} + 2z\vec{k}.$$

Donc, le vecteur

$$\text{grad } f(1, 2, 3) = 2\vec{i} + 4\vec{j} + 6\vec{k}$$

est perpendiculaire à la sphère au point $(1, 2, 3)$. Puisque le vecteur grad $f(1, 2, 3)$ est normal au plan tangent, l'équation du plan est

$$2x + 4y + 6z = 2(1) + 4(2) + 6(3) = 28 \text{ ou } x + 2y + 3z = 14.$$

Un avertissement concernant les unités et l'interprétation géométrique du gradient

Lorsqu'on a interprété géométriquement le gradient d'une fonction (voir la sous-section « Les propriétés du vecteur gradient »), on a implicitement supposé que les échelles le long des axes des x et des y étaient les mêmes. Si elles ne le sont pas, le vecteur gradient peut ne pas sembler perpendiculaire aux courbes. On considère la fonction $f(x, y) = x^2 + y$, dont le vecteur gradient est donné par grad $f = 2x\vec{i} + \vec{j}$. La figure 3.43 (page suivante) montre le vecteur gradient en $(1, 1)$ en utilisant les mêmes échelles que dans les directions des axes des x et des y. Comme on l'a prévu, le vecteur gradient est perpendiculaire à la courbe de niveau. La figure 3.44 (page suivante) montre les courbes de la même fonction avec des échelles inégales sur les deux axes. Noter que le vecteur gradient ne semble plus perpendiculaire aux courbes de niveau. Par conséquent, pour pouvoir interpréter géométriquement le vecteur gradient, il faut utiliser la même échelle sur les deux axes.

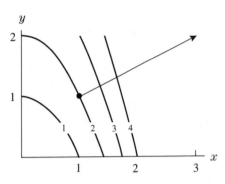

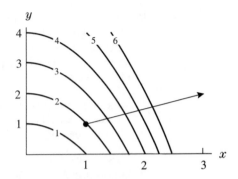

Figure 3.43 : Vecteur gradient dont les échelles x et y sont égales

Figure 3.44 : Vecteur gradient dont les échelles x et y sont inégales

Un autre problème survient quand on mesure x et y en utilisant des unités différentes. On considère, par exemple, les données qui établissent le lien entre la production de maïs, la hauteur des précipitations R et la température T (voir la section 1.4). On trace le diagramme à partir des données deux fois, une fois en pouces et en degrés Celsius et l'autre fois, en pouces et en degrés Fahrenheit. On utilise les mêmes échelles le long de chaque axe, comme si les unités n'avaient pas d'importance. La figure 3.45 (en pouces et en degrés Celsius) montre le gradient au point (15, 25). Puisque 25 °C = 77 °F, à la figure 3.46 (en pouces et en degrés Fahrenheit), on montre le gradient au point (15, 77). Noter que, bien que les deux points représentent le même climat, les deux diagrammes des courbes de niveau et les deux vecteurs gradients sont différents.

Les gradients ne sont logiques géométriquement que quand x et y sont mesurés avec les mêmes unités. Quand x et y sont tous les deux des distances ou des coûts, par exemple, l'ampleur de la variation $\sqrt{(\Delta x)^2 + (\Delta y)^2}$ est également une distance ou un coût. Donc, on peut comparer les taux de variation dans toutes les directions. Cependant, si x et y sont donnés dans des unités différentes, on ne peut attribuer des unités à $\sqrt{(\Delta x)^2 + (\Delta y)^2}$. Dans ce cas, les taux de variation ne sont significatifs que dans des directions parallèles aux axes.

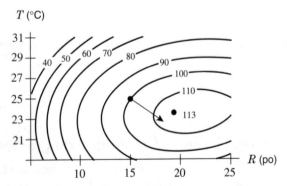

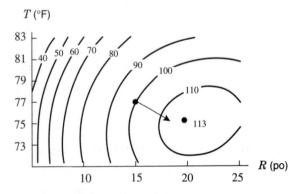

Figure 3.45 : Production de maïs (en pouces et en degrés Celsius)

Figure 3.46 : Production de maïs (en pouces et en degrés Fahrenheit)

Problèmes de la section 3.5

1. Si $f(x, y, z) = x^2 + 3xy + 2z$, trouvez la dérivée directionnelle au point $(2, 0, -1)$ dans la direction de $2\vec{i} + \vec{j} - 2\vec{k}$.

2. Trouvez la dérivée directionnelle de $f(x, y, z) = 3x^2y^2 + 2yz$ au point $(-1, 0, 4)$ dans les directions ci-après. a) $\vec{i} - \vec{k}$ b) $-\vec{i} + 3\vec{j} + 3\vec{k}$

3. Trouvez l'équation du plan tangent à $z = \sqrt{17 - x^2 - y^2}$ au point $(3, 2, 2)$.

4. Trouvez l'équation du plan tangent à $z = 8/(xy)$ au point $(1, 2, 4)$.

5. Trouvez l'équation du plan tangent et d'un vecteur normal à la surface $x = y^3z^7$ au point $(1, -1, -1)$.

6. Soit $f(x, y) = \cos x \sin y$, et soit S la surface $z = f(x, y)$.

   a) Trouvez un vecteur normal à la surface S au point $(0, \pi/2, 1)$.
   b) Quelle est l'équation du plan tangent à la surface S au point $(0, \pi/2, 1)$?

7. Considérez la fonction $f(x, y) = (e^x - x) \cos y$. Supposez que S est la surface $z = f(x, y)$.

   a) Trouvez un vecteur qui est perpendiculaire à la courbe de niveau de f et qui passe par le point $(2, 3)$ dans la direction où f diminue le plus rapidement.

   b) Supposez que $\vec{v} = 5\vec{i} + 4\vec{j} + a\vec{k}$ est un vecteur dans un espace à trois dimensions qui est tangent à la surface S au point P se trouvant sur la surface au-dessus de $(2, 3)$. Que représente a ?

8. a) Tracez le graphe de la surface $z = f(x, y) = y^2$ en trois dimensions.
   b) Tracez les courbes de niveau de f dans le plan des xy.
   c) Si vous vous tenez debout sur la surface $z = y^2$ au point $(2, 3, 9)$, dans quelle direction devriez-vous vous déplacer pour grimper le plus rapidement possible ? (Donnez votre réponse sous forme de vecteur à deux composantes.)

9. Supposez que $z = y - \sin x$.

   a) Tracez les courbes de niveau pour $z = -1, 0, 1, 2$.
   b) Un insecte se trouve sur une surface au point $(\pi/2, 1, 0)$ et se dirige dans la direction de l'axe des y. L'insecte se promène-t-il dans une vallée ou sur le sommet d'une crête ? Justifiez votre réponse.
   c) Sur la courbe $z = 0$ de votre graphe de la partie a), dessinez les gradients de z en $x = 0$, $x = \pi/2$ et $x = \pi$.

10. Supposez que $F(x, y, z) = x^2 + y^4 + x^2z^2$ donne la concentration de sel dans un liquide au point (x, y, z) et que vous vous trouvez au point $(-1, 1, 1)$.

    a) Dans quelle direction devriez-vous vous déplacer si vous voulez que la concentration augmente le plus rapidement possible ?
    b) Supposez que vous commencez à vous déplacer dans la direction que vous avez trouvée à la partie a) à une vitesse de 4 unités/s. À quelle vitesse la concentration change-t-elle ? Justifiez votre réponse.

11. Soit S la surface représentée par l'équation $F = 0$, où

$$F(x, y, z) = x^2 - \left(\frac{y}{z^2}\right).$$

    a) Trouvez tous les points sur S où un vecteur normal est parallèle au plan des xy.
    b) Trouvez le plan tangent à S aux points $(0, 0, 1)$ et $(1, 1, 1)$.
    c) Trouvez les vecteurs unitaires $\vec{u}_1$ et $\vec{u}_2$ qui s'orientent dans la direction de l'augmentation maximale de F aux points $(0, 0, 1)$ et $(1, 1, 1)$, respectivement.

12. Sur quel point de la surface $z = 1 + x^2 + y^2$ le plan tangent de celle-ci est-il parallèle aux plans suivants ?

    a) $z = 5$ b) $z = 5 + 6x - 10y$

13. Une fonction différentiable $f(x, y)$ a la propriété selon laquelle $f(4, 1) = 3$, $f_x(4, 1) = 2$ et $f_y(4, 1) = -1$. Trouvez l'équation du plan tangent au point où $x = 4$ et où $y = 1$ sur la surface $z = f(x, y)$.

14. Une fonction différentiable $f(x, y)$ a la propriété selon laquelle $f(1, 3) = 7$ et grad $f(1, 3) = 2\vec{i} - 5\vec{j}$.

    a) Trouvez l'équation de la droite tangente à la courbe de niveau de f passant par le point $(1, 3)$.
    b) Trouvez l'équation du plan tangent à la surface $z = f(x, y)$ au point $(1, 3, 7)$.

15. On dit que deux surfaces sont *tangentielles* au point P si elles ont le même plan tangent à P. Montrez que les surfaces $z = \sqrt{2x^2 + 2y^2 - 25}$ et $z = \frac{1}{5}(x^2 + y^2)$ sont tangentielles au point $(4, 3, 5)$.

16. On dit que deux surfaces sont *orthogonales* l'une par rapport à l'autre en un point P si les normales à leurs plans tangents sont perpendiculaires à P. Montrez que les surfaces $z = \frac{1}{2}(x^2 + y^2 - 1)$ et $z = \frac{1}{2}(1 - x^2 - y^2)$ sont orthogonales à tous les points d'intersection.

17. Soit f et g des fonctions dans un espace à trois dimensions. Supposez que f est différentiable et que

    $$\text{grad } f(x, y, z) = (x\vec{i} + y\vec{j} + z\vec{k})g(x, y, z).$$

    Expliquez la raison pour laquelle f doit être constant sur toute sphère centrée à l'origine.

18. Soit $\vec{r}$ le vecteur de position du point (x, y, z). Si $\vec{\mu} = \mu_1\vec{i} + \mu_2\vec{j} + \mu_3\vec{k}$ est un vecteur constant, montrez que

    $$\text{grad}(\vec{\mu} \cdot \vec{r}) = \vec{\mu}.$$

19. Soit $\vec{r}$ le vecteur de position du point (x, y, z). Montrez que, si a est une constante,

    $$\text{grad}(\|\vec{r}\|^a) = a(\|\vec{r}\|^{a-2}\vec{r}, \qquad \vec{r} \neq \vec{0}.$$

20. Supposez que la Terre a une masse M et qu'elle est située à l'origine dans un espace à trois dimensions, tandis que la Lune a une masse m. Selon la loi de la gravitation de Newton, si la Lune se situe au point (x, y, z), alors la force d'attraction exercée par la Terre sur la Lune est donnée par le vecteur

    $$\vec{F} = -GMm\frac{\vec{r}}{\|\vec{r}\|^3},$$

    où $\vec{r} = x\vec{i} + y\vec{j} + z\vec{k}$. Montrez que $\vec{F} = \text{grad } \varphi$, où φ est la fonction donnée par

    $$\varphi(x, y, z) = \frac{GMm}{\|\vec{r}\|}.$$

3.6 LA RÈGLE DE LA DÉRIVÉE EN CHAÎNE

La composition de fonctions de plusieurs variables et les taux de variation

La règle de la dérivée en chaîne permet de dériver les *fonctions composées*. Si on a une fonction de deux variables $z = f(x, y)$ et qu'on substitue $x = g(t)$, $y = h(t)$ dans $z = f(x, y)$, alors on a une fonction composée dans laquelle z est une fonction de t :

$$z = f(g(t), h(t)).$$

Par ailleurs, si on substitue $x = g(u, v)$, $y = h(u, v)$, alors on a une fonction composée différente dans laquelle z est une fonction de u et de v :

$$z = f(g(u, v), h(u, v)).$$

L'exemple 1 montre comment calculer le taux de variation d'une fonction composée.

Exemple 1   La production de maïs C dépend de la hauteur des précipitations annuelles R et de la température moyenne T. Donc, $C = f(R, T)$. À cause du réchauffement de la planète, on prévoit que la hauteur des précipitations et la température varieront dans le temps. Supposez que, selon un modèle particulier de réchauffement de la planète, la hauteur des précipitations diminue de 0,2 cm/année et que la température augmente de 0,1 °C/année. Considérez le fait que, aux niveaux de production actuels, $f_R = 3,3$ et $f_T = -5$, pour estimer le taux de variation actuel, dC/dt.

Solution   Selon la linéarité locale, on sait que les variations ΔR et ΔT produisent une variation ΔC en C donnée approximativement par

$$\Delta C \approx f_R \Delta R + f_T \Delta T = 3,3 \Delta R - 5 \Delta T.$$

On cherche à savoir comment ΔC dépend de l'incrément de temps Δt. Selon le modèle de réchauffement de la planète,

$$\frac{dR}{dt} = -0,2 \quad \text{et} \quad \frac{dT}{dt} = 0,1.$$

Par conséquent, un incrément de temps Δt produit des variations de ΔR et de ΔT données par

$$\Delta R \approx -0,2\Delta t \quad \text{et} \quad \Delta T \approx 0,1\Delta t.$$

En substituant ΔR et ΔT dans l'expression de ΔC, on obtient

$$\Delta C \approx 3,3(-0,2\Delta t) - 5(0,1\Delta t) = -1,16\Delta t.$$

Par conséquent,

$$\frac{\Delta C}{\Delta t} \approx -1,16 \quad \text{et, donc,} \quad \frac{dC}{dt} \approx -1,16.$$

Ainsi, une variation Δt provoque les changements ΔR et ΔT qui, à leur tour, entraînent une variation ΔC. La relation entre ΔC et Δt, qui donne la valeur de dC/dt, est un exemple de la *règle de la dérivée en chaîne*. On peut utiliser le raisonnement de l'exemple 1 pour élaborer des énoncés plus généraux sur la règle de la dérivée en chaîne.

La règle de la dérivée en chaîne pour $z = f(x, y)$, $x = g(t)$ et $y = h(t)$

Puisque $z = f(g(t), h(t))$ est une fonction de t, on peut considérer la dérivée dz/dt. La règle de la dérivée en chaîne montre comment dz/dt est relié aux dérivées de f, de g et de h. Puisque dz/dt représente le taux de variation de z avec t, on observe une petite variation Δt en t qui se propage à z.

On substitue les linéarisations locales

$$\Delta x \approx \frac{dx}{dt} \Delta t \quad \text{et} \quad \Delta y \approx \frac{dy}{dt} \Delta t$$

dans la linéarisation locale

$$\Delta z \approx \frac{\partial z}{\partial x} \Delta x + \frac{\partial z}{\partial y} \Delta y,$$

ce qui donne

$$\Delta z \approx \frac{\partial z}{\partial x} \frac{dx}{dt} \Delta t + \frac{\partial z}{\partial y} \frac{dy}{dt} \Delta t$$

$$= \left(\frac{\partial z}{\partial x} \frac{dx}{dt} + \frac{\partial z}{\partial y} \frac{dy}{dt} \right) \Delta t.$$

Par conséquent,

$$\frac{\Delta z}{\Delta t} \approx \frac{\partial z}{\partial x}\frac{dx}{dt} + \frac{\partial z}{\partial y}\frac{dy}{dt}.$$

En prenant la limite lorsque $\Delta t \to 0$, on obtient le résultat ci-après.

Si f, g et h sont différentiables et si $z = f(x, y)$, $x = g(t)$ et $y = h(t)$, alors

$$\frac{dz}{dt} = \frac{\partial z}{\partial x}\frac{dx}{dt} + \frac{\partial z}{\partial y}\frac{dy}{dt}.$$

La visualisation de la règle de la dérivée en chaîne à l'aide d'une arborescence

L'arborescence de la figure 3.47 permet de se souvenir de la règle de la dérivée en chaîne. Elle montre la chaîne de dépendance : z dépend de x et de y qui, à leur tour, dépendent de t. Chaque ligne sur le diagramme est identifiée par une dérivée reliant les variables à ses extrémités.

Le diagramme tient compte de la manière dont une variation en t se propage à la chaîne de fonctions composées. Il existe deux chemins de t à z, l'un qui passe par x et l'autre qui passe par y. Pour chaque chemin, on multiplie les dérivées le long du chemin. Puis, pour calculer dz/dt, on additionne les contributions des deux chemins.

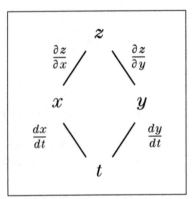

Figure 3.47 : Arborescence pour $z = f(x, y)$, $x = g(t)$ et $y = h(t)$

Exemple 2   Supposez que $z = f(x, y) = x \sin y$, où $x = t^2$ et où $y = 2t + 1$. Soit $z = g(t)$. Calculez $g'(t)$ en utilisant deux méthodes différentes.

Solution   Puisque $z = g(t) = f(t^2, 2t + 1) = t^2 \sin(2t + 1)$, il est possible de calculer $g'(t)$ directement à l'aide de méthodes avec une variable :

$$g'(t) = t^2 \frac{d}{dt}(\sin(2t+1)) + \left(\frac{d}{dt}(t^2)\right)\sin(2t+1) = 2t^2\cos(2t+1) + 2t\sin(2t+1).$$

La règle de la dérivée en chaîne fournit une autre route pour la même réponse, soit

$$\frac{dz}{dt} = \frac{\partial z}{\partial x}\frac{dx}{dt} + \frac{\partial z}{\partial y}\frac{dy}{dt} = (\sin y)(2t) + (x \cos y)(2) = 2t\sin(2t+1) + 2t^2\cos(2t+1).$$

La règle de la dérivée en chaîne en général

> Pour trouver le taux de variation d'une variable par rapport à une autre dans une chaîne de fonctions différentiables composées :
>
> - Dessinez une arborescence exprimant la relation qui existe entre les variables et identifiez chaque lien dans le diagramme avec la dérivée qui relie les variables à ses extrémités ;
> - Pour chaque chemin entre les deux variables, multipliez les dérivées de chaque étape le long du chemin ;
> - Additionnez les contributions de chaque chemin.

Une arborescence tient compte de toutes les manières par lesquelles la variation d'une variable peut provoquer la variation d'une autre variable ; le diagramme produit tous les termes qu'on obtiendrait en effectuant les substitutions appropriées dans les linéarisations locales.

Exemple 3　Supposez que $z = f(x, y)$ avec $x = g(u, v)$ et $y = h(u, v)$. Trouvez les formules pour $\partial z/\partial u$ et $\partial z/\partial v$.

Solution　La figure 3.48 montre l'arborescence pour ces variables. En additionnant les contributions des deux chemins de z à u, on obtient

$$\frac{\partial z}{\partial u} = \frac{\partial z}{\partial x}\frac{\partial x}{\partial u} + \frac{\partial z}{\partial y}\frac{\partial y}{\partial u}.$$

De même, en observant les chemins de z à v, on obtient

$$\frac{\partial z}{\partial v} = \frac{\partial z}{\partial x}\frac{\partial x}{\partial v} + \frac{\partial z}{\partial y}\frac{\partial y}{\partial v}.$$

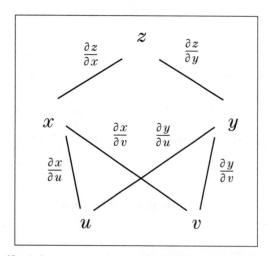

Figure 3.48 : Arborescence de $z = f(x, y)$, $x = g(u, v)$ et $y = h(u, v)$

Exemple 4　Soit $w = x^2 e^y$, $x = 4u$ et $y = 3u^2 - 2v$. Calculez $\partial w/\partial u$ et $\partial w/\partial v$ en utilisant la règle de la dérivée en chaîne.

Solution En se basant sur le résultat de l'exemple 3, on a

$$\frac{\partial w}{\partial u} = \frac{\partial w}{\partial x}\frac{\partial x}{\partial u} + \frac{\partial w}{\partial y}\frac{\partial y}{\partial u} = 2xe^y(4) + x^2e^y(6u) = (8x + 6x^2u)e^y$$

$$= (32u + 96u^3)e^{3u^2 - 2v}.$$

De même,

$$\frac{\partial w}{\partial v} = \frac{\partial w}{\partial x}\frac{\partial x}{\partial v} + \frac{\partial w}{\partial y}\frac{\partial y}{\partial v} = 2xe^y(0) + x^2e^y(-2) = -2x^2e^y$$

$$= -32u^2e^{3u^2 - 2v}.$$

Exemple 5 On peut exprimer une quantité z soit en fonction de x et de y, de telle sorte que $z = f(x, y)$, soit en fonction de u et de v, de telle sorte que $z = g(u, v)$. Les deux systèmes de coordonnées sont reliés par

$$x = u + v, \quad y = u - v.$$

a) Utilisez la règle de la dérivée en chaîne pour exprimer $\partial z/\partial u$ et $\partial z/\partial v$ en fonction de $\partial z/\partial x$ et de $\partial z/\partial y$.

b) Résolvez les équations de la partie a) pour $\partial z/\partial x$ et $\partial z/\partial y$.

c) Montrez que les expressions qu'on obtient dans la partie b) sont les mêmes que celles qu'on obtient en exprimant u et v en fonction de x et de y et en utilisant la règle de la dérivée en chaîne.

Solution a) On a $\partial x/\partial u = 1$ et $\partial x/\partial v = 1$ et également $\partial y/\partial u = 1$ et $\partial y/\partial v = -1$. Par conséquent,

$$\frac{\partial z}{\partial u} = \frac{\partial z}{\partial x}(1) + \frac{\partial z}{\partial y}(1) = \frac{\partial z}{\partial x} + \frac{\partial z}{\partial y}$$

et

$$\frac{\partial z}{\partial v} = \frac{\partial z}{\partial x}(1) + \frac{\partial z}{\partial y}(-1) = \frac{\partial z}{\partial x} - \frac{\partial z}{\partial y}.$$

b) En additionnant les équations de $\partial z/\partial u$ et $\partial z/\partial v$, on obtient

$$\frac{\partial z}{\partial u} + \frac{\partial z}{\partial v} = 2\frac{\partial z}{\partial x}, \quad \text{alors} \quad \frac{\partial z}{\partial x} = \frac{1}{2}\frac{\partial z}{\partial u} + \frac{1}{2}\frac{\partial z}{\partial v}.$$

De même, en soustrayant les équations de $\partial z/\partial u$ et $\partial z/\partial v$, cela produit

$$\frac{\partial z}{\partial y} = \frac{1}{2}\frac{\partial z}{\partial u} - \frac{1}{2}\frac{\partial z}{\partial v}.$$

c) Inversement, on peut résoudre les équations

$$x = u + v, \quad y = u - v$$

pour u et v, ce qui donne

$$u = \frac{1}{2}x + \frac{1}{2}y, \quad v = \frac{1}{2}x - \frac{1}{2}y.$$

Maintenant, on peut considérer z en fonction de u et de v, puis u et v en fonction de x et de y. On applique la règle de la dérivée en chaîne de nouveau. On obtient

$$\frac{\partial z}{\partial x} = \frac{\partial z}{\partial u}\frac{\partial u}{\partial x} + \frac{\partial z}{\partial v}\frac{\partial v}{\partial x} = \frac{1}{2}\frac{\partial z}{\partial u} + \frac{1}{2}\frac{\partial z}{\partial v}$$

et

$$\frac{\partial z}{\partial y} = \frac{\partial z}{\partial u}\frac{\partial u}{\partial y} + \frac{\partial z}{\partial v}\frac{\partial v}{\partial y} = \frac{1}{2}\frac{\partial z}{\partial u} + \frac{1}{2}\frac{\partial z}{\partial v}.$$

Il s'agit des mêmes expressions que celles qu'on a obtenues à la partie b).

Un exemple de la chimie physique

Un chimiste qui effectue des recherches sur les propriétés d'un gaz comme le gaz carbonique peut vouloir savoir comment l'énergie interne U d'une quantité donnée de gaz est fonction de sa température T, de sa pression P et de son volume V. Cependant, les trois quantités T, P et V ne sont pas indépendantes. Par exemple, selon la loi des gaz parfaits, ces quantités satisfont à l'équation

$$PV = kT,$$

où k est une constante qui est uniquement fonction de la quantité du gaz. On peut alors considérer l'énergie interne comme une fonction de deux des trois quantités T, P et V :

$$U = U_1(T, P) = U_2(T, V) = U_3(P, V).$$

Le chimiste écrit, par exemple, $\left(\frac{\partial U}{\partial T}\right)_P$ pour indiquer la dérivée partielle de U par rapport à T, *en maintenant P constant*. Cela signifie que, pour ce calcul, on considère U comme une fonction de T et de P.

Par conséquent, on interprète $\left(\frac{\partial U}{\partial T}\right)_P$ comme suit

$$\left(\frac{\partial U}{\partial T}\right)_P = \frac{\partial U_1(T, P)}{\partial T}.$$

Si on considère U comme une fonction de T et de V, le chimiste écrit $\left(\frac{\partial U}{\partial T}\right)_V$ pour la dérivée partielle de U par rapport à T, V étant maintenu constant. Par conséquent, $\left(\frac{\partial U}{\partial T}\right)_V = \frac{\partial U_2(T, V)}{\partial T}$.

Chacune des fonctions U_1, U_2 et U_3 permet d'engendrer l'une des formules suivantes pour la différentielle de dU :

$$dU = \left(\frac{\partial U}{\partial T}\right)_P dT + \left(\frac{\partial U}{\partial P}\right)_T dP \qquad \text{correspond à } U_1,$$

$$dU = \left(\frac{\partial U}{\partial T}\right)_V dT + \left(\frac{\partial U}{\partial V}\right)_T dV \qquad \text{correspond à } U_2,$$

$$dU = \left(\frac{\partial U}{\partial P}\right)_V dP + \left(\frac{\partial U}{\partial V}\right)_P dV \qquad \text{correspond à } U_3.$$

Les six dérivées partielles apparaissant dans les formules de dU ont une signification physique, mais elles ne sont pas toutes également faciles à mesurer de façon expérimentale. Une relation entre les dérivées partielles, habituellement dérivées à partir de la règle de la dérivée en chaîne, peut faire en sorte qu'il soit possible d'évaluer l'une des dérivées partielles en fonction de celles qui sont plus facilement mesurables.

Exemple 6 Exprimez $\left(\frac{\partial U}{\partial T}\right)_P$ en fonction de $\left(\frac{\partial U}{\partial T}\right)_V$, de $\left(\frac{\partial U}{\partial V}\right)_T$ et de $\left(\frac{\partial V}{\partial T}\right)_P$.

Solution Puisqu'on s'intéresse aux dérivées $\left(\frac{\partial U}{\partial T}\right)_V$ et $\left(\frac{\partial U}{\partial V}\right)_T$, on considère U en fonction de T et de V en utilisant la formule

$$dU = \left(\frac{\partial U}{\partial T}\right)_V dT + \left(\frac{\partial U}{\partial V}\right)_T dV, \qquad \text{qui correspond à } U_2.$$

On veut trouver une formule pour $\left(\frac{\partial U}{\partial T}\right)_P$, ce qui signifie que l'on considère U comme une fonction de T et de P. Par conséquent, on veut substituer dV. Puisque V est une fonction de T et de P, on a

$$dV = \left(\frac{\partial V}{\partial T}\right)_P dT + \left(\frac{\partial V}{\partial P}\right)_T dP.$$

En substituant dV dans la formule pour dU qui correspond à U_2, on obtient

$$dU = \left(\frac{\partial U}{\partial T}\right)_V dT + \left(\frac{\partial U}{\partial V}\right)_T \left(\left(\frac{\partial V}{\partial T}\right)_P dT + \left(\frac{\partial V}{\partial P}\right)_T dP\right).$$

En réunissant les termes contenant dT et les termes contenant dP, on a

$$dU = \left(\left(\frac{\partial U}{\partial T}\right)_V + \left(\frac{\partial U}{\partial V}\right)_T \left(\frac{\partial V}{\partial T}\right)_P\right) dT + \left(\frac{\partial U}{\partial V}\right)_T \left(\frac{\partial V}{\partial P}\right)_T dP.$$

Mais on a aussi la formule

$$dU = \left(\frac{\partial U}{\partial T}\right)_P dT + \left(\frac{\partial U}{\partial P}\right)_T dP \qquad \text{correspondant à } U_1.$$

On a maintenant deux formules pour dU en fonction de dT et de dP. Les coefficients de dT doivent être identiques. Donc, on conclut que

$$\left(\frac{\partial U}{\partial T}\right)_P = \left(\frac{\partial U}{\partial T}\right)_V + \left(\frac{\partial U}{\partial V}\right)_T \left(\frac{\partial V}{\partial T}\right)_P.$$

L'exemple 6 exprime $\left(\frac{\partial U}{\partial T}\right)_P$ en fonction de trois autres dérivées partielles. On peut facilement mesurer de façon expérimentale deux de celles-ci, notamment $\left(\frac{\partial U}{\partial T}\right)_V$, la capacité de chaleur du volume constant et $\left(\frac{\partial V}{\partial T}\right)_P$, le coefficient d'expansion. On ne peut directement mesurer la troisième, qui est la pression interne $\left(\frac{\partial U}{\partial V}\right)_T$, mais on peut la relier à $\left(\frac{\partial P}{\partial T}\right)_V$, laquelle est mesurable. Par conséquent, on peut déterminer $\left(\frac{\partial U}{\partial T}\right)_P$ indirectement en utilisant cette identité.

Problèmes de la section 3.6

Pour les problèmes 1 à 6, trouvez dz/dt en utilisant la règle de la dérivée en chaîne. Supposez que les variables sont limitées à des domaines sur lesquels les fonctions sont définies.

1. $z = xy^2$, $x = e^{-t}$, $y = \sin t$

2. $z = x \sin y + y \sin x$, $x = t^2$, $y = \ln t$

3. $z = \ln(x^2 + y^2)$, $x = 1/t$, $y = \sqrt{t}$

4. $z = \sin(x/y)$, $x = 2t$, $y = 1 - t^2$

5. $z = xe^y$, $x = 2t$, $y = 1 - t^2$

6. $z = (x+y)e^y$, $x = 2t$, $y = 1 - t^2$

Pour les problèmes 7 à 14, trouvez $\partial z/\partial u$ et $\partial z/\partial v$. Supposez que les variables sont limitées à des domaines sur lesquels les fonctions sont définies.

7. $z = xe^{-y} + ye^{-x}$, $x = u \sin v$, $y = v \cos u$

8. $z = \cos(x^2 + y^2)$, $x = u \cos v$, $y = u \sin v$

9. $z = xe^y$, $x = \ln u$, $y = v$

10. $z = (x+y)e^y$, $x = \ln u$, $y = v$

11. $z = xe^y$, $x = u^2 + v^2$, $y = u^2 - v^2$

12. $z = (x+y)e^y$, $x = u^2 + v^2$, $y = u^2 - v^2$

13. $z = \sin(x/y)$, $x = \ln u$, $y = v$

14. $z = \tan^{-1}(x/y)$, $x = u^2 + v^2$, $y = u^2 - v^2$

15. Supposez que $w = f(x, y, z)$ et que x, y, z sont des fonctions de u et de v. Utilisez une arborescence pour écrire la formule de la règle de la dérivée en chaîne pour $\partial w/\partial u$ et $\partial w/\partial v$.

16. Supposez que $w = f(x, y, z)$ et que x, y, z sont des fonctions de t. Utilisez une arborescence pour écrire la règle de la dérivée en chaîne pour dw/dt.

17. La production de maïs C est fonction de la hauteur des précipitations R et de la température T. Les figures 3.49 et 3.50 montrent comment on prévoit que la hauteur des précipitations et la température varieront avec le temps à cause du réchauffement de la planète. Supposez que vous savez que $\Delta C \approx 3{,}3\Delta R - 5\Delta T$. Utilisez cette formule pour estimer la variation de la production de maïs entre l'an 2020 et l'an 2021. Ainsi, estimez dC/dt quand $t = 2020$.

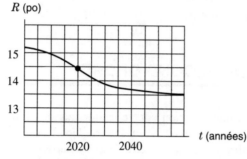

Figure 3.49 : Prédictions liées au réchauffement de la planète : hauteur des précipitations en fonction du temps

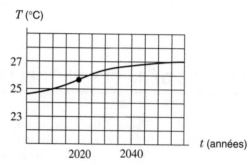

Figure 3.50 : Prédictions liées au réchauffement de la planète : température en fonction du temps

18. La tension V (en volts) d'un circuit est donnée par la loi d'Ohm : $V = IR$, où I est le courant (en ampères) circulant dans le circuit et R est la résistance (en ohms ou Ω). Si l'on place deux circuits, avec les résistances R_1 et R_2 en parallèle, alors la combinaison de leur résistance R est donnée par

$$\frac{1}{R} = \frac{1}{R_1} + \frac{1}{R_2}.$$

Supposez que le courant est de 2 A et qu'il augmente à 10^{-2} A/s, que R_1 est de 3 Ω et qu'il augmente de 0,5 $\Omega/$s, tandis que R_2 est de 5 Ω et qu'il diminue à 0,1 $\Omega/$s. Calculez le taux auquel la tension varie.

19. Une fonction $f(x, y)$ est *homogène de degré p* si $f(tx, ty) = t^p f(x, y)$ pour tout t. Montrez que toute fonction homogène différentiable de degré p satisfait au théorème d'Euler :

$$x f_x(x, y) + y f_y(x, y) = p f(x, y).$$

[Indication : définissez $g(t) = f(tx, ty)$ et calculez $g'(1)$.]

Les problèmes 20 et 22 viennent compléter l'exemple de chimie physique exposé à la fin de la présente section.

20. Écrivez $\left(\frac{\partial U}{\partial P}\right)_V$ comme une dérivée partielle de l'une des fonctions U_1, U_2 ou U_3.

21. Exprimez $\left(\frac{\partial U}{\partial P}\right)_T$ en fonction de $\left(\frac{\partial U}{\partial V}\right)_T$ et de $\left(\frac{\partial V}{\partial P}\right)_T$.

22. Utilisez le résultat du problème 21 pour montrer que

$$\left(\frac{\partial U}{\partial V}\right)_P = \frac{\left(\frac{\partial U}{\partial T}\right)_V}{\left(\frac{\partial V}{\partial T}\right)_P} + \left(\frac{\partial U}{\partial V}\right)_T.$$

Pour les problèmes 23 et 24, supposez que vous pouvez exprimer la quantité z en fonction des coordonnées cartésiennes (x, y) ou en fonction des coordonnées polaires (r, θ), de telle sorte que $z = f(x, y) = g(r, \theta)$. [N'oubliez pas que $x = r\cos\theta$, $y = r\sin\theta$ et $r = \sqrt{x^2 + y^2}$, $\theta = \arctan(y/x)$.]

23. a) Utilisez la règle de la dérivée en chaîne pour trouver $\partial z/\partial r$ et $\partial z/\partial \theta$ en fonction de $\partial z/\partial x$ et de $\partial z/\partial y$.

    b) Résolvez les équations que vous venez d'écrire pour $\partial z/\partial x$ et $\partial z/\partial y$ en fonction de $\partial z/\partial r$ et de $\partial z/\partial \theta$.

c) Montrez que les expressions que vous obtenez à la partie b) sont les mêmes que celles que vous obtiendriez en utilisant la règle de la dérivée en chaîne pour trouver $\partial z/\partial x$ et $\partial z/\partial y$ en fonction de $\partial z/\partial r$ et de $\partial z/\partial \theta$.

24. Montrez que

$$\left(\frac{\partial z}{\partial x}\right)^2 + \left(\frac{\partial z}{\partial y}\right)^2 = \left(\frac{\partial z}{\partial r}\right)^2 + \frac{1}{r^2}\left(\frac{\partial z}{\partial \theta}\right)^2.$$

25. Soit une fonction $F(x, y, z)$. Définissez la fonction $z = f(x, y)$ implicitement en laissant $F(x, y, f(x, y)) = 0$. Utilisez la règle de la dérivée en chaîne pour montrer que

$$\frac{\partial z}{\partial x} = -\frac{\partial F/\partial x}{\partial F/\partial z} \quad \text{et} \quad \frac{\partial z}{\partial y} = -\frac{\partial F/\partial y}{\partial F/\partial z}.$$

3.7 LES DÉRIVÉES PARTIELLES DE SECOND ORDRE

Puisque les dérivées partielles d'une fonction sont elles-mêmes des fonctions, on peut les dériver, ce qui donne des *dérivées partielles de second ordre*. Une fonction $z = f(x, y)$ a deux dérivées partielles de premier ordre, f_x et f_y, et quatre dérivées partielles de second ordre.

Dérivées partielles de second ordre de $z = f(x, y)$

$$\frac{\partial^2 z}{\partial x^2} = f_{xx} = (f_x)_x, \qquad \frac{\partial^2 z}{\partial x \partial y} = f_{yx} = (f_y)_x,$$

$$\frac{\partial^2 z}{\partial y \partial x} = f_{xy} = (f_x)_y, \qquad \frac{\partial^2 z}{\partial y^2} = f_{yy} = (f_y)_y.$$

On omet habituellement les parenthèses, en écrivant f_{xy} plutôt que $(f_x)_y$ et $\frac{\partial^2 z}{\partial y \partial x}$ plutôt que $\frac{\partial}{\partial y}\left(\frac{\partial z}{\partial x}\right)$.

Exemple 1   Calculez les quatre dérivées partielles de second ordre de $f(x, y) = xy^2 + 3x^2 e^y$.

Solution   À partir de $f_x(x, y) = y^2 + 6xe^y$, on a

$$f_{xx}(x, y) = \frac{\partial}{\partial x}(y^2 + 6xe^y) = 6e^y \quad \text{et} \quad f_{xy}(x, y) = \frac{\partial}{\partial y}(y^2 + 6xe^y) = 2y + 6xe^y.$$

À partir de $f_y(x, y) = 2xy + 3x^2 e^y$, on obtient

$$f_{xy}(x, y) = \frac{\partial}{\partial x}(2xy + 3x^2 e^y) = 2y + 6xe^y \quad \text{et} \quad f_{yy}(x, y) = \frac{\partial}{\partial y}(2xy + 3x^2 e^y) = 2x + 3x^2 e^y.$$

Dans cet exemple, il est à noter que $f_{xy} = f_{yx}$.

Exemple 2   Utilisez les valeurs de la fonction $f(x, y)$ du tableau 3.5 pour estimer $f_{xy}(1, 2)$ et $f_{yx}(1, 2)$.

TABLEAU 3.5   *Valeurs de f(x, y)*

$y \backslash x$	0,9	1,0	1,1
1,8	4,72	5,83	7,06
2,0	6,48	8,00	9,60
2,2	8,62	10,65	12,88

Solution Puisque $f_{xy} = (f_x)_y$, on estime d'abord f_x

$$f_x(1, 2) \approx \frac{f(1,1, 2) - f(1, 2)}{0,1} = \frac{9,60 - 8,00}{0,1} = 16,0,$$

$$f_x(1, 2,2) \approx \frac{f(1,1, 2,2) - f(1, 2,2)}{0,1} = \frac{12,88 - 10,65}{0,1} = 22,3.$$

Par conséquent,

$$f_{xy}(1, 2) \approx \frac{f_x(1, 2,2) - f_x(1, 2)}{0,2} = \frac{22,3 - 16,0}{0,2} = 31,5.$$

De même,

$$f_{xy}(1, 2) \approx \frac{f_y(1,1, 2) - f_y(1, 2)}{0,1} \approx \frac{1}{0,1} \left(\frac{f(1,1, 2,2) - f(1,1, 2)}{0,2} - \frac{f(1, 2,2) - f(1, 2)}{0,2} \right)$$

$$= \frac{1}{0,1} \left(\frac{12,88 - 9,60}{0,2} - \frac{10,65 - 8,00}{0,2} \right) = 31,5.$$

On doit observer que dans cet exemple, $f_{xy} = f_{yx}$ également.

Que révèlent les dérivées partielles de second ordre ?

Exemple 3 On retourne à l'exemple 4 de la section 3.2 concernant une corde de guitare. La corde mesure 1 m de longueur et au temps t s, le point situé à x m d'une extrémité est déplacé de $f(x, t)$ m de sa position au repos, où

$$f(x, t) = 0,003 \sin(\pi x) \sin(2765t).$$

Calculez les quatre dérivées partielles de second ordre de f au point $(x, t) = (0,3, 1)$ et expliquez concrètement la signification de leurs signes.

Solution D'abord, on calcule $f_x(x, t) = 0,003\pi \cos(\pi x) \sin(2765t)$, à partir duquel on obtient

$$f_{xx}(x, t) = \frac{\partial}{\partial x}(f_x(x, t)) = -0,003\pi^2 \sin(\pi x) \sin(2765t). \quad \text{Donc,} \quad f_{xx}(0,3, 1) \approx -0,01 \, ;$$

et

$$f_{xt}(x, t) = \frac{\partial}{\partial t}(f_x(x, t)) = (0,003)(2765)\pi \cos(\pi x) \cos(2765t). \quad \text{Ainsi,} \quad f_{xt}(0,3, 1) \approx 14.$$

Dans le même exemple précité, on a vu que $f_x(x, t)$ donne la pente de la corde en n'importe quel point et en tout temps. Par conséquent, $f_{xx}(x, t)$ mesure la concavité de la corde. Le fait que $f_{xx}(0,3, 1) < 0$ signifie que la corde est concave vers le bas au point $x = 0,3$ quand $t = 1$ (voir la figure 3.51).

Par ailleurs, $f_{xt}(x, t)$ est le taux de variation de la pente de la corde par rapport au temps. Ainsi, $f_{xt}(0,3, 1) > 0$ signifie que, au temps $t = 1$, la pente au point $x = 0,3$ augmente (voir la figure 3.52).

La pente en B est inférieure
à la pente en A

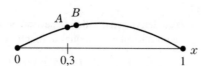

La pente en B est supérieure
à la pente en A

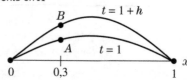

Figure 3.51 : Interprétation de $f_{xx}(0,3, 1) < 0$: la concavité de la corde en $t = 1$

Figure 3.52 : Interprétation de $f_{xt}(0,3, 1) > 0$: la pente d'un point sur la corde à deux moments différents

Maintenant, on calcule $f_t(x, t) = (0{,}003)(2765) \sin(\pi x) \cos(2765t)$, à partir duquel on obtient

$$f_{tx}(x, t) = \frac{\partial}{\partial x}\left(f_t(x, t)\right) = (0{,}003)(2765)\pi \cos(\pi x) \cos(2765t). \text{ Donc, } f_{tx}(0{,}3, 1) \approx 14$$

et

$$f_{tt}(x, t) = \frac{\partial}{\partial t}\left(f_t(x, t)\right) = -(0{,}003)(2765)^2 \sin(\pi x) \sin(2765t). \text{ Ainsi, } f_{tt}(0{,}3, 1) \approx -7200.$$

Dans le même exemple précité, on a vu que $f_t(x, t)$ donne la vitesse de la corde en n'importe quel point et à tout moment. Par conséquent, $f_{tx}(x, t)$ et $f_{tt}(x, t)$ seront tous les deux les taux de variation de la vitesse. Le fait que $f_{tx}(0{,}3, 1) > 0$ signifie que, au temps $t = 1$, les vitesses des points qui se trouvent à droite de $x = 0{,}3$ sont supérieures à la vitesse en $x = 0{,}3$ (voir la figure 3.53). Le fait que $f_{tt}(0{,}3, 1) < 0$ signifie que la vitesse au point $x = 0{,}3$ diminue au temps $t = 1$. Par conséquent, $f_{tt}(0{,}3, 1) = -7200 \text{ m/s}^2$ est l'accélération en ce point (voir la figure 3.54).

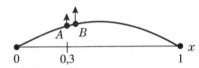

La vitesse en B est supérieure à la vitesse en A

Figure 3.53 : Interprétation de $f_{tx}(0{,}3, 1) > 0$: la vitesse en différents points de la corde en $t = 1$

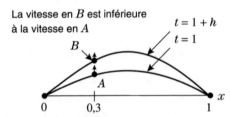

La vitesse en B est inférieure à la vitesse en A

Figure 3.54 : Interprétation de $f_{tt}(0{,}3, 1) < 0$: accélération négative ; la vitesse d'un point sur la corde en deux temps différents

Les dérivées partielles mixtes sont égales

Ce n'est pas accidentel si les estimations de $f_{xy}(1, 2)$ et de $f_{yx}(1, 2)$ sont égales dans l'exemple 2, car les mêmes valeurs de la fonction sont utilisées pour calculer chacune d'elles. Le fait que $f_{xy} = f_{yx}$ dans les exemples 1 et 2 corrobore le résultat général suivant.

Si f_{xy} et f_{yx} sont continus en (a, b), alors

$$f_{xy}(a, b) = f_{yx}(a, b).$$

La plupart des fonctions qu'on rencontre n'ont pas que f_{xy} et f_{yx} qui sont continus ; toutes leurs dérivées partielles d'ordre plus élevé (telles que f_{xxy} ou f_{xyyy}) existeront et seront continues. On dit que ces fonctions sont *lisses*.

Problèmes de la section 3.7 ═══════════════════════════

Pour les problèmes 1 à 8, calculez les quatre dérivées partielles de second ordre et montrez que $f_{xy} = f_{yx}$. Supposez que les variables sont limitées à un domaine sur lequel la fonction est définie.

1. $f(x, y) = (x + y)^2$

2. $f(x, y) = (x + y)^3$

3. $f(x, y) = xe^y$

4. $f(x, y) = (x + y)e^y$

5. $f(x, y) = \sin(x^2 + y^2)$

6. $f(x, y) = \sqrt{x^2 + y^2}$

7. $f(x, y) = \sin(x/y)$

8. $f(x, y) = \tan^{-1}(x + y)$

9. Si $z = f(x) + yg(x)$, que pouvez-vous dire au sujet de z_{yy} ? Justifiez votre réponse.

10. Si $z_{xy} = 4y$, que pouvez-vous dire au sujet de la valeur de

a) z_{yx} ?

b) z_{xyx} ?

c) z_{xyy} ?

Pour les problèmes 11 à 19, utilisez les courbes de niveau de la fonction $z = f(x, y)$ pour déterminer le signe (positif, négatif ou nul) de chacune des dérivées partielles suivantes au point P. Supposez que les axes des x et des y sont dans les positions habituelles.

a) $f_x(P)$ b) $f_y(P)$ c) $f_{xx}(P)$ d) $f_{yy}(P)$ e) $f_{xy}(P)$

11.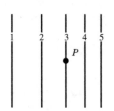

12.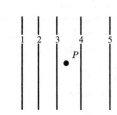

13.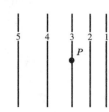

14.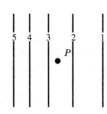

15.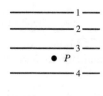

16.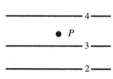

17.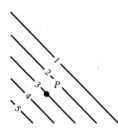

18.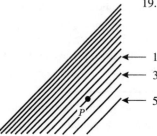

19.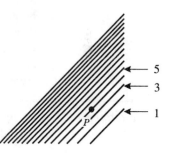

20. Expliquez la raison pour laquelle vous pourriez vous attendre à ce que $f_{xy}(a, b) = f_{yx}(a, b)$ en suivant les étapes ci-après.

a) Écrivez une définition de $f_x(a, b)$.

b) Écrivez une définition de $f_{xy}(a, b)$ comme étant $(f_x)_y$.

c) Substituez l'expression pour f_x dans la définition de f_{xy}.

d) Écrivez une expression pour f_{yx} semblable à celle que vous avez obtenue à la partie c) pour f_{xy}.

e) Comparez vos réponses aux parties c) et d). Que devez-vous supposer pour conclure que f_{xy} et f_{yx} sont égaux ?

3.8 LES ÉQUATIONS AUX DÉRIVÉES PARTIELLES

La circulation de la chaleur

On imagine une pièce chauffée par une chaufferette installée le long d'un mur. Que se passe-t-il lorsqu'on ouvre une fenêtre sur le mur opposé quand il fait froid à l'extérieur ? La température de la pièce commence à chuter très rapidement près de la fenêtre et plus lentement près de la chaufferette, puis elle finit par se stabiliser. La température $T = u(x, t)$ en n'importe quel point dans la pièce est fonction de la distance x (en mètres) à partir du mur chauffé et du temps t (en minutes) à partir du moment où la fenêtre a été ouverte. La figure 3.55 montre à quoi ressemblerait la température T en fonction de x pour différentes valeurs de t.

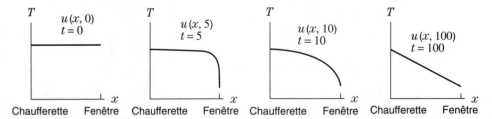

Figure 3.55 : Manière dont la température d'une pièce dépend de la distance par rapport à la chaufferette à quatre moments différents après que la fenêtre a été ouverte

La loi sur le refroidissement de Newton

La circulation de la chaleur entre deux points est gouvernée par la loi sur le refroidissement de Newton, laquelle énonce que le taux de circulation de la chaleur passé le point x au temps t est proportionnel à la dérivée partielle $u_x(x, t)$. Cela est logique, puisque $u_x(x, t)$ mesure le taux de variation de u par rapport à x en un temps fixe t. En d'autres mots, la loi énonce que plus le gradient de température est élevé, plus le taux de circulation de la chaleur l'est. La température dans une partie de la pièce est croissante si la chaleur qui y entre est plus élevée que la chaleur qui en sort.

Exemple 1   La figure 3.56 montre la température $T = u(x, t)$ à un temps fixe t. Utilisez la loi sur le refroidissement de Newton pour déterminer si la température est croissante ou décroissante :

a) au point p ;   b)   au point q.

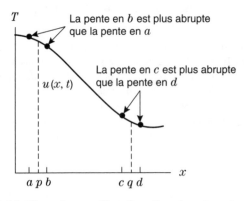

Figure 3.56 : Température T en fonction de x à un temps fixe t

Solution a) Il faut déterminer si la petite région $a < x < b$ qui contient p perd ou gagne de la chaleur (voir la figure 3.56). Puisque la chaleur circule entre les régions plus chaudes et plus froides, elle se promène de gauche à droite sur le graphe. En d'autres mots, la chaleur circule vers le bas sur un graphe de la température. Selon la loi sur le refroidissement de Newton, plus la pente est abrupte, $u_x(x, t)$, plus le taux de circulation de la chaleur est élevé. La chaleur entre dans une région $a < x < b$ au point a et elle circule vers l'extérieur en b. La circulation vers l'extérieur est supérieure à la circulation vers l'intérieur, car la droite tangente en b est plus abrupte que la droite tangente en a. Par conséquent, la région $a < x < b$ perd de la chaleur et sa température diminue. Ainsi, $u_t(p, t) < 0$.

b) La chaleur entre dans une petite région $c < x < d$ au point c et circule vers l'extérieur en d, car les pentes $u_x(c, t)$ et $u_x(d, t)$ sont négatives. Cependant, la droite tangente en c est plus raide que la droite tangente en d. Donc, selon la loi sur le refroidissement de Newton, la circulation vers l'intérieur est supérieure à la circulation vers l'extérieur. Ainsi, la région $c < x < d$ gagne de l'énergie et sa température est donc croissante. Par conséquent, $u_t(q, t) > 0$.

L'équation de la chaleur

L'exemple 1 montre que, pour un t fixe, le signe de u_t est déterminé par la concavité du graphe de $u(x, t)$. En $x = p$, on a trouvé que $u_t(p, t) < 0$ et que le graphe de u est concave vers le haut, donc $u_{xx}(p, t) < 0$. Au point q, on a $u_t(q, t) > 0$ et $u_{xx}(q, t) > 0$. En fait, les deux dérivées u_t et u_{xx} ont toujours le même signe. Dans bon nombre de situations, les deux dérivées u_t et u_{xx} sont en fait proportionnelles. Donc, la fonction $u(x, t)$ satisfait à l'équation suivante :

Équation de la chaleur (ou de la diffusion) à une dimension

$$u_t(x, t) = A\, u_{xx}(x, t), \qquad \text{où } A \text{ est une constante positive.}$$

L'équation de la chaleur est un exemple d'*équation aux dérivées partielles* (EDP), autrement dit, une équation comportant une ou plusieurs dérivées partielles d'une fonction inconnue.

Exemple 2   Parmi les deux fonctions suivantes, laquelle satisfait à l'équation de la chaleur $u_t = u_{xx}$?
a) $u(x, t) = e^{-4t}\sin(2x)$ b) $u(x, t) = \sin(x + t)$

Solution a) Le calcul des dérivées partielles de la fonction u donne

$$u_t = -4e^{-4t}\sin(2x), \quad u_x = 2e^{-4t}\cos(2x), \quad u_{xx} = -4e^{-4t}\sin(2x),$$

et donc $u_t = u_{xx}$. Ainsi, $u(x, t) = e^{-4t}\sin(2x)$ est une solution.

b) On a

$$u_t = \cos(x + t), \quad u_x = \cos(x + t), \quad u_{xx} = -\sin(x + t),$$

et donc $u_t \neq u_{xx}$. Par conséquent, $u(x, t) = \sin(x + t)$ n'est pas une solution.

Exemple 3   Une tige de métal de 10 cm est isolée de telle sorte que la chaleur peut circuler le long de la tige mais ne peut se répandre dans l'air, sauf aux extrémités. La température T (en degrés Celsius) à x cm d'une extrémité et au temps t s est une fonction $T = u(x, t)$ qui satisfait à l'équation de la chaleur $u_t(x, t) = 0{,}1\ u_{xx}(x, t)$. La température initiale en plusieurs points est donnée dans le tableau 3.6.

TABLEAU 3.6   *Température de la tige de métal au temps $t = 0$*

x (cm)	0	2	4	6	8	10
$u(x, 0)$ (°C)	50	52	56	62	70	80

a) La température au point $x = 6$ est-elle croissante ou décroissante quand $t = 0$?

b) Donnez une estimation de la température $T = u(6, 1)$ au point $x = 6$ et au temps $t = 1$.

Solution   a) Le graphe de $u(x, 0)$ à la figure 3.57 suggère que $u(x, 0)$ est concave vers le haut, donc $u_{xx}(6, 0) > 0$. Puisque $u_t(6, 0) = 0{,}1\ u_{xx}(6, 0)$, on a également $u_t(6, 0) > 0$. Puisque $u_t(6, 0)$ donne le taux de variation de la température en $x = 6$ par rapport au temps, le fait qu'il soit positif indique que la température en $x = 6$ augmente. On aurait pu deviner cela à partir du fait que la température (62 °C) en $x = 6$ est inférieure à la moyenne $(56 + 70)/2 = 63$ °C des températures des points avoisinants.

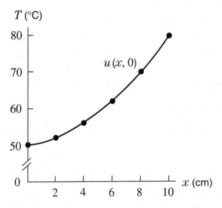

Figure 3.57 : Température $T = u(x, 0)$ au temps $t = 0$

b) Pour prédire la température en $t = 1$ à partir de la température en $t = 0$, il faut d'abord estimer le taux de variation de la température par rapport au temps $u_t(6, 0)$. Puisque $u_t(6, 0) = 0{,}1\ u_{xx}(6, 0)$, on estime $u_{xx}(6, 0)$. Étant donné que $u_{xx}(6, 0)$ est le taux de variation de $u_x(x, 0)$, on doit d'abord estimer u_x en deux points près de $x = 6$:

$$u_x(5, 0) \approx \frac{u(6, 0) - u(4, 0)}{6 - 4} = \frac{62 - 56}{2} = 3 \quad \text{et} \quad u_x(7, 0) \approx \frac{u(8, 0) - u(6, 0)}{8 - 6} = 4.$$

Par conséquent,

$$u_{xx}(6, 0) \approx \frac{u_x(7, 0) - u_x(5, 0)}{7 - 5} \approx \frac{4 - 3}{2} = 0{,}5.$$

Ainsi,

$$u_t(6, 0) \approx 0{,}1\ u_{xx}(6, 0) \approx (0{,}1)(0{,}5) = 0{,}05 \text{ °C/s}.$$

Puisque la température initiale est de 62 °C et qu'on estime que la température augmente de 0,05 °C/s, la température en $t = 1$ est d'environ 62,05 °C.

Avertissement

Il est généralement difficile d'obtenir des approximations numériques précises pour les solutions aux EDP. L'exemple 3 montre qu'on peut extraire des informations quantitatives d'une EDP, mais que cela ne constitue pas une manière pratique d'obtenir des approximations précises pour les solutions.

Les conditions limites

L'équation de la chaleur $u_t = Au_{xx}$ a plusieurs solutions. Tout comme on avait besoin de conditions initiales afin d'obtenir une solution unique pour une équation différentielle ordinaire, on a besoin de plus d'informations afin de choisir une seule solution pour une EDP. Dans le cas de la pièce chauffée, par exemple, il faudrait connaître la température de la pièce quand la fenêtre a été ouverte, la température extérieure en tout temps et la température à proximité de la chaufferette (ce qui précise l'effet de la chaufferette). Ces renseignements sont appelés les *conditions limites*. Les problèmes 10, 14, 15 et 18 de la présente section montrent la manière d'utiliser les conditions limites.

Une vague qui voyage

Songez à une bouteille qui flotte sur l'eau, qui monte et descend lorsque les vagues déferlent. Le mouvement de la bouteille dépend de la forme et de la vitesse horizontale de la vague ; on analyse une EDP qui décrit ce mouvement.

Exemple 4   On suppose que la hauteur y de la mer (et donc de la bouteille qui flotte) au-dessus de la normale au temps t s et à une distance de x m du point de référence est donnée par la fonction $y = u(x, t)$, qui est tracée en $t = 0$ à la figure 3.58. Supposez que la vague se déplace dans la direction positive de l'axe des x.

a) Déterminez si les dérivées partielles $u_x(x, 0)$ et $u_t(x, 0)$ sont positives ou négatives aux points ci-après.   1. $x = p$ 2. $x = q$ 3. $x = r$

b) Est-ce que $u_t(r, 0)$ serait supérieur ou inférieur si la vague voyageait plus rapidement ?

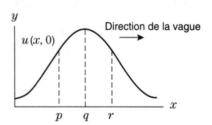

Figure 3. 58 : Hauteur de la vague en $t = 0$; vague se déplaçant vers la droite

Solution   a)   1.   La dérivée partielle $u_x(p, 0)$ donne la pente de la droite tangente au graphe de $u(x, 0)$ en $x = p$. À partir de la figure 3.58, on peut clairement constater que la pente est positive, donc $u_x(p, 0) > 0$. Par ailleurs, $u_t(p, 0)$ est égal à la vitesse verticale de la bouteille au point $x = p$ et au temps $t = 0$. Puisque la crête de la vague est passée, la bouteille descend, donc la vitesse est négative. Par conséquent, $u_t(p, 0) < 0$.

          2.   On a $u_x(q, 0) = 0$, car la tangente de la vague en $x = q$ et en $t = 0$ est horizontale et a une pente nulle. Une bouteille en $x = q$ et en $t = 0$ se trouve exactement à la crête de la vague, momentanément arrêtée avec une vitesse nulle. Ainsi, $u_t(q, 0) = 0$.

          3.   En $t = 0$, le point r se trouve du côté arrière de la vague, donc $u_x(r, 0) < 0$. Une bouteille en $x = r$ monterait en $t = 0$, donc $u_t(r, 0) > 0$.

b) Si la vague se déplaçait plus rapidement, alors la bouteille qui flotte monterait et descendrait plus rapidement. Donc, la vitesse positive $u_t(r, 0)$ serait supérieure à celle de la vague initiale, qui est plus lente.

L'équation de la vague qui voyage

Noter que, dans l'exemple 4, les dérivées $u_x(x, 0)$ et $u_t(x, 0)$ ont des signes opposés et sont toutes les deux nulles pour tout x. Cela laisse entendre que les deux fonctions dérivées u_x et u_t peuvent être reliées.

Pour analyser cette question plus en profondeur, on suppose que la vague se déplace vers la droite à une vitesse c et que ses positions en deux temps avoisinants t et $t + \Delta t$ sont présentées à la figure 3.59. Si Δt est suffisamment petit, la pente du graphe en B, $u_x(p, t)$, est bien

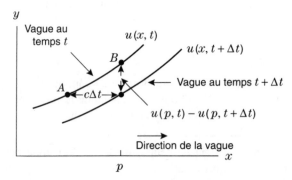

Figure 3.59 : Vague qui voyage se déplaçant vers la droite à la vitesse c :
la vague en deux temps avoisinants

approchée par la pente de la droite sécante entre les points A et B. Noter que, durant l'intervalle temporel Δt, la vague se déplace horizontalement d'une distance de $c\Delta t$ (puisque la distance = vitesse $\cdot$ temps). Ainsi, on a

$$u_x(p, t) = \text{Pente de la tangente en } B \approx \text{Pente de la sécante entre } A \text{ et } B$$

$$= \frac{u(p, t) - u(p, t + \Delta t)}{c\Delta t}$$

$$= -\frac{1}{c}\frac{u(p, t + \Delta t) - u(p, t)}{\Delta t}$$

$$\approx -\frac{1}{c}u_t(p, t).$$

Par conséquent, $u(x, t)$ satisfait à l'EDP suivante :

L'équation de la vague qui voyage, si celle-ci se déplace dans la direction positive de l'axe des x à la vitesse c, se lit comme suit :

$$u_t(x, t) = -cu_x(x, t), \qquad \text{où } c \text{ est une constante positive.}$$

Une formule pour résoudre l'équation de la vague qui voyage

On suppose qu'une vague se déplace dans la direction positive de l'axe des x à une vitesse c et que la vague a la forme $y = f(x)$ au temps $t = 0$, ce qui signifie que $u(x, 0) = f(x)$. Au temps t, la vague s'est déplacée d'une distance de ct vers la droite. Donc, au temps t, la vague a la forme $y = f(x - ct)$. En d'autres mots :

> Une vague de forme $f(x)$ qui voyage à une vitesse c dans la direction positive de l'axe des x est représentée par
>
> $$u(x, t) = f(x - ct).$$

Exemple 5   a) Écrivez une formule pour la fonction $u(x, t)$ qui décrit une vague dont la forme au temps $t = 0$ est $y = \sin x$ et qui se déplace dans la direction positive de l'axe des x à une vitesse de 0,5.

b) Montrez que la fonction $u(x, t)$ trouvée à la partie a) satisfait à l'équation de la vague qui voyage.

c) Tracez les graphes de $u(x, t)$ par rapport à x pour $t = 0, 1, 2$.

Solution   a) Puisque le graphe de la vague demeure le même quand elle voyage, on sait que

$$u(x, t) = \sin(x - ct) = \sin(x - 0{,}5t).$$

b) Puisque $u_t(x, t) = -0{,}5 \cos(x, -0{,}5t)$ et que $u_x(x, t) = \cos(x - 0{,}5t)$, la fonction $u(x, t)$ satisfait à l'équation de la vague qui voyage avec $c = 0{,}5$:

$$u_t(x, t) = -0{,}5 u_x(x, t).$$

c) Les graphes se trouvent à la figure 3.60. Noter que le mouvement avant de la vague est clairement visible.

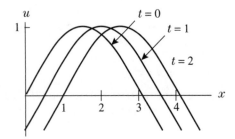

Figure 3.60 : Graphe de $u(x, t) = \sin(x - 0{,}5t)$ à trois temps

---

Une corde sous tension

Comment peut-on décrire le mouvement d'une corde qui vibre sous tension, comme une corde de guitare qu'on pince ? Soit $y = u(x, t)$ le déplacement à partir du point d'équilibre au temps t du point sur la corde situé à x unités d'une extrémité. On peut démontrer que u satisfait à l'équation suivante :

> **L'équation de la vague à une dimension :**
>
> $$u_{tt} = c^2 u_{xx}, \text{ où } c \text{ est une constante positive.}$$

On va voir ce que révèle cette équation. La fonction $u(x, t)$ décrit le mouvement d'une masse (la corde) sous l'influence d'une force (la tension). Ainsi, la deuxième loi du mouvement de Newton s'applique. Donc, on s'attend à une équation du type $F = ma$, où F est la force, m, la masse et a, l'accélération. Le terme $u_{tt}(x, t)$ de l'équation de la vague est l'accélération du point x au temps t. Le terme $u_{xx}(x, t)$ est étroitement relié à la force, car il mesure la concavité de la corde. Plus la concavité est grande, plus la force disponible pour revenir au point d'équilibre est grande, tout comme celle qui se dégage lorsqu'on tire une flèche avec un arc.

Problèmes de la section 3.8

1. Supposez que $u(x, t)$ est comme dans l'exemple 3.

   a) Utilisez le tableau 3.6 pour faire des estimations de $u(4, 1)$ et de $u(8, 1)$.
   b) Utilisez vos réponses à la partie a) et l'estimation de $u(6, 1)$ que vous avez trouvée à l'exemple 3 pour faire une estimation de $u(6, 2)$.

2. Tracez le graphe de $u(x, t) = 1 - (x - 2t)^2$ pour $t = 0, 1, 2$. Expliquez comment le graphe représente une vague qui voyage. Quelles sont la vitesse et la direction de la vague ?

3. On modélise maintenant la propagation d'une épidémie dans une région. Supposez que $I(x, y, t)$ représente la densité de gens malades par unité d'aire au point (x, y) dans le plan au temps t. Supposez que I satisfait à l'équation de diffusion

$$\frac{\partial I}{\partial t} = D\left(\frac{\partial^2 I}{\partial x^2} + \frac{\partial^2 I}{\partial y^2}\right),$$

   où D est une constante. Supposez que vous savez que, pour une épidémie donnée,

$$I = e^{ax + by + ct}.$$

   Que pouvez-vous dire au sujet de la relation entre a, b et c ?

4. Pour quelles valeurs des constantes a et b la fonction $u = (x + y)e^{ax + by}$ satisfait-elle à l'équation

$$\frac{\partial^2 u}{\partial x \partial y} - \frac{\partial u}{\partial x} - \frac{\partial u}{\partial y} + u = 0 \, ?$$

Montrez que les fonctions des problèmes 5 à 7 satisfont à l'équation de Laplace, soit $F_{xx} + F_{yy} = 0$.

5. $F(x, y) = e^{-x} \sin y$ 6. $F(x, y) = \arctan (y/x)$

7. $F(x, y) = e^x \sin y + e^y \sin x$

8. La fonction $f(x, t) = 0{,}003 \sin (\pi x) \sin (2765t)$ décrit la vibration d'une corde de guitare. Montrez qu'il s'agit d'une solution à l'équation de la vague $f_{tt} = c^2 f_{xx}$ pour un c quelconque. Quelle est la valeur de c ?

9. Supposez que f est une fonction différentiable d'une variable. Définissez V, une fonction de deux variables, par

$$V(x, t) = f(x + ct).$$

   Montrez que V satisfait à l'équation

$$\frac{\partial V}{\partial t} = c \frac{\partial V}{\partial x}.$$

10. Considérez l'équation de la vague si elle décrit une corde qui vibre

$$\frac{\partial^2 y}{\partial t^2} = a^2 \frac{\partial^2 y}{\partial x^2},$$

   où a est une constante et y est le déplacement de la corde en n'importe quel point x et en tout temps t. Écrivez les conditions limites pour une corde de longueur L qui vibre et dont

   a) les extrémités en $x = 0$ et en $x = L$ sont fixes ;
   b) la forme initiale est donnée par $f(x)$;

c) la distribution de la vitesse initiale est donnée par $g(x)$.

11. La figure 3.61 est le graphe de la température d'une tige de métal par rapport à sa position à un moment précis, où la température $T = u(x, t)$ satisfait à l'équation de la chaleur $u_t = u_{xx}$. Déterminez pour quel x la température augmente et pour lequel elle diminue. Utilisez cette information pour tracer un graphe de température à un moment légèrement ultérieur.

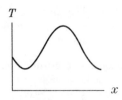

Figure 3.61

12. En n'importe quel point (x, y, z) à l'extérieur d'une masse sphériquement symétrique m située au point (x_0, y_0, z_0), le potentiel de gravité V est défini par $V = -Gm/r$, où r est la distance entre (x, y, z) et (x_0, y_0, z_0) et où G est une constante. Montrez que pour tous les points situés à l'extérieur de la masse, V satisfait à l'équation de Laplace

$$\frac{\partial^2 V}{\partial x^2} + \frac{\partial^2 V}{\partial y^2} + \frac{\partial^2 V}{\partial z^2} = 0.$$

13. Si $u(x, t) = e^{at} \sin(bx)$ satisfait à l'équation de la chaleur $u_t = u_{xx}$, trouvez la relation entre a et b.

14. En supposant que la solution de l'équation de la vague a la forme

$$y = F(x + 2t) + G(x - 2t),$$

trouvez une solution qui satisfait aux conditions limites

$$y(0, t) = y(5, t) = 0, \quad y(x, 0), \quad \left. \frac{\partial y}{\partial t} \right|_{t=0} = 5 \sin(\pi x), \quad 0 < x < 5, \quad t > 0.$$

15. a) On étudie la conduction de la chaleur dans une tige de métal de 1 m, $0 \le x \le 1$, dont les côtés sont isolés et dont les extrémités sont maintenues à 0 °C en tout temps, en les plongeant dans des bains de glace. Les conditions des extrémités de la tige représentent une condition limite sur les fonctions $u(x, t)$ qui pourraient décrire la température de la tige. Énoncez la condition limite sous forme de paire d'équations.

b) Déterminez toutes les valeurs possibles de a et de b telles que $u(x, t) = e^{at} \sin(bx)$ satisfait à l'EDP, $u_t = u_{xx}$, et aux conditions limites de la partie a).

16. a) Vérifiez que la fonction

$$u(x, t) = \frac{1}{\sqrt{\pi t}} e^{-x^2/(4t)}$$

satisfait à l'équation $u_t = u_{xx}$ pour $t > 0$ et tout x.

b) Tracez les graphes de $u(x, t)$ par rapport à x pour $t = 0{,}01$, $0{,}1$, 1, 10. Ces graphes représentent la température d'une tige isolée infiniment longue qui, en $t = 0$, est de 0 °C partout, sauf à l'origine $x = 0$, et qui est infiniment chaude en $t = 0$ à l'origine.

17. La température T d'une plaque de métal peut être décrite par une fonction $T = u(x, y, t)$ de trois variables, les variables à deux dimensions x et y, et la variable temporelle t. L'équation de la chaleur à deux dimensions est l'EDP

$$u_t = A(u_{xx} + u_{yy}), \text{ où } A \text{ est une constante positive.}$$

Trouvez les conditions portant sur a, b et c, telles que $u(x, y, t) = e^{-at} \sin(bx) \sin(cy)$ satisfait à cette EDP.

18. a) Vérifiez que $u(x, t) = \sin(ax) \sin(at)$ satisfait à l'équation de la vague $u_{tt} = u_{xx}$. Cette solution représente une vibration ayant la période $2\pi/a$, puisque $u(x, t + 2\pi/a) = u(x, t)$.

b) Supposez que vous souhaitez étudier les vibrations d'une corde de 1 m ayant des extrémités fixes (comme une corde de guitare), de telle sorte que $u(0, t) = 0$, $u(1, t) = 0$ pour tout t et $u_{tt} = u_{xx}$. La condition des extrémités est une condition limite. Trouvez tout $a > 0$, tel que $u(x, t) = \sin(ax) \sin(at)$ satisfait à l'EDP et à la condition limite. (Les musiciens savent, depuis l'époque de Pythagore du moins, que des cordes étirées peuvent vibrer seulement à des fréquences spéciales.)

19. Vous pouvez produire une vague qui voyage sur une corde sous tension en pinçant l'une de ses extrémités. Cela laisse entendre qu'il devrait exister des solutions de vagues qui voyagent pour l'équation de la vague.

a) Montrez que, si f est une fonction arbitraire, alors $u(x, t) = f(x - ct)$ est une solution de l'équation de la vague $u_{tt} = c^2 u_{xx}$.

b) Montrez que, si g est une fonction arbitraire, alors $u(x, t) = g(x + ct)$ est une solution de l'équation de la vague $u_{tt} = c^2 u_{xx}$.

c) Montrez que, si f et g sont des fonctions arbitraires, alors $u(x, t) = f(x - ct) + g(x + ct)$ est une solution de l'équation de la vague. (En fait, toutes les solutions de l'équation de la vague peuvent s'écrire sous cette forme, c'est-à-dire comme la somme d'une vague qui voyage vers l'avant et d'une vague qui voyage vers l'arrière.)

20. La vibration d'un objet à deux dimensions sous tension, comme la peau d'un tambour, est décrite par la fonction $u(x, y, t)$ de variables à deux dimensions x et y et d'une variable temporelle t. Une telle fonction satisfait souvent à l'équation de la vague à deux dimensions $u_{tt} = c^2(u_{xx} + u_{yy})$. Trouvez les conditions portant sur les constantes a, b et k, de telle sorte que $u(x, y, t) = \sin(ax) \sin(by) \sin(kt)$ satisfait à cette équation.

3.9   QUELQUES NOTES SUR LES APPROXIMATIONS DE TAYLOR

On obtient habituellement une meilleure approximation d'une fonction d'une variable au moyen d'une fonction quadratique plutôt que d'une fonction linéaire ; la même chose s'applique aux fonctions de plusieurs variables. Dans la section 3.3, on a vu comment calculer l'approximation de $f(x, y)$ à l'aide d'une fonction linéaire (sa linéarisation locale). Dans la présente section, on verra comment améliorer cette approximation de $f(x, y)$ en utilisant une fonction quadratique.

Les approximations linéaire et quadratique près de (0, 0)

Pour une fonction d'une variable, la linéarité locale indique que la meilleure approximation *linéaire* est le polynôme de Taylor de degré 1

$$f(x) \approx f(a) + f'(a)(x - a) \quad \text{pour } x \text{ près de } a.$$

Le polynôme de Taylor de degré 2 donne une meilleure approximation de $f(x)$:

$$f(x) \approx f(a) + f'(a)(x - a) + \frac{f''(a)}{2}(x - a)^2 \quad \text{pour } x \text{ près de } a.$$

Pour une fonction de deux variables, la linéarisation locale de (x, y) près de (a, b) est

$$f(x, y) \approx L(x, y) = f(a, b) + f_x(a, b)(x - a) + f_y(a, b)(y - b).$$

Dans le cas de $(a, b) = (0, 0)$, on a :

> **Polynôme de Taylor de degré 1 permettant d'approcher $f(x, y)$ pour (x, y) près de $(0, 0)$**
> Si f a des dérivées partielles continues de premier ordre, alors
> $$f(x, y) \approx L(x, y) = f(0, 0) + f_x(0, 0)x + f_y(0, 0)y.$$

On obtient une meilleure approximation de f en utilisant un polynôme quadratique. On choisit un polynôme quadratique $Q(x, y)$, qui a les mêmes dérivées partielles que la fonction originale f. On peut vérifier que le polynôme suivant a cette propriété.

Polynôme de Taylor de degré 2 permettant d'approcher $f(x, y)$ pour (x, y) près de $(0, 0)$

Si f a des dérivées partielles continues de second ordre, alors

$$f(x, y) \approx Q(x, y)$$

$$= f(0, 0) + f_x(0, 0)x + f_y(0, 0)y + \frac{f_{xx}(0, 0)}{2}x^2 + f_{xy}(0, 0)xy + \frac{f_{yy}(0, 0)}{2}y^2.$$

Exemple 1

Soit $f(x, y) = \cos(2x + y) + 3\sin(x + y)$.

a) Calculez les polynômes de Taylor linéaire et quadratique L et Q qui permettent d'approcher f près de $(0, 0)$.

b) Expliquez la raison pour laquelle les tracés des courbes de L et de Q pour $-1 \leq x \leq 1$, $-1 \leq y \leq 1$ ont cet aspect.

Solution

a) Soit $f(0, 0) = 1$. Les dérivées dont on a besoin sont les suivantes :

$$f_x(x, y) = -2\sin(2x + y) + 3\cos(x + y) \qquad \text{donc} \qquad f_x(0, 0) = 3,$$

$$f_y(x, y) = -\sin(2x + y) + 3\cos(x + y) \qquad \text{donc} \qquad f_y(0, 0) = 3,$$

$$f_{xx}(x, y) = -4\cos(2x + y) - 3\sin(x + y) \qquad \text{donc} \qquad f_{xx}(0, 0) = -4,$$

$$f_{xy}(x, y) = -2\cos(2x + y) - 3\sin(x + y) \qquad \text{donc} \qquad f_{xy}(0, 0) = -2,$$

$$f_{yy}(x, y) = -\cos(2x + y) - 3\sin(x + y) \qquad \text{donc} \qquad f_{yy}(0, 0) = -1.$$

Ainsi, l'approximation linéaire $L(x, y)$ de $f(x, y)$ en $(0, 0)$ est donnée par

$$f_x(x, y) \approx L(x + y) = f(0, 0) + f_x(0, 0)x + f_y(0, 0)y = 1 + 3x + 3y.$$

L'approximation quadratique $Q(x, y)$ de $f(x, y)$ près de $(0, 0)$ est donnée par

$$f(x, y) \approx Q(x, y)$$

$$= f(0, 0) + f_x(0, 0)x + f_y(0, 0)y + \frac{f_{xx}(0, 0)}{2}x^2 + f_{xy}(0, 0)xy + \frac{f_{yy}(0, 0)}{2}y^2$$

$$= 1 + 3x + 3y - 2x^2 - 2xy - \frac{1}{2}y^2.$$

Noter que les termes linéaires de $Q(x, y)$ sont les mêmes que les termes linéaires de $L(x, y)$. On peut considérer les termes quadratiques de $Q(x, y)$ comme des « termes de correction » de l'approximation linéaire.

b) Les figures 3.62 à 3.64 (page suivante) présentent les tracés des courbes de niveau de $f(x, y)$, de $L(x, y)$ et de $Q(x, y)$.

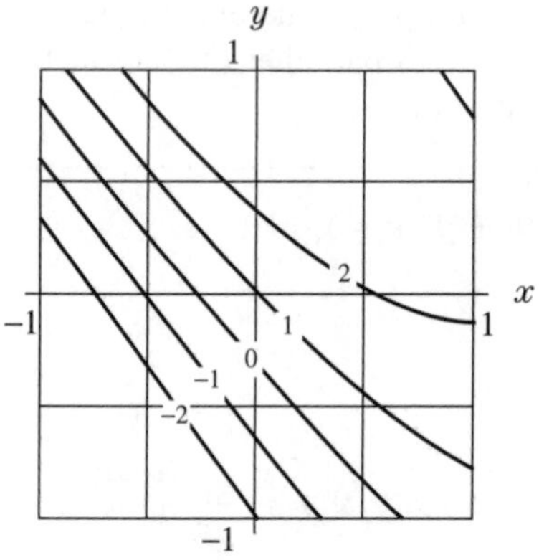

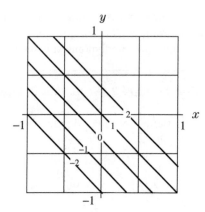

Figure 3.62 : Fonction
originale $f(x, y)$

Figure 3.63 : Approximation
linéaire $L(x, y)$

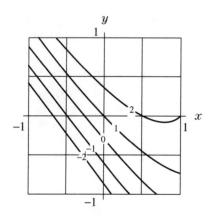

Figure 3.64 : Approximation
quadratique $Q(x, y)$

Noter que les tracés des courbes de niveau de Q sont plus similaires aux tracés des courbes de niveau de f que ceux des courbes de niveau de L. Puisque L est linéaire, les tracés des courbes de niveau de L sont constitués de droites parallèles, également espacées.

Pour trouver le polynôme de Taylor de l'exemple 1 de manière plus efficace et plus rapide, on peut utiliser les approximations d'une variable. Par exemple, puisque

$$\cos u = 1 - \frac{u^2}{2!} + \frac{u^4}{4!} - \dots \quad \text{et} \quad \sin v = v - \frac{v^3}{3!} + \dots,$$

on peut substituer $u = 2x + y$ et $v = x + y$ et en faire l'expansion. On élimine les termes au-delà du deuxième (puisqu'on recherche le polynôme quadratique) et on obtient

$$\cos(2x + y) = 1 - \frac{(2x + y)^2}{2!} + \frac{(2x + y)^4}{4!} - \dots \approx 1 - \frac{1}{2}(4x^2 + 4xy + y^2) = 1 - 2x^2 - 2xy - \frac{1}{2}y^2$$

et

$$\sin(x + y) = (x + y) - \frac{(x + y)^3}{3!} + \dots \approx x + y.$$

En combinant ces résultats, on a

$$\cos(2x + y) + 3\sin(x + y) \approx 1 - 2x^2 - 2xy - \frac{1}{2}y^2 + 3(x + y) = 1 + 3x + 3y - 2x^2 - 2xy - \frac{1}{2}y^2.$$

Les approximations linéaire et quadratique près de (a, b)

La linéarisation locale pour une fonction $f(x, y)$ au point (a, b) se présente comme suit :

> **Polynôme de Taylor de degré 1 permettant d'approcher $f(x, y)$ pour (x, y) près de (a, b)**
> Si f a des dérivées partielles continues de premier ordre, alors
> $$f(x, y) \approx L(x, y) = f(a, b) + f_x(a, b)(x - a) + f_y(a, b)(y - b).$$

Cela laisse entendre qu'on devrait écrire une approximation polynomiale quadratique $Q(x, y)$ pour $f(x, y)$ près d'un point (a, b) en fonction de $(x - a)$ et de $(y - b)$ plutôt que de

x et de y. S'il faut que $Q(a, b) = f(a, b)$ et que les dérivées partielles de premier et de second ordres de Q et de f en (a, b) soient égales, alors on obtient le polynôme suivant :

Polynôme de Taylor de degré 2 permettant d'approcher $f(x, y)$ pour (x, y) près de (a, b)

Si f a des dérivées partielles continues de second ordre, alors

$$f(x, y) \approx Q(x, y)$$
$$= f(a, b) + f_x(a, b)(x - a) + f_y(a, b)(y - b)$$
$$+ \frac{f_{xx}(a, b)}{2}(x - a)^2 + f_{xy}(a, b)(x - a)(y - b) + \frac{f_{yy}(a, b)}{2}(y - b)^2.$$

On établit ces coefficients exactement de la même manière que pour $(a, b) = (0, 0)$.

Exemple 2   Trouvez le polynôme de Taylor de degré 2 au point $(1, 2)$ pour la fonction $f(x, y) = \dfrac{1}{xy}$.

Solution   Le tableau 3.7 contient les dérivées partielles et leurs valeurs au point $(1, 2)$.

TABLEAU 3.7   *Dérivées partielles de $f(x, y) = 1/(xy)$*

Dérivée	Formule	Valeur en $(1, 2)$	Dérivée	Formule	Valeur en $(1, 2)$
$f(x, y)$	$1/(xy)$	$1/2$	$f_{xx}(x, y)$	$2/(x^3 y)$	1
$f_x(x, y)$	$-1/(x^2 y)$	$-1/2$	$f_{xy}(x, y)$	$1/(x^2 y^2)$	$1/4$
$f_y(x, y)$	$-1/(xy^2)$	$-1/4$	$f_{yy}(x, y)$	$2/(xy^3)$	$1/4$

Donc, le polynôme quadratique de Taylor pour f près de $(1, 2)$ est

$$\frac{1}{xy} \approx Q(x, y)$$

$$= \frac{1}{2} - \frac{1}{2}(x - 1) - \frac{1}{4}(y - 2) + \frac{1}{2}(1)(x - 1)^2 + \frac{1}{4}(x - 1)(y - 2) + \left(\frac{1}{2}\right)\left(\frac{1}{4}\right)(y - 2)^2$$

$$= \frac{1}{2} - \frac{x - 1}{2} - \frac{y - 2}{4} + \frac{(x - 1)^2}{2} + \frac{(x - 1)(y - 2)}{4} + \frac{(y - 2)^2}{8}.$$

L'erreur dans les approximations linéaire et quadratique

On retourne à la fonction $f(x, y) = \cos(2x + y) + \sin(x + y)$ et à ses approximations linéaire et quadratique $L(x, y)$ et $Q(x, y)$. Les tracés des courbes de niveau de l'exemple 1 constituent la preuve que Q est une meilleure approximation de f que L. On examine maintenant à quel point elle est meilleure.

On commence par considérer les approximations autour du point $(0, 0)$. On définit *l'erreur* dans l'approximation linéaire comme étant la différence

$$E_L = f(x, y) - L(x, y).$$

L'erreur dans l'approximation quadratique est définie de manière semblable par

$$E_Q = f(x, y) - Q(x, y).$$

Le tableau 3.8 montre comment l'ampleur de ces erreurs, soit $|E_L|$ et $|E_Q|$, dépend de la distance $d(x, y) = \sqrt{x^2 + y^2}$ du point (x, y) à partir de $(0, 0)$. Les valeurs du tableau 3.8 suggèrent que, dans cet exemple,

$$E_L \text{ est proportionnel à } d^2 \quad \text{et} \quad E_Q \text{ est proportionnel à } d^3.$$

En général, on peut démontrer que les erreurs E_L et E_Q sont proportionnelles à d^2 et à d^3, respectivement.

TABLEAU 3.8   *Ampleur de l'erreur dans les approximations*
linéaire et quadratique de $f(x, y) = \cos(2x + y) + \sin(x + y)$

Point (x, y)	Distance d	Erreur $|E_L|$	Erreur $|E_Q|$
$x = y = 0$	0	0	0
$x = y = 10^{-1}$	$1,4 \cdot 10^{-1}$	$5 \cdot 10^{-2}$	$4 \cdot 10^{-3}$
$x = y = 10^{-2}$	$1,4 \cdot 10^{-2}$	$5 \cdot 10^{-4}$	$4 \cdot 10^{-6}$
$x = y = 10^{-3}$	$1,4 \cdot 10^{-3}$	$5 \cdot 10^{-6}$	$4 \cdot 10^{-9}$
$x = y = 10^{-4}$	$1,4 \cdot 10^{-4}$	$5 \cdot 10^{-8}$	$4 \cdot 10^{-12}$

Pour utiliser concrètement ces erreurs, il faut avoir des bornes sur leur ampleur. Si la distance entre (x, y) et (a, b) est représentée par $d(x, y) = \sqrt{(x - a)^2 + (y - b)^2}$, on peut démontrer que les résultats suivants s'appliquent :

Borne d'erreur pour l'approximation linéaire

On suppose que $f(x, y)$ est une fonction ayant des dérivées partielles continues de second ordre, de telle sorte que pour $d(x, y) \le d_0$,

$$|f_{xx}|, |f_{xy}|, |f_{yy}| \le M_L.$$

On suppose que

$$f(x, y) = L(x, y) + E_L(x, y)$$
$$= f(a, b) + f_x(a, b)(x - a) + f_y(a, b)(y - b) + E_L(x, y).$$

Alors, on a

$$|E_L(x, y)| \le 2M_L d(x, y)^2 \quad \text{pour } d(x, y) \le d_0.$$

Noter que le majorant pour le terme de l'erreur $E_L(x, y)$ a une forme qui rappelle celle du terme de second ordre de la formule de Taylor pour $f(x, y)$.

Borne d'erreur pour l'approximation quadratique

On suppose que $f(x, y)$ est une fonction ayant des dérivées partielles continues de troisième ordre, de telle sorte que pour $d(x, y) \le d_0$,

$$|f_{xxx}|, |f_{xxy}|, |f_{xyy}|, |f_{yyy}| \le M_Q.$$

On suppose que

$$f(x, y) = Q(x, y) + E_Q(x, y)$$

$$= f(a, b) + f_x(a, b)(x - a) + f_y(a, b)(y - b)$$

$$+ \frac{f_{xx}(a, b)}{2}(x - a)^2 + f_{xy}(a, b)(x - a)(y - b) + \frac{f_{yy}(a, b)}{2}(y - b)^2 + E_Q(x, y).$$

Alors on a

$$|E_Q(x, y)| \leq \frac{4}{3} M_Q d(x, y)^3 \quad \text{pour} \quad d(x, y) \leq d_0.$$

Le problème 20 montre comment on obtient ces estimations d'erreur et les coefficients (2 et 4/3). La chose importante à remarquer est le fait que, pour un petit d, l'ampleur de E_L est beaucoup plus petite que celle de d, et l'ampleur de E_Q est beaucoup plus petite que celle de d^2. En d'autres mots, on a le résultat suivant :

Quand $d(x, y) \to 0$,

$$\frac{E_L(x, y)}{d(x, y)} \to 0 \quad \text{et} \quad \frac{E_Q(x, y)}{(d(x, y))^2} \to 0.$$

Cela signifie que, près du point (a, b), on peut considérer que la fonction originale et l'approximation sont indiscernables et qu'elles se comportent de la même manière.

Exemple 3   Supposez que le polynôme de Taylor de degré 2 pour f en $(0, 0)$ est $Q(x, y) = 5x^2 + 3y^2$. Supposez également qu'on vous dit que

$$|f_{xxx}|, |f_{xxy}|, |f_{xyy}|, |f_{yyy}| \leq 9.$$

Notez que $Q(x, y) > 0$ pour tout (x, y), sauf $(0, 0)$. Montrez que, sauf en $(0, 0)$, on a

$$f(x, y) > 0 \quad \text{pour tout } (x, y), \text{ de sorte que } \sqrt{x^2 + y^2} = d < 0{,}25.$$

Solution   Selon la borne d'erreur pour le polynôme de Taylor de degré 2, on a

$$|E_Q(x, y)| = |f(x, y) - Q(x, y)| \leq \frac{4}{3}(9)d^3 = 12d^3$$

qu'on peut écrire

$$-12d^3 \leq f(x, y) - Q(x, y) \leq 12d^3.$$

Par conséquent, on sait que

$$Q(x, y) - 12d^3 \leq f(x, y).$$

Puisque $Q(x, y) = 5x^2 + 3y^2$, on a

$$3x^2 + 5y^2 - 12d^3 \leq f(x, y).$$

Puisque $3x^2 + 5y^2 \geq 3x^2 + 3y^2 = 3d^2$, on a

$$3d^2 - 12d^3 \leq f(x, y).$$

Or, d^3 tend vers zéro plus rapidement que d^2. Donc, quand d est petit, on a

$$0 \leq 3d^2 - 12d^3 \leq f(x, y).$$

En réalité, en écrivant $3d^2 - 12d^3 = 3d^2(1 - 4d)$, on voit que $d < 1/4$ fait en sorte que $f(x, y) > 0$, sauf en $(0, 0)$, où $f = 0$. Par conséquent, f a le même signe que Q pour des points situés près de $(0, 0)$.

Problèmes de la section 3.9

Trouvez les polynômes quadratiques de Taylor autour de $(0, 0)$ pour les fonctions des problèmes 1 à 3.

1. $e^{-2x^2 - y^2}$
2. $\sin 2x + \cos y$
3. $\ln(1 + x^2 - y)$

Pour chacune des fonctions des problèmes 4 à 11, trouvez les approximations linéaire et quadratique valables près de $(1, 1)$. Comparez les valeurs des approximations en $(1,1, 1,1)$ à la valeur exacte de la fonction.

4. $z = xe^y$
5. $z = (x + y)e^y$
6. $z = \sin(x^2 + y^2)$

7. $z = \sqrt{x^2 + y^2}$
8. $z = \arctan(x + y)$
9. $z = \dfrac{xe^y}{x + y}$

10. $z = \sin(x/y)$
11. $z = \arctan(x/y)$

12. Soit $f(x, y) = \sqrt{x + 2y + 1}$.

   a) Calculez la linéarisation locale de f en $(0, 0)$.
   b) Calculez le polynôme de Taylor de degré 2 pour f en $(0, 0)$.
   c) Comparez les valeurs des approximations linéaire et quadratique de la partie a) et de la partie b) aux valeurs réelles de $f(x, y)$ aux points $(0,1, 0,1)$, $(-0,1, 0,1)$, $(0,1, -0,1)$ et $(-0,1, -0,1)$. Quelle est l'approximation qui donne les valeurs les plus proches ?

13. À l'aide d'un ordinateur et en vous référant à votre réponse au problème 12, dessinez six diagrammes des courbes de niveau de $f(x, y) = \sqrt{x + 2y + 1}$ et leurs approximations linéaire et quadratique $L(x, y)$ et $Q(x, y)$ dans les deux fenêtres $[-0,6 ; 0,6] \times [-0,6 ; 0,6]$ et $[-2, 2] \times [-2, 2]$. Expliquez la forme des courbes, leur espacement et la relation entre les courbes de f, de L et de Q.

14. La figure 3.65 montre les courbes de niveau d'une fonction $f(x, y)$ autour d'un maximum ou d'un minimum M. Soit les points P et Q ; l'un a les coordonnées (x_1, y_1), et l'autre a les coordonnées (x_2, y_2). Supposez que $b > 0$ et que $c > 0$. Considérez les deux approximations linéaires de f données par

$$f(x, y) \approx a + b(x - x_1) + c(y - y_1)$$
$$f(x, y) \approx k + m(x - x_2) + n(y - y_2).$$

   a) Quelle est la relation entre les valeurs de a et de k ?
   b) Quelles sont les coordonnées de P ?
   c) M est-il un maximum ou un minimum ?
   d) Que pouvez-vous dire au sujet des signes des constantes m et n ?

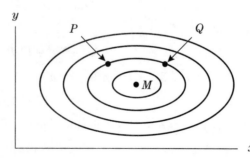

15. Considérez la fonction $f(x, y) = (\sin x)(\sin y)$.

   a) Trouvez les polynômes de Taylor de degré 2 de f autour des points $(0, 0)$ et $(\pi/2, \pi/2)$.
   b) Utilisez les polynômes de Taylor pour tracer les courbes de f à proximité de chacun des points $(0, 0)$ et $(\pi/2, \pi/2)$.

Pour les problèmes 16 à 19 :

   a) Trouvez la linéarisation locale $L(x, y)$ de la fonction $f(x, y)$ à l'origine. Estimez l'erreur $E_L(x, y) = f(x, y) - L(x, y)$ si $|x| \leq 0{,}1$ et $|y| \leq 0{,}1$.
   b) Trouvez le polynôme de Taylor de degré 2 $Q(x, y)$ pour la fonction $f(x, y)$ à l'origine. Estimez l'erreur $E_Q(x, y) = f(x, y) - Q(x, y)$ si $|x| \leq 0{,}1$ et $|y| \leq 0{,}1$.
   c) Utilisez une calculatrice pour calculer exactement $f(0{,}1, 0{,}1)$ et les erreurs $E_L(0{,}1, 01)$ et $E_Q(0{,}1, 0{,}1)$. Comment ces valeurs se comparent-elles aux erreurs prévues dans les parties a) et b) ?

16. $f(x, y) = (\cos x)(\cos y)$ 17. $f(x, y) = (e^x - x)\cos y$

18. $f(x, y) = e^{x+y}$ 19. $f(x, y) = (x^2 + y^2)e^{x+y}$

20. On sait que si les dérivées d'une fonction d'une variable $g(t)$ satisfont à

$$|g^{(n+1)}(t)| \leq K \quad \text{pour } |t| \leq d_0,$$

alors l'erreur E_n dans la n-ième approximation de Taylor $P_n(x)$ est bornée comme suit :

$$|E_n| = |g(t) - P_n(t)| \leq \frac{K}{(n+1)!}|t|^{n+1} \quad \text{pour } |t| \leq d_0.$$

Dans ce problème, on utilise ce résultat de $g(t)$ pour obtenir les bornes d'erreur pour les approximations linéaire et quadratique de Taylor de $f(x, y)$. Pour une fonction donnée $f(x, y)$, soit $x = ht$ et $y = kt$ pour un h et un k fixes, et $g(t)$ est défini comme suit :

$$g(t) = f(ht, kt) \text{ pour } 0 \leq t \leq 1.$$

   a) Calculez $g'(t)$, $g''(t)$ et $g'''(t)$ en utilisant la règle de la dérivée en chaîne.
   b) Montrez que $L(ht, kt) = P_1(t)$ et que $Q(ht, kt) = P_2(t)$, où L est l'approximation linéaire de f en $(0, 0)$ et Q est le polynôme de Taylor de degré 2 pour f en $(0, 0)$.
   c) Quelle est la relation entre $E_L = f(x, y) - L(x, y)$ et E_1 ? Quelle est la relation entre $E_Q = f(x, y) - Q(x, y)$ et E_2 ?
   d) En supposant que les dérivées partielles de second et de troisième ordres de f sont bornées pour $d(x, y) \leq d_0$, montrez que $|E_L|$ et $|E_Q|$ sont bornés comme dans les encadrés, à la fin de la présente section.

3.10 LA DIFFÉRENTIABILITÉ

Quelques notes sur la différentiabilité

Dans la section 3.3, on a présenté une introduction informelle à la notion de différentiabilité. On a qualifié une fonction $f(x, y)$ de *différentiable* en un point (a, b) si une fonction linéaire près de (a, b) calculait bien son approximation. Dans la présente section, on se concentre sur la signification des termes *bonne approximation*. En analysant des exemples, on verra que la linéarité locale exige des dérivées partielles, mais que ces dernières ne révèlent pas toutes les informations nécessaires. Notamment, l'existence de dérivées partielles en un point ne suffit pas à assurer la linéarité locale en ce point.

On discute d'abord de la relation qui existe entre la continuité et la différentiabilité. À titre d'illustration, on prend une feuille de papier, on la chiffonne puis on la déplie. Là où il y a des plis, il serait difficile de calculer l'approximation de la surface à l'aide d'un plan — il s'agit de points de non-différentiabilité de la fonction qui donnent la hauteur de la feuille de papier au-dessus du sol. Pourtant, la feuille de papier modélise un graphe qui est continu — il n'y a pas de rupture. Comme pour le cas du calcul d'une variable, la continuité ne suppose pas la diffé-rentiabilité. Cependant, la différentiabilité *exige* la continuité ; il ne peut y avoir d'approxima-tions linéaires d'une surface en des points où il y a des variations abruptes de la hauteur.

En partant de la définition de la différentiabilité pour des fonctions d'une variable, on élabore la définition de la différentiabilité pour les fonctions de deux variables.

La différentiabilité des fonctions d'une variable

On se rappellera que la fonction $g(x)$ est *différentiable* au point a si la limite

$$g'(a) = \lim_{h \to 0} \frac{g(a + h) - g(a)}{h}$$

existe. Géométriquement, la définition signifie qu'on peut bien mesurer l'approximation du graphe de $y = g(x)$ à l'aide de la droite $y = L(x) = g(a) + g'(a)(x - a)$. À quel point cette droite doit-elle bien calculer l'approximation de la fonction $g(x)$ près du point avant qu'on puisse dire que g est différentiable en a ? Pour répondre à cette question, on suppose que g est diffé-rentiable en a et que $E(x)$ est l'erreur entre la fonction $g(x)$ et la droite $L(x)$, de telle sorte que

$$E(x) = g(x) - L(x)$$
$$= g(x) - g(a) - g'(a)(x - a).$$

Cela signifie que, au point $x = a + h$ près de a, l'erreur $E(x)$ est donnée par

$$E(a + h) = g(a + h) - g(a) - g'(a)h.$$

On suppose que l'on considère l'*erreur relative* $E(a + h)/h$. On a

$$\frac{E(a + h)}{h} = \frac{g(a + h) - g(a)}{h} - g'(a).$$

Par conséquent, dans la limite $h \to 0$, on a

$$\lim_{h \to 0} \frac{E(a + h)}{h} = \lim_{h \to 0} \frac{g(a + h) - g(a)}{h} - g'(a).$$

Selon la définition de la dérivée, le membre de droite de la dernière équation est zéro.

Par conséquent, on voit que si f est différentiable, l'erreur relative tend vers zéro quand h tend vers zéro :

$$\lim_{h \to 0} \frac{E(a + h)}{h} = 0.$$

Dans ce cas, les termes *bonne approximation* signifieront que cette limite est nulle. On utilise cette notion pour donner à la différentiabilité une nouvelle définition qu'on peut généra-liser aux fonctions de plusieurs variables.

Une fonction $g(x)$ est **différentiable au point** a s'il y a une fonction linéaire $L(x) = g(a) + m(x - a)$ telle que si l'*erreur* $E(x)$ est définie par

$$g(x) = L(x) + E(x)$$

et si $h = x - a$, alors l'*erreur relative* $E(a + h)/h$ satisfait à

$$\lim_{h \to 0} \frac{E(a + h)}{h} = 0.$$

La fonction $L(x)$ s'appelle la *linéarisation locale* de $g(x)$ près de a. La fonction g est *différentiable* si elle est différentiable en chaque point de son domaine.

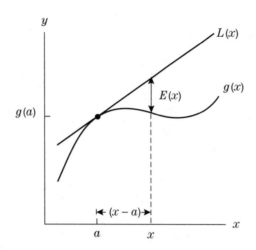

Figure 3.66 : Graphe de la fonction $y = g(x)$ et de
sa linéarisation locale $y = L(x)$ près du point a

Cette nouvelle définition révèle que le rapport $E(x)/(x-a)$ de la figure 3.66, soit l'erreur divisée par la distance à partir du point a, tend vers zéro quand $x \to a$. De plus, on peut démontrer qu'il faut obtenir $m = g'(a)$.

La différentiabilité des fonctions de deux variables

Selon la définition de la différentiabilité utilisée ici, on définit la différentiabilité d'une fonction de deux variables en un point en fonction de l'erreur et de la distance à partir de ce point.

Si le point est (a, b) et que le point avoisinant est $(a + h, b + k)$, la distance est $\sqrt{h^2 + k^2}$ (voir la figure 3.67, page suivante).

Une fonction $f(x, y)$ est **différentiable au point** (a, b) s'il y a une fonction linéaire $L(x, y) = f(a, b) + m(x - a) + n(y - b)$ telle que si l'*erreur* $E(x, y)$ est définie par

$$f(x, y) = L(x, y) + E(x, y)$$

et si $h = x - a$ et $k = y - b$, alors l'*erreur relative* $E(a + h, b + k)/\sqrt{h^2 + k^2}$ satisfait à

$$\lim_{\substack{h \to 0 \\ k \to 0}} \frac{E(a + h, b + k)}{\sqrt{h^2 + k^2}} = 0.$$

La fonction f est **différentiable** si elle est différentiable en chaque point de son domaine. La fonction $L(x, y)$ s'appelle la *linéarisation locale* de $f(x, y)$ près de (a, b).

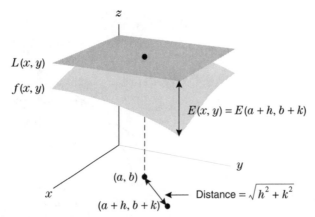

Figure 3.67 : Graphe de la fonction $z = f(x, y)$ et de sa linéarisation locale $z = L(x, y)$ près du point (a, b)

Les dérivées partielles et la différentiabilité

Dans l'exemple 1, on montre que la définition de la différentiabilité concorde avec la notion précédente — c'est-à-dire que $m = f_x$, que $n = f_y$ et que le graphe de $L(x, y)$ est le plan tangent.

Exemple 1   Montrez que si f est une fonction différentiable avec la linéarisation locale $L(x, y) = f(a, b) + m(x - a) + n(y - b)$, alors $m = f_x(a, b)$ et $n = f_y(a, b)$.

Solution   Puisque f est différentiable, on sait que l'erreur relative en $L(x, y)$ tend vers zéro quand on se rapproche de (a, b). On suppose que $h > 0$ et que $k = 0$. Alors, on sait que

$$0 = \lim_{h \to 0} \frac{E(a + h, b)}{\sqrt{h^2 + k^2}} = \lim_{h \to 0} \frac{E(a + h, b)}{h} = \lim_{h \to 0} \frac{f(a + h, b) - L(a + h, b)}{h}$$

$$= \lim_{h \to 0} \frac{f(a + h, b) - f(a, b) - mh}{h}$$

$$= \lim_{h \to 0} \left(\frac{f(a + h, b) - f(a, b)}{h} \right) - m = f_x(a, b) - m.$$

Un résultat similaire s'applique si $h < 0$, donc on a $m = f_x(a, b)$. Le résultat $n = f_y(a, b)$ s'obtient d'une manière semblable.

L'exemple 1 montre que si une fonction est différentiable en un point, elle a des dérivées partielles. Ainsi, si l'une des dérivées partielles n'existe pas, alors la fonction ne peut être différentiable. C'est ce qui se produit dans l'exemple 2.

Exemple 2   Considérez la fonction $f(x, y) = \sqrt{x^2 + y^2}$. Est-ce que f est différentiable à l'origine ?

Solution   Si on agrandit le graphe de la fonction $f(x, y) = \sqrt{x^2 + y^2}$ à l'origine, comme le montre la figure 3.68, le point qui est pointu demeure là ; le graphe ne s'aplanit jamais pour ressembler à un plan. Près de son sommet, l'approximation d'un graphe par un plan ne semble pas très bonne (dans tous les sens raisonnables).

Si on se base sur le graphe de f, on ne s'attend pas à ce que f soit différentiable en $(0, 0)$. On vérifie cette assertion en tentant de calculer les dérivées partielles de f en $(0, 0)$:

$$f_x(0, 0) = \lim_{h \to 0} \frac{f(h, 0) - f(0, 0)}{h} = \lim_{h \to 0} \frac{\sqrt{h^2 + 0} - 0}{h} = \lim_{h \to 0} \frac{|h|}{h}.$$

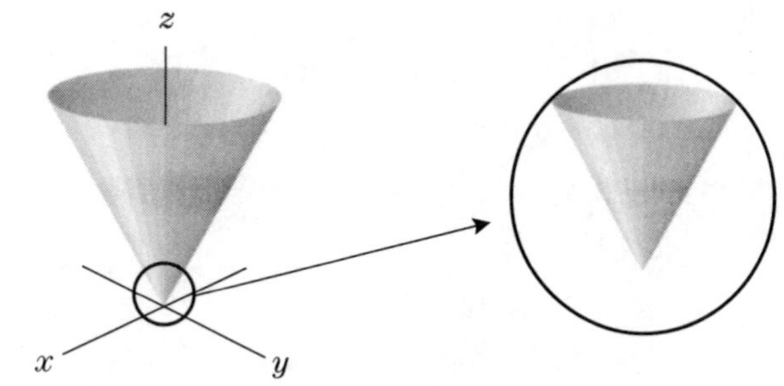

Figure 3.68 : La fonction $f(x, y) = \sqrt{x^2 + y^2}$ n'est pas localement linéaire en $(0, 0)$: même si on agrandit l'image près de $(0, 0)$, le graphe n'a pas l'air d'un plan.

Puisque $|h|/h = \pm 1$, selon que h tend vers zéro à partir de la gauche ou de la droite, cette limite n'existe pas et la dérivée partielle $f_x(0, 0)$ n'existe donc pas non plus. Par conséquent, f ne peut être différentiable à l'origine. Le cas échéant, les deux dérivées partielles $f_x(0, 0)$ et $f_y(0, 0)$ existeraient.

On pourrait aussi directement démontrer qu'il n'y a aucune approximation linéaire près de $(0, 0)$ qui satisfait au critère de faible erreur relative pour la différentiabilité. Tout plan passant par le point $(0, 0, 0)$ a la forme $L(x, y) = mx + ny$ pour des constantes m et n. Si $E(x, y) = f(x, y) - L(x, y)$, alors

$$E(x, y) = \sqrt{x^2 + y^2} - mx - ny.$$

Alors pour que f soit différentiable à l'origine, il faut montrer que

$$\lim_{\substack{h \to 0 \\ k \to 0}} \frac{\sqrt{h^2 + k^2} - mh - nk}{\sqrt{h^2 + k^2}} = 0.$$

En prenant $k = 0$, on a

$$\lim_{h \to 0} \frac{|h| - mh}{|h|} = 1 - m \lim_{h \to 0} \frac{h}{|h|}.$$

Cette limite n'existe que si $m = 0$ pour la même raison qu'auparavant. Mais alors, la valeur de la limite est 1 et non 0, comme le critère l'exige. Par conséquent, on conclut que f n'est pas différentiable.

Dans l'exemple 2, les dérivées partielles f_x et f_y n'existaient pas à l'origine et cela suffisait pour établir la non-différentiabilité. Si les deux dérivées partielles existent, alors on s'attend à ce que f soit différentiable. Cependant, dans l'exemple 3, on verra que cela n'est pas nécessairement vrai : l'existence des deux dérivées partielles en un point *ne* suffit *pas* à assurer la différentiabilité.

Exemple 3 Considérez la fonction $f(x, y) = x^{1/3}y^{1/3}$. Montrez que les dérivées partielles $f_x(0, 0)$ et $f_y(0, 0)$ existent, mais que f n'est pas différentiable en $(0, 0)$.

Solution On considère la figure 3.69 (page suivante), à la partie du graphe de $z = x^{1/3}y^{1/3}$ où $z \geq 0$. On a $f(0, 0) = 0$ et on calcule les dérivées partielles en utilisant la définition

$$f_x(0, 0) = \lim_{h \to 0} \frac{f(h, 0) - f(0, 0)}{h} = \lim_{h \to 0} \frac{0 - 0}{h} = 0,$$

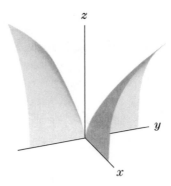

Figure 3.69 : Graphe de $z = x^{1/3}y^{1/3}$ pour $z \geq 0$

et, de même,

$$f_y(0, 0) = 0.$$

Par conséquent, s'il existait une approximation linéaire près de l'origine, elle devrait être $L(x, y) = 0$. Cependant, on peut démontrer que ce choix de $L(x, y)$ ne donne pas lieu à la petite erreur relative qui est requise pour la différentiabilité. En fait, puisque $E(x, y) = f(x, y) - L(x, y) = f(x, y)$, il faut analyser la limite

$$\lim_{\substack{h \to 0 \\ k \to 0}} \frac{h^{1/3}k^{1/3}}{\sqrt{h^2 + k^2}}.$$

Si cette limite existe, on obtient la même valeur, peu importe comment h et k tendent vers zéro. On suppose qu'on prend $k = h > 0$. Alors, la limite devient

$$\lim_{h \to 0} \frac{h^{1/3}k^{1/3}}{\sqrt{h^2 + k^2}} = \lim_{h \to 0} \frac{h^{2/3}}{h\sqrt{2}} = \lim_{h \to 0} \frac{1}{h^{1/3}\sqrt{2}}.$$

Cependant, cette limite n'existe pas, puisque de faibles valeurs pour h rendront la fraction arbitrairement grande. Donc, le seul candidat possible pour une approximation linéaire à l'origine n'a pas une erreur relative suffisamment faible. Par conséquent, cette fonction n'est *pas* différentiable à l'origine, même si les dérivées partielles $f_x(0, 0)$ et $f_y(0, 0)$ existent. La figure 3.69 confirme que, près de l'origine, l'approximation du graphe de $z = f(x, y)$ n'est pas bonne.

En résumé,

- Si une fonction est différentiable en un point, alors les deux dérivées partielles existent en ce point ;
- Même si les deux dérivées partielles se trouvent en un point, la fonction n'est pas nécessairement différentiable en ce point.

La continuité et la différentiabilité

On sait que les fonctions différentiables d'une variable sont continues. De même, on peut démontrer que si une fonction de deux variables est différentiable en un point, alors la fonction est continue en ce point.

Dans l'exemple 3, la fonction f était continue au point où elle n'était pas différentiable. L'exemple 4 montre que même si les dérivées partielles d'une fonction existent en un point, la fonction n'est pas nécessairement continue en ce point si elle n'y est pas différentiable.

Exemple 4

Supposez que f est une fonction de deux variables définies par

$$f(x, y) = \begin{cases} \dfrac{xy}{x^2 + y^2}, & (x, y) \neq (0, 0), \\ 0, & (x, y) = (0, 0). \end{cases}$$

Dans le problème 4 de la section 1.7, on a montré que $f(x, y)$ n'est pas continu à l'origine. Montrez que les dérivées partielles $f_x(0, 0)$ et $f_y(0, 0)$ existent. Est-ce que f pourrait être différentiable en $(0, 0)$?

Solution

À partir de la définition de la dérivée partielle, on voit que

$$f_x(0, 0) = \lim_{h \to 0} \frac{f(h, 0) - f(0, 0)}{h} = \lim_{h \to 0} \left(\frac{1}{h} \cdot \frac{0}{h^2 + 0^2} \right) = \lim_{h \to 0} \frac{0}{h} = 0,$$

et, de même,

$$f_y(0, 0) = 0.$$

Donc, les dérivées partielles $f_x(0, 0)$ et $f_y(0, 0)$ existent. Cependant, f ne peut être différentiable à l'origine parce qu'il n'y est pas continu.

En résumé,

> - Si une fonction est différentiable en un point, alors elle y est continue ;
> - Même si les deux dérivées partielles existent en un point, une fonction n'est pas nécessairement continue en ce point.

Comment peut-on savoir si une fonction est différentiable ?

Peut-on utiliser des dérivées partielles pour savoir si une fonction est différentiable ? Comme on peut le voir dans les exemples 3 et 4, il ne suffit pas de savoir que les dérivées partielles existent. Cependant, la condition suivante *garantit* la différentiabilité :

> Si les dérivées partielles f_x et f_y d'une fonction f existent et qu'elles sont continues sur un petit disque centré au point (a, b), alors f est différentiable en (a, b).

On ne prouvera pas cette assertion, même si elle fournit un critère de différentiabilité qui est souvent plus facile à utiliser que la définition. Il s'avère que la continuité des dérivées partielles est plus stricte que celle de la différentiabilité. Donc, il existe des fonctions différentiables qui n'ont pas de dérivées partielles continues. Cependant, la plupart des fonctions qu'on rencontrera auront des dérivées partielles continues. On a donné le nom de C^1 à la classe de fonctions ayant des dérivées partielles continues.

Exemple 5   Montrez que la fonction $f(x, y) = \ln(x^2 + y^2)$ est différentiable partout dans son domaine.

Solution   Le domaine de f est tout l'espace à deux dimensions, sauf l'origine. On démontrera que f a des dérivées partielles continues partout dans son domaine (autrement dit, que la fonction f est en C^1). Les dérivées partielles sont

$$f_x = \frac{2x}{x^2 + y^2} \quad \text{et} \quad f_y = \frac{2y}{x^2 + y^2}.$$

Puisque f_x et f_y sont les quotients de fonctions continues, les dérivées partielles sont continues partout, sauf à l'origine (où les dénominateurs sont nuls). Par conséquent, f est différentiable partout dans son domaine.

La plupart des fonctions constituées à partir de fonctions élémentaires ont des dérivées partielles continues, sauf peut-être en quelques points évidents. Par conséquent, on identifie souvent les fonctions par C^1 sans explicitement calculer les dérivées partielles.

Problèmes de la section 3.10

Pour les fonctions f des problèmes 1 à 4, répondez aux questions suivantes. Justifiez vos réponses.

a) Utilisez un ordinateur pour tracer le diagramme des courbes de niveau de f.
b) Est-ce que f est différentiable en tous les points $(x, y) \neq (0, 0)$?
c) Les dérivées partielles f_x et f_y existent-elles et sont-elles continues en tous les points où $(x, y) \neq (0, 0)$?
d) Est-ce que f est différentiable en $(0, 0)$?
e) Les dérivées partielles f_x et f_y existent-elles et sont-elles continues en $(0, 0)$?

1. $f(x, y) = \begin{cases} \dfrac{x}{y} + \dfrac{y}{x}, & x \neq 0 \text{ et } y \neq 0, \\ 0, & x = 0 \text{ ou } y = 0. \end{cases}$

2. $f(x, y) = \begin{cases} \dfrac{2xy}{(x^2 + y^2)^2}, & (x, y) \neq (0, 0), \\ 0, & (x, y) = (0, 0). \end{cases}$

3. $f(x, y) = \begin{cases} \dfrac{xy}{\sqrt{x^2 + y^2}}, & (x, y) \neq (0, 0), \\ 0, & (x, y) = (0, 0). \end{cases}$

4. $f(x, y) = \begin{cases} \dfrac{x^2 y}{x^4 + y^2}, & (x, y) \neq (0, 0), \\ 0, & (x, y) = (0, 0). \end{cases}$

5. Considérez la fonction

$$f(x, y) = \begin{cases} \dfrac{xy^2}{x^2 + y^2}, & (x, y) \neq (0, 0), \\ 0, & (x, y) = (0, 0). \end{cases}$$

a) Utilisez un ordinateur pour tracer le diagramme des courbes de niveau de f.
b) Est-ce que f est différentiable en $(x, y) \neq (0, 0)$?
c) Montrez que $f_x(0, 0)$ et $f_y(0, 0)$ existent.

d) Est-ce que f est différentiable en $(0, 0)$?

e) Supposez que $x(t) = at$ et que $y(t) = bt$, où a et b sont des constantes, toutes les deux n'égalant pas zéro. Si $g(t) = f(x(t), y(t))$, montrez que

$$g'(0) = \frac{ab^2}{a^2 + b^2}.$$

f) Montrez que

$$f_x(0, 0)x'(0) + f_y(0, 0)y'(0) = 0.$$

La règle de la dérivée en chaîne s'applique-t-elle à la fonction composée $g(t)$ en $t = 0$? Justifiez votre réponse.

g) Montrez que la dérivée directionnelle $f_{\vec{u}}(0, 0)$ existe pour chaque vecteur unitaire $\vec{u}$. Cela implique-t-il que f soit différentiable en $(0, 0)$?

6. Considérez la fonction

$$f(x, y) = \begin{cases} \dfrac{xy^2}{x^2 + y^4}, & (x, y) \neq (0, 0), \\ 0, & (x, y) = (0, 0). \end{cases}$$

a) Utilisez un ordinateur pour tracer le diagramme des courbes de niveau de f.

b) Montrez que la dérivée directionnelle $f_{\vec{u}}(0, 0)$ existe pour chaque vecteur unitaire $\vec{u}$.

c) Est-ce que f est continu en $(0, 0)$? Est-ce que f est différentiable en $(0, 0)$? Justifiez vos réponses.

7. Considérez la fonction $f(x, y) = \sqrt{|xy|}$.

a) Utilisez un ordinateur pour tracer le diagramme des courbes de niveau de f. Le diagramme des courbes de niveau ressemble-t-il à un plan lorsqu'on agrandit l'origine ?

b) Utilisez un ordinateur pour tracer le graphe de f. Le diagramme des courbes de niveau ressemble-t-il à un plan lorsqu'on agrandit l'origine ?

c) Est-ce que f est différentiable en $(x, y) \neq (0, 0)$?

d) Montrez que $f_x(0, 0)$ et $f_y(0, 0)$ existent.

e) Est-ce que f est différentiable en $(0, 0)$? [Indication : considérez la dérivée directionnelle $f_{\vec{u}}(0, 0)$ pour $\vec{u} = (\vec{i} + \vec{j})/\sqrt{2}$.]

8. Supposez qu'une fonction f est différentiable au point (a, b). Montrez que f est continu en (a, b).

9. Supposez que $f(x, y)$ est une fonction telle que $f_x(0, 0) = 0$, $f_y(0, 0) = 0$, et $f_{\vec{u}}(0, 0) = 3$ pour $\vec{u} = (\vec{i} + \vec{j})/\sqrt{2}$.

a) Est-ce que f est différentiable en $(0, 0)$? Justifiez votre réponse.

b) Donnez un exemple d'une fonction f définie dans un espace à deux dimensions qui satisfait à ces conditions. [Indication : il n'est pas nécessaire que la fonction f soit définie par une seule formule valable partout dans l'espace à deux dimensions.]

10. Considérez la fonction suivante :

$$f(x, y) = \begin{cases} \dfrac{xy(x^2 - y^2)}{x^2 + y^2}, & (x, y) \neq (0, 0), \\ 0, & (x, y) = (0, 0). \end{cases}$$

La figure 3.70 (page suivante) présente le graphe de f, et la figure 3.71 (page suivante) montre le diagramme des courbes de niveau de f.

a) Trouvez $f_x(x, y)$ et $f_y(x, y)$ pour $(x, y) \neq (0, 0)$.

b) Montrez que $f_x(0, 0) = 0$ et que $f_y(0, 0) = 0$.

c) Les fonctions f_x et f_y sont-elles continues en $(0, 0)$?

d) Est-ce que f est différentiable en $(0, 0)$?

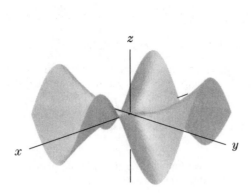

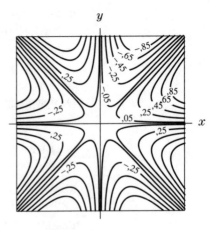

Figure 3.70 : Graphe de
$$\frac{xy(x^2 - y^2)}{x^2 + y^2}$$

Figure 3.71 : Diagramme des courbes
de niveau de $\dfrac{xy(x^2 - y^2)}{x^2 + y^2}$

PROBLÈMES DE RÉVISION DU CHAPITRE TROIS

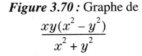

Pour les problèmes 1 à 4, trouvez les dérivées partielles indiquées. Supposez que les variables sont limitées à un domaine sur lequel la fonction est définie.

1. $\dfrac{\partial z}{\partial x}$ et $\dfrac{\partial z}{\partial y}$ si $z = (x^2 + x - y)^7$

2. $\dfrac{\partial F}{\partial L}$ si $F(L, K) = 3\sqrt{LK}$

3. $\dfrac{\partial f}{\partial p}$ et $\dfrac{\partial f}{\partial q}$ si $f(p, q) = e^{p/q}$

4. $\dfrac{\partial f}{\partial x}$ si $f(x, y) = e^{xy}(\ln y)$

Trouvez les deux dérivées partielles des fonctions des problèmes 5 à 8. Supposez que les variables sont limitées à un domaine sur lequel la fonction est définie.

5. $z = x^4 - x^7 y^3 + 5xy^2$

6. $z = \tan(\theta)/r$

7. $w = s \ln(s + t)$

8. $w = \arctan(ue^{-v})$

9. Si $f(x, y) = x^2 y$ et $\vec{v} = 4\vec{i} - 3\vec{j}$, trouvez la dérivée directionnelle au point $(2, 6)$ dans la direction de $\vec{v}$.

Supposez que $f(x, y)$ est une fonction différentiable. Les énoncés des problèmes 10 à 16 sont-ils vrais ou faux ? Justifiez vos réponses.

10. $f_{\vec{u}}(x_0, y_0)$ est un scalaire.

11. $f_{\vec{u}}(a, b) = \|\nabla f(a, b)\|$

12. Si $\vec{u}$ est tangent à la courbe de niveau de f en un point, alors grad $f \cdot \vec{u} = 0$ en ce point.

13. Supposez que f est différentiable en (a, b). Alors, il y a toujours une direction dans laquelle le taux de variation de f en (a, b) est zéro.

14. Il existe une fonction avec un point dans son domaine où $\|\text{grad } f\| = 0$, et où il y a une dérivée directionnelle non nulle.

15. Il existe une fonction avec $\|\text{grad } f\| = 4$ et $f_{\vec{i}} = 5$ en un point.

16. Il existe une fonction avec $\|\text{grad } f\| = 4$ et $f_{\vec{j}} = -3$ en un point.

17. Soit $f(w, z) = w^2 z + 3z^2$.

 a) Utilisez les quotients de différence avec $h = 0,01$ pour calculer l'approximation de $f_w(2, 2)$ et de $f_z(2, 2)$.

 b) Maintenant, évaluez $f_w(2, 2)$ et $f_z(2, 2)$ exactement.

18. La figure 3.72 montre un diagramme des courbes de niveau pour la température T (en degrés Celsius) le long d'un mur dans une pièce chauffée en fonction de la distance x le long du mur et du temps t (en minutes). Estimez $\partial T/\partial x$ et $\partial T/\partial t$ aux points donnés. Précisez les unités de vos réponses et justifiez celles-ci.

 a) $x = 15$, $t = 20$

 b) $x = 5$, $t = 12$

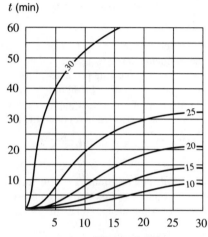

Figure 3.72

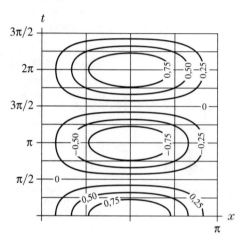

Figure 3.73

19. La figure 3.73 montre un diagramme des courbes de niveau pour la fonction $f(x, t)$ de la vibration d'une corde.

 a) Est-ce que $f_t(\pi/2, \pi/2)$ est positif ou négatif ? Que pouvez-vous dire de $f_t(\pi/2, \pi)$? Que vous indique le signe de $f_t(\pi/2, b)$ concernant le mouvement du point sur la corde en $x = \pi/2$ quand $t = b$?

 b) Trouvez tout t pour lequel f_t est positif pour $0 \leq t \leq 5\pi/2$.

 c) Trouvez tous les x et les t tels que f_x soit positif.

20. La quantité Q (en livres) de bœuf qu'une communauté donnée achète durant une semaine est une fonction $Q = f(b, c)$ des prix du bœuf b et du poulet c durant la semaine. Est-ce que $\partial Q/\partial b$ sera positif ou négatif ? Et $\partial Q/\partial c$?

21. Supposez que le coût de production d'une unité d'un produit donné est donné par

$$c = a + bx + ky,$$

où x est la quantité de main-d'œuvre utilisée (en heures de main-d'œuvre), y est la quantité de matière première utilisée (au poids) et a, b et k sont des constantes. Que signifie $\partial c/\partial x = b$? Que signifie concrètement b ?

22. Les gens qui voyagent de la ville à la banlieue peuvent prendre l'autobus ou le train. Le nombre de personnes qui choisissent l'un ou l'autre dépend du prix de chacun de ces moyens de transport. Soit $f(P_1, P_2)$ le nombre de personnes qui prennent l'autobus quand P_1 est le prix d'un voyage en autobus et P_2, le prix d'un voyage en train. Que pouvez-vous dire au sujet des signes de $\partial f/\partial P_1$ et de $\partial f/\partial P_2$? Justifiez vos réponses.

23. L'accélération g due à la gravité, à une distance r à partir du centre d'une planète de masse m, est donnée par

$$g = \frac{Gm}{r^2},$$

où G est la constante gravitationnelle universelle.

a) Trouvez $\partial g/\partial m$ et $\partial g/\partial r$.
b) Interprétez chacune des dérivées partielles que vous avez trouvées à la partie a) comme étant la pente du graphe dans le plan et tracez le graphe.

24. Supposez que la fonction $P = f(K, L)$ exprime la production d'une entreprise en fonction du capital investi K et du coût de la main-d'œuvre L.

a) Supposez que $f(K, L) = 60K^{1/3}L^{2/3}$. Trouvez la relation qui existe entre K et L si la productivité marginale du capital (autrement dit, le taux de variation de la production avec le capital) est égale à la productivité marginale des coûts de main-d'oeuvre (c'est-à-dire le taux de variation de la production avec le coût de main-d'oeuvre). Simplifiez votre réponse.
b) Supposez maintenant que $f(K, L) = cK^{a}L^{b}$, où a, b et c sont des constantes positives. Répondez à la même question que dans la partie a).

25. Pour analyser la production d'une usine et déterminer s'il faut ou non que celle-ci embauche de nouveaux travailleurs, il est utile de connaître les circonstances dans lesquelles la productivité augmente. Supposez que $P = f(x_1, x_2, x_3)$ est la quantité produite en fonction de x_1, le nombre de travailleurs, et de toutes les autres variables x_2, x_3. On définit la productivité moyenne d'un travailleur par P/x_1. Montrez que la productivité moyenne augmente quand x_1 augmente, et ce, lorsque la production marginale $\partial P/\partial x_1$ est supérieure à la productivité moyenne P/x_1.

26. Pour la fonction de production de Cobb-Douglas $P = 40L^{0,25}K^{0,75}$, trouvez la différentielle dP quand $L = 2$ et $K = 16$.

27. On peut calculer l'aire d'un triangle à partir de la formule $S = \frac{1}{2}ab \sin C$. Montrez que, si on fait une erreur de $10'$ (ou $\pi/1080$ rad) en mesurant C, alors l'erreur en S est d'environ $\pi S/(1080 \tan C)$. [Remarque : $10'$ signifie 10 minutes, où 1 minute = $1/60$ degré.]

28. Dans l'équation du gaz pour une mole d'oxygène, on a la pression P (en atmosphères), la température T (en kelvins) et le volume V (en décimètres cubes) :

$$T = 16{,}574\frac{1}{V} - 0{,}52754\frac{1}{V^2} + 0{,}3879P + 12{,}187VP.$$

a) Trouvez la température T et la différentielle dT si le volume est de 25 dm^3 et que la pression est de 1 atmosphère.
b) Utilisez votre réponse à la partie a) pour estimer la variation du volume si la pression augmentait de 0,1 atmosphère et que la température demeurait constante.

29. Trouvez le taux de variation de $f(x, y) = xe^y$ au point (1, 1) dans la direction de $\vec{i} + 2\vec{j}$.

30. Trouvez la dérivée directionnelle de $z = x^2 - y^2$ au point (3, −1) dans la direction faisant un angle de $\theta = \pi/4$ avec l'axe des x. Dans quelle direction la dérivée directionnelle est-elle la plus grande ?

31. La figure 3.74 montre les courbes de niveau d'une fonction $f(x, y)$. Donnez la valeur approximative de $f_{\vec{u}}(3, 1)$ avec $\vec{u} = (-2\vec{i} + \vec{j})/\sqrt{5}$. Justifiez votre réponse.

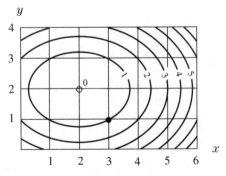

Figure 3.74

32. Vous contractez un emprunt de 5 ans pour acheter une voiture. La figure 3.75 montre votre versement mensuel m si vous empruntez P \$ à un taux d'intérêt de r %. Trouvez une formule de la fonction linéaire qui permet d'approcher m. Que signifient concrètement les constantes dans votre formule ?

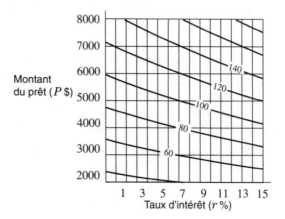

Montant du prêt (P \$)

Taux d'intérêt (r %)

Figure 3.75

33. Trouvez les points faisant partie de $x^2 + y^2 + z^2 = 8$, où le plan tangent est parallèle au plan $x - y + 3z = 0$.

34. Supposez que la température au point (x, y) est donnée par la fonction $T(x, y) = 100 - x^2 - y^2$. Dans quelle direction un insecte qui recherche la chaleur doit-il se déplacer à partir du point (x, y) pour augmenter sa température le plus rapidement possible ?

35. Supposez que les valeurs de la fonction $f(x, y)$ près du point $x = 2$, $y = 3$ sont données dans le tableau 3.9. Estimez ce qui suit.

a) $\left.\dfrac{\partial f}{\partial x}\right|_{(2,\,3)}$ et $\left.\dfrac{\partial f}{\partial y}\right|_{(2,\,3)}$.

b) Le taux de variation de f en $(2, 3)$ dans la direction du vecteur $\vec{i} + 3\,\vec{j}$.

c) Le taux de variation maximal possible de f quand vous vous éloignez du point $(2, 3)$. Dans quelle direction devriez-vous vous déplacer pour obtenir ce taux de variation ?

d) Écrivez une équation de la courbe de niveau passant par le point $(2, 3)$.

e) Trouvez un vecteur tangent à la courbe de niveau de f passant par le point $(2, 3)$.

f) Trouvez la différentielle de f au point $(2, 3)$. Si $dx = 0{,}03$ et $dy = 0{,}04$, trouvez df. Que représente df dans ce cas ?

TABLEAU 3.9

		x	
		2,00	2,01
y	3,00	7,56	7,42
	3,02	7,61	7,47

36. La fonction $g(x, y)$ est différentiable et elle a la propriété selon laquelle $g(1, 3) = 4$, $g_x(1, 3) = -1$ et $g_y(1, 3) = 2$.

a) Trouvez l'équation de la courbe de niveau de g passant par le point $(1, 3)$.

b) Trouvez les coordonnées du point sur la surface $z = g(x, y)$ au-dessus du point $(1, 3)$.

c) Trouvez l'équation du plan tangent à la surface $z = g(x, y)$ au point que vous avez trouvé à la partie b).

37. Supposez que $w = f(x, y, z) = 3xy + yz$ et que x, y, z sont des fonctions de u et de v de telle sorte que

$$x = \ln u + \cos v, \qquad y = 1 + u \sin v, \qquad z = uv.$$

a) Trouvez $\partial w/\partial u$ et $\partial w/\partial v$ en $(u, v) = (1, \pi)$.

b) Supposez maintenant que u et v sont également des fonctions de t de telle sorte que

$$u = 1 + \sin(\pi t), \qquad v = \pi t^2.$$

Utilisez votre réponse à la partie a) pour trouver dw/dt en $t = 1$.

38. Une ville circulaire a un rayon de r km et une densité de population moyenne de ρ habitants/km^2. En 1997, la population était de 3 millions d'habitants, le rayon était de 25 km et croissait de 0,1 km/année. Si la densité augmentait de 200 habitants/km^2/année, trouvez le taux auquel la population totale de la ville augmenterait.

39. Montrez que si F est une fonction différentiable d'une variable, alors $V(x, y) = xF(2x + y)$ satisfait à l'équation

$$x\frac{\partial V}{\partial x} - 2x\frac{\partial V}{\partial y} = V.$$

40. Trouvez une solution partielle à l'équation différentielle du problème 39 satisfaisant à

$$V(1, y) = y^2.$$

41. Trouvez le polynôme quadratique de Taylor autour de $(0, 0)$ pour $f(x, y) = \cos(x + 2y)\sin(x - y)$.

42. Supposez que $f(x, y) = e^{(x-1)^2 + (y-3)^2}$.

a) Trouvez le polynôme de Taylor de premier ordre autour de $(0, 0)$.

b) Trouvez le polynôme de Taylor (quadratique) de second ordre autour du point $(1, 3)$.

c) Trouvez un vecteur à deux composantes perpendiculaire à la courbe de niveau passant par $(0, 0)$.

d) Trouvez un vecteur à trois composantes perpendiculaire à la surface $z = f(x, y)$ au point $(0, 0)$.

43. La fonction $T(x, y, z, t)$ est une solution à l'*équation de la chaleur*

$$T_t = K(T_{xx} + T_{yy} + T_{zz}),$$

et elle donne la température au point (x, y, z) dans un espace à trois dimensions et au temps t. La constante K est la *conductivité thermale* de la médiane au travers de laquelle la chaleur circule.

a) Montrez que la fonction

$$T(x, y, z, t) = \frac{1}{(4\pi Kt)^{3/2}} e^{-(x^2 + y^2 + z^2)/4Kt}$$

est une solution à l'équation de la chaleur pour tout (x, y, z) dans un espace à trois dimensions et que $t > 0$.

b) Pour chaque temps fixe t, quelles sont les surfaces de niveau de la fonction $T(x, y, z, t)$ dans un espace à trois dimensions ?

c) Considérez t comme étant fixe et calculez grad $T(x, y, z, t)$. Que vous révèle grad $T(x, y, z, t)$ concernant la direction et l'ampleur de la circulation de la chaleur ?

44. Chaque diagramme I) à IV) de la figure 3.76 représente des courbes de niveau d'une fonction $f(x, y)$. Pour chaque fonction f, considérez le point au-dessus de P sur la surface de $z = f(x, y)$ et choisissez, parmi les listes suivantes :

a) Un vecteur qui pourrait constituer la normale à la surface en ce point.

b) Une équation qui serait l'équation du plan tangent à la surface en ce point.

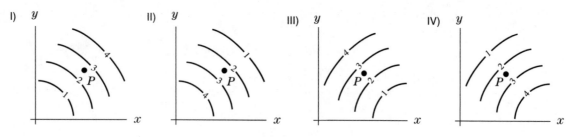

Figure 3.76

Vecteurs	Équations
E) $2\vec{i} + 2\vec{j} - 2\vec{k}$	J) $x + y + z = 4$
F) $2\vec{i} + 2\vec{j} + 2\vec{k}$	K) $2x - 2y - 2z = 2$
G) $2\vec{i} - 2\vec{j} + 2\vec{k}$	L) $-3x - 3y + 3z = 6$
H) $-2\vec{i} + 2\vec{j} + 2\vec{k}$	M) $-\dfrac{x}{2} + \dfrac{y}{2} - \dfrac{z}{2} = -7$

CHAPITRE QUATRE

L'OPTIMISATION : LES EXTREMUMS LOCAUX ET ABSOLUS

Avec le calcul d'une fonction d'une variable, on a vu comment trouver les valeurs maximale et minimale de cette fonction. En pratique, les problèmes d'optimisation comportent souvent plusieurs variables. Par exemple, on suppose qu'on doit investir 10 000 $ dans l'achat de nouveau matériel et de publicité pour une entreprise. Quelle combinaison de matériel et de publicité sera le plus profitable ? Dans un autre domaine, quelle combinaison de médicaments fera baisser le plus la fièvre d'un patient ? Dans le présent chapitre, on examine des problèmes d'optimisation où les variables peuvent varier librement (l'optimisation est non contrainte) et où une contrainte, telle une contrainte budgétaire, est imposée aux variables.

4.1   **LES EXTREMUMS LOCAUX**

Les fonctions de plusieurs variables, comme les fonctions d'une variable, peuvent avoir des extremums *locaux* et *absolus* (autrement dit, des maximums et des minimums locaux et absolus). Une fonction a un extremum local en un point où elle prend la plus grande ou la plus petite valeur dans une petite région située autour du point. Les extremums locaux sont les plus grandes ou les plus petites valeurs qui se trouvent n'importe où sur le domaine considéré (voir les figures 4.1 et 4.2).

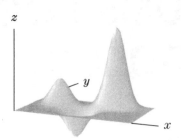

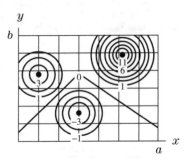

Figure 4.1 : Extremums locaux et absolus pour une fonction de deux variables sur $0 \leq x \leq a$, $0 \leq y \leq b$

Figure 4.2 : Carte des courbes de niveau de la fonction de la figure 4.1

Plus précisément, en considérant seulement les points où f est défini, on dit que :

- La fonction f a un **maximum local** au point P_0 si $f(P_0) \geq f(P)$ pour tous les points P près de P_0 ;
- La fonction f a un **minimum local** au point P_0 si $f(P_0) \leq f(P)$ pour tous les points P près de P_0.

Comment repérer un maximum ou un minimum local ?

Noter que si le vecteur gradient d'une fonction est défini et non nul, alors il s'oriente dans la direction dans laquelle la fonction croît. On suppose qu'une fonction f a un maximum local en un point P_0 qui ne se trouve pas sur la frontière du domaine. Si le vecteur grad $f(P_0)$ était défini et non nul, alors on pourrait augmenter la valeur de f en se déplaçant dans la direction de grad $f(P_0)$. Puisque f a un maximum local en P_0, il n'y a pas de direction dans laquelle f croît. Par conséquent, si grad $f(P_0)$ est défini, on a

$$\text{grad } f(P_0) = \vec{0}.$$

De la même façon, on suppose que f a un minimum local au point P_0. Si grad $f(P_0)$ était défini et non nul, alors on pourrait diminuer f en se déplaçant dans la direction opposée à grad $f(P_0)$. Il faut donc avoir grad $f(P_0) = \vec{0}$ une fois de plus. Par conséquent, on a la définition suivante :

Les points où le gradient est $\vec{0}$ ou est non défini sont appelés les **points critiques** de la fonction. Si une fonction a un maximum local ou un minimum local en un point P_0 qui n'est pas sur la frontière de son domaine, alors P_0 est un point critique.

Pour une fonction de deux variables, on peut également voir que le vecteur gradient doit être nul ou non défini là où se trouve un maximum local, et ce, en observant son diagramme des courbes de niveau et un tracé de ses vecteurs gradients (voir les figures 4.3 et 4.4). Là où se trouve le maximum, les vecteurs s'orientent tous vers l'intérieur, perpendiculairement aux courbes de niveau. Au maximum, le vecteur gradient doit être nul ou non défini. Un raisonnement similaire montre que le gradient doit être nul en un minimum local.

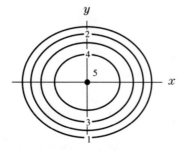

Figure 4.3 : Diagramme des courbes de niveau autour d'un maximum local d'une fonction

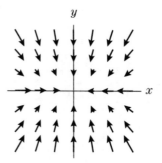

Figure 4.4 : Gradients s'orientant vers le maximum local de la fonction de la figure 4.3

La recherche des points critiques

Pour trouver les points critiques, on pose grad $f = f_x\vec{i} + f_y\vec{j} + f_z\vec{k} = \vec{0}$, ce qui veut dire qu'on pose toutes les dérivées partielles de f égales à zéro. On doit aussi rechercher les points où une ou plusieurs des dérivées partielles sont non définies.

Exemple 1   Trouvez les points critiques de $f(x, y) = x^2 - 2x + y^2 - 4y + 5$, puis analysez-les.

Solution   Pour trouver les points critiques, on pose les deux dérivées partielles égales à zéro :

$$f_x = 2x - 2 = 0$$

$$f_y = 2y - 4 = 0.$$

Quand on résout ces équations, on obtient $x = 1$ et $y = 2$. Par conséquent, f n'a qu'un point critique, soit $(1, 2)$. Pour observer le comportement de f près de $(1, 2)$, on analyse les valeurs de la fonction dans le tableau 4.1

TABLEAU 4.1   *Valeurs de $f(x, y)$ près du point $(1, 2)$*

		\(x\)				
		0,8	0,9	1,0	1,1	1,2
	1,8	0,08	0,05	0,04	0,05	0,08
	1,9	0,05	0,02	0,01	0,02	0,05
\(y\)	2,0	0,04	0,01	0,00	0,01	0,04
	2,1	0,05	0,02	0,01	0,02	0,05
	2,2	0,08	0,05	0,04	0,05	0,08

Le tableau suggère que la fonction a une valeur de minimum local de zéro en (1, 2). On peut vérifier ce résultat en complétant le carré :

$$f(x, y) = x^2 - 2x + y^2 - 4y + 5 = (x - 1)^2 + (y - 2)^2.$$

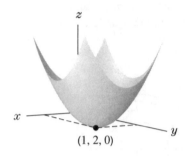

(1, 2, 0)

Figure 4.5 : Graphe de $f(x, y) = x^2 - 2x + y^2 - 4y + 5$
avec un minimum local au point (1, 2)

La figure 4.5 montre que le graphe de f a la forme d'un bol parabolique ayant un sommet au point (1, 2, 0). Il a la même forme que le graphe de $z = x^2 + y^2$ (illustré à la figure 1.18), sauf que le sommet a été décalé en (1, 2). Donc, le point (1, 2) est un minimum local de f (de même qu'un minimum absolu).

Exemple 2   Trouvez des points critiques de $f(x, y) = -\sqrt{x^2 + y^2}$ et analysez-les.

Solution   On recherche des points où grad $f = \vec{0}$ ou est indéfini. Les dérivées partielles sont données par

$$\frac{\partial f}{\partial x} = -\frac{x}{\sqrt{x^2 + y^2}},$$

$$\frac{\partial f}{\partial y} = -\frac{y}{\sqrt{x^2 + y^2}}.$$

Ces deux expressions ne sont jamais nulles en même temps. Cependant, elles sont toutes les deux non définies en $x = 0$ et en $y = 0$. Par conséquent, (0, 0) est un point critique et donc possiblement le lieu d'un extremum. Le graphe de f (voir la figure 4.6) a la forme d'un cône ayant son sommet en (0, 0). Donc, f a un maximum local et un maximum absolu en (0, 0).

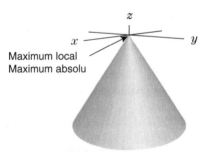

Maximum local
Maximum absolu

Figure 4.6 : Graphe de $f(x, y) = -\sqrt{x^2 + y^2}$

Exemple 3   Trouvez les extremums locaux de la fonction $f(x, y) = 8y^3 + 12x^2 - 24xy$.

Solution   On commence par rechercher les points critiques

$$f_x = 24x - 24y,$$

$$f_y = 24y^2 - 24x.$$

En posant ces expressions égales à zéro, on obtient le système d'équations

$$x = y, \qquad x = y^2,$$

qui a deux solutions, soit $(0, 0)$ et $(1, 1)$. S'agit-il de maximums, de minimums ou de ni l'un ni l'autre ? On observe maintenant les courbes de niveau près des points. La figure 4.7 montre le diagramme des courbes de niveau de cette fonction.

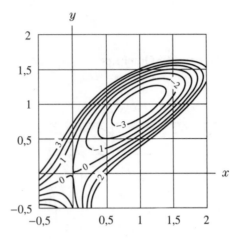

Figure 4.7 : Diagramme des courbes de niveau de $f(x, y) = 8y^3 + 12x^2 - 24xy$
montrant les points critiques en $(0,0)$ et en $(1, 1)$

Noter que $f(1, 1) = -4$ et qu'il n'y a pas d'autre courbe de niveau -4. Les courbes de niveau près de $P = (1, 1)$ semblent ovales et montrent que la valeur de f augmente, peu importe la direction dans laquelle on s'éloigne de P. Cela suggère que f a un minimum local au point $(1, 1)$.

Les courbes de niveau près de $Q = (0, 0)$ présentent un comportement très différent. Tandis que $f(0, 0) = 0$, on voit que f prend à la fois des valeurs positive et négative en des points avoisinants. Ainsi, le point $(0, 0)$ est un point critique qui n'est ni un maximum local ni un minimum local.

Les points-selle

L'exemple 3 a montré que les points critiques peuvent se trouver en des maximums ou en des minimums locaux, ou en des points qui ne sont ni l'un ni l'autre — la valeur de la fonction est plus grande dans certaines directions et plus petite dans d'autres. Soit la définition suivante :

> Une fonction f a un **point-selle** (ou col) en P_0 si P_0 est un point critique de f et si, dans un voisinage de P_0, si petit soit-il, il existe des points P_1 et P_2 avec
>
> $$f(P_1) > f(P_0) \quad \text{et} \quad f(P_2) < f(P_0).$$

Ainsi, on voit à la figure 4.7 que la fonction $f(x, y) = 8y^3 + 12x^2 - 24xy$ de l'exemple 3 atteint un point-selle à l'origine.

À titre d'exemple additionnel, on observe le graphe de $g(x, y) = x^2 - y^2$ à la figure 4.8 (page suivante). L'origine est un point critique et $g(0, 0) = 0$. Puisqu'il y a des valeurs positives sur l'axe des x et des valeurs négatives sur l'axe des y, l'origine est un point-selle. Noter qu'ici, le graphe de g ressemble à une selle.

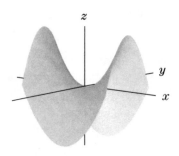

Figure 4.8 : Graphe de $g(x, y) = x^2 - y^2$ montrant un point-selle à l'origine

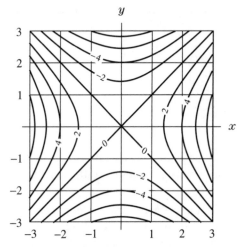

Figure 4.9 : Courbes de niveau de $g(x, y) = x^2 - y^2$ montrant un point-selle à l'origine

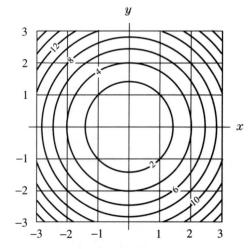

Figure 4.10 : Courbes de niveau de $h(x, y) = x^2 + y^2$ montrant un minimum local à l'origine

La figure 4.9 montre les courbes de niveau de g près du point-selle $(0, 0)$. Ce sont des hyperboles qui illustrent les valeurs positive et négative de g près de $(0, 0)$. On peut comparer leur apparence avec celle des courbes de niveau qui se situent près d'un maximum ou d'un minimum local. Par exemple, la figure 4.10 montre $h(x, y) = x^2 + y^2$ près de $(0, 0)$.

Un point critique est-il un maximum local, un minimum local ou un point-selle ?

On peut déterminer si le point critique d'une fonction f est un maximum, un minimum ou un point-selle en observant le diagramme des courbes de niveau. Il existe aussi une méthode analytique simple servant à déterminer si le point critique est un point où les dérivées partielles de f sont nulles. À proximité de la plupart des points critiques, une fonction a le même comportement que son approximation quadratique de Taylor autour de ce point. Donc, on doit d'abord comprendre les fonctions quadratiques.

Les fonctions quadratiques de la forme $f(x, y) = ax^2 + bxy + cy^2$

On commence par observer ce qui peut se produire aux points critiques des fonctions quadratiques de la forme $f(x, y) = ax^2 + bxy + cy^2$, où a, b et c sont des constantes.

Exemple 4 Trouvez les extremums locaux de la fonction $f(x, y) = x^2 + xy + y^2$ et analysez-les.

Solution Pour trouver les points critiques, on pose

$$f_x = 2x + y = 0,$$
$$f_y = x + 2y = 0.$$

Le seul point critique est $(0, 0)$, et la valeur de la fonction est $f(0, 0) = 0$. Si f est toujours positif ou nul près de $(0, 0)$, alors $(0, 0)$ est un minimum local ; si f est toujours négatif ou nul près de $(0, 0)$, il est un maximum local ; si f prend des valeurs positives et négatives, il est un point-selle. Le graphe de la figure 4.11 suggère que $(0, 0)$ est un minimum local.

Comment peut-on s'assurer que $(0, 0)$ est un minimum local ? La manière algébrique qui permet de déterminer si une fonction quadratique est toujours négative, toujours positive ou ni l'un ni l'autre consiste à compléter le carré. En écrivant

$$f(x, y) = x^2 + xy + y^2 = \left(x + \frac{1}{2}y\right)^2 + \frac{3}{4}y^2,$$

on montre que $f(x, y)$ est la somme de deux carrés. La fonction doit donc toujours être supérieure ou égale à zéro. Par conséquent, le point critique est à la fois un minimum local et un minimum absolu.

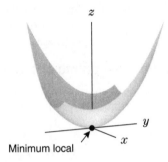

Minimum local

Figure 4.11 : Graphe de $f(x, y) = x^2 + xy + y^2 = \left(x + \frac{1}{2}y\right)^2 + \frac{3}{4}y^2$
montrant un minimum local à l'origine

La forme du graphe de $f(x, y) = ax^2 + bxy + cy^2$

En général, une fonction de la forme $f(x, y) = ax^2 + bxy + cy^2$ a un point critique en $(0, 0)$. Pour analyser son graphe, on complète le carré. En supposant que $a \neq 0$, on écrit

$$
\begin{aligned}
ax^2 + bxy + cy^2 &= a\left[x^2 + \frac{b}{a}xy + \frac{c}{a}y^2\right] \\
&= a\left[\left(x + \frac{b}{2a}y\right)^2 + \left(\frac{c}{a} - \frac{b^2}{4a^2}\right)y^2\right] \\
&= a\left[\left(x + \frac{b}{2a}y\right)^2 + \left(\frac{4ac - b^2}{4a^2}\right)y^2\right].
\end{aligned}
$$

La forme du graphe de f est fonction de trois choses : le coefficient de y^2 est positif, négatif ou nul. Le signe de $D = 4ac - b^2$, appelé le *discriminant,* détermine le signe du coefficient de y^2.

- Si $D > 0$, alors l'expression comprise à l'intérieur des crochets est positive ou nulle. Donc, la fonction a un maximum local ou un minimum local. Son graphe est un paraboloïde ;
  — Si $a > 0$, la fonction a un minimum local, comme $z = x^2 + y^2$ (voir la figure 4.12) ;
  — Si $a < 0$, la fonction a un maximum local, comme $z = -x^2 - y^2$ (voir la figure 4.13) ;
- Si $D < 0$, alors la fonction monte dans certaines directions et descend dans d'autres, comme $z = x^2 - y^2$. Alors, elle a un point-selle (voir la figure 4.14) ;
- Si $D = 0$, alors la fonction quadratique est $a(x + by/2a)^2$, et son graphe est un cylindre parabolique (voir la figure 4.15).

Figure 4.12 : Graphe concave vers le haut : $D > 0$ et $a > 0$

Figure 4.13 : Graphe concave vers le bas : $D > 0$ et $a < 0$

Figure 4.14 : Graphe en forme de selle : $D < 0$

Figure 4.15 : Graphe en forme de cylindre parabolique : $D = 0$

De manière plus générale, le graphe de $g(x, y) = a(x - x_0)^2 + b(x - x_0)(y - y_0) + c(y - y_0)^2$ a exactement la même forme que le graphe de $f(x, y) = ax^2 + bxy + cy^2$, sauf que le point critique se trouve en (x_0, y_0) plutôt qu'en $(0, 0)$. Ainsi, le test[1] du discriminant produit les mêmes résultats pour le comportement de g près de (x_0, y_0).

La classification des points critiques d'une fonction

Maintenant, on suppose que f est une fonction avec $f(0, 0) = 0$ et grad $f(0, 0) = \vec{0}$. Il faut se rappeler (voir la section 3.9) qu'on peut calculer l'approximation de f avec son polynôme quadratique de Taylor près de $(0, 0)$:

$$f(x, y) \approx f(0, 0) + f_x(0, 0)x + f_y(0, 0)y$$
$$+ \frac{1}{2} f_{xx}(0, 0)x^2 + f_{xy}(0, 0)xy + \frac{1}{2} f_{yy}(0, 0)y^2.$$

Puisque $f(0, 0) = 0$ et que $f_x(0, 0) = f_y(0, 0) = 0$, le polynôme quadratique se simplifie ainsi :

$$f(x, y) \approx \frac{1}{2} f_{xx}(0, 0)x^2 + f_{xy}(0, 0)xy + \frac{1}{2} f_{yy}(0, 0)y^2.$$

Le discriminant est

$$D = 4ac - b^2 = 4 \left(\frac{1}{2} f_{xx}(0, 0) \right) \left(\frac{1}{2} f_{yy}(0, 0) \right) - (f_{xy}(0, 0))^2,$$

qui se simplifie ainsi :

$$D = f_{xx}(0, 0) f_{yy}(0, 0) - (f_{xy}(0, 0))^2.$$

---

1. On suppose que $a \neq 0$. Si $a = 0$ et $c \neq 0$, le même raisonnement s'applique. Si $a = 0$ et $c = 0$, alors $f(x, y) = bxy$, ce qui correspond à une selle.

Il existe une formule semblable pour D si $f(0, 0) \neq 0$ ou si le point critique se trouve en (x_0, y_0). Par conséquent, on obtient le test suivant :

Test de la dérivée seconde pour les fonctions de deux variables

On suppose que (x_0, y_0) est un point où grad $f(x_0, y_0) = \vec{0}$. Soit

$$D = f_{xx}(x_0, y_0)\, f_{yy}(x_0, y_0) - (f_{xy}(x_0, y_0))^2.$$

- Si $D > 0$ et que $f_{xx}(x_0, y_0) > 0$, alors f a un minimum local en (x_0, y_0) ;
- Si $D > 0$ et que $f_{xx}(x_0, y_0) < 0$, alors f a un maximum local en (x_0, y_0) ;
- Si $D < 0$, alors f a un point-selle en (x_0, y_0) ;
- Si $D = 0$, tout peut se produire : f peut avoir un maximum local ou un minimum local ou un point-selle en (x_0, y_0).

Exemple 5   Trouvez les maximums locaux et les minimums locaux ainsi que les points-selle de la fonction

$$f(x, y) = \frac{x^2}{2} + 3y^3 + 9y^2 - 3xy + 9y - 9x.$$

Solution   Les dérivées partielles de f sont $f_x = x - 3y - 9$ et $f_y = 9y^2 + 18y - 3x + 9$. Les équations $f_x = 0$ et $f_y = 0$ donnent

$$9y^2 + 18y + 9 - 3x = 0,$$

$$x - 3y - 9 = 0.$$

En éliminant x, on obtient

$$9y^2 + 9y - 18 = 0,$$

qui a les solutions $y = -2$ et $y = 1$. On trouve les valeurs correspondantes de x. Donc, les points critiques de f sont $(3, -2)$ et $(12, 1)$. Le discriminant est

$$D(x, y) = f_{xx}f_{yy} - f_{xy}^2 = (1)(18y + 18) - (-3)^2 = 18y + 9.$$

Puisque $D(3, -2) = -36 + 9 < 0$, on sait que $(3, -2)$ est un point-selle de f. Puisque $D(12, 1) = 18 + 9 > 0$ et que $f_{xx}(12, 1) = 1 > 0$, on sait que $(12, 1)$ est un minimum local de f.

Le test de la dérivée seconde ne fournit pas d'informations dans le cas de $D = 0$. Cependant, comme l'illustre l'exemple 6, on peut encore classer les points critiques en regardant le graphe de la fonction.

Exemple 6   Classez le point critique $(0, 0)$ des fonctions $f(x, y) = x^4 + y^4$, $g(x, y) = -x^4 - y^4$ et $h(x, y) = x^4 - y^4$.

Solution   Chacune de ces fonctions a un point critique en $(0, 0)$. Cependant, toutes les dérivées secondes partielles sont ici zéro. Donc, chaque fonction a $D = 0$. Près de l'origine, les graphes de f, de g et de h ressemblent aux surfaces des figures 4.12 à 4.14, respectivement. On voit donc que f a un minimum en $(0, 0)$, que g a un maximum en $(0, 0)$ et que h a un point-selle en $(0, 0)$.

On peut obtenir algébriquement les mêmes résultats. Puisque $f(0, 0) = 0$ et que $f(x, y) > 0$ ailleurs, f doit avoir un minimum à l'origine. Puisque $g(0, 0) = 0$ et que $g(x, y) < 0$ ailleurs, g a un maximum à l'origine. Finalement, h a un point-selle à l'origine puisque $h(0, 0) = 0$, que $h(x, y) > 0$ sur l'axe des x et que $h(x, y) < 0$ sur l'axe des y.

Problèmes de la section 4.1

1. Considérez les points identifiés par A, B et C sur la courbe de niveau tracée à la figure 4.16. Lesquels de ces points semblent être des points critiques ? Classez ceux qui sont des points critiques.

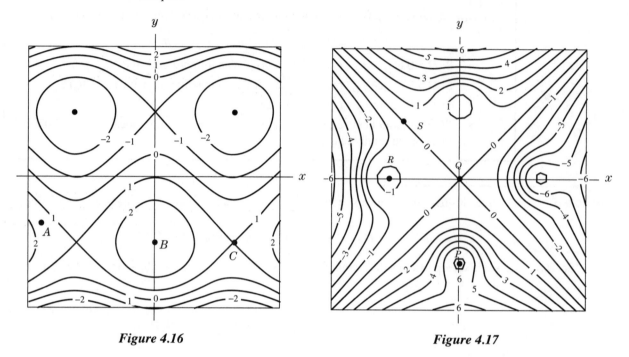

Figure 4.16   **Figure 4.17**

Pour les problèmes 2 à 4, référez-vous à la figure 4.17, qui montre les courbes de niveau d'une fonction $f(x, y)$.

2. Déterminez, pour chaque point, s'il s'agit d'un maximum local, d'un minimum local, d'un point-selle ou d'aucun des trois.

   a) P b) Q c) R d) S

3. Tracez la direction de ∇f en différents points autour de P, de Q et de R.

4. Placez des flèches pour montrer la direction de ∇f aux points où $\|\nabla f\|$ est le plus grand.

Pour les problèmes 5 à 11, trouvez les maximums locaux, les minimums locaux et les points-selle des fonctions données.

5. $f(x, y) = x^3 - 3x + y^3 - 3y$ 6. $f(x, y) = x^3 + e^{-y^2}$

7. $f(x, y) = (x + y)(xy + 1)$ 8. $f(x, y) = 8xy - \frac{1}{4}(x + y)^4$

9. $E(x, y) = 1 - \cos x + y^2/2$ 10. $f(x, y) = \sin x \sin y$

11. $P(x, y) = 400 - 3x^2 - 4x + 2xy - 5y^2 + 48y$

12. Supposez que $f(x, y) = A - (x^2 + Bx + y^2 + Cy)$. Quelles valeurs de A, de B et de C donnent à $f(x, y)$ un maximum local de valeur 15 au point $(-2, 1)$?

Chacune des fonctions des problèmes 13 à 15 atteint un point critique en $(0, 0)$. De quelle sorte de point critique s'agit-il ?

13. $f(x, y) = x^6 + y^6$ 14. $g(x, y) = x^4 + y^3$ 15. $h(x, y) = \cos x \cos y$

16. a) Trouvez tous les points critiques de

$$f(x, y) = e^x(1 - \cos y).$$

    b) Ces points critiques sont-ils des maximums locaux, des minimums locaux ou des points-selle ?

17. Supposez que $f_x = f_y = 0$ en $(1, 3)$ et que $f_{xx} > 0, f_{yy} > 0, f_{xy} = 0$.

    a) Quelle conclusion pouvez-vous tirer du comportement de la fonction près du point $(1, 3)$?
    b) Tracez un diagramme des courbes de niveau possible.

18. Supposez que, pour une fonction $f(x, y)$ au point (a, b), on a $f_x = f_y = 0, f_{xx} > 0, f_{yy} = 0, f_{xy} > 0$.

    a) Quelle conclusion pouvez-vous tirer de la forme du graphe de f près du point (a, b) ?
    b) Tracez un diagramme des courbes de niveau possible.

19. Le comportement d'une fonction peut être complexe près d'un point critique où $D = 0$. Supposez que

$$f(x, y) = x^3 - 3xy^2.$$

Montrez qu'il y a un point critique en $(0, 0)$ et que $D = 0$ en ce point. Puis, montrez que la courbe de niveau pour $f(x, y) = 0$ est constituée de trois droites qui se croisent à l'origine et que ces droites divisent le plan en six régions autour de l'origine, où f est positif ou négatif de façon alternée. Tracez une carte des courbes de niveau pour f près de $(0, 0)$. On appelle le graphe de cette fonction une *selle de singe*.

20. Sur un ordinateur, tracez les diagrammes des courbes de niveau de la famille de fonctions

$$f(x, y) = k(x^2 + y^2) - 2xy$$

pour $k = -2, -1, 0, 1, 2$. Utilisez ces figures pour classer le point critique en $(0, 0)$ pour chaque valeur de k. Expliquez vos observations en utilisant le discriminant D.

4.2   LES EXTREMUMS ABSOLUS : L'OPTIMISATION NON CONTRAINTE

On suppose qu'on veut trouver le point le plus haut et le plus bas d'une région du pays. Premièrement, le territoire en question fait la différence : l'ensemble des États-Unis, un seul État ou un comté.

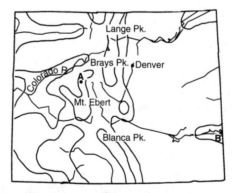

Figure 4.18 : Le point le plus haut et le point le plus bas de l'État du Colorado

On suppose que la région est le Colorado (on présente une carte des courbes de niveau à la figure 4.18). Le point le plus élevé est le sommet d'une montagne (point A sur la carte, mont Ebert, 14 431 pi d'altitude). Que peut-on dire du point le plus bas ? Le Colorado n'a pas de dépressions importantes sans système hydrographique fluvial comme à Death Valley, en Californie. Une goutte de pluie qui tombe au Colorado (n'importe où) sera éventuellement acheminée à l'extérieur de l'État, vers le Pacifique ou l'Atlantique. S'il n'y a pas de minimum local à l'intérieur de l'État, où se trouve le point le plus bas ? Celui-ci doit se trouver à la frontière de l'État, en un point où une rivière quitte l'État (le point B correspond à l'endroit où l'Arkansas River quitte l'État, à une altitude de 3400 pi). Le point le plus haut du Colorado est un maximum absolu pour la fonction d'élévation du Colorado, et le point le plus bas est le minimum absolu.

En général, si la fonction f est définie dans une région R donnée, on dit que :

> - La fonction f a un **maximum absolu dans R** au point P_0 si $f(P_0) \geq f(P)$ pour tous les points P dans R ;
> - La fonction f a un **minimum absolu dans R** au point P_0 si $f(P_0) \leq f(P)$ pour tous les points P dans R.

Le processus de recherche d'un maximum absolu ou d'un minimum absolu d'une fonction f dans une région R s'appelle l'*optimisation*. Si la région R représente la totalité du plan des xy, on parle d'*optimisation non contrainte* ; si la région R ne représente pas la totalité du plan des xy, autrement dit, si x ou y est restreint d'une certaine manière, on parle alors d'*optimisation contrainte*. Si la région R n'est pas définie explicitement, il est entendu qu'on parle de la totalité du plan des xy.

Comment trouver les maximums et les minimums absolus ?

Comme l'illustre l'exemple du Colorado, un extremum absolu peut avoir lieu soit en un point critique à l'intérieur de la région ou en un point sur la frontière de la région. Cela ressemble au calcul d'une fonction d'une seule variable, où une fonction atteint ses extremums absolus sur l'intervalle soit en un point critique à l'intérieur de l'intervalle ou en une extrémité de l'intervalle. Cependant, pour les fonctions de plus d'une variable, l'optimisation s'avère plus difficile, car dans un espace à deux dimensions, les régions peuvent avoir des frontières très compliquées.

> ### Pour un problème d'optimisation non contrainte
>
> - On trouve les points critiques ;
> - On détermine si les points critiques donnent des maximums ou des minimums absolus.

Ce ne sont pas toutes les fonctions qui ont un maximum ou un minimum absolu : cela dépend de la fonction et de la région. Dans la présente section, on examine les applications dans lesquelles on s'attend à trouver des extremums absolus à partir de considérations pratiques. En général, ce n'est pas parce qu'une fonction atteint un seul minimum local ou un seul maximum local que le point sera automatiquement le maximum absolu ou le minimum absolu (voir le problème 23). Il y a cependant une exception : si la fonction est quadratique, le maximum local ou le minimum local est le maximum absolu ou le minimum absolu (voir l'exemple 1 de la section 4.1).

Un exemple d'ordre économique : maximiser les profits

Dans la planification de sa production, le directeur d'une entreprise veut savoir en quelle quantité il devrait produire un certain article et à quel prix il devrait le vendre. En général, plus le prix de l'article est élevé, moins il se vend. Pour déterminer quelle quantité produire, le directeur choisit souvent la combinaison prix et quantité qui lui permettra d'accroître au maximum le profit de l'entreprise. Pour calculer le maximum, on considère le fait que

$$\text{Profit} = \text{Revenu} - \text{Coût}$$

et, puisque le prix est constant,

$$\text{Revenu} = \text{Prix} \times \text{Quantité} = pq.$$

De plus, il faut savoir comment le coût et le prix sont fonction de la quantité.

Exemple 1   Une entreprise fabrique deux articles qui sont vendus à deux marchés différents. Les quantités q_1 et q_2 demandées par les consommateurs et les prix p_1 et p_2 (en dollars) de chaque article ont le rapport suivant :

$$p_1 = 600 - 0{,}3q_1 \quad \text{et} \quad p_2 = 500 - 0{,}2q_2.$$

Ainsi, si le prix de l'un ou l'autre article augmente, la demande pour ce produit diminue. Le coût total de production pour l'entreprise est donné par

$$C = 16 + 1{,}2q_1 + 1{,}5q_2 + 0{,}2q_1q_2.$$

Si l'entreprise souhaite accroître au maximum le total de son profit, quelle quantité de chaque article doit-elle produire ? Quel sera le profit maximal[2] ?

Solution   Le revenu total R est la somme des revenus p_1q_1 et p_2q_2 provenant de chaque marché. En substituant p_1 et p_2, on obtient

$$\begin{aligned}
R &= p_1q_1 + p_2q_2 \\
&= (600 - 0{,}3q_1)q_1 + (500 - 0{,}2q_2)q_2 \\
&= 600q_1 - 0{,}3q_1^2 + 500q_2 - 0{,}2q_2^2.
\end{aligned}$$

Par conséquent, le profit total P est donné par

$$\begin{aligned}
P &= R - C \\
&= 600q_1 - 0{,}3q_1^2 + 500q_2 - 0{,}2q_2^2 - (16 + 1{,}2q_1 + 1{,}5q_2 + 0{,}2q_1q_2) \\
&= -16 + 598{,}8q_1 - 0{,}3q_1^2 + 498{,}5q_2 - 0{,}2q_2^2 - 0{,}2q_1q_2.
\end{aligned}$$

Pour maximiser P, on calcule les dérivées partielles et on les définit pour qu'elles soient égales à zéro :

$$\frac{\partial P}{\partial q_1} = 598{,}8 - 0{,}6q_1 - 0{,}2q_2 = 0,$$

$$\frac{\partial P}{\partial q_2} = 498{,}5 - 0{,}4q_2 - 0{,}2q_1 = 0.$$

Puisque grad P est défini partout, les seuls points critiques de P sont ceux où grad $P = \vec{0}$. Par conséquent, en résolvant q_1, q_2, on obtient

$$q_1 = 699{,}1 \quad \text{et} \quad q_2 = 896{,}7.$$

Les prix correspondants sont

$$p_1 = 390{,}27 \quad \text{et} \quad p_2 = 320{,}66.$$

Pour savoir si on a trouvé ou non un maximum, on calcule les dérivées partielles secondes :

$$\frac{\partial^2 P}{\partial q_1^2} = -0{,}6, \quad \frac{\partial^2 P}{\partial q_2^2} = -0{,}4, \quad \frac{\partial^2 P}{\partial q_1 \partial q_2} = -0{,}2.$$

---

2.   Adapté de ROOSER, M. *Basic Mathematics for Economists*, New York, Routledge, 1993, p. 316.

Donc,

$$D = \frac{\partial^2 P}{\partial q_1^2} \frac{\partial^2 P}{\partial q_2^2} - \left(\frac{\partial^2 P}{\partial q_1 \partial q_2}\right)^2 = (-0,6)(-0,4) - (-0,2)^2 = 0,2.$$

Ainsi, on a trouvé un maximum local. Le graphe de P est un paraboloïde renversé et, par conséquent, (699,1, 896,7) est un maximum absolu. L'entreprise devrait produire 699,1 unités du premier article au prix de 390,27 \$/unité, et 896,7 unités du deuxième article au prix de 320,66 \$/unité. Le profit maximal $P(699,1, 896,7) \approx 433\,000$ \$.

La régression linéaire

Une importante application de l'optimisation consiste à trouver la droite qui représente le mieux un ensemble de données. On suppose que les données sont tracées dans le plan. On mesure la distance entre une droite et les points des données en additionnant les carrés des distances verticales entre chaque point et la droite. Plus cette somme de carrés est petite, meilleure sera l'approximation. La droite ayant la somme minimale de distances carrées est appelée la *droite des moindres carrés* ou la *droite de régression linéaire*. Si les données sont presque linéaires, la droite des moindres carrés sera une bonne approximation ; sinon, elle ne le sera peut-être pas (voir la figure 4.19).

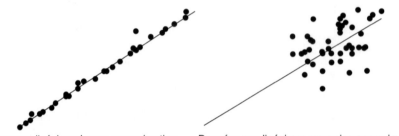

Données presque linéaires : bonne approximation   Données peu linéaires : mauvaise approximation

Figure 4.19 : Droites représentant le mieux un ensemble de données

---

Exemple 2   Trouvez une droite des moindres carrés pour les points de données suivants : (1, 1), (2, 1) et (3, 3).

Solution   On suppose que la droite a l'équation $y = b + mx$. Si on trouve b et m, alors on a trouvé la droite. Donc, pour ce problème, b et m sont les deux variables. On veut minimiser la fonction $f(b, m)$ qui donne la somme des trois distances verticales carrées entre les points et la droite de la figure 4.20.

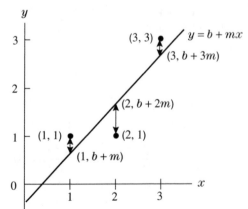

Figure 4.20 : La droite des moindres carrés minimise la somme des carrés de ces distances verticales.

La distance verticale entre le point $(1, 1)$ et la droite correspond, dans les coordonnées y, à la différence $1 - (b + m)$; il en va de même pour les autres points. Ainsi, la somme des carrés est

$$f(b, m) = (1 - (b + m))^2 + (1 - (b + 2m))^2 + (3 - (b + 3m))^2.$$

Pour minimiser f, on recherche les points critiques. Premièrement, on dérive f par rapport à b :

$$\frac{\partial f}{\partial b} = -2(1 - (b + m)) - 2(1 - (b + 2m)) - 2(3 - (b + 3m))$$

$$= -2 + 2b + 2m - 2 + 2b + 4m - 6 + 2b + 6m$$

$$= -10 + 6b + 12m.$$

Maintenant, on dérive par rapport à m :

$$\frac{\partial f}{\partial m} = 2(1 - (b + m))\,(-1) + 2(1 - (b + 2m))\,(-2) - 2(3 - (b + 3m))\,(-3)$$

$$= -2 + 2b + 2m - 4 + 4b + 8m - 18 + 6b + 18m$$

$$= -24 + 12b + 28m.$$

Les équations $\dfrac{\partial f}{\partial b} = 0$ et $\dfrac{\partial f}{\partial m} = 0$ donnent un système de deux équations linéaires à deux inconnues :

$$-10 + 6b + 12m = 0,$$

$$-24 + 12b + 28m = 0.$$

La solution de cette paire d'équations est le point critique $b = -1/3$ et $m = 1$. Puisque

$$D = f_{bb} f_{mm} - (f_{mb})^2 = (6)(28) - 12^2 = 24 \quad \text{et} \quad f_{bb} = 6 > 0,$$

on a trouvé un minimum local. Le graphe de $f(b, m)$ a la forme d'un bol parabolique, donc le minimum local est le minimum absolu de f. Par conséquent, la droite des moindres carrés est

$$y = x - \frac{1}{3}.$$

Pour vérifier, on note que la droite $y = x$ passe par les points $(1, 1)$ et $(3, 3)$. Il est donc raisonnable que l'introduction du point $(2, 1)$ déplace l'ordonnée à l'origine vers le bas de 0 à $-1/3$.

Le problème 18, à la fin de la présente section, renferme les formules générales de la pente et de l'ordonnée à l'origine d'une droite des moindres carrés. Bon nombre de calculatrices sont programmées avec ces formules. Ainsi, lorsque vous introduisez les données, les valeurs de b et de m s'affichent. En même temps, vous obtenez le *coefficient de corrélation,* lequel mesure la proximité entre les points de données et la droite des moindres carrés.

La méthode du gradient pour trouver les extremums locaux

Jusqu'à maintenant, on recherchait des valeurs qui maximisent ou minimisent une fonction $f(x, y)$ en trouvant d'abord les points critiques de f. La recherche des points critiques équivaut à résoudre l'équation $\text{grad } f = \vec{0}$, laquelle est véritablement une paire d'équations simultanées pour x et y :

$$\frac{\partial f}{\partial x}(x_0, y_0) = 0 \quad \text{et} \quad \frac{\partial f}{\partial y}(x_0, y_0) = 0.$$

Cependant, il peut s'avérer très difficile de résoudre de telles équations. En pratique, on résout la plupart des problèmes d'optimisation à l'aide de méthodes numériques comme la *méthode du gradient*. On peut expliquer la méthode du gradient en la comparant à un grimpeur qui désire maximiser son ascension vers le sommet de la plus haute montagne. En fait, tout ce qu'il doit faire, c'est de continuer à monter : il finira par arriver au sommet d'une montagne. S'il commence son ascension à proximité de la plus haute montagne, c'est sans doute cette montagne qu'il escaladera. Sinon, il peut gravir une montagne moins haute et aboutir ainsi à un maximum local plutôt qu'à un maximum absolu.

L'exemple 3 illustre la méthode du gradient. Comme il s'agit d'un problème de minimisation, il convient de penser à un grimpeur qui cherche à atteindre le fond de la plus basse vallée en descendant continuellement.

Exemple 3

Une camionneuse doit livrer 20 m^3 de gravier sur un terrain. Elle projette d'acheter une benne ouverte dans laquelle elle transportera le gravier en plusieurs voyages. Le coût qu'elle doit prévoir est celui de la benne plus 2 $ par voyage. La benne doit mesurer 0,5 m de hauteur ; la longueur et la largeur ne sont pas importantes. Le coût de la benne sera de 20 $/m^2 pour les extrémités et de 10 $/m^2 pour le fond et les côtés. Noter le compromis qu'elle doit faire : une benne plus petite est moins chère à l'achat mais impliquera plus de voyages. Une benne de quelle taille devrait-elle choisir pour minimiser le coût total[3] ?

Solution

On recherche d'abord une expression algébrique pour le coût de la benne. On suppose que la longueur de la benne est de x m, la largeur, de y m et la hauteur, de 0,5 m (voir la figure 4.21).

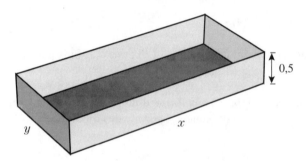

Figure 4.21 : Benne pour le transport du gravier

TABLEAU 4.2 *Coût détaillé*

20/(0,5xy) à 2 $/voyage	80/(xy)
2 extrémités à 20 $/m$^2 \times$ 0,5 y m^2	20y
2 côtés à 10 $/m$^2 \times$ 0,5 x m^2	10x
1 fond à 10 $/m$^2 \times xy$ m^2	10xy
Coût total	$f(x, y)$

Le volume de la benne étant de 0,5xy m^3, la livraison de 20 m^3 de gravier nécessitera donc 20/(0,5xy) voyages. Le coût est détaillé au tableau 4.2. Le problème consiste à choisir x et y pour minimiser le coût total :

$$\text{Coût total} = f(x, y) = \frac{80}{xy} + 20y + 10x + 10xy.$$

On choisit un point de départ (x_0, y_0) qui peut ne pas minimiser f mais qui, on l'espère, n'est pas trop éloigné du point minimal. Dans cet exemple, on commence avec $(x_0, y_0) = (5, 5)$, lequel n'est certainement pas un point critique de f, car

$$\text{grad } f(5, 5) = 59{,}4\vec{i} + 69{,}4\vec{j} \neq \vec{0}.$$

On prévoit se déplacer de (x_0, y_0) vers un nouveau point (x_1, y_1) de telle manière que f diminue, c'est-à-dire que $f(x_1, y_1) < f(x_0, y_0)$. En se déplaçant dans la direction de grad $f(x_0, y_0)$, f augmente aussi rapidement que possible. Donc, on se déplace dans la direction opposée, à savoir $-$ grad $f(x_0, y_0)$. On continue de se déplacer dans cette direction jusqu'à ce que les valeurs de f commencent à augmenter de nouveau. Si on se déplace parallèlement à

3. Adapté de MCMILLAN, Claude Jr. *Mathematical Programming*, 2e édition, New York, Wiley, 1978, p. 156 et 157.

– grad $f(x_0, y_0)$, le déplacement depuis le point d'origine a la forme $-t$ grad $f(x_0, y_0)$, où t est un scalaire qu'il faut déterminer. Puisque grad $f(x_0, y_0) = 59{,}4\vec{i} + 69{,}4\vec{j}$, les coordonnées du point final sont

$$(x_0 - 59{,}4t, \, y_0 - 69{,}4t).$$

On veut trouver la valeur minimale de la fonction f quand t augmente. La figure 4.22 illustre le graphe de

$$f((x_0, y_0) - t \text{ grad } f(x_0, y_0)) = f(5 - 59{,}4t, \, 5 - 69{,}4t)$$

pour un t positif. En agrandissant, on voit que le minimum local se trouve en $t \approx 0{,}0554$. Donc, on se déplace vers le point donné par

$$(x_1, y_1) = (5 - (59{,}4)(0{,}0554), \, 5 - (69{,}4)(0{,}0554)) \approx (1{,}71, \, 1{,}16).$$

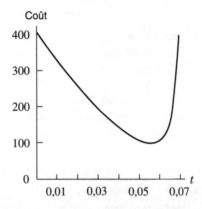

Figure 4.22 : Première étape : graphe de $f((x_0, y_0) - t \text{ grad } f(x_0, y_0))$ montrant un minimum local en $t \approx 0{,}0554$

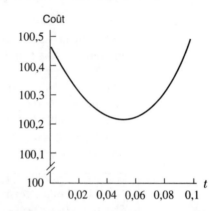

Figure 4.23 : Deuxième étape : graphe de $f((x_1, y_1) - t \text{ grad } f(x_1, y_1))$ montrant un minimum local en $t \approx 0{,}050$

Noter que le coût au point initial est $f(5, 5) = 403{,}2$ et que le coût au nouveau point est $f(1{,}71, 1{,}16) = 100{,}47$. On l'a donc diminué considérablement.

On peut encore diminuer le coût en s'éloignant de $(1{,}71, 1{,}16)$ dans la direction opposée à grad $f(1{,}71, 1{,}16) = -1{,}99\vec{i} + 2{,}33\vec{j}$. La figure 4.23 donne le graphe de

$$f((x_1, y_1) - t \text{ grad } f(x_1, y_1)) = f(1{,}71 + 1{,}99t, \, 1{,}16 - 2{,}33t),$$

qui admet un minimum local en $t \approx 0{,}050$. Donc, on prend

$$(x_2, y_2) = (1{,}71 + (1{,}99)(0{,}050), \, 1{,}16 - (2{,}33)(0{,}050)) \approx (1{,}81, \, 1{,}04).$$

Noter que $f(1{,}81, 1{,}04) = 100{,}22$ tandis que $f(1{,}71, 1{,}16) = 100{,}47$. Le déplacement de (x_1, y_1) vers (x_2, y_2) diminue le coût de f d'une très petite somme, soit de 0,25 $ seulement. Ainsi, même si on n'a pas obtenu de minimum, on peut considérer que, pour des raisons pratiques, on se trouve sans doute suffisamment près du minimum. La camionneuse arrondira son résultat et achètera une benne d'environ 1,8 m × 1 m × 0,5 m.

Comment savoir si une fonction a un maximum absolu ou un minimum absolu ?

Dans quelles circonstances une fonction de deux variables a-t-elle un maximum ou un minimum absolu ? L'exemple 4 montre qu'une fonction peut avoir un maximum absolu et un minimum absolu dans une région, un seul des deux, ou aucun des deux.

Exemple 4 Trouvez les maximums et les minimums absolus des fonctions suivantes :

a) $h(x, y) = 1 + x^2 + y^2$ sur le disque $x^2 + y^2 \leq 1$.

b) $f(x, y) = x^2 - 2x + y^2 - 4y + 5$ dans le plan des xy.

c) $g(x, y) = x^2 - y^2$ dans le plan des xy.

Solution a) Le graphe de $h(x, y) = 1 + x^2 + y^2$ est un paraboloïde en forme de bol ayant un minimum absolu de 1 en $(0, 0)$ et un maximum absolu de 2 sur le bord de la région $x^2 + y^2 = 1$.

b) Le graphe de f de la figure 4.5 montre que f a un minimum absolu au point $(1, 2)$ et aucun maximum absolu (car la valeur de f augmente sans borne quand $x \to \infty$, $y \to \infty$).

c) Le graphe de g de la figure 4.8 montre que g n'a pas de maximum absolu, car $g(x, y) \to \infty$ quand $x \to \infty$ si y est constant. De la même manière, g n'a aucun minimum absolu, car $g(x, y) \to -\infty$ quand $y \to \infty$ si x est constant.

Cependant, certaines conditions garantissent qu'une fonction a un maximum et un minimum absolus. Pour une fonction d'une variable $h(x)$, la fonction doit être continue sur un intervalle fermé $a \leq x \leq b$. Si h est continu sur un intervalle non fermé, tel $a \leq x < b$ ou $a < x < b$, ou sur un intervalle qui n'est pas borné, comme $a < x < \infty$, alors h peut ne pas avoir une valeur maximale ou minimale. Que se passe-t-il pour les fonctions de deux variables ? Il arrive qu'un résultat semblable soit vrai pour les fonctions continues et définies dans des régions qui sont fermées et bornées, analogues aux intervalles fermés et bornés $a \leq x \leq b$. En langage courant, on peut dire ce qui suit :

> • Une région **fermée** est une région qui contient ses frontières ;
> • Une région **bornée** est une région qui ne s'étend pas vers l'infini dans une direction.

Voici des définitions plus précises. On suppose que R est une région dans un espace à deux dimensions. Un point (x_0, y_0) est un *point frontière* de R si, pour chaque $r > 0$, le disque $(x - x_0)^2 + (y - y_0)^2 < r^2$ ayant un centre en (x_0, y_0) et un rayon r contient les points qui sont dans R et les points qui ne sont pas dans R (voir la figure 4.24). Un point (x_0, y_0) peut être un point frontière de la région R sans appartenir à R. Un point (x_0, y_0) dans R est un *point intérieur* s'il ne s'agit pas d'un point frontière ; ainsi, pour un $r > 0$ suffisamment petit, le disque de rayon r centré en (x_0, y_0) se trouve entièrement dans la région R (voir la figure 4.25). L'ensemble de tous les points frontière est la *frontière de R*, et l'ensemble de tous les points intérieurs est l'*intérieur de R*. La région R est *fermée* si elle contient sa frontière et elle est *ouverte* si chaque point de R est un point intérieur.

Une région R dans un espace à deux dimensions est *bornée* si la distance entre chaque point (x, y) dans R et l'origine est inférieure ou égale à un nombre constant K. On définit les régions fermées et bornées dans un espace à trois dimensions de la même manière.

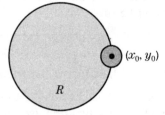

Figure 4.24 : Point frontière (x_0, y_0) de R

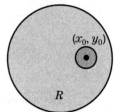

Figure 4.25 : Point intérieur (x_0, y_0) de R

Exemple 5

a) Le carré $-1 \le x \le 1$, $-1 \le y \le 1$ est fermé et borné.
b) Le premier quadrant $x \ge 0$, $y \ge 0$ est fermé mais n'est pas borné.
c) Le disque $x^2 + y^2 < 1$ est ouvert et borné mais n'est pas fermé.
d) Le demi-plan $y > 0$ est ouvert mais n'est ni fermé ni borné.

Le théorème[4] suivant explique la raison pour laquelle les régions fermées et bornées sont utiles :

> Si f est une fonction continue dans une région R fermée et bornée, alors f a un maximum absolu en un point (x_0, y_0) dans R et un minimum absolu en un point (x_1, y_1) dans R.

Le théorème s'applique également aux fonctions de trois variables ou plus.

Si f n'est pas continu ou si la région R n'est pas fermée et bornée, f n'atteindra pas nécessairement un maximum absolu ou un minimum absolu dans R. Dans l'exemple 4, la fonction g est continue ; toutefois, elle n'atteint pas de maximum absolu ou de minimum absolu dans un espace à deux dimensions, une région qui est fermée mais qui n'est pas bornée. L'exemple 6 illustre ce qui peut se produire quand la région est bornée mais n'est pas fermée.

Exemple 6

La fonction suivante a-t-elle un maximum absolu ou un minimum absolu dans la région R donnée par $0 < x^2 + y^2 \le 1$?

$$f(x, y) = \frac{1}{x^2 + y^2}.$$

Solution

La région R est bornée, mais elle n'est pas fermée puisqu'elle ne contient pas le point frontière $(0, 0)$. On peut voir d'après le graphe de $z = f(x, y)$ de la figure 4.26 que f a un minimum absolu sur le cercle $x^2 + y^2 = 1$. Cependant, $f(x, y) \to \infty$ quand $(x, y) \to (0, 0)$, donc f n'a pas de maximum absolu.

Figure 4.26 : Graphe montrant que $f(x, y) = \frac{1}{x^2 + y^2}$ n'a pas de maximum absolu dans $0 < x^2 + y^2 \le 1$

---

4. Pour obtenir la preuve, voir RUDIN, W. *Principles of Mathematical Analysis*, 2e édition, New York, McGraw-Hill, 1976, p. 89.

Problèmes de la section 4.2

1. En observant la carte météorologique de la figure 1.1, trouvez les températures maximales et minimales quotidiennes pour les États du Mississippi, de l'Alabama, de la Pennsylvanie, de New York, de la Californie, de l'Arizona et du Massachusetts.

2. Est-ce que la fonction $f(x, y) = -2x^2 - 7y^2$ a des maximums et des minimums absolus ? Justifiez votre réponse.

3. Est-ce que la fonction $f(x, y) = x^2/2 + 3y^3 + 9y^2 - 3x + 9y - 9$ a des maximums et des minimums absolus ? Justifiez votre réponse.

4. Laquelle des fonctions suivantes a un maximum absolu et un minimum absolu ? Laquelle n'a ni l'un ni l'autre ?

$$f(x, y) = 5 + x^2 - 2y^2 \quad g(x, y) = x^2y^2 \quad h(x, y) = x^3 + y^3$$

Pour les problèmes 5 à 7, trouvez le maximum absolu et le minimum absolu de la fonction donnée dans le carré $-1 \leq x \leq 1$, $-1 \leq y \leq 1$, et dites s'ils se trouvent sur la frontière du carré. [Indication : considérez le graphe de la fonction.]

5. $z = x^2 + y^2$ 6. $z = x^2 - y^2$ 7. $z = -x^2 - y^2$

8. La demande des consommateurs pour un produit est fonction de son prix. La demande pour un produit peut aussi dépendre du prix d'autres produits. Par exemple, la demande de thé est touchée par le prix du café ; le prix de l'essence influe sur la demande de voitures. Supposez que les quantités demandées q_1 et q_2 de deux produits dépendent des prix p_1 et p_2 comme suit :

$$q_1 = 150 - 2p_1 - p_2,$$
$$q_2 = 200 - p_1 - 3p_2.$$

   a) Que vous indique le fait que les coefficients de p_1 et de p_2 sont négatifs ? Donnez un exemple de deux produits qui peuvent être en relation de cette manière.
   b) Supposez qu'un fabricant vend ces deux produits. Comment le fabricant devrait-il fixer les prix pour gagner le revenu maximal possible ? Quel est ce revenu maximal possible ?

9. Une entreprise exploite deux usines qui fabriquent le même article et dont les fonctions du coût total sont

$$C_1 = 8,5 + 0,03q_1^2 \quad \text{et} \quad C_2 = 5,2 + 0,04q_2^2,$$

où q_1 et q_2 sont les quantités produites par chaque usine. La quantité totale demandée $q = q_1 + q_2$ est reliée au prix p par

$$p = 60 - 0,04q.$$

Quelle quantité chaque usine devrait-elle produire afin de maximiser le profit de l'entreprise[5] ?

10. Supposez que deux produits sont fabriqués dans des quantités q_1 et q_2 et qu'ils sont vendus respectivement aux prix de p_1 et de p_2. De plus, supposez que le coût de production de ces produits est donné par

$$C = 2q_1^2 + 2q_2^2 + 10.$$

   a) Trouvez le profit maximal qui peut être fait en supposant que les prix sont fixes.
   b) Trouvez le taux de variation de ce profit maximal quand p_1 augmente.

11. Un missile est muni d'un appareil de téléguidage qui est sensible à la température et à l'humidité. Si t est la température (en degrés Celsius) et h est le pourcentage d'humidité, le champ (en kilomètres) dans lequel on peut téléguider le missile est donné par

$$\text{Champ (en km)} = 27\,800 - 5t^2 - 6ht - 3h^2 + 400t + 300h.$$

Quelles sont les conditions atmosphériques optimales pour téléguider le missile ?

---

5. Adapté de ROSSER, M. *Basic Mathematics for Economists*, New York, Routledge, 1993, p. 318.

12. Certains articles sont vendus à différents prix à divers groupes de personnes. Par exemple, on offre parfois des rabais aux aînés ou aux enfants. Cette mesure est souvent adoptée parce que les groupes en question peuvent être plus sensibles au prix. Donc, en leur offrant des rabais, on pourra plus facilement influer sur leurs décisions d'achat. Le vendeur fait face à un problème d'optimisation : quel est le plus gros rabais à offrir afin de maximiser le profit ?

    Une salle de cinéma peut vendre q_c billets pour enfants et q_a billets pour adultes aux prix de p_c et de p_a, selon les fonctions de demande suivantes :

    $$q_c = r p_c^{-4} \quad \text{et} \quad q_a = s p_a^{-2}.$$

    De plus, la salle de cinéma a un coût d'exploitation proportionnel au nombre total de billets vendus. Quel devrait être le prix relatif des billets pour enfants et des billets pour adultes ?

13. Montrez analytiquement que la fonction $f(x, y)$ de l'exemple 3 a un minimum local en $(2, 1)$.

14. Dessinez un carton de lait rectangulaire de largeur w, de longueur l et de hauteur h, pouvant contenir 512 cm^3 de lait. Les côtés du carton coûtent $1 \not{c}/\text{cm}^2$, et le dessus de même que le fond coûtent $2 \not{c}/\text{cm}^2$. Trouvez les dimensions du carton qui minimisent le coût total des matériaux utilisés.

15. Une compagnie aérienne internationale a un règlement qui stipule que chaque passager peut transporter une valise dont la somme de la largeur, de la longueur et de la hauteur est inférieure ou égale à 135 cm. Trouvez les dimensions de la plus grosse valise qu'un passager peut transporter avec lui conformément à ce règlement.

16. La fabrication d'un produit par une entreprise nécessite un capital et de la main-d'œuvre. La quantité fabriquée Q du produit est donnée par la fonction de production de Cobb-Douglas

    $$Q = A K^a L^b,$$

    où K est la quantité requise de capital, L est la quantité de main-d'œuvre utilisée et A, a, b sont des constantes positives avec $0 < a < 1$ et $0 < b < 1$. Supposez qu'une unité de capital coûte k \$ et qu'une unité de main-d'œuvre coûte l \$. Le prix du produit est fixé à p \$/unité.

    a) Si $a + b < 1$, combien de capital et de main-d'œuvre l'entreprise doit-elle utiliser pour maximiser son profit ?

    b) Y a-t-il un profit maximal dans le cas de $a + b = 1$? Que pouvez-vous dire de $a + b \geq 1$? Justifiez votre réponse.

    [Remarque : voir la section 1.4 pour une discussion sur la fonction de production de Cobb-Douglas. Les trois cas considérés ci-dessus, à savoir $a + b < 1$, $a + b = 1$ et $a + b > 1$ sont, respectivement, les cas de *rendements d'échelle décroissants*, de *rendements d'échelle constants* et de *rendements d'échelle croissants*.]

17. Calculez la droite de régression des points $(-1, 2)$, $(0, -1)$ et $(1, 1)$ en utilisant les moindres carrés.

18. Dans ce problème, vous développez les formules générales pour la pente et l'ordonnée à l'origine d'une droite des moindres carrés. Supposez que vous avez n points de données (x_1, y_1), $(x_2, y_2), \cdots,$ (x_n, y_n). Supposez aussi que l'équation de la droite des moindres carrés est $y = b + mx$.

    a) Pour chaque point de données (x_i, y_i), montrez que le point correspondant qui se trouve directement au-dessus ou en dessous de ce dernier sur la droite des moindres carrés a l'ordonnée $b + mx_i$.

    b) Pour chaque point de données (x_i, y_i), montrez que le carré de la distance verticale entre ce point et le point trouvé dans la partie a) est $(y_i - (b + mx_i))^2$.

    c) Formez la fonction $f(b, m)$ qui est la somme de toutes les distances carrées n trouvées à la partie b). Ainsi,

    $$f(b, m) = \sum_{i=1}^{n} (y_i - (b + mx_i))^2.$$

    Montrez que les dérivées partielles $\dfrac{\partial f}{\partial b}$ et $\dfrac{\partial f}{\partial m}$ sont données par

    $$\frac{\partial f}{\partial b} = -2 \sum_{i=1}^{n} (y_i - (b + mx_i))$$

et

$$\frac{\partial f}{\partial m} = -2 \sum_{i=1}^{n} (y_i - (b + mx_i)) \cdot x_i.$$

d) Montrez que les équations du point critique $\frac{\partial f}{\partial b} = 0$ et $\frac{\partial f}{\partial m} = 0$ mènent à une paire d'équations linéaires simultanées en b et en m :

$$nb + \left(\sum x_i \right) m = \sum y_i,$$

$$\left(\sum x_i \right) b + \left(\sum x_i^2 \right) m = \sum x_i y_i.$$

e) Résolvez les équations de la partie d) pour b et m. Vous obtenez ainsi

$$b = \left(\sum_{i=1}^{n} x_i^2 \sum_{i=1}^{n} y_i - \sum_{i=1}^{n} x_i \sum_{i=1}^{n} x_i y_i \right) \Big/ \left(n \sum_{i=1}^{n} x_i^2 - \left(\sum_{i=1}^{n} x_i \right)^2 \right),$$

$$m = \left(n \sum_{i=1}^{n} x_i y_i - \sum_{i=1}^{n} x_i \sum_{i=1}^{n} y_i \right) \Big/ \left(n \sum_{i=1}^{n} x_i^2 - \left(\sum_{i=1}^{n} x_i \right)^2 \right).$$

f) Appliquez ces formules aux points de données $(1, 1)$, $(2, 1)$ et $(3, 3)$ pour vérifier que vous obtenez les mêmes résultats que dans l'exemple 2.

Quand les données ne sont pas linéaires, vous pouvez parfois les transformer de telle sorte qu'elles paraissent plus linéaires. Par exemple, supposez qu'on s'attend à ce que les points de données (x, y) se trouvent approximativement sur une courbe exponentielle, soit

$$y = Ce^{ax},$$

où a et C sont des constantes. En prenant le logarithme naturel de chaque côté, on trouve que $\ln y$ est une fonction linéaire de x.

$$\ln y = ax + \ln C.$$

Pour trouver a et C, on utilise la droite des moindres carrés pour $\ln y$ par rapport à x. Utilisez cette méthode pour les problèmes 19 et 20.

19. La population des États-Unis se chiffrait à environ 180 millions en 1960. Elle a atteint 206 millions en 1970, puis 226 millions en 1980.

   a) En vous basant sur ces données et en supposant que la population croissait à un taux exponentiel, utilisez la méthode des moindres carrés pour évaluer la population en 1990.
   b) Selon le recensement national, la population en 1990 se chiffrait à 249 millions. Qu'est-ce que ce nombre vous apprend sur l'hypothèse de la croissance exponentielle ?
   c) Prédisez la population pour l'an 2010.

20. Les données du tableau 4.3 montrent le coût d'un timbre-poste de première classe aux États-Unis au cours des 70 dernières années.

TABLEAU 4.3   *Coût d'un timbre-poste de première classe*

Année	1920	1932	1958	1963	1968	1971	1974
Timbre-poste	0,02	0,03	0,04	0,05	0,06	0,08	0,10
Année	1975	1978	1981	1985	1988	1991	1995
Timbre-poste	0,13	0,15	0,20	0,22	0,25	0,29	0,32

a) Trouvez la droite dont la concordance est la meilleure avec les données. À l'aide de cette droite, prévoyez le coût d'un timbre-poste en 2010.

b) Tracez le graphique de ces données. Le graphique est-il linéaire ?

c) Tracez le graphique de l'année par rapport au logarithme naturel du prix. Le graphique semble-t-il linéaire ? Le cas échéant, qu'est-ce que cela vous indique sur le prix d'un timbre-poste en fonction du temps ? Trouvez la droite dont la concordance est la meilleure avec ces données, puis utilisez votre réponse pour prédire une fois de plus le coût d'un timbre-poste en 2010.

21. On souhaite trouver la valeur minimale de

$$f(x, y) = (x + 1)^4 + (y - 1)^4 + \frac{1}{x^2 y^2 + 1} \, .$$

a) Utilisez un ordinateur pour tracer le diagramme des courbes de niveau de f.

b) Minimisez f en utilisant la méthode de recherche du gradient.

22. Le gouvernement désire construire une conduite pour pomper l'eau d'une digue dans un réservoir, comme l'illustre la figure 4.27. Le coût C (en millions de dollars) dépend du diamètre d de la conduite (en mètres) et du nombre n de stations de pompage, selon la formule[6] suivante :

$$C = 0{,}15n + 3\left(\frac{4d}{5}\right)^{-4{,}87} + \left(\frac{4d}{5}\right)^{1{,}8} + 3\left(\frac{4d}{5}\right)^{1{,}8} n^{-1} \, .$$

À l'aide de la méthode de recherche du gradient, trouvez le nombre optimal de stations de pompage et le diamètre de la conduite.

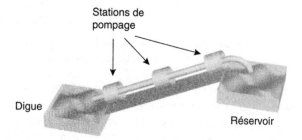

Figure 4.27

23. Considérez la fonction donnée par $f(x, y) = x^2(y + 1)^3 + y^2$. Montrez que f n'a qu'un point critique, à savoir $(0, 0)$, et que ce point est un minimum local mais non un minimum absolu. Comparez cette situation avec le cas d'une fonction ayant un simple minimum local dans le calcul d'une fonction d'une variable.

4.3 L'OPTIMISATION CONTRAINTE :
LES MULTIPLICATEURS DE LAGRANGE

Plusieurs problèmes d'optimisation (peut-être même la plupart) sont soumis à des circonstances externes. Par exemple, une ville qui souhaite mettre sur pied un système de transport public ne peut consacrer qu'une part limitée de ses recettes fiscales à ce projet. Dans la présente section, on apprend comment trouver une valeur optimale sous de telles contraintes.

---

6. WILDE, Douglass J. *Globally Optimal Design*, New York, John Wiley & Sons, 1978.

L'approche graphique : la maximisation de la production sous une contrainte budgétaire

On suppose qu'on veut maximiser la production d'une entreprise ayant une contrainte budgétaire. On suppose que la production f est une fonction de deux variables x et y, lesquelles sont les quantités de deux matières premières, et que

$$f(x, y) = x^{2/3} y^{1/3}.$$

Si on achète x et y aux prix de p_1 et de p_2 milliers de dollars/unité, quelle est la production maximale f qu'on peut obtenir avec un budget de c milliers de dollars ?

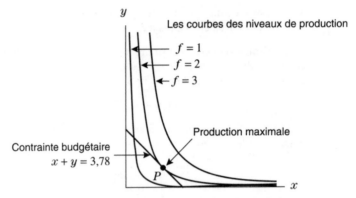

Figure 4.28 : Point optimal P, où la contrainte budgétaire est tangente à une fonction de niveau de production

Pour maximiser f sans tenir compte du budget, on ne fait qu'augmenter x et y. Cependant, à cause de la contrainte budgétaire, on ne peut augmenter x et y au-delà d'un certain point. Quelle est la portée exacte de cette contrainte ? Avec les prix p_1 et p_2, le montant dépensé pour x est $p_1 x$ et le montant dépensé pour y est $p_2 y$. Donc, on doit avoir

$$g(x, y) = p_1 x + p_2 y \leq c,$$

où $g(x, y)$ est le coût total des matières premières x et y, et où c est le budget (en milliers de dollars). On analyse le cas où $p_1 = p_2 = 1$ et $c = 3,78$. Alors,

$$x + y \leq 3,78.$$

La figure 4.28 montre certaines courbes de niveau de f et la contrainte budgétaire représentée par la droite $x + y = 3,78$. Tout point situé sur ou au-dessous de la droite représente une paire de valeurs de x et de y qu'on peut se permettre. Un point sur la droite représente des valeurs qui épuisent complètement le budget ; un point sous la droite représente les valeurs de x et de y qu'on peut acheter sans dépasser le budget. Un point au-dessus de la droite représente une paire de valeurs qu'on ne peut se permettre. Pour maximiser f, on trouve le point qui est situé sur la courbe de niveau avec la plus grande valeur possible de f et qui se trouve à l'intérieur des limites du budget. Le point doit se trouver sur la contrainte budgétaire, car on doit dépenser tout l'argent disponible. À moins qu'on ne se trouve au point où la contrainte budgétaire est tangente à la courbe $f = 2$, on peut augmenter f en se déplaçant le long de la droite, qui représente la contrainte budgétaire de la figure 4.28. Par exemple, si on se trouve sur la droite, à gauche du point de tangence, et qu'on se déplace vers la droite, f augmente ; si on se trouve sur la droite, à droite du point de tangence, et qu'on se déplace vers la gauche, f augmente. Par conséquent, la valeur maximale de f sur la contrainte budgétaire est atteinte au point où la contrainte budgétaire est tangente à la courbe $f = 2$.

La solution analytique : les multiplicateurs de Lagrange

On sait qu'on obtient une production maximale au point où la contrainte budgétaire est tangente à une courbe de niveau de la fonction de production. Dans la méthode des multiplicateurs de Lagrange, on considère ce fait sous une forme algébrique. La figure 4.29 montre qu'à un point optimal P, le gradient de f et la normale à la droite budgétaire $g(x, y) = 3,78$ sont parallèles. Ainsi, en P, grad f et grad g sont parallèles. Donc, pour un scalaire λ, appelé le *multiplicateur de Lagrange,*

$$\text{grad } f = \lambda \text{ grad } g.$$

Puisque grad $f = \left(\dfrac{2}{3}x^{-1/3}y^{1/3}\right)\vec{i} + \left(\dfrac{1}{3}x^{2/3}y^{-2/3}\right)\vec{j}$ et que grad $g = \vec{i} + \vec{j}$, en égalisant les composantes, on a

$$\frac{2}{3}x^{-1/3}y^{1/3} = \lambda \quad \text{et} \quad \frac{1}{3}x^{2/3}y^{-2/3} = \lambda.$$

En éliminant λ, on obtient

$$\frac{2}{3}x^{-1/3}y^{1/3} = \frac{1}{3}x^{2/3}y^{-2/3}, \quad \text{ce qui donne} \quad 2y = x.$$

Puisqu'on doit aussi satisfaire à la contrainte $x + y = 3,78$, on a $x = 2,52$ et $y = 1,26$. Pour ces valeurs,

$$f(2,52,\ 1,26) = (2,52)^{2/3}(1,26)^{1/3} \approx 2.$$

Par conséquent, comme plus haut, on voit que la valeur maximale de f est d'environ 2 ; on apprend également que ce maximum est atteint en $x = 2,52$ et $y = 1,26$.

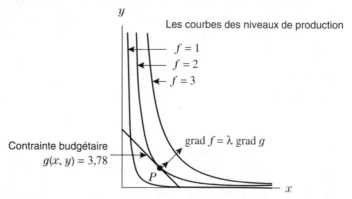

Figure 4.29 : Au point P de la production maximale, les vecteurs
grad f et grad g sont parallèles.

Les multiplicateurs de Lagrange en général

On suppose qu'on veut optimiser une *fonction-objectif* $f(x, y)$ sous une *contrainte* $g(x, y) = c$. On ne considère que les points qui satisfont à la contrainte et on recherche des extremums parmi eux. On établit la définition suivante :

> On suppose que P_0 est un point satisfaisant à la contrainte $g(x, y) = c$.
> - La fonction f a un **maximum local** en P_0 **sous la contrainte** si $f(P_0) \geq f(P)$ pour tous les points P près de P_0 qui satisfont à la contrainte ;
> - La fonction f a un **maximum absolu** en P_0 **sous la contrainte** si $f(P_0) \geq f(P)$ pour tous les points P qui satisfont à la contrainte.
> On définit les minimums locaux et les minimums absolus de la même manière.

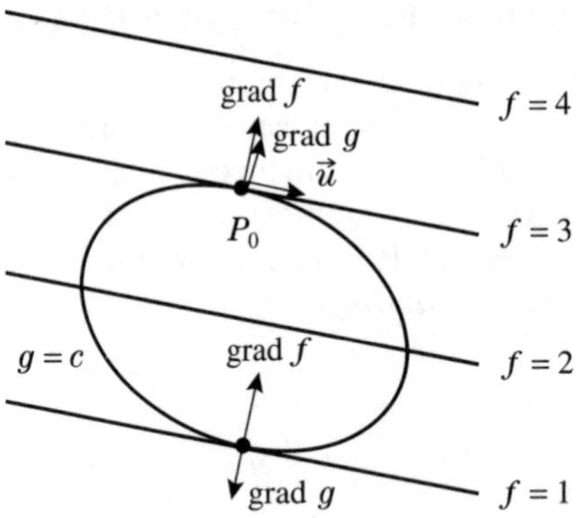

Figure 4.30 : Les valeurs maximale et minimale de $f(x, y)$ sous la contrainte $g(x, y) = c$ sont aux points où grad f est parallèle à grad g.

Comme on l'a vu dans l'exemple de la production, des extremums contraints se trouvent aux points où les courbes de niveau de f sont tangentes aux courbes de niveau de g. Ils peuvent également se trouver aux extrémités de la contrainte. Parfois, on trouve ces extremums en substituant la contrainte dans la fonction-objectif. Cependant, la méthode des multiplicateurs de Lagrange fonctionne quand la substitution n'est pas possible.

En n'importe quel point, grad f s'oriente dans la direction dans laquelle f augmente le plus rapidement. On suppose que $\vec{u}$ est un vecteur unitaire tangent à la contrainte. Si grad $f \cdot \vec{u} > 0$, alors la dérivée directionnelle $f_{\vec{u}}$ est positive, et le fait de se déplacer dans la direction de $\vec{u}$ fait augmenter f. Si grad $f \cdot \vec{u} < 0$, alors $f_{\vec{u}}$ est négatif, et le fait de se déplacer dans la direction de $-\vec{u}$ fait augmenter f. Ainsi, en un point P_0 où f a un maximum local contraint, on doit avoir grad $f \cdot \vec{u} = 0$. Par conséquent, en P_0, grad f et grad g sont perpendiculaires à $\vec{u}$, alors grad f et grad g sont parallèles (voir la figure 4.30). Ainsi, si grad $g \neq \vec{0}$ en P_0, on peut utiliser la méthode suivante :

Pour optimiser f sous la contrainte $g = c$, on résout les équations

$$\text{grad } f = \lambda \text{ grad } g \quad \text{et} \quad g = c,$$

où λ est appelé le **multiplicateur de Lagrange**.

Si f et g sont des fonctions de deux variables, la méthode de Lagrange donne trois équations pour trois inconnues, soit x, y et λ :

$$f_x = \lambda g_x, \quad f_y = \lambda g_y, \quad g(x, y) = c.$$

Si f et g sont des fonctions de trois variables, la méthode de Lagrange donne quatre équations pour quatre inconnues, soit x, y, z et λ :

$$f_x = \lambda g_x, \quad f_y = \lambda g_y, \quad f_z = \lambda g_z, \quad g(x, y, z) = c.$$

Exemple 1   Trouvez les valeurs maximale et minimale de $x + y$ sur le cercle $x^2 + y^2 = 4$.

Solution   La fonction-objectif est

$$f(x, y) = x + y,$$

et la contrainte est

$$g(x, y) = x^2 + y^2 = 4.$$

Puisque grad $f = f_x \vec{i} + f_y \vec{j} = \vec{i} + \vec{j}$ et que grad $g = g_x \vec{i} + g_y \vec{j} = 2x\vec{i} + 2y\vec{j}$, alors grad $f = \lambda$ grad g donne

$$1 = 2\lambda x,$$
$$1 = 2\lambda y.$$

Alors,

$$x = y.$$

On sait aussi que

$$x^2 + y^2 = 4,$$

ce qui donne $x = y = \sqrt{2}$ ou $x = y = -\sqrt{2}$.

Puisque $f(x, y) = x + y$, la valeur maximale de f est $f(\sqrt{2}, \sqrt{2}) = 2\sqrt{2}$ et on la retrouve quand $x = y = \sqrt{2}$; la valeur minimale est $f(-\sqrt{2}, -\sqrt{2}) = -2\sqrt{2}$ et on la retrouve quand $x = y = -\sqrt{2}$ (voir la figure 4.31).

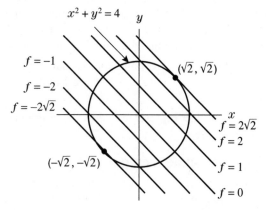

Figure 4.31 *:* Les valeurs maximale et minimale de $f(x, y) = x + y$ sur le cercle $x^2 + y^2 = 4$ sont aux points où les courbes de niveau de f sont tangentes au cercle.

Comment différencier les maximums des minimums

Il existe un test[7] de dérivée seconde qui permet de classer les points critiques des problèmes d'optimisation contrainte. Toutefois, il est plus complexe que le test déjà présenté à la section 4.1. Comme on peut le voir à partir des exemples, un graphe de la contrainte et certaines courbes de niveau peuvent généralement révéler plus clairement les points qui sont des maximums, des minimums et ceux qui ne sont ni l'un ni l'autre.

La signification de λ dans l'exemple de la production

Dans les exemples précédents, on n'a jamais trouvé (ou eu besoin de trouver) la valeur de λ. Cependant, λ peut être interprété de manière pratique.

On revient au problème de production dans lequel on voulait maximiser

$$f(x, y) = x^{2/3} y^{1/3}$$

sous la contrainte

$$g(x, y) = x + y = 3{,}78.$$

---

7.   Voir MARSDEN, J. E. et A. J. TROMBA. *Vector Calculus*, 2e édition, San Francisco, W. H. Freeman, 1981, p. 224-230.

On a résolu les équations

$$\frac{2}{3} x^{-1/3} y^{1/3} = \lambda,$$

$$\frac{1}{3} x^{2/3} y^{-2/3} = \lambda,$$

$$x + y = 3,78,$$

pour obtenir $x = 2,52$, $y = 1,26$ et $f(2,52, 1,26) \approx 2$. En poursuivant pour trouver λ, on obtient

$$\lambda \approx 0,53.$$

On suppose maintenant qu'on fait un autre calcul apparemment sans rapport. On imagine que le budget a été augmenté légèrement et qu'il passe de 3,78 à 4,78, ce qui donne une nouvelle contrainte budgétaire de $x + y = 4,78$. Alors, la solution correspondante se trouve en $x = 3,19$ et en $y = 1,59$, et la nouvelle valeur maximale (au lieu de $f = 2$) est

$$f = (3,19)^{2/3} (1,59)^{1/3} \approx 2,53.$$

Noter que le montant duquel f a augmenté est de 0,53, soit la valeur de λ. Par conséquent, dans cet exemple, la valeur de λ représente la production supplémentaire qu'on obtient en augmentant le budget de 1 — en d'autres mots, le « bénéfice » supplémentaire qu'on obtient pour 1 $ additionnel de budget. En fait, cette assertion est vraie en général :

- La valeur de λ correspond approximativement à l'augmentation de la valeur optimale de f quand le budget est augmenté de 1 unité.

Plus exactement,

- La valeur de λ représente le taux de variation de la valeur optimale de f quand le budget augmente.

La signification de λ en général

Pour interpréter λ, on observe comment la valeur optimale de la fonction-objectif f change quand la valeur c de la fonction contrainte g varie. Le point optimal (x_0, y_0) dépendra, en général, de la valeur de la contrainte c. Donc, si x_0 et y_0 sont des fonctions différentiables de c, on peut utiliser la règle de la dérivée en chaîne pour dériver la valeur optimale $f(x_0(c), y_0(c))$ par rapport à c :

$$\frac{df}{dc} = \frac{\partial f}{\partial x} \frac{dx_0}{dc} + \frac{\partial f}{\partial y} \frac{dy_0}{dc}.$$

Au point optimal (x_0, y_0), on a $f_x = \lambda g_x$ et $f_y = \lambda g_y$ et, ainsi,

$$\frac{df}{dc} = \lambda \left(\frac{\partial g}{\partial x} \frac{dx_0}{dc} + \frac{\partial g}{\partial y} \frac{dy_0}{dc} \right) = \lambda \frac{dg}{dc}.$$

Toutefois, quand $g(x_0(c), y_0(c)) = c$, on voit que $dg/dc = 1$ et que $df/dc = \lambda$. Par conséquent, on peut interpréter le multiplicateur λ de Lagrange ainsi :

La valeur de λ est le taux de variation de la valeur optimale de f quand c augmente (où $g(x, y) = c$). Si la valeur optimale de f se note $f(x_0(c), y_0(c))$, alors on a

$$\frac{d}{dc} f(x_0(c), y_0(c)) = \lambda.$$

Exemple 2   On suppose que la quantité de biens produits selon la fonction $f(x, y) = x^{2/3} y^{1/3}$ est maximisée en raison de la contrainte budgétaire $x + y \leq 3,78$. On suppose aussi qu'on augmente le budget pour permettre une légère augmentation de la production. À quel prix doit-on vendre le produit afin que l'augmentation du budget soit rentable pour la production ?

Solution On sait que $\lambda = 0{,}53$, ce qui indique que $df/dc = 0{,}53$. Ainsi, en augmentant le budget de 1 \$, on fait croître la production d'environ $0{,}53$ unité. Afin de rendre profitable l'augmentation du budget, les biens supplémentaires produits doivent se vendre plus de 1 \$. Par conséquent, si p est le prix de chaque unité du bien, alors $0{,}53p$ est le revenu fait à partir de la $0{,}53$ unité supplémentaire vendue. Ainsi, on a besoin de $0{,}53p \geq 1$, alors $p \geq 1/0{,}53 = 1{,}89$ \$.

L'optimisation avec des contraintes d'inégalité

Le problème de production qu'on a d'abord analysé consistait à maximiser la production $f(x, y)$ sous une contrainte budgétaire

$$g(x, y) = p_1 x + p_2 y \leq c.$$

Cette contrainte budgétaire est une contrainte d'inégalité qui restreint (x, y) à une région du plan plutôt qu'à une courbe dans le plan. En principe, on devrait d'abord vérifier si oui ou non $f(x, y)$ a des points critiques à l'intérieur, définis par

$$p_1 x + p_2 y < c.$$

Cependant, dans le cas d'une contrainte budgétaire, on peut voir que le maximum de f doit exister quand le budget est épuisé, et alors on recherche la valeur maximale de f sur la droite frontière

$$p_1 x + p_2 y = c.$$

Stratégie pour optimiser $f(x, y)$ sous la contrainte $g(x, y) \leq c$

- On trouve tous les points à l'intérieur de $g(x, y) < c$ où grad f est nul ou indéfini ;
- On utilise les multiplicateurs de Lagrange pour trouver les extremums locaux de f sur la frontière $g(x, y) = c$;
- On évalue f aux points trouvés dans les deux étapes précédentes et on compare les valeurs.

On a appris à la section 4.2 que si f est continu dans une région fermée et bornée R, alors f atteindra nécessairement ses valeurs maximale et minimale absolues dans R.

Exemple 3 Trouvez les valeurs maximale et minimale de $f(x, y) = (x - 1)^2 + (y - 2)^2$ sous la contrainte $x^2 + y^2 \leq 45$.

Solution Premièrement, on recherche tous les points critiques de f à l'intérieur de la région. En posant

$$f_x = 2(x - 1) = 0,$$
$$f_y = 2(y - 2) = 0,$$

on trouve que f a un point critique exactement en $x = 1$, $y = 2$. Puisque $1^2 + 2^2 < 45$, ce point critique se trouve à l'intérieur de la région.

Ensuite, on trouve les extremums locaux de f sur la courbe frontière $x^2 + y^2 = 45$. Pour ce faire, on utilise les multiplicateurs de Lagrange avec une contrainte $g(x, y) = x^2 + y^2 = 45$. En posant grad $f = \lambda$ grad g, on obtient

$$2(x - 1) = \lambda \cdot 2x,$$
$$2(y - 2) = \lambda \cdot 2y.$$

Si $\lambda = 0$, alors $x = 1$, $y = 2$, qui est le point critique intérieur. Ainsi, sur la frontière, on a

$$\frac{x}{x - 1} = \frac{y}{y - 2}.$$

Donc,

$$y = 2x.$$

En combinant ce résultat avec la contrainte $x^2 + y^2 = 45$, on obtient

$$5x^2 = 45.$$

Alors,

$$x = \pm 3.$$

Puisque $y = 2x$, on a des extremums locaux possibles en $x = 3$, $y = 6$ et en $x = -3$, $y = -6$.

On conclut que les seules possibilités de valeurs maximale et minimale de f dans la région sont en $(1, 2)$, en $(3, 6)$ et en $(-3, -6)$. En évaluant f en ces trois points, on trouve

$$f(1, 2) = 0, \quad f(3, 6) = 20, \quad f(-3, -6) = 80.$$

Ainsi, la valeur minimale de f est zéro en $(1, 2)$, et la valeur maximale est 80 en $(-3, -6)$.

Les problèmes d'optimisation avec deux contraintes

Dans les applications, on rencontre des problèmes d'optimisation dont la fonction-objectif f est une fonction de trois variables ou plus et où il y a deux fonctions contraintes ou plus. Dans ces cas, les courbes de niveau de f, g_1 et g_2, sont des surfaces. Afin d'optimiser f sous les contraintes $g_1 = c_1$ et $g_2 = c_2$, on résout le système d'équations[8]

$$\text{grad } f(x, y, z) = \lambda_1 \text{ grad } g_1(x, y, z) + \lambda_2 \text{ grad } g_2(x, y, z),$$
$$g_1(x, y, z) = c_1,$$
$$g_2(x, y, z) = c_2,$$

pour les cinq inconnues x, y, z, λ_1 et λ_2.

Exemple 4   Le plan $x + y + z = 1$ coupe le cylindre $x^2 + y^2 = 2$ dans une courbe C. Trouvez les points de hauteur minimale et de hauteur maximale en C, au-dessus du plan des xy.

Solution   Puisque z est la distance d'un point au-dessus du plan des xy, on veut maximiser la fonction-objectif $f(x, y, z) = z$ sous les contraintes

$$g_1(x, y, z) = x^2 + y^2 = 2 \quad \text{et} \quad g_2(x, y, z) = x + y + z = 1.$$

---

8. La justification de la méthode des multiplicateurs de Lagrange exige le recours au *théorème de la fonction implicite*. Voir, à titre d'exemple, MARSDEN, J. E. et M.H. HOFFMAN. *Elementary Classical Analysis*, 2e édition, New York, W. H. Freeman, 1993.

On résout les équations grad $f = \lambda_1$ grad $g_1 + \lambda_2$ grad g_2, $g_1(x, y, z) = 2$ et $g_2(x, y, z) = 1$:

$$0 = 2\lambda_1 x + \lambda_2,$$
$$0 = 2\lambda_1 y + \lambda_2,$$
$$1 = \lambda_2,$$
$$x^2 + y^2 = 2,$$
$$x + y + z = 1.$$

À partir des deux premières équations, on obtient $x = y$. En utilisant la troisième, on obtient aussi $x = y = -1/(2\lambda_1)$. En remplaçant ces valeurs par x et y dans la quatrième, on a

$$\lambda_1 = \pm 1/2.$$

On obtient $x = y = \pm 1$, et la dernière équation donne $z = -1$ et $z = 3$. Ainsi, $P_1 = (-1, -1, 3)$ est le point de hauteur maximale en C, au-dessus du plan des xy, et $P_2 = (1, 1, -1)$ est le point de hauteur minimale.

La fonction de Lagrange

On peut souvent résoudre les problèmes d'optimisation contrainte en utilisant une *fonction de Lagrange* $\mathcal{L}$ (ou *Lagrangien*). Par exemple, pour optimiser la fonction $f(x, y)$ sous la contrainte $g(x, y) = c$, on utilise la fonction de Lagrange

$$\mathcal{L}(x, y, \lambda) = f(x, y) - \lambda(g(x, y) - c).$$

Pour savoir en quoi la fonction $\mathcal{L}$ est utile, on calcule les dérivées partielles de $\mathcal{L}$:

$$\frac{\partial \mathcal{L}}{\partial x} = \frac{\partial f}{\partial x} - \lambda \frac{\partial g}{\partial x},$$

$$\frac{\partial \mathcal{L}}{\partial y} = \frac{\partial f}{\partial y} - \lambda \frac{\partial g}{\partial y},$$

$$\frac{\partial \mathcal{L}}{\partial \lambda} = -(g(x, y) - c).$$

Noter que si (x_0, y_0) est un point critique de $f(x, y)$ sous la contrainte $g(x, y) = c$ et que λ_0 est le multiplicateur de Lagrange correspondant, alors au point (x_0, y_0, λ_0) on a

$$\frac{\partial \mathcal{L}}{\partial x} = 0 \quad \text{et} \quad \frac{\partial \mathcal{L}}{\partial y} = 0 \quad \text{et} \quad \frac{\partial \mathcal{L}}{\partial \lambda} = 0.$$

En d'autres mots, (x_0, y_0, λ_0) est un point critique du problème d'optimisation non contrainte du Lagrangien $\mathcal{L}(x, y, \lambda)$. Par conséquent, le Lagrangien permet de convertir un problème d'optimisation contrainte en un problème d'optimisation non contrainte.

Le Lagrangien utilisé pour optimiser la fonction $f(x, y, z)$ sous deux contraintes $g_1(x, y, z) = c_1$ et $g_2(x, y, z) = c_2$ est

$$\mathcal{L}(x, y, z, \lambda_1, \lambda_2) = f(x, y, z) - \lambda_1(g_1(x, y, z) - c_1) - \lambda_2(g_2(x, y, z) - c_2).$$

Exemple 5

Une entreprise a une fonction de production avec trois intrants x, y et z donnée par

$$f(x, y, z) = 50x^{2/5}y^{1/5}z^{1/5}.$$

Le budget total est de 24 000 \$, et l'entreprise peut acheter x, y et z pour 80 \$, 12 \$ et 10 \$/unité, respectivement. Quelle combinaison d'intrants maximise la production[9] ?

9. Adapté de ROSSER, M. *Basic Mathematics for Economists*, New York, Routledge, 1993, p. 363.

Solution   Il faut optimiser la fonction-objectif

$$f(x, y, z) = 50x^{2/5}y^{1/5}z^{1/5}$$

sous la contrainte

$$g(x, y, z) = 80x + 12y + 10z = 24\,000.$$

Par conséquent, la fonction de Lagrange est

$$\mathcal{L}(x, y, z) = 50x^{2/5}y^{1/5}z^{1/5} - \lambda(80x + 12y + 10z - 24\,000).$$

On recherche donc des solutions au système d'équations qu'on obtient à partir de grad $\mathcal{L} = 0$:

$$\frac{\partial \mathcal{L}}{\partial x} = 20x^{-3/5}y^{1/5}z^{1/5} - 80\lambda = 0,$$

$$\frac{\partial \mathcal{L}}{\partial y} = 10x^{2/5}y^{-4/5}z^{1/5} - 12\lambda = 0,$$

$$\frac{\partial \mathcal{L}}{\partial z} = 10x^{2/5}y^{1/5}z^{-4/5} - 10\lambda = 0,$$

$$\frac{\partial \mathcal{L}}{\partial \lambda} = -(80x + 12y + 10z - 24\,000) = 0.$$

On simplifie ce système pour obtenir

$$\lambda = \frac{1}{4}x^{-3/5}y^{1/5}z^{1/5},$$

$$\lambda = \frac{5}{6}x^{2/5}y^{-4/5}z^{1/5},$$

$$\lambda = x^{2/5}y^{1/5}z^{-4/5},$$

$$80x + 12y + 10z = 24\,000.$$

En éliminant z des deux premières équations, on obtient $x = 0{,}3y$. En éliminant x de la deuxième et de la troisième équation, on obtient $z = 1{,}2y$. En remplaçant x et z dans $80x + 12y + 10z = 24\,000$, on a

$$80(0{,}3y) + 12y + 10(1{,}2y) = 24\,000,$$

donc $y = 500$. Ainsi, on obtient $x = 150$ et $z = 600$, et la valeur correspondante de f est $f(150, 500, 600) = 4622$ unités.

Le graphe de la contrainte est un plan dans un espace à trois dimensions. Puisque les intrants x, y, z doivent être non négatifs, la contrainte est un triangle dans le premier quadrant, avec des côtés dans les plans des coordonnées. Sur la frontière du triangle, une (ou plusieurs) des variables x, y, z est nulle, et la fonction f est donc nulle. Ainsi, $x = 150$, $y = 500$, $z = 600$ est un maximum.

Problèmes de la section 4.3

Pour les problèmes 1 à 17, utilisez les multiplicateurs de Lagrange pour trouver les valeurs maximale et minimale de $f(x, y)$ sous les contraintes données.

1. $f(x, y) = x + y$, $x^2 + y^2 = 1$

2. $f(x, y) = 3x - 2y$, $x^2 + 2y^2 = 44$

3. $f(x, y) = x^2 + y$, $x^2 - y^2 = 1$

4. $f(x, y) = xy$, $4x^2 + y^2 = 8$

5. $f(x, y) = x^2 + y^2$, $x^4 + y^4 = 2$

6. $f(x, y) = x^2 - xy + y^2$, $x^2 - y^2 = 1$

7. $f(x, y, z) = x + 3y + 5z, \quad x^2 + y^2 + z^2 = 1$

8. $f(x, y, z) = 2x + y + 4z, \quad x^2 + y + z^2 = 16$

9. $f(x, y, z) = x^2 - y^2 - 2z, \quad x^2 + y^2 = z$

10. $f(x, y, z) = x^2 - 2y + 2z^2, \quad x^2 + y^2 + z^2 = 1$

11. $f(x, y, z) = x + y + z$, sous $x^2 + y^2 + z^2 = 1$ et $x - y = 1$

12. $f(x, y) = x^2 + 2y^2, \quad x^2 + y^2 \le 4$ 13. $f(x, y) = xy, \quad x^2 + 2y^2 \le 1$

14. $f(x, y) = x^2 - y^2, \quad x^2 \ge y$ 15. $f(x, y) = x + 3y, \quad x^2 + y^2 \le 2$

16. $f(x, y) = x^3 + y, \quad x + y \ge 1$ 17. $f(x, y) = x^3 - y^2, \quad x^2 + y^2 \le 1$

18. Une entreprise fabrique un produit en utilisant les intrants x, y et z selon la fonction de production

$$Q(x, y, z) = 20x^{1/2}y^{1/4}z^{2/5}.$$

Les prix par unité sont de 20 \$ pour x, de 10 \$ pour y et de 5 \$ pour z. Quelle quantité de chaque intrant l'entreprise devrait-elle utiliser afin de fabriquer 1200 produits à un prix minimal[10] ?

19. Considérez une entreprise qui fabrique des articles dans deux usines différentes. Le coût total de fabrication est fonction des quantités q_1 et q_2, fournies par chaque usine, et il est exprimé par la *fonction du coût commun* $C = f(q_1, q_2)$. Supposez qu'on calcule l'approximation de la fonction du coût commun au moyen de

$$f(q_1, q_2) = 2q_1^2 + q_1q_2 + q_2^2 + 500,$$

et que l'entreprise a pour objectif de produire 200 unités tout en minimisant le coût de production. Combien d'unités chaque usine devrait-elle produire ?

20. Une industrie fabrique un produit à partir de deux matières premières. La quantité produite Q peut être donnée par la fonction de Cobb-Douglas

$$Q = cx^a y^b,$$

où x et y sont les quantités utilisées de chacune des deux matières premières et où a, b et c sont des constantes positives. Supposez que la première matière première coûte P_1 \$/unité et que la seconde coûte P_2 \$/unité. Trouvez la production maximale possible si on ne peut dépenser plus de K \$ pour les matières premières.

21. Chaque personne tente de partager équitablement son temps entre les loisirs et le travail. Toutefois, un compromis est possible : moins vous travaillez, moins vous gagnez de revenu. Donc, pour chaque personne, on a des *courbes d'indifférence* qui relient le nombre d'heures de loisirs l et le revenu s. Par exemple, si vous êtes indifférent entre le fait d'avoir 0 h de loisirs et un revenu de 1125 \$/sem., d'une part, et le fait d'avoir 10 h de loisirs et un revenu de 750 \$/sem. d'autre part, alors les points $l = 0$, $s = 1125$ et $l = 10$, $s = 750$ se trouvent tous les deux sur la même courbe d'indifférence. Le tableau 4.4 présente des données sur trois courbes d'indifférence, soit I, II et III.

TABLEAU 4.4

Revenu hebdomadaire			Heures de loisirs par semaine		
I	II	III	I	II	III
1125	1250	1375	0	20	40
750	875	1000	10	30	50
500	625	750	20	40	60
375	500	625	30	50	70
250	375	500	50	70	90

10. Adapté de ROSSER, M. *Basic Mathematics for Economists*, New York, Routledge, 1993, p. 363.

a) Tracez les trois courbes d'indifférence sur un papier quadrillé.

b) Supposez que vous disposez de 100 h/sem. pour le travail et pour les loisirs, et que vous gagnez 10 \$/h. Trouvez une équation en fonction de l et de s qui représente cette contrainte.

c) Sur le même papier quadrillé, tracez un graphique de cette contrainte.

d) À partir du graphique, évaluez la combinaison d'heures de loisirs et de revenu que vous choisiriez dans ces circonstances. Donnez le nombre d'heures par semaine que vous consacreriez au travail. Expliquez comment vous avez fait cette évaluation.

22. La figure 4.32 montre ∇f pour une fonction $f(x, y)$ et deux courbes, $g(x, y) = 1$ et $g(x, y) = 2$. Notez que $g = 1$ est la courbe intérieure et que $g = 2$ est la courbe extérieure. Marquez les points suivants sur une copie de la figure.

a) Le ou les points A où f a un maximum local.

b) Le ou les points B où f a un point-selle.

c) Le point C où f a un maximum en $g = 1$.

d) Le point D où f a un minimum en $g = 1$.

e) Si vous avez utilisé les multiplicateurs de Lagrange pour trouver C, quel serait le signe de λ ? Justifiez votre réponse.

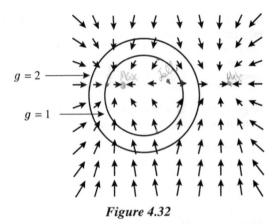

Figure 4.32

23. Concevez un contenant cylindrique fermé qui contient 100 cm^3 et dont l'aire est la plus petite possible. Quelles seraient ses dimensions ?

24. Une entreprise fabrique x unités d'un article et y unités d'un autre article. Le coût total C (en dollars) de la production de ces deux articles est approché par la fonction

$$C = 5x^2 + 2xy + 3y^2 + 800.$$

a) Si le contingent (ou quota) de production pour le nombre total d'articles (les deux types combinés) est de 39, trouvez le coût de production minimal.

b) Évaluez l'augmentation du coût de production encourue ou l'épargne réalisée si le contingent de production est augmenté pour atteindre 40 ou diminué pour se chiffrer à 38.

25. Un grimpeur se trouvant au sommet d'une montagne veut descendre à une altitude plus basse, et ce, le plus vite possible. Supposez que l'altitude de la montagne est donnée approximativement par

$$h(x, y) = 3000 - \frac{1}{10\ 000}\,(5x^2 + 4xy + 2y^2) \text{ m},$$

où x, y sont des coordonnées horizontales sur la terre (en mètres), avec le sommet de la montagne situé au-dessus de l'origine. En 30 min, le grimpeur peut atteindre un point (x, y) sur un cercle de 1000 m de rayon. Quelle direction devrait-il prendre afin de descendre le plus loin possible ?

26. Supposez que la quantité q d'un produit fabriqué dépend du nombre de travailleurs W et du capital investi K, et qu'elle est représentée par la fonction de Cobb-Douglas

$$q = 6W^{3/4} K^{1/4}.$$

De plus, le coût de main-d'œuvre est de 10 \$/travailleur, le coût en capital, de 20 \$/unité et le budget, de 3000 \$.

a) Quel est le nombre optimal de travailleurs et le nombre optimal d'unités de capital ?

b) Montrez que, aux valeurs optimales de W et de K, le rapport entre la productivité marginale de la main-d'œuvre $(\partial q/\partial W)$ et la productivité marginale du capital $(\partial q/\partial K)$ est le même que celui qui existe entre le coût d'une unité de main-d'œuvre et le coût d'une unité de capital.

c) Calculez de nouveau les valeurs de W et de K quand le budget est augmenté de 1 \$. Vérifiez si en augmentant le budget de 1 \$ vous pouvez produire λ unités supplémentaires du bien, λ étant le multiplicateur de Lagrange.

27. Le directeur d'une clinique médicale dispose d'un budget annuel de 600 000 \$. Il veut répartir le budget afin de maximiser le nombre de consultations V en fonction du nombre de médecins D et du nombre d'infirmières N :

$$V = 1000 D^{0,6} N^{0,3}.$$

Les médecins reçoivent un salaire de 40 000 \$, tandis que les infirmières ont un revenu de 10 000 \$.

a) Formulez le problème (d'optimisation soumise à des contraintes) du directeur.

b) Décrivez, en langage courant, les conditions auxquelles $\partial V/\partial D$ et $\partial V/\partial N$ doivent satisfaire pour que V obtienne une valeur optimale.

c) Résolvez le problème formulé à la partie a).

d) Trouvez la valeur du multiplicateur de Lagrange et interprétez-le dans le cadre de ce problème.

e) Au point optimal, quel est le coût marginal d'une consultation (c'est-à-dire le coût d'une consultation additionnelle) ? Ce coût marginal augmente-t-il ou diminue-t-il avec le nombre de consultations ? Justifiez votre réponse.

28. Minimisez

$$f(x, y, z) = \sqrt{(x-a)^2 + (y-b)^2 + (z-c)^2} \, ,$$

sous la contrainte $Ax + By + Cz + D = 0$. Quelle est la signification géométrique de votre solution ?

29. Soit $f(x, y)$ une fonction linéaire, de sorte que $f(x, y) = ax + by + c$, où a, b et c sont des constantes, et soit R une région dans le plan des xy.

a) Si R est un disque, montrez que les valeurs maximale et minimale de f dans R se trouvent sur la frontière du disque.

b) Si R est un rectangle, montrez que les valeurs maximale et minimale de f dans R se trouvent sur les coins du rectangle. Elles peuvent se trouver en d'autres points du rectangle également.

c) Expliquez, à l'aide d'un graphe du plan $z = f(x, y)$, pourquoi vous vous attendiez aux réponses que vous avez obtenues aux parties a) et b).

30. a) Au problème 26, la valeur de λ change-t-elle si le budget passe de 3000 \$ à 4000 \$?

b) Au problème 27, la valeur de λ change-t-elle si le budget passe de 600 000 \$ à 700 000 \$?

c) À quelle condition une fonction de production de Cobb-Douglas

$$Q = cK^a L^b$$

doit-elle satisfaire pour que l'augmentation marginale de la production (c'est-à-dire le taux d'augmentation de la production avec le budget) ne soit pas touchée par la taille du budget ?

PROBLÈMES DE RÉVISION DU CHAPITRE QUATRE

1. Trouvez les minimums locaux, les maximums locaux et les points-selle de la fonction

$$f(x, y) = \sin x + \sin y + \sin(x + y), \quad 0 < x < \pi, \quad 0 < y < \pi.$$

Pour les problèmes 2 à 4, trouvez les maximums locaux, les minimums locaux et les points-selle des fonctions données. Déterminez si les maximums et les minimums locaux sont des maximums ou des minimums absolus. Justifiez votre réponse.

2. $f(x, y) = x^2 + y^2 - 3xy$

3. $f(x, y) = xy + \ln x + y^2 - 10 \quad (x > 0)$

4. $f(x, y) = x + y + \dfrac{1}{x} + \dfrac{4}{y}$

5. Supposez que $f_x = f_y = 0$ en $(1, 3)$ et que $f_{xx} < 0$, $f_{yy} < 0$, $f_{xy} = 0$. Tracez un diagramme des courbes de niveau possible.

6. Trouvez la droite des moindres carrés pour les points de données $(0, 4)$, $(1, 3)$ et $(2, 1)$.

7. Trouvez le minimum et le maximum de la fonction $z = 4x^2 - xy + 4y^2$ sur le disque fermé $x^2 + y^2 \le 2$.

8. Quelles sont les valeurs maximale et minimale de $f(x, y) = -3x^2 - 2y^2 + 20xy$ sur la droite $x + y = 100$?

9. Une entreprise vend deux produits qui sont des substituts partiels l'un de l'autre, comme le café et le thé. Si le prix d'un produit augmente, alors la demande pour l'autre produit augmente également. Les quantités demandées q_1 et q_2 sont données en fonction des prix p_1 et p_2 par

$$q_1 = 517 - 3,5p_1 + 0,8p_2 \quad \text{et} \quad q_2 = 770 - 4,4p_2 + 1,4p_1.$$

Quels prix l'entreprise devrait-elle demander afin de maximiser ses ventes[11] ?

10. Selon une règle empirique en biologie, quand l'aire A d'une île décuple, le nombre d'espèces animales N qui vivent sur cette île double. Le tableau 4.5 montre l'aire (en kilomètres carrés) de diverses îles des Antilles et le nombre d'espèces qui vivent sur chacune d'elles. Supposez que N est une fonction puissance de A. En utilisant la règle empirique en biologie, trouvez

a) N en fonction de A.

b) $\ln N$ en fonction de $\ln A$.

c) En utilisant les données fournies, classez $\ln N$ par rapport à $\ln A$ et trouvez la droite ayant la meilleure concordance. Votre réponse concorde-t-elle avec la règle empirique en biologie ?

TABLEAU 4.5 *Nombre d'espèces animales sur diverses îles*

Île	Aire (km^2)	Espèces animales
Redonda	3	5
Saba	20	9
Montserrat	192	15
Puerto Rico	8858	75
Jamaïque	10 854	70
Hispaniola (Haïti et République Dominicaine)	75 571	130
Cuba	113 715	125

11. Supposez que la quantité Q fabriquée d'un certain produit dépend de la quantité de main-d'œuvre L et de capital K utilisée conformément à la fonction

$$Q = 900L^{1/2}K^{2/3}.$$

Supposez que la main-d'œuvre coûte 100 \$/unité et que le capital coûte 200 \$/unité. Quelle combinaison de main-d'œuvre et de capital devrait être utilisée pour produire 36 000 unités de ces biens à un coût minimal ? Quel est ce coût minimal ?

11. Adapté de ROSSER, M. *Basic Mathematics for Economists*, New York, Routledge, 1993, p. 318.

12. Un organisme international doit décider comment dépenser la somme de 2000 $ qu'il a reçue pour pallier le problème de famine qui sévit dans une région éloignée. Il avait prévu répartir l'argent entre l'achat de riz à 5 $/sac et de haricots à 10 $/sac. Le nombre P de personnes qui seront nourries si l'organisme achète x sacs de riz et y sacs de haricots est donné par

$$P = x + 2y + \frac{x^2 y^2}{2 \cdot 10^8}.$$

Quel est le nombre maximal de personnes qui peuvent être nourries, et comment l'organisme doit-il répartir l'argent ?

13. La quantité Q d'un produit fabriqué par une entreprise est donnée par

$$Q = aK^{0,6} L^{0,4},$$

où a est une constante positive, K est la quantité de capital et L est la quantité de main-d'œuvre utilisée. Le coût en capital est de 20 $/unité, le coût de main-d'œuvre, de 10 $/unité, et l'entreprise veut que le coût en capital et le coût en main-d'œuvre combinés n'excèdent pas 150 $. Supposez qu'on vous demande d'être consultant pour l'entreprise et que vous apprenez qu'on utilise 5 unités de capital et 5 unités de main-d'œuvre.

a) Quels seront vos conseils ? L'usine devrait-elle utiliser plus ou moins de main-d'œuvre ? Plus ou moins de capital ? Le cas échéant, de combien la quantité devrait-elle augmenter ou diminuer ?

b) Faites un résumé d'une seule phrase que vous pourriez utiliser pour vendre vos conseils à l'entreprise.

14. Un médecin désire fixer les rendez-vous de deux patients qui ont été opérés pour des tumeurs afin de minimiser les délais prévus dans la détection de nouvelles tumeurs. Les rendez-vous des patients 1 et 2 sont fixés à des intervalles de x_1 et de x_2 sem., respectivement. Un total de m consultations par semaine est prévu pour les deux patients conjointement.

Le taux de récurrence des tumeurs des patients 1 et 2 est de v_1 et de v_2 tumeurs par semaine, respectivement. Par conséquent, $v_1/(v_1 + v_2)$ et $v_2/(v_1 + v_2)$ sont les probabilités que le patient 1 et le patient 2, respectivement, développent une autre tumeur. On sait que le délai prévu dans la détection d'une tumeur chez un patient suivi chaque x sem. est de $x/2$. Ainsi, le délai de détection prévu pour les deux patients conjointement est donné par[12]

$$f(x_1, x_2) = \frac{v_1}{v_1 + v_2} \cdot \frac{x_1}{2} + \frac{v_2}{v_1 + v_2} \cdot \frac{x_2}{2}.$$

Trouvez les valeurs de x_1 et de x_2 en fonction de v_1 et de v_2 qui minimisent $f(x_1, x_2)$ en tenant compte du fait que m, le nombre de consultations par semaine, est fixe.

15. Quelle est la valeur du multiplicateur de Lagrange au problème 14 ? Quelles sont les unités de λ ? Quelle est sa signification pratique pour le médecin ?

16. L'équation de Cobb-Douglas modélise la quantité totale q d'un bien produit en fonction du nombre de travailleurs W et du capital investi K par la fonction de production

$$q = cW^{1-a}K^a,$$

où a et c sont des constantes positives. Supposez que le coût de main-d'œuvre est de p_1 $/travailleur, que le coût en capital est de p_2 $/unité et qu'il y a un budget fixe de b $. Montrez que, quand W et K sont à leur niveau optimal, le rapport entre la productivité marginale de main-d'œuvre et la productivité marginale de capital est égal au rapport entre le coût de 1 unité de main-d'œuvre et celui de 1 unité de capital.

17. Un canal d'irrigation a une coupe transversale trapézoïdale d'une aire de 50 m^2 (voir la figure 4.33, page suivante). Le taux d'écoulement moyen du canal est inversement proportionnel au périmètre mouillé p du canal, c'est-à-dire au périmètre du trapézoïde de la figure 4.33, si on exclut le dessus. Ainsi, pour maximiser le taux d'écoulement, on doit minimiser p. Trouvez la profondeur d, la largeur de la base w et l'angle θ qui donnent le taux d'écoulement maximal[13].

---

12. Adapté de KENT, Daniel et collab. «Efficient Scheduling of Cystoscopies in Monitoring for Reccurent Bladder Cancer» dans *Medical Decision Making*, Philadelphie, Hanley et Belfus, 1989.

13. Adapté de STARK, Robert M. et Robert L. NICHOLS. *Mathematical Foundations of Design : Civil Engineering Systems*, New York, McGraw-Hill, 1972.

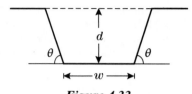

Figure 4.33

18. L'énergie requise pour comprimer un gaz de la pression p_i à la pression p_{N+1} en N étapes est proportionnelle à

$$E = \left(\frac{p_2}{p_1}\right)^2 + \left(\frac{p_3}{p_2}\right)^2 + \cdots + \left(\frac{p_{N+1}}{p_N}\right)^2 - N.$$

Montrez comment choisir les pressions intermédiaires $p_2, \cdots, p_N$ pour minimiser la demande d'énergie[14].

19. Une famille désire déménager dans une maison qui est mieux située par rapport à l'école des enfants et aux lieux de travail des deux parents (voir la figure 4.34).

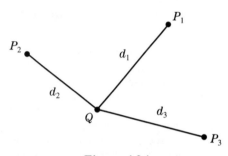

Figure 4.34

Actuellement, la famille vit en Q, l'école est située en P_1, le lieu de travail de la mère est en P_2 et le lieu de travail du père, en P_3. Elle veut minimiser $d = d_1 + d_2 + d_3$, où

d_1 est la distance par rapport à l'école,

d_2 est la distance par rapport au lieu de travail de la mère,

d_3 est la distance par rapport au lieu de travail du père.

a) Montrez que grad d_i est un vecteur unitaire qui s'oriente directement vers l'extérieur de P_i pour $i = 1, 2, 3$. [Indication : tracez des courbes de niveau de d_1, en portant une attention particulière à l'espacement entre les courbes de niveau.]

b) Utilisez votre réponse de la partie a) pour tracer grad d au point Q de la figure 4.34. Dans quelle direction la famille devrait-elle déménager pour diminuer la valeur de d ?

c) Trouvez le meilleur point possible sur le diagramme où grad $d = 0$. Quelle condition géométrique caractérise cet emplacement ?

20. Considérez la fonction $f(x, y) = 2x^2 - 3xy + 8y^2 + x - y$.

a) Calculez les points critiques de f et classez-les.

b) En complétant le carré, tracez le diagramme des courbes de niveau de f et montrez que l'extremum local trouvé à la partie a) est un extremum absolu.

c) En commençant au point $(1, 1)$, minimisez f en utilisant la méthode de recherche du gradient et comparez votre réponse après deux itérations avec votre réponse de la partie a).

---

14. Adapté de ARIS, Rutheford. *Discrete Dynamic Programming*, New York, Blaisdell, 1964, p. 35.

21. Un rayon de lumière qui traverse la frontière entre deux milieux différents (par exemple, le vide et le verre ou l'air et l'eau) subit un changement de direction ou est *réfracté* plus ou moins selon les propriétés du milieu. Supposez qu'un rayon de lumière voyage du point A au point B (voir la figure 4.35) à une vitesse v_1 dans le milieu 1 et à une vitesse v_2 dans le milieu 2.

a) Trouvez le temps $T(\theta_1, \theta_2)$ que prend le rayon pour voyager de A à B en fonction des angles θ_1, θ_2 et des constantes a, b, v_1 et v_2.

b) Montrez que les angles θ_1 et θ_2 satisfont à la contrainte

$$a \tan \theta_1 + b \tan \theta_2 = d.$$

c) Quel est l'effet sur le temps T si on choisit de laisser $\theta_1 \to -\pi/2$ (c'est-à-dire de déplacer R loin vers la gauche de A') ou de laisser $\theta_1 \to \pi/2$ (c'est-à-dire de déplacer R loin vers la droite de B')?

d) Selon le *principe de Fermat,* le rayon de lumière suit une trajectoire telle que le temps écoulé T est minimisé. Utilisez la méthode des multiplicateurs de Lagrange pour démontrer que $T(\theta_1, \theta_2)$ est minimisé quand la *loi de réfraction de Snell* s'applique :

$$\frac{\sin \theta_1}{\sin \theta_2} = \frac{v_1}{v_2}$$

(La constante v_1/v_2 s'appelle l'*indice de réfraction* du milieu 2 par rapport au milieu 1. Par exemple, les indices de l'air, de l'eau et du verre par rapport au vide sont approximativement de 1,0003, de 1,33 et de 1,52, respectivement. On fabrique les lentilles de lunettes de lecture modernes avec du plastique ayant un indice de réfraction élevé afin d'en réduire le poids et l'épaisseur quand la prescription est forte.)

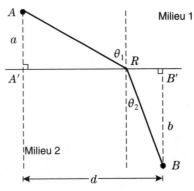

Figure 4.35

22. Vingt-six équipes s'affrontent pour la coupe Stanley au hockey. Au début de la saison, un partisan expérimenté évalue que les probabilités que l'équipe i remporte la coupe sont de l'ordre de p_i, où $0 \le p_i \le 1$ et

$$\sum_{i=1}^{26} p_i = 1.$$

Seulement une équipe sera gagnante. Donc, les probabilités doivent totaliser 1. Si l'une des équipes, par exemple l'équipe i, est sûre de gagner, alors p_i est égal à 1 et tous les autres p_j doivent être nuls. Un autre cas extrême se produit si toutes les équipes ont des chances égales de gagner. Alors, tous les p_i égalent $1/26$, et les résultats de la saison de hockey sont entièrement imprévisibles. Donc, l'*incertitude* quant aux résultats de la saison de hockey dépend des probabilités $p_1,...,p_{26}$. Dans ce problème, on mesure cette incertitude de manière quantitative en utilisant la fonction

$$S(p_1,...,p_{26}) = -\sum_{i=1}^{26} p_i \frac{\ln p_i}{\ln 2}.$$

Noter que quand $p_i \le 1$, on a $-\ln p_i \ge 0$ et, ainsi, $S \ge 0$.

a) Montrez que $\lim_{p \to 0} p \ln p = 0$. (Cela signifie que S est une fonction continue de p_i, où $0 \leq p_i \leq 1$ et $1 \leq i \leq 26$ si on pose $p \ln p|_{p=0}$ égal à zéro. Puisque S est alors une fonction continue sur une région fermée et bornée, on en trouve une valeur maximale et une valeur minimale dans cette région.)

b) Trouvez la valeur maximale de $S(p_1, \cdots, p_{26})$ sous la contrainte $p_1 + \cdots + p_{26} = 1$. Quelles sont les valeurs de p_i dans ce cas ? Que signifie votre réponse en fonction de l'incertitude quant aux résultats de la saison de hockey ?

c) Trouvez la valeur minimale de $S(p_1, \cdots, p_{26})$ sous la contrainte $p_1 + \cdots + p_{26} = 1$. Quelles sont les valeurs de p_i dans ce cas ? Que signifie votre réponse en fonction de l'incertitude quant aux résultats de la saison de hockey ?

[Remarque : la fonction S est un exemple d'une fonction d'*entropie* ; le concept d'entropie est utilisé en théorie de l'information, en mécanique statistique et en thermodynamique quand on mesure l'incertitude face à une expérience (la saison de hockey dans ce problème) ou à un système physique.]

23. Trouvez la distance minimale du point $(1, 2, 10)$ par rapport au paraboloïde donné par l'équation $z = x^2 + y^2$. Donnez une justification géométrique à votre réponse.

24. Le cône $z^2 = x^2 + y^2$ est coupé par le plan $z = 1 + x + y$. Trouvez les points qui se trouvent à l'intersection du cône et du plan et qui sont le plus près et le plus loin de l'origine. Donnez une justification géométrique à votre réponse.

CHAPITRE CINQ

L'INTÉGRATION DE FONCTIONS DE PLUSIEURS VARIABLES

Une intégrale définie est la limite d'une somme. On utilise l'intégrale définie notamment pour calculer la population totale d'une région si on connaît la densité de la population en fonction de la position. Si la densité de la population est une fonction d'une variable seulement (par exemple la distance par rapport au centre d'une ville), il s'agit d'une intégrale définie d'une variable ordinaire. Si la densité dépend de plus d'une variable, il faut utiliser une intégrale de plusieurs variables pour calculer la population totale. Dans le présent chapitre, on construit des intégrales doubles et triples en coordonnées cartésiennes et en coordonnées polaires.

5.1 L'INTÉGRALE DÉFINIE D'UNE FONCTION DE DEUX VARIABLES

Dans la présente section, on apprend comment estimer la population totale à partir de la densité de la population dans le plan. Cela mène à la définition de l'intégrale définie d'une fonction de deux variables.

La densité de la population de renards en Angleterre

La population de renards dans certaines parties de l'Angleterre constitue un problème sérieux pour les fonctionnaires de la santé publique qui se préoccupent de la rage, une maladie transmise par les animaux. Le diagramme des courbes de niveau de la figure 5.1 présente la densité de la population $D = f(x, y)$ de renards dans le sud-ouest de l'Angleterre, où x et y sont la distance en kilomètres par rapport au coin sud-ouest de la carte et où D est le nombre de renards par kilomètre carré[1]. La courbe en gras est le littoral (approximatif), qu'on peut considérer comme la courbe $D = 0$; de toute évidence, la densité est nulle à l'extérieur de celle-ci.

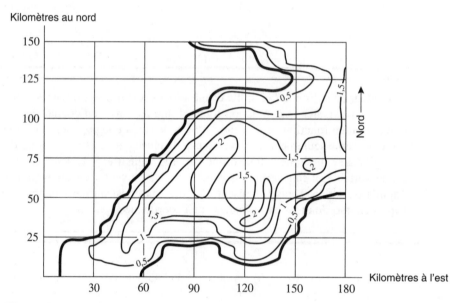

Figure 5.1 : Densité de la population de renards dans le sud-ouest de l'Angleterre

Exemple 1   Estimez la population totale de renards dans la région représentée par la carte de la figure 5.1.

Solution   On veut trouver les majorants et les minorants de la population. On subdivise la carte en 36 rectangles comme à la figure 5.1 et on estime la population dans chaque rectangle. On trouve un majorant pour la densité de la population dans chaque rectangle, on le multiplie par l'aire du rectangle pour obtenir un majorant pour la population dans ce rectangle, puis on additionne ces majorants pour obtenir un majorant pour la population totale. Le rectangle situé dans le coin inférieur gauche comporte une petite région comprise entre les courbes 0,5 et 1 ; on estime donc la densité de renards dans ce rectangle à 0,6 renard/km^2 au plus. Le rectangle suivant, qui est situé vers le nord, correspond à la mer, donc il n'y a pas de renards. Cependant, le rectangle qui représente l'est comprend une région située entre les courbes 1 et 1,5, donc on y estime la densité maximale à 1,3 renard/km^2.

---

1. Adapté de MURRAY, J. D. *Mathematical Biology*, Springer-Verlag, 1989.

TABLEAU 5.1 *Estimations à la hausse de la densité de la population de renards*

0	0	0	0,8	1,5	1,5
0	0	0,5	1,5	1,5	1,5
0	0	1,5	2,5	1,9	2,3
0	1,2	2,2	2,5	2,5	2,5
0	1,3	2	2,2	2,5	0,5
0,6	1,3	1	1	1,3	0

TABLEAU 5.2 *Estimations à la baisse de la densité de la population de renards*

0	0	0	0	0	0,1
0	0	0	0	0	0,1
0	0	0	0,5	1,2	1,2
0	0	0	1	1	0
0	0	0,5	0,5	0	0
0	0	0	0	0	0

En poursuivant ainsi, on obtient les majorants qui sont présentés au tableau 5.1. De même, on obtient les minorants qui apparaissent au tableau 5.2.

Chaque rectangle a une aire de $30 \times 25 = 750$ km^2. Donc, on a

Estimation à la baisse $= (0,1 + 0,1 + 0,5 + 1,2 + 1,2 + 1 + 1 + 0,5 + 0,5) \cdot 750 = 4575$ renards.

De même, on obtient un majorant :

$$\text{Estimation à la hausse} = 41,6 \cdot 750 = 31\ 200 \text{ renards.}$$

Comme la moyenne des deux estimations correspond à environ 18 000, c'est ce nombre qu'on utilisera pour l'estimation. Noter qu'il existe un écart important entre le majorant et le minorant ; en prenant des subdivisions plus petites, on pourrait rapprocher les estimations à la hausse et à la baisse.

L'intégrale définie : définition

Les sommes qu'on a utilisées pour approcher la population de renards sont similaires aux sommes de Riemann auxquelles on a recours pour définir l'intégrale définie d'une fonction d'une variable. On définit maintenant l'intégrale définie d'une fonction f de deux variables sur une région rectangulaire[2]. À partir d'une fonction continue $f(x, y)$ définie dans une région $a \leq x \leq b$ et $c \leq y \leq d$, on construit une somme de Riemann en subdivisant la région en plus petits rectangles. On construit cette somme en subdivisant chacun des intervalles $a \leq x \leq b$ et $c \leq y \leq d$ en n et en m sous-intervalles égaux respectivement, ce qui donne nm sous-rectangles (voir la figure 5.2).

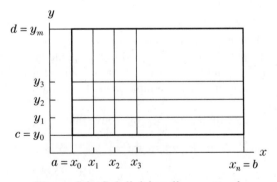

Figure 5.2 : Subdivision d'un rectangle en nm sous-rectangles

---

2. Voir la révision de l'intégrale définie d'une variable à l'annexe D.

L'aire de chaque sous-rectangle est ΔA, où $\Delta A = \Delta x\,\Delta y$, $\Delta x = (b - a)/n$ est la largeur de chaque subdivision le long de l'axe des x, et où $\Delta y = (d - c)/m$ est la largeur de chaque subdivision le long de l'axe des y. Pour calculer la somme de Riemann, on multiplie l'aire de chaque sous-rectangle par la valeur de la fonction en un point à l'intérieur du rectangle et on additionne les nombres obtenus. En choisissant le point qui donne la valeur maximale M_{ij} de la fonction dans chaque rectangle, on obtient la *somme supérieure* $\sum_{i,j} M_{ij}\Delta x\Delta y$.

La valeur minimale dans chaque rectangle constitue la *somme inférieure* $\sum_{i,j} L_{ij}\Delta x\Delta y$. Par conséquent, toute autre somme de Riemann satisfait à

$$\sum_{i,j} L_{ij}\Delta x\Delta y \le \sum_{i,j} f(x_i, y_j)\,\Delta x\Delta y \le \sum_{i,j} M_{ij}\Delta x\Delta y,$$

où (x_i, y_j) est n'importe quel point dans le sous-rectangle ij. On définit l'intégrale définie en prenant la limite quand les nombres de subdivisions n et m tendent vers l'infini. En comparant les sommes supérieures et inférieures, comme on l'a fait pour la population de renards, on peut démontrer que la limite existe quand la fonction f est continue. On obtient la même limite en laissant Δx et Δy tendre vers zéro. En conséquence, on a la définition suivante :

On suppose que la fonction f est continue dans R, le rectangle $a \le x \le b$, $c \le y \le d$. On définit l'**intégrale définie** de f dans R

$$\int_R f\,dA = \lim_{\Delta x,\,\Delta y \to 0} \sum_{i,j} f(x_i, y_j)\Delta x\Delta y.$$

Une telle intégrale s'appelle une **intégrale double**.

Parfois, on considère dA comme étant l'aire d'un rectangle infinitésimal de longueur dx et de hauteur dy, de telle sorte que $dA = dx\,dy$. Donc, on utilise la notation[3]

$$\int_R f\,dA = \int_R f(x, y)dx\,dy.$$

La somme de Riemann utilisée dans la définition, avec des subdivisions rectangulaires de même grandeur, représente simplement un type de somme de Riemann. Pour une somme de Riemann générale, il n'est pas nécessaire que les subdivisions soient toutes de même grandeur.

Exemple 2   Soit R le rectangle $0 \le x \le 1$ et $0 \le y \le 1$. Utilisez des sommes de Riemann pour estimer $\int_R e^{-(x^2 + y^2)}\,dA$.

Solution   On fractionne R en 16 sous-rectangles en divisant chaque côté en quatre parties. La figure 5.3 montre que $f(x, y) = e^{-(x^2 + y^2)}$ diminue quand on s'éloigne de l'origine. Ainsi, pour obtenir une somme supérieure, on évalue f dans chaque sous-rectangle, dans le coin qui se trouve le plus près de l'origine. Par exemple, dans le rectangle $0 \le x \le 0{,}25$, $0 \le y \le 0{,}25$, on évalue f en $(0, 0)$.

À l'aide du tableau 5.3, on trouve que

$$\text{Somme supérieure} = \big[\,(1 + 0{,}9394 + 0{,}7788 + 0{,}5698)$$
$$+ (0{,}9394 + 0{,}8825 + 0{,}7316 + 0{,}5353)$$
$$+ (0{,}7788 + 0{,}7316 + 0{,}6065 + 0{,}4437)$$
$$+ (0{,}5698 + 0{,}5353 + 0{,}4437 + 0{,}3247)\big](0{,}0625) = 0{,}68.$$

---

3. Une autre notation courante pour l'intégrale double est $\iint_R f\,dA$.

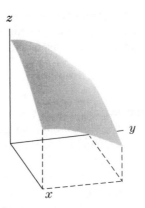

Figure 5.3 : Graphe de $e^{-(x^2+y^2)}$ au-dessus du rectangle R

Pour obtenir une somme inférieure, on doit évaluer f dans le coin opposé de chaque rectangle, car la surface décroît dans les directions de l'axe des x et de l'axe des y. On obtient alors une somme inférieure à 0,44. Par conséquent,

$$0{,}44 \le \int_R e^{-(x^2+y^2)}\, dA \le 0{,}68.$$

Pour obtenir une meilleure approximation, on calcule les estimations à la baisse et à la hausse avec un plus grand nombre de subdivisions. Le tableau 5.4 présente les résultats obtenus dans différents cas avec des nombres égaux de subdivisions dans les directions x et y.

TABLEAU 5.3 *Valeurs de $f(x, y) = e^{-(x^2+y^2)}$ dans le rectangle R*

		0,0	0,25	0,50	0,75	1,00
	0,0	1	0,9394	0,7788	0,5698	0,3679
	0,25	0,9394	0,8825	0,7316	0,5353	0,3456
x	0,50	0,7788	0,7316	0,6065	0,4437	0,2865
	0,75	0,5698	0,5353	0,4437	0,3247	0,2096
	1,00	0,3679	0,3456	0,2865	0,2096	0,1353

(Le haut du tableau porte l'étiquette y.)

TABLEAU 5.4 *Approximations de la somme de Riemann de $\int_R e^{-(x^2+y^2)}\, dA$*

Nombre de subdivisions dans les directions x et y

	8	16	32	64
Inférieure	0,6168	0,5873	0,5725	0,5651
Supérieure	0,4989	0,5283	0,5430	0,5504

La valeur véritable de l'intégrale double 0,5577... est prise entre les sommes inférieure et supérieure. Noter que la somme inférieure augmente et que la somme supérieure diminue au fur et à mesure que le nombre de subdivisions s'accroît. (Pourquoi est-ce le cas ?) Cependant, même avec 64 subdivisions (ce qui donne $64^2 = 4096$ termes dans la somme de Riemann), les sommes inférieure et supérieure concordent avec la valeur réelle de l'intégrale seulement pour la première décimale. Par conséquent, il faut rechercher de meilleures façons d'approcher l'intégrale.

La région R

Dans la définition de l'intégrale définie $\int_R f(x, y)\, dA$, la région R est un rectangle. Cependant, on peut définir l'intégrale définie pour des régions ayant d'autres formes, y compris les triangles, les cercles et les régions bornées, par des graphes de fonctions continues par morceaux.

Pour approcher l'intégrale définie sur une région R qui n'est pas rectangulaire, on utilise une grille de rectangles qui permet d'approcher la région. On obtient cette grille en enfermant R dans un grand rectangle et en subdivisant ce rectangle ; on ne considère que les sous-rectangles qui se trouvent à l'intérieur de R.

Comme plus haut, on choisit un point (x_i, y_j) dans chaque sous-rectangle et on forme une somme de Riemann, soit

$$\sum_{i,j} f(x_i, y_j)\Delta x \Delta y.$$

Cette fois, cependant, la somme se trouve seulement dans les sous-rectangles à l'intérieur de R. Par exemple, dans le cas de la population de renards, on peut utiliser seulement les rectangles qui correspondent à la terre. Quand les subdivisions deviennent plus petites, la grille ressemble davantage à la région R. Pour une fonction f qui est continue dans R, on définit l'intégrale définie comme suit :

$$\int_R f\, dA = \lim_{\Delta x, \Delta y \to 0} \sum_{i,j} f(x_i, y_j)\Delta x \Delta y,$$

où la somme de Riemann est prise dans les sous-rectangles qui se trouvent à l'intérieur de R.

Pourquoi est-il possible d'omettre les rectangles qui couvrent le côté de R — si on les incluait, pourrait-on obtenir une valeur différente de l'intégrale ? La réponse est que, pour toute région qu'on pourrait rencontrer, l'aire des sous-rectangles couvrant le côté tend vers zéro quand la grille s'affine. Ainsi, quand on omet ces rectangles, la limite n'est pas touchée.

Les interprétations de l'intégrale double

L'intégrale double interprétée comme une aire

On suppose que $f(x, y) = 1$ pour tous les points (x, y) dans la région R. Puis, chaque terme de la somme de Riemann a la forme $1 \cdot \Delta A = \Delta A$ et l'intégrale double donne l'aire de la région R.

$$\boxed{\text{Aire}(R) = \int_R 1\, dA = \int_R dA.}$$

L'intégrale double interprétée comme un volume

Tout comme on peut interpréter l'intégrale définie d'une fonction positive d'une variable comme une aire sous le graphe de la fonction, on peut interpréter l'intégrale définie d'une fonction positive de deux variables comme un volume sous son graphe. Dans le cas d'une variable, on visualise les sommes de Riemann comme s'il s'agissait de l'aire totale des rectangles au-dessus des subdivisions. Dans le cas de deux variables, on obtient des prismes plutôt que des rectangles. Au fur et à mesure que s'accroît le nombre de subdivisions, les dessus des prismes permettent de calculer plus précisément l'approximation de la surface, et le volume des prismes se rapproche du volume au-dessous de la surface et au-dessus de la région R (voir la figure 5.4).

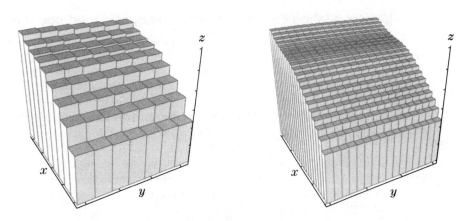

Figure 5.4 : Approximation du volume sous le graphe avec des
sommes de Riemann de plus en plus fines

Exemple 3   Déterminez le volume sous le graphe de $f(x, y) = 2 - x^2 - y^2$ se trouvant au-dessus du rectangle $-1 \leq x \leq 1$ et $-1 \leq y \leq 1$ (voir la figure 5.5).

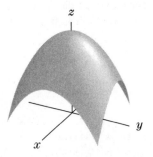

Figure 5.5 : Graphe de $f(x, y) = 2 - x^2 - y^2$ au-dessus
de $-1 \leq x \leq 1$ et de $-1 \leq y \leq 1$

Solution   Si R est le rectangle $-1 \leq x \leq 1$, $-1 \leq y \leq 1$, le volume qu'on recherche est donné par

$$\text{Volume} = \int_R (2 - x^2 - y^2)\, dA.$$

Le tableau 5.5 contient les valeurs des sommes de Riemann S_n qu'on calcule en subdivisant le rectangle en n^2 sous-rectangles et en évaluant f au point ayant les valeurs minimales de x et de y. Le tableau suggère que la valeur de l'intégrale se situe autour de 5,3.

TABLEAU 5.5   *Sommes de Riemann*
pour $\int_R (2 - x^2 - y^2)\, dA$

n	5	10	20	40
S_n	5,12	5,28	5,32	5,33

L'interprétation de l'intégrale définie quand *f* est une fonction de densité

Une fonction de deux variables peut représenter une densité par unité d'aire, par exemple la densité de la population de renards (en renards par unité d'aire) ou la masse d'une mince plaque métallique. Alors, l'intégrale $\int_R f \, dA$ représente la population totale ou la masse totale sur la région R.

L'intégrale définie interprétée comme une valeur moyenne

On peut utiliser l'intégrale définie pour calculer la valeur moyenne d'une fonction comme dans le cas de l'intégrale d'une variable :

$$\frac{\text{Valeur moyenne de } f}{\text{sur la région } R} = \frac{1}{\text{Aire de } R} \int_R f \, dA$$

On peut réécrire cette expression ainsi :

$$\text{Valeur moyenne} \times \text{Aire de } R = \int_R f \, dA.$$

Par conséquent, si on interprète l'intégrale comme le volume sous le graphe de f, on peut songer à la valeur moyenne de f comme s'il s'agissait de la hauteur de la boîte de même base ayant le même volume (voir la figure 5.6).

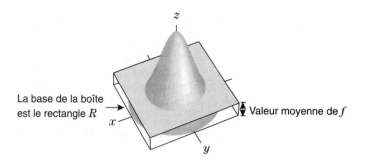

Figure 5.6 : Volume et valeur moyenne

On peut également s'imaginer que le volume sous le graphe est fait de cire ; si la cire fondait et qu'elle s'aplanissait à l'intérieur des murs érigés sur le périmètre de R, alors elle finirait par avoir la forme d'une boîte dont la hauteur serait égale à la valeur moyenne de f.

Problèmes de la section 5.1

1. Une fonction $f(x, y)$ a les valeurs présentées au tableau 5.6. Soit R le rectangle $1 \le x \le 1{,}2$, $2 \le y \le 2{,}4$. Trouvez les sommes de Riemann qui sont des surestimations et des sous-estimations raisonnables de $\int_R f(x, y) \, dA$ avec $\Delta x = 0{,}1$ et $\Delta y = 0{,}2$.

TABLEAU 5.6

		\multicolumn{3}{c}{x}		
		1,0	1,1	1,2
	2,0	5	7	10
y	2,2	4	6	8
	2,4	3	5	4

2. Un solide se forme au-dessus du rectangle R avec $0 \le x \le 2$, $0 \le y \le 4$ par le graphe de $f(x, y) = 2 + xy$. En utilisant des sommes de Riemann avec quatre subdivisions, trouvez des majorants et des minorants pour le volume de ce solide.

3. Soit R le rectangle ayant les sommets en $(0, 0)$, $(4, 0)$, $(4, 4)$ et $(0, 4)$ et soit $f(x, y) = \sqrt{xy}$.

   a) Trouvez des majorants et des minorants raisonnables pour $\int_R f \, dA$ sans subdiviser R.

   b) Estimez $\int_R f \, dA$ en divisant R en quatre sous-rectangles et en évaluant f à ses valeurs maximale et minimale dans chaque sous-rectangle.

4. La figure 5.7 montre la répartition de la température (en degrés Celsius) à l'intérieur d'une pièce chauffée de 5 m sur 5 m. En utilisant des sommes de Riemann, estimez la température moyenne de la pièce.

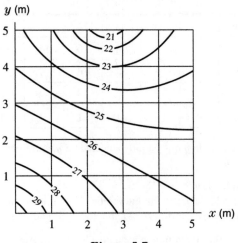

Figure 5.7

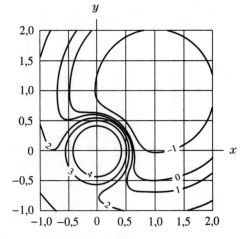

Figure 5.8

5. La figure 5.8 montre le diagramme des courbes de niveau d'une fonction $z = f(x, y)$. Soit R le carré $-0,5 \le x \le 1$, $-0,5 \le y \le 1$. L'intégrale $\int_R f \, dA$ est-elle positive ou négative ? Justifiez votre réponse.

6. Un biologiste étudiant des populations d'insectes mesure la densité de la population de mouches et de moustiques en différents points dans une région rectangulaire. Les figures 5.9 et 5.10 présentent les graphes des deux densités de population de la région. On suppose que les unités le long des axes correspondants sont les mêmes dans les deux graphes. Y a-t-il plus de mouches ou plus de moustiques dans la région ?

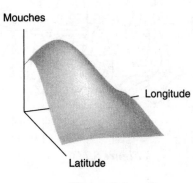

Figure 5.9

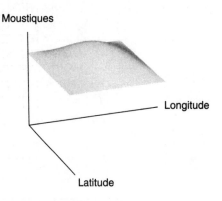

Figure 5.10

Pour les problèmes 7 et 8, utilisez une calculatrice ou un ordinateur pour calculer les deux sommes de Riemann à deux dimensions afin d'estimer l'intégrale donnée.

7. Si R est le rectangle $1 \leq x \leq 2$, $1 \leq y \leq 3$, estimez $\int_R (x^2 + y^2)\, dA$.

8. Si R est le rectangle $-\pi \leq x \leq 0$, $0 \leq y \leq \pi/2$, estimez $\int_R \sin(xy)\, dA$.

9. La coque d'un navire donné a une largeur de $w(x,\ y)$ pi en un point situé à x pi de l'avant du bateau et à y pi au-dessous de la ligne de flottaison. Une table des valeurs de w est présentée ci-dessous. Construisez l'intégrale définie qui donne le volume de la coque au-dessus de la ligne de flottaison, puis estimez la valeur de l'intégrale.

TABLEAU 5.7

		Avant du bateau → Arrière du bateau						
		0	10	20	30	40	50	60
	0	2	8	13	16	17	16	10
Profondeur	2	1	4	8	10	11	10	8
au-dessous	4	0	3	4	6	7	6	4
de la ligne de	6	0	1	2	3	4	3	2
flottaison (pi)	8	0	0	1	1	1	1	1

10. Soit $f(x, y)$ une fonction de x et de y qui est indépendante de y, autrement dit, $f(x, y) = g(x)$ pour une fonction d'une variable g.

a) À quoi ressemble le graphe de f ?
b) Soit R le rectangle $a \leq x \leq b$, $c \leq y \leq d$. En interprétant l'intégrale comme un volume et en utilisant votre réponse à la partie a), exprimez $\int_R f\, dA$ en fonction d'une intégrale d'une variable.

11. La figure 5.11 montre les courbes de la fréquence annuelle des tornades aux 10 000 mi^2 aux États-Unis[4]. Chaque carré de la grille correspond à 100 milles sur un côté. Utilisez la carte pour estimer le nombre total de tornades par année dans les États suivants :

a) Texas.   b) Floride.   c) Arizona.

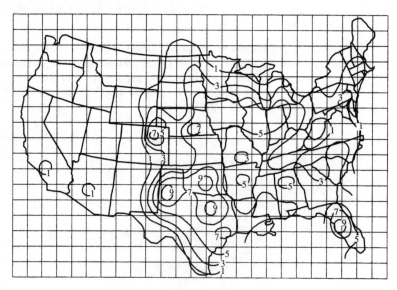

Figure 5.11

4. Tiré de STRAHLER, Alan H. et Arthur H. STRAHLER. *Modern Physical Geography*, 4e édition, New York, John Wiley & Sons, 1992, p. 128.

12. La figure 5.12 montre les courbes de niveau de la hauteur des précipitations annuelles (en centimè-tres) en Oregon[5]. Utilisez ces courbes pour estimer la hauteur des précipitations en Oregon durant une année. Chaque carré de la grille correspond à 100 km sur un côté.

Figure 5.12

13. Soit D la région à l'intérieur du cercle unité centré à l'origine, R la moitié droite de D et B la moitié inférieure de D. Déterminez (sans calculer la valeur des intégrales) si chacune des intégrales est positive, négative ou nulle.

a) $\int_D dA$
b) $\int_B dA$
c) $\int_R 5x \, dA$
d) $\int_B 5x \, dA$

e) $\int_D 5x \, dA$
f) $\int_D (y^3 + y^5) \, dA$
g) $\int_B (y^3 + y^5) \, dA$
h) $\int_R (y^3 + y^5) \, dA$

i) $\int_B (y - y^3) \, dA$
j) $\int_D (y - y^3) \, dA$
k) $\int_D \sin y \, dA$
l) $\int_D \cos y \, dA$

m) $\int_D e^x \, dA$
n) $\int_D x e^x \, dA$
o) $\int_D xy^2 \, dA$
p) $\int_B x \cos y \, dA$

14. Pour tout nombre a et b, supposez que $|a + b| \le |a| + |b|$. Expliquez alors la raison pour laquelle

$$\left| \int_R f \, dA \right| \le \int_R |f| \, dA.$$

5.2 LES INTÉGRALES ITÉRÉES

Dans la section 5.1, on a calculé l'approximation des intégrales doubles en utilisant des sommes de Riemann. Dans la présente section, on apprend comment calculer des intégrales doubles avec précision en utilisant des intégrales ordinaires d'une variable.

La population de renards : l'expression d'une intégrale double comme une intégrale itérée

Pour estimer la population de renards, on calcule une somme ayant la forme

$$\text{Population totale} \approx \sum_{i,j} f(x_i, y_j) \Delta x \, \Delta y,$$

où $1 \le i \le n$ et $1 \le j \le m$ et où on peut disposer les valeurs $f(x_i, y_j)$ comme dans le tableau 5.8 (page suivante).

---

5. Tiré de DE BLIJ, H. J. et Peter O. MULLER. *Physical Geography of the Global Environment*, New York, John Wiley & Sons, 1993, p. 133.

TABLEAU 5.8   *Majorants des densités de la population de renards pour $n = m = 6$*

0	0	0	0,8	1,5	1,5
0	0	0,5	1,5	1,5	1,5
0	0	1,5	2,5	1,9	2,3
0	1,2	2,2	2,5	2,5	2,5
0	1,3	2	2,2	2,5	0,5
0,6	1,3	1	1	1,3	0

Pour toutes les valeurs de n et de m, il existe deux manières de calculer cette somme : la première consiste à additionner d'abord les valeurs des rangées et l'autre, à additionner d'abord les valeurs des colonnes. Si on additionne d'abord les valeurs des rangées, on peut écrire la somme sous la forme suivante :

$$\text{Population totale} \approx \sum_{j=1}^{m} \left(\sum_{i=1}^{n} f(x_i, y_j) \Delta x \right) \Delta y.$$

La somme intérieure $\sum_{i=1}^{n} f(x_i, y_j) \Delta x$ permet d'approcher l'intégrale $\int_{0}^{180} f(x, y_j) dx$. Ainsi, on a

$$\text{Population totale} \approx \sum_{j=1}^{m} \left(\int_{0}^{180} f(x, y_j) dx \right) \Delta y.$$

La somme extérieure représente une somme de Riemann qui permet d'approcher une autre intégrale, cette fois-ci avec l'intégrande $\int_{0}^{180} f(x, y) dx$, qui est une fonction de y. Par conséquent, on peut noter la population totale en fonction d'intégrales imbriquées d'une variable :

$$\text{Population totale} = \int_{0}^{150} \left(\int_{0}^{180} f(x, y) dx \right) dy.$$

Puisque la population totale est représentée par $\int_{R} f \, dA$, on vient de découvrir une manière d'exprimer les intégrales doubles :

Si R est le rectangle $a \leq x \leq b$, $c \leq y \leq d$ et si $f(x, y)$ est une fonction continue de deux variables, alors

$$\int_{R} f \, dA = \int_{c}^{d} \left(\int_{a}^{b} f(x, y) dx \right) dy.$$

L'expression $\int_{c}^{d} (\int_{a}^{b} f(x, y) dx) \, dy$, ou simplement $\int_{c}^{d} \int_{a}^{b} f(x, y) dx \, dy$, s'appelle une **intégrale itérée**.

On calcule l'intégrale intérieure par rapport à x, y étant maintenu constant, et on intègre alors le résultat par rapport à y.

Le parallèle entre la sommation répétée et l'intégration répétée

Il est utile de noter la manière dont la sommation et la notation de l'intégrale s'équivalent. En considérant une somme de Riemann comme une somme de sommes,

$$\sum_{i,j} f(x_i, y_j)\, \Delta x\, \Delta y = \sum_j \left(\sum_i f(x_i, y_j)\, \Delta x \right) \Delta y$$

permet de considérer une intégrale double comme une intégrale d'intégrales

$$\int_R f(x, y)\, dA = \int_c^d \left(\int_a^b f(x, y)\, dx \right) dy,$$

où R est le rectangle $a \le x \le b$ et $c \le y \le d$.

Exemple 1

Une construction mesure 8 pi de largeur et 16 pi de longueur. Elle a un toit plat à 12 pi du sol en un coin et à 10 pi du sol en chacun des coins adjacents. Quel est le volume de la construction ?

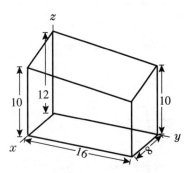

Figure 5.13 : Construction avec un toit incliné

Solution

Si on met le coin le plus élevé sur l'axe des z, le côté long sur l'axe des y et le côté court sur l'axe des x (voir la figure 5.13), alors le toit est un plan coupant l'axe des z en $z = 12$, dont la pente dans la direction de l'axe des x est $(-2)/8 = -1/4$ et dont la pente dans la direction de l'axe des y est $(-2)/16 = -1/8$. Par conséquent, l'équation du toit est

$$z = 12 - \tfrac{1}{4}x - \tfrac{1}{8}y.$$

Pour calculer le volume, il faut intégrer sur le rectangle $0 \le x \le 8$, $0 \le y \le 16$. En construisant une intégrale itérée, on obtient

$$\text{Volume} = \int_0^{16} \int_0^8 \left(12 - \tfrac{1}{4}x - \tfrac{1}{8}y \right) dx\, dy.$$

L'intégrale intérieure est

$$\int_0^8 \left(12 - \tfrac{1}{4}x - \tfrac{1}{8}y \right) dx = \left. \left(12x - \tfrac{1}{8}x^2 - \tfrac{1}{8}xy \right) \right|_0^8 = 88 - y.$$

Alors, l'intégrale extérieure est

$$\int_0^{16} (88 - y)\, dy = \left. \left(88y - \tfrac{1}{2}y^2 \right) \right|_0^{16} = 1280.$$

Donc, le volume de la construction correspond à 1280 pi^3.

L'ordre d'intégration

En calculant la population de renards, on aurait pu choisir d'additionner des colonnes (x fixe) d'abord, plutôt que des rangées. On aurait alors eu une intégrale intégrée où x est constant dans l'intégrale intérieure plutôt que y. Par conséquent,

$$\int_R f(x, y)\,dA = \int_a^b \left(\int_c^d f(x, y)\,dy \right)\,dx,$$

où R est le rectangle $a \le x \le b$ et $c \le y \le d$.

Pour toute fonction qu'on rencontre habituellement, l'ordre d'intégration sur une région rectangulaire R n'a pas d'importance ; on obtient la même valeur pour l'intégrale double d'une manière ou d'une autre.

$$\int_R f\,dA = \int_c^d \left(\int_a^b f(x, y)\,dx \right)\,dy = \int_a^b \left(\int_c^d f(x, y)\,dy \right)\,dx$$

Exemple 2   Calculez le volume de l'exemple 1 comme une intégrale itérée avec y fixe dans l'intégrale intérieure.

Solution   En réécrivant l'intégrale, on a

$$\text{Volume} = \int_0^8 \left(\int_0^{16} \left(12 - \tfrac{1}{4}x - \tfrac{1}{8}y \right)\,dy \right)dx = \int_0^8 \left(\left(12y - \tfrac{1}{4}xy - \tfrac{1}{16}y^2 \right)\Big|_0^{16} \right)\,dx$$

$$= \int_0^8 (176 - 4x)\,dx = (176x - 2x^2)\Big|_0^8 = 1280.$$

Les intégrales itérées sur des régions non rectangulaires

Exemple 3   La densité au point (x, y) d'une plaque de métal triangulaire droite (voir la figure 5.14) est $\delta(x, y)$. Exprimez sa masse comme une intégrale itérée.

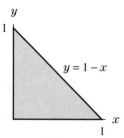

Figure 5.14 : Plaque de métal triangulaire de
densité $\delta(x, y)$ au point (x, y)

Solution   À l'aide d'une grille, on divise la région en petits rectangles dont les côtés sont Δx et Δy. Ainsi, la masse d'un morceau est donnée par

$$\text{Masse du rectangle} \approx \text{Densité} \cdot \text{Aire} \approx \delta(x, y)\,\Delta x \Delta y.$$

En calculant la somme de tous les rectangles, on obtient une somme de Riemann qui approche une intégrale double :

$$\text{Masse} = \int_R \delta(x, y)\, dA,$$

où R est le triangle. L'hypoténuse du triangle est la droite $y = 1 - x$. On veut calculer cette intégrale en utilisant une intégrale itérée. On considère la manière dont fonctionne une intégrale itérée sur un rectangle :

$$\int_a^b \int_c^d f(x, y)\, dy\ dx.$$

Cette intégrale se trouve sur le rectangle $a \le x \le b$, $c \le y \le d$. Cette intégrale intérieure par rapport à y se situe le long de bandes verticales entre $y = c$ et $y = d$. Il existe une telle bande pour chaque valeur de x comprise entre $x = a$ et $x = b$. Par conséquent, la valeur de l'intégrale intérieure dépend de la valeur de x. Après avoir calculé l'intégrale intérieure par rapport à y, on calcule l'intégrale extérieure par rapport à x, ce qui signifie qu'il faut additionner les contributions de chaque bande verticale qui compose le rectangle (voir la figure 5.15).

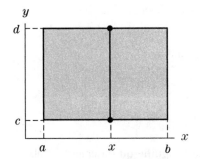

Figure 5.15 : Intégration sur un rectangle à l'aide de bandes verticales

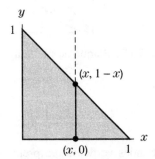

Figure 5.16 : Intégration sur un triangle à l'aide de bandes verticales

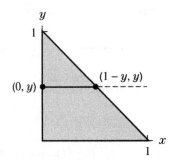

Figure 5.17 : Intégration sur un triangle à l'aide de bandes horizontales

Pour la région triangulaire de la figure 5.14, le principe est le même. La seule différence est que les bandes verticales ne passent dorénavant plus de $y = c$ à $y = d$. La bande verticale qui entre dans le triangle au point $(x, 0)$ le quitte au point $(x, 1 - x)$, car le côté supérieur du triangle est la droite $y = 1 - x$ (voir la figure 5.16). Par conséquent, sur cette bande verticale, y va de 0 à $1 - x$. Ainsi, l'intégrale intérieure est

$$\int_0^{1-x} \delta(x, y)\, dy.$$

Finalement, puisqu'il existe une de ces intégrales pour chaque valeur de x comprise entre 0 et 1, l'intégrale extérieure va de 0 à 1. Par conséquent, l'intégrale itérée qu'on recherche est

$$\text{Masse} = \int_0^1 \int_0^{1-x} \delta(x, y)\, dy\, dx.$$

On aurait pu choisir d'intégrer dans l'ordre inverse, en maintenant y fixe, plutôt que x, dans l'intégrale intérieure. On forme les limites en observant les bandes horizontales plutôt que les bandes verticales et en exprimant les valeurs de x aux points finaux en fonction de y.

Une bande horizontale typique va de $x = 0$ à $x = 1 - y$ et, puisque les valeurs de y se situent entre 0 et 1, l'intégrale itérée est

$$\text{Masse} = \int_0^1 \int_0^{1-y} \delta(x, y)\, dx\, dy.$$

> ### Limites des intégrales itérées
>
> - Les limites d'une intégrale extérieure doivent être constantes ;
> - Si l'intégrale intérieure est donnée par rapport à x, ses limites devraient être des constantes ou des expressions en fonction de y, et inversement.

Exemple 4   Trouvez la masse M d'une plaque de métal R bornée par $y = x$ et $y = x^2$, qui a une densité donnée par $\delta(x, y) = 1 + xy$ kg/m^2 (voir la figure 5.18).

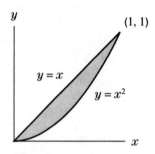

Figure 5.18 : Plaque de métal ayant une densité de $\delta(x, y)$

Solution   La masse est donnée par

$$M = \int_R \delta(x, y) \, dA.$$

On intègre le long des bandes verticales en premier lieu ; cela signifie qu'on calcule d'abord l'intégrale y, qui va de la borne inférieure $y = x^2$ à la borne supérieure $y = x$. Le côté gauche de la région se situe en $x = 0$, et le côté droit se trouve au point d'intersection de $y = x$ et de $y = x^2$, lequel est $(1, 1)$. Par conséquent, la coordonnée x des bandes verticales peut varier de $x = 0$ à $x = 1$. Donc, la masse est donnée par

$$M = \int_0^1 \int_{x^2}^x \delta(x, y) \, dy \, dx = \int_0^1 \int_{x^2}^x (1 + xy) \, dy \, dx.$$

En calculant l'intégrale intérieure en premier lieu, on obtient

$$M = \int_0^1 \left(\int_{x^2}^x (1 + xy) \, dy \right) dx = \int_0^1 \left(\left(y + x\frac{y^2}{2} \right) \Bigg|_{y = x^2}^{y = x} \right) dx$$

$$= \int_0^1 \left(x - x^2 + \frac{x^3}{2} - \frac{x^5}{2} \right) dx = \left(\frac{x^2}{2} - \frac{x^3}{3} + \frac{x^4}{8} - \frac{x^6}{12} \right) \Bigg|_0^1$$

$$= \frac{5}{24} \text{ kg.}$$

Exemple 5   Une ville a la forme d'une région semi-circulaire dont le rayon est de 3 km sur le bord de l'océan. Trouvez la distance moyenne entre un point quelconque de la ville par rapport à l'océan.

Solution   On considère l'océan, comme tout ce qui se situe au-dessous de l'axe des x, comme étant dans le plan des xy. On considère aussi la ville comme s'il s'agissait de la moitié supérieure du disque circulaire de rayon 3 borné par $x^2 + y^2 = 9$ (voir la figure 5.19).

La distance entre n'importe quel point (x, y) de la ville par rapport à l'océan correspond à la distance verticale par rapport à l'axe des x, à savoir y. Par conséquent, on veut calculer

$$\text{Distance moyenne} = \frac{1}{\text{Aire } (R)} \int_R y \, dA,$$

où R est la région comprise entre la moitié supérieure du cercle $x^2 + y^2 = 9$ et l'axe des x. L'aire de R est $\pi 3^2 / 2 = 9\pi/2$. Pour calculer l'intégrale, on prend l'intégrale intérieure par rapport à y. Alors, une bande verticale typique passe de l'axe des x, à savoir $y = 0$, au demi-cercle. La limite supérieure doit être exprimée en fonction de x. Donc, on résout $x^2 + y^2 = 9$ pour obtenir $y = \sqrt{9 - x^2}$. Puisque x varie de -3 à 3 partout sur la région, l'intégrale est

$$\int_R y \, dA = \int_{-3}^{3} \left(\int_0^{\sqrt{9-x^2}} y \, dy \right) dx = \int_{-3}^{3} \left(\frac{y^2}{2} \bigg|_0^{\sqrt{9-x^2}} \right) dx$$

$$= \int_{-3}^{3} \frac{1}{2} (9 - x^2) \, dx = \frac{1}{2} \left(9x - \frac{x^3}{3} \right) \bigg|_{-3}^{3} = \frac{1}{2} (18 - (-18)) = 18.$$

Par conséquent, la distance moyenne est de $18/(9\pi/2) = 4/\pi$ km.

Qu'advient-il si on choisit l'intégrale intérieure pour qu'elle soit donnée par rapport à x? On obtient alors les limites en observant les bandes horizontales et non les bandes verticales, puis on résout $x^2 + y^2 = 9$ pour x en fonction de y. On obtient $x = -\sqrt{9 - y^2}$ à l'extrémité gauche de la bande et $x = \sqrt{9 - y^2}$ à l'extrémité droite. Maintenant, y varie, passant de 0 à 3, donc l'intégrale devient

$$\int_R y \, dA = \int_0^3 \left(\int_{-\sqrt{9-y^2}}^{\sqrt{9-y^2}} y \, dx \right) dy = \int_0^3 \left(yx \bigg|_{x=-\sqrt{9-y^2}}^{x=\sqrt{9-y^2}} \right) dy = \int_0^3 2y\sqrt{9-y^2} \, dy$$

$$= -\frac{2}{3} (9 - y^2)^{3/2} \bigg|_0^3 = -\frac{2}{3} (0 - 27) = 18.$$

On obtient le même résultat que précédemment. Ainsi, la distance moyenne jusqu'à l'océan est de $(2/(9\pi))18 = 4/\pi$ km.

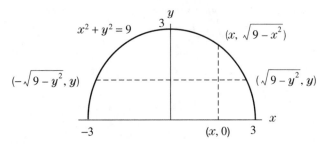

Figure 5.19 : Ville en bordure de l'océan présentant une bande verticale typique et une bande horizontale typique

Dans les exemples qu'on a vus jusqu'à maintenant, on donnait la région et le problème consistait à déterminer les limites d'une intégrale itérée. Parfois, seules les limites sont connues et il faut déterminer la région.

Exemple 6   Tracez le graphe de la région d'intégration de l'intégrale itérée $\displaystyle\int_0^6 \int_{x/3}^2 x\sqrt{y^3+1}\ dy\ dx$.

Solution   L'intégrale intérieure est donnée par rapport à y, donc on imagine des bandes verticales croisant la région d'intégration. Le bas de chaque bande est $y = x/3$, une droite passant par l'origine, et le haut de chaque bande est $y = 2$, une droite horizontale. Puisque les limites de l'intégrale extérieure sont 0 et 6, toute la région est contenue entre les droites verticales $x = 0$ et $x = 6$. Noter que les droites $y = 2$ et $y = x/3$ se croisent là où $x = 6$. La figure 5.20 présente ladite région.

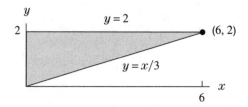

Figure 5.20 : Région d'intégration de l'exemple 6

L'inversion de l'ordre d'intégration

Il peut parfois être utile d'inverser l'ordre d'intégration d'une intégrale itérée. Chose surprenante, une intégrale difficile, voire impossible à calculer avec des limites dans un ordre donné, peut devenir simple à résoudre avec un autre ordre d'intégration. L'exemple 7 illustre un tel cas.

Exemple 7   Évaluez $\displaystyle\int_0^6 \int_{x/3}^2 x\sqrt{y^3+1}\ dy\ dx$ en utilisant la région tracée à la figure 5.20.

Solution   Puisque $\sqrt{y^3+1}$ n'a aucune primitive élémentaire, on ne peut calculer symboliquement l'intégrale intérieure. On tente d'inverser l'ordre d'intégration. Dans la figure 5.20, on voit que la bande horizontale va de $x = 0$ à $x = 3y$. Pour la région en entier, y varie, passant de 0 à 2. Par conséquent, on change l'ordre d'intégration et on obtient

$$\int_0^6 \int_{x/3}^2 x\sqrt{y^3+1}\ dy\ dx = \int_0^2 \int_0^{3y} x\sqrt{y^3+1}\ dx\ dy.$$

Maintenant, il est du moins possible de calculer l'intégrale intérieure puisque l'on connaît la primitive de x. Mais qu'en est-il de l'intégrale extérieure ?

$$\int_0^2 \int_0^{3y} x\sqrt{y^3+1}\ dx\ dy = \int_0^2 \left(\frac{x^2}{2}\sqrt{y^3+1}\right)\Bigg|_{x=0}^{x=3y}\ dy = \int_0^2 \frac{9y^2}{2}(y^3+1)^{1/2}\ dy$$

$$= (y^3+1)^{3/2}\Big|_0^2 = 27 - 1 = 26.$$

Ainsi, l'inversion de l'ordre d'intégration a permis de résoudre plus facilement l'intégrale du problème précédent. Noter que, pour inverser l'ordre, il est d'abord essentiel de tracer la région sur laquelle l'intégration est effectuée.

Problèmes de la section 5.2

Pour les problèmes 1 à 4, évaluez l'intégrale donnée.

1. $\displaystyle\int_R \sqrt{x+y}\ dA$, où R est le rectangle $0 \leq x \leq 1$, $0 \leq y \leq 2$.

2. Calculez l'intégrale du problème 1 en utilisant l'autre ordre d'intégration.

3. $\displaystyle\int_R (5x^2 + 1) \sin 3y\ dA$, où R est le rectangle $-1 \leq x \leq 1$, $0 \leq y \leq \pi/3$.

4. $\displaystyle\int_R (2x + 3y)^2\ dA$, où R est le triangle ayant des sommets en $(-1, 0)$, en $(0, 1)$ et en $(1, 0)$.

Pour chacune des régions R des problèmes 5 à 8, écrivez $\int_R f\ dA$ sous forme d'intégrale itérée.

5.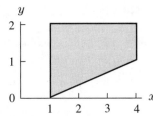

6.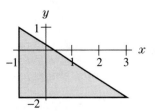

7.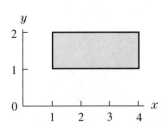

8.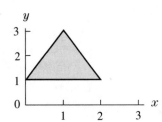

Pour les problèmes 9 à 13, tracez le graphe de la région d'intégration et évaluez l'intégrale.

9. $\displaystyle\int_1^3 \int_0^4 e^{x+y}\ dy\ dx$

10. $\displaystyle\int_0^2 \int_0^x e^{x^2}\ dy\ dx$

11. $\displaystyle\int_1^5 \int_x^{2x} \sin(x)\ dy\ dx$

12. $\displaystyle\int_1^4 \int_{\sqrt{y}}^y x^2 y^3\ dx\ dy$

13. $\displaystyle\int_{-2}^0 \int_{-\sqrt{9-x^2}}^0 2xy\ dy\ dx$

14. Considérez l'intégrale $\displaystyle\int_0^4 \int_0^{-(y-4)/2} g(x, y)\ dx\ dy$.

   a) Tracez la région sur laquelle l'intégration est effectuée.
   b) Notez l'intégrale dans l'ordre d'intégration inverse.

Évaluez l'intégrale des problèmes 15 à 17 en inversant l'ordre d'intégration.

15. $\displaystyle\int_0^1 \int_y^1 e^{x^2}\ dx\ dy$

16. $\displaystyle\int_0^3 \int_{y^2}^9 y \sin(x^2)\ dx\ dy$

17. $\displaystyle\int_0^1 \int_{\sqrt{y}}^1 \sqrt{2+x^3}\ dx\ dy$

18. Inversez l'ordre d'intégration : $\displaystyle\int_{-4}^0 \int_0^{2x+8} f(x, y)\ dy\ dx + \int_0^4 \int_0^{-2x+8} f(x, y)\ dy\ dx$.

Pour les problèmes 19 à 21, définissez (sans l'évaluer) une intégrale itérée pour le volume du solide.

19. Au-dessous du graphe de $f(x, y) = 25 - x^2 - y^2$ et au-dessus du plan des xy.

20. Au-dessous du graphe de $f(x, y) = 25 - x^2 - y^2$ et au-dessus du plan $z = 16$.

21. La pyramide de trois côtés dont la base se situe dans le plan des xy et dont les trois côtés sont les plans verticaux $y = 0$ et $y - x = 4$, et le plan incliné $2x + y + z = 4$.

Pour les problèmes 22 à 24, trouvez le volume de la région donnée.

22. Au-dessous du graphe de $f(x, y) = xy$ et au-dessus du carré $0 \le x \le 2$, $0 \le y \le 2$, dans le plan des xy.

23. Le solide situé entre les plans $z = 3x + 2y + 1$ et $z = x + y$ et se trouvant au-dessus du triangle ayant les sommets en $(1, 0, 0)$, $(2, 2, 0)$ et $(0, 1, 0)$ dans le plan des xy (voir la figure 5.21).

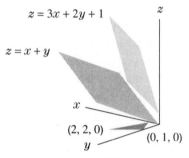

Figure 5.21

24. La région R bornée par le graphe de $ax + by + cz = 1$ et les plans de coordonnées. Supposez que a, b et c sont positifs.

25. Trouvez la distance moyenne par rapport à l'axe des x pour les points se trouvant dans la région bornée par l'axe des x et le graphe de $y = x - x^2$.

26. Prouvez que, pour un triangle rectangle, la distance moyenne entre n'importe quel point dans le triangle et l'une des jambes correspond au tiers de la longueur de l'autre jambe. (Les jambes d'un triangle rectangle sont les deux côtés qui ne sont pas l'hypoténuse.)

27. Évaluez $\displaystyle\int_0^1 \int_y^1 \sin(x^2)\, dx\, dy$.   28. Évaluez $\displaystyle\int_0^1 \int_{e^y}^e \frac{x}{\ln x}\, dx\, dy$.

29. Dans les aéroports, les portes de départ du terminal sont souvent alignées comme des points le long d'une droite. Si vous arrivez à une porte et que vous devez vous rendre à une autre porte pour prendre un vol de correspondance, quelle proportion (en moyenne) de la longueur du terminal devrez-vous parcourir ? Vous pouvez modéliser cette proportion en choisissant aléatoirement deux nombres $0 \le x \le 1$ et $0 \le y \le 1$ et en calculant la valeur moyenne de $|x - y|$. Utilisez une intégrale double pour montrer que, en moyenne, vous devez parcourir $1/3$ de la longueur du terminal.

30. Au problème 29, les portes de départ ne sont pas véritablement situées de façon continue de 0 à 1, comme on l'a supposé. Il n'y a qu'un nombre fini de portes et elles sont sans doute espacées également. Supposez qu'il y a $n + 1$ portes situées à $1/n$ unités l'une de l'autre, d'une extrémité du terminal ($x_0 = 0$) à l'autre ($x_n = 1$). En supposant que toutes les paires (i, j) de portes de départ et d'arrivée sont également possibles, démontrez que

$$\text{Distance moyenne entre les portes} = \frac{1}{(n+1)^2} \cdot \sum_{i=0}^{n} \sum_{j=0}^{n} \left| \frac{i}{n} - \frac{j}{n} \right|.$$

Identifiez cette somme approximativement (mais pas exactement) comme une somme de Riemann avec n subdivisions pour l'intégrande utilisée dans le problème 29. Calculez cette somme pour $n = 5$ et $n = 10$ et comparez-la à la réponse de $1/3$ obtenue au problème 29.

5.3 LES INTÉGRALES TRIPLES

On peut intégrer une fonction continue de trois variables sur une région solide W à trois dimensions de la même manière qu'on peut le faire pour une fonction de deux variables sur une région plane à deux dimensions. Encore une fois, on commence avec une somme de Riemann. Tout d'abord, on subdivise W en plus petites régions, puis on multiplie le volume de chaque région par une valeur de la fonction sur cette région et ensuite, on additionne les résultats. Par exemple, si W est la boîte $a \leq x \leq b$, $c \leq y \leq d$, $p \leq z \leq q$, alors on subdivise chaque côté en l, m et n morceaux, découpant ainsi W en lmn boîtes de plus petite taille, comme le montre la figure 5.22.

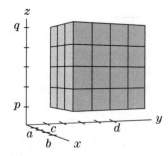

Figure 5.22 : Subdivision d'une boîte à trois dimensions

Le volume de chaque boîte de plus petite taille est

$$\Delta V = \Delta x \Delta y \Delta z,$$

où $\Delta x = (b - a)/l$, $\Delta y = (d - c)/m$ et $\Delta z = (q - p)/n$. En utilisant cette subdivision, on choisit un point (x_i, y_j, z_k) dans la ijk-ième petite boîte et on construit une somme de Riemann.

$$\sum_{i,j,k} f(x_i, y_j, z_k) \Delta V.$$

Si f est continu quand Δx, Δy et Δz tendent vers zéro, cette somme de Riemann tend vers l'intégrale définie $\int_W f \, dV$, appelée une *intégrale triple*, qui est définie par

$$\int_W f \, dV = \lim_{l, m, n \to \infty} \sum_{i,j,k} f(x_i, y_j, z_k) \Delta V.$$

Comme pour le cas de l'intégrale double, on peut évaluer celle-ci comme s'il s'agissait d'une intégrale itérée :

Intégrale triple évaluée comme une intégrale itérée

$$\int_W f \, dV = \int_p^q \left(\int_c^d \left(\int_a^b f(x, y, z) \, dx \right) dy \right) dz,$$

où y et z sont traités comme des constantes dans l'intégrale la plus intérieure (dx), et où z est traité comme une constante dans l'intégrale du milieu (dy). L'intégration peut s'effectuer dans n'importe quel ordre.

Exemple 1   Un cube C a des côtés d'une longueur de 4 cm et est composé d'une matière dont la densité est variable. Si un coin se trouve à l'origine et que les coins adjacents se trouvent sur la partie positive des axes des x, des y et des z, alors la densité (en grammes par centimètre cube) au point (x, y, z) est de $\delta(x, y, z) = 1 + xyz$ g/cm^3. Trouvez la masse du cube.

Solution On considère un morceau ΔV du cube suffisamment petit pour que la densité demeure presque constante dans le morceau. Alors,

$$\text{Masse du petit morceau} = \text{Densité} \cdot \text{Volume} \approx \delta(x, y, z)\, \Delta V.$$

Pour obtenir la masse totale, on additionne les masses des petits morceaux et on prend la limite quand $\Delta V \to 0$. Ainsi, la masse correspond à l'intégrale triple

$$M = \int_C \delta\, dV = \int_0^4 \int_0^4 \int_0^4 (1 + xyz)\, dx\, dy\, dz = \int_0^4 \int_0^4 \left[x + \frac{1}{2} x^2 yz \right]_{x=0}^{x=4} dy\, dz$$

$$= \int_0^4 \int_0^4 (4 + 8yz)\, dy\, dz = \int_0^4 \left[4y + 4y^2 z \right]_{y=0}^{y=4} dz = \int_0^4 (16 + 64z)\, dz = 576 \text{ g}.$$

Exemple 2 Exprimez le volume de la construction présentée dans l'exemple 1 de la section 5.2 sous forme d'intégrale triple.

Solution La construction peut être décrite par $0 \leq x \leq 8$, $0 \leq y \leq 16$ et $0 \leq z \leq 12 - x/4 - y/8$ (voir la figure 5.23). Pour trouver son volume, on divise la construction en petits cubes de volume $\Delta V = \Delta x \Delta y \Delta z$ et on les additionne. Tout d'abord, on forme une pile verticale de cubes au-dessus du point $(x, y, 0)$. Cette pile va de $z = 0$ à $z = 12 - x/4 - y/8$. On a

$$\text{Volume de la pile verticale} \approx \sum_z \Delta V = \sum_z \Delta x \Delta y \Delta z = \left(\sum_z \Delta z \right) \Delta x \Delta y.$$

Ensuite, on aligne les piles parallèlement à l'axe des y pour former une tranche allant de $y = 0$ à $y = 16$. Donc,

$$\text{Volume de la tranche} \approx \left(\sum_y \sum_z \Delta z \Delta y \right) \Delta x.$$

Finalement, on aligne les tranches le long de l'axe des x de $x = 0$ à $x = 8$ et on additionne leurs volumes, ce qui donne

$$\text{Volume de la construction} \approx \sum_x \sum_y \sum_z \Delta z \Delta y \Delta x.$$

Ainsi, dans la limite,

$$\text{Volume de la construction} = \int_0^8 \int_0^{16} \int_0^{12 - x/4 - y/8} 1\, dz\, dy\, dx.$$

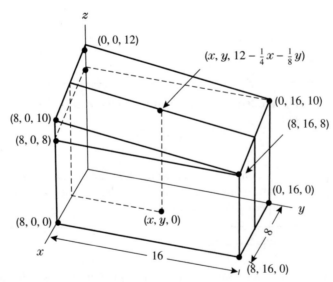

Figure 5.23 : Volume de la construction sous forme d'intégrale triple

Exemple 3   Définissez une intégrale itérée pour calculer la masse du cône solide borné par $z = \sqrt{x^2 + y^2}$ et $z = 3$, si la densité est donnée par $\delta(x, y, z) = z$.

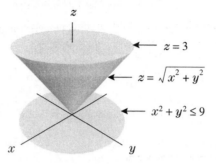

Figure 5.24

Solution   Le cône est présenté à la figure 5.24. On découpe le cône en petits cubes de volume $\Delta V = \Delta x \Delta y \Delta z$, dont la densité est approximativement constante, et on approche la masse de chaque cube $\delta(x, y, z)\, \Delta x \Delta y \Delta z$. Si on empile les cubes verticalement au-dessus du point $(x, y, 0)$ en commençant par le cône à la hauteur $z = \sqrt{x^2 + y^2}$ et en allant jusqu'à $z = 3$, on apprend que l'intégrale intérieure est

$$\int_{\sqrt{x^2+y^2}}^{3} \delta(x, y, z)\, dz = \int_{\sqrt{x^2+y^2}}^{3} z\, dz.$$

Il existe une pile pour chaque point dans le plan des xy qui se trouve dans l'ombre projetée par le cône. Puisque le cône $z = \sqrt{x^2 + y^2}$ croise le plan horizontal $z = 3$ dans le cercle $x^2 + y^2 = 9$, cela signifie qu'il y a une pile pour tout (x, y) sur la région $x^2 + y^2 \le 9$. En alignant les piles parallèlement à l'axe des y, on obtient une tranche allant de $y = -\sqrt{9 - x^2}$ à $y = \sqrt{9 - x^2}$ pour chaque valeur fixe de x. Par conséquent, les limites de l'intégrale du milieu sont

$$\int_{-\sqrt{9-x^2}}^{\sqrt{9-x^2}} \int_{\sqrt{x^2+y^2}}^{3} z\, dz\, dy.$$

Finalement, il y a une tranche pour chaque x entre -3 et 3. Donc, l'intégrale qu'on recherche est

$$\text{Masse} = \int_{-3}^{3} \int_{-\sqrt{9-x^2}}^{\sqrt{9-x^2}} \int_{\sqrt{x^2+y^2}}^{3} z\, dz\, dy\, dx.$$

Noter que l'opération qui consiste à fixer des limites sur les deux intégrales extérieures est la même que celle qui consiste à établir des limites pour une intégrale double sur la région $x^2 + y^2 \le 9$.

Comme l'illustre l'exemple 3, pour une région W contenue entre deux surfaces, les limites les plus intérieures correspondent à ces surfaces. Les limites du milieu et de l'extérieur permettent l'intégration dans « l'ombre » de W, dans le plan des xy.

Limites des intégrales triples

- Les limites de l'intégrale extérieure sont des constantes ;
- Les limites de l'intégrale du milieu peuvent comporter uniquement une variable (celle de l'intégrale extérieure) ;
- Les limites de l'intégrale intérieure peuvent comporter deux variables (celles qui se trouvent sur les deux intégrales extérieures).

Problèmes de la section 5.3

Pour les problèmes 1 à 4, trouvez les intégrales triples des fonctions sur les régions données.

1. $f(x, y, z) = x^2 + 5y^2 - z$, W est la boîte rectangulaire $0 \leq x \leq 2$, $-1 \leq y \leq 1$, $2 \leq z \leq 3$.

2. $f(x, y, z) = \sin x \cos(y + z)$, W est le cube $0 \leq x \leq \pi$, $0 \leq y \leq \pi$, $0 \leq z \leq \pi$.

3. $h(x, y, z) = ax + by + cz$, W est la boîte rectangulaire $0 \leq x \leq 1$, $0 \leq y \leq 1$, $0 \leq z \leq 2$.

4. $f(x, y, z) = e^{-x - y - z}$, W est la boîte rectangulaire ayant des coins en $(0, 0, 0)$, en $(a, 0, 0)$, en $(0, b, 0)$ et en $(0, 0, c)$.

Pour les problèmes 5 à 11, décrivez ou tracez la région d'intégration des intégrales triples. Si les limites sont illogiques, expliquez pourquoi.

5. $\displaystyle\int_0^6 \int_0^{3-x/2} \int_0^{6-x-2y} f(x, y, z)\, dz\, dy\, dx$ 6. $\displaystyle\int_0^1 \int_0^x \int_0^x f(x, y, z)\, dz\, dy\, dx$

7. $\displaystyle\int_0^1 \int_0^z \int_0^x f(x, y, z)\, dz\, dy\, dx$ 8. $\displaystyle\int_0^3 \int_{-\sqrt{9-y^2}}^0 \int_{\sqrt{x^2+y^2}}^3 f(x, y, z)\, dz\, dx\, dy$

9. $\displaystyle\int_1^3 \int_0^{x+y} \int_0^y f(x, y, z)\, dz\, dx\, dy$ 10. $\displaystyle\int_0^1 \int_0^{2-x} \int_0^3 f(x, y, z)\, dz\, dy\, dx$

11. $\displaystyle\int_{-1}^1 \int_0^{\sqrt{1-x^2}} \int_0^{\sqrt{2-x^2-y^2}} f(x, y, z)\, dz\, dy\, dx$

12. Trouvez le volume de la pyramide ayant une base dans le plan $z = -6$ et des côtés formés par les trois plans $y = 0$, $y - x = 4$ et $2x + y + z = 4$.

13. Trouvez la masse du solide borné par le plan des xy, le plan des yz, le plan des xz et le plan $(x/3) + (y/2) + (z/6) = 1$ si la densité du solide est donnée par $\delta(x, y, z) = x + y$.

14. Trouvez la valeur moyenne de la somme des carrés de trois nombres x, y, z, chaque nombre se situant entre 0 et 2.

15. Établissez, sans l'évaluer, une intégrale itérée pour le volume du solide formé par les intersections des cylindres $x^2 + z^2 = 1$ et $y^2 + z^2 = 1$.

On peut analyser le mouvement d'un objet solide en considérant la masse comme si elle était concentrée en un seul point, soit le *centre de masse*. Si l'objet a la densité $\rho(x, y, z)$ au point (x, y, z) et qu'il occupe une région W, alors les coordonnées $(\overline{x}, \overline{y}, \overline{z})$ du centre de masse sont données par

$$\overline{x} = \frac{1}{m} \int_W x\rho\, dV \quad \overline{y} = \frac{1}{m} \int_W y\rho\, dV \quad \overline{z} = \frac{1}{m} \int_W z\rho\, dV,$$

où $m = \int_W \rho\, dV$ est la masse totale du corps. Utilisez ces définitions pour les problèmes 16 et 17.

16. Le dessous d'un solide est borné par le carré $z = 0$, $0 \leq x \leq 1$, $0 \leq y \leq 1$ et le dessus, par la surface $z = x + y + 1$. Trouvez la masse totale et les coordonnées du centre de masse si la densité est de 1 g/cm^3 et si x, y, z sont mesurés en centimètres.

17. Trouvez le centre de masse du tétraèdre qui est borné par les plans des x, des y et des z et par le plan $x + y/2 + z/3 = 1$. Supposez que la densité est de 1 g/cm^3.

Le *moment d'inertie* d'un corps solide par rapport à un axe à trois dimensions relie l'accélération angulaire par rapport à cet axe au moment de torsion donné (force qui tord le corps). Les moments d'inertie par rapport aux axes de coordonnées d'un corps de volume V, de densité constante, de masse m et occupant une région W sont définis par

$$I_x = \frac{m}{V} \int_W (y^2 + z^2)\, dV \quad I_y = \frac{m}{V} \int_W (x^2 + z^2)\, dV \quad I_z = \frac{m}{V} \int_W (x^2 + y^2)\, dV.$$

Utilisez ces définitions pour solutionner les problèmes 18 à 20.

18. Trouvez le moment d'inertie par rapport à l'axe des z du solide rectangulaire de masse m donné par $0 \leq x \leq 1$, $0 \leq y \leq 2$ et $0 \leq z \leq 3$.

19. Trouvez le moment d'inertie par rapport à l'axe des x du solide rectangulaire $-a \leq x \leq a$, $-b \leq y \leq b$ et $-c \leq z \leq c$ de masse m.

20. Soit a, b et c les moments d'inertie d'un objet solide homogène par rapport aux axes des x, des y et des z, respectivement. Expliquez pourquoi $a + b > c$.

5.4   L'INTÉGRATION NUMÉRIQUE : LA MÉTHODE DE MONTE-CARLO

Il existe bon nombre d'intégrales définies d'une variable dans lesquelles l'intégrande n'a pas de primitives élémentaires, par exemple $\int_0^1 e^{-x^2}\,dx$. Il existe aussi des intégrales doubles et triples insolubles. On peut les approcher à l'aide de sommes de Riemann ou à l'aide d'une variante de la méthode de Simpson (voir le problème 10). Dans la présente section, on présente une autre méthode, appelée la méthode de Monte-Carlo (nommée d'après le casino).

Un exemple d'intégrale d'une variable

On considère l'intégrale $\int_0^1 x^2\,dx$ qui, on le sait, a la valeur de 1/3. On l'aborde maintenant de manière probabiliste. On trace le graphe de la fonction $y = x^2$ dans le carré $0 \leq x \leq 1$, $0 \leq y \leq 1$ et on lance des fléchettes dans le carré. On s'attend à ce que certaines fléchettes tombent au-dessus de la courbe et certaines, au-dessous. La fraction des fléchettes qui tombent au-dessous de la courbe donne une estimation du rapport entre l'aire sous la courbe et l'aire du carré. Il s'agit de la base de la méthode de Monte-Carlo.

Exemple 1   Approchez l'intégrale $\displaystyle\int_0^1 x^2\,dx$ en utilisant la méthode de Monte-Carlo.

Solution   Si on choisit aléatoirement des points dans le carré unité de la figure 5.25, on s'attend à ce que le rapport entre le nombre de points dans la région R, par exemple N_R, et le nombre total de points N, permette d'approcher l'intégrale :

$$\frac{N_R}{N} \approx \frac{\int_0^1 x^2\,dx}{\text{Aire du carré unité}} = \int_0^1 x^2\,dx.$$

Puisqu'on sélectionne les points aléatoirement, on ne peut s'attendre à obtenir le même rapport chaque fois. Cependant, au fur et à mesure que le nombre de points augmente, l'approximation devrait s'améliorer. Le tableau 5.9 montre les valeurs de N_R/N pour six différents essais avec $N = 50$ points. Ces essais, ainsi que tous ceux qui ont suivi, ont consisté à utiliser un logiciel pour produire aléatoirement des points dans la région et à compter ceux qui se retrouvent à l'intérieur de R.

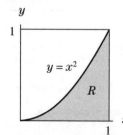

Figure 5.25 : Région dont l'aire est $\int_0^1 x^2\,dx$ en tant que fraction du carré unité

TABLEAU 5.9   *Six essais avec $N = 50$ points*

$N = 50$	1	2	3	4	5	6
N_R/N	0,2	0,24	0,52	0,36	0,38	0,28

Ces approximations ne sont pas très bonnes. Leur moyenne est de 0,33, à deux décimales près. En répétant le processus pour $N = 50$, on obtient les résultats présentés au tableau 5.10.

TABLEAU 5.10   *Six essais de plus avec $N = 50$ points*

$N = 50$	1	2	3	4	5	6
N_R/N	0,44	0,42	0,28	0,34	0,28	0,32

Noter que la moyenne de ces résultats se chiffre à 0,347. Ce nombre n'est pas aussi près de la valeur réelle de $1/3$ qu'il l'était plus haut, mais il s'agit d'un processus aléatoire. Chaque fois qu'on le répète, on s'attend à obtenir un résultat différent. Pour poursuivre avec cet exemple, on approche maintenant $\int_0^1 x^2\,dx$ en prenant des valeurs de N de plus en plus grandes, par exemple $N = 10$, 100, 1000 et 10 000. Le tableau 5.11 présente les résultats d'une expérience effectuée sur ordinateur. (Toutefois, si vous effectuez une expérience semblable, vos résultats seront sans doute légèrement différents. Cependant, il semble que lorsque N augmente, le rapport se rapproche de la valeur exacte de $1/3$.)

TABLEAU 5.11   *Valeurs de N_R/N quand N augmente*

N	10	100	1000	10 000
N_R/N	0,2000	0,3400	0,3250	0,3343

La génération des nombres aléatoires constitue la base de la méthode de Monte-Carlo. Heureusement, presque tous les langages d'ordinateur comportent un générateur de nombres aléatoires intégré. N'importe quelle paire de nombres aléatoires x et y compris entre 0 et 1 donne un point (x, y) dans le carré unité. Alors, on vérifie pour savoir si $y \le x^2$. Le cas échéant, le point se trouve dans la région située sous la parabole. On suppose que chaque point a des chances égales d'être choisi, ce qui permet de calculer l'aire de la région sous la parabole à l'aide de la méthode suivante.

Méthode de Monte-Carlo pour estimer une intégrale

On suppose que l'intégrale $\int_a^b f(x)dx$ est donnée par l'aire d'une région R. Enfermez la région dans un rectangle d'aire A. Si N points aléatoires sont choisis en A et que N_R de ceux-ci se trouvent dans la région R, alors on prévoit que

$$\frac{N_R}{N} \approx \frac{\text{Aire } (R)}{\text{Aire } (A)} = \frac{\int_a^b f(x)dx}{\text{Aire } (A)}.$$

Un exemple d'intégrale de deux variables

On peut élargir le principe de la méthode de Monte-Carlo pour évaluer les intégrales de plus d'une variable.

Exemple 2   Utilisez la méthode de Monte-Carlo pour approcher l'intégrale double

$$\int_0^1 \int_0^1 e^{-(x^2 + y^2)}\,dx\,dy.$$

Solution   L'intégrale donne le volume de la région W au-dessus du carré unité et au-dessous du graphe de $z = e^{-(x^2 + y^2)}$. Puisque le volume que l'on considère est contenu dans le cube C, donné par $0 \leq x \leq 1$, $0 \leq y \leq 1$ et $0 \leq z \leq 1$, on compte les points de forme (x, y, z) qui se trouvent dans le cube et qui satisfont à la condition

$$0 \leq z \leq e^{-(x^2 + y^2)}.$$

Si N_R des N points choisis aléatoirement satisfont à cette condition, puisque le Vol.$(C) = 1$, on a

$$\frac{N_R}{N} \approx \frac{\text{Vol.}(W)}{\text{Vol.}(C)} = \text{Vol.}(W) = \int_0^1 \int_0^1 e^{-(x^2 + y^2)} \, dx \, dy.$$

TABLEAU 5.12   *Dix essais avec chacun N = 100*

$N = 100$	1	2	3	4	5	6	7	8	9	10
N_R/N	0,54	0,60	0,57	0,60	0,51	0,53	0,59	0,56	0,56	0,57

Le tableau 5.12 montre la valeur de N_R/N pour 10 essais de $N = 100$ points chacun. La moyenne des 10 valeurs N_R/N est de 0,563. Il s'agit d'une valeur approximative de l'intégrale. En prenant $N = 10\,000$, on obtient

$$\int_0^1 \int_0^1 e^{-(x^2 + y^2)} \, dx \, dy \approx \frac{N_R}{N} \approx 0,5654.$$

Cela concorde avec l'estimation faite à l'exemple 2 de la section 5.1.

Lorsqu'on utilise la méthode de Monte-Carlo, il est important de choisir une petite boîte C qui contient toute la région W. Intuitivement, on sait que plus les deux volumes concordent, moins on a besoin de points aléatoires pour obtenir une approximation raisonnable. En fait, le principal problème avec la méthode de Monte-Carlo consiste à trouver une boîte rectangulaire suffisamment petite pour contenir le volume.

Problèmes de la section 5.4

Pour les problèmes 1 à 9, vous devez utiliser un ordinateur ou une calculatrice qui génère des nombres aléatoires.

1. Utilisez la méthode de Monte-Carlo pour approcher l'intégrale $\int_0^1 \sqrt{1 - x^2} \, dx$. Expliquez géométriquement la raison pour laquelle votre réponse fournit une approximation pour $\pi/4$.

2. Utilisez la méthode de Monte-Carlo pour approcher l'intégrale $\int_0^1 e^{-x^2} \, dx$.

3. Approchez $\int_0^1 \int_0^1 e^{-xy} \, dx \, dy$ à quatre décimales près.

4. Approchez $\int_0^1 \int_0^1 xy^{xy} \, dx \, dy$ à deux décimales près.

5. Approchez $\int_0^\pi \int_0^2 x \sin y \, dx \, dy$ et comparez vos résultats avec la réponse exacte.

6. Expliquez pourquoi la méthode de Monte-Carlo ne réussit pas à approcher $\int_0^1 \int_0^1 x^{-y} \, dx \, dy$.

Avec la méthode de Monte-Carlo décrite dans le manuel, on génère des triplets de nombres aléatoires et on évalue la fonction aux deux premiers nombres pour estimer une intégrale double. Voici une autre méthode de Monte-Carlo qui n'exige que quatre paires de nombres aléatoires. N'oubliez pas que

$$\text{Valeur moyenne de } f(x, y) \text{ sur } R = \frac{1}{\text{Aire } (R)} \int_R f(x, y) \, dx \, dy.$$

On peut également estimer la valeur moyenne de f en choisissant N points (x_i, y_i) aléatoirement dans R, en faisant la sommation des valeurs de f en ces points et en divisant par N. On obtient

$$A = \frac{1}{N} \sum_{i=1}^{N} f(x_i, y_i).$$

Par conséquent, soit l'approximation

$$\int_R f \, dA \approx \text{Aire}(R) \cdot A.$$

Pour les problèmes 7 à 9, utilisez la méthode ci-dessus pour approcher les intégrales à deux décimales près.

7. L'intégrale du problème 3.   8. L'intégrale du problème 4.   9. L'intégrale du problème 5.

10. Voici une manière d'utiliser deux fois la règle de Simpson pour approcher une intégrale définie. Supposez que l'intégrale est $\int_1^5 \int_2^6 \sqrt{x^2 + y^2} \, dy \, dx$. Utilisez la règle de Simpson avec $\Delta y = 1$ pour approcher l'intégrale intérieure quand x est fixe en 1. Répétez pour $x = 1{,}5,\ 2,\ 2{,}5,\ 3,\ 3{,}5,\ 4,$ 4,5, 5. Vous disposez maintenant des approximations de l'intégrale intérieure pour neuf différentes valeurs de x. Maintenant, utilisez la règle de Simpson de nouveau avec $\Delta x = 1$, en ayant recours à neuf différentes valeurs de l'intégrale intérieure pour approcher l'intégrale extérieure (et donc toute l'intégrale double).

5.5   LES INTÉGRALES DOUBLES EN COORDONNÉES POLAIRES

L'intégration en coordonnées polaires

Dans la section 5.1, on a tracé une grille rectangulaire sur la carte de la densité de la population de renards pour estimer la population totale en utilisant une somme de Riemann. Cependant, une grille polaire est parfois plus appropriée. (L'annexe G présente la révision des coordonnées polaires.)

Exemple 1   Un biologiste qui étudie les populations d'insectes autour d'un lac circulaire divise la région en secteurs polaires, comme le montre la figure 5.26. La densité de la population dans chaque secteur est donnée en millions d'insectes par kilomètre carré. Estimez la population totale d'insectes autour du lac.

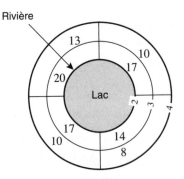

Figure 5.26 : Lac infesté d'insectes montrant la densité
de la population d'insectes par secteurs

Solution Pour obtenir l'estimation, il faut multiplier la densité de la population dans chaque secteur par l'aire de ce secteur. Contrairement aux rectangles d'une grille rectangulaire, les secteurs de cette grille n'ont pas tous la même aire. Les secteurs intérieurs ont une aire de

$$\frac{1}{4}(\pi 3^2 - \pi 2^2) = \frac{5\pi}{4} \approx 3,93 \text{ km}^2,$$

et les secteurs extérieurs ont une aire de

$$\frac{1}{4}(\pi 4^2 - \pi 3^2) = \frac{7\pi}{4} \approx 5,50 \text{ km}^2.$$

Donc, on estime que

$$\text{Population} \approx (20)(3,93) + (17)(3,93) + (14)(3,93) + (17)(3,93) + (13)(5,50)$$
$$+ (10)(5,50) + (8)(5,50) + (10)(5,50)$$

$$\approx 493 \text{ millions d'insectes.}$$

Qu'est-ce que dA en coordonnées polaires ?

Dans l'exemple 1, on utilisait une grille polaire plutôt qu'une grille rectangulaire. Une grille rectangulaire est construite à partir de droites verticales et horizontales correspondant à $x = k$ (une constante) et $y = l$ (une autre constante), respectivement. Dans les coordonnées polaires, lorsqu'on pose que $r = k$, on obtient un cercle de rayon k centré à l'origine et lorsqu'on pose que $\theta = l$, on obtient un rayon émanant de l'origine (à l'angle l avec l'axe des x). Une grille polaire est construite à partir de ces cercles et de ces rayons. Dans la figure 5.27, on montre une subdivision de la région polaire $a \le r \le b$, $\alpha \le \theta \le \beta$ par n subdivisions de chaque manière. Ce rectangle plié représente le type de région qui est naturellement représenté en coordonnées polaires.

En général, si on divise R (voir la figure 5.27), on obtient une somme de Riemann :

$$\sum_{i,j} f(r_i, \theta_j) \, \Delta A.$$

Cependant, le calcul de l'aire ΔA est plus compliqué en coordonnées polaires qu'en coordonnées cartésiennes. La figure 5.28 montre ΔA. Si Δr et $\Delta \theta$ sont petits, la région ombrée constitue approximativement un rectangle ayant les côtés $r \, \Delta \theta$ et Δr. Donc,

$$\Delta A \approx r \Delta \theta \Delta r.$$

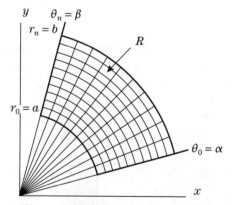

Figure 5.27 : Division d'une région à l'aide d'une grille polaire

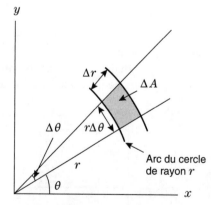

Figure 5.28 : Calcul de l'aire de ΔA en coordonnées polaires

Par conséquent, la somme de Riemann est approximativement

$$\sum_{i,j} f(r_i, \theta_j)\, r_i \Delta\theta\Delta r.$$

Si on prend la limite quand Δr et $\Delta\theta$ tendent vers zéro, on obtient

$$\int_R f\, dA = \int_\alpha^\beta \int_a^b f(r, \theta)\, r\, dr\, d\theta.$$

Lorsqu'on calcule les intégrales en coordonnées polaires, on met $dA = r\, dr\, d\theta$ ou $dA = r\, d\theta\, dr$.

Exemple 2   Calculez l'intégrale de $f(x, y) = 1/(x^2 + y^2)^{3/2}$ sur la région R présentée à la figure 5.29.

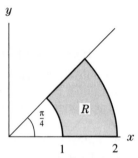

Figure 5.29 : Intégration de f sur la région polaire

Solution   La région R est décrite par les inégalités $1 \le r \le 2$, $0 \le \theta \le \pi/4$. En coordonnées polaires, on a $r = \sqrt{x^2 + y^2}$. Donc, on peut noter f comme suit

$$f(x, y) = \frac{1}{(r^2)^{3/2}} = \frac{1}{r^3}.$$

Donc,

$$\int_R f\, dA = \int_0^{\pi/4} \int_1^2 \frac{1}{r^3}\, r\, dr\, d\theta = \int_0^{\pi/4} \left(\int_1^2 r^{-2}\, dr \right) d\theta$$

$$= \int_0^{\pi/4} \left[-\frac{1}{r} \right]_{r=1}^{r=2} d\theta = \int_0^{\pi/4} \frac{1}{2}\, d\theta = \frac{\pi}{8}.$$

Exemple 3   Pour chaque région de la figure 5.30, déterminez s'il faut intégrer en utilisant des coordonnées polaires ou des coordonnées cartésiennes. En vous basant sur sa forme, écrivez une intégrale itérée pour une fonction arbitraire $f(x, y)$ sur la région.

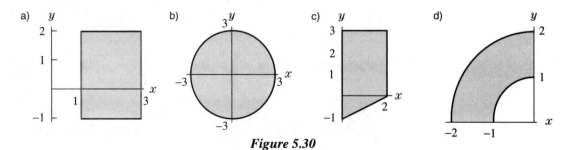

Figure 5.30

Solution a) Puisqu'il s'agit d'une région rectangulaire, les coordonnées cartésiennes constitueront sans doute un meilleur choix. Le rectangle est décrit par les inégalités $1 \leq x \leq 3$ et $-1 \leq y \leq 2$. Donc, l'intégrale est

$$\int_{-1}^{2} \int_{1}^{3} f(x, y)\, dx\, dy.$$

b) Un cercle est mieux décrit en coordonnées polaires. Le rayon est 3, donc r passe de 0 à 3 et pour décrire tout le cercle, θ va de 0 à 2π. L'intégrale est

$$\int_{0}^{2\pi} \int_{0}^{3} f(r \cos\theta, r \sin\theta)\, r\, dr\, d\theta.$$

c) Puisque la borne inférieure de ce trapèze est la droite $y = (x/2) - 1$ et que la borne supérieure est la droite $y = 3$, on utilise des coordonnées cartésiennes. Si on intègre d'abord par rapport à y, la limite inférieure de l'intégrale est de $(x/2) - 1$ et la limite supérieure est de 3. Les limites sur x sont de $x = 0$ à $x = 2$. Donc, l'intégrale est

$$\int_{0}^{2} \int_{(x/2)-1}^{3} f(x, y)\, dy\, dx.$$

d) Il s'agit d'une autre région polaire : c'est un morceau d'un anneau dans lequel r va de 1 à 2. Puisque ce morceau se trouve dans le deuxième quadrant, θ va de $\pi/2$ à π. L'intégrale est

$$\int_{\pi/2}^{\pi} \int_{1}^{2} f(r \cos\theta, r \sin\theta)\, r\, dr\, d\theta.$$

Problèmes de la section 5.5

Pour chacune des régions R des problèmes 1 à 4, écrivez $\displaystyle\int_{R} f\, dA$ comme une intégrale itérée en coordonnées polaires.

1.

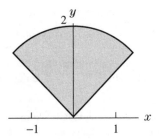

Figure 5.31

2.

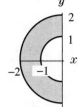

Figure 5.32

3.

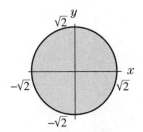

Figure 5.33

4.

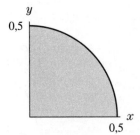

Figure 5.34

Tracez la région sur laquelle les intégrales des problèmes 5 à 11 sont calculées.

5. $\displaystyle\int_{0}^{2\pi}\int_{1}^{2} f(r,\theta)r\,dr\,d\theta.$

6. $\displaystyle\int_{\pi/2}^{\pi}\int_{0}^{1} f(r,\theta)r\,dr\,d\theta.$

7. $\displaystyle\int_{\pi/6}^{\pi/3}\int_{0}^{1} f(r,\theta)r\,dr\,d\theta.$

8. $\displaystyle\int_{3}^{4}\int_{3\pi/4}^{3\pi/2} f(r,\theta)r\,d\theta\,dr.$

9. $\displaystyle\int_{0}^{\pi/4}\int_{0}^{1/\cos\theta} f(r,\theta)r\,dr\,d\theta.$

10. $\displaystyle\int_{\pi/4}^{\pi/2}\int_{0}^{2/\sin\theta} f(r,\theta)r\,dr\,d\theta.$

11. $\displaystyle\int_{1}^{4}\int_{-\pi/2}^{\pi/2} f(r,\theta)r\,d\theta\,dr.$

12. Évaluez $\displaystyle\int_{R} \sin(x^2+y^2)\,dA$, où R est le disque de rayon 2 centré à l'origine.

13. Évaluez $\displaystyle\int_{R} (x^2-y^2)\,dA$, où R est le premier quadrant de la région comprise entre les cercles de rayon 1 et 2.

14. Considérez l'intégrale $\displaystyle\int_{0}^{3}\int_{x/3}^{1} f(x,y)\,dy\,dx.$

   a) Tracez la région R sur laquelle l'intégration est effectuée.
   b) Réécrivez l'intégrale dans l'ordre d'intégration inverse.
   c) Réécrivez l'intégrale en coordonnées polaires.

Convertissez les intégrales des problèmes 15 à 17 en coordonnées polaires et évaluez-les.

15. $\displaystyle\int_{-1}^{0}\int_{-\sqrt{1-x^2}}^{\sqrt{1-x^2}} x\,dy\,dx$

16. $\displaystyle\int_{0}^{\sqrt{2}}\int_{y}^{\sqrt{4-y^2}} xy\,dx\,dy$

17. $\displaystyle\int_{0}^{3}\int_{-x}^{x} \frac{x}{y^2}\,dy\,dx$

18. Trouvez le volume de la région comprise entre le graphe de $f(x,y)=25-x^2-y^2$ et le plan des xy.

19. On peut modéliser un cornet de crème glacée au moyen de la région bornée par l'hémisphère $z=\sqrt{8-x^2-y^2}$ et par le cône $z=\sqrt{x^2+y^2}$. Trouvez son volume.

20. Un disque dont le rayon est de 5 cm a une densité de 10 g/cm^2 en son centre et une densité de zéro sur son bord. Sa densité est une fonction linéaire de la distance à partir du centre. Trouvez la masse du disque.

21. Une ville située en bordure de l'océan entoure une baie, comme le montre la figure 5.35. La densité de la population de la ville (en milliers d'habitants par kilomètre carré) est donnée par la fonction $\delta(r,\theta)$, où r et θ sont les coordonnées polaires par rapport aux axes des x et des y présentés, et les distances indiquées sur l'axe des y sont en kilomètres.

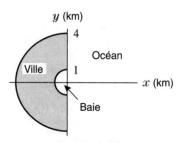

Figure 5.35

a) Établissez une intégrale itérée en coordonnées polaires qui donne la population totale de la ville.

b) Plus vous habitez loin du littoral, plus la densité de la population diminue. La densité diminue également au fur et à mesure que vous vous éloignez de l'océan. Laquelle des fonctions suivantes décrit le mieux cette situation ?

    1. $\delta(r, \theta) = (4 - r)(2 + \cos \theta)$ 2. $\delta(r, \theta) = (4 - r)(2 + \sin \theta)$

    3. $\delta(r, \theta) = (r + 4)(2 + \cos \theta)$

c) Estimez la population à l'aide de vos réponses aux parties a) et b).

22. Le ressort d'une montre repose sur une table. Il est constitué d'une bande d'acier enroulée mesurant 0,2 po de hauteur par rapport au dessus de la table. Le côté intérieur est la spirale $r = 0{,}25 + 0{,}04\theta$, où $0 \le \theta \le 4\pi$ (donc, la spirale forme deux enroulements complets). Le côté extérieur est donné par $r = 0{,}26 + 0{,}04\theta$. Trouvez le volume du ressort.

5.6 LES INTÉGRALES EN COORDONNÉES CYLINDRIQUES ET SPHÉRIQUES

Certaines intégrales doubles sont plus faciles à évaluer en coordonnées polaires qu'en coordonnées cartésiennes. De même, le calcul de certaines intégrales triples est plus simple en coordonnées non cartésiennes.

Les coordonnées cylindriques

On obtient les coordonnées cylindriques d'un point (x, y, z) dans un espace à trois dimensions en représentant les coordonnées x et y en coordonnées polaires et en laissant la coordonnée z être la coordonnée z du système de coordonnées cartésiennes (voir la figure 5.36).

Relation entre les coordonnées cartésiennes et les coordonnées cylindriques

Chaque point dans un espace à trois dimensions est représenté à l'aide de $0 \le r \le \infty$, $0 \le \theta \le 2\pi$, $-\infty < z < \infty$.

$$x = r \cos \theta,$$
$$y = r \sin \theta,$$
$$z = z.$$

Tout comme avec les coordonnées polaires dans le plan, il est à noter que $x^2 + y^2 = r^2$.

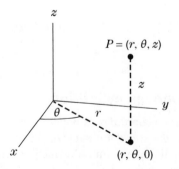

Figure 5.36 : Coordonnées cylindriques : (r, θ, z)

Une manière utile de visualiser des coordonnées cylindriques consiste à tracer les surfaces obtenues en posant l'une des coordonnées égale à une constante (voir les figures 5.37 à 5.39).

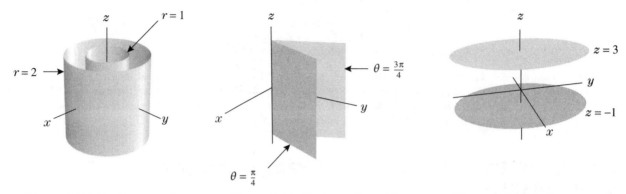

Figure 5.37 : Surfaces $r = 1$ et $r = 2$

Figure 5.38 : Surfaces $\theta = \pi/4$ et $\theta = 3\pi/4$

Figure 5.39 : Surfaces $z = -1$ et $z = 3$

En posant $r = c$ (où c est constant), on obtient un cylindre autour de l'axe des z dont le rayon est c. En posant $\theta = c$, on obtient un demi-plan perpendiculaire au plan des xy qui a un côté le long de l'axe des z et qui fait un angle c avec l'axe des x. En posant $z = c$, on a un plan horizontal à $|c|$ unités du plan des xy. On les appelle des *surfaces fondamentales*.

Les régions qui sont le plus facilement décrites en coordonnées cylindriques sont les régions dont les frontières sont des surfaces fondamentales (par exemple, des cylindres verticaux ou des parties, en forme de morceaux de tarte, de cylindres verticaux).

Exemple 1 Décrivez en coordonnées cylindriques un morceau de fromage découpé à partir d'un cylindre de 4 cm de hauteur et ayant un rayon de 6 cm ; ce morceau sous-tend un angle de $\pi/6$ au centre (voir la figure 5.40).

Solution Le morceau est décrit par les inégalités $0 \leq r \leq 6$ et $0 \leq z \leq 4$ et $0 \leq \theta \leq \pi/6$.

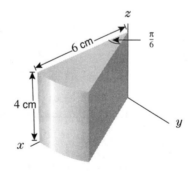

Figure 5.40 : Morceau de fromage

L'intégration en coordonnées cylindriques

Pour intégrer en coordonnées polaires, on devait exprimer l'élément d'aire dA en fonction des coordonnées polaires $dA = r\, dr\, d\theta$. Pour évaluer une intégrale triple $\int_W f\, dV$ en coordonnées cylindriques, il faut exprimer l'élément de volume dV en coordonnées cylindriques.

On considère l'élément de volume ΔV, présenté à la figure 5.41. Il s'agit d'un morceau borné par des surfaces fondamentales. L'aire de la base est $\Delta A \approx r\Delta r\Delta\theta$. Puisque la hauteur est Δz, l'élément de volume est donné approximativement par $\Delta V \approx r\Delta r\Delta\theta\Delta z$.

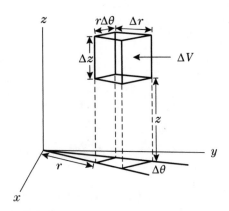

Figure 5.41 : Élément de volume en coordonnées cylindriques

Lorsqu'on calcule les intégrales en coordonnées cylindriques, il faut mettre $dV = r\, dr\, d\theta\, dz$. D'autres ordres d'intégration sont également possibles.

Exemple 2   Trouvez la masse du morceau de fromage de l'exemple 1, si sa densité est de 1,2 g/cm^3.

Solution   Si le quartier est W, sa masse est de

$$\int_W 1{,}2\, dV.$$

En coordonnées cylindriques, cette intégrale est

$$\int_0^4 \int_0^{\pi/6} \int_0^6 1{,}2\, r\, dr\, d\theta\, dz = \int_0^4 \int_0^{\pi/6} 0{,}6r^2 \Big|_0^6 d\theta\, dz = 21{,}6 \int_0^4 \int_0^{\pi/6} d\theta\, dz$$
$$= 21{,}6\left(\frac{\pi}{6}\right)4 \approx 45{,}24 \text{ g}.$$

Exemple 3   Un réservoir d'eau en forme d'hémisphère a un rayon a ; sa base est sa face plane. Trouvez le volume V de l'eau dans le réservoir en fonction de h, la profondeur de l'eau.

Solution   En coordonnées cartésiennes, une sphère de rayon a a l'équation $x^2 + y^2 + z^2 = a^2$ (voir la figure 5.42, page suivante). En coordonnées cylindriques, $r^2 = x^2 + y^2$, donc l'équation devient

$$r^2 + z^2 = a^2.$$

Par conséquent, si on veut décrire la quantité d'eau dans le réservoir en coordonnées cylindriques, on laisse r aller de 0 à $\sqrt{a^2 - z^2}$, on laisse θ aller de 0 à 2π et on laisse z aller de 0 à h, ce qui donne

$$\text{Volume}\atop\text{d'eau} = \int_W dV = \int_0^{2\pi} \int_0^h \int_0^{\sqrt{a^2 - z^2}} r\, dr\, dz\, d\theta = \int_0^{2\pi} \int_0^h \frac{r^2}{2}\bigg|_{r=0}^{r=\sqrt{a^2-z^2}} dz\, d\theta$$

$$= \int_0^{2\pi} \int_0^h \frac{1}{2}(a^2 - z^2) \, dz \, d\theta = \int_0^{2\pi} \frac{1}{2}\left(a^2 z - \frac{z^3}{3}\right)\Bigg|_{z=0}^{z=h} d\theta$$

$$= \int_0^{2\pi} \frac{1}{2} = \left(a^2 h - \frac{h^3}{3}\right) \, d\theta = \pi\left(a^2 h - \frac{h^3}{3}\right).$$

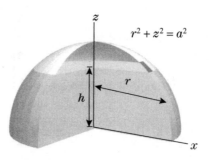

Figure 5.42 : Réservoir d'eau hémisphérique avec un rayon a et une profondeur d'eau h

Les coordonnées sphériques

Dans la figure 5.43, le point P a les coordonnées (x, y, z) dans le système de coordonnées cartésiennes. On définit les coordonnées sphériques ρ, ϕ et θ pour P comme suit :

$\rho = \sqrt{x^2 + y^2 + z^2}$ est la distance entre P et l'origine ; ϕ est l'angle entre la partie positive de l'axe des z et la droite passant par l'origine et le point P ; θ est le même que dans le système de coordonnées cylindriques.

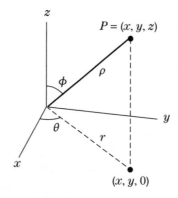

Figure 5.43 : Coordonnées sphériques

En coordonnées cylindriques,

$$x = r \cos \theta \quad \text{et} \quad y = r \sin \theta \quad \text{et} \quad z = z.$$

À partir de la figure 5.43, on a $z = \rho \cos \phi$ et $r = \rho \sin \phi$, ce qui donne la relation suivante :

Relation entre les coordonnées cartésiennes et les coordonnées sphériques

Chaque point dans l'espace à trois dimensions est représenté par $0 \leq \rho < \infty$, $0 \leq \phi \leq \pi$ et $0 \leq \theta \leq 2\pi$.

$$x = \rho \sin \phi \cos \theta$$
$$y = \rho \sin \phi \sin \theta$$
$$z = \rho \cos \phi.$$

De plus, $\rho^2 = x^2 + y^2 + z^2$.

Ce système de coordonnées est utile quand il y a symétrie sphérique par rapport à l'origine, soit dans la région d'intégration, soit dans l'intégrande. Les surfaces fondamentales en coordonnées sphériques sont $\rho = k$ (une constante), qui est une sphère de rayon k centrée à l'origine ; $\theta = k$ (une constante), qui est un demi-plan ayant son bord le long de l'axe des z ; $\phi = k$ (une constante), qui est un cône si $k \neq \pi/2$, et le plan des xy, si $k = \pi/2$ (voir les figures 5.44 à 5.46).

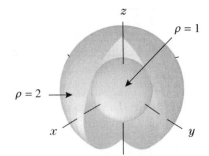

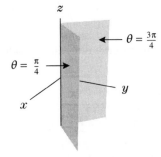

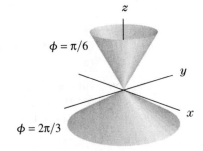

Figure 5.44 : Surfaces $\rho = 1$ et $\rho = 2$

Figure 5.45 : Surfaces $\theta = \pi/4$ et $\theta = 3\pi/4$

Figure 5.46 : Surfaces $\phi = \pi/3$ et $\phi = 2\pi/3$

L'intégration en coordonnées sphériques

Pour utiliser des coordonnées sphériques dans les intégrales triples, il faut exprimer l'élément de volume dV en coordonnées sphériques. Dans la figure 5.47 (page suivante), on voit qu'il est possible de représenter l'élément de volume au moyen d'une boîte avec des côtés courbés. Un côté a la longueur $\Delta \rho$. Le côté parallèle au plan des xy est l'arc d'un cercle construit par la rotation du rayon cylindrique r ($= \rho \sin \phi$) dans un angle $\Delta \theta$, et il a donc la longueur $\rho \sin \phi \, \Delta \theta$. Le côté qui reste provient de la rotation du rayon ρ dans un angle $\Delta \phi$, et il a donc une longueur de $\rho \, \Delta \phi$. Par conséquent, $\Delta V \approx \Delta \rho (\rho \Delta \phi)(\rho \sin \phi \, \Delta \theta) = \rho^2 \sin \phi \Delta \rho \Delta \phi \Delta \theta$.

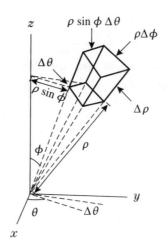

Figure 5.47 : Élément de volume en coordonnées sphériques

Par conséquent,

> Quand on calcule les intégrales en coordonnées sphériques, on met $dV = \rho^2 \sin \phi \, d\rho \, d\phi \, d\theta$. On peut également avoir recours à d'autres ordres d'intégration.

Exemple 4 Utilisez des coordonnées sphériques afin d'établir la formule du volume d'une sphère solide de rayon a.

Solution En coordonnées sphériques, une sphère de rayon a est décrite par les inégalités $0 \le \rho \le a$, $0 \le \theta \le 2\pi$ et $0 \le \phi \le \pi$. Noter que θ fait tout le tour du cercle, tandis que ϕ ne va que de 0 à π. On trouve le volume en intégrant la fonction de densité constante 1 sur la sphère :

$$\text{Volume} = \int_R 1 \, dV = \int_0^{2\pi} \int_0^\pi \int_0^a \rho^2 \sin \phi \, d\rho \, d\phi \, d\theta = \int_0^{2\pi} \int_0^\pi \frac{1}{3} a^3 \sin \phi \, d\phi \, d\theta$$

$$= \frac{1}{3} a^3 \int_0^{2\pi} -\cos \phi \bigg|_0^\pi \, d\theta = \frac{2}{3} a^3 \int_0^{2\pi} d\theta = \frac{4\pi a^3}{3}.$$

Exemple 5 Trouvez la norme de la force gravitationnelle exercée par un hémisphère solide de rayon a et de densité constante δ sur une masse unité située au centre de la base de l'hémisphère.

Solution On suppose que la base de l'hémisphère repose sur le plan des xy et qu'elle a son centre à l'origine (voir la figure 5.48). Selon la loi de la gravité de Newton, la force entre deux masses m_1 et m_2 situées à une distance r l'une de l'autre se calcule comme suit : $F = Gm_1m_2/r^2$. Dans cet exemple, la symétrie montre que la composante nette de la force exercée par l'hémisphère sur la particule située à l'origine est dirigée dans la direction de l'axe des z seulement. Toute force exercée dans la direction de l'axe des x ou des y par une partie de l'hémisphère sera annulée par la force de l'autre partie de l'hémisphère directement opposée à la première. Pour calculer la composante z nette de la force de gravité, on imagine un petit morceau de l'hémisphère ayant un volume ΔV, situé aux coordonnées sphériques (ρ, θ, ϕ). Ce morceau a une masse $\delta \Delta V$ et exerce une force de norme F sur la masse unité se trouvant à l'origine. La composante z de cette force est donnée par sa projection sur l'axe des z qui, comme on peut le voir à la figure 5.48, est $F \cos \phi$. La distance entre la masse $\delta \Delta V$ et la masse unité située à l'origine est la coordonnée sphérique ρ. Par conséquent, la composante z de la force due au petit morceau ΔV est

$$\text{Composante } z \atop \text{de la force} = \frac{G(\delta \Delta V)(1)}{\rho^2} \cos \phi.$$

En additionnant les contributions des petits morceaux, on obtient une force verticale de norme

$$F = \int_0^{2\pi} \int_0^{\pi/2} \int_0^a \left(\frac{G\delta}{\rho^2}\right)(\cos \phi)\rho^2 \sin \phi \, d\rho \, d\phi \, d\theta = \int_0^{2\pi} \int_0^{\pi/2} G\delta(\cos \phi \sin \phi)\rho \Big|_{\rho = 0}^{\rho = a} d\phi \, d\theta$$

$$= \int_0^{2\pi} \int_0^{\pi/2} G\delta a \cos \phi \sin \phi \, d\phi \, d\theta = \int_0^{2\pi} G\delta a \left(-\frac{(\cos \phi)^2}{2}\right)\Big|_{\phi = 0}^{\phi = \pi/2} d\theta$$

$$= \int_0^{2\pi} G\delta a \left(\frac{1}{2}\right) d\theta = G\delta a\pi.$$

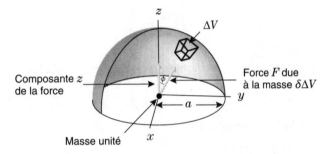

Figure 5.48 : Force de gravité de l'hémisphère sur la masse se trouvant à l'origine

Problèmes de la section 5.6

Pour les problèmes 1 et 2, évaluez les intégrales triples en coordonnées cylindriques.

1. $f(x, y, z) = x^2 + y^2 + z^2$, W est la région $0 \le r \le 4$, $\pi/4 \le \theta \le 3\pi/4$, $-1 \le z \le 1$.

2. $f(x, y, z) = \sin(x^2 + y^2)$, W est le cylindre solide de hauteur 4, dont la base est centrée sur l'axe des z en $z = -1$ et dont le rayon est de 1.

Pour les problèmes 3 et 4, évaluez les intégrales triples en coordonnées sphériques.

3. $f(x, y, z) = 1/(x^2 + y^2 + z^2)^{1/2}$ sur la partie inférieure de la sphère de rayon 5 centrée à l'origine.

4. $f(\rho, \theta, \phi) = \sin \phi$, sur la région $0 \le \theta \le 2\pi$, $0 \le \phi \le \pi/4$, $1 \le \rho \le 2$.

Pour les problèmes 5 à 9, choisissez un ensemble d'axes de coordonnées et établissez l'intégrale de trois variables dans un système de coordonnées approprié pour intégrer une fonction de densité δ sur la région donnée.

5.

6.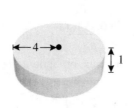

7. Un morceau de sphère ; l'angle au centre est $\pi/3$.

8.

9.

10. Tracez la région R sur laquelle l'intégration est effectuée :

$$\int_0^{\pi/2} \int_{\pi/2}^{\pi} \int_0^1 f(\rho, \phi, \theta) \rho^2 \sin \phi \, d\rho \, d\phi \, d\theta.$$

Évaluez les intégrales des problèmes 11 et 12.

11. $\displaystyle\int_0^1 \int_{-\sqrt{1-x^2}}^{\sqrt{1-x^2}} \int_{-\sqrt{1-x^2-z^2}}^{\sqrt{1-x^2-z^2}} \frac{1}{(x^2+y^2+z^2)^{1/2}} \, dy \, dz \, dx$

12. $\displaystyle\int_0^1 \int_{-1}^1 \int_{-\sqrt{1-x^2}}^{\sqrt{1-x^2}} \frac{1}{(x^2+y^2)^{1/2}} \, dy \, dx \, dz$

Sans effectuer d'intégration, déterminez si chacune des intégrales des problèmes 13 et 14 est positive, négative ou nulle. Justifiez votre réponse.

13. W_1 est la balle unité, $x^2 + y^2 + z^2 \le 1$.

   a) $\int_{W_1} \sin \phi \, dV$ b) $\int_{W_1} \cos \phi \, dV$

14. W_2 est la moitié supérieure de la balle unité, $0 \le z \le \sqrt{1-x^2-y^2}$.

   a) $\int_{W_2} (z^2 - z) \, dV$ b) $\int_{W_2} (-xz) \, dV$

15. Écrivez une intégrale triple représentant le volume d'une pointe d'un gâteau cylindrique de hauteur 2 et de rayon 5 entre les plans $\theta = \pi/6$ et $\theta = \pi/3$. Évaluez cette intégrale.

16. Trouvez la masse M de la région solide W donnée en coordonnées sphériques par

$$W = \{(\rho, \phi, \theta) : 0 \le \rho \le 3, 0 \le \theta < 2\pi, 0 \le \phi \le \pi/4\},$$

   si la densité $\delta(P)$ en un point P quelconque est donnée par la distance entre P et l'origine.

17. Un nuage de gaz sphérique particulier d'un rayon de 3 km est plus dense au centre que dans les côtés. La densité D du gaz à une distance de ρ km du centre est donnée par $D(\rho) = 3 - \rho$. Écrivez une intégrale représentant la masse totale du nuage de gaz et évaluez-la.

18. Trouvez le volume qui demeure après qu'on a percé un trou cylindrique de rayon R au travers d'une sphère de rayon a, où $0 < R < a$, passant par le centre de la sphère le long d'un diamètre.

19. Utilisez les coordonnées appropriées pour trouver la distance moyenne par rapport à l'origine des points sur la région du cornet de crème glacée bornée par l'hémisphère $z = \sqrt{8 - x^2 - y^2}$ et par le

cône $z = \sqrt{x^2 + y^2}$. [Indication : référez-vous au problème 19 de la section 5.5 pour connaître le volume de cette région.]

20. Calculez la force de gravité exercée par un cylindre solide de rayon R, de hauteur H et de densité constante δ sur une masse unité au centre de la base du cylindre.

Pour les problèmes 21 à 24, utilisez la définition du centre de masse donnée après le problème 15 de la section 5.3.

21. Soit C un cône solide ayant une hauteur et un rayon 1 et qui est contenu entre les surfaces $z = \sqrt{x^2 + y^2}$ et $z = 1$. Si C a une densité de masse constante de 1g/cm^3, trouvez la cote z du centre de masse de C.

22. Supposez que la densité du cône C au problème 21 est donnée par $\rho(z) = z^2 \text{ g/cm}^3$. Trouvez

    a) la masse de C ; \qquad\qquad b) la cote z du centre de masse de C.

23. Pour $a > 0$, considérez la famille de solides dont le dessous est borné par le paraboloïde $z = a(x^2 + y^2)$ et le dessus, par le plan $z = 1$. Si les solides ont tous une densité de masse constante de 1g/cm^3, montrez que la cote z du centre de masse est $2/3$ et qu'elle est donc indépendante du paramètre a.

24. Trouvez l'emplacement du centre de masse d'un hémisphère de rayon a dont la densité est de $b \text{ g/cm}^3$.

Pour les problèmes 25 et 26, utilisez la définition du moment d'inertie donnée après le problème 17 de la section 5.3.

25. Le moment d'inertie d'une balle homogène solide B de masse 1 et de rayon a centré à l'origine est environ le même par rapport à tout axe de coordonnées (à cause de la symétrie de la balle). Il est plus facile d'évaluer la somme des trois intégrales concernées en calculant le moment d'inertie par rapport à chacun des axes qu'en les calculant une à une. Trouvez la somme des moments d'inertie par rapport aux axes des x, des y et des z, puis donnez les moments d'inertie.

26. Trouvez le moment d'inertie par rapport à l'axe des z du cornet de crème glacée solide donné en coordonnées sphériques par $0 \le \rho \le a$, $0 \le \phi \le \frac{\pi}{3}$ et $0 \le \theta \le 2\pi$. Supposez que le solide est homogène et a une masse m.

5.7 LES APPLICATIONS DE L'INTÉGRATION À LA PROBABILITÉ

Pour représenter la manière dont une quantité comme la grandeur ou le poids est répartie dans une population, on utilise une fonction de densité. (L'annexe F présente la révision des fonctions de densité d'une variable.) Pour étudier deux quantités ou plus en même temps et pour voir comment elles sont reliées, on utilise une fonction de densité de plusieurs variables.

Les fonctions de densité

La répartition du poids et de la taille chez les femmes enceintes

Le tableau 5.13 montre la répartition du poids et de la taille telle qu'elle a été déterminée par une enquête menée auprès de femmes enceintes. L'histogramme de la figure 5.49 (page suivante) est construit de telle sorte que le volume sous chaque barre représente le pourcentage de personnes se trouvant dans l'échelle de poids et de tailles correspondants. Par exemple, la barre représentant les femmes qui pèsent entre 60 et 70 kg et qui mesurent entre 160 et 165 cm a une base dont l'aire est $10 \text{ kg} \cdot 5 \text{ cm} = 50 \text{ kg cm}$. Le volume de cette barre est de 12 %, donc sa hauteur est de $12 \%/50 \text{ kg cm} = 0,24 \%/\text{kg cm}$. Noter que les unités sur l'axe vertical sont en pourcentage/kilogramme centimètre. Ainsi, les volumes sous l'histogramme sont en unités de pourcentage. Le volume total est $100 \% = 1$.

TABLEAU 5.13   *Répartition du poids et de la taille selon une enquête menée*
auprès de femmes enceintes

	45 à 50 kg	50 à 60 kg	60 à 70 kg	70 à 80 kg	80 à 105 kg	Totaux par taille
150 à 155 cm	2	4	4	2	1	13
155 à 160 cm	0	12	8	2	1	23
160 à 165 cm	1	7	12	4	3	27
165 à 170 cm	0	8	12	6	2	28
170 à 180 cm	0	1	3	4	1	9
Totaux par poids	3	32	39	18	8	100

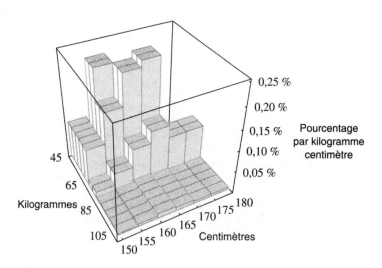

Figure 5.49 : Histogramme représentant les données du tableau 5.13

Exemple 1   Trouvez le pourcentage de femmes de l'enquête dont la taille se situe entre 170 et 180 cm.

Solution   On additionne les pourcentages de la rangée correspondant aux tailles comprises entre 170 et 180 cm ; cela équivaut à additionner les volumes des solides rectangulaires correspondants dans l'histogramme.

$$\text{Pourcentage de mères} = 0 + 1 + 3 + 4 + 1 = 9\ \%.$$

Le lissage de l'histogramme

S'il y a de plus petits groupes de poids et de taille (et un échantillon plus grand), on peut dessiner un histogramme plus lisse et obtenir des estimations plus précises. À la limite, on remplace l'histogramme par une surface lisse, de telle sorte que le volume sous la surface au-dessus d'un rectangle est le pourcentage de mères dans ce rectangle. On définit la *fonction de densité $p(w, h)$* comme la fonction dont le graphe est la surface lisse. Il a la propriété suivante :

$$\begin{array}{ccc} \text{Fraction de l'échantillon ayant} & \text{Volume sous le graphe de } p \\ \text{un poids compris entre } a \text{ et } b & = & \text{au-dessus du rectangle de} & = \displaystyle\int_a^b \int_c^d p(w, h)\, dh\, dw. \\ \text{et une taille comprise entre } c \text{ et } d & a \le w \le b,\ c \le h \le d \end{array}$$

Les fonctions de densité conjointes

On généralise cette notion pour représenter deux caractéristiques quelconques x et y se retrouvant au sein d'une population.

Une fonction $p(x, y)$ s'appelle une **fonction de densité conjointe** pour x et y si

$$
\begin{array}{ccc}
\text{Fraction de la population ayant} & \text{Volume sous le graphe de } p & \\
x \text{ entre } a \text{ et } b \text{ et} & = \quad \text{au-dessus du rectangle} \quad = \int_a^b \int_c^d p(x, y)\, dy\, dx, \\
y \text{ entre } c \text{ et } d & a \le x \le b, c \le y \le d &
\end{array}
$$

où

$$
\int_{-\infty}^{\infty} \int_{-\infty}^{\infty} p(x, y)\, dy\, dx = 1 \quad \text{et} \quad p(x, y) \ge 0 \text{ pour tout } x \text{ et } y.
$$

Il n'est pas nécessaire qu'une fonction de densité conjointe soit continue, comme dans l'exemple 2 qui suit. De plus, comme dans l'exemple 4, les intégrales concernées peuvent être impropres et doivent être calculées par des méthodes semblables à celles qu'on utilise pour les intégrales impropres d'une variable.

Exemple 2　　Supposez que $p(x, y)$ est défini sur le carré $0 \le x \le 1$, $0 \le y \le 1$ par $p(x, y) = x + y$; soit $p(x, y) = 0$ si (x, y) se situe à l'extérieur du carré. Vérifiez si p est une fonction de densité conjointe. En fonction de la répartition de x et de y dans la population, que signifie le fait que $p(x, y) = 0$ à l'extérieur du carré?

Solution　　D'abord, on a $p(x, y) \ge 0$ pour tout x et y. Pour vérifier si p est une fonction de densité conjointe, on vérifie si le volume total sous le graphe est 1 :

$$
\int_{-\infty}^{\infty} \int_{-\infty}^{\infty} p(x, y)\, dy\, dx = \int_0^1 \int_0^1 (x + y)\, dy\, dx
$$

$$
= \int_0^1 \left(xy + \frac{y^2}{2} \right) \Big|_0^1 dx = \int_0^1 \left(x + \frac{1}{2} \right) dx = \left(\frac{x^2}{2} + \frac{x}{2} \right) \Big|_0^1 = 1.
$$

Le fait que $p(x, y) = 0$ à l'extérieur du carré signifie que les variables x et y ne prennent jamais de valeurs à l'extérieur de l'intervalle $[0, 1]$. Autrement dit, la valeur de x et de y pour tout individu dans la population se situe toujours entre 0 et 1.

Exemple 3　　Supposez que deux variables x et y sont réparties dans une population selon la fonction de densité de l'exemple 2. Trouvez la fraction de la population pour laquelle $x \le 1/2$, la fraction pour laquelle $y \le 1/2$ et la fraction pour laquelle $x \le 1/2$ et $y \le 1/2$.

Solution　　La fraction pour laquelle $x \le 1/2$ est le volume sous le graphe à gauche de la droite $x = 1/2$:

$$
\int_0^{1/2} \int_0^1 (x + y)\, dy\, dx = \int_0^{1/2} \left(xy + \frac{y^2}{2} \right) \Big|_0^1 dx = \int_0^{1/2} \left(x + \frac{1}{2} \right) dx
$$

$$
= \left(\frac{x^2}{2} + \frac{x}{2} \right) \Big|_0^{1/2} = \frac{1}{8} + \frac{1}{4} = \frac{3}{8}.
$$

Puisque la fonction est symétrique en x et en y, la fraction pour laquelle $y \leq 1/2$ est également 3/8. Finalement, la fraction pour laquelle $x \leq 1/2$ et $y \leq 1/2$ est

$$\int_0^{1/2} \int_0^{1/2} (x+y)\, dy\, dx = \int_0^{1/2} \left(xy + \frac{y^2}{2} \right) \Bigg|_0^{1/2} dx = \int_0^{1/2} \left(\frac{1}{2}x + \frac{1}{8} \right) dx$$

$$= \left(\frac{1}{4}x^2 + \frac{1}{8}x \right) \Bigg|_0^{1/2} = \frac{1}{16} + \frac{1}{16} = \frac{1}{8}.$$

Il ne faut pas oublier qu'une fonction de densité d'une variable $p(x)$ est une fonction telle que $p(x) \geq 0$ pour tout x et que $\displaystyle\int_{-\infty}^{\infty} p(x)\, dx = 1$ (voir l'annexe F).

Exemple 4   Soit p_1 et p_2 des fonctions de densité d'une variable pour x et y, respectivement. Vérifiez que $p(x,\, y) = p_1(x)p_2(y)$ est une fonction de densité conjointe.

Solution   Puisque p_1 et p_2 sont des fonctions de densité, elles sont non négatives partout. Par conséquent, leur produit $p_1(x)p_2(x) = p(x,\, y)$ est non négatif partout. Maintenant, on doit vérifier si le volume sous le graphe de p est 1. Puisque $\int_{-\infty}^{\infty} p_2(y)\, dy = 1$ et que $\int_{-\infty}^{\infty} p_1(x)\, dx = 1$, on a

$$\int_{-\infty}^{\infty} \int_{-\infty}^{\infty} p(x,y)\, dy\, dx = \int_{-\infty}^{\infty} \int_{-\infty}^{\infty} p_1(x)p_2(y)\, dy\, dx = \int_{-\infty}^{\infty} p_1(x) \left(\int_{-\infty}^{\infty} p_2(y)\, dy \right) dx$$

$$= \int_{-\infty}^{\infty} p_1(x)(1)\, dx = \int_{-\infty}^{\infty} p_1(x)\, dx = 1.$$

Les fonctions de densité et la probabilité

Quelle est la probabilité qu'une mère enceinte pèse entre 60 et 70 kg et mesure de 155 à 160 cm ? Le tableau 5.13 montre que 8 % des femmes se classent dans ce groupe. Donc, la probabilité qu'une mère choisie aléatoirement se trouve dans ce groupe est de 0,08.

$$
\begin{array}{ccc}
\text{Probabilité qu'une mère} & & \\
\text{ait un poids compris} & \text{Volume sous le graphe} & \\
\text{entre } a \text{ et } b \text{ et une taille} = & \text{de } p \text{ au-dessus du rectangle} = & \displaystyle\int_a^b \int_c^d p(w,\, h)\, dh\, dw. \\
\text{se situant entre } c \text{ et } d & a \leq w \leq b,\ c \leq h \leq d &
\end{array}
$$

Pour une fonction de densité conjointe $p(x,\, y)$, la probabilité que x se trouve dans un intervalle de largeur Δx autour de x_0 et que y se situe dans un intervalle de largeur Δy autour de y_0 est d'environ $p(x_0,\, y_0)\Delta x \Delta y$. Ainsi, p s'appelle souvent une *fonction de densité de probabilité*.

Exemple 5   Une machine dans une usine est réglée pour produire des composantes de 10 cm de longueur et de 5 cm de diamètre. En fait, il existe une légère variation d'une composante à l'autre. Une composante est utilisable si sa longueur et son diamètre dévient des valeurs correctes de moins de 0,1 cm. Si la longueur est de x cm et que le diamètre est de y cm, la fonction de densité de probabilité pour la variation en x et en y est

$$p(x,\, y) = \frac{50\sqrt{2}}{\pi}\, e^{-100(x-10)^2}\, e^{-50(y-5)^2}.$$

Quelle est la probabilité qu'une composante soit utilisable ? (Voir la figure 5.50.)

Figure 5.50 : Fonction de densité
$$p(x, y) = \frac{50\sqrt{2}}{\pi} e^{-100(x - 10)^2} e^{-50(y - 5)^2}$$

Solution   On sait que

Probabilité que x et y satisfassent à
$$\begin{array}{l} x_0 - \Delta x \leq x \leq x_0 + \Delta x \\ y_0 - \Delta y \leq y \leq y_0 + \Delta y \end{array} = \frac{50\sqrt{2}}{\pi} \int_{y_0 - \Delta y}^{y_0 + \Delta y} \int_{x_0 - \Delta x}^{x_0 + \Delta x} e^{-100(x - 10)^2} e^{-50(y - 5)^2} \, dx \, dy.$$

Par conséquent,

Probabilité que la composante soit utilisable
$$= \frac{50\sqrt{2}}{\pi} \int_{4,9}^{5,1} \int_{9,9}^{10,1} e^{-100(x - 10)^2} e^{-50(y - 5)^2} \, dx \, dy.$$

Il faut évaluer numériquement l'intégrale double. On obtient

Probabilité que la composante soit utilisable
$$= \frac{50\sqrt{2}}{\pi} (0{,}025\ 56) \approx 0{,}575\ 30.$$

Ainsi, il y a une probabilité de 57,5 % que la composante soit utilisable.

La dépendance et l'indépendance des variables

Si on étudie la répartition du poids et de la taille dans une population, on s'attend à ce qu'il y ait une relation entre eux. Toutes choses étant égales par ailleurs, les gens plus grands sont susceptibles d'être plus lourds que les personnes plus petites. Par ailleurs, si on étudie la répartition de la taille et du revenu annuel, on ne s'attend pas à ce qu'il y ait une relation ; les grandes et les petites personnes gagnent sans doute le même salaire, en moyenne.

Comment déterminer la dépendance à partir d'une fonction de densité conjointe

On examine comment la relation de dépendance entre le poids et la grandeur apparaît dans les données du tableau 5.13. On observe la colonne correspondant aux femmes enceintes qui pèsent entre 70 et 80 kg. Ce groupe représente 18 % de tout l'échantillon. Le sous-ensemble de ce groupe ayant une taille comprise entre 170 et 180 cm constitue 4 % de tout l'échantillon. Donc, la probabilité qu'une femme dans ce groupe de poids mesure entre 170 et 180 cm est

Probabilité que la taille se situe entre 170 et 180 cm et
$$\frac{\text{que le poids soit compris entre 70 et 80 kg}}{\text{Probabilité que le poids se situe entre 70 et 80 kg}} = \frac{4}{18} = 0{,}22.$$

Maintenant, on examine un groupe moins lourd, soit les femmes qui pèsent entre 60 et 70 kg. Ce groupe forme 39 % du total, et le sous-ensemble dont la taille est comprise entre 170 et 180 cm correspond à 3 % du total. Donc, la probabilité qu'une femme dans ce groupe mesure entre 170 et 180 cm est

$$\frac{\text{Probabilité que la taille soit comprise entre 170 et 180 cm et le poids, entre 60 et 70 kg}}{\text{Probabilité que le poids se situe entre 60 et 70 kg}} = \frac{3}{39} = 0,08.$$

Il s'agit d'une probabilité plus faible que pour le groupe de femmes pesant entre 70 et 80 kg. Elle est plus faible parce qu'une femme légère est moins susceptible d'être grande qu'une femme plus lourde. Dans cette situation, on dit que les deux variables w et h semblent *dépendantes,* car dans une certaine mesure, elles dépendent l'une de l'autre.

La probabilité conditionnelle

On peut généraliser ces notions à toute fonction de densité conjointe. On veut calculer la probabilité que y se trouve dans un certain groupe, étant donné que x est dans un certain groupe.

> Si $p(x, y)$ est une fonction de densité de probabilité, on définit la **probabilité conditionnelle** par
>
> $$\begin{array}{c}\text{Probabilité} \\ \text{conditionnelle} \\ \text{que } a \le x \le b, \\ \text{étant donné que } c \le y \le d\end{array} = \frac{\begin{array}{c}\text{Probabilité que} \\ a \le x \le b \text{ et } c \le y \le d\end{array}}{\begin{array}{c}\text{Probabilité que} \\ c \le y \le d\end{array}} = \frac{\int_a^b \int_c^d p(x, y)\, dy\, dx}{\int_{-\infty}^{\infty} \int_c^d p(x, y)\, dy\, dx}$$

Exemple 6   Pour la fonction de densité de probabilité de l'exemple 5, calculez la probabilité que la longueur soit comprise entre 9,9 et 10,1 cm, étant donné que le diamètre se situe entre
a) 4,9 et 5,1 cm.   b) 5,3 et 5,5 cm.

Solution   a) Soit

$$\begin{array}{c}\text{Probabilité que } 9,9 \le x \le 10,1, \\ \text{étant donné que } 4,9 \le y \le 5,1\end{array} = \frac{\text{Probabilité que } 9,9 \le x \le 10,1 \text{ et } 4,9 \le y \le 5,1}{\text{Probabilité que } 4,9 \le y \le 5,1}$$

$$= \frac{\frac{50\sqrt{2}}{\pi} \int_{9,9}^{10,1} \int_{4,9}^{5,1} e^{-100(x-10)^2} e^{-50(y-5)^2}\, dy\, dx}{\frac{50\sqrt{2}}{\pi} \int_{-\infty}^{\infty} \int_{4,9}^{5,1} e^{-100(x-10)^2} e^{-50(y-5)^2}\, dy\, dx}$$

$$\approx \frac{0,57}{0,68} \approx 0,84.$$

b) De même, on trouve que

$$\begin{array}{c}\text{Probabilité que } 9,9 \le x \le 10,1, \\ \text{étant donné que } 5,3 \le y \le 5,5\end{array} = \frac{\text{Probabilité que } 9,9 \le x \le 10,1 \text{ et } 5,3 \le y \le 5,5}{\text{Probabilité que } 5,3 \le y \le 5,5}$$

$$= \frac{\frac{50\sqrt{2}}{\pi} \int_{9,9}^{10,1} \int_{5,3}^{5,5} e^{-100(x-10)^2} e^{-50(y-5)^2}\, dy\, dx}{\frac{50\sqrt{2}}{\pi} \int_{-\infty}^{\infty} \int_{5,3}^{5,5} e^{-100(x-10)^2} e^{-50(y-5)^2}\, dy\, dx}$$

$$\approx \frac{0,001\ 14}{0,001\ 35} \approx 0,84.$$

On observe les dénominateurs dans les rapports utilisés pour calculer les probabilités conditionnelles. Noter qu'il est beaucoup moins probable que $5,3 \leq y \leq 5,5$ que $4,9 \leq y \leq 5,1$ (une probabilité de 0,001 35 au regard de 0,68). Cependant, la probabilité que la longueur x se trouve dans le groupe $9,9 \leq x \leq 10,1$ est la même dans les deux cas, soit d'environ 0,84. Par conséquent, la variation de la longueur semble être indépendante de la variation du diamètre. On dit que les variables x et y sont *indépendantes*.

Exemple 7   Pour la fonction de densité de l'exemple 2, trouvez la probabilité que $x \leq 1/2$, étant donné que $y \leq 1/2$.

Solution   Soit

$$\text{Probabilité que } x \leq \tfrac{1}{2}, \text{ étant donné que } y \leq \tfrac{1}{2} = \frac{\text{Probabilité que } x \leq \tfrac{1}{2} \text{ et } y \leq \tfrac{1}{2}}{\text{Probabilité que } y \leq \tfrac{1}{2}} = \frac{1/8}{3/8} = \frac{1}{3}$$

Puisque $1/3 < 3/8$, on voit que, en ayant $y \leq 1/2$, $x \leq 1/2$ devient moins probable. Dans ce cas, les variables ne semblent pas indépendantes.

Comment déterminer si deux variables sont indépendantes ?

On dit que deux événements sont indépendants si la probabilité qu'ils se produisent tous les deux correspond au produit des probabilités qu'ils se produisent individuellement. Par exemple, si on lance deux dés, la probabilité qu'on obtienne deux quatre est $(1/6) \cdot (1/6) = 1/36$. La face du premier dé est indépendante de la face du deuxième dé, et la probabilité qu'on obtienne un quatre sur l'un ou l'autre des dés est de $1/6$. On utilise cette notion pour trouver la fonction de distribution conjointe des probabilités pour deux quantités x et y qui varient indépendamment au sein d'une population.

On suppose que x a une fonction de densité $p_1(x)$ et que y a une fonction de densité $p_2(y)$. Si x et y sont indépendants, alors on s'attend à ce que

$$\begin{array}{l}\text{Probabilité que } x_0 \leq x \leq x_0 + \Delta x \text{ et que } y_0 \leq y \leq y_0 + \Delta y\end{array} = \begin{array}{l}\text{Probabilité que } x_0 \leq x \leq x_0 + \Delta x\end{array} \quad \begin{array}{l}\text{Probabilité que } y_0 \leq y \leq y_0 + \Delta y\end{array}$$

$$\approx (p_1(x_0)\Delta x) \cdot (p_2(y_0)\Delta y)$$

$$= p_1(x_0)p_2(y_0)\,\Delta x \Delta y.$$

Par ailleurs, si $p(x, y)$ est la fonction de densité conjointe pour x et y,

$$\begin{array}{l}\text{Probabilité que } x_0 \leq x \leq x_0 + \Delta x \text{ et que } y_0 \leq y \leq y_0 + \Delta y\end{array} = \begin{array}{l}\text{Volume sous le graphe de } p \text{ au-dessus de } x_0 \leq x \leq x_0 + \Delta x, y_0 \leq y \leq y_0 + \Delta y\end{array}$$

$$\approx p(x_0, y_0)\,\Delta x \Delta y.$$

Par conséquent,

$$p_1(x_0)p_2(y_0)\,\Delta x \Delta y \approx p(x_0, y_0)\,\Delta x \Delta y.$$

En divisant par $\Delta x \Delta y$, on conclut que :

> Si x a une densité de probabilité $p_1(x)$, si y a une densité de probabilité $p_2(y)$ et si x et y sont indépendants, alors la densité conjointe pour x et y est $p(x, y) = p_1(x)p_2(y)$.

Inversement, si la fonction de densité conjointe $p(x, y)$ peut s'écrire comme le produit des fonctions de densité d'une variable $p_1(x)$ et $p_2(y)$, alors

$$
\begin{aligned}
\text{Probabilité que} \atop a \le x \le b \text{ et } c \le y \le d &= \int_a^b \int_c^d p_1(x)p_2(y)\,dy\,dx \\
&= \int_a^b p_1(x)\left(\int_c^d p_2(y)\,dy\right)dx \\
&= \int_a^b p_1(x)\,dx \cdot (\text{Probabilité que } c \le y \le d) \\
&= \text{Probabilité que } a \le x \le b \cdot \text{Probabilité que } c \le y \le d.
\end{aligned}
$$

Ainsi, les variables sont indépendantes. Par conséquent, on conclut que :

Si la fonction de densité conjointe p de x et de y peut être exprimée par le produit $p(x, y) = p_1(x)p_2(y)$, où p_1 et p_2 sont des fonctions de densité, alors x et y sont indépendants.

La fonction de densité de la probabilité *normale* d'une variable ayant la moyenne μ et l'écart type σ est définie par

$$
p(x) = \frac{1}{\sigma\sqrt{2\pi}}\,e^{-(x-\mu)^2/(2\sigma^2)}.
$$

La fonction de densité normale se rencontre fréquemment dans les applications et constitue l'une des fonctions de densité de la probabilité les plus couramment utilisées.

Exemple 8   Montrez que la longueur et le diamètre des composantes de l'exemple 5 sont indépendants.

Solution   La fonction de densité conjointe peut se noter

$$
\frac{50\sqrt{2}}{\pi}\,e^{-100(x-10)^2}\,e^{-50(y-5)^2} = \left(\frac{10\sqrt{2}}{\sqrt{2\pi}}\,e^{-(x-10)^2/\left(2\left(\frac{1}{10\sqrt{2}}\right)^2\right)}\right)\left(\frac{10}{\sqrt{2\pi}}\,e^{-(y-5)^2/\left(2\left(\frac{1}{10}\right)^2\right)}\right),
$$

qui est le produit d'une distribution normale en x avec une moyenne de 10 et un écart type de $1/(10\sqrt{2})$ et d'une distribution normale en y avec une moyenne de 5 et un écart type de $1/10$.

Problèmes de la section 5.7

1. Supposez que x et y ont la fonction de densité conjointe

$$
p(x, y) = \begin{cases} \frac{2}{3}(x + 2y) & \text{pour } 0 \le x \le 1, 0 \le y \le 1, \\ 0 & \text{autrement.} \end{cases}
$$

Trouvez la probabilité que   a) $x > 1/3$ b) $x < (1/3) + y$

2. Le tableau 5.14 donne certaines valeurs de la fonction de densité conjointe de deux variables x et y. On suppose que x peut prendre les valeurs 1, 2, 3 et 4 et que y peut prendre les valeurs 1, 2 et 3.

   a) Expliquez la raison pour laquelle ce tableau définit une fonction de densité conjointe.
   b) Quelle est la probabilité que $x = 2$?
   c) Trouvez la probabilité que $y \le 2$.
   d) Trouvez la probabilité que $x \le 3$ et que $y \le 2$.

TABLEAU 5.14

	y		
	1	2	3
x 1	0,3	0,2	0,1
2	0,2	0,1	0
3	0,1	0	0
4	0	0	0

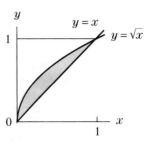

Figure 5.51

3. Supposez que la fonction de densité conjointe pour x, y est donnée par

$$f(x, y) = \begin{cases} kxy & \text{pour } 0 \le x \le y \le 1, \\ 0 & \text{autrement.} \end{cases}$$

a) Déterminez la valeur de k.

b) Trouvez la probabilité que (x, y) se trouve dans la région ombrée de la figure 5.51.

4. Une fonction de densité conjointe est donnée par

$$f(x, y) = \begin{cases} kx^2 & \text{pour } 0 \le x \le 2 \text{ et } 0 \le y < 1, \\ 0 & \text{autrement.} \end{cases}$$

a) Trouvez la valeur de la constante k.

b) Trouvez la probabilité qu'un point (x, y) satisfasse à $x + y \le 2$.

c) Trouvez la probabilité qu'un point (x, y) satisfasse à $x \le 1$ et $y \le 1/2$.

5. Une compagnie d'assurance-maladie cherche à savoir quelle proportion de ses polices sera très coûteuse parce que les personnes assurées sont âgées de plus de 65 ans et qu'elles sont malades. Pour calculer cette proportion, la compagnie définit un *indice d'invalidité* x avec $0 \le x \le 1$, où $x = 0$ représente une santé parfaite et $x = 1$ représente l'invalidité. De plus, la compagnie utilise une fonction de densité $f(x, y)$ définie de telle sorte que la quantité

$$f(x, y)\Delta x \Delta y$$

permet d'estimer la fraction de la population ayant un indice d'invalidité compris entre x et $x + \Delta x$ et étant âgée entre y et $y + \Delta y$. La compagnie sait, par expérience, qu'une police ne couvre plus ses coûts si la personne assurée est âgée de plus de 65 ans et qu'elle a un indice d'invalidité dépassant 0,8. Écrivez une expression qui représente la fraction des polices détenues par des personnes répondant à ces critères.

6. Supposez qu'on choisit un point aléatoirement dans la région S, dans le plan des xy contenant tous les points (x, y), de manière telle que $-1 \le x \le 1$, $-2 \le y \le 2$ et $x - y \ge 0$ (*aléatoirement* signifie que la fonction de densité est constante dans S).

a) Déterminez la fonction de densité conjointe de x et de y.

b) Si T est un sous-ensemble de S ayant une aire α, alors trouvez la probabilité qu'un point (x, y) se trouve dans T.

7. Donnez la densité conjointe de x et de y dans les conditions suivantes : x et y sont indépendants ; x a une fonction de densité normale avec une moyenne de 5 et un écart type de $1/10$ et y a une fonction de densité normale avec une moyenne de 15 et un écart type de $1/6$.

8. La probabilité qu'une substance radioactive se désintègre au temps t est représentée par la fonction de densité

$$p(t) = \lambda e^{-\lambda t}$$

pour $t \ge 0$ et $p(t) = 0$ pour $t < 0$. La constante positive λ dépend de la substance et est appelée le taux de désintégration.

a) Vérifiez si p est une fonction de densité.

b) Considérez deux substances ayant des taux de désintégration de λ et de μ, qui se désintègrent indépendamment l'une de l'autre. Écrivez la fonction de densité conjointe correspondant à la probabilité que la première substance se désintègre au temps t et la seconde, au temps s.

c) Trouvez la probabilité que la première substance se désintègre avant la seconde.

9. Supposez que la figure 5.52 représente un terrain de base-ball avec des coussins placés en $(1, 0)$, en $(1, 1)$ et en $(0, 1)$, et le marbre en $(0, 0)$. La frontière du champ extérieur est un morceau de cercle centré à l'origine et de rayon 4. Quand un joueur frappe une balle, on peut enregistrer l'endroit sur le terrain (c'est-à-dire dans le plan) où un autre joueur attrape la balle.

Soit $p(r, \theta)$ une fonction dans le plan qui donne la densité de la répartition de tels endroits. Écrivez une expression qui représente la probabilité qu'une balle soit attrapée dans

a) le champ droit (région R) ;   b) le champ centre (région C).

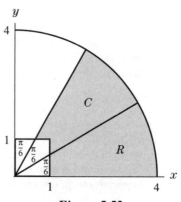

Figure 5.52

5.8   NOTES SUR LE CHANGEMENT DE VARIABLES DANS UNE INTÉGRALE MULTIPLE

Dans les sections précédentes, on a utilisé des coordonnées polaires, cylindriques et sphériques pour simplifier les intégrales itérées. Dans la présente section, on discute de changements de variables plus généraux. Ce faisant, on verra d'où provient le facteur supplémentaire de r lorsqu'on passe des coordonnées cartésiennes aux coordonnées polaires et d'où le facteur $\rho^2 \sin \phi$ provient quand on passe des coordonnées cartésiennes aux coordonnées sphériques.

Un retour sur le changement polaire de variables

On considère l'intégrale $\int_R (x + y)\, dA$, où R est la région dans le premier quadrant bornée par le cercle $x^2 + y^2 = 16$ et les axes des x et des y. En écrivant les coordonnées cartésiennes et polaires, on a

$$\int_R (x + y)\, dA = \int_0^4 \int_0^{\sqrt{16 - x^2}} (x + y)\, dy\, dx = \int_0^{\pi/2} \int_0^4 (r \cos \theta + r \sin \theta) r\, dr\, d\theta.$$

Il s'agit d'une intégrale, sur le rectangle situé dans l'espace $r\theta$, donnée par $0 \le r \le 4$, $0 \le \theta \le \pi/2$. La conversion des coordonnées polaires en coordonnées cartésiennes entraîne le changement du rectangle en un quart de disque. La figure 5.53 montre la manière dont un rectangle typique (ombré) dans le plan des $r\theta$, avec des côtés de longueurs Δr et $\Delta \theta$, correspond à un rectangle courbé dans le plan des xy, avec des côtés de longueurs Δr et $r\Delta \theta$. Le r supplémentaire est nécessaire, car la correspondance entre r, θ et x, y fait non seulement courber les droites $r = 1, 2, 3\ldots$ en forme de cercles, mais elle étire également ces droites en forme de cercles de plus en plus larges.

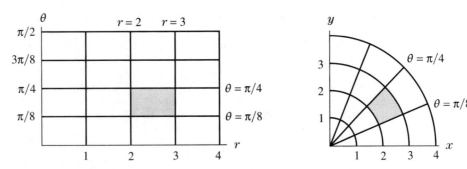

Figure 5.53 : Grille dans le plan des $r\theta$ et grille courbée correspondante dans le plan des xy

Le changement général de variables

On considère maintenant un changement général de variables, où les coordonnées x, y sont reliées aux coordonnées s, t par les fonctions différentiables

$$x = x(s, t) \quad \text{et} \quad y = y(s, t).$$

Tout comme une région rectangulaire dans le plan des $r\theta$ correspond à une région circulaire dans le plan des xy, une région rectangulaire T dans le plan des st correspond à une région courbée R dans le plan des xy. On suppose que le changement de coordonnées se fait une coordonnée à la fois, c'est-à-dire que chaque point en R correspond à un point en T.

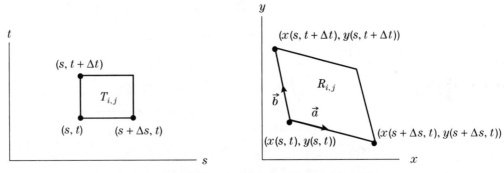

Figure 5.54 : Petit rectangle $T_{i,j}$ dans le plan des st et la région correspondante $R_{i,j}$ du plan des xy

On divise T en petits rectangles $T_{i,j}$ ayant des côtés de longueurs Δs et Δt (voir la figure 5.54). Le morceau correspondant $R_{i,j}$ du plan des xy est un quadrilatère ayant des côtés courbés. Si on choisit Δs et Δt très petits, alors, selon la linéarité locale, $R_{i,j}$ est approximativement un parallélogramme.

Dans le chapitre 2, on a vu que l'aire du parallélogramme ayant les côtés $\vec{a}$ et $\vec{b}$ est $\|\vec{a} \times \vec{b}\|$. Par conséquent, on doit trouver les côtés de $R_{i,j}$ en tant que vecteurs. Le côté de $R_{i,j}$ correspondant au côté inférieur de $T_{i,j}$ a les extrémités $(x(s, t), y(s, t))$ et $(x(s + \Delta s, t), y(s + \Delta s, t))$. Donc, dans la forme vectorielle, ce côté est

$$\vec{a} = (x(s + \Delta s, t) - x(s, t))\vec{i} + (y(s + \Delta s, t) - y(s, t))\vec{j} + 0\vec{k} \approx \left(\frac{\partial x}{\partial s}\Delta s\right)\vec{i} + \left(\frac{\partial y}{\partial s}\Delta s\right)\vec{j} + 0\vec{k}.$$

De même, le côté de $R_{i,j}$ correspondant au côté gauche de $T_{i,j}$ est donné par

$$\vec{b} \approx \left(\frac{\partial x}{\partial t}\Delta t\right)\vec{i} + \left(\frac{\partial y}{\partial t}\Delta t\right)\vec{j} + 0\vec{k}.$$

Lorsqu'on calcule le produit scalaire, on obtient

$$\text{Aire de } R_{i,j} \approx \|\vec{a} \times \vec{b}\| \approx \left| \left(\frac{\partial x}{\partial s} \Delta s \right) \left(\frac{\partial y}{\partial t} \Delta t \right) - \left(\frac{\partial x}{\partial t} \Delta t \right) \left(\frac{\partial y}{\partial s} \Delta s \right) \right|$$

$$= \left| \frac{\partial x}{\partial s} \cdot \frac{\partial y}{\partial t} - \frac{\partial x}{\partial t} \cdot \frac{\partial y}{\partial s} \right| \Delta s \Delta t.$$

En utilisant la notation de déterminant, on définit le *jacobien* $\dfrac{\partial (x, y)}{\partial (s, t)}$ comme suit :

$$\frac{\partial (x, y)}{\partial (s, t)} = \frac{\partial x}{\partial s} \cdot \frac{\partial y}{\partial t} - \frac{\partial x}{\partial t} \cdot \frac{\partial y}{\partial s} = \begin{vmatrix} \frac{\partial x}{\partial s} & \frac{\partial y}{\partial s} \\ \frac{\partial x}{\partial t} & \frac{\partial y}{\partial t} \end{vmatrix}.$$

Par conséquent, on peut écrire

$$\text{Aire de } R_{i,j} \approx \left| \frac{\partial (x, y)}{\partial (s, t)} \right| \Delta s \Delta t.$$

Pour calculer $\int_R f(x, y) \, dA$, où f est une fonction continue, on observe la somme de Riemann obtenue en divisant la région R en petites régions courbées $R_{i,j}$, ce qui donne

$$\int_R f(x, y) \, dA \approx \sum_{i,j} f(x_i, y_j) \cdot \text{Aire de } R_{i,j} \approx \sum_{i,j} f(x_i, y_j) \left| \frac{\partial (x, y)}{\partial (s, t)} \right| \Delta s \Delta t.$$

Chaque point (x_i, y_j) correspond à un point (s_i, t_j). Donc, la somme peut s'écrire en fonction de s et de t :

$$\sum_{i,j} f(x(s_i, t_j), y(s_i, t_j)) \left| \frac{\partial (x, y)}{\partial (s, t)} \right| \Delta s \Delta t.$$

Il s'agit d'une somme de Riemann en fonction de s et de t. Donc, quand Δs et Δt tendent vers zéro, on obtient

$$\int_R f(x, y) \, dA = \int_T f(x(s, t), y(s, t)) \left| \frac{\partial (x, y)}{\partial (s, t)} \right| ds \, dt.$$

> Pour convertir une intégrale de x, y en coordonnées s, t, on effectue trois changements :
> 1. On substitue x et y dans l'intégrande en fonction de s et de t ;
> 2. On change la région xy R en région st T ;
> 3. On introduit la valeur absolue du jacobien $\left| \dfrac{\partial (x, y)}{\partial (s, t)} \right|$ représentant le changement dans l'élément d'aire.

Exemple 1   Vérifiez que le jacobien $\dfrac{\partial (x, y)}{\partial (r, \theta)} = r$ pour les coordonnées polaires $x = r \cos \theta$, $y = r \sin \theta$.

Solution $\dfrac{\partial (x, y)}{\partial (r, \theta)} = \begin{vmatrix} \frac{\partial x}{\partial r} & \frac{\partial y}{\partial r} \\ \frac{\partial x}{\partial \theta} & \frac{\partial y}{\partial \theta} \end{vmatrix} = \begin{vmatrix} \cos \theta & \sin \theta \\ -r \sin \theta & r \cos \theta \end{vmatrix} = r \cos^2 \theta + r \sin^2 \theta = r.$

Exemple 2   Trouvez l'aire de l'ellipse $\dfrac{x^2}{a^2} + \dfrac{y^2}{b^2} = 1$.

Solution   Soit $x = as$ et $y = bt$. Alors, l'ellipse $x^2/a^2 + y^2/b^2 = 1$ dans le plan des xy correspond au cercle $s^2 + t^2 = 1$ dans le plan des st. Le jacobien est $\begin{vmatrix} a & 0 \\ 0 & b \end{vmatrix} = ab$. Par conséquent, soit R l'ellipse dans le plan des xy et T, le cercle unitaire dans le plan des st. On obtient

$$\text{Aire de l'ellipse des } xy = \int_R 1 \, dA = \int_T 1 \, ab \, ds \, dt = ab \int_T ds \, dt = ab \cdot \text{Aire du cercle } st = \pi ab.$$

Le changement de variables dans les intégrales triples

Pour les intégrales triples, il existe une formule semblable. On suppose que les fonctions différentiables

$$x = x(s, t, u), \quad y = y(s, t, u) \quad \text{et} \quad z = z(s, t, u)$$

définissent un changement de variables de la région S dans l'espace stu à la région W dans l'espace xyz. Ensuite, le jacobien de ce changement de variables est donné par le déterminant

$$\frac{\partial(x, y, z)}{\partial(s, t, u)} = \begin{vmatrix} \frac{\partial x}{\partial s} & \frac{\partial y}{\partial s} & \frac{\partial z}{\partial s} \\ \frac{\partial x}{\partial t} & \frac{\partial y}{\partial t} & \frac{\partial z}{\partial t} \\ \frac{\partial x}{\partial u} & \frac{\partial y}{\partial u} & \frac{\partial z}{\partial u} \end{vmatrix}.$$

Tout comme le jacobien à deux dimensions donne le changement de l'élément d'aire, le jacobien à trois dimensions représente le changement dans l'élément de volume. Par conséquent, soit

$$\int_W f(x, y, z) \, dx \, dy \, dz = \int_S f(x(s, t, u), y(s, t, u), z(s, t, u)) \left| \frac{\partial(x, y, z)}{\partial(s, t, u)} \right| ds \, dt \, du.$$

Dans le problème 3, à la fin de la présente section, il faudra vérifier que le jacobien représentant le changement de variables relatif aux coordonnées sphériques est $\rho^2 \sin \phi$. L'exemple 3 est une généralisation de l'exemple 2 pour les ellipsoïdes.

Exemple 3   Trouvez le volume de l'ellipsoïde $\dfrac{x^2}{a^2} + \dfrac{y^2}{b^2} + \dfrac{z^2}{c^2} = 1$.

Solution   Soit $x = as$, $y = bt$ et $z = cu$. Le jacobien est calculé et donne abc. L'ellipsoïde xyz correspond à la sphère stu $s^2 + t^2 + u^2 = 1$. Ainsi, comme dans l'exemple 2,

$$\text{Volume de l'ellipsoïde } xyz = abc \cdot \text{Volume de la sphère } stu = abc \frac{4}{3} \pi = \frac{4}{3} \pi abc.$$

Problèmes de la section 5.8

1. Trouvez la région R dans le plan des xy correspondant à la région $T = \{(s, t) \mid 0 \le s \le 3, 0 \le t \le 2\}$ avec le changement de variables $x = 2s - 3t$ et $y = s - 2t$. Vérifiez que

$$\int_R dx\, dy = \int_T \left| \frac{\partial (x, y)}{\partial (s, t)} \right| ds\, dt.$$

2. Trouvez la région R dans le plan des xy correspondant à la région $T = \{(s, t) \mid 0 \le s \le 2, s \le t \le 2\}$ avec le changement de variables $x = s^2$ et $y = t$. Vérifiez que

$$\int_R dx\, dy = \int_T \left| \frac{\partial (x, y)}{\partial (s, t)} \right| ds\, dt.$$

3. Calculez le jacobien représentant le changement de variables en coordonnées sphériques :

$$x = \rho \sin \phi \cos \theta, \quad y = \rho \sin \phi \sin \theta, \quad z = \rho \cos \phi.$$

4. Pour le changement de variables $x = 3s - 4t$ et $y = 5s + 2t$, montrez que

$$\frac{\partial (x, y)}{\partial (s, t)} \cdot \frac{\partial (s, t)}{\partial (x, y)} = 1.$$

5. Utilisez le changement de variables $x = 2s + t$ et $y = s - t$ pour calculer l'intégrale $\int_R (x + y)\, dA$, où R est le parallélogramme formé par $(0, 0)$, $(3, -3)$, $(5, -2)$ et $(2, 1)$.

6. Utilisez le changement de variables $x = \frac{1}{2} s$, $y = \frac{1}{3} t$ pour calculer l'intégrale $\int_R (x^2 + y^2)\, dA$, où R est la région bornée par la courbe $4x^2 + 9y^2 = 36$.

7. Utilisez le changement de variables $s = xy$, $t = xy^2$ pour calculer $\int_R xy^2\, dA$, où R est la région bornée par $xy = 1$, $xy = 4$, $xy^2 = 1$ et $xy^2 = 4$.

8. Évaluez l'intégrale $\displaystyle\int_R \cos \left(\frac{x - y}{x + y} \right) dx\, dy$, où R est le triangle borné par $x + y = 1$, $x = 0$ et $y = 0$.

PROBLÈMES DE RÉVISION DU CHAPITRE CINQ

1. La figure 5.55 montre les courbes de niveau de la hauteur moyenne des précipitations (en pouces) en Amérique du Sud [6]. Chaque carré de la grille mesure 500 mi sur un côté. Estimez le volume total de pluie qui tombe par année dans la région étudiée.

2. La figure 5.56 donne les isothermes de la température minimale en hiver à Washington DC [7]. Les carrés de la grille mesurent 1 mi sur un côté. Trouvez la température minimale moyenne pour toute la ville (la ville est la région ombrée).

Tracez les régions sur lesquelles les intégrales des problèmes 3 à 6 sont effectuées.

3. $\displaystyle\int_1^4 \int_{-\sqrt{y}}^{\sqrt{y}} f(x, y)\, dx\, dy$

4. $\displaystyle\int_0^1 \int_0^{\sin^{-1} y} f(x, y)\, dx\, dy$

5. $\displaystyle\int_{-1}^1 \int_{-\sqrt{1 - x^2}}^{\sqrt{1 - x^2}} f(x, y)\, dy\, dx$

6. $\displaystyle\int_0^2 \int_{-\sqrt{4 - y^2}}^0 f(x, y)\, dx\, dy$

6. Tiré de STRAHLER, Alan H. et Arthur H. STRAHLER. *Modern Physical Geography*, 4ᵉ édition, New York, John Wiley & Sons, 1992, p. 144.
7. Tiré de DE BLIJ, H. J. et Peter O. MULLER. *Physical Geography of the Global Environment*, New York, John Wiley & Sons, 1993, p. 220.

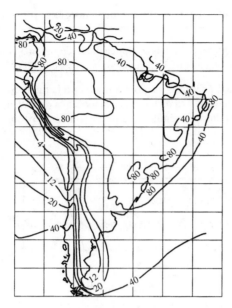

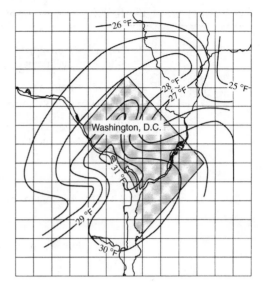

Figure 5.55   **Figure 5.56**

Calculez avec exactitude les intégrales des problèmes 7 à 12. (Vos réponses peuvent contenir e, π, $\sqrt{2}$, et ainsi de suite.)

7. $\displaystyle\int_0^1 \int_0^z \int_0^2 (y+z)^7 \, dx \, dy \, dz$ **8.** $\displaystyle\int_0^1 \int_3^4 (\sin(2-y)) \cos(3x-7) \, dx \, dy$

9. $\displaystyle\int_0^{10} \int_0^{0,1} x e^{xy} \, dy \, dx$ **10.** $\displaystyle\int_0^1 \int_0^y (\sin^3 x)(\cos x)(\cos y) \, dx \, dy$

11. $\displaystyle\int_3^4 \int_0^1 x^2 y \cos(xy) \, dy \, dx$ **12.** $\displaystyle\int_0^1 \int_{-\sqrt{1-x^2}}^{\sqrt{1-x^2}} e^{-(x^2+y^2)} \, dy \, dx$

13. Écrivez $\int_R f(x,y) \, dA$ sous forme d'intégrale itérée si R est la région de la figure 5.57.

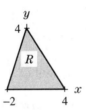

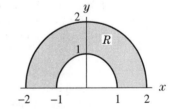

Figure 5.57   **Figure 5.58**

14. Évaluez $\int_R \sqrt{x^2+y^2} \, dA$, où R est la région de la figure 5.58.

15. Définissez $\int_R f \, dV$ comme une intégrale itérée dans les six ordres d'intégration possibles, où R est l'hémisphère borné par la moitié supérieure de $x^2 + y^2 + z^2 = 1$ et par le plan des xy.

Évaluez les intégrales des problèmes 16 à 18 en les changeant en coordonnées cylindriques ou sphériques au besoin.

16. $\displaystyle\int_{-\sqrt{3}}^{\sqrt{3}} \int_{-\sqrt{3-x^2}}^{\sqrt{3-x^2}} \int_1^{4-x^2-y^2} \frac{1}{z^2} \, dz \, dy \, dx$ **17.** $\displaystyle\int_0^3 \int_{-\sqrt{9-z^2}}^{\sqrt{9-z^2}} \int_{-\sqrt{9-y^2-z^2}}^{\sqrt{9-y^2-z^2}} x^2 \, dx \, dy \, dz$

18. $\displaystyle\int_0^1 \int_0^{\sqrt{1-x^2}} \int_0^{\sqrt{x^2+y^2}} (z + \sqrt{x^2+y^2}) \, dz \, dy \, dx$

19. Si $W = \{(x, y, z) : 1 \leq x^2 + y^2 \leq 4, 0 \leq z \leq 4\}$, évaluez l'intégrale $\displaystyle\int_W \frac{z}{(x^2 + y^2)^{3/2}} \, dV$.

20. Écrivez une intégrale qui représente la masse d'une sphère de rayon 3 si la densité de la sphère en n'importe quel point correspond à deux fois la distance entre ce point et le centre de la sphère.

21. Une forêt située à proximité d'une route a la forme illustrée à la figure 5.59. La densité de la population de lapins est proportionnelle à la distance par rapport à la route. Elle correspond à 0 lapin sur la route et à 10 lapins/mi^2 à l'autre extrémité de la forêt. Trouvez la population totale de lapins dans la forêt.

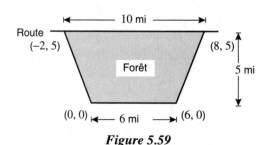

Figure 5.59

Pour les problèmes 22 et 23, utilisez la définition du moment d'inertie exposée après le problème 17 de la section 5.3.

22. Considérez une brique rectangulaire de longueur 5, de largeur 3 et de hauteur 1 et ayant une densité uniforme de 1. Calculez le moment d'inertie par rapport à chacun des trois axes qui passent par le centre de la brique et qui sont perpendiculaires à l'un des côtés.

23. Calculez le moment d'inertie d'une balle de rayon R par rapport à l'axe passant par son centre. Supposez que la balle a une densité constante de 1.

24. Dans ce problème, vous devez développer l'une des formules les plus remarquables des mathématiques, à savoir que

$$\int_{-\infty}^{\infty} e^{-x^2} \, dx = \sqrt{\pi}.$$

a) Changez l'intégrale double suivante en coordonnées polaires et évaluez-la :

$$\int_{-\infty}^{\infty} \int_{-\infty}^{\infty} e^{-(x^2 + y^2)} \, dx dy.$$

b) Expliquez pourquoi

$$\int_{-\infty}^{\infty} \int_{-\infty}^{\infty} e^{-(x^2 + y^2)} \, dx dy = \left(\int_{-\infty}^{\infty} e^{-x^2} \, dx \right)^2.$$

c) Expliquez pourquoi les réponses aux parties a) et b) donnent la formule qu'on recherche.

25. Une particule de masse m est placée au centre de la base d'une coquille cylindrique circulaire dont le rayon interne est r_1, le rayon externe est r_2, la hauteur est h et la densité constante est δ. Trouvez la force d'attraction gravitationnelle exercée par le cylindre sur la particule.

26. Trouvez l'aire de la demi-lune ayant des arcs circulaires comme côtés et les dimensions indiquées à la figure 5.60.

27. Trouvez l'aire des cadres de métal avec un ou quatre découpages tels qu'ils sont illustrés à la figure 5.61. Commencez par les coordonnées cartésiennes x, y alignées le long d'un côté. Considérez les coordonnées inclinées $u = x - y$, $v = y$ dans lesquelles le cadre est « redressé ». [Indication : décrivez d'abord la forme du découpage dans le plan des uv ; deuxièmement, calculez son aire dans le plan des uv ; troisièmement, en utilisant des jacobiens, calculez son aire dans le plan des xy.]

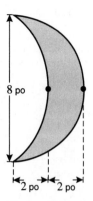

Figure 5.60

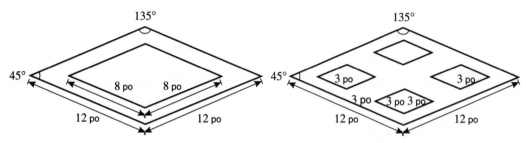

Figure 5.61

28. Un fleuve suit le chemin $y = f(x)$, où x et y sont en kilomètres. Près de la mer, il s'élargit pour former un lagon, puis il se rétrécit de nouveau à son embouchure (voir la figure 5.62). Au point (x, y), la profondeur $d(x, y)$ du lagon (en mètres) est donnée par

$$d(x, y) = 40 - 160(y - f(x))^2 - 40x^2 \text{ m.}$$

Le lagon lui-même est décrit par $d(x, y) \geq 0$. Quel est le volume du lagon en mètres cubes ? [Indication : utilisez de nouvelles coordonnées $u = x/2$, $v = y - f(x)$ et des jacobiens.]

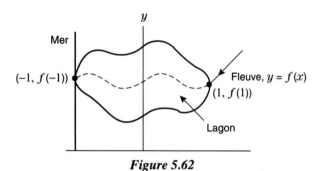

Figure 5.62

CHAPITRE SIX

LES COURBES ET LES SURFACES PARAMÉTRÉES

Dans le calcul d'une fonction d'une variable, on étudie le mouvement d'une particule le long d'une droite. Par exemple, on représente le mouvement d'un objet lancé en ligne droite dans les airs grâce à une fonction simple $h(t)$, qui est la hauteur de l'objet au-dessus du sol au temps t.

Pour étudier le mouvement d'une particule dans l'espace, on doit exprimer toutes les coordonnées de la particule en fonction de t, ce qui donne $x(t)$, $y(t)$ et $z(t)$ si le mouvement se produit dans un espace à trois dimensions. C'est ce qu'on appelle la *représentation paramétrique* du parcours du mouvement, laquelle est une courbe. La représentation paramétrique sert à trouver la vitesse et l'accélération de la particule. De plus, on utilise la paramétrisation pour étudier les surfaces tridimensionnelles.

6.1 LES COURBES PARAMÉTRÉES

Comment représenter le mouvement

Pour représenter le mouvement d'une particule dans le plan des xy, on utilise deux équations : une pour la coordonnée x de la particule, $x = f(t)$, et une autre pour la coordonnée y, $y = g(t)$. Ainsi, au temps t, la particule se trouve au point $(f(t), g(t))$. L'équation de x décrit le mouvement de droite à gauche ; l'équation de y décrit le mouvement de haut en bas. On appelle les deux équations de x et de y les *équations paramétriques* de *paramètre t*.

Exemple 1   Décrivez le mouvement d'une particule dont les coordonnées au temps t sont $x = \cos t$, $y = \sin t$.

Solution   Puisque $(\cos t)^2 + (\sin t)^2 = 1$, on a $x^2 + y^2 = 1$. Ainsi, à n'importe quel temps t, la particule se trouve en un point (x, y) quelconque sur le cercle unité $x^2 + y^2 = 1$. On trace des points en différents temps pour voir comment se déplace la particule sur le cercle (voir la figure 6.1 et le tableau 6.1). La particule se déplace à une vitesse uniforme, effectuant un tour complet dans le sens contraire des aiguilles d'une montre autour du cercle toutes les 2π unités de temps. Noter la manière dont la coordonnée x se déplace de façon répétitive d'avant en arrière de -1 à 1 tandis que la coordonnée y se déplace de manière répétitive de haut en bas de -1 à 1. Les deux mouvements se combinent pour tracer un cercle.

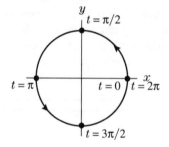

Figure 6.1 : Cercle paramétré par
$x = \cos t$, $y = \sin t$

TABLEAU 6.1   *Points sur le cercle avec $x = \cos t$, $y = \sin t$*

t	x	y
0	1	0
$\pi/2$	0	1
π	-1	0
$3\pi/2$	0	-1
2π	1	0

Exemple 2   La figure 6.2 montre les graphes des deux fonctions $f(t)$ et $g(t)$. Décrivez le mouvement de la particule dont les coordonnées au temps t sont $x = f(t)$, $y = g(t)$.

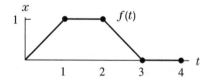 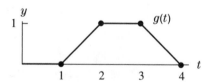

Figure 6.2 : Graphes de $x = f(t)$ et $y = g(t)$ utilisés pour tracer
le parcours $(f(t), g(t))$ de la figure 6.3

Solution   Entre les temps $t = 0$ et $t = 1$, la coordonnée x se déplace de 0 à 1, tandis que la coordonnée y reste fixe à zéro. Donc, la particule se déplace le long de l'axe des x de $(0, 0)$ à $(1, 0)$. Puis, entre les temps $t = 1$ et $t = 2$, la coordonnée x demeure fixe en $x = 1$, tandis que la coordonnée y se déplace de 0 à 1. Ainsi, la particule se déplace le long de la droite verticale de $(1, 0)$ à $(1, 1)$. De même, entre les temps $t = 2$ et $t = 3$, elle retourne horizontalement vers $(0, 1)$, et entre les temps $t = 3$ et $t = 4$, elle descend sur l'axe des y jusqu'en $(0, 0)$. Par conséquent, la particule trace le carré de la figure 6.3.

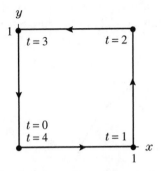

Figure 6.3 : Carré paramétré par $(f(t), g(t))$

Les différents mouvements le long du même parcours

Exemple 3

Décrivez le mouvement de la particule dont les coordonnées x et y au temps t sont données par les équations

$$x = \cos 3t, \quad y = \sin 3t.$$

Solution

Puisque $(\cos 3t)^2 + (\sin 3t)^2 = 1$, on a $x^2 + y^2 = 1$, ce qui donne le mouvement autour du cercle unité. Toutefois, si on trace les points en différents temps, on voit que la particule se déplace alors trois fois plus vite que dans l'exemple 1 (voir la figure 6.4 et le tableau 6.2).

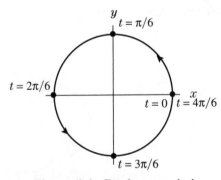

Figure 6.4 : Cercle paramétré par $x = \cos 3t$, $y = \sin 3t$

TABLEAU 6.2 *Points sur le cercle avec $x = \cos 3t$, $y = \sin 3t$*

t	x	y
0	1	0
$\pi/6$	0	1
$2\pi/6$	−1	0
$3\pi/6$	0	−1
$4\pi/6$	1	0

On obtient l'exemple 3 à partir de l'exemple 1 en remplaçant t par $3t$; c'est ce qu'on appelle un *changement de paramètre*. Si on effectue un changement de paramètre, la particule trace la même courbe (ou une partie de celle-ci), mais à une vitesse différente ou dans une direction différente. La section 6.2 montre comment calculer la vitesse d'une particule en mouvement.

Exemple 4

Décrivez le mouvement de la particule dont les coordonnées x et y au temps t sont

$$x = \cos(e^{-t^2}), \quad y = \sin(e^{-t^2}).$$

Solution   Comme dans les exemples 1 et 3, on a $x^2 + y^2 = 1$. Donc, le mouvement se produit sur le cercle unité. Quand le temps t passe de $-\infty$ (le passé lointain) à 0 (le présent), puis à ∞ (vers le futur), e^{-t^2} passe près de 0, se rend à 1 puis retourne près de 0. Donc, $(x, y) = (\cos(e^{-t^2}), \sin(e^{-t^2}))$ passe près de $(1, 0)$, se rend à $(\cos 1, \sin 1)$ puis retourne près de $(1, 0)$. La particule n'atteint donc pas le point $(1, 0)$ [voir la figure 6.5 et le tableau 6.3].

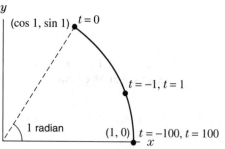

Figure 6.5 : Cercle paramétré
par $x = \cos(e^{-t^2})$, $y = \sin(e^{-t^2})$

TABLEAU 6.3   *Points sur le cercle avec* $x = \cos(e^{-t^2})$, $y = \sin(e^{-t^2})$

t	x	y
-100	~ 1	~ 0
-1	$0{,}93$	$0{,}36$
0	$0{,}54$	$0{,}84$
1	$0{,}93$	$0{,}36$
100	~ 1	~ 0

Les représentations paramétriques de courbes dans le plan

Parfois, on s'intéresse davantage à la courbe tracée par la particule qu'au mouvement lui-même. Dans ces cas, les équations paramétriques portent le nom de *paramétrisation* de la courbe. Comme on peut le voir en comparant les exemples 1 et 3, deux paramétrisations différentes peuvent décrire la même courbe dans un espace à deux dimensions. Bien que le paramètre, qu'on note généralement t, peut ne pas avoir de signification physique, il est tout de même utile de le considérer comme le temps.

Exemple 5   Donnez une paramétrisation du demi-cercle de rayon 1 présenté à la figure 6.6.

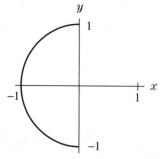

Figure 6.6 : Trouvez une paramétrisation
de ce demi-cercle

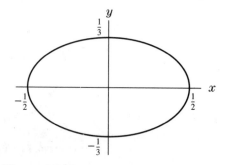

Figure 6.7 : Trouvez une paramétrisation
de l'ellipse $4x^2 + 9y^2 = 1$

Solution   On peut utiliser les équations $x = \cos t$ et $y = \sin t$ pour désigner le mouvement dans le sens contraire des aiguilles d'une montre dans un cercle (voir l'exemple 1). La particule passe par $(0, 1)$ en $t = \pi/2$, elle se déplace dans le sens contraire des aiguilles d'une montre autour du cercle, puis elle atteint le point $(0, -1)$ en $t = 3\pi/2$. Donc, une paramétrisation est

$$x = \cos t, \quad y = \sin t, \quad \frac{\pi}{2} \leq t \leq \frac{3\pi}{2}.$$

Exemple 6   Donnez une paramétrisation de l'ellipse $4x^2 + 9y^2 = 1$ présentée à la figure 6.7.

Solution   Puisque $(2x)^2 + (3y)^2 = 1$, on adapte la paramétrisation du cercle de l'exemple 1. En remplaçant x par $2x$ et y par $3y$, on obtient les équations $2x = \cos t$, $3y = \sin t$. Une paramétrisation de l'ellipse est donc

$$x = \tfrac{1}{2} \cos t, \quad y = \tfrac{1}{3} \sin t, \quad 0 \le t \le 2\pi.$$

Généralement, il est nécessaire que la paramétrisation d'une courbe se déplace d'une extrémité de la courbe à l'autre sans revenir sur une portion de la courbe. Ainsi, cette paramétrisation est différente de celle du mouvement d'une particule où, par exemple, une particule peut se déplacer autour du même cercle plusieurs fois.

La paramétrisation du graphe d'une fonction

On peut trouver l'équation paramétrique du graphe de toute fonction $y = f(x)$ en laissant le paramètre t être x :

$$x = t, \quad y = f(t).$$

Exemple 7   Donnez les équations paramétriques de la courbe $y = x^3 - x$. Dans quelle direction cette paramétrisation trace-t-elle la courbe ?

Solution   Soit $x = t$, $y = t^3 - t$. Par conséquent, $y = t^3 - t = x^3 - x$. Puisque $x = t$, quand le temps augmente, la coordonnée x se déplace de gauche à droite. Donc, la particule trace la courbe $y = x^3 - x$ de gauche à droite.

Les courbes données paramétriquement

On peut tracer le graphe de certaines courbes compliquées beaucoup plus facilement en utilisant des équations paramétriques. L'exemple 8 présente ce type de courbe.

Exemple 8   Supposez que t est le temps (en secondes). Dessinez le graphe de la courbe tracée par la particule dont le mouvement est donné par

$$x = \cos 3t, \quad y = \sin 5t.$$

Solution   La coordonnée x oscille de gauche à droite entre -1 et 1, effectuant 3 oscillations toutes les 2π s. La coordonnée y oscille de haut en bas entre 1 et -1, effectuant 5 oscillations toutes les 2π s. Puisque les coordonnées x et y retournent toutes les deux à leurs valeurs originales toutes les 2π s, la particule revient sur la courbe toutes les 2π s. Le résultat est un modèle appelé courbe de Lissajous (voir la figure 6.8, page suivante). Les problèmes 35 à 38 portent sur les courbes de Lissajous $x = \cos at$, $y = \sin bt$ pour d'autres valeurs de a et de b.

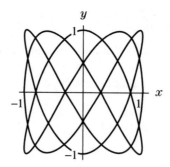

Figure 6.8 : Courbe de Lissajous : $x = \cos 3t$, $y = \sin 5t$

Les équations paramétriques à trois dimensions

Pour décrire paramétriquement un mouvement dans un espace à trois dimensions, on a besoin d'une troisième équation qui donne z en fonction de t.

Exemple 9   Décrivez, en langage courant, le mouvement donné paramétriquement par

$$x = \cos t, \quad y = \sin t, \quad z = t.$$

Solution   Les coordonnées x et y de la particule sont les mêmes que celles de l'exemple 1, qui donnent un mouvement circulaire dans le plan des xy, tandis que la coordonnée z augmente progressivement. Ainsi, la particule trace une spirale montante, tel un ressort hélicoïdal (voir la figure 6.9). Cette courbe s'appelle une *hélice circulaire*.

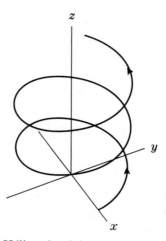

Figure 6.9 : Hélice circulaire $x = \cos t$, $y = \sin t$, $z = t$

Exemple 10   Trouvez les équations paramétriques de la droite qui passe par le point (1, 5, 7) et qui est parallèle au vecteur $2\vec{i} + 3\vec{j} + 4\vec{k}$.

Solution   On imagine une particule au point (1, 5, 7), au temps $t = 0$, effectuant un déplacement de $2\vec{i} + 3\vec{j} + 4\vec{k}$ pour chaque unité de temps t. Quand $t = 0$, $x = 1$ et x augmente de 2 unités pour chaque unité de temps. Ainsi, au temps t, la coordonnée x de la particule est donnée par

$$x = 1 + 2t.$$

De même, la coordonnée y commence en $y = 5$ et augmente à un taux de 3 unités pour chaque unité de temps. La coordonnée z commence en $y = 7$ et augmente de 4 unités pour chaque unité de temps. Par conséquent, les équations paramétriques de la droite sont

$$x = 1 + 2t, \quad y = 5 + 3t, \quad z = 7 + 4t.$$

On peut généraliser l'exemple 10 comme suit :

> Les **équations paramétriques d'une droite** qui passe par le point (x_0, y_0, z_0) et qui est parallèle au vecteur $a\vec{i} + b\vec{j} + c\vec{k}$ sont
>
> $$x = x_0 + at, \quad y = y_0 + bt, \quad z = z_0 + ct.$$

Noter que la paramétrisation d'une droite donnée ci-dessus exprime les coordonnées x, y et z comme des fonctions linéaires du paramètre t.

Exemple 11
a) Décrivez, en langage courant, la courbe donnée par ces équations paramétriques :

$$x = 3 + t, \quad y = 2t, \quad z = 1 - t.$$

b) Trouvez les équations paramétriques de la droite passant par les points $(1, 2, -1)$ et $(3, 3, 4)$.

Solution
a) La courbe est une droite qui passe par le point $(3, 0, 1)$ et qui est parallèle au vecteur $\vec{i} + 2\vec{j} - \vec{k}$.

b) La droite est parallèle au vecteur de déplacement entre les points $P = (1, 2, -1)$ et $Q = (3, 3, 4)$.

$$\vec{PQ} = (3 - 1)\vec{i} + (3 - 2)\vec{j} + (4 - (-1))\vec{k} = 2\vec{i} + \vec{j} + 5\vec{k}.$$

Par conséquent, les équations paramétriques sont

$$x = 1 + 2t, \quad y = 2 + t, \quad z = -1 + 5t.$$

Noter que les équations $x = 3 + 2t$, $y = 3 + t$ et $z = 4 + 5t$ représentent la même droite.

À quel endroit une courbe rencontre-t-elle une surface ?

Les équations paramétriques d'une courbe permettent de trouver l'endroit où la courbe rencontre une surface donnée.

Exemple 12
Trouvez les points où la droite $x = t$, $y = 2t$, $z = 1 + t$ rencontre la sphère de rayon 10 centrée à l'origine.

Solution
L'équation de la sphère de rayon 10 centrée à l'origine est

$$x^2 + y^2 + z^2 = 100.$$

Pour trouver les points d'intersection de la droite et de la sphère, on remplace les équations paramétriques de la droite dans l'équation de la sphère, ce qui donne

$$t^2 + 4t^2 + (1 + t)^2 = 100.$$

Donc,

$$6t^2 + 2t - 99 = 0,$$

qui a les deux solutions à environ $t = -4{,}23$ et $t = 3{,}90$. En utilisant l'équation paramétrique de la droite, $(x, y, z) = (t, 2t, 1 + t)$, on voit que la droite rencontre la sphère aux deux points

$$(x, y, z) = (-4{,}23,\ 2(-4{,}23),\ 1 + (-4{,}23)) = (-4{,}23,\ -8{,}46,\ -3{,}23)$$

et

$$(x, y, z) = (3{,}90,\ 2(3{,}90),\ 1 + 3{,}90) = (3{,}90,\ 7{,}80,\ 4{,}90).$$

Problèmes de la section 6.1

Pour les problèmes 1 à 4, décrivez le mouvement d'une particule dont la position au temps t est $x = f(t)$, $y = g(t)$, et dont les graphes de f et de g sont présentés.

1.

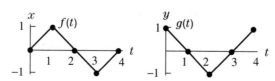

Figure 6.10

2.

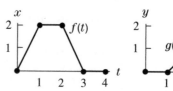

Figure 6.11

3.

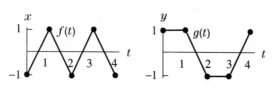

Figure 6.12

4.

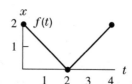

Figure 6.13

Les problèmes 5 à 10 donnent les paramétrisations du cercle unité ou d'une partie de celui-ci. Dans chaque cas, décrivez, en langage courant, comment le cercle est tracé. Indiquez où et quand la particule se déplace dans le sens des aiguilles d'une montre et où et quand la particule se déplace dans le sens contraire des aiguilles d'une montre.

5. $x = \cos t, \quad y = -\sin t$

6. $x = \sin t, \quad y = \cos t$

7. $x = \cos(t^2), \quad y = \sin(t^2)$

8. $x = \cos(t^3 - t), \quad y = \sin(t^3 - t)$

9. $x = \cos(\ln t), \quad y = \sin(\ln t)$

10. $x = \cos(\cos t), \quad y = \sin(\cos t)$

11. Décrivez les similitudes et les différences entre les mouvements dans le plan donnés par les trois paires d'équations paramétriques suivantes :

   a) $x = t, \quad y = t^2$

   b) $x = t^2, \quad y = t^4$

   c) $x = t^3, \quad y = t^6$

Écrivez une paramétrisation pour chacune des courbes du plan des xy des problèmes 12 à 18.

12. Un cercle de rayon 3 centré à l'origine et tracé dans le sens des aiguilles d'une montre.

13. Une droite verticale passant par le point $(-2, -3)$.

14. Un cercle de rayon 5 centré au point $(2, 1)$ et tracé dans le sens contraire des aiguilles d'une montre.

15. Un cercle de rayon 2 centré à l'origine et tracé dans le sens des aiguilles d'une montre à partir de $(-2, 0)$ quand $t = 0$.

16. La droite passant par les points $(2, -1)$ et $(1, 3)$.

17. Une ellipse centrée à l'origine et rencontrant l'axe des x en ± 5 et l'axe des y en ± 7.

18. Une ellipse centrée à l'origine et rencontrant l'axe des x en ± 3 et l'axe des y en ± 7. Commencez au point $(-3, 0)$ et tracez l'ellipse dans le sens contraire des aiguilles d'une montre.

19. Quand t varie, les équations paramétriques suivantes correspondent à une droite dans le plan

$$x = 2 + 3t, \quad y = 4 + 7t.$$

   a) Quelle partie de la droite obtenez-vous en restreignant t à des nombres non négatifs ?
   b) Quelle partie de la droite obtenez-vous si t est restreint à $-1 \le t \le 0$?
   c) Comment t devrait-il être restreint pour donner la partie de la droite qui se situe à gauche de l'axe des y ?

20. Supposez que $a, b, c, d, m, n, p, q > 0$. Faites concorder chaque paire d'équations paramétriques ci-dessous avec l'une des droites l_1, l_2, l_3, l_4 de la figure 6.14.

   I. $\begin{cases} x = a + ct, \\ y = -b + dt \end{cases}$
   II. $\begin{cases} x = m + pt, \\ y = n - qt \end{cases}$

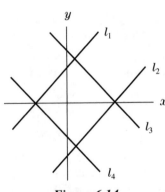

Figure 6.14

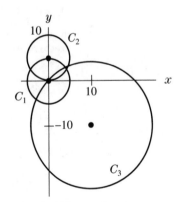

Figure 6.15

21. Que pouvez-vous dire des valeurs de a, de b et de k si les équations

$$x = a + k \cos t, \quad y = b + k \sin t \quad \text{et} \quad 0 \le t \le 2\pi$$

correspondent chacune à un des cercles de la figure 6.15 ? a) C_1 b) C_2 c) C_3

22. Décrivez, en langage courant, la courbe représentée par les équations paramétriques

$$x = 3 + t^3, \quad y = 5 - t^3 \quad \text{et} \quad z = 7 + 2t^3.$$

Écrivez une paramétrisation dans un espace à trois dimensions pour chacune des courbes des problèmes 23 et 24.

23. Le cercle de rayon 2 dans le plan des xz, centré à l'origine.

24. Le cercle de rayon 3 centré au point (0, 0, 2) et parallèle au plan des xy.

Pour les problèmes 25 à 29, trouvez les équations paramétriques pour la droite donnée.

25. La droite passant par les points (2, 3, −1) et (5, 2, 0).

26. La droite s'orientant dans la direction du vecteur $3\vec{i} - 3\vec{j} + \vec{k}$ et passant par le point (1, 2, 3).

27. La droite parallèle à l'axe des z passant par le point (1, 0, 0).

28. La droite d'intersection des plans $x - y + z = 3$ et $2x + y - z = 5$.

29. La droite perpendiculaire à la surface $z = x^2 + y^2$ au point (1, 2, 5).

30. Les droites des problèmes 25 et 26 se croisent-elles ?

31. Le point (−3, −4, 2) est-il visible du point (4, 5, 0) s'il y a une balle opaque de rayon 1 centrée à l'origine ?

32. Montrez que les équations

$$x = 3 + t, \quad y = 2t \quad \text{et} \quad z = 1 - t$$

satisfont aux équations $x + y + 3z = 6$ et $x - y - z = 2$. Qu'est-ce que cela vous apprend sur la courbe paramétrée par ces équations ?

33. Deux particules voyagent dans l'espace. Au temps t, la première particule se trouve au point (−1 + t, 4 − t, −1 + 2t) et la deuxième, au point (−7 + 2t, −6 + 2t, −1 + t).

   a) Décrivez les deux parcours.
   b) Les deux particules entrent-elles en collision ? Le cas échéant, quand et où ?
   c) Les parcours des deux particules se croisent-ils ? Le cas échéant, où ?

34. Imaginez une lumière qui brille sur l'hélice circulaire de l'exemple 9, projetée de très loin sur les axes. Tracez le graphe de l'ombre projetée par l'hélice circulaire sur chacun des plans de coordonnées xy, xz et yz.

Tracez le graphe des courbes de Lissajous des problèmes 35 à 38 en utilisant une calculatrice ou un ordinateur.

35. $x = \cos 2t, \quad y = \sin 5t$ 36. $x = \cos 3t, \quad y = \sin 7t$

37. $x = \cos 2t, \quad y = \sin 4t$ 38. $x = \cos 2t, \quad y = \sin \sqrt{3}\, t$

39. Le mouvement le long d'une droite est donné par une équation simple, soit $x = t^3 - t$, où x est la distance le long de la droite. Il est difficile de voir le mouvement à partir d'un graphe, car le mouvement ne fait que tracer la droite le long de l'axe des x (voir la figure 6.16). Pour visualiser le mouvement, on introduit une coordonnée y et on la laisse augmenter lentement, ce qui donne la figure 6.17. Suivez la procédure suivante à l'aide d'une calculatrice ou d'un ordinateur. Soit $y = t$. Maintenant, tracez les équations paramétriques $x = t^3 - t$, $y = t$ pour $-3 \leq t \leq 3$. Que vous indique le tracé de la figure 6.17 sur le mouvement de la particule ?

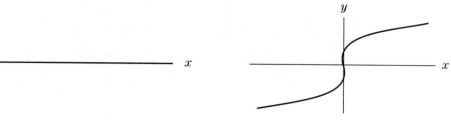

Figure 6.16   *Figure 6.17*

Pour les problèmes 40 à 42, tracez le mouvement le long de l'axe des x avec la méthode du problème 39. Que vous indique le tracé sur le mouvement de la particule ?

40. $x = \cos t, \quad -10 \leq t \leq 10$

41. $x = t^4 - 2t^2 + 3t - 7, \quad -3 \leq t \leq 2$

42. $x = t \ln t, \quad 0{,}001 \leq t \leq 10$

6.2 LE MOUVEMENT, LA VITESSE ET L'ACCÉLÉRATION

Dans la présente section, on écrit des équations paramétriques en utilisant des vecteurs position, ce qui permet de calculer la vitesse et l'accélération d'une particule se déplaçant dans un espace à deux ou à trois dimensions.

L'utilisation des vecteurs position pour écrire des courbes paramétrées comme des fonctions vectorielles

On se rappellera qu'un point dans le plan ayant les coordonnées (x, y) peut être représenté par le vecteur position $\vec{r} = x\vec{i} + y\vec{j}$ présenté à la figure 6.18. De même, dans un espace à trois dimensions, on écrit $\vec{r} = x\vec{i} + y\vec{j} + z\vec{k}$ (voir la figure 6.19).

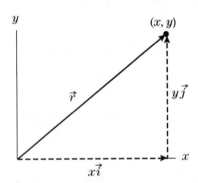

Figure 6.18 : Vecteur position $\vec{r}$ du point (x, y)

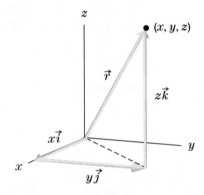

Figure 6.19 : Vecteur position $\vec{r}$ du point (x, y, z)

On peut écrire les équations paramétriques $x = f(t)$, $y = g(t)$, $z = h(t)$ comme une seule équation vectorielle

$$\vec{r}(t) = f(t)\vec{i} + g(t)\vec{j} + h(t)\vec{k}$$

appelée *paramétrisation*. Quand le paramètre t varie, le point ayant le vecteur position $\vec{r}(t)$ trace une courbe dans un espace à trois dimensions. Par exemple, le mouvement circulaire

$$x = \cos t, y = \sin t \quad \text{peut se noter} \quad \vec{r} = (\cos t)\vec{i} + (\sin t)\vec{j},$$

et l'hélice circulaire

$$x = \cos t, y = \sin t, z = t \quad \text{peut se noter} \quad \vec{r} = (\cos t)\vec{i} + (\sin t)\vec{j} + t\vec{k}$$

(voir la figure 6.20, page suivante).

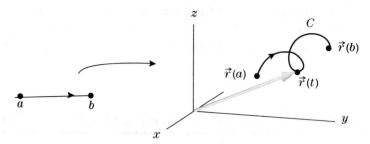

Figure 6.20 : La paramétrisation envoie l'intervalle $a \le t \le b$ à la courbe C dans un espace à trois dimensions.

Exemple 1   Donnez une paramétrisation pour le cercle de rayon $\frac{1}{2}$ centré au point $(-1, 2)$.

Solution   Le cercle de rayon 1 centré à l'origine est paramétré par la fonction à valeur vectorielle

$$\vec{r}_1(t) = \cos t\,\vec{i} + \sin t\,\vec{j}, \quad 0 \le t \le 2\pi.$$

Le point $(-1, 2)$ a le vecteur position $\vec{r}_0 = -\vec{i} + 2\vec{j}$. Le vecteur position $\vec{r}(t)$ d'un point sur le cercle de rayon $\frac{1}{2}$ centré en $(-1, 2)$ se trouve par l'addition de $\frac{1}{2}\vec{r}_1$ et de $\vec{r}_0$ (voir les figures 6.21 et 6.22). Par conséquent,

$$\vec{r}(t) = \vec{r}_0 + \tfrac{1}{2}\vec{r}_1(t) = -\vec{i} + 2\vec{j} + \tfrac{1}{2}(\cos t\,\vec{i} + \sin t\,\vec{j}) = (-1 + \tfrac{1}{2}\cos t)\vec{i} + (2 + \tfrac{1}{2}\sin t)\vec{j}$$

ou, de manière équivalente,

$$x = -1 + \tfrac{1}{2}\cos t, \quad y = 2 + \tfrac{1}{2}\sin t, \quad 0 \le t \le 2\pi.$$

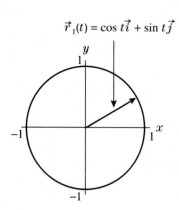

Figure 6.21 : Cercle $x^2 + y^2 = 1$ paramétré par
$\vec{r}_1(t) = \cos t\,\vec{i} + \sin t\,\vec{j}$

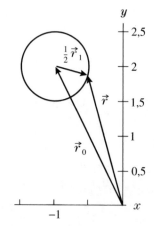

Figure 6.22 : Cercle de rayon $\frac{1}{2}$ centré en $(-1, 2)$ et paramétré par
$\vec{r}(t) = \vec{r}_0 + \tfrac{1}{2}\vec{r}_1(t)$

L'équation paramétrique d'une droite

On considère une droite dans la direction d'un vecteur $\vec{v}$ passant par le point (x_0, y_0, z_0) avec le vecteur position $\vec{r}_0$. On commence en $\vec{r}_0$ et on se déplace de haut en bas de la droite, en additionnant différents multiples de $\vec{v}$ à $\vec{r}_0$ (voir la figure 6.23).

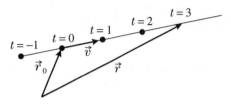

Figure 6.23 : Droite $\vec{r}(t) = \vec{r}_0 + t\vec{v}$

De cette manière, chaque point sur la droite peut être noté sous la forme $\vec{r}_0 + t\vec{v}$, ce qui donne l'équation suivante :

Équation paramétrique d'une droite

La droite passant par le point ayant le vecteur position $\vec{r}_0 = x_0\vec{i} + y_0\vec{j} + z_0\vec{k}$ dans la direction du vecteur $\vec{v} = a\vec{i} + b\vec{j} + c\vec{k}$ a l'équation paramétrique

$$\vec{r}(t) = \vec{r}_0 + t\vec{v}.$$

Exemple 2   Trouvez l'équation paramétrique :

a) de la droite passant par les points $(2, -1, 3)$ et $(-1, 5, 4)$;

b) du segment de droite allant de $(2, -1, 3)$ à $(-1, 5, 4)$.

Solution   a) La droite passe par le point $(2, -1, 3)$ et est parallèle au vecteur déplacement $\vec{v} = -3\vec{i} + 6\vec{j} + \vec{k}$ de $(2, -1, 3)$ à $(-1, 5, 4)$. Par conséquent, l'équation paramétrique est

$$\vec{r}(t) = 2\vec{i} - \vec{j} + 3\vec{k} + t(-3\vec{i} + 6\vec{j} + \vec{k}).$$

b) Dans la paramétrisation de la partie a), $t = 0$ correspond au point $(2, -1, 3)$ et $t = 1$ correspond au point $(-1, 5, 4)$. Donc, la paramétrisation du segment est

$$\vec{r}(t) = 2\vec{i} - \vec{j} + 3\vec{k} + t(-3\vec{i} + 6\vec{j} + \vec{k}), \quad 0 \leq t \leq 1.$$

Le vecteur vitesse

On peut représenter la vitesse d'une particule en mouvement par un vecteur ayant les propriétés suivantes :

Le **vecteur vitesse** d'un objet en mouvement est un vecteur $\vec{v}$ tel que

- La norme de $\vec{v}$ est la vitesse de l'objet ;
- La direction de $\vec{v}$ est la direction du mouvement.

Par conséquent, la vitesse de l'objet est $\|\vec{v}\|$, et le vecteur vitesse est tangent au parcours de l'objet.

Exemple 3   Un enfant est assis dans une grande roue de 10 m de diamètre qui fait un tour complet toutes les 2 min. Trouvez la vitesse du siège de l'enfant et tracez les vecteurs vitesse en deux temps différents.

Solution   Le siège de l'enfant se déplace à une vitesse constante autour d'un cercle d'un rayon de 5 m, qui exécute un tour toutes les 2 min. Un tour de cercle de rayon 5 correspond à une distance de 10π. Donc, la vitesse du siège de l'enfant est de $10\pi/2 = 5\pi \approx 15,7$ m/min. Ainsi, la norme du vecteur vitesse est de 15,7 m/min. La direction du mouvement est tangente au cercle, et elle est donc perpendiculaire au rayon en ce point. La figure 6.24 montre la direction du vecteur en deux temps différents.

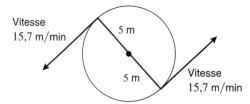

Figure 6.24 : Vecteurs vitesse d'un siège dans une grande roue (noter que les vecteurs seraient en sens inverse si on les regardait de l'autre côté)

Le calcul de la vitesse

On trouve la vitesse, comme dans le calcul d'une fonction d'une variable, en prenant une limite. Si le vecteur position de la particule est $\vec{r}(t)$ au temps t, alors le vecteur déplacement entre ses positions aux temps t et $t + \Delta t$ est $\Delta\vec{r} = \vec{r}(t + \Delta t) - \vec{r}(t)$ [voir la figure 6.25]. Sur cet intervalle,

$$\text{Vitesse moyenne} = \frac{\Delta\vec{r}}{\Delta t}.$$

Dans la limite, quand Δt se déplace vers zéro, on obtient la vitesse instantanée au temps t :

Le **vecteur vitesse** $\vec{v}(t)$ d'un objet en mouvement ayant le vecteur position $\vec{r}(t)$ au temps t est

$$\vec{v}(t) = \lim_{\Delta t \to 0} \frac{\Delta\vec{r}}{\Delta t} = \lim_{\Delta t \to 0} \frac{\vec{r}(t + \Delta t) - \vec{r}(t)}{\Delta t},$$

quand la limite existe. On utilise la notation $\vec{v} = \dfrac{d\vec{r}}{dt} = \vec{r}\,'(t)$.

Noter que la direction du vecteur vitesse $\vec{r}\,'(t)$ de la figure 6.25 est approchée par la direction du vecteur $\Delta\vec{r}$ et que l'approximation s'améliore quand $\Delta t \to 0$.

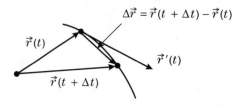

Figure 6.25 : Variation $\Delta\vec{r}$ du vecteur position d'une particule en mouvement sur une courbe ; vecteur vitesse $\vec{v} = \vec{r}\,'(t)$

Les composantes du vecteur vitesse

Si on représente paramétriquement une courbe par $x = f(t)$, $y = g(t)$, $z = h(t)$, alors on peut noter son vecteur position comme suit : $\vec{r}(t) = f(t)\vec{i} + g(t)\vec{j} + h(t)\vec{k}$. Maintenant, on peut calculer le vecteur vitesse :

$$
\begin{aligned}
\vec{v}(t) &= \lim_{\Delta t \to 0} \frac{\vec{r}(t + \Delta t) - \vec{r}(t)}{\Delta t} \\
&= \lim_{\Delta t \to 0} \frac{(f(t + \Delta t)\vec{i} + g(t + \Delta t)\vec{j} + h(t + \Delta t)\vec{k}) - (f(t)\vec{i} + g(t)\vec{j} + h(t)\vec{k})}{\Delta t} \\
&= \lim_{\Delta t \to 0} \left(\frac{f(t + \Delta t) - f(t)}{\Delta t}\vec{i} + \frac{g(t + \Delta t) - g(t)}{\Delta t}\vec{j} + \frac{h(t + \Delta t) - h(t)}{\Delta t}\vec{k} \right) \\
&= f'(t)\vec{i} + g'(t)\vec{j} + h'(t)\vec{k} \\
&= \frac{dx}{dt}\vec{i} + \frac{dy}{dt}\vec{j} + \frac{dz}{dt}\vec{k}.
\end{aligned}
$$

Par conséquent, on obtient le résultat suivant :

Les **composantes du vecteur vitesse** d'une particule en mouvement dans l'espace ayant un vecteur position $\vec{r}(t) = f(t)\vec{i} + g(t)\vec{j} + h(t)\vec{k}$ au temps t sont données par

$$
\vec{v}(t) = f'(t)\vec{i} + g'(t)\vec{j} + h'(t)\vec{k} = \frac{dx}{dt}\vec{i} + \frac{dy}{dt}\vec{j} + \frac{dz}{dt}\vec{k}.
$$

Exemple 4 Trouvez les composantes du vecteur vitesse du siège de la grande roue de l'exemple 3 en utilisant un système de coordonnées qui a son origine au centre de la grande roue et qui tourne dans le sens inverse des aiguilles d'une montre.

Solution La grande roue a un rayon de 5 m et elle exécute un tour dans le sens inverse des aiguilles d'une montre toutes les 2 min. Le mouvement est paramétré par une équation de la forme

$$
\vec{r}(t) = 5\cos(\omega t)\vec{i} + 5\sin(\omega t)\vec{j},
$$

où ω est choisi pour représenter la période de 2 min. Puisque la période de $\cos(\omega t)$ et de $\sin(\omega t)$ est de $2\pi/\omega$, on doit avoir

$$
\frac{2\pi}{\omega} = 2, \quad \text{donc} \quad \omega = \pi.
$$

Par conséquent, le mouvement est décrit par l'équation

$$
\vec{r}(t) = 5\cos(\pi t)\vec{i} + 5\sin(\pi t)\vec{j},
$$

où t est en minutes. La vitesse est donnée par

$$
\vec{v} = \frac{dx}{dt}\vec{i} + \frac{dy}{dt}\vec{j} = -5\pi\sin(\pi t)\vec{i} + 5\pi\cos(\pi t)\vec{j}.
$$

Pour vérifier, on calcule la norme de $\vec{v}$:

$$
\|\vec{v}\| = \sqrt{(-5\pi)^2\sin^2(\pi t) + (5\pi)^2\cos^2(\pi t)} = 5\pi\sqrt{\sin^2(\pi t) + \cos^2(\pi t)} = 5\pi \approx 15{,}7.
$$

Celle-ci concorde avec la vitesse qu'on a calculée dans l'exemple 3. Pour vérifier que la vitesse est bonne, on doit démontrer que, en tout temps t, le vecteur $\vec{v}$ est perpendiculaire au vecteur position de la particule au temps t. Pour ce faire, on calcule le produit scalaire de $\vec{v}$ et de $\vec{r}$:

$$\vec{v} \cdot \vec{r} = (-5\pi \sin(\pi t)\vec{i} + 5\pi \cos(\pi t)\vec{j}) \cdot (5 \cos(\pi t)\vec{i} + 5 \sin(\pi t)\vec{j})$$

$$= -25\pi \sin(\pi t) \cos(\pi t) + 25\pi \cos(\pi t) \sin(\pi t) = 0.$$

Donc, le vecteur vitesse $\vec{v}$ est perpendiculaire à $\vec{r}$ et, par conséquent, il est tangent au cercle (voir la figure 6.26).

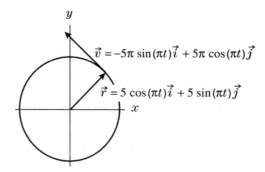

Figure 6.26 : Vecteur vitesse et vecteur rayon du mouvement autour d'un cercle

Les vecteurs vitesse et les droites tangentes

Puisque le vecteur vitesse est tangent au parcours du mouvement, on peut l'utiliser pour trouver les équations paramétriques de la droite tangente, s'il y en a une.

Exemple 5   Trouvez la droite tangente au point $(1, 1, 2)$ jusqu'à la courbe définie par l'équation paramétrique

$$\vec{r}(t) = t^2\vec{i} + t^3\vec{j} + 2t\vec{k}.$$

Solution   Au temps $t = 1$, la particule se trouve au point $(1, 1, 2)$ avec le vecteur position $\vec{r}_0 = \vec{i} + \vec{j} + 2\vec{k}$. Le vecteur vitesse au temps t est $\vec{r}'(t) = 2t\vec{i} + 3t^2\vec{j} + 2\vec{k}$. Donc, au temps $t = 1$, la vitesse est $\vec{v} = \vec{r}'(1) = 2\vec{i} + 3\vec{j} + 2\vec{k}$. La droite tangente passe par le point $(1, 1, 2)$ dans la direction de $\vec{v}$, donc elle a l'équation paramétrique

$$\vec{r}(t) = \vec{r}_0 + t\vec{v} = (\vec{i} + \vec{j} + 2\vec{k}) + t(2\vec{i} + 3\vec{j} + 2\vec{k}).$$

Le vecteur accélération

Tout comme la vitesse d'une particule qui se déplace dans un espace à deux ou à trois dimensions est une quantité vectorielle, il en est de même pour le taux de variation de la vitesse de la particule, c'est-à-dire son accélération. La figure 6.27 montre une particule au temps t ayant le vecteur vitesse $\vec{v}(t)$, puis un peu plus tard, au temps $t + \Delta t$. Le vecteur $\Delta\vec{v} = \vec{v}(t + \Delta t) - \vec{v}(t)$ est celui de la variation de la vitesse et il s'oriente approximativement dans la direction de l'accélération. Donc,

$$\text{Accélération moyenne} = \frac{\Delta\vec{v}}{\Delta t}.$$

Dans la limite, quand $\Delta t \to 0$, on a l'accélération instantanée au temps t :

> Le **vecteur accélération** d'un objet qui se déplace à la vitesse $\vec{v}(t)$ au temps t est
>
> $$\vec{a}(t) = \lim_{\Delta t \to 0} \frac{\Delta \vec{v}}{\Delta t} = \lim_{\Delta t \to 0} \frac{\vec{v}(t + \Delta t) - \vec{v}(t)}{\Delta t}$$
>
> si la limite existe. On utilise la notation $\vec{a} = \dfrac{d\vec{v}}{dt} = \dfrac{d^2\vec{r}}{dt^2} = \vec{r}\,''(t)$.

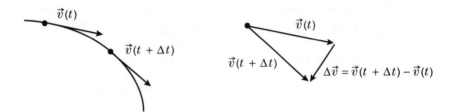

Figure 6.27 : Calcul de la différence entre deux vecteurs vitesse

Les composantes du vecteur accélération

Si l'on représente paramétriquement une courbe dans l'espace par $x = f(t)$, $y = g(t)$, $z = h(t)$, on peut exprimer l'accélération en composantes. Le vecteur vitesse $\vec{v}(t)$ est donné par

$$\vec{v}(t) = f'(t)\vec{i} + g'(t)\vec{j} + h'(t)\vec{k}.$$

À partir de la définition du vecteur accélération, on a

$$\vec{a}(t) = \lim_{\Delta t \to 0} \frac{\vec{v}(t + \Delta t) - \vec{v}(t)}{\Delta t} = \frac{d\vec{v}}{dt}.$$

En utilisant la même méthode pour calculer $d\vec{v}/dt$ que celle qu'on a utilisée précédemment pour calculer $d\vec{r}/dt$, on obtient

> Les **composantes du vecteur accélération** $\vec{a}(t)$ au temps t d'une particule se déplaçant dans l'espace avec le vecteur position $\vec{r}(t) = f(t)\vec{i} + g(t)\vec{j} + h(t)\vec{k}$ au temps t sont données par
>
> $$\vec{a}(t) = f''(t)\vec{i} + g''(t)\vec{j} + h''(t)\vec{k} = \frac{d^2x}{dt^2}\vec{i} + \frac{d^2y}{dt^2}\vec{j} + \frac{d^2z}{dt^2}\vec{k}.$$

Mouvement circulaire et rectiligne

Exemple 6   Trouvez le vecteur accélération du siège de l'enfant dans la grande roue des exemples 3 et 4.

Solution   Le vecteur position du siège de l'enfant est donné par $\vec{r}(t) = 5\cos(\pi t)\vec{i} + 5\sin(\pi t)\vec{j}$. Dans l'exemple 4, on a vu que le vecteur vitesse est

$$\vec{v}(t) = \frac{dx}{dt}\vec{i} + \frac{dy}{dt}\vec{j} = -5\pi \sin(\pi t)\vec{i} + 5\pi \cos(\pi t)\vec{j}.$$

Par conséquent, le vecteur accélération est

$$\vec{a}(t) = \frac{d^2x}{dt^2}\vec{i} + \frac{d^2y}{dt^2}\vec{j} = -(5\pi)\cdot\pi\cos(\pi t)\vec{i} - (5\pi)\cdot\pi\sin(\pi t)\vec{j}$$

$$= -5\pi^2\cos(\pi t)\vec{i} - 5\pi^2\sin(\pi t)\vec{j}.$$

Noter que $\vec{a}(t) = -\pi^2\vec{r}(t)$. Par conséquent, le vecteur accélération est un multiple de $\vec{r}(t)$ et s'oriente vers l'origine.

Le mouvement du siège de l'enfant dans la grande roue est un exemple de mouvement circulaire uniforme dont les propriétés sont décrites ci-après (voir le problème 26).

Mouvement circulaire uniforme

Une particule dont le mouvement est décrit par

$$\vec{r}(t) = R\cos(\omega t)\vec{i} + R\sin(\omega t)\vec{j}$$

- se déplace dans un cercle de rayon R avec une période de $2\pi/\omega$;
- la vitesse $\vec{v}$ est tangente au cercle et constante $\|\vec{v}\| = \omega R$;
- l'accélération $\vec{a}$ s'oriente vers le centre du cercle avec $\|\vec{a}\| = \|\vec{v}\|^2/R$.

Dans un mouvement circulaire uniforme, le vecteur accélération reflète le fait que le vecteur vitesse ne change pas de norme, seulement de direction. On observe maintenant un mouvement en ligne droite où le vecteur vitesse suit toujours la même direction mais change de norme. On s'attend alors à ce que le vecteur accélération s'oriente dans la même direction que le vecteur vitesse si la vitesse augmente et qu'il s'oriente dans la direction opposée à celle du vecteur vitesse si la vitesse diminue.

Exemple 7   Considérez le mouvement donné par l'équation vectorielle

$$\vec{r}(t) = 2\vec{i} + 6\vec{j} + (t^3 + t)(4\vec{i} + 3\vec{j} + \vec{k}).$$

Montrez qu'il s'agit d'un mouvement en ligne droite dans la direction du vecteur $4\vec{i} + 3\vec{j} + \vec{k}$ et reliez le vecteur accélération au vecteur vitesse.

Solution   Le vecteur vitesse est

$$\vec{v} = (3t^2 + 1)(4\vec{i} + 3\vec{j} + \vec{k}).$$

Puisque $(3t^2 + 1)$ est un scalaire positif, le vecteur vitesse $\vec{v}$ s'oriente toujours dans la direction du vecteur $4\vec{i} + 3\vec{j} + \vec{k}$. De plus,

$$\text{Vitesse} = \|\vec{v}\| = (3t^2 + 1)\sqrt{4^2 + 3^2 + 1^2} = \sqrt{26}(3t^2 + 1).$$

Noter que la vitesse diminue jusqu'à ce que $t = 0$, puis qu'elle commence à augmenter. Le vecteur accélération est

$$\vec{a} = 6t(4\vec{i} + 3\vec{j} + \vec{k}).$$

Pour $t > 0$, le vecteur accélération est orienté dans la même direction que $4\vec{i} + 3\vec{j} + \vec{k}$, c'est-à-dire la même direction que $\vec{v}$, ce qui est logique puisque l'objet accélère. Pour $t < 0$, le vecteur accélération $6t(4\vec{i} + 3\vec{j} + \vec{k})$ s'oriente dans la direction opposée à celle de $\vec{v}$ car l'objet ralentit.

La longueur d'une courbe

La vitesse d'une particule est la norme de son vecteur vitesse :

$$\text{Vitesse} = \|\vec{v}\| = \sqrt{\left(\frac{dx}{dt}\right)^2 + \left(\frac{dy}{dt}\right)^2 + \left(\frac{dz}{dt}\right)^2}\,.$$

Comme dans le cas de l'espace unidimensionnel, on peut trouver la distance parcourue par une particule le long d'une courbe en intégrant sa vitesse. Par conséquent,

$$\text{Distance parcourue} = \int_a^b \|\vec{v}(t)\|\, dt.$$

Si la particule ne s'arrête jamais ni n'inverse sa direction quand elle se déplace le long de la courbe, la distance qu'elle parcourt sera la même que la longueur de la courbe. Cela suggère la formule suivante, laquelle est illustrée au problème 33 :

Si la courbe C est donnée paramétriquement pour $a \leq t \leq b$ par des fonctions lisses et si le vecteur vitesse $\vec{v}$ n'est pas $\vec{0}$ pour $a < t < b$, alors

$$\text{Longueur de } C = \int_a^b \|\vec{v}\|\, dt.$$

Exemple 8   Trouvez la circonférence de l'ellipse donnée par les équations paramétriques

$$x = 2\cos t, \quad y = \sin t \quad \text{et} \quad 0 \leq t \leq 2\pi.$$

Solution   La circonférence de cette courbe est donnée par une intégrale qui doit être calculée numériquement :

$$\text{Circonférence} = \int_0^{2\pi} \sqrt{\left(\frac{dx}{dt}\right)^2 + \left(\frac{dy}{dt}\right)^2}\, dt = \int_0^{2\pi} \sqrt{(-2\sin t)^2 + (\cos t)^2}\, dt$$
$$= \int_0^{2\pi} \sqrt{4\sin^2 t + \cos^2 t}\, dt = 9{,}69.$$

Puisque l'ellipse est inscrite dans un cercle de rayon 2 et qu'elle circonscrit un cercle de rayon 1, on devrait s'attendre à ce que la longueur de l'ellipse se situe entre $2\pi(2) \approx 12{,}57$ et $2\pi(1) \approx 6{,}28$. Donc, la valeur de 9,69 est raisonnable.

Problèmes de la section 6.2

1. a) Expliquez pourquoi les deux paires d'équations suivantes,
   $\vec{r} = (2 + t)\vec{i} + (4 + 3t)\vec{j}$ et $\vec{r} = (1 - 2t)\vec{i} + (1 - 6t)\vec{j}$, donnent l'équation paramétrique de la même droite.
   b) Quelles sont la pente et l'intersection de cette droite avec l'axe des y ?

2. $\vec{r} = 10\vec{k} + t(\vec{i} + 2\vec{j} + 3\vec{k})$ donne l'équation paramétrique d'une droite.

   a) Supposez qu'on se restreint à $t < 0$. Quelle partie de la droite obtenez-vous ?
   b) Supposez qu'on se restreint à $0 \leq t \leq 1$. Quelle partie de la droite obtenez-vous ?

3. a) Expliquez la raison pour laquelle la droite d'intersection de deux plans doit être parallèle au produit vectoriel d'un vecteur normal au premier plan et d'un vecteur normal au deuxième plan.
   b) Trouvez un vecteur parallèle à la droite d'intersection des deux plans $x + 2y - 3z = 7$ et $3x - y + z = 0$.
   c) Trouvez les équations paramétriques de la droite de la partie b).

4. À l'aide d'incréments de temps de 0,01, donnez une table des valeurs près de $t = 1$ pour le vecteur position du mouvement circulaire

$$\vec{r}(t) = (\cos t)\,\vec{i} + (\sin t)\,\vec{j}.$$

Utilisez la table pour approcher le vecteur vitesse $\vec{v}$ au temps $t = 1$. Montrez que $\vec{v}$ est perpendiculaire au rayon depuis l'origine en $t = 1$.

5. a) Tracez le graphe de la courbe paramétrée $x = t \cos t$, $y = t \sin t$ pour $0 \le t \le 4\pi$.
   b) Utilisez des quotients de différence pour approcher les vecteurs vitesse $\vec{v}(t)$ pour $t = 2$, 4 et 6.
   c) Calculez exactement les vecteurs vitesse $\vec{v}(t)$ pour $t = 2$, 4 et 6 et tracez-les sur le graphe de la courbe.

Pour les problèmes 6 à 9, trouvez le vecteur vitesse $\vec{v}(t)$ pour le mouvement donné d'une particule. De plus, trouvez la vitesse $\|\vec{v}(t)\|$ et les temps où la particule s'arrête.

6. $x = t^2$, $\quad y = t^3$
7. $x = \cos(t^2)$, $\quad y = \sin(t^2)$
8. $x = \cos 2t$, $\quad y = \sin t$
9. $x = t^2 - 2t$, $y = t^3 - 3t$, $z = 3t^4 - 4t^3$

10. Trouvez les équations paramétriques pour la droite tangente en $t = 2$ du problème 6.

Pour les problèmes 11 à 14, trouvez les vecteurs vitesse et accélération pour les mouvements donnés.

11. $x = 3 \cos t$, $y = 4 \sin t$
12. $x = t$, $y = t^3 - t$
13. $x = 2 + 3t$, $y = 4 + t$, $z = 1 - t$
14. $x = 3 \cos(t^2)$, $y = 3 \sin(t^2)$, $z = t^2$

Trouvez la longueur des courbes des problèmes 15 à 17.

15. $x = 3 + 5t$, $y = 1 + 4t$, $z = 3 - t$ pour $1 \le t \le 2$. Justifiez votre réponse.

16. $x = \cos(e^t)$, $y = \sin(e^t)$ pour $0 \le t \le 1$. Expliquez pourquoi votre réponse est raisonnable.

17. $x = \cos 3t$, $y = \sin 5t$ pour $0 \le t \le 2\pi$.

18. Une particule qui passe par le point $P = (5, 4, -2)$ au temps $t = 4$ se déplace à une vitesse constante $\vec{v} = 2\vec{i} - 3\vec{j} + \vec{k}$. Trouvez les équations paramétriques de son mouvement.

19. Une particule qui passe par le point $P = (5, 4, 3)$ au temps $t = 7$ se déplace à une vitesse constante $\vec{v} = 3\vec{i} + \vec{j} + 2\vec{k}$. Trouvez les équations de sa position au temps t.

20. Un objet qui se déplace à une vitesse constante dans un espace à trois dimensions (avec des coordonnées en mètres) passe par le point $(1, 1, 1)$. Puis, 5 s plus tard, il passe par le point $(2, -1, 3)$. Quel est son vecteur vitesse ? Quel est son vecteur accélération ?

21. Le tableau 6.4 donne les coordonnées x et y d'une particule dans le plan au temps t. En supposant que le parcours est lisse, évaluez les quantités ci-après.

   a) Le vecteur vitesse et la vitesse au temps $t = 2$.
   b) Les temps où la particule se déplace parallèlement à l'axe des y.
   c) Les temps où la particule s'arrête.

TABLEAU 6.4

t	0	0,5	1,0	1,5	2,0	2,5	3,0	3,5	4,0
x	1	4	6	7	6	3	2	3	5
y	3	2	3	5	8	10	11	10	9

22. Considérez le mouvement de la particule donné par les équations paramétriques

$$x = t^3 - 3t \quad \text{et} \quad y = t^2 - 2t,$$

où l'axe des y est vertical et l'axe des x, horizontal.

a) La particule finit-elle par s'arrêter ? Le cas échéant, quand et où ?

b) La particule finit-elle par se déplacer en ligne droite vers le haut ou vers le bas ? Le cas échéant, quand et où ?

c) La particule finit-elle par se déplacer en ligne droite horizontale vers la droite ou vers la gauche ? Le cas échéant, quand et où ?

23. Supposez que $\vec{r}(t) = \cos t \, \vec{i} + \sin t \, \vec{j} + 2t \, \vec{k}$ représente la position d'une particule sur une hélice circulaire, où z est la hauteur de la particule au-dessus du sol.

a) La particule se déplace-t-elle vers le bas à un moment donné ? Quand ?

b) Quand la particule atteint-elle un point situé à 10 unités au-dessus du sol ?

c) Quelle est la vitesse de la particule quand elle atteint 10 unités au-dessus du sol ?

d) Supposez que la particule quitte l'hélice circulaire et qu'elle se déplace le long de la droite tangente à la spirale en ce point. Trouvez des équations paramétriques pour cette droite tangente.

24. M. Skywalker se déplace le long d'une courbe donnée par

$$\vec{r}(t) = -2e^{3t}\vec{i} + 5\cos t\,\vec{j} - 3\sin(2t)\vec{k}.$$

S'il éteint les propulseurs, son vaisseau s'envole le long d'une droite tangente à $\vec{r}(t)$. Comme il est sur le point de manquer de carburant, il aperçoit une station-service sur Xardon au point ayant les coordonnées (1,5, 5, 3,5). En calculant rapidement sa position, il éteint les propulseurs en $t = 0$. Se rend-il jusqu'à la station-service de Xardon ? Justifiez votre réponse.

25. Déterminez le vecteur position $\vec{r}(t)$ d'une fusée qu'on lance de l'origine au temps $t = 0$ s. La fusée atteint son point le plus élevé en $(x, y, z) = (1000, 3000, 10\,000)$, où x, y et z sont mesurés en mètres. Après le lancement, la fusée n'est soumise qu'à l'accélération provoquée par la gravité, soit 9,8 m/s^2.

26. Le mouvement d'une particule est donné par $\vec{r}(t) = R\cos(\omega t)\vec{i} + R\sin(\omega t)\vec{j}$, avec $R > 0$, $\omega > 0$.

a) Montrez que la particule se déplace sur un cercle. Trouvez le rayon, la direction et la période.

b) Déterminez le vecteur vitesse de la particule ainsi que sa direction et sa vitesse.

c) Quelles sont la direction et la norme du vecteur accélération de la particule ?

27. On fait tourner un caillou attaché au bout d'une corde à une vitesse constante avec une période de 2π s en un cercle horizontal centré au point $(0, 0, 8)$. Quand $t = 0$, le caillou se trouve au point $(0, 5, 8)$; il se déplace dans le sens des aiguilles d'une montre quand on le regarde du dessus. Quand le caillou est au point $(5, 0, 8)$, la corde se brise et le caillou se déplace sous l'effet de la gravité.

a) Trouvez l'équation paramétrique de la trajectoire circulaire du caillou.

b) Trouvez la vitesse et l'accélération du caillou juste avant que la corde se brise.

c) Écrivez, sans les résoudre, les équations différentielles (avec les conditions initiales) auxquelles satisfont les coordonnées x, y, z qui donnent la position du caillou après qu'il a quitté le cercle.

28. Émilie se tient debout sur le bord extérieur d'un carrousel, à 10 m du centre. Le carrousel effectue une révolution toutes les 20 s. Quand Émilie passe au-dessus d'un point P sur le sol, elle laisse tomber une balle à 3 m du sol.

a) À quelle vitesse Émilie se déplace-t-elle ?

b) À quelle distance de P la balle frappe-t-elle le sol ? (L'accélération due à la gravité est de 9,8 m/s^2.)

c) À quelle distance d'Émilie la balle frappe-t-elle le sol ?

29. Un phare L est situé sur une île au milieu d'un lac (voir la figure 6.28, page suivante). Considérez le mouvement du point où le faisceau lumineux partant de L atteint la rive du lac.

a) Supposez que le faisceau lumineux fait une rotation dans le sens contraire des aiguilles d'une montre autour de L à une vitesse angulaire constante. À quel point la vitesse est-elle la plus grande : A, B, C, D ou E ? À quel point la vitesse est-elle la plus petite ?

b) Répétez la partie a) du problème en supposant que le faisceau lumineux fait une rotation dans le sens contraire des aiguilles d'une montre de manière qu'il balaie des régions égales du lac en des temps égaux.

c) Que se passe-t-il si vous placez le phare en différents points sur le lac ? Pour la partie a), la vitesse du point sur la rive peut-elle être infinie ?

d) Supposez maintenant que le lac est rectangulaire. Qu'advient-il du vecteur vitesse dans les coins ? Pour la partie b), montrez que la vitesse est constante le long de chaque côté (probablement une constante différente sur chaque côté).

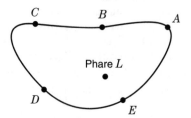

Figure 6.28 : Phare sur le lac

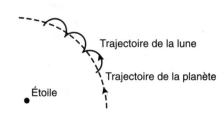

Figure 6.29

30. Une lune hypothétique tourne autour d'une planète qui à son tour tourne autour d'une étoile. Supposez que les orbites sont circulaires et que la lune fait 12 fois le tour de la planète pendant que la planète fait le tour de l'étoile une fois. Dans ce problème, vous tenterez de découvrir si la lune finit par s'arrêter à un moment donné (voir la figure 6.29).

a) Supposez que le rayon de l'orbite de la lune autour de la planète est de 1 unité et que le rayon de l'orbite de la planète autour de l'étoile est de R unités. Expliquez pourquoi le mouvement de la lune par rapport à l'étoile peut être décrit par les équations paramétriques

$$x = R \cos t + \cos(12t), \quad y = R \sin t + \sin(12t).$$

b) Trouvez une valeur de R et une de t de telle sorte que la lune s'arrête par rapport à l'étoile au temps t.

c) À l'aide d'une calculatrice graphique, tracez la trajectoire de la lune pour la valeur de R que vous avez obtenue à la partie b). Essayez avec d'autres valeurs de R.

31. Supposez que $F(x, y) = 1/(x^2 + y^2 + 1)$ donne la température au point (x, y) dans le plan. Une coccinelle se déplace le long d'une parabole selon les équations paramétriques

$$x = t, \quad y = t^2.$$

Trouvez le taux de variation de la température de la coccinelle au temps t.

32. Ce problème est une généralisation du résultat du problème 31. Supposez que $F(x, y)$ donne la température en n'importe quel point (x, y) dans le plan et qu'une coccinelle se déplace dans le plan avec un vecteur position au temps t donné par $\vec{r}(t) = x(t)\vec{i} + y(t)\vec{j}$ et un vecteur vitesse $\vec{r}'(t)$. Utilisez la règle de la dérivée en chaîne pour montrer que

Taux de variation de la température de l'insecte au temps $t = \operatorname{grad} F(\vec{r}(t)) \cdot \vec{r}'(t)$.

33. Dans ce problème, on illustre la formule de la longueur d'une courbe donnée précédemment. Supposez que la courbe C est donnée par les équations paramétriques lisses $x = x(t)$, $y = y(t)$, $z = z(t)$ pour $a \le t \le b$. En divisant l'intervalle des paramètres $a \le t \le b$ aux points $t_1, \ldots, t_{n-1}$ en petits segments de longueur $\Delta t = t_{i+1} - t_i$, on obtient une division correspondante de la courbe C en petits morceaux. Reportez-vous à la figure 6.30, où les points $P_i = (x(t_i), y(t_i), z(t_i))$ sur la courbe C correspondent aux valeurs des paramètres $t = t_i$. Soit C_i la portion de la courbe C entre P_i et P_{i+1}.

a) Utilisez la linéarité locale pour montrer que

$$\text{Longueur de } C_i \approx \sqrt{x'(t_i)^2 + y'(t_i)^2 + z'(t_i)^2} \; \Delta t.$$

b) Utilisez la partie a) et une somme de Riemann pour expliquer pour quelle raison

$$\text{Longueur de } C = \int_a^b \sqrt{x'(t)^2 + y'(t)^2 + z'(t)^2}\, dt.$$

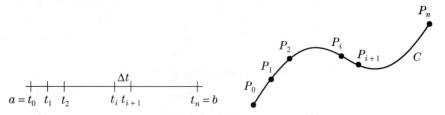

Figure 6.30 : Subdivision de l'intervalle des paramètres et subdivision correspondante de la courbe C

6.3 LES SURFACES PARAMÉTRÉES

Comment trouver l'équation paramétrique d'une surface

Dans la section 6.1, on a trouvé l'équation paramétrique d'un cercle dans un espace à deux dimensions en utilisant les équations

$$x = \cos t, \quad y = \sin t.$$

Dans un espace à trois dimensions, le même cercle du plan des xy a les équations paramétriques

$$x = \cos t, \quad y = \sin t, \quad z = 0.$$

On ajoute l'équation $z = 0$ pour préciser que le cercle se trouve dans le plan des xy. Si on voulait un cercle dans le plan $z = 3$, on utiliserait les équations

$$x = \cos t, \quad y = \sin t, \quad z = 3.$$

Maintenant, on suppose que z varie librement, de même que t. On obtient des cercles dans chaque plan horizontal, ce qui forme le cylindre de la figure 6.31. Par conséquent, on a besoin de deux paramètres, soit t et z, pour trouver l'équation paramétrique du cylindre.

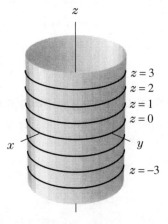

Figure 6.31 : Cylindre $x = \cos t, \ y = \sin t, \ z = z$

Cette assertion est vraie en général. Une courbe, même si elle peut exister en deux ou en trois dimensions, est elle-même unidimensionnelle. Si on se déplace le long de celle-ci, on ne peut que se déplacer d'arrière en avant dans une direction. Par conséquent, elle n'a besoin que d'un paramètre pour tracer une courbe.

Une surface a deux dimensions. En n'importe quel point, on peut prendre deux directions indépendantes. Par exemple, pour ce qui est du cylindre, on peut se déplacer verticalement ou horizontalement en cercle autour de l'axe des z. On a donc besoin de *deux* paramètres pour décrire la surface. On peut considérer les paramètres comme les coordonnées d'une carte géographique, par exemple la longitude et la latitude sur la surface de la Terre.

Dans le cas du cylindre, les paramètres sont t et z. Donc,

$$x = \cos t, \quad y = \sin t, \quad z = z, \qquad 0 \le t < 2\pi, \quad -\infty < z < \infty.$$

La dernière équation $z = z$ semble étrange, mais elle rappelle qu'on est dans un espace à trois dimensions plutôt qu'à deux dimensions, et que la coordonnée z sur la surface peut varier librement. Habituellement, on exprime les coordonnées (x, y, z) d'un point sur une surface S en fonction de deux paramètres, soit s et t :

$$x = f_1(s, t), \quad y = f_2(s, t), \quad z = f_3(s, t).$$

Quand les valeurs de s et de t varient, le point correspondant (x, y, z) balaie la surface S (voir la figure 6.32). La fonction qui envoie le point (s, t) au point (x, y, z) s'appelle la *paramétrisation de la surface*.

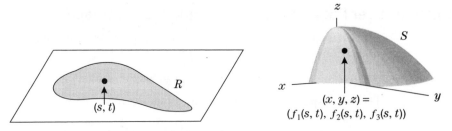

Figure 6.32 : La paramétrisation envoie chaque point (s, t) dans la région du paramètre R vers un point $(x, y, z) = (f_1(s, t), f_2(s, t), f_3(s, t))$ sur la surface S.

L'utilisation des vecteurs position

On peut utiliser le vecteur position $\vec{r} = x\vec{i} + y\vec{j} + z\vec{k}$ pour combiner les trois équations paramétriques d'une surface en une seule équation vectorielle. Par exemple, la paramétrisation du cylindre $x = \cos t$, $y = \sin t$, $z = z$ peut se noter

$$\vec{r}(t, z) = \cos t\,\vec{i} + \sin t\,\vec{j} + z\vec{k}, \quad 0 \le t < 2\pi, \quad -\infty < z < \infty.$$

Pour une surface paramétrée générale S, on utilise la notation

$$\vec{r}(s, t) = f_1(s, t)\vec{i} + f_2(s, t)\vec{j} + f_3(s, t)\vec{k}.$$

La paramétrisation d'une surface de la forme $z = f(x, y)$

On peut donner paramétriquement le graphe de la fonction $z = f(x, y)$ de façon simple, en laissant les paramètres s et t être x et y :

$$x = s, \quad y = t, \quad z = f(s, t).$$

Exemple 1   Donnez une description paramétrique de l'hémisphère inférieur de la sphère $x^2 + y^2 + z^2 = 1$.

Solution   La surface est le graphe de la fonction $z = -\sqrt{1 - x^2 - y^2}$ dans la région $x^2 + y^2 \leq 1$ du plan. Alors, les équations paramétriques sont $x = s$, $y = t$, $z = -\sqrt{1 - s^2 - t^2}$, où les paramètres s et t varient à l'intérieur du cercle unité.

En pratique, on préfère souvent considérer x et y comme des paramètres plutôt que d'introduire de nouvelles variables s et t. Par conséquent, on peut écrire $x = x$, $y = y$, $z = f(x, y)$.

La paramétrisation des plans

On considère un plan contenant deux vecteurs non parallèles $\vec{v}_1$ et $\vec{v}_2$ et un point P_0 ayant le vecteur position $\vec{r}_0$. On peut se rendre à n'importe quel point dans le plan en commençant en P_0, en se déplaçant parallèlement à $\vec{v}_1$ ou à $\vec{v}_2$ et en ajoutant des multiples de ceux-ci à $\vec{r}_0$ (voir la figure 6.33).

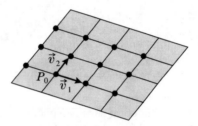

Figure 6.33 : Plan $\vec{r}(s, t) = \vec{r}_0 + s\vec{v}_1 + t\vec{v}_2$ et points correspondant à divers choix de s et de t

Puisque $s\vec{v}_1$ est parallèle à $\vec{v}_1$ et que $t\vec{v}_2$ est parallèle à $\vec{v}_2$, on obtient le résultat suivant :

Équations paramétriques d'un plan

Le plan passant par le point ayant un vecteur position $\vec{r}_0$ et contenant les deux vecteurs non parallèles $\vec{v}_1$ et $\vec{v}_2$ a l'équation paramétrique

$$\vec{r}(s, t) = \vec{r}_0 + s\vec{v}_1 + t\vec{v}_2.$$

Si $\vec{r}_0 = x_0\vec{i} + y_0\vec{j} + z_0\vec{k}$ et $\vec{v}_1 = a_1\vec{i} + a_2\vec{j} + a_3\vec{k}$ et que $\vec{v}_2 = b_1\vec{i} + b_2\vec{j} + b_3\vec{k}$, alors les équations paramétriques du plan peuvent s'écrire sous la forme

$$x = x_0 + sa_1 + tb_1, \quad y = y_0 + sa_2 + tb_2, \quad z = z_0 + sa_3 + tb_3.$$

Noter que la paramétrisation du plan exprime les coordonnées x, y et z comme des fonctions linéaires des paramètres s et t.

Exemple 2   Écrivez une équation paramétrique du plan passant par le point $(2, -1, 3)$ et contenant les vecteurs $\vec{v}_1 = 2\vec{i} + 3\vec{j} - \vec{k}$ et $\vec{v}_2 = \vec{i} - 4\vec{j} + 5\vec{k}$.

Solution   L'équation paramétrique est

$$\vec{r}(s, t) = \vec{r}_0 + s\vec{v}_1 + t\vec{v}_2 = 2\vec{i} - \vec{j} + 3\vec{k} + s(2\vec{i} + 3\vec{j} - \vec{k}) + t(\vec{i} - 4\vec{j} + 5\vec{k})$$

$$= (2 + 2s + t)\vec{i} + (-1 + 3s - 4t)\vec{j} + (3 - s + 5t)\vec{k}$$

ou, de manière équivalente,

$$x = 2 + 2s + t, \quad y = -1 + 3s - 4t, \quad z = 3 - s + 5t.$$

Les paramétrisations à l'aide de coordonnées sphériques

On se souvient des coordonnées sphériques ρ, ϕ et θ présentées à la section 5.6. Sur une sphère de rayon $\rho = a$, on peut utiliser ϕ et θ comme coordonnées, comme dans le cas de la latitude et de la longitude sur la surface de la Terre (voir la figure 6.34). Cependant, on mesure la latitude depuis l'équateur et ϕ à partir du pôle Nord. Si la partie positive de l'axe des x passe par le méridien de Greenwich, la longitude et θ sont égaux pour $0 \leq \theta \leq \pi$.

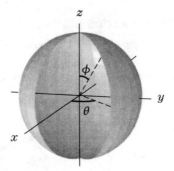

Figure 6.34 : Paramétrisation de la sphère par ϕ et θ

Exemple 3	Vous êtes situé en un point sur une sphère ayant $\phi = 3\pi/4$. S'agit-il de l'hémisphère Nord ou de l'hémisphère Sud ? Si ϕ diminue, vous approchez-vous ou vous éloignez-vous de l'équateur ?
Solution	L'équateur a $\phi = \pi/2$. Puisque $3\pi/4 > \pi/2$, vous vous trouvez dans l'hémisphère Sud. Si ϕ diminue, vous vous rapprochez de l'équateur.

Exemple 4	Vous vous tenez debout sur une sphère en un point ayant les coordonnées θ_0 et ϕ_0. L'*antipode* est le point qui se trouve de l'autre côté de la sphère, sur une droite passant par vous et par le centre. Quelles sont les coordonnées θ, ϕ de l'antipode ?
Solution	La figure 6.35 montre que les coordonnées sont $\theta = \pi + \theta_0$ si $\theta_0 < \pi$ ou $\theta = \theta_0 - \pi$ si $\pi \leq \theta_0 \leq 2\pi$, et $\phi = \pi - \phi_0$. Notez que si vous vous trouvez à l'équateur, alors il en est de même pour l'antipode.

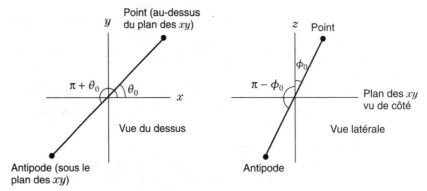

Figure 6.35 : Deux vues du système de coordonnées xyz montrant les coordonnées des antipodes

La paramétrisation d'une sphère à l'aide des coordonnées sphériques

La sphère de rayon 1 centrée à l'origine est paramétrée par

$$x = \sin \phi \cos \theta, \quad y = \sin \phi \sin \theta, \quad z = \cos \phi,$$

où $0 \leq \theta \leq 2\pi$ et $0 \leq \phi \leq \pi$ (voir la figure 6.36).

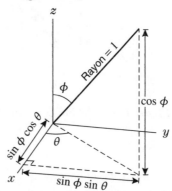

Figure 6.36 : Relation entre x, y, z et ϕ, θ sur une sphère de rayon 1

On peut également écrire ces équations sous la forme vectorielle

$$\vec{r}(\theta, \phi) = \sin \phi \cos \theta \, \vec{i} + \sin \phi \sin \theta \, \vec{j} + \cos \phi \, \vec{k}.$$

Puisque $x^2 + y^2 + z^2 = \sin^2 \phi (\cos^2 \theta + \sin^2 \theta) + \cos^2 \phi = \sin^2 \phi + \cos^2 \phi = 1$, cela démontre que le point ayant le vecteur position $r(\theta, \phi)$ se trouve sur la sphère de rayon 1. Noter que la coordonnée z dépend seulement du paramètre ϕ. Géométriquement, cela signifie que tous les points sur la même latitude ont la même coordonnée z.

Exemple 5   Trouvez les équations paramétriques des sphères suivantes :
a) une sphère centrée à l'origine et de rayon 2 ;
b) une sphère centrée au point $(2, -1, 3)$ et de rayon 2.

Solution   a) On doit doubler la distance depuis l'origine. Par conséquent, on a

$$x = 2 \sin \phi \cos \theta, \quad y = 2 \sin \phi \sin \theta, \quad z = 2 \cos \phi,$$

où $0 \leq \theta \leq 2\pi$ et $0 \leq \phi \leq \pi$. Sous la forme vectorielle, on écrit

$$\vec{r}(\theta, \phi) = 2 \sin \phi \cos \theta \vec{i} + 2 \sin \phi \sin \theta \vec{j} + 2 \cos \phi \vec{k}.$$

b) Pour déplacer le centre de la sphère de l'origine au point $(2, -1, 3)$, on ajoute la paramétrisation de vecteur qu'on a trouvée à la partie a) au vecteur position $(2, -1, 3)$ [voir la figure 6.37]. Cela donne

$$\vec{r}(\theta, \phi) = 2\vec{i} - \vec{j} + 3\vec{k} + (2 \sin \phi \cos \theta \vec{i} + 2 \sin \phi \sin \theta \vec{j} + 2 \cos \phi \vec{k})$$

$$= (2 + 2 \sin \phi \cos \theta)\vec{i} + (-1 + 2 \sin \phi \sin \theta)\vec{j} + (3 + 2 \cos \phi)\vec{k},$$

où $0 \leq \theta \leq 2\pi$ et $0 \leq \phi \leq \pi$. Par ailleurs,

$$x = 2 + 2 \sin \phi \cos \theta, \quad y = -1 + 2 \sin \phi \sin \theta, \quad z = 3 + 2 \cos \phi.$$

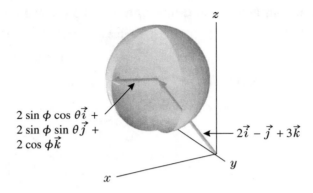

Figure 6.37 : Sphère de rayon 2 ayant son centre au point $(2, -1, 3)$

Noter que le même point peut avoir plus d'une valeur pour θ ou ϕ. Par exemple, les points ayant $\theta = 0$ ont également $\theta = 2\pi$, à moins de restreindre θ à la plage de $0 < \theta < 2\pi$. De plus, le pôle Nord en $\phi = 0$ et le pôle Sud en $\phi = \pi$ peuvent avoir n'importe quelle valeur de θ.

La paramétrisation des surfaces de révolution

Bon nombre de surfaces ont un axe de symétrie rotative et des coupes transversales circulaires qui sont perpendiculaires à cet axe. On appelle ces surfaces des *surfaces de révolution*.

Exemple 6   Trouvez une paramétrisation du cône dont la base est le cercle $x^2 + y^2 = a^2$ dans le plan des xy et dont le sommet est à une hauteur h au-dessus du plan des xy (voir la figure 6.38).

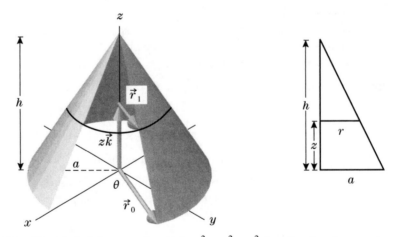

Figure 6.38 : Cône dont la base est le cercle $x^2 + y^2 = a^2$ dans le plan des xy, dont le sommet est au point $(0, 0, h)$ et dont la coupe transversale verticale passe à travers le cône

Solution   On utilise les coordonnées cylindriques r, θ, z (voir la figure 6.38). Dans le plan des xy, le vecteur rayon $\vec{r}_0$ de l'axe des z jusqu'à un point du cône dans le plan des xy est

$$\vec{r}_0 = a \cos \theta \vec{i} + a \sin \theta \vec{j}.$$

Au-dessus du plan des xy, le rayon de la coupe transversale circulaire r diminue de manière linéaire de $r = a$ quand $z = 0$ à $r = 0$ quand $z = h$. À partir des triangles similaires de la figure 6.38,

$$\frac{a}{h} = \frac{r}{h - z}.$$

En résolvant pour r, on a

$$r = \left(1 - \frac{z}{h}\right) a.$$

Le vecteur rayon horizontal $\vec{r}_1$ de hauteur z a des composantes similaires à $\vec{r}_0$, mais a y est remplacé par r :

$$\vec{r}_1 = r \cos \theta \vec{i} + r \sin \theta \vec{j} = \left(1 - \frac{z}{h}\right) a \cos \theta \vec{i} + \left(1 - \frac{z}{h}\right) a \sin \theta \vec{j}.$$

Quand θ se déplace de 0 à 2π, le vecteur $\vec{r}_1$ trace le cercle horizontal de la figure 6.38. On obtient le vecteur position $\vec{r}$ d'un point sur le cône en additionnant le vecteur $z\vec{k}$. Donc,

$$\vec{r} = \vec{r}_1 + z\vec{k} = a\left(1 - \frac{z}{h}\right)\cos\theta\vec{i} + a\left(1 - \frac{z}{h}\right)\sin\theta\vec{j} + z\vec{k}, \quad \text{pour } 0 \le z \le h \text{ et } 0 \le \theta \le 2\pi.$$

Ces équations peuvent s'écrire comme suit :

$$x = \left(1 - \frac{z}{h}\right) a \cos \theta, \quad y = \left(1 - \frac{z}{h}\right) a \sin \theta, \quad z = z.$$

Les paramètres sont θ et z.

Exemple 7   Considérez le pavillon d'une trompette. Un modèle du rayon $z = f(x)$ de la trompette (en centimètres) à une distance de x cm de la grande extrémité ouverte est donné par la fonction

$$f(x) = \frac{6}{(x + 1)^{0,7}}.$$

On obtient le pavillon en faisant faire une rotation au graphe de f autour de l'axe des x. Trouvez une paramétrisation pour les 24 premiers cm du pavillon (voir la figure 6.39).

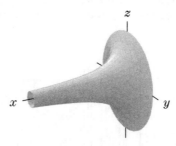

Figure 6.39 : Pavillon d'une trompette obtenu par une rotation du graphe
de $z = f(x)$ autour de l'axe des x

Solution   À la distance x depuis la grande extrémité ouverte de la trompette, la coupe transversale parallèle au plan des yz est un cercle de rayon $f(x)$ avec un centre sur l'axe des x. On peut trouver l'équation paramétrique d'un tel cercle à l'aide de $y = f(x) \cos \theta$, $z = f(x) \sin \theta$. Par conséquent, on a la paramétrisation

$$x = x, \quad y = \left(\frac{6}{(x+1)^{0,7}}\right) \cos \theta, \quad z = \left(\frac{6}{(x+1)^{0,7}}\right) \sin \theta, \quad 0 \le x \le 24, \quad 0 \le \theta \le 2\pi.$$

Les paramètres sont x et θ.

La courbes paramétrées

Sur une surface paramétrée, la courbe obtenue en posant l'un des paramètres égal à une constante et en laissant l'autre varier s'appelle une *courbe paramétrée*. Si la surface est paramétrée par

$$\vec{r}(s, t) = f_1(s, t)\vec{i} + f_2(s, t)\vec{j} + f_3(s, t)\vec{k},$$

il y a deux familles de courbes paramétrées sur la surface : une famille ayant une constante t et l'autre, une constante s.

Exemple 8   Considérez le cylindre vertical

$$x = \cos t, \quad y = \sin t, \quad z = z.$$

a) Décrivez les deux courbes paramétrées qui passent par le point $(0, 1, 1)$.
b) Décrivez la famille de courbes paramétrées ayant la constante t et la famille ayant la constante z.

Solution   a) Puisque le point $(0, 1, 1)$ correspond aux valeurs des paramètres $t = \pi/2$ et $z = 1$, il y a deux courbes paramétrées, l'une ayant $t = \pi/2$ et l'autre, $z = 1$. La courbe paramétrée ayant $t = \pi/2$ a les équations paramétriques

$$x = \cos\left(\frac{\pi}{2}\right) = 0, \quad y = \sin\left(\frac{\pi}{2}\right) = 1, \quad z = z,$$

avec le paramètre z. Il s'agit d'une droite qui passe par le point $(0, 1, 1)$ et qui est parallèle à l'axe des z.
La courbe paramétrée avec $z = 1$ a les équations paramétriques

$$x = \cos t, \quad y = \sin t, \quad z = 1$$

avec le paramètre t. Il s'agit d'un cercle unité qui est parallèle au plan des xy, situé à une unité au-dessus de celui-ci et centré sur l'axe des z.

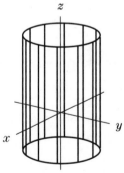

Figure 6.40 : Famille de courbes paramétrées avec $t = t_0$ du cylindre $x = \cos t$, $y = \sin t$, $z = z$

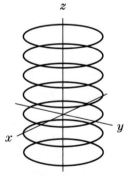

Figure 6.41 : Famille de courbes paramétrées avec $z = z_0$ du cylindre $x = \cos t$, $y = \sin t$, $z = z$

b) Premièrement, définissez $t = t_0$ pour t et laissez z varier. Les courbes paramétrées par z ont l'équation

$$x = \cos t_0, \quad y = \sin t_0, \quad z = z.$$

Il s'agit de droites verticales sur le cylindre, parallèles à l'axe des z (voir la figure 6.40). On obtient l'autre famille en posant $z = z_0$ et en faisant varier t. Les courbes de cette famille sont paramétrées par t et elles ont l'équation

$$x = \cos t, \quad y = \sin t, \quad z = z_0.$$

Ce sont des cercles de rayon 1 qui sont parallèles au plan des xy et centrés sur l'axe des z (voir la figure 6.41).

Exemple 9   Décrivez les familles de courbes paramétrées ayant $\theta = \theta_0$ et $\phi = \phi_0$ pour la sphère

$$x = \sin\phi\cos\theta, \quad y = \sin\phi\sin\theta, \quad z = \cos\phi,$$

où $0 \le \theta \le 2\pi$, $0 \le \phi \le \pi$.

Solution   Puisque ϕ mesure la latitude, la famille ayant la constante ϕ est composée de cercles de latitude constante (voir la figure 6.42). De même, la famille ayant la constante θ est composée des méridiens (demi-cercles) qui se déplacent entre les pôles Nord et Sud (voir la figure 6.43).

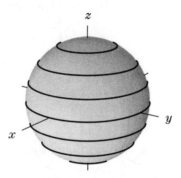

Figure 6.42 : Famille de courbes paramétrées avec $\phi = \phi_0$ pour la sphère paramétrée par (θ, ϕ)

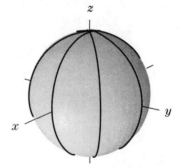

Figure 6.43 : Famille de courbes paramétrées avec $\theta = \theta_0$ pour la sphère paramétrée par (θ, ϕ)

On a vu des courbes paramétrées à la section 1.3. Les coupes transversales avec $x = a$ et $y = b$ sur une surface $z = f(x, y)$ sont des exemples de courbes paramétrées. Il en est de même pour la grille du tracé informatique d'une surface. Les petites régions qui ont la forme de parallélogrammes entourés de paires de courbes paramétrées sont appelées des *rectangles paramétrés* (voir la figure 6.44).

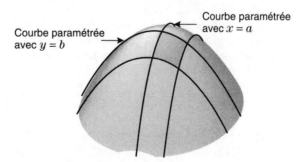

Courbe paramétrée avec $y = b$

Courbe paramétrée avec $x = a$

Figure 6.44 : Courbes paramétrées $x = a$ et $y = b$ sur une surface $z = f(x, y)$; la région ombrée est un rectangle paramétré

Problèmes de la section 6.3

Décrivez, en langage courant, les objets paramétrés par les équations des problèmes 1 à 8.

1. $x = r \cos \theta \quad 0 \le r \le 5$
   $y = r \sin \theta \quad 0 \le \theta \le 2\pi$
   $z = 7$

2. $x = 5 \cos \theta \quad 0 \le \theta \le 2\pi$
   $y = 5 \sin \theta$
   $z = 7$

3. $x = 5 \cos \theta \quad 0 \le \theta \le 2\pi$
   $y = 5 \sin \theta \quad 0 \le z \le 7$
   $z = z$

4. $x = 5 \cos \theta \quad 0 \le \theta \le 2\pi$
   $y = 5 \sin \theta$
   $z = 5\theta$

5. $x = r \cos \theta \quad 0 \le r \le 5$
   $y = r \sin \theta \quad 0 \le \theta \le 2\pi$
   $z = r$

6. $x = 2z \cos \theta \quad 0 \le z \le 7$
   $y = 2z \sin \theta \quad 0 \le \theta \le 2\pi$
   $z = z$

7. $x = 3 \cos \theta \quad 0 \le \theta \le 2\pi$
   $y = 2 \sin \theta \quad 0 \le z \le 7$
   $z = z$

8. $x = x \quad -5 \le x \le 5$
   $y = x^2 \quad 0 \le z \le 7$
   $z = z$

9. Trouvez une paramétrisation d'un cylindre circulaire de rayon a dont l'axe se trouve le long de l'axe des z, de $z = 0$ jusqu'à une hauteur $z = h$ (voir la figure 6.45).

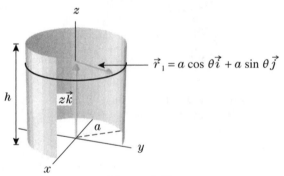

Figure 6.45

10. Une ville est décrite paramétriquement par l'équation

$$\vec{r} = (x_0 \vec{i} + y_0 \vec{j} + z_0 \vec{k}) + s\vec{v}_1 + t\vec{v}_2,$$

où $\vec{v}_1 = 2\vec{i} - 3\vec{j} + 2\vec{k}$ et $\vec{v}_2 = \vec{i} + 4\vec{j} + 5\vec{k}$. Un pâté de maisons est un rectangle déterminé par $\vec{v}_1$ et $\vec{v}_2$. L'est se trouve dans la direction de $\vec{v}_1$ et le nord, dans la direction de $\vec{v}_2$. En commençant au point (x_0, y_0, z_0), vous marchez cinq rues vers l'est, quatre rues vers le nord, une rue vers l'ouest et deux rues vers le sud. Quels sont les paramètres du point où vous aboutissez ? Quelles sont les coordonnées x, y et z en ce point ?

11. Trouvez une paramétrisation pour le plan qui passe par le point (1, 3, 4) et qui est orthogonal à $\vec{n} = 2\vec{i} + \vec{j} - \vec{k}$.

12. Le plan $\vec{r}(s, t) = (2 + s)\vec{i} + (3 + s + t)\vec{j} + 4t\vec{k}$ contient-il les points suivants ?
    a) (4, 8, 12)   b) (1, 2, 3)

13. Les deux plans suivants sont-ils parallèles ?

$$x = 2 + s + t, \quad y = 4 + s - t, \quad z = 1 + 2s \quad \text{et}$$

$$x = 2 + s + 2t, \quad y = t, \quad z = s - t$$

14. Vous vous trouvez en un point sur la Terre à une longitude de 80° à l'ouest de Greenwich, en Angleterre, et à une latitude de 40° au nord de l'équateur.

   a) Si votre latitude diminue, vous êtes-vous rapproché ou éloigné de l'équateur ?
   b) Si votre latitude diminue, vous êtes-vous rapproché ou éloigné du pôle Nord ?
   c) Si votre longitude augmente (par exemple de 90° à l'ouest), vous êtes-vous rapproché ou éloigné du méridien de Greenwich ?

15. Décrivez, en langage courant, la courbe $\phi = \pi/4$ sur la surface du globe.

16. Décrivez, en langage courant, la courbe $\theta = \pi/4$ sur la surface du globe.

17. Trouvez les équations paramétriques pour la sphère centrée à l'origine, de rayon 5.

18. Trouvez les équations paramétriques pour la sphère centrée au point $(2, -1, 3)$, de rayon 5.

19. Trouvez les équations paramétriques pour la sphère $(x - a)^2 + (y - b)^2 + (z - c)^2 = d^2$.

20. Adaptez la paramétrisation de la sphère pour trouver une paramétrisation pour l'ellipsoïde

$$\frac{x^2}{a^2} + \frac{y^2}{b^2} + \frac{z^2}{c^2} = 1.$$

21. Supposez que vous vous trouvez en un point sur l'équateur d'une sphère paramétrée par les coordonnées sphériques θ_0 et ϕ_0. Si vous parcourez un demi cercle équatorial, puis que vous remontez la moitié du chemin vers le pôle Nord le long d'un méridien, quelles sont les nouvelles coordonnées θ et ϕ ?

22. Si la sphère est paramétrée par les coordonnées sphériques θ et ϕ, décrivez, en langage courant, la partie de la sphère donnée par les restrictions suivantes :
   a) $0 \leq \theta < 2\pi, \quad 0 \leq \phi \leq \pi/2$ b) $\pi \leq \theta < 2\pi, \quad 0 \leq \phi \leq \pi$
   c) $\pi/4 \leq \theta < \pi/3, \quad 0 \leq \phi \leq \pi$ d) $0 \leq \theta \leq \pi, \quad \pi/4 \leq \phi < \pi/3$

23. Trouvez les équations paramétriques du cône $x^2 + y^2 = z^2$.

24. Trouvez l'équation paramétrique du cône de l'exemple 6 de la section 6.3 en fonction de r et de θ.

25. Trouvez l'équation paramétrique d'un cône de hauteur h et de rayon maximal a ayant son sommet à l'origine et s'ouvrant vers le haut. Faites-le de deux manières et donnez la plage des valeurs de chaque paramètre dans chaque cas.
   a) Utilisez r et θ.   b) Utilisez z et θ.

26. Trouvez l'équation paramétrique du paraboloïde $z = x^2 + y^2$ en utilisant des coordonnées cylindriques.

27. Trouvez l'équation paramétrique d'un vase formé par une rotation de la courbe $z = 10\sqrt{x - 1}$, $1 \leq x \leq 2$ autour de l'axe des z. Tracez le graphe de ce vase.

Procédez comme suit pour les problèmes 28 à 31.

   a) Écrivez une équation en x, y, z et identifiez la surface paramétrique.
   b) Dessinez la surface.

28. $x = 2s$ $0 \leq s \leq 1$ 29. $x = s + t$ $0 \leq s \leq 1$

     $y = s + t$ $0 \leq t \leq 1$ $y = s - t$ $0 \leq t \leq 1$

     $z = 1 + s - t$ $z = s^2 - t^2$

30. $x = 3 \sin s \qquad 0 \leq s \leq \pi$

   $y = 3 \cos s \qquad 0 \leq t \leq 1$

   $z = t + 1$

31. $x = s \qquad\qquad s^2 + t^2 \leq 1$

   $y = t \qquad\qquad s, t \geq 0$

   $z = \sqrt{1 - s^2 - t^2}$

32. a) Décrivez la surface donnée paramétriquement par les équations

$$x = \cos(s - t), \quad y = \sin(s - t), \quad z = s + t.$$

   b) Décrivez les deux familles de courbes paramétrées sur la surface.

33. Donnez une paramétrisation du cercle de rayon a centré au point (x_0, y_0, z_0) et situé dans le plan parallèle à deux vecteurs unitaires donnés $\vec{u}$ et $\vec{v}$ de sorte que $\vec{u} \cdot \vec{v} = 0$.

34. Un beignet est construit par la rotation d'un petit cercle de rayon a dans un grand cercle de rayon b autour de l'origine. Le petit cercle se trouve dans un plan vertical (rotatif) qui passe par l'origine et le grand cercle se situe dans le plan des xy (voir la figure 6.46). Trouvez l'équation paramétrique du beignet.

   a) Trouvez l'équation paramétrique du grand cercle.
   b) Pour un point typique sur le grand cercle, trouvez deux vecteurs unitaires qui sont perpendiculaires l'un à l'autre et qui se trouvent dans le plan du petit cercle en ce point. Utilisez ces vecteurs pour trouver l'équation paramétrique du petit cercle par rapport à son centre.
   c) Combinez vos réponses des parties b) et c) pour trouver l'équation paramétrique du beignet.

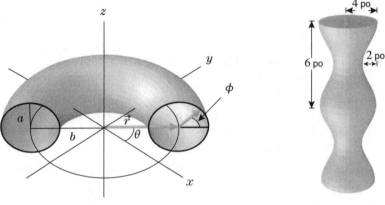

Figure 6.46　　　　　　　　　　*Figure 6.47*

35. Une colonne décorative en chêne de 48 po de longueur est tournée sur un tour de manière que son profil soit sinusoïdal (voir la figure 6.47).

   a) Décrivez paramétriquement la surface de la colonne en utilisant des coordonnées cylindriques.
   b) Trouvez le volume de la colonne.

6.4 LE THÉORÈME DES FONCTIONS IMPLICITES

Dans la présente section, on explique le théorème de la fonction implicite et la manière de l'utiliser pour trouver des approximations linéaires de petits morceaux de courbes et de surfaces lisses.

Les représentations implicite, explicite et paramétrique de courbes à deux dimensions

On peut représenter implicitement le cercle de rayon 1 centré à l'origine par l'équation

$$x^2 + y^2 = 1$$

ou explicitement, par les équations

$$y = \sqrt{1 - x^2} \quad \text{et} \quad y = -\sqrt{1 - x^2},$$

ou paramétriquement, par les équations

$$x = \cos t, \, y = \sin t, \quad 0 \le t \le 2\pi.$$

En général,

> - Une représentation **implicite** d'une courbe dans le plan des xy est donnée par une seule équation en x et y de la forme $f(x, y) = 0$;
> - Une représentation **explicite** d'une courbe dans le plan des xy est donnée par des équations exprimant soit y en fonction de x, soit x en fonction de y sous la forme $y = g(x)$ ou $x = h(y)$;
> - Une représentation **paramétrique** d'une courbe dans le plan des xy est donnée par une paire d'équations exprimant x et y en fonction d'une troisième variable, souvent notée t.

Il peut y avoir plusieurs représentations implicites ou paramétriques différentes d'une courbe donnée.

Exemple 1   Donnez les représentations implicite, explicite et paramétrique de la droite passant par les points $(3, 0)$ et $(0, 5)$.

Solution   Une représentation implicite est $x/3 + y/5 - 1 = 0$. (Il faut vérifier que l'intersection avec l'axe des x est 3 et que l'intersection avec l'axe des y est 5.) Une représentation explicite est $y = 5 - (5/3)x$. Une représentation paramétrique est $x = 3t, \, y = 5 - 5t$.

La conversion de représentations paramétriques en représentations implicites ou explicites

Exemple 2   Donnez des représentations implicite et explicite de la courbe qui a la représentation paramétrique

$$x = 3 + 5 \sin t, \quad y = 1 + 2 \cos t, \quad 0 \le t \le 2\pi.$$

Solution   On doit éliminer le paramètre t. En résolvant $\sin t$ et $\cos t$, on obtient $\sin t = (x - 3)/5$, $\cos t = (y - 1)/2$. Puisque $\sin^2 t + \cos^2 t = 1$, on a

$$\left(\frac{x - 3}{5}\right)^2 + \left(\frac{y - 1}{2}\right)^2 = 1.$$

Celle-ci est une représentation implicite pour une ellipse centrée au point $(3, 1)$. Pour obtenir une représentation explicite, on résout pour y en fonction de x :

$$\left(\frac{y - 1}{2}\right)^2 = 1 - \left(\frac{x - 3}{5}\right)^2, \quad \text{alors} \quad \frac{y - 1}{2} = \pm\sqrt{1 - \left(\frac{x - 3}{5}\right)^2}$$

et, par conséquent,

$$y = 1 \pm 2\sqrt{1 - \frac{(x - 3)^2}{25}}.$$

On n'obtient pas une représentation explicite pour toute l'ellipse ; on en obtient plutôt une pour la moitié supérieure (la racine carrée positive) et une autre pour la moitié inférieure (la racine carrée négative).

Les équations explicite et paramétrique sont plus faciles à tracer que l'équation implicite. Pour tracer le graphe de $y = f(x)$, on évalue $f(x)$ pour différentes valeurs de x et on trace les points. De même, pour tracer une courbe donnée paramétriquement, on évalue x et y pour différentes valeurs de t et on trace des points. Pour une représentation implicite, cependant, on choisit une valeur de x, mais on doit alors résoudre l'équation implicite de y. Il peut y avoir plusieurs solutions ou il peut n'y en avoir aucune. De plus, il peut être impossible de résoudre algébriquement l'équation pour y.

L'utilisation de la linéarisation pour construire une approximation locale

Même quand on ne peut résoudre explicitement une équation implicite pour y en fonction de x, on peut souvent remplacer l'équation par une approximation linéaire valable près d'un point. Généralement, on peut résoudre cette approximation pour y. Par conséquent, près d'un point en particulier, une équation implicite définit habituellement une approximation linéaire explicite.

Exemple 3   Le point $(1, 1)$ se trouve sur la courbe $y^3 + x^2y + x = 3$. Trouvez une équation linéaire explicite qui donne une bonne approximation pour la partie de la courbe se trouvant près du point $(1, 1)$.

Solution   L'approximation linéaire de la fonction $f(x, y) = y^3 + x^2y + x^3$ près du point $(1, 1)$ est

$$f(x, y) \approx f(1, 1) + f_x(1, 1)(x - 1) + f_y(1, 1)(y - 1) = 3 + 5(x - 1) + 4(y - 1).$$

La courbe a l'équation $f(x, y) = 3$. Alors, près du point $(1, 1)$, la courbe est approchée de près par

$$3 + 5(x - 1) + 4(y - 1) = 3.$$

En résolvant pour y, on obtient l'équation linéaire explicite

$$y = 1 - \frac{5}{4}(x - 1).$$

Il s'agit de l'équation de la droite tangente à la courbe au point $(1, 1)$ [voir la figure 6.48].

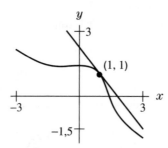

Figure 6.48 : La courbe $y^3 + x^2y + x^3 = 3$ est bien approchée par sa droite tangente près du point $(1, 1)$.

Les représentations implicite, explicite et paramétrique de surfaces à trois dimensions

Les équations implicite et explicite de trois variables décrivent des surfaces à trois dimensions plutôt que des courbes. Par exemple, la sphère de rayon 1 centrée à l'origine peut être représentée implicitement par l'équation

$$x^2 + y^2 + z^2 = 1$$

ou explicitement, par les équations

$$z = \sqrt{1 - x^2 - y^2} \quad \text{et} \quad z = -\sqrt{1 - x^2 - y^2} \, ,$$

ou paramétriquement, par

$$x = \sin \phi \cos \theta, \quad y = \sin \phi \sin \theta, \quad z = \cos \phi, \quad 0 \leq \theta \leq 2\pi, \quad 0 \leq \phi \leq \pi.$$

On ne peut représenter explicitement ou implicitement les courbes dans les espaces à trois dimensions, car une équation simple de trois variables décrit généralement une surface. Cependant, comme on l'a vu, on peut représenter paramétriquement des courbes dans un espace à trois dimensions. Par exemple, une hélice circulaire sur le cylindre de rayon 1 centré sur l'axe des z peut être décrit paramétriquement par

$$x = \cos t, \quad y = \sin t, \quad z = t, \quad -\infty < t < \infty.$$

Il faut remarquer la différence entre les représentations paramétriques des courbes et celles des surfaces : les courbes ont besoin d'un paramètre et les surfaces en requièrent deux. Pour cette raison, on dit que les courbes sont des objets unidimensionnels et que les surfaces sont à deux dimensions.

L'obtention d'une fonction explicite à partir d'une équation implicite

Noter que même si on représente un cercle et une sphère par des équations implicites, celles-ci donnent lieu tous les deux à des fonctions explicites, chacune d'elles correspondant à une partie du graphe. Par exemple, la sphère

$$x^2 + y^2 + z^2 = 1$$

correspond aux fonctions explicites pour le haut et le bas de la sphère :

$$z = f_1(x, y) = \sqrt{1 - x^2 - y^2} \quad \text{et} \quad z = f_2(x, y) = -\sqrt{1 - x^2 - y^2} \, .$$

On observe maintenant un exemple plus compliqué.

Exemple 4   Montrez que l'équation implicite $z^3 - 7yz + 6e^x = 0$ ne définit pas z comme fonction de x et de y.

Solution   À titre d'exemple, on essaie de calculer la valeur de z correspondant à $x = 0$, $y = 1$. On substitue $x = 0$ et $y = 1$ dans l'équation et on résout pour z. Puisque

$$z^3 - 7z + 6 = (z - 2)(z - 1)(z + 3) = 0,$$

on obtient trois solutions : $z = 2$, $z = 1$, $z = -3$. Ainsi, z n'est pas une fonction de x et de y.

Cet exemple montre que si on part de l'équation $z^3 - 7yz + 6e^x = 0$, alors on ne peut s'attendre à écrire z comme une fonction explicite de x et de y. Cependant, on peut encore être en mesure d'écrire z comme une fonction explicite de x et de y sur une partie du graphe.

Le graphe de l'équation $z^3 - 7yz + 6e^x = 0$ est une surface qui contient les trois points $(0, 1, 2)$, $(0, 1, 1)$ et $(0, 1, -3)$. On essaie de trouver les fonctions

$$z = f_1(x, y), \quad z = f_2(x, y), \quad z = f_3(x, y)$$

de telle sorte que f_1 donne les points situés près de $(0, 1, 2)$ sur la surface, f_2, les points près de $(0, 1, 1)$ et f_3, les points près de $(0, 1, -3)$.

Quelles sont les formules pour f_1, f_2 et f_3? Puisqu'on ne peut résoudre facilement l'équation $z^3 - 7yz + 6e^x = 0$ pour z, on ne peut trouver facilement les formules explicites pour f_1, f_2 et f_3. Cependant, cela ne veut pas dire que de telles fonctions *n'existent pas*. On peut encore évaluer f_1, f_2 et f_3.

Exemple 5

Supposez que f_1, f_2 et f_3 sont des fonctions définies uniquement par $z^3 - 7yz + 6e^x = 0$.

a) Trouvez $f_1(0, 1)$, $f_2(0, 1)$ et $f_3(0, 1)$.
b) Trouvez $f_1(0{,}02, 1{,}01)$, $f_2(0{,}02, 1{,}01)$ et $f_3(0{,}02, 1{,}01)$.

Solution

a) Puisque f_1 donne des valeurs de z près du point $(0, 1, 2)$, on a

$$f_1(0, 1) = 2.$$

De même,

$$f_2(0, 1) = 1 \quad \text{et} \quad f_3(0, 1) = -3.$$

b) Pour calculer $f_1(0{,}02, 1{,}01)$, on substitue $x = 0{,}02$ et $y = 1{,}01$ dans l'équation implicite

$$z^3 - 7{,}07z + 6e^{0{,}02} = 0.$$

En résolvant numériquement pour z, on obtient encore trois solutions : $z = 2{,}0038$, $z = 1{,}0127$ et $z = -3{,}0165$. Par conséquent, on s'attend à ce que

$$f_1(0{,}02, 1{,}01) = 2{,}0038, \quad f_2(0{,}02, 1{,}01) = 1{,}0127, \quad f_3(0{,}02, 1{,}01) = -3{,}0165.$$

Cet exemple suggère que les fonctions f_1, f_2 et f_3 sont bien définies et qu'on peut les évaluer pour x près de 0 et pour y près de 1.

La recherche d'une approximation linéaire explicite

Même si on ne peut trouver de formules explicites pour f_1, f_2 et f_3, on peut trouver des fonctions linéaires explicites qui permettent d'approcher chacune d'elles près du point correspondant sur la surface. Pour ce faire, on fait une approximation linéaire de l'équation implicite originale $z^3 - 7zy + 6e^x = 0$ et on résout pour z.

Exemple 6

a) Trouvez une fonction linéaire explicite l qui permet d'approcher la fonction f_1 près du point $(0, 1, 2)$.
b) Comparez la valeur donnée par cette approximation avec les valeurs de $f_1(0, 1)$ et de $f_1(0{,}02, 1{,}01)$.

Solution

a) Pour trouver une fonction explicite valable près de $(0, 1, 2)$, on utilise une approximation linéaire et on résout pour z. On suppose que $F(x, y, z) = z^3 - 7yz + 6e^x$. Alors,

$$F_x(x, y, z) = 6e^x, \qquad F_y(x, y, z) = -7z, \qquad F_z(x, y, z) = 3z^2 - 7y,$$

$$F_x(0, 1, 2) = 6, \qquad F_y(0, 1, 2) = -14, \qquad F_z(0, 1, 2) = 5.$$

L'approximation linéaire de F près de $(0, 1, 2)$ est

$$F(x, y, z) \approx F(0, 1, 2) + F_x(0, 1, 2)(x - 0) + F_y(0, 1, 2)(y - 1) + F_z(0, 1, 2)(z - 2).$$

Puisque $F(0, 1, 2) = 0$, on a

$$F(x, y, z) \approx 0 + 6x - 14(y - 1) + 5(z - 2) \quad \text{pour } (x, y, z) \text{ près de } (0, 1, 2).$$

Puisque la surface est donnée par $F(x, y, z) = 0$, on a

$$0 \approx 6x - 14(y - 1) + 5(z - 2).$$

En résolvant pour z, on apprend que pour (x, y, z) près de $(0, 1, 2)$, on a

$$z \approx -0{,}8 - 1{,}2x + 2{,}8y.$$

Si on définit la fonction implicite l par

$$l(x, y) = -0{,}8 - 1{,}2x + 2{,}8y,$$

alors la fonction $z = l(x, y)$ constitue une bonne approximation de la fonction $z = f_1(x, y)$ pour (x, y) près de $(0, 1)$.

b) On a $l(0, 1) = 2$ et $l(0{,}02, 1{,}01) = 2{,}004$, tandis que $f_1(0, 1) = 2$ et $f_1(0{,}02, 1{,}01) = 2{,}0038$. Ainsi, les valeurs de l et de f_1 concordent exactement en $(0, 1)$ et sont proches pour (x, y) près de $(0, 1)$.

Exemple 7   Essayez de trouver une fonction linéaire $l(x, y)$ telle que $z = l(x, y)$ permet d'approcher des solutions de l'équation

$$x^2 + y^2 + z^2 = 25$$

près de la solution $(x, y, z) = (3, 4, 0)$.

Solution   Considérez l'équation équivalente $F(x, y, z) = x^2 + y^2 + z^2 - 25 = 0$. Puisque $F_x = 2x$, $F_y = 2y$ et $F_z = 2z$, on a

$$F_x(3, 4, 0) = 6, \quad F_y(3, 4, 0) = 8, \quad F_z(3, 4, 0) = 0.$$

La linéarisation locale de F pour (x, y, z) près de $(3, 4, 0)$ est donnée par

$$F(x, y, z) \approx 6(x - 3) + 8(y - 4) + 0(z - 0).$$

Donc, la linéarisation de l'équation $F(x, y, z) = 0$ près de $(3, 4, 0)$ est

$$6(x - 3) + 8(y - 4) = 0,$$

qui ne peut être résolue pour z, car z n'apparaît pas dans cette équation. Par conséquent, cette méthode ne donne pas d'approximation pour z en tant que fonction de (x, y) près du point $(x, y, z) = (3, 4, 0)$.

La solution de l'exemple 7 montre que même si on ne peut résoudre pour z près de $(3, 4, 0)$, on peut résoudre pour y, par exemple, et exprimer $y = l_1(x, z)$ près de ce point. Cela indique que, même si on ne peut utiliser x et y pour trouver l'équation paramétrique de la sphère près de $(3, 4, 0)$, on peut utiliser x et z.

La figure 6.49 (page suivante) montre pourquoi le point $(3, 4, 0)$ pose un problème. L'équation $x^2 + y^2 + z^2 = 25$ est une sphère de rayon 5 centrée à l'origine. Les valeurs de (x, y) près de $(3, 4)$ déterminent-elles des valeurs uniques de z près de zéro de telle sorte que (x, y, z) se trouve sur la sphère ? La réponse est non pour deux raisons. Pour des points tels que $(x, y) = (3{,}01, 4{,}01)$, où $x^2 + y^2 > 25$, il n'y a aucun z faisant en sorte que (x, y, z) se trouve sur la sphère. Pour des points tels que $(2{,}99, 3{,}99)$, où $x^2 + y^2$ est légèrement inférieur à 25, il y a deux valeurs de z près de zéro qui satisfont à l'équation, à savoir $z = \sqrt{25 - x^2 - y^2}$ et $z = -\sqrt{25 - x^2 - y^2}$ (voir la figure 6.49). Puisque l'équation $x^2 + y^2 + z^2 = 25$ ne détermine pas les valeurs uniques de z pour tout (x, y) près de $(3, 4)$, il n'y a pas de fonction qui permet d'approcher z de manière unique au voisinage du point $(3, 4)$.

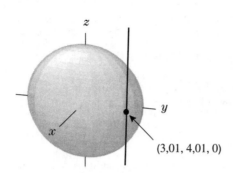

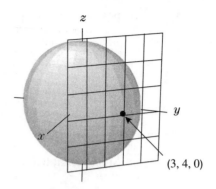

Figure 6.49 : Sphère $x^2 + y^2 + z^2 = 25$ et droite verticale passant par le point $(3{,}01,\ 4{,}01,\ 0)$

Figure 6.50 : Plan tangent vertical à la sphère $x^2 + y^2 + z^2 = 25$ au point $(3,\ 4,\ 0)$

Le plan tangent à la sphère en $(3, 4, 0)$ a pour équation $6(x-3) + 8(y-4) = 0$. L'absence de z dans cette équation indique que le plan tangent est vertical et ne détermine pas z comme fonction de (x, y) [voir la figure 6.50]. Le fait que z soit absent correspond au fait que $F_z(3, 4, 0) = 0$.

On résume les exemples précédents avec le théorème suivant, dont on peut trouver la preuve dans des manuels plus avancés.

Théorème des fonctions implicites

On suppose que $F(x, y, z)$ est une fonction lisse et que (a, b, c) est un point tel que

- $F(a, b, c) = 0$;
- $F_z(a, b, c) \neq 0$.

Alors, il y a une fonction lisse $z = f(x, y)$ telle que, pour (x, y) près de (a, b),

$$F(x, y, f(x, y)) = 0.$$

L'approximation linéaire $l(x, y)$ à $f(x, y)$ au point (a, b) s'obtient en résolvant pour z l'équation $L(x, y, z) = 0$, où $L(x, y, z)$ est l'approximation linéaire de $F(x, y, z)$ au point (a, b, c).

Le fait qu'on soit en mesure de résoudre pour z et d'écrire $z = f(x, y)$ indique que près de (a, b, c), on peut trouver l'équation paramétrique de la surface $F(x, y, z) = 0$ par x et y :

$$x = s, \quad y = t, \quad z = f(s, t).$$

Cette paramétrisation n'est pas toujours globale ; comme dans l'exemple 7, il pourrait être nécessaire d'utiliser x et z ou y et z plutôt que x et y.

Problèmes de la section 6.4

Quelles courbes les équations paramétriques des problèmes 1 à 3 tracent-elles ? Trouvez une équation implicite ou explicite pour chaque courbe.

1. $x = 2 + \cos t, \quad y = 2 - \sin t$
2. $x = 2 + \cos t, \quad y = 2 - \cos t$
3. $x = 2 + \cos t, \quad y = \cos^2 t$

Déterminez si les équations des problèmes 4 à 6 représentent une courbe de manière paramétrique, implicite ou explicite. Donnez les deux autres types de représentation pour la même courbe.

4. $xy = 1$ pour $x > 0$

5. $x^2 - 2x + y^2 = 0$ pour $y < 0$

6. $x = e^t$, $y = e^{2t}$ pour tout t

7. Trouvez une équation pour la droite tangente à la courbe $xe^y + 2ye^x = 0$ au point $(0, 0)$.

8. On ne peut résoudre explicitement l'équation $x \cos y + e^x + y = 1$ pour y en fonction de x.

   a) Trouvez une équation linéaire qui a approximativement les mêmes solutions près de $(0, 0)$ et résolvez-la pour y en fonction de x.

   b) Quelle est la signification géométrique de l'équation linéaire que vous avez trouvée à la partie a) ?

9. Soit f_1 la fonction de l'exemple 5. Créez une table des valeurs pour f_1 pour $x = -0{,}02, -0{,}01$, $0{,}00, 0{,}01, 0{,}02$ et $y = 0{,}98, 0{,}99, 1{,}00, 1{,}01, 1{,}02$.

10. Comparez les valeurs de l'approximation linéaire locale l de l'exemple 6 aux valeurs de f_1 calculées au problème 9.

11. Soit $z = f_2(x, y)$ la fonction définie pour (x, y) près de $(0, 1)$ de telle sorte que z est près de 1 et que $z^3 - 7yz + 6e^x = 0$.

    a) Évaluez $f_2(0{,}01, 0{,}98)$.

    b) Trouvez une approximation linéaire pour $f_2(x, y)$ pour (x, y) près de $(0, 1)$ et utilisez-la pour approcher $f_2(0{,}01, 0{,}98)$.

    c) Trouvez $\partial f_2/\partial x$ en $(0, 1)$ et $\partial f_2/\partial y$ en $(0, 1)$.

12. Soit $z = f_3(x, y)$ la fonction définie pour (x, y) près de $(0, 1)$ de telle sorte que z est près de -3 et que $z^3 - 7yz + 6e^x = 0$.

    a) Évaluez $f_3(0{,}01, 0{,}98)$.

    b) Trouvez une approximation linéaire pour $f_3(x, y)$ pour (x, y) près de $(0, 1)$ et utilisez-la pour approcher $f_3(0{,}01, 0{,}98)$.

    c) Trouvez $\partial f_3/\partial x$ en $(0, 1)$ et $\partial f_3/\partial y$ en $(0, 1)$.

13. Au point $(3, 5, 7)$, une certaine fonction continûment différentiable $f(x, y, z)$ a une linéarisation locale $L(x, y, z) = 2(x - 3) + 4(y - 5) + 5(z - 7)$.

    a) Que pouvez-vous dire du graphe de l'équation $f(x, y, z) = 0$?

    b) Que pouvez-vous dire des solutions de l'équation $f(x, y, z) = 0$?

14. Trouvez une équation pour le plan tangent à la surface $z^2 + x^2 - y = 0$ au point $(1, 1, 0)$ à l'aide de la linéarisation locale.

15. Supposez que la satisfaction qu'une personne éprouve en consommant une quantité x_1 d'un article et une quantité x_2 d'un autre article est donnée en fonction de x_1 et de x_2 par

$$S = f(x_1, x_2) = a \ln x_1 + (1 - a) \ln x_2,$$

où a est une constante telle que $0 < a < 1$. Les prix des deux articles sont p_1 et p_2, respectivement, et le budget est b.

   a) Exprimez la satisfaction maximale que cette personne peut éprouver en fonction de p_1, p_2 et b, c'est-à-dire $S = g(p_1, p_2, b)$.

   b) Trouvez une fonction qui donne la somme d'argent qu'elle doit dépenser pour atteindre un degré particulier de satisfaction c en fonction de p_1, de p_2 et de c, c'est-à-dire que $b = h(p_1, p_2, c)$.

   c) Expliquez pourquoi la partie b) est un exemple du théorème des fonctions implicites.

16. L'*utilité* (satisfaction) maximale qu'une personne peut éprouver en consommant x_1 unités d'un article et x_2 unités d'un autre article est fonction des prix p_1 et p_2 des deux articles et du budget m. On écrit

$$u = f(p_1, p_2, m).$$

a) On suppose que u est une fonction croissante de m. Sur quelle dérivée partielle porte cette information ? Que signifie cette hypothèse sur le plan économique ?

b) Utilisez le théorème de la fonction implicite pour montrer qu'il y a une fonction $m = g(p_1, p_2, u)$ qui satisfait à

$$u = f(p_1, p_2, g(p_1, p_2, u)).$$

c) Expliquez pourquoi g s'appelle la *fonction de dépense*. Que signifie-t-elle sur le plan économique ?

6.5 REMARQUES SUR NEWTON, KEPLER ET LE MOUVEMENT DES PLANÈTES

Chaque nuit, les étoiles tournent lentement au-dessus de nos têtes. À première vue, les étoiles semblent fixes, mais après les avoir observées pendant plusieurs nuits, on remarque que certaines d'entre elles se déplacent. Ces vagabondes ne sont pas des étoiles mais des planètes. Cinq d'entre elles sont visibles à l'œil nu : Mercure, Vénus, Mars, Jupiter et Saturne, nommées en l'honneur de dieux romains de l'Antiquité. Leurs trajectoires erratiques ont incité les gens à leur attribuer des pouvoirs surnaturels. Par exemple, l'astrologie est basée en grande partie sur la position des planètes par rapport aux étoiles fixes. Les explications mathématiques de Newton et de Kepler sur le mouvement planétaire ont été de grandes découvertes pour l'histoire de la science.

Les premières étapes : Ératosthène et Copernic

La première découverte menant à l'explication du mouvement des planètes a été la suivante :

> La Terre est ronde ; c'est une sphère dont le rayon équivaut à environ 4000 mi.

Certains scientifiques de la Grèce ancienne le savaient. Ératosthène (276-197 av. J.-C.) avait évalué correctement le rayon de la Terre en observant l'angle du Soleil le 21 juin à midi en deux différents endroits (voir le problème 1). Une autre découverte importante a été la suivante :

> La Terre tourne une fois par jour sur elle-même autour d'un axe central qui passe par les pôles Nord et Sud.

Le philosophe grec Aristote (384-322 av. J.-C.) pensait, au contraire, que la Terre restait fixe, tandis que les autres corps célestes tournaient autour d'elle. En effet, l'idée de la Terre qui tourne peut sembler absurde : ne serions-nous pas alors éjectés de la planète ? En fait, à l'équateur, l'accélération causée par la rotation de la Terre équivaut à moins de 1 % de l'accélération provoquée par la gravité, et elle est environ la même que celle qu'on trouve sur les bords d'un carrousel d'un rayon de 25 pi qui effectue une rotation toutes les 1 1/2 min (voir le problème 2).

Durant la Renaissance, Nicolas Copernic (1473-1543) proposait le point de vue plus moderne selon lequel le mouvement apparent des étoiles, chaque nuit, est causé par la rotation de la Terre. Copernic contredisait également les théories précédentes en plaçant le Soleil au centre du système solaire avec la Terre et les autres planètes en rotation autour de lui :

> La Terre et les planètes tournent autour du Soleil. La Terre effectue une révolution autour du Soleil tous les 365 1/4 jours (environ). La Lune tourne autour de la Terre en exécutant une révolution tous les 27 1/3 jours environ.

En fait, Aristarque de Samos (310-230 av. J.-C.) avait déjà proposé une théorie semblable, affirmant que le mouvement de la Terre et des planètes autour du Soleil expliquait les mouvements apparents des planètes.

Les lois de Kepler sur le mouvement des planètes

On sait maintenant que les planètes n'ont pas une orbite entièrement circulaire autour du Soleil, pas plus que la Lune autour de la Terre. Par exemple, la distance entre la Lune et la Terre varie entre 220 000 et 260 000 mi. Durant la dernière moitié du xvie siècle, l'astronome danois Tycho Brahe (1546-1601) avait mesuré les positions des planètes. Johannes Kepler (1571-1630) avait étudié ces données pendant des années et, après quelques faux départs, en était arrivé à formuler trois lois sur le mouvement des planètes :

> ### Lois de Kepler
>
> I. Les orbites des planètes sont des ellipses dont le Soleil occupe l'un des foyers. En particulier, l'orbite se trouve dans un plan contenant le Soleil ;
>
> II. Quand une planète tourne autour du Soleil, la ligne droite allant du Soleil à la planète balaye des aires égales en des temps égaux ;
>
> III. Le rapport p^2/d^3, où p est la période de l'orbite (le temps requis pour faire une révolution) et où d est la distance moyenne de l'orbite (la moyenne de la distance la plus courte et de la distance la plus longue à partir du Soleil) est le même pour chaque planète qui tourne autour du Soleil.

Une ellipse est une courbe fermée dans le plan de telle sorte que la somme des distances depuis n'importe quel point sur la courbe jusqu'à deux points fixes, appelés les foyers de l'ellipse, est constante. Si les deux foyers sont situés en $(0, -b)$ et en $(0, b)$ sur l'axe des y, et si la somme constante de la distance est $2d$, alors on peut montrer que l'équation de l'ellipse est

$$\frac{x^2}{c^2} + \frac{y^2}{d^2} = 1,$$

où d est la distance moyenne et où $c^2 = d^2 - b^2$ (voir le problème 3).

La deuxième loi de Kepler affirme que la ligne tracée entre la planète et le Soleil balaye toujours la même aire en une unité de temps. Cela implique que la vitesse de la planète n'est pas constante, car la planète doit se déplacer plus rapidement quand elle est proche du Soleil (voir la figure 6.51, page suivante).

La troisième loi affirme que le rapport p^2/d^3 est le même pour toutes les planètes. En particulier, cela signifie que, si on connaît la période p pour une planète en années terrestres, alors on connaît le rapport de sa distance moyenne du Soleil à celle de la Terre. Newton a par la suite démontré que la valeur constante de p^2/d^3 dépend de la masse de l'objet autour duquel les planètes tournent.

Les lois de Kepler, très impressionnantes, étaient purement descriptives ; elles n'expliquaient pas le mouvement des planètes. Le grand accomplissement de Newton a été de trouver une cause sous-jacente à ces lois.

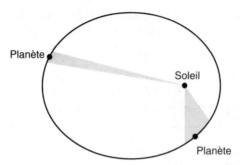

Figure 6.51 : La ligne droite joignant une planète au
Soleil balaye des aires égales en des temps égaux.

La première et la deuxième loi du mouvement et la loi de la gravitation universelle de Newton

En 1687, Isaac Newton (1642-1727) publiait le *Principe mathématique*[1]. Dans cet ouvrage, Newton avait élaboré une théorie du mouvement basée sur le principe de la force. Il avait commencé par observer que le mouvement courbé est un signe d'accélération, et il avait formulé une loi spécifique d'accélération qui expliquerait les lois de Kepler. Newton avait défini le « mouvement » d'un corps, qu'on appellerait la quantité de mouvement, comme le produit de sa masse m et de sa vitesse $\vec{v}$.

Première loi du mouvement de Newton

Chaque corps demeure à l'état de repos ou de mouvement rectiligne à vitesse constante, à moins qu'une force n'intervienne pour l'obliger à changer son état.

Dans le langage moderne, la première loi affirme que $m\vec{v}$ est un vecteur constant si aucune force n'agit sur lui. En particulier, une planète peut se déplacer en une ellipse seulement s'il y a une force qui agit sur elle.

Deuxième loi du mouvement de Newton

Le taux de variation de la quantité de mouvement d'un corps est proportionnel à la force qui agit sur lui ; de plus, il est orienté dans la même direction que cette force.

Newton reconnaissait que le taux de variation de la quantité de mouvement était une quantité vectorielle. Sa deuxième loi donne la direction du taux de variation : en notation moderne, si m est la masse et $\vec{v}$ est la vitesse, alors

$$\frac{d}{dt}(m\vec{v}) = m\,\frac{d\vec{v}}{dt} = m\vec{a}.$$

En écrivant $\vec{F}$ pour désigner la force qui agit sur le corps, on obtient la version moderne de la deuxième loi de Newton, $\vec{F} = m\vec{a}$. (Les unités sont choisies pour que la constante de proportionnalité soit 1.)

---

1. Le titre latin complet était *Philosophiae Naturalis Principia Mathematica*, ce qui veut dire *Principes mathématiques de la philosophie naturelle*.

Pour achever son explication des lois de Kepler, Newton avait besoin d'une loi qui donne la force gravitationnelle du Soleil sur une planète.

Loi de la gravitation universelle

Deux objets de masse M et m sont attirés l'un vers l'autre par une force F, qui est proportionnelle au produit de leur masse et du carré inverse de la distance r qui les sépare :

$$F = \frac{GMm}{r^2},$$

où G est une constante universelle.

Même si le travail de Newton est la source de plusieurs idées fondamentales du calcul, son raisonnement faisait appel à des triangles semblables et à la géométrie[2]. Dans la présente section, on explique l'approche de Newton avec des preuves modernes en utilisant des dérivées, des vecteurs et des produits vectoriels.

L'explication de Newton de la deuxième loi de Kepler

La deuxième loi de Newton affirme que le vecteur accélération d'une planète s'oriente dans la direction de la force gravitationnelle qui agit sur elle, et la loi de la gravité affirme que le vecteur force gravitationnelle s'oriente vers le Soleil. Par conséquent, le vecteur accélération d'une planète s'oriente toujours vers le Soleil. On définit le *mouvement centripète autour d'un point fixe A* comme le mouvement dans lequel le vecteur accélération s'oriente toujours vers A (ou dans la direction directement opposée à A). Newton a prouvé que le mouvement centripète est équivalent au mouvement dans un plan qui obéit à la deuxième loi de Kepler.

Théorème de Newton : les lois de Kepler et le mouvement centripète

On suppose qu'un objet se déplace dans un plan contenant le point A de telle manière que le segment de droite joignant A à l'objet balaye des aires égales en des temps égaux. Alors, le mouvement est centripète autour de A. Inversement, si le mouvement est centripète autour de A, alors l'objet se déplace dans un plan contenant A, et le segment de droite situé entre A et l'objet balaye des aires égales en des temps égaux.

Newton a donné une preuve géométrique de son théorème. On en donne ici une preuve moderne. On considère le vecteur $\vec{r} \times \vec{v}$, où $\vec{r}$ est le vecteur entre A et l'objet et $\vec{v}$, le vecteur vitesse de l'objet (voir la figure 6.52, page suivante). On montre que $\vec{r} \times \vec{v}$ représente le rythme auquel l'aire est balayée par le vecteur $\vec{r}$.

On suppose qu'au temps $t + \Delta t$, le vecteur $\vec{r}$ devient $\vec{r} + \Delta r$. La figure 6.53 (page suivante) illustre le fait que l'aire balayée par le vecteur $\vec{r}$ durant l'intervalle de temps Δt est approximativement triangulaire et est donnée par

$$\Delta \vec{A} \approx \frac{1}{2} \vec{r} \times (\vec{r} + \Delta \vec{r}) = \frac{1}{2} \vec{r} \times \vec{r} + \frac{1}{2} \vec{r} \times \Delta \vec{r} = \frac{1}{2} \vec{r} \times \Delta \vec{r},$$

puisque $\vec{r} \times \vec{r} = \vec{0}$. En divisant par Δt, on a

$$\frac{\Delta \vec{A}}{\Delta t} \approx \frac{1}{2} \vec{r} \times \frac{\Delta \vec{r}}{\Delta t}.$$

---

2. Voir NEEDHAM, Tristan. *Newton and the Transmutation of Force*, The American Mathematical Monthly, vol. 100, 1993, p. 119 à 137, pour un compte rendu de l'approche de Newton.

En laissant $\Delta t \to 0$, on obtient

$$\frac{\Delta \vec{A}}{dt} = \frac{1}{2}\vec{r} \times \vec{v}.$$

Par conséquent, on voit que l'aire du triangle déterminée par $\vec{r}$ et $\vec{v}$ donne le rythme auquel l'aire est balayée quand l'objet se déplace le long de son orbite.

La direction de $\vec{r} \times \vec{v}$ est perpendiculaire au plan contenant $\vec{r}$ et $\vec{v}$. Ainsi, si l'aire est balayée à un rythme constant et si $\vec{r}$ et $\vec{v}$ se trouvent toujours dans le même plan que le mouvement, alors $\vec{r} \times \vec{v}$ est un vecteur constant. Pour savoir si $\vec{r} \times \vec{v}$ est constant, on prend la dérivée de $\vec{r} \times \vec{v}$. À l'aide de la règle du produit, on considère le fait que $\vec{v} \times \vec{v} = \vec{0}$ puis, en notant l'accélération $\vec{a} = d\vec{v}/dt$, on obtient

$$\frac{d}{dt}(\vec{r} \times \vec{v}) = \frac{d\vec{r}}{dt} \times \vec{v} + \vec{r} \times \frac{d\vec{v}}{dt} = \vec{v} \times \vec{v} + \vec{r} \times \vec{a} = \vec{r} \times \vec{a}.$$

Premièrement, on suppose que le mouvement est dans un plan contenant A et que le segment de droite balaye des aires égales en des temps égaux. Alors, $\vec{r} \times \vec{v}$ est constant. Donc, on doit avoir $\vec{r} \times \vec{a} = \vec{0}$. Cela signifie que $\vec{a}$ doit être parallèle à $\vec{r}$, mais cela signifie aussi que $\vec{a}$ s'oriente toujours vers A (ou à l'extérieur de celui-ci). Donc, le mouvement est centripète.

Inversement, on suppose que le mouvement est centripète. Alors, $\vec{r}$ et $\vec{a}$ sont parallèles. Donc, $\vec{r} \times \vec{a} = \vec{0}$, ce qui implique que $\vec{r} \times \vec{v}$ est constant. Cela indique que des aires égales sont balayées en des temps égaux et que $\vec{r}$ et $\vec{v}$ se trouvent toujours dans le même plan (le plan perpendiculaire à $\vec{r} \times \vec{v}$).

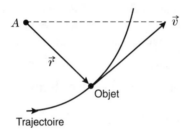 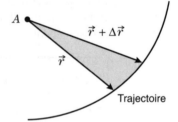

Figure 6.52 : Le triangle représente le rythme auquel l'aire est balayée par le vecteur $\vec{r}$ quand le corps se déplace à la vitesse $\vec{v}$.

Figure 6.53 : Aire balayée pendant l'intervalle Δt

L'explication de Newton de la première loi de Kepler

L'équivalence entre la deuxième loi de Kepler et le mouvement centripète indique que le vecteur accélération d'une planète s'oriente toujours vers le Soleil. Mais que dire de sa norme ? Newton avait démontré qu'on pouvait établir la norme de l'accélération à partir de la première loi de Kepler, laquelle affirme que la planète se déplace en une ellipse de manière centripète autour de l'un de ses foyers. Sa conclusion était la suivante :

Théorème de Newton : le mouvement autour du foyer de l'ellipse

On suppose qu'un objet se déplace de manière centripète en une ellipse autour d'un foyer B de l'ellipse. On suppose que la distance moyenne de l'ellipse est d et que la période du mouvement est p. Si r est la distance entre l'objet et B, alors la norme de l'accélération est donnée par

$$a = \frac{k}{r^2}, \quad \text{où } k = \frac{4\pi^2 d^3}{p^2}.$$

Par conséquent, a est proportionnel au carré inverse de r.

La force gravitationnelle

Jusqu'à maintenant, on s'est concentré sur l'accélération plutôt que sur la force. Newton s'était rendu compte qu'il devait y avoir une force qui fait fléchir la trajectoire de la Lune quand elle tourne autour de la Terre. Il savait aussi qu'un corps en chute, par exemple une pomme qui tombe d'un pommier, accélérait en direction de la Terre. Selon lui, la force qui attire la pomme vers la Terre est la même force qui fait accélérer la Lune sur son orbite. La norme de la force de la gravité est donnée par la loi de la gravitation universelle,

$$F = \frac{GMm}{r^2},$$

où G est une constante. Pour une planète de masse m qui tourne autour du Soleil de masse M, on a

$$F = ma = \frac{GMm}{r^2}, \quad \text{donc} \quad a = \frac{GM}{r^2}.$$

Noter que la formulation de Newton de la loi sur la gravité permet d'expliquer le fait que les lois de Kepler ne comprennent pas les masses des planètes individuelles. Puisque $F = ma$ et que $F = GMm/r^2$, la masse m n'apparaît pas dans l'équation précédente. Il s'agit de l'explication de l'époustouflante découverte de Galilée selon laquelle l'accélération d'un corps en chute libre dans le vide ne dépend pas de la masse du corps.

Selon le théorème de Newton, la constante de proportionnalité est $4\pi^2 d^3/p^2$. Donc, on a

$$GM = \frac{4\pi^2 d^3}{p^2}.$$

Cette relation indique que si on connaît la constante de gravitation G, on peut calculer la masse M. Ces calculs supposent que M est beaucoup plus grand que m. Donc, on peut considérer la masse M comme étant stationnaire. Cela s'applique aux planètes qui tournent autour du Soleil, à la Lune qui tourne autour de la Terre ou à une lune qui tourne autour de Jupiter. Puisque les expériences faites en laboratoire sur la Terre ont donné la valeur de G, la loi de Newton a ouvert la voie au calcul de la masse du Soleil, de la Terre et de Jupiter.

Le travail de Newton a inauguré une nouvelle ère de la science dans laquelle l'utilisation des équations différentielles a apporté des progrès spectaculaires aux sciences de la physique et de l'astronomie.

Problèmes de la section 6.5

1. Durant le troisième siècle av. J.-C., Ératosthène estimait la circonférence de la Terre selon la méthode suivante. Il savait que près de Syène (en Égypte), durant la plus longue journée de l'année, on pouvait voir dans le fond d'un puits profond le reflet du Soleil qui était alors directement au-dessus de la tête. Le même jour, à Alexandrie (en Égypte), il avait observé que le Soleil parcourait environ 1/50 d'un cercle complet au sud du zénith (c'est-à-dire directement au sud de la tête). En parlant aux chameliers, Ératosthène avait également appris que la distance nord-sud entre Alexandrie et Syène était d'environ 5000 stades (un *stade* était une unité de longueur grecque qu'on évalue à environ 185 m). Utilisez ces données pour évaluer la circonférence de la Terre.

2. Pour un point situé à l'équateur, calculez la norme de l'accélération causée par la rotation de la Terre. Utilisez des pieds par seconde comme unités. Le rayon de la Terre est de 4000 mi et, comme vous le savez, la période de sa rotation est de 24 h. Comparez votre réponse à la valeur de l'accélération due à la gravité, $g = 32 \text{ pi}/\text{s}^2$. Supposez qu'un point au bord d'un carrousel d'un rayon de 25 pi a la même accélération que le point de l'équateur. Quelle est la vitesse au point du carrousel ? Quelle est la période du carrousel ?

3. Supposez qu'une ellipse a des foyers en $(0, b)$ et en $(0, -b)$ dans le plan des xy et que la distance moyenne au foyer en $(0, b)$ est de d. Montrez que la somme constante des distances entre n'importe quel point sur l'ellipse et les deux foyers est de $2d$. Puis, montrez que l'équation de l'ellipse est

$$\frac{x^2}{c^2} + \frac{y^2}{d^2} = 1,$$

où d est la distance moyenne et où $c^2 = d^2 - b^2$.

4. Supposez qu'une particule se déplace dans le plan des xy de manière que son vecteur accélération $\vec{a}$ s'oriente toujours vers l'origine et qu'il ait une norme proportionnelle à la distance par rapport à l'origine. Choisissez l'axe des x de manière que le point le plus proche de l'origine sur le parcours de la particule soit $(a, 0)$. Expliquez pourquoi le vecteur vitesse est perpendiculaire à l'axe des x en ce point. Montrez que, avec les coordonnées x et y données, si on définit le temps $t = 0$ comme l'instant où la particule est en $(a, 0)$, alors la particule satisfait aux équations différentielles

$$\frac{d^2x}{dt^2} = -kx, \quad \frac{d^2y}{dt^2} = -ky, \quad k > 0$$

avec les conditions initiales $x(0) = a$, $x'(0) = 0$ et $y(0) = 0$, $y'(0) = c$. c est ici la vitesse dans la direction y au temps $t = 0$. Maintenant, montrez que, si $b = c/\sqrt{k}$, la solution de ces équations différentielles est

$$x = a \cos\sqrt{k}t, \quad y = b \sin\sqrt{k}t.$$

5. À l'aide d'un ordinateur ou d'une calculatrice, tracez des orbites découlant de l'accélération centripète. Vous aurez besoin d'un logiciel qui trace les trajectoires (solutions) des systèmes d'équations différentielles. Par exemple, pour observer des orbites qui ont une accélération centripète de k/r, vous devez résoudre un système d'équations différentielles avec quatre variables, les variables position x et y et les variables vitesse $u = dx/dt$ et $v = dy/dt$ qui satisfont au système

$$\frac{dx}{dt} = u, \quad \frac{dy}{dt} = v, \quad \frac{du}{dt} = \frac{-kx}{x^2 + y^2}, \quad \frac{dv}{dt} = \frac{-ky}{x^2 + y^2}.$$

Vérifiez que ces équations impliquent que le vecteur accélération $(d^2x/dt^2)\vec{i} + (d^2y/dt^2)\vec{j} = (du/dt)\vec{i} + (dv/dt)\vec{j}$ a la bonne direction et la bonne norme. Puis, utilisez l'ordinateur pour tracer les variables x et y en commençant par des valeurs initiales de x, y, u et v. Essayez à l'aide d'autres lois : k/r^3, kr^2. Les orbites sont-elles toujours fermées ?

6. Une hyperbole est une courbe telle que la *différence* des distances entre n'importe quel point sur la courbe et deux points fixes (appelés foyers) est constante. L'équation d'une hyperbole centrée à l'origine est

$$-\frac{x^2}{c^2} + \frac{y^2}{d^2} = 1,$$

où $2d$ est la différence constante entre les distances des foyers en $(0, b)$ et en $(0, -b)$ et $c^2 = b^2 - d^2$. Montrez que le mouvement paramétré par

$$x = \frac{c}{2}(e^{kt} - e^{-kt}), \quad y = \frac{d}{2}(e^{kt} + e^{-kt})$$

se trouve sur l'hyperbole $-x^2/c^2 + y^2/d^2 = 1$ et aussi que

$$\frac{d^2x}{dt^2} = k^2x, \quad \frac{d^2y}{dt^2} = k^2y.$$

Par conséquent, le mouvement donné a une accélération qui s'oriente vers l'extérieur de l'origine avec une norme proportionnelle à la distance depuis l'origine.

PROBLÈMES DE RÉVISION DU CHAPITRE SIX

Écrivez une paramétrisation pour chacune des courbes des problèmes 1 à 10.

1. La droite horizontale passant par le point (0, 5).

2. Le cercle de rayon 2 centré à l'origine et partant du point (0, 2) quand $t = 0$.

3. Le cercle de rayon 4 centré au point (4, 4) et partant de l'axe des x quand $t = 0$.

4. Le cercle de rayon 1 dans le plan des xy centré à l'origine, balayé dans le sens contraire des aiguilles d'une montre quand on le regarde d'en haut.

5. La droite qui passe par les points (2, −1, 4) et (1, 2, 5).

6. La droite qui passe par le point (1, 3, 2) et qui est perpendiculaire au plan des xz.

7. La droite qui passe par le point (1, 1, 1) et qui est perpendiculaire au plan $2x - 3y + 5z = 4$.

8. Le cercle de rayon 2 qui est parallèle au plan des xy, centré au point (0, 0, 1) et balayé dans le sens contraire des aiguilles d'une montre quand on le regarde d'en bas.

9. Le cercle de rayon 3 qui est parallèle au plan des xz, centré au point (0, 5, 0) et balayé dans le sens contraire des aiguilles d'une montre quand il est vu de (0, 10, 0).

10. Le cercle de rayon 2 qui est centré en (0, 1, 0) et qui se trouve dans le plan $x + z = 0$.

11. Considérez les équations paramétriques ci-dessous pour $0 \leq t \leq \pi$.

I) $\vec{r} = \cos(2t)\vec{i} + \sin(2t)\vec{j}$ II) $\vec{r} = 2\cos t\,\vec{i} + 2\sin t\,\vec{j}$

III) $\vec{r} = \cos(t/2)\vec{i} + \sin(t/2)\vec{j}$ IV) $\vec{r} = 2\cos t\,\vec{i} - 2\sin t\,\vec{j}$

a) Faites concorder les équations ci-dessus avec quatre des courbes C_1, C_2, C_3, C_4, C_5 et C_6 de la figure 6.54. (Chaque courbe fait partie d'un cercle.)

b) Donnez des équations paramétriques pour les courbes que vous n'avez pu faire concorder, en supposant une fois de plus que $0 \leq t \leq \pi$.

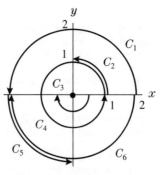

Figure 6.54

12. À l'aide d'une calculatrice graphique ou d'un ordinateur, tracez $x = 2t/(t^2 + 1)$, $y = (t^2 - 1)/(t^2 + 1)$ d'abord pour $-50 \leq t \leq 50$, puis pour $-5 \leq t \leq 5$. Expliquez ce que vous voyez. La courbe est-elle réellement un cercle ?

13. Soit $f(x, y) = \dfrac{x^2 - y^2}{x^2 + y^2}$.

   a) Dans quelle direction devriez-vous vous déplacer en partant du point $(1, 1)$ pour obtenir le taux maximal d'augmentation de f ?

   b) Trouvez une direction dans laquelle la dérivée directionnelle au point $(1, 1)$ est égale à zéro.

   c) Supposez que vous vous déplacez le long de la courbe $x = e^{2t}$, $y = 2t^3 + 6t + 1$. Qu'est-ce que df/dt en $t = 0$?

14. Trouvez l'équation paramétrique de la droite d'intersection des plans $z = 4 + 2x + 5y$ et $z = 3 + x + 3y$.

15. Trouvez les équations paramétriques de la droite passant par les points $(1, 2, 3)$, $(3, 5, 7)$ et calculez la plus courte distance de la droite à l'origine.

16. Les droites $x = 3 + 2t$, $y = 5 - t$, $z = 7 + 3t$ et $x = 3 + t$, $y = 5 + 2t$, $z = 7 + 2t$ sont-elles parallèles ?

17. Tracez la courbe de Lissajous donnée par $x = \cos 2t$, $y = \sin t$ en utilisant une calculatrice graphique ou un ordinateur. Expliquez pourquoi elle ressemble à une partie de parabole. [Indication : utilisez une identité trigonométrique.]

18. Supposez qu'une planète P située dans le plan des xy tourne autour de l'étoile S dans le sens contraire des aiguilles d'une montre dans un cercle de rayon de 10 unités, en exécutant une orbite en 2π unités de temps. Supposez aussi qu'une lune M tourne autour de la planète P dans le sens contraire des aiguilles d'une montre dans un cercle de rayon de 3 unités, en exécutant une orbite en $2\pi/8$ unités de temps. L'étoile S est fixe à l'origine $x = 0$, $y = 0$ et au temps $t = 0$, la planète P se trouve au point $(10, 0)$, et la lune M se trouve au point $(13, 0)$.

   a) Trouvez les équations paramétriques des coordonnées x et y de la planète au temps t.

   b) Trouvez les équations paramétriques des coordonnées x et y de la lune au temps t. [Indication : pour la position de la lune au temps t, prenez un vecteur allant du soleil à la planète au temps t et ajoutez un vecteur allant de la planète à la lune.]

   c) Tracez la trajectoire de la planète en utilisant une calculatrice graphique ou un ordinateur.

   d) Recommencez l'expérience en essayant différents rayons et différentes vitesses pour l'orbite de la lune autour de la planète.

19. Une particule se déplace le long d'une droite et sa position au temps t est donnée par

$$\vec{r}(t) = (2 + 5t)\,\vec{i} + (3 + t)\,\vec{j} + 2t\,\vec{k}.$$

   a) Où se trouve la particule quand $t = 0$?

   b) À quel temps la particule atteint-elle le point $(12, 5, 4)$?

   c) La particule finit-elle par atteindre le point $(12, 4, 4)$? Justifiez votre réponse.

20. Une fourmi, qui part de l'origine, se déplace à 2 unités/s le long de l'axe des x jusqu'au point $(1, 0)$. Elle se déplace ensuite dans le sens contraire des aiguilles d'une montre le long du cercle unité jusqu'en $(0, 1)$ à une vitesse de $3\pi/2$ unités/s, puis en ligne droite vers l'origine à une vitesse de 2 unités/s le long de l'axe des y.

   a) Exprimez les coordonnées de la fourmi en fonction du temps t (en secondes).

   b) Exprimez le trajet contraire en fonction du temps.

21. Un joueur de basket-ball lance le ballon à 6 pi au-dessus du sol en direction d'un panier situé à 10 pi au-dessus du sol et à 15 pi de distance de lui à l'horizontale.

   a) Supposez qu'il lance le ballon avec un angle de A degrés par rapport à l'horizontale $(0 < A < \pi/2)$ à une vitesse initiale V. Donnez les coordonnées x et y de la position du ballon au temps t. Supposez aussi que la coordonnée x du panier est zéro et que la coordonnée x du joueur est -15. [Indication : considérez le fait qu'il y a une accélération de -32 pi/s^2 dans la direction de l'axe des y et pas d'accélération dans la direction de l'axe des x. Ignorez la résistance de l'air.]

   b) À l'aide des équations paramétriques que vous avez obtenues à la partie a), essayez différentes valeurs pour V et A en traçant la trajectoire du ballon à l'aide d'une calculatrice graphique ou d'un ordinateur pour voir à quelle distance du panier passe le ballon. (Les traits sur l'axe des y peuvent servir à localiser le panier.)

   c) Trouvez l'angle A qui minimise la vitesse nécessaire au ballon pour atteindre le panier. (Il s'agit d'un calcul très long. Trouvez d'abord une équation en V et en A qui s'applique si la trajectoire du ballon passe par le point situé à 15 pi du joueur et à 10 pi au-dessus du sol. Puis, minimisez V.)

22. Une meneuse de claques a un bâton de 0,4 m de longueur muni d'une lumière à l'une des extrémités. Elle lance le bâton de manière que le centre se déplace le long d'une parabole et que le bâton tourne dans le sens contraire des aiguilles d'une montre autour du centre à une vitesse angulaire constante. Au départ, le bâton est horizontal et se trouve à 1,5 m au-dessus du sol ; sa vitesse initiale est de 8 m/s horizontalement et de 10 m/s verticalement, et sa vitesse angulaire est de 2 révolutions/s. Trouvez des équations paramétriques qui représentent les mouvements décrits en a), en b) et en c).

a) Le centre du bâton par rapport au sol.
b) L'extrémité du bâton par rapport à son centre.
c) Le parcours tracé par l'extrémité du bâton par rapport au sol.
d) Tracez un graphique du mouvement de l'extrémité du bâton.

23. Une roue de 1 m de rayon est au repos sur l'axe des x et a son centre sur l'axe des y. Il y a un petit point sur la jante au point $(1, 1)$ [voir la figure 6.55]. Au temps $t = 0$, la roue commence à rouler sur l'axe des x dans la direction indiquée à une vitesse de 1 rad/s.

a) Trouvez des équations paramétriques décrivant le mouvement du centre de la roue.
b) Trouvez des équations paramétriques décrivant le mouvement du petit point sur la jante. Tracez son parcours.

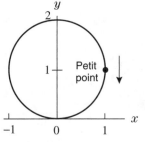

Figure 6.55

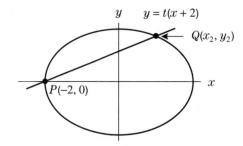

Figure 6.56

24. a) L'ellipse $2x^2 + 3y^2 = 8$ croise la droite de pente t qui passe par le point $P = (-2, 0)$ en deux points, dont l'un est P. Calculez la coordonnée de l'autre point Q (voir la figure 6.56).
b) Donnez une paramétrisation de l'ellipse $2x^2 + 3y^2 = 8$ par fonctions rationnelles.

25. Trouvez des équations paramétriques pour le plan $3x + 4y + 5z = 10$.

26. a) Trouvez un vecteur normal au plan $\vec{r} = (3 - 5s + 2t)\vec{i} + (1 + s + 3t)\vec{j} + (s - t)\vec{k}$.
b) Trouvez une équation implicite pour le plan.

27. Vous êtes au point $(-5, 0, 5)$. Votre amie Jeanne est au point $(0, -5, -5)$ et son ami Joseph, au point $(10, 5, 0)$. Trouvez des équations paramétriques pour le plan dans lequel vous vous situez tous de façon que vos paramètres soient $(0, 0)$, ceux de Joseph, $(1, 0)$ et ceux de Jeanne, $(0, 1)$. Recherchez une paramétrisation de manière à commuter les paramètres de Jeanne et de Joseph, puis une paramétrisation pour commuter vos paramètres et ceux de Jeanne.

28. Il existe une manière connue, appelée *projection stéréographique*, de trouver l'équation paramétrique d'une sphère. Soit la sphère $x^2 + y^2 + z^2 = 1$. Tracez une droite partant d'un point (x, y) dans le plan des xy jusqu'au pôle Nord $(0, 0, 1)$. Cette droite coupe la sphère en un point (x, y, z), ce qui donne une paramétrisation de la sphère par des points dans le plan.

a) Quel point correspond au pôle Sud ?
b) Quels points correspondent à l'équateur ?
c) Obtenez-vous tous les points de la sphère avec cette paramétrisation ?
d) Quels points correspondent à l'hémisphère supérieur ?
e) Quels points correspondent à l'hémisphère inférieur ?

29. Plusieurs instruments en cuivre sont, à peu de chose près, des cors Bessel. Il s'agit de surfaces de révolution sur l'axe des x de

$$z = f(x) = \frac{b}{(x+a)^m}$$

pour les constantes positives a, b et m. Par conséquent, $f(x)$ est le rayon du pavillon à une distance x de la grande extrémité ouverte. Généralement, m est dans l'intervalle de $0{,}5 \le m \le 1$.

Déterminez a et b et tracez le graphe de f pour $0 \le x \le 20$ si le rayon en $x = 0$ est de 15 cm et si le rayon en $x = 20$ cm est de 1 cm pour chacun des trois cas suivants : $m = 0{,}5$, $m = 0{,}7$ et $m = 1$. Pourquoi appelle-t-on m le paramètre d'évasement ?

30. Donnez une paramétrisation du pavillon du cor du problème 29 avec $m = 0{,}5$.

31. La figure 6.57 présente une illustration de la surface paramétrique

$$x = a(s+t), \quad y = b(s-t), \quad z = 4ct^2$$

pour $a = 1$, $b = 1$ et $c = 1$. Que se produit-il si vous augmentez a ? Si vous augmentez b ? Si vous augmentez c ? Comment est-il possible de renverser la surface ?

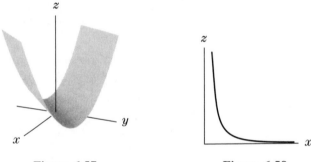

Figure 6.57   *Figure 6.58*

32. La figure 6.58 montre la courbe $x^2 z = 1$ dans le plan des xz. Trouvez une paramétrisation de la surface obtenue par une rotation de cette courbe

a) autour de l'axe des x pour $x > 0$;   b) autour de l'axe des z pour $z > 0$.

33. On utilise la représentation paramétrique d'une droite à trois dimensions pour trouver l'endroit où la droite entre deux points croise un plan donné. Par exemple, les images de courbes et de surfaces dans un espace à trois dimensions du présent manuel sont dessinées par ordinateur. Pour ce faire, l'ordinateur calcule d'abord les coordonnées xyz de certains points sur la courbe ou la surface. Pour chacun de ces points, il calcule ensuite la ligne de vision à partir de ce point jusqu'à l'œil d'un observateur imaginaire et détermine l'endroit où cette ligne croise une fenêtre imaginaire (le plan de l'écran de l'ordinateur) qui se trouve entre le point et l'œil de l'observateur. Les coordonnées à deux dimensions de l'écran pour ce point d'intersection sont calculées de manière que ce point puisse être tracé sur l'écran. Trouvez des formules pour les coordonnées du point d'intersection du plan $Ax + By + Cz = D$ avec la ligne reliant le point (a, b, c) à un observateur situé au point (A, B, C).

34. Au problème 33, les coordonnées xyz sont calculées pour le point où la ligne de vision entre un observateur en (A, B, C) et un point (a, b, c) croise un plan de vision (l'écran) $Ax + By + Cz = D$. L'ordinateur doit calculer les coordonnées de l'écran pour ce point et non les coordonnées de l'espace xyz. Pour ce faire, prenez deux vecteurs $\vec{u}$ et $\vec{v}$ qui forment des angles droits entre eux, partent de l'origine de l'écran et se trouvent dans le plan de l'écran. Puis, vous pouvez noter $r\vec{u} + s\vec{v}$ n'importe quel point sur l'écran pour certains nombres r, s ; ces nombres sont les coordonnées de l'écran. Choisissez pour origine de l'écran le point Q, où la ligne de vision entre l'observateur (A, B, C) et l'origine xyz $(0, 0, 0)$ croise le plan de vision $Ax + By + Cz = D$. Choisissez $\vec{u}$ comme vecteur unitaire parallèle au plan des xy qui s'oriente vers la droite de l'observateur et $\vec{v}$ comme vecteur unitaire qui forme un angle droit avec $\vec{u}$ et qui s'oriente vers le haut (avec une composante z positive). On trouve les coordonnées de l'écran en prenant le produit scalaire avec $\vec{u}$ et $\vec{v}$ du vecteur de l'origine Q de l'écran au point d'intersection calculé au problème 33.

a) Trouvez les coordonnées xyz de l'origine Q de l'écran en fonction de A, B, C, D.

b) Trouvez le vecteur $\vec{u}$ en fonction de A, B, C.

c) Trouvez le vecteur $\vec{v}$ en fonction de A, B, C.

d) Trouvez les coordonnées du point d'intersection calculé au problème 33.

e) Trouvez les coordonnées r et s de l'écran pour le point calculé au problème 33, c'est-à-dire $r = \vec{u} \cdot (\vec{P} - \vec{Q})$ et $s = \vec{v} \cdot (\vec{P} - \vec{Q})$. [Indication : considérez le fait que $\vec{u} \cdot (A\vec{i} + B\vec{j} + C\vec{k}) = 0$ et que $\vec{v} \cdot (A\vec{i} + B\vec{j} + C\vec{k}) = 0$.]

CHAPITRE SEPT

LES CHAMPS VECTORIELS

Certaines quantités physiques (comme la température) sont mieux représentées par des scalaires, alors que d'autres (comme la vitesse) le sont mieux par des vecteurs. On a examiné les fonctions de plusieurs variables dont les valeurs sont des scalaires, par exemple la température en fonction de la position sur une carte météorologique. On appelle ces fonctions des fonctions à valeur scalaire.

Certaines cartes météorologiques indiquent la vitesse du vent en différents points à l'aide de flèches. La vitesse du vent est un exemple d'une fonction à valeur vectorielle, puisque sa valeur en tous les points est le vecteur qui indique la direction ainsi que la force du vent. De telles fonctions sont également appelées des *champs vectoriels*. On a déjà analysé un exemple important de champ vectoriel, à savoir le gradient d'une fonction à valeur scalaire. Dans le présent chapitre, on examine d'autres exemples, tels les champs vectoriels de vitesse décrivant l'écoulement d'un fluide. On étudie aussi le chemin suivi par une particule qui se déplace avec le courant, appelé *ligne de courant* d'un champ vectoriel.

7.1 LES CHAMPS VECTORIELS

Les champs vectoriels : introduction

Un *champ vectoriel* est une fonction qui attribue un vecteur à chaque point dans le plan ou dans un espace à trois dimensions. Le gradient d'une fonction $f(x, y)$ offre un exemple de champ vectoriel ; à chaque point (x, y), le vecteur grad $f(x, y)$ s'oriente dans la direction du taux maximal d'augmentation de f. Dans la présente section, on examine d'autres champs vectoriels qui représentent des vitesses et des forces.

Les champs vectoriels de vitesse

La figure 7.1 montre le courant d'une partie du Gulf Stream, qui est un courant chaud de l'océan Atlantique[1]. Il s'agit d'un exemple de *champ vectoriel de vitesse* : chaque vecteur montre la vitesse du courant en ce point. Le courant est plus rapide là où les vecteurs vitesse sont les plus longs, soit au centre du courant. À côté du courant se trouvent des tourbillons, où l'eau circule continuellement en cercles.

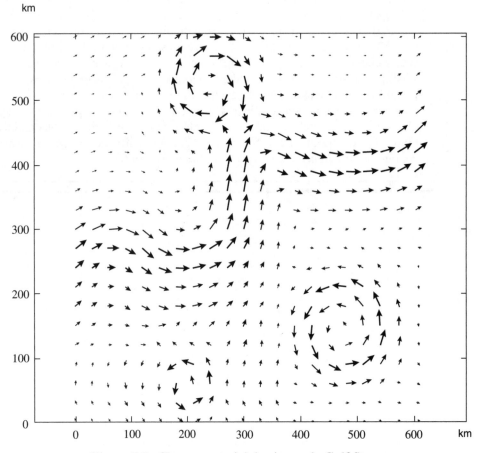

Figure 7.1 : Champ vectoriel de vitesse du Gulf Stream

---

1. Basé sur les données fournies par Avijit Gangopadhyay du Jet Propulsion Laboratory.

Figure 7.2 : Champ gravitationnel de la Terre

Les champs de force

La force est une autre quantité physique qui est représentée par un vecteur. Une force provient parfois du contact direct avec l'objet qui exerce la force (par exemple une poussée). Cependant, bon nombre de forces peuvent se faire sentir en tous les points dans l'espace. Par exemple, la Terre exerce une attraction gravitationnelle sur toutes les autres masses. Les champs vectoriels peuvent représenter de telles forces.

La figure 7.2 montre la force gravitationnelle qu'exerce la Terre sur une masse de 1 kg en différents points dans l'espace. Il s'agit du tracé d'un champ vectoriel en trois dimensions. On peut voir que les vecteurs s'orientent tous vers la Terre (laquelle n'est pas présentée sur le diagramme) et que les vecteurs plus éloignés de la Terre ont une plus petite norme.

Un champ vectoriel : définition

Ayant passé en revue certains exemples de champs vectoriels, on en donne ici la définition plus formelle que voici :

> Un **champ vectoriel** dans un espace à deux dimensions est une fonction $\vec{F}(x, y)$ dont la valeur en un point (x, y) est un vecteur à deux dimensions. De même, un champ vectoriel à trois dimensions est une fonction $\vec{F}(x, y, z)$ dont les valeurs sont des vecteurs tridimensionnels.

Noter que la flèche au-dessus de la fonction $\vec{F}$ indique que sa valeur est un vecteur et non un scalaire. On représente souvent le point (x, y) ou (x, y, z) par son vecteur position $\vec{r}$ et on note le champ vectoriel $\vec{F}(\vec{r})$.

La visualisation d'un champ vectoriel donné par une formule

Puisqu'un champ vectoriel est une fonction qui attribue un vecteur à chaque point, on peut souvent représenter un champ vectoriel au moyen d'une formule.

Exemple 1   Tracez le champ vectoriel à deux dimensions donné par $\vec{F}(x, y) = -y\vec{i} + x\vec{j}$.

Solution   Le tableau 7.1 (page suivante) montre la valeur du champ vectoriel en quelques points. Noter que chaque valeur est un vecteur. Pour tracer le champ vectoriel, on trace $\vec{F}(x, y)$ en plaçant son origine en (x, y) [voir la figure 7.3, page suivante].

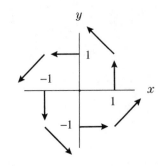

Figure 7.3 : La valeur $\vec{F}(x, y)$ est placée au point (x, y).

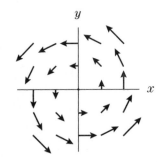

Figure 7.4 : Champ vectoriel $\vec{F}(x, y) = -y\vec{i} + x\vec{j}$; on a réduit l'échelle des vecteurs pour qu'ils puissent entrer dans le diagramme

TABLEAU 7.1 *Quelques valeurs de $\vec{F}(x, y) = -y\vec{i} + x\vec{j}$*

		y		
		-1	0	1
x	-1	$\vec{i} - \vec{j}$	$-\vec{j}$	$-\vec{i} - \vec{j}$
	0	$\vec{i}$	$\vec{0}$	$-\vec{i}$
	1	$\vec{i} + \vec{j}$	$\vec{j}$	$-\vec{i} + \vec{j}$

Maintenant, on examine la formule pour obtenir un meilleur graphe. La norme du vecteur en (x, y) est $\|\vec{F}(x, y)\| = \|-y\vec{i} + x\vec{j}\| = \sqrt{x^2 + y^2}$, qui est la distance entre (x, y) et l'origine. Par conséquent, tous les vecteurs qui se trouvent à une distance fixe de l'origine (autrement dit, sur un cercle centré à l'origine) ont la même norme. La norme augmente alors qu'on s'éloigne de l'origine. Qu'en est-il de la direction ? La figure 7.3 laisse entendre que, en chaque point (x, y), le vecteur $\vec{F}(x, y)$ est perpendiculaire au vecteur position $\vec{r} = x\vec{i} + y\vec{j}$. On peut le vérifier en utilisant le produit scalaire $\vec{r} \cdot \vec{F}(x, y) = (x\vec{i} + y\vec{j}) \cdot (-y\vec{i} + x\vec{j}) = 0$. Cela signifie que dans ce champ vectoriel, les vecteurs sont tangents aux cercles centrés à l'origine et qu'ils deviennent plus longs alors qu'on s'éloigne de l'origine. À la figure 7.4, les vecteurs ont été réduits à l'échelle pour qu'ils ne s'obscurcissent pas les uns les autres.

Exemple 2 Dessinez les champs vectoriels à deux dimensions donnés par
a) $\vec{F}(x, y) = x\vec{j}$ b) $\vec{G}(x, y) = x\vec{i}$

Solution a) Le vecteur $x\vec{j}$ est parallèle à la direction de l'axe des y et s'oriente vers le haut quand x est positif et vers le bas quand x est négatif. De plus, plus $|x|$ est grand, plus le vecteur est long. Les vecteurs dans le champ sont constants le long des droites verticales puisque le champ vectoriel ne dépend pas de y (voir la figure 7.5).

b) Cela ressemble à l'exemple précédent, sauf que le vecteur $x\vec{i}$ est parallèle à la direction de l'axe des des x, et qu'il s'oriente vers la droite quand x est positif et vers la gauche quand x est négatif. Une fois de plus, plus $|x|$ est grand, plus le vecteur est long. Les vecteurs sont constants le long des droites verticales, puisque le champ vectoriel ne dépend pas de y (voir la figure 7.6).

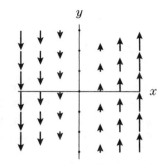

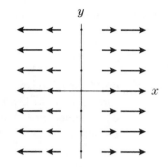

Figure 7.5 : Champ vectoriel $\vec{F}(x, y) = x\vec{j}$

Figure 7.6 : Champ vectoriel $\vec{G}(x, y) = x\vec{i}$

Exemple 3 Décrivez le champ vectoriel à trois dimensions donné par $\vec{F}(\vec{r}) = \vec{r}$, où $\vec{r} = x\vec{i} + y\vec{j} + z\vec{k}$.

Solution La notation $\vec{F}(\vec{r}) = \vec{r}$ signifie que la valeur de $\vec{F}$ au point (x, y, z) ayant le vecteur position $\vec{r}$ est le vecteur $\vec{r}$ dont l'origine se trouve en (x, y, z). Par conséquent, le champ vectoriel s'oriente vers l'extérieur (voir la figure 7.7). Noter qu'on a réduit les vecteurs à l'échelle pour les insérer dans le diagramme. On peut également noter ce champ vectoriel $\vec{F}(x, y, z) = x\vec{i} + y\vec{j} + z\vec{k}$. On constate que la notation $\vec{r}$ est plus concise.

Figure 7.7 : Champ vectoriel $\vec{F}(\vec{r}) = \vec{r}$

La recherche d'une formule pour un champ vectoriel

Exemple 4 D'après la loi de la gravitation universelle de Newton, la norme de la force gravitationnelle exercée par un objet de masse M sur un objet de masse m est proportionnelle à M et à m, et elle est inversement proportionnelle au carré de la distance entre eux. La direction de la force va de m à M le long du segment de droite qui les relie (voir la figure 7.8, page suivante). Trouvez une formule pour le champ vectoriel $\vec{F}(\vec{r})$ qui représente la force gravitationnelle, en supposant que M est situé à l'origine et que m se trouve au point ayant le vecteur position $\vec{r}$.

$M \bullet$

Figure 7.8 : Force exercée sur une masse m par une masse M

Solution Puisque la masse m se situe en $\vec{r}$, d'après la loi de Newton, la norme de la force est donnée par

$$\|\vec{F}(\vec{r})\| = \frac{GMm}{\|\vec{r}\|^2} \, ,$$

où G est la constante de gravitation universelle. Un vecteur unitaire dans la direction de la force est $-\vec{r}/\|\vec{r}\|$, où le signe négatif indique que la force s'oriente vers l'origine (la gravité exerce une force d'attraction). En prenant le produit de la norme de la force et le vecteur unitaire dans la direction de la force, on obtient une expression pour le champ vectoriel de force :

$$\vec{F}(\vec{r}) = \frac{GMm}{\|\vec{r}\|^2} \left(-\frac{\vec{r}}{\|\vec{r}\|} \right) = \frac{-GMm\vec{r}}{\|\vec{r}\|^3} \, .$$

On a vu l'illustration de ce champ vectoriel à la figure 7.2.

Les champs vectoriels gradients

Le gradient d'une fonction scalaire f est une fonction qui attribue un vecteur à chaque point ; il s'agit donc d'un champ vectoriel. On l'appelle le *champ gradient* de f. En physique, bon nombre de champs vectoriels sont des champs gradients.

Exemple 5 Tracez le graphe du champ gradient des fonctions des figures 7.9 à 7.11.

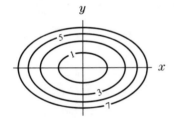

Figure 7.9 : Carte topographique de $f(x, y) = x^2 + 2y^2$

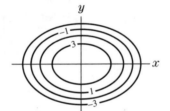

Figure 7.10 : Carte topographique de $g(x, y) = 5 - x^2 - 2y^2$

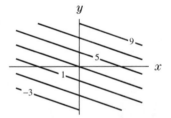

Figure 7.11 : Carte topographique de $h(x, y) = x + 2y + 3$

Solution (On se réfère aux figures 7.12 à 7.14.) Pour une fonction $f(x, y)$, le vecteur gradient de f en un point est perpendiculaire aux courbes de niveau dans la direction où f est croissante, et sa norme est le taux de variation dans cette direction. Le taux de variation est grand quand les courbes sont proches l'une de l'autre et petit lorsqu'elles sont éloignées. Noter que, dans la figure 7.12, les vecteurs s'orientent tous vers l'extérieur, s'éloignant du minimum local de f ; dans la figure 7.13, les vecteurs de grad g s'orientent tous vers l'intérieur, vers le maximum local de g. Puisque h est une fonction linéaire, son gradient est constant. Donc, grad h, dans la figure 7.14, est un champ vectoriel constant.

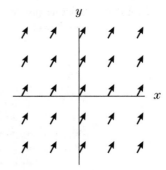

Figure 7.12 : grad f *Figure 7.13 :* grad g *Figure 7.14 :* grad h

Problèmes de la section 7.1

1. Chaque champ vectoriel des figures I) à IV) représente la force exercée sur une particule en différents points dans l'espace par une autre particule située à l'origine. Faites concorder les champs vectoriels avec les descriptions données ci-dessous.

   a) Une force répulsive dont la norme diminue quand la distance augmente, telle celle qui s'exerce entre les charges électriques de même signe.

   b) Une force répulsive dont la norme augmente quand la distance augmente.

   c) Une force d'attraction dont la norme diminue quand la distance augmente, comme la gravité.

   d) Une force d'attraction dont la norme augmente quand la distance augmente.

I) 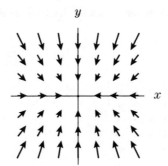   II)

III) 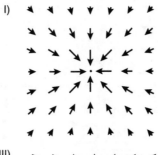   IV)

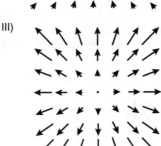
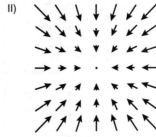
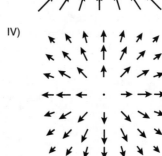

Tracez les champs vectoriels des problèmes 2 à 7.

2. $\vec{F}(x, y) = 2\vec{i} + 3\vec{j}$ 3. $\vec{F}(x, y) = y\vec{i}$ 4. $\vec{F}(x, y) = 2x\vec{i} + x\vec{j}$

5. $\vec{F}(\vec{r}) = 2\vec{r}$ 6. $\vec{F}(\vec{r}) = \dfrac{\vec{r}}{\|\vec{r}\|}$ 7. $\vec{F}(x, y) = (x + y)\vec{i} + (x - y)\vec{j}$

Pour les problèmes 8 à 13, trouvez des formules pour les champs vectoriels. (Il existe plusieurs réponses possibles.)

8.

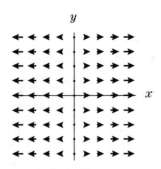

9.

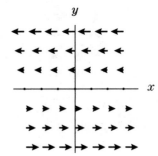

10.

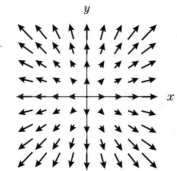

11.

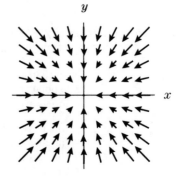

12.

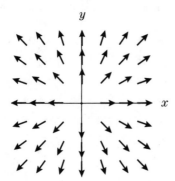

13.

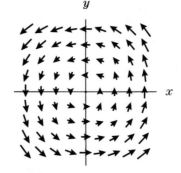

14. Les figures 7.15 et 7.16 montrent le gradient des fonctions $z = f(x, y)$ et $z = g(x, y)$.

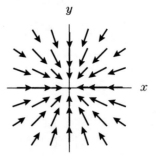

Figure 7.15 : Gradient
de $z = f(x, y)$

Figure 7.16 : Gradient
de $z = g(x, y)$

a) Pour chaque fonction, dessinez un graphe approximatif des courbes de niveau qui montre des valeurs possibles de z.

b) Le plan des xz rencontre chacune des surfaces $z = f(x, y)$ et $z = g(x, y)$ dans une courbe. Tracez chacune de ces courbes, en indiquant clairement en quoi elles se ressemblent et en quoi elles diffèrent.

Pour les problèmes 15 à 17, utilisez un ordinateur pour imprimer les champs vectoriels ayant les propriétés données. Montrez sur votre imprimé la formule utilisée pour les produire. (Il existe plusieurs réponses possibles.)

15. Tous les vecteurs sont parallèles à l'axe des x; tous les vecteurs sur une droite verticale ont la même norme.

16. Tous les vecteurs s'orientent vers l'origine et ont une norme constante.

17. Tous les vecteurs ont une longueur unitaire et sont perpendiculaires au vecteur position en ce point.

18. Imaginez une rivière large, qui coule de manière stable et au milieu de laquelle une fontaine propulse un jet d'eau horizontalement, dans toutes les directions.

a) Supposez que la rivière coule dans la direction de $\vec{i}$ dans le plan des xy et que la fontaine se trouve à l'origine. Expliquez pourquoi l'expression

$$\vec{v} = A\vec{i} + K(x^2 + y^2)^{-1/2}(x\vec{i} + y\vec{j}), \quad A > 0, K > 0$$

pourrait représenter le champ de vitesse pour l'écoulement combiné de la rivière et de la fontaine.

b) Quelle est la signification des constantes A et K?

c) En utilisant un ordinateur, tracez le champ vectoriel $\vec{v}$ pour $K = 1$, $A = 1$ et $A = 2$ ainsi que pour $A = 0,2$, $K = 2$.

7.2 LES LIGNES DE COURANT

Lorsqu'on repère un iceberg dans le nord de l'Atlantique, on peut vouloir prévoir l'endroit où il se retrouvera le lendemain ou une semaine plus tard. Pour ce faire, il faut connaître le champ vectoriel de vitesse des courants de l'océan, autrement dit, la vitesse de l'eau et la direction de son mouvement en chaque point.

Dans la présente section, on utilise des équations différentielles pour trouver le chemin d'un objet dans un écoulement de fluide. On appellera un tel chemin une *ligne de courant*. La figure 7.17 (page suivante) montre différentes lignes de courant pour le champ vectoriel de vitesse du Gulf Stream illustré à la figure 7.1. Les flèches sur chaque ligne de courant indiquent la direction du courant le long de celle-ci.

Comment trouver une ligne de courant

On suppose que $\vec{F}$ est le champ vectoriel de vitesse de l'eau à la surface d'un ruisseau et on imagine qu'une graine est transportée par le courant. On veut connaître le vecteur position $\vec{r}(t)$ de la graine au temps t. On sait que

$$\frac{\text{Vitesse de la graine}}{\text{au temps } t} = \frac{\text{Vitesse du courant à la position}}{\text{de la graine au temps } t}$$

autrement dit,

$$\vec{r}\,'(t) = \vec{F}(\vec{r}(t)).$$

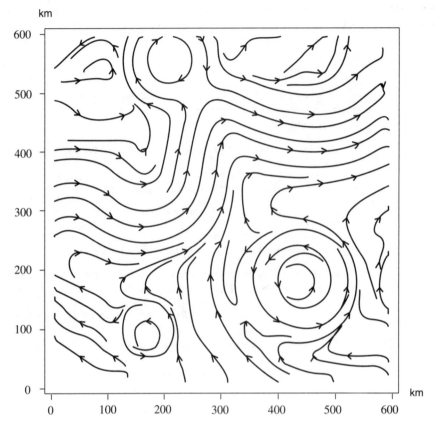

Figure 7.17 : Lignes de courant pour des objets dans le Gulf Stream
avec différents points de départ

Pour un champ vectoriel arbitraire, on a la définition suivante :

Une **ligne de courant** d'un champ vectoriel $\vec{v} = \vec{F}(\vec{r})$ est un chemin $\vec{r}(t)$ dont le vecteur vitesse est égal à $\vec{v}$. Par conséquent,

$$\vec{r}\,'(t) = \vec{v} = \vec{F}(\vec{r}(t)).$$

Une ligne de courant s'appelle également une *courbe intégrale*. On définit les lignes de courant pour tout champ vectoriel, car cette définition est utile pour l'étude des champs (par exemple les champs électriques et magnétiques) qui ne sont pas des champs de vitesse.

On décompose $\vec{F}$ et $\vec{r}$ en composantes : $\vec{F} = F_1\vec{i} + F_2\vec{j}$ et $\vec{r}(t) = x(t)\vec{i} + y(t)\vec{j}$. La définition d'une ligne de courant indique que $x(t)$ et $y(t)$ satisfont au système d'équations différentielles

$$x'(t) = F_1(x(t), y(t)) \quad \text{et} \quad y'(t) = F_2(x(t), y(t)).$$

La résolution de ces équations différentielles donne une paramétrisation de la ligne de courant.

Exemple 1   Trouvez la ligne de courant du champ de vitesse constant $\vec{v} = 3\vec{i} + 4\vec{j}$ cm/s qui passe par le point $(1, 2)$ au temps $t = 0$.

Solution   Soit $\vec{r}(t) = x(t)\vec{i} + y(t)\vec{j}$ la position (en centimètres) d'une particule au temps t, où t est en secondes. On a

$$x'(t) = 3 \quad \text{et} \quad y'(t) = 4.$$

Par conséquent,

$$x(t) = 3t + x_0 \quad \text{et} \quad y(t) = 4t + y_0.$$

Puisque le chemin passe par le point $(1, 2)$ en $t = 0$, on a $x_0 = 1$ et $y_0 = 2$. Donc,

$$x(t) = 3t + 1 \quad \text{et} \quad y(t) = 4t + 2.$$

Par conséquent, le chemin est la droite donnée paramétriquement par

$$\vec{r}(t) = (3t + 1)\vec{i} + (4t + 2)\vec{j}$$

(voir la figure 7.18). Pour trouver une équation explicite pour le chemin, éliminez t entre ces expressions pour obtenir

$$\frac{x - 1}{3} = \frac{y - 2}{4} \quad \text{ou} \quad y = \frac{4}{3}x + \frac{2}{3}.$$

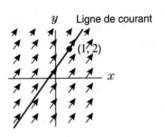

Figure 7.18 : Champ vectoriel $\vec{F} = 3\vec{i} + 4\vec{j}$ avec la ligne de courant passant par $(1, 2)$

Exemple 2   La vitesse au point (x, y) est $\vec{F}(x, y) = \vec{i} + x\vec{j}$. Trouvez le trajet suivi par un objet qui se trouve au point $(-2, 2)$ au temps $t = 0$.

Solution   La figure 7.19 (page suivante) montre un graphe de ce champ. Puisque $\vec{r}\,'(t) = \vec{F}(\vec{r}(t))$, on recherche la ligne de courant qui satisfait au système d'équations différentielles

$$x'(t) = 1, \quad y'(t) = x(t).$$

En résolvant d'abord pour $x(t)$, on a $x(t) = t + x_0$, où x_0 est une constante d'intégration. Par conséquent, $y'(t) = t + x_0$. Donc, $y(t) = \frac{1}{2}t^2 + x_0 t + y_0$, où y_0 est également une constante d'intégration. Puisque $x(0) = x_0 = -2$ et que $y(0) = y_0 = 2$, le chemin est donné par

$$x(t) = t - 2, \quad y(t) = \frac{1}{2}t^2 - 2t + 2$$

ou, de manière équivalente,

$$\vec{r}(t) = (t - 2)\vec{i} + (\tfrac{1}{2}t^2 - 2t + 2)\vec{j}.$$

Le graphe de cette ligne de courant (voir la figure 7.20) ressemble à une parabole. On peut le vérifier en constatant qu'une équation explicite pour le chemin est $y = \frac{1}{2}x^2$.

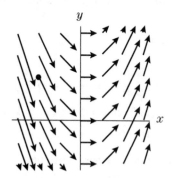

Figure 7.19 : Champ de vitesse $\vec{v} = \vec{i} + x\vec{j}$

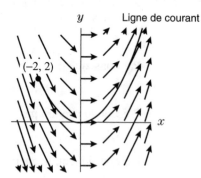

Figure 7.20 : Ligne de courant du champ de vitesse $\vec{v} = \vec{i} + x\vec{j}$

Exemple 3   Décrivez les lignes de courant du champ vectoriel $\vec{v} = -y\vec{i} + x\vec{j}$.

Solution   La figure 7.21 laisse entendre que les lignes de courant sont des cercles concentriques centrés à l'origine qui s'orientent dans le sens contraire des aiguilles d'une montre. Le système d'équations différentielles qui les décrit est

$$x'(t) = -y(t) \quad y'(t) = x(t).$$

Les équations $(x(t), y(t)) = (a\cos t, a\sin t)$ constituent les équations paramétriques d'une famille de cercles allant dans le sens contraire des aiguilles d'une montre, de rayon a et centrés à l'origine. On vérifie que cette famille satisfait au système d'équations différentielles

$$x'(t) = -a\sin t = -y(t) \quad \text{et} \quad y'(t) = a\cos t = x(t).$$

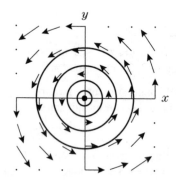

Figure 7.21 : Ligne de courant du champ vectoriel $\vec{v} = -y\vec{i} + x\vec{j}$

La recherche numérique des lignes de courant

Souvent, il n'est pas possible de trouver des formules pour les lignes de courant d'un champ vectoriel. Cependant, on peut les approcher numériquement au moyen de la méthode d'Euler pour résoudre les équations différentielles. Puisque les lignes de courant $\vec{r}(t) = x(t)\vec{i} + y(t)\vec{j}$ d'un champ vectoriel $\vec{v} = \vec{F}(x, y)$ satisfont à l'équation différentielle $\vec{r}\,'(t) = \vec{F}(\vec{r}(t))$, on a

$$\vec{r}(t + \Delta t) \approx \vec{r}(t) + (\Delta t)\vec{r}\,'(t)$$
$$= \vec{r}(t) + (\Delta t)\vec{F}(\vec{r}(t)) \quad \text{pour } \Delta t \text{ près de zéro.}$$

Pour approcher une ligne de courant, on commence en un point $\vec{r}_0 = \vec{r}(0)$ et on estime la position $\vec{r}_1$ d'une particule au temps ultérieur Δt. On a

$$\vec{r}_1 = \vec{r}(\Delta t) \approx \vec{r}(0) + (\Delta t)\vec{F}(\vec{r}(0))$$
$$= \vec{r}_0 + (\Delta t)\vec{F}(\vec{r}_0).$$

On répète ensuite la procédure en commençant en $\vec{r}_1$, et ainsi de suite. La formule générale pour se rendre d'un point à l'autre est

$$\vec{r}_{n+1} = \vec{r}_n + (\Delta t)\vec{F}(\vec{r}_n).$$

Les points ayant les vecteurs position $\vec{r}_0, \vec{r}_1, \ldots$ tracent le chemin, comme le montre l'exemple 4.

Exemple 4   Utilisez la méthode d'Euler pour approcher la ligne de courant passant par (1, 2) pour le champ vectoriel $\vec{v} = y^2\vec{i} + 2x^2\vec{j}$.

Solution   La ligne de courant est déterminée par $\vec{r}\,'(t) = \vec{v}$ ou, de manière équivalente, par

$$x'(t) = y^2, \quad y'(t) = 2x^2.$$

On utilise la méthode d'Euler avec $\Delta t = 0,02$, ce qui donne

$$\vec{r}_{n+1} = \vec{r}_n + 0,02\,\vec{v}(x_n, y_n)$$
$$= x_n\vec{i} + y_n\vec{j} + 0,02(y_n^2\vec{i} + 2x_n^2\vec{j})$$

ou, de manière équivalente,

$$x_{n+1} = x_n + 0,02\,y_n^2, \quad y_{n+1} = y_n + 0,02 \cdot 2x_n^2.$$

Quand $t = 0$, on a $(x_0, y_0) = (1, 2)$. Alors,

$$x_1 = x_0 + 0,02 \cdot y_0^2 = 1 + 0,02 \cdot 2^2 = 1,08,$$
$$y_1 = y_0 + 0,02 \cdot 2x_0^2 = 2 + 0,02 \cdot 2 \cdot 1^2 = 2,04.$$

Donc, après une étape, $x(0,02) \approx 1,08$ et $y(0,02) \approx 2,04$. De même, $x(0,04) = x(2\Delta t) \approx 1,16$, $y(0,04) = y(2\Delta t) \approx 2,08$, et ainsi de suite. D'autres valeurs sont données le long de la ligne de courant dans le tableau 7.2 et sont tracées à la figure 7.22 (page suivante).

TABLEAU 7.2   *La ligne de courant approchée pour le champ vectoriel* $\vec{v} = y^2\vec{i} + 2x^2\vec{j}$ *commençant au point* (1, 2)

t	0	0,02	0,04	0,06	0,08	0,1	0,12	0,14	0,16	0,18
x	1	1,08	1,16	1,25	1,34	1,44	1,54	1,65	1,77	1,90
y	2	2,04	2,08	2,14	2,20	2,28	2,36	2,45	2,56	2,69

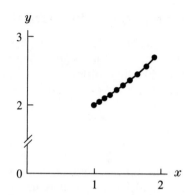

Figure 7.22 : Solution par la méthode d'Euler
pour $x' = y^2, y' = 2x^2$

Problèmes de la section 7.2

Pour les problèmes 1 à 3, tracez le champ vectoriel et ses lignes de courant.

1. $\vec{v} = 3\vec{i}$ 2. $\vec{v} = 2\vec{j}$ 3. $\vec{v} = 3\vec{i} - 2\vec{j}$

Pour les problèmes 4 à 7, tracez le champ vectoriel et les lignes de courant. Puis, trouvez le système d'équations différentielles associé au champ vectoriel et vérifiez si la paramétrisation donnée satisfait au système.

4. $\vec{v} = y\vec{i} + x\vec{j}$; $x(t) = a(e^t + e^{-t})$, $y(t) = a(e^t - e^{-t})$

5. $\vec{v} = y\vec{i} - x\vec{j}$; $x(t) = a \sin t$, $y(t) = a \cos t$

6. $\vec{v} = x\vec{i} + y\vec{j}$; $x(t) = ae^t$ $y(t) = be^t$

7. $\vec{v} = x\vec{i} - y\vec{j}$; $x(t) = ae^t$ $y(t) = be^{-t}$

8. À l'aide d'un ordinateur ou d'une calculatrice, utilisez la méthode d'Euler pour approcher la ligne de courant passant par (1, 2) pour le champ vectoriel $\vec{v} = y^2\vec{i} + 2x^2\vec{j}$ en utilisant cinq étapes avec un intervalle temporel de $\Delta t = 0,1$.

9. Faites concorder les champs vectoriels suivants avec leurs lignes de courant. Mettez des flèches sur les lignes de courant pour indiquer la direction du courant.

a) $y\vec{i} + x\vec{j}$ b) $-y\vec{i} + x\vec{j}$

c) $x\vec{i} + y\vec{j}$ d) $-y\vec{i} + (x + y/10)\vec{j}$

e) $-y\vec{i} + (x - y/10)\vec{j}$ f) $(x - y)\vec{i} + (x - y)\vec{j}$

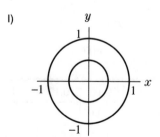
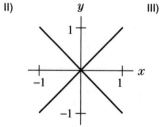
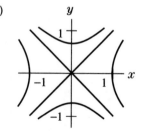

IV) 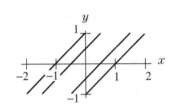   V) 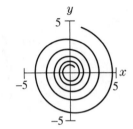   VI)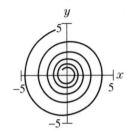

10. Soit un ensemble fixe d'axes et une balle métallique pleine dont le centre se situe à l'origine. La balle effectue une rotation toutes les 24 h autour de l'axe des z. Lorsqu'on l'observe de haut, la rotation se fait dans le sens contraire des aiguilles d'une montre. Considérez le point (x, y, z) dans le système de coordonnées se trouvant à l'intérieur de la balle. Soit $\vec{v}(x, y, z)$ le vecteur vitesse de la particule de métal se trouvant en ce point. Supposez que x, y, z sont en mètres et que le temps est en heures.

a) Trouvez une formule pour le champ vectoriel $\vec{v}$. Donnez des unités pour votre réponse.
b) Décrivez les lignes de courant de $\vec{v}$.

PROBLÈMES DE RÉVISION DU CHAPITRE SEPT

1. a) Qu'entendez-vous par champ vectoriel ?
   b) Supposez que $\vec{a} = a_1\vec{i} + a_2\vec{j} + a_3\vec{k}$ est un vecteur constant. Lesquels des champs suivants sont des champs vectoriels ? Justifiez votre réponse.

   1. $\vec{r} + \vec{a}$ 2. $\vec{r} \cdot \vec{a}$

   3. $x^2\vec{i} + y^2\vec{j} + z^2\vec{k}$ 4. $x^2 + y^2 + z^2$

Tracez les champs vectoriels pour les problèmes 2 à 4.

2. $\vec{F} = \left(\dfrac{y}{\sqrt{x^2 + y^2}}\right)\vec{i} - \left(\dfrac{x}{\sqrt{x^2 + y^2}}\right)\vec{j}$ **3.** $\vec{F} = \left(\dfrac{y}{x^2 + y^2}\right)\vec{i} - \left(\dfrac{x}{x^2 + y^2}\right)\vec{j}$

4. $\vec{F} = y\vec{i} - x\vec{j}$

5. Si $\vec{F} = \vec{r}/\|\vec{r}\|^3$, trouvez les quantités suivantes en fonction de x, de y, de z ou de t.

a) $\|\vec{F}\|$
b) $\vec{F} \cdot \vec{r}$
c) Un vecteur unitaire qui est parallèle à $\vec{F}$ et qui s'oriente dans la même direction.
d) Un vecteur unitaire qui est parallèle à $\vec{F}$ et qui s'oriente dans la direction opposée.
e) $\vec{F}$ si $\vec{r} = \cos t\,\vec{i} + \sin t\,\vec{j} + \vec{k}$
f) $\vec{F} \cdot \vec{r}$ si $\vec{r} = \cos t\,\vec{i} + \sin t\,\vec{j} + \vec{k}$

Pour les problèmes 6 à 9, trouvez la région du champ de vitesse du Gulf Stream illustré à la figure 7.23 (page suivante) qui est représentée par le tableau des vecteurs vitesse (en centimètres par seconde) donné.

6.

$35\vec{i} + 131\vec{j}$	$48\vec{i} + 92\vec{j}$	$47\vec{i} + \vec{j}$
$-32\vec{i} + 132\vec{j}$	$-44\vec{i} + 92\vec{j}$	$-42\vec{i} + \vec{j}$
$-51\vec{i} + 73\vec{j}$	$-119\vec{i} + 84\vec{j}$	$-128\vec{i} + 6\vec{j}$

7.

$10\vec{i} - 3\vec{j}$	$11\vec{i} + 16\vec{j}$	$20\vec{i} + 75\vec{j}$
$53\vec{i} - 7\vec{j}$	$58\vec{i} + 23\vec{j}$	$64\vec{i} + 80\vec{j}$
$119\vec{i} - 8\vec{j}$	$121\vec{i} + 31\vec{j}$	$114\vec{i} + 66\vec{j}$

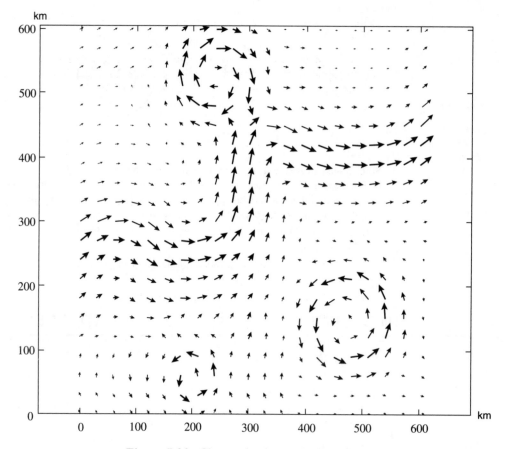

Figure 7.23 : Champ de vitesse du Gulf Stream

8.

$97\vec{i} - 41\vec{j}$	$72\vec{i} - 24\vec{j}$	$54\vec{i} - 10\vec{j}$
$134\vec{i} - 49\vec{j}$	$131\vec{i} - 44\vec{j}$	$129\vec{i} - 18\vec{j}$
$103\vec{i} - 36\vec{j}$	$122\vec{i} - 30\vec{j}$	$131\vec{i} - 17\vec{j}$

9.

$-95\vec{i} - 60\vec{j}$	$18\vec{i} - 48\vec{j}$	$82\vec{i} - 22\vec{j}$
$-29\vec{i} + 48\vec{j}$	$76\vec{i} + 63\vec{j}$	$128\vec{i} - 16\vec{j}$
$26\vec{i} + 105\vec{j}$	$49\vec{i} + 119\vec{j}$	$88\vec{i} + 13\vec{j}$

10. Chacun des champs vectoriels suivants représente un courant de l'océan. Tracez le graphe du champ vectoriel et tracez le parcours d'un iceberg dans ce courant. Déterminez l'emplacement d'un iceberg au temps $t = 7$ s'il se trouve au point $(1, 3)$ au temps $t = 0$.

a) Partout, le courant est $\vec{i}$.
b) Le courant en (x, y) est $2x\vec{i} + y\vec{j}$.
c) Le courant en (x, y) est $-y\vec{i} + x\vec{j}$.

Supposez que $q_1, \ldots, q_n$ sont des charges électriques aux points ayant les vecteurs position $\vec{r}_1, \ldots, \vec{r}_n$. Les problèmes 11 et 12 sont basés sur la loi de Coulomb, laquelle énonce que, au point ayant le vecteur position $\vec{r}$, le champ électrique résultant $\vec{E}$ est donné par

$$\vec{E}(\vec{r}) = \sum_{i=1}^{n} q_i \frac{(\vec{r} - \vec{r}_i)}{\|\vec{r} - \vec{r}_i\|^3}.$$

11. Une configuration de charge n'ayant que deux charges q_1 et q_2 dans un espace à trois dimensions s'appelle un *dipôle électrique*. Supposez que $\vec{r}_1 = \vec{i}$ et que $\vec{r}_2 = -\vec{i}$.

a) Si $q_1 = q$ et $q_2 = -q$, utilisez un ordinateur pour tracer dans le plan des xy le champ vectoriel $\vec{E}$ produit par ces deux charges opposées.

b) Si $q_1 = q_2 = q$, tracez dans le plan des xy le champ vectoriel $\vec{E}$ produit par deux charges identiques.

12. On peut considérer un *dipôle électrique idéal* comme un dipôle infinitésimal ; sa norme et sa direction sont données par son vecteur moment du dipôle électrique $\vec{p}$. Le champ électrique résultant $\vec{D}$ au point ayant le vecteur position $\vec{r}$ est donné par

$$\vec{D}(\vec{r}) = 3\frac{(\vec{r} \cdot \vec{p})\vec{r}}{\|\vec{r}\|^5} - \frac{\vec{p}}{\|\vec{r}\|^3} .$$

Supposez que $\vec{p} = p\,\vec{\imath}$, de telle sorte que le dipôle s'oriente dans la direction de $\vec{\imath}$ et a une norme p.

a) Utilisez un ordinateur pour tracer le champ vectoriel $\vec{D}$ dans le plan des xy pour les trois différentes valeurs de p.

b) Le champ $\vec{D}$ approche le champ électrique $\vec{E}$ produit par deux charges opposées q en $\vec{r}_2$ et $-q$ en $\vec{r}_1$, quand la distance $\|\vec{r}_2 - \vec{r}_1\|$ est petite. Le moment du dipôle de cette configuration de charges est donné par $\vec{p} = q(\vec{r}_2 - \vec{r}_1)$. Supposez que $\vec{r}_2 = (\ell/2)\vec{\imath}$ et que $\vec{r}_1 = -(\ell/2)\vec{\imath}$, de telle sorte que $\vec{p} = q\,\ell\vec{\imath}$.

    1.   Tracez le champ vectoriel $\vec{E}$ en utilisant les mêmes valeurs de $p = q\,\ell$ que celles que vous avez utilisées pour tracer $\vec{D}$.

    2.   Où le champ vectoriel $\vec{D}$ approche-t-il bien $\vec{E}$? Où l'approche-t-il peu ?

    3.   La norme de chaque terme dans l'expression de $\vec{E}$ se réduit comme suit : $1/\|\vec{r}\|^2$, tandis que la norme de $\vec{D}$ se réduit comme suit : $1/\|\vec{r}\|^3$. Si le champ vectoriel $\vec{D}$ est supposé être une bonne approximation de $\vec{E}$ quand la distance $\|\vec{r}\|$ depuis l'origine est grande, suggérez une raison justifiant cette contradiction apparente.

CHAPITRE HUIT

LES INTÉGRALES CURVILIGNES

Quand une force constante $\vec{F}$ agit sur un objet lors d'un déplacement $\vec{d}$, le travail accompli par cette force correspond au produit scalaire $\vec{F} \cdot \vec{d}$. Qu'arrive-t-il si un objet se déplace sur un chemin faisant une courbe au travers d'un champ de force variable ? Dans le présent chapitre, on définit l'*intégrale curviligne*, qui permet de calculer le travail dans cette situation. On définit également la *circulation*, qui permet notamment de mesurer la force des remous dans un flux de fluide.

Les intégrales curvilignes permettent de formuler un équivalent du théorème fondamental du calcul, qui explique comment récupérer une fonction à partir de sa dérivée. Cet équivalent, pour l'intégrale, du théorème fondamental, montre comment on peut utiliser une intégrale curviligne pour récupérer une fonction de variables multiples à partir de son champ gradient.

Par opposition à une fonction d'une variable, ce ne sont pas tous les champs vectoriels qui sont des champs gradients. On peut utiliser l'intégrale curviligne pour distinguer ceux qui le sont de ceux qui ne le sont pas, en ayant recours à la notion de *champ vectoriel indépendant du chemin* (ou champ *conservatif*). On étudie les champs conservatifs, lesquels sont fondamentaux en physique, et on termine par l'analyse du théorème de Green.

8.1 LA NOTION D'INTÉGRALE CURVILIGNE

On imagine qu'on est en train de ramer sur une rivière dont le courant est apparent. Parfois on rame à contre-courant et d'autres fois, dans le sens du courant. On sait alors si le courant aide ou non à la progression. L'intégrale curviligne, qui est définie dans la présente section, permet d'évaluer dans quelle mesure une courbe dans un champ vectoriel est dirigée, en général, dans le même sens que ce champ vectoriel ou dans le sens inverse.

L'orientation d'une courbe

On peut tracer une courbe dans deux directions, comme le montre la figure 8.1. Il faut choisir la direction avant de définir l'intégrale curviligne.

> On dit qu'une courbe est **orientée** si une direction de parcours a été déterminée.

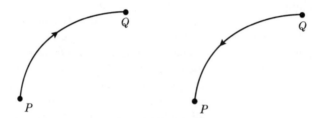

Figure 8.1 : Courbe ayant deux orientations différentes représentées par des pointes de flèche

L'intégrale curviligne : définition

On considère le champ vectoriel $\vec{F}$ et la courbe orientée C. On commence par diviser C en n petits morceaux, presque droits, le long desquels $\vec{F}$ est approximativement constant. Chaque morceau peut être représenté par un vecteur de déplacement $\Delta\vec{r}_i = \vec{r}_{i+1} - \vec{r}_i$; la valeur de $\vec{F}$ en chaque point de ce petit morceau de C est approximativement $\vec{F}(\vec{r}_i)$ [voir les figures 8.2 et 8.3].

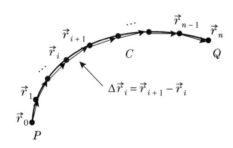

Figure 8.2 : Courbe C, orientée de P vers Q, approchée par des segments de droite représentés par les vecteurs de déplacement $\Delta\vec{r}_i = \vec{r}_{i+1} - \vec{r}_i$

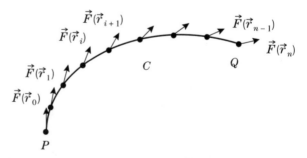

Figure 8.3 : Champ vectoriel $\vec{F}$ évalué aux points ayant le vecteur position $\vec{r}_i$ sur la courbe C orientée de P vers Q

Pour chaque point ayant le vecteur position $\vec{r}_i$ sur C, on forme le produit scalaire $\vec{F}(\vec{r}_i) \cdot \Delta\vec{r}_i$. En calculant la somme de tels morceaux, on obtient une somme de Riemann :

$$\sum_{i=0}^{n-1} \vec{F}(\vec{r}_i) \cdot \Delta\vec{r}_i.$$

On définit l'intégrale curviligne, notée $\int_C \vec{F} \cdot d\vec{r}$, en prenant la limite quand $\|\Delta\vec{r}_i\| \to 0$. Pourvu que la limite existe, on peut dire que

> L'**intégrale curviligne** d'un champ vectoriel $\vec{F}$ le long d'une courbe orientée C est
>
> $$\int_C \vec{F} \cdot d\vec{r} = \lim_{\|\Delta\vec{r}_i\| \to 0} \sum_{i=0}^{n-1} \vec{F}(\vec{r}_i) \cdot \Delta\vec{r}_i.$$

Comment fonctionne la limite définissant une intégrale curviligne

La limite, dans la définition d'une intégrale curviligne, existe si $\vec{F}$ est continu sur la courbe C et si on crée C en reliant bout à bout un nombre fini de courbes lisses, c'est-à-dire des courbes que les fonctions lisses peuvent paramétrer. On peut utiliser la paramétrisation pour subdiviser une courbe lisse, en subdivisant l'intervalle de paramétrisation de la même manière que pour les intégrales ordinaires d'une variable. La paramétrisation doit couvrir la courbe d'une extrémité à l'autre, dans la direction positive, sans revenir sur une portion de la courbe. Dans ces conditions, l'intégrale curviligne est indépendante de la manière dont les subdivisions sont effectuées. Toutes les courbes que l'on considère dans le présent manuel sont *lisses par morceaux* dans ce sens. La section 8.2 montre la manière d'utiliser une paramétrisation pour calculer une intégrale curviligne.

Exemple 1   Trouvez l'intégrale curviligne d'un champ vectoriel constant $\vec{F} = \vec{i} + 2\vec{j}$ sur un chemin compris entre $(1, 1)$ et $(10, 10)$ [voir la figure 8.4].

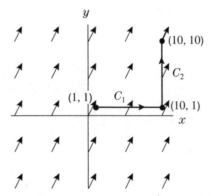

Figure 8.4 : Champ vectoriel constant $\vec{F} = \vec{i} + 2\vec{j}$ et chemin compris entre $(1, 1)$ et $(10, 10)$

Solution   Soit C_1 le segment horizontal du chemin compris entre $(1, 1)$ et $(10, 1)$. Quand on découpe ce chemin en morceaux, chaque morceau $\Delta\vec{r}$ est horizontal. Donc, $\Delta\vec{r} = \Delta x \vec{i}$ et $\vec{F} \cdot \Delta\vec{r} = (\vec{i} + 2\vec{j}) \cdot \Delta x \vec{i} = \Delta x$. Par conséquent,

$$\int_{C_1} \vec{F} \cdot d\vec{r} = \int_{x=1}^{x=10} dx = 9.$$

De même, le long du segment vertical C_2, on a $\Delta\vec{r} = \Delta y\vec{j}$ et $\vec{F} \cdot \Delta\vec{r} = (\vec{i} + 2\vec{j}) \cdot \Delta y\vec{j} = 2\Delta y$. Donc,

$$\int_{C_2} \vec{F} \cdot d\vec{r} = \int_{y=1}^{y=10} 2\, dy = 18.$$

Par conséquent,

$$\int_C \vec{F} \cdot d\vec{r} = \int_{C_1} \vec{F} \cdot d\vec{r} + \int_{C_2} \vec{F} \cdot d\vec{r} = 9 + 18 = 27.$$

Que révèle l'intégrale curviligne ?

Il ne faut pas oublier que, pour deux vecteurs quelconques $\vec{u}$ et $\vec{v}$, le produit scalaire $\vec{u} \cdot \vec{v}$ est positif si $\vec{u}$ et $\vec{v}$ s'orientent approximativement dans la même direction (autrement dit, si l'angle entre eux est inférieur à $\pi/2$). Le produit scalaire est nul si $\vec{u}$ est perpendiculaire à $\vec{v}$ et est négatif s'ils s'orientent approximativement dans des directions opposées (c'est-à-dire si l'angle entre eux est supérieur à $\pi/2$).

L'intégrale curviligne de $\vec{F}$ additionne les produits scalaires de $\vec{F}$ et de $\Delta\vec{r}$ le long du chemin. Si $\|\vec{F}\|$ est constant, l'intégrale curviligne donne un nombre positif si $\vec{F}$ s'oriente surtout dans la même direction que $\Delta\vec{r}$, et elle donne un nombre négatif si $\vec{F}$ s'oriente surtout dans la direction opposée. L'intégrale curviligne est nulle si $\vec{F}$ est perpendiculaire au chemin en tous les points ou si les contributions positives et négatives s'annulent. En général, l'intégrale curviligne d'un champ vectoriel $\vec{F}$ le long d'une courbe C indique dans quelle mesure C est orientée dans le même sens que $\vec{F}$ ou dans le sens opposé.

Exemple 2 La figure 8.5 présente le champ vectoriel $\vec{F}$ et les courbes orientées C_1, C_2, C_3 et C_4. Les courbes C_1 et C_3 ont la même longueur. Lesquelles des intégrales curvilignes $\int_{C_i} \vec{F} \cdot d\vec{r}$ pour $i = 1, 2, 3, 4$ sont positives ? Lesquelles sont négatives ? Disposez ces intégrales curvilignes en ordre croissant.

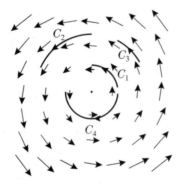

Figure 8.5 : Champ vectoriel et chemins C_1, C_2, C_3 et C_4

Solution Le champ vectoriel $\vec{F}$ et les segments de droite $\Delta\vec{r}$ sont approximativement parallèles et sont orientés dans la même direction que les courbes C_1, C_2 et C_3. Donc, les contributions de chaque terme $\vec{F} \cdot \Delta\vec{r}$ sont positives pour ces courbes. Par conséquent, les intégrales $\int_{C_1} \vec{F} \cdot d\vec{r}$, $\int_{C_2} \vec{F} \cdot d\vec{r}$ et $\int_{C_3} \vec{F} \cdot d\vec{r}$ sont toutes positives. Pour la courbe C_4, le champ vectoriel et les segments de droite sont orientés dans des directions opposées. Donc, chaque terme $\vec{F} \cdot \Delta\vec{r}$ est négatif et, par conséquent, l'intégrale $\int_{C_4} \vec{F} \cdot d\vec{r}$ est négative.

Puisque la norme du champ vectoriel est plus petite le long de C_1 que le long de C_3 et que ces deux courbes ont la même longueur, on a

$$\int_{C_1} \vec{F} \cdot d\vec{r} < \int_{C_3} \vec{F} \cdot d\vec{r}.$$

De plus, la norme du champ vectoriel est la même le long de C_2 et de C_3, mais la courbe C_2 est plus longue que la courbe C_3. En conséquence,

$$\int_{C_3} \vec{F} \cdot d\vec{r} < \int_{C_2} \vec{F} \cdot d\vec{r}.$$

En combinant ces résultats et en tenant compte du fait que l'intégrale $\int_{C_4} \vec{F} \cdot d\vec{r}$ est négative, on a

$$\int_{C_4} \vec{F} \cdot d\vec{r} < \int_{C_1} \vec{F} \cdot d\vec{r} < \int_{C_3} \vec{F} \cdot d\vec{r} < \int_{C_2} \vec{F} \cdot d\vec{r}.$$

Les interprétations de l'intégrale curviligne

Le travail

Dans la section 2.3, on a vu que si une force constante $\vec{F}$ agit sur un objet lors d'un déplacement $\vec{d}$ le long d'une droite, le travail effectué par la force sur l'objet est

$$\text{Travail accompli} = \vec{F} \cdot \vec{d}.$$

On suppose maintenant qu'on veut trouver le travail accompli par la gravité sur un objet se déplaçant bien au-delà de la surface de la Terre. Puisque la force de gravité varie de pair avec la distance par rapport à la Terre et que le chemin peut ne pas être droit, on ne peut utiliser la formule $\vec{F} \cdot \vec{d}$. On calcule l'approximation du chemin au moyen de segments de droite qui sont suffisamment petits pour que la force soit approximativement constante sur chacun d'eux. On suppose que la force en un point ayant le vecteur position $\vec{r}$ est $\vec{F}(\vec{r})$, comme le montrent les figures 8.2 et 8.3. Alors,

$$\begin{array}{l} \text{Travail fourni par la force } \vec{F}(\vec{r}_i) \\ \text{lors d'un petit déplacement } \Delta\vec{r}_i \end{array} \approx \vec{F}(\vec{r}_i) \cdot \Delta\vec{r}_i,$$

et donc,

$$\begin{array}{l} \text{Travail total accompli par la force} \\ \text{le long de la courbe orientée } C \end{array} \approx \sum_i \vec{F}(\vec{r}_i) \cdot \Delta\vec{r}_i.$$

En prenant la limite quand $\|\Delta\vec{r}_i\| \to 0$, on obtient

$$\boxed{\begin{array}{l} \text{Travail fourni par la force } \vec{F}(\vec{r}) \\ \text{le long de la courbe } C \end{array} = \lim_{\|\Delta\vec{r}_i\| \to 0} \sum_i \vec{F}(\vec{r}_i) \cdot \Delta\vec{r}_i = \int_C \vec{F} \cdot d\vec{r}.}$$

Exemple 3   Une masse reposant sur une table plane est fixée à un ressort dont l'autre extrémité est fixée au mur (voir la figure 8.6, page suivante). Le ressort est étiré jusqu'à 20 cm au-delà de sa position de repos puis il est relâché. Si les axes sont comme le montre la figure 8.6, lorsque le ressort est étiré sur une distance de x, la force exercée par le ressort sur la masse est donnée par

$$\vec{F}(x) = -kx\vec{i},$$

où k est une constante positive qui dépend de la force du ressort.

On suppose que la masse revient à sa position de repos. Quelle est la quantité de travail accompli par la force exercée par le ressort ?

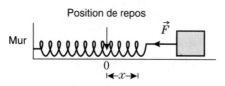

Figure 8.6 : Force sur la masse due à un ressort étiré

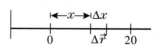

Figure 8.7 : Division de l'intervalle $0 \leq x \leq 20$ pour calculer le travail fourni

Solution   Le chemin entre $x = 20$ et $x = 0$ est divisé (voir la figure 8.7) avec un segment typique représenté par

$$\Delta \vec{r} = \Delta x \vec{i} .$$

Puisqu'on se déplace de $x = 20$ à $x = 0$, la quantité Δx sera négative. On calcule l'approximation du travail fourni par la force quand la masse se déplace d'un bout à l'autre de ce segment par

$$\text{Travail fourni} \approx \vec{F} \cdot \Delta \vec{r} = (-kx\vec{i}) \cdot (\Delta x \vec{i}) = -kx \, \Delta x.$$

Par conséquent, on a

$$\text{Travail total accompli} \approx \sum -kx \, \Delta x.$$

Dans la limite, quand $\|\Delta x\| \to 0$, cette somme devient une intégrale définie ordinaire. Puisque le chemin commence en $x = 20$, il s'agit de la limite inférieure de l'intégration ; $x = 0$ est la limite supérieure. Par conséquent, on a

$$\text{Travail total accompli} = \int_{x=20}^{x=0} -kx \, dx = -\frac{kx^2}{2} \Big|_{20}^{0} = \frac{k(20)^2}{2} = 200k.$$

Noter que le travail fourni est positif, puisque la force agit dans la direction du mouvement.

L'exemple 3 montre comment une intégrale curviligne sur un chemin parallèle à l'axe des x est réduite à une intégrale d'une variable. La section 8.2 montre comment convertir *toute* intégrale curviligne en intégrale d'une variable.

Exemple 4   Une particule ayant le vecteur position $\vec{r}$ est soumise à une force $\vec{F}$ due à la gravité. Quel est le *signe* du travail fourni par $\vec{F}$ quand la particule se déplace le long du chemin C_1, une droite radiale passant par le centre de la Terre, commençant à 8000 km du centre et se terminant à 10 000 km du centre ? (Voir la figure 8.8.)

Solution   On divise le chemin en petits segments radiaux $\Delta \vec{r}$ qui s'orientent vers l'extérieur du centre de la Terre et qui sont parallèles à la force gravitationnelle. Les vecteurs $\vec{F}$ et $\Delta \vec{r}$ s'orientent dans des directions opposées. Donc, chaque terme $\vec{F} \cdot \Delta \vec{r}$ est négatif. En additionnant toutes ces quantités négatives et en prenant les résultats de la limite, on obtient une valeur négative pour le travail fourni. Par conséquent, le travail fourni par la gravité est négatif. Le signe négatif indique qu'il faudrait qu'une autre quantité de travail soit fournie pour vaincre la gravité afin de déplacer la particule le long du chemin C_1.

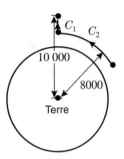

Figure 8.8 : Terre

Exemple 5 | Trouvez le signe du travail fourni par la gravité le long de la courbe C_1 de l'exemple 4 mais dans le sens opposé.

Solution | En traçant une courbe dans la direction opposée, on fait changer le signe de l'intégrale curviligne, car tous les segments $\Delta\vec{r}$ changent de direction et donc, chaque terme $\vec{F} \cdot \Delta\vec{r}$ change de signe. Par conséquent, le résultat sera contraire à la réponse trouvée à l'exemple 4. Ainsi, le travail fourni par la gravité quand la particule se déplace le long de C_1 vers le centre de la Terre est positif.

Exemple 6 | Trouvez le travail fourni par la gravité à mesure qu'une particule se déplace le long de C_2, un arc de cercle de 8000 km de longueur situé à une distance de 8000 km du centre de la Terre (voir la figure 8.8).

Solution | Puisque C_2 est partout perpendiculaire à la force gravitationnelle, $\vec{F} \cdot \Delta\vec{r} = 0$ pour tout $\Delta\vec{r}$ le long de C_2. Par conséquent,

$$\text{Travail fourni} = \int_{C_2} \vec{F} \cdot d\vec{r} = 0.$$

Donc, le travail fourni est nul. C'est la raison pour laquelle les satellites peuvent demeurer en orbite sans consommer de carburant, une fois qu'ils ont atteint l'altitude et la vitesse appropriées.

La circulation

Le champ vectoriel de vitesse pour le Gulf Stream, à la section 7.1, présente des remous ou des régions distinctes où l'eau circule. On peut mesurer cette circulation en utilisant une *courbe fermée,* autrement dit, une courbe qui commence et se termine au même point.

> Si C est une courbe fermée orientée, l'intégrale curviligne d'un champ vectoriel $\vec{F}$ autour de C s'appelle la **circulation** de $\vec{F}$ autour de C.

La circulation est une mesure de la tendance nette du champ vectoriel à s'orienter autour de la courbe C. Pour mettre l'accent sur le fait que C est fermé, la circulation est parfois notée $\oint_C \vec{F} \cdot d\vec{r}$, avec un petit cercle sur le signe de l'intégrale.

Exemple 7 | Décrivez la rotation des champs vectoriels des figures 8.9 et 8.10 (page suivante). Trouvez le signe de la circulation des champs vectoriels autour des chemins indiqués.

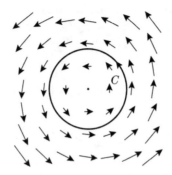

Figure 8.9 : Flux qui circule

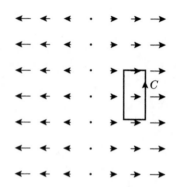

Figure 8.10 : Flux sans circulation

Solution   On considère le champ vectoriel de la figure 8.9. Si on suppose que ce champ représente la vitesse de l'eau qui circule dans un étang, on peut considérer que l'eau circule. L'intégrale curviligne autour de C, qui mesure la circulation autour de C, est positive, car les vecteurs du champ s'orientent tous dans la direction du chemin. Par ailleurs, on observe le champ vectoriel de la figure 8.10. Dans ce cas, l'intégrale curviligne autour de C est nulle, car les portions verticales du chemin sont perpendiculaires au champ et les contributions des deux portions horizontales s'annulent. Cela signifie que l'eau n'a pas de tendance nette à circuler autour de C.

Il s'avère que le champ vectoriel de la figure 8.10 a la propriété suivante : sa circulation autour de *tout* chemin fermé est nulle. L'eau se déplaçant selon ce champ vectoriel n'a tendance à circuler autour d'aucun point, et une feuille qui tombe dans l'eau ne tourbillonnera pas. De tels champs particuliers seront examinés plus loin, avec l'étude de la notion de *rotationnel* d'un champ vectoriel.

Les propriétés des intégrales curvilignes

Les intégrales curvilignes partagent certaines propriétés fondamentales avec les intégrales ordinaires d'une variable :

Pour une constante scalaire λ, les champs vectoriels $\vec{F}$ et $\vec{G}$ et les courbes orientées C, C_1 et C_2

1. $\displaystyle\int_C \lambda \vec{F} \cdot d\vec{r} = \lambda \int_C \vec{F} \cdot d\vec{r}$;

2. $\displaystyle\int_C (\vec{F} + \vec{G}) \cdot d\vec{r} = \int_C \vec{F} \cdot d\vec{r} + \int_C \vec{G} \cdot d\vec{r}$;

3. $\displaystyle\int_{-C} \vec{F} \cdot d\vec{r} = -\int_C \vec{F} \cdot d\vec{r}$;

4. $\displaystyle\int_{C_1 + C_2} \vec{F} \cdot d\vec{r} = \int_{C_1} \vec{F} \cdot d\vec{r} + \int_{C_2} \vec{F} \cdot d\vec{r}$.

Les propriétés 3 et 4 concernent la courbe C sur laquelle on prend l'intégrale curviligne. Si C est une courbe orientée, alors $-C$ est la même courbe parcourue dans la direction opposée, autrement dit, avec l'orientation opposée (voir la figure 8.11). La propriété 3 s'applique, car si on intègre le long de $-C$, les vecteurs $\Delta \vec{r}$ s'orientent dans la direction opposée et les produits vectoriels $\vec{F} \cdot \Delta \vec{r}$ sont l'inverse de ce qu'ils étaient le long de C.

Si C_1 et C_2 sont des courbes orientées et que C_1 se termine là où C_2 commence, on construit une nouvelle courbe orientée, appelée $C_1 + C_2$, en les reliant (voir la figure 8.12). La propriété 4 est l'équivalent, pour les intégrales curvilignes, de la propriété des intégrales définies, laquelle énonce que

$$\int_a^b f(x)\,dx = \int_a^c f(x)\,dx + \int_c^b f(x)\,dx.$$

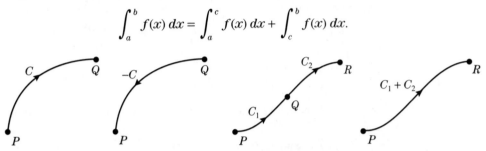

Figure 8.11 : Courbe C et son opposée, $-C$

Figure 8.12 : Relier deux courbes C_1 et C_2 pour en faire une seule, $C_1 + C_2$

Problèmes de la section 8.1

Pour les problèmes 1 à 4, précisez si vous prévoyez que l'intégrale curviligne du champ vectoriel illustré sur la courbe donnée sera positive, négative ou nulle.

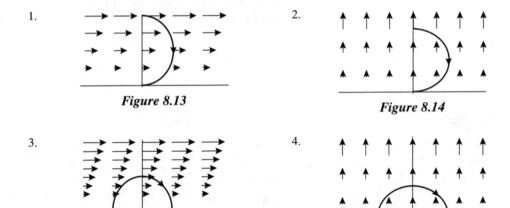

1.

Figure 8.13

2.

Figure 8.14

3.

Figure 8.15

4.

Figure 8.16

5. Considérez le champ vectoriel $\vec{F}$ (voir la figure 8.17) et les chemins C_1, C_2 et C_3. Disposez les intégrales curvilignes $\int_{C_1} \vec{F} \cdot d\vec{r}$, $\int_{C_2} \vec{F} \cdot d\vec{r}$ et $\int_{C_3} \vec{F} \cdot d\vec{r}$ en ordre croissant.

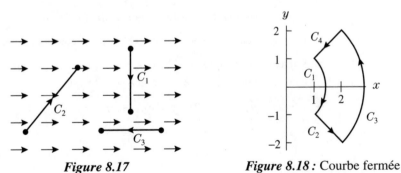

Figure 8.17

Figure 8.18 : Courbe fermée $C = C_1 + C_2 + C_3 + C_4$

Pour les problèmes 6 à 10, précisez si vous prévoyez que le champ vectoriel donné aura une circulation positive, négative ou nulle autour de la courbe C de la figure 8.18 (page précédente). Les segments C_1 et C_3 sont des arcs circulaires centrés à l'origine ; C_2 et C_4 sont des segments de droite radiaux. Il pourrait être utile de tracer le graphe du champ vectoriel.

6. $\vec{F}(x, y) = x\vec{i} + y\vec{j}$ 7. $\vec{F}(x, y) = -y\vec{i} + x\vec{j}$

8. $\vec{F}(x, y) = y\vec{i} - x\vec{j}$ 9. $\vec{F}(x, y) = x^2\vec{i}$

10. $\vec{F}(x, y) = -\dfrac{y}{x^2 + y^2}\vec{i} + \dfrac{x}{x^2 + y^2}\vec{j}$

Pour les problèmes 11 à 16, calculez l'intégrale curviligne le long de la droite entre les points donnés.

11. $\vec{F} = x\vec{j}$,   entre $(1, 0)$ et $(3, 0)$ 12. $\vec{F} = x\vec{j}$,   entre $(2, 0)$ et $(2, 5)$

13. $\vec{F} = x\vec{i}$,   entre $(2, 0)$ et $(6, 0)$ 14. $\vec{F} = x\vec{i} + y\vec{j}$,   entre $(2, 0)$ et $(6, 0)$

15. $\vec{F} = \vec{r}$,   entre $(2, 2)$ et $(6, 6)$ 16. $\vec{F} = 3\vec{i} + 4\vec{j}$,   entre $(0, 6)$ et $(0, 13)$

17. Dessinez une courbe orientée C et un champ vectoriel $\vec{F}$ le long de C qui n'est pas toujours perpendiculaire à C, mais pour lesquels $\int_C \vec{F} \cdot d\vec{r} = 0$.

18. Soit le champ de force $\vec{F}(x, y) = y\vec{i} + x^2\vec{j}$ et la courbe en angle droit C des points $(0, -1)$ à $(4, -1)$ à $(4, 3)$ montrée à la figure 8.19.

   a) Évaluez $\vec{F}$ aux points $(0, -1)$, $(1, -1)$, $(2, -1)$, $(3, -1)$, $(4, -1)$, $(4, 0)$, $(4, 1)$, $(4, 2)$ et $(4, 3)$.

   b) Tracez un graphe montrant le champ de force le long de C.

   c) Estimez le travail fourni par le champ de force indiqué sur un objet parcourant la courbe C.

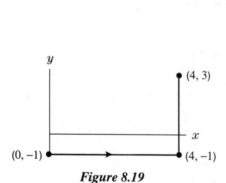

Figure 8.19   *Figure 8.20*

19. Si $\vec{F}$ est le champ de force constant $\vec{j}$, considérez le travail fourni par le champ sur les particules qui voyagent sur les chemins C_1, C_2 et C_3 de la figure 8.20. Sur lesquels de ces chemins n'y aura-t-il aucun travail accompli ? Justifiez votre réponse.

Pour les problèmes 20 à 23, utilisez un ordinateur afin de calculer les intégrales ci-après.

   a) L'intégrale curviligne de $\vec{F}$ autour de plusieurs courbes fermées. Qu'obtenez-vous ?

   b) L'intégrale curviligne de $\vec{F}$ le long de trois courbes, chacune commençant à l'origine et se terminant au point $(\frac{1}{2}, \frac{1}{2})$. Que remarquez-vous ?

20. $\vec{F} = x\vec{i} + y\vec{j}$ 21. $\vec{F} = -y\vec{i} + x\vec{j}$ 22. $\vec{F} = \vec{i} + y\vec{j}$ 23. $\vec{F} = \vec{i} + x\vec{j}$

24. En vous basant sur vos réponses aux problèmes 20 à 23, vous devriez avoir remarqué que l'énoncé suivant est vrai : quand l'intégrale curviligne d'un champ vectoriel autour de toute courbe fermée est nulle, l'intégrale curviligne le long d'une courbe ayant des extrémités fixes a une valeur constante (autrement dit, l'intégrale curviligne est indépendante du chemin qu'emprunte la courbe entre deux extrémités). Justifiez cette assertion.

25. En vous basant sur vos réponses aux problèmes 20 à 23, vous devriez avoir remarqué que l'inverse de l'énoncé du problème 24 est également vrai : quand l'intégrale curviligne d'un champ vectoriel dépend uniquement des extrémités et non des chemins, la circulation est toujours nulle. Justifiez cette assertion.

Pour les problèmes 26 et 27, considérez le fait que la force exercée par la gravité sur une particule de masse m au point ayant le vecteur position $\vec{r}$ est donnée par

$$\vec{F} = -\frac{GMm\vec{r}}{r^3} \ ,$$

où $r = \|\vec{r}\|$, G est la constante gravitationnelle et M, la masse de la Terre.

26. Calculez le travail fourni par la gravité sur une particule de masse m quand elle passe de 8000 km à 10 000 km du centre de la Terre.

27. Calculez le travail fourni par la gravité sur une particule de masse m quand elle passe de 8000 km du centre de la Terre à une distance infiniment éloignée.

28. Le fait qu'un courant électrique produit un champ magnétique constitue le principe de fonctionnement de certains moteurs électriques. La loi d'Ampère établit un lien entre le champ magnétique $\vec{B}$ et un courant stable I. Elle énonce que

$$\int_C \vec{B} \cdot d\vec{r} = kI,$$

où I est le courant[1] qui circule dans une courbe fermée C, et où k est une constante. La figure 8.21 illustre une tige transportant du courant et le champ magnétique induit autour de la tige. Si la tige est très longue et mince, des expériences démontrent que le champ magnétique $\vec{B}$ est tangent à chaque cercle qui est perpendiculaire à la tige et qui a son centre sur l'axe de la tige (comme C, à la figure 8.21). La norme de $\vec{B}$ est constante le long de chacun de ces cercles. À l'aide de la loi d'Ampère, démontrez qu'autour d'un cercle de rayon r, le champ magnétique provoqué par le courant I a une norme donnée par

$$\|\vec{B}\| = \frac{kI}{2\pi r} \ .$$

(En d'autres mots, la force du champ est inversement proportionnelle à la distance radiale par rapport à la tige.)

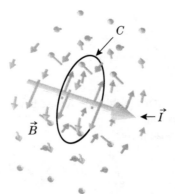

Figure 8.21

---

1. Plus précisément, I est le courant net passant par toute surface ayant C comme frontière.

8.2   LE CALCUL DES INTÉGRALES CURVILIGNES SUR DES COURBES PARAMÉTRÉES

La présente section a pour objectif de montrer comment on utilise la paramétrisation d'une courbe pour convertir une intégrale curviligne en intégrale ordinaire d'une variable.

L'utilisation de la paramétrisation pour évaluer une intégrale curviligne

On se rappellera la définition de l'intégrale curviligne

$$\int_C \vec{F} \cdot d\vec{r} = \lim_{\|\Delta \vec{r}_i\| \to 0} \sum \vec{F}(\vec{r}_i) \cdot \Delta \vec{r}_i,$$

où les $\vec{r}_i$ sont les vecteurs position de points subdivisant la courbe en petits morceaux. Maintenant, on suppose une paramétrisation lisse $\vec{r}(t)$ de C pour $a \leq t \leq b$, de sorte que $\vec{r}(a)$ et $\vec{r}(b)$ sont les vecteurs position de ses extrémités. Alors, on peut diviser C en n morceaux en divisant l'intervalle $a \leq t \leq b$ en n morceaux, chacun étant de grandeur $\Delta t = (b - a)/n$ (voir les figures 8.22 et 8.23).

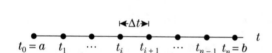

Figure 8.22 : Subdivision de l'intervalle $a \leq t \leq b$

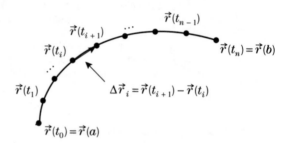

Figure 8.23 : Subdivision correspondante du chemin paramétré C

À chaque point $\vec{r}_i = \vec{r}(t_i)$, on veut calculer

$$\vec{F}(\vec{r}_i) \cdot \Delta \vec{r}_i.$$

Puisque $t_{i+1} = t_i + \Delta t$, les vecteurs de déplacement $\Delta \vec{r}_i$ sont donnés par

$$\begin{aligned}
\Delta \vec{r}_i &= \vec{r}(t_{i+1}) - \vec{r}(t_i) \\
&= \vec{r}(t_i + \Delta t) - \vec{r}(t_i) \\
&= \frac{\vec{r}(t_i + \Delta t) - \vec{r}(t_i)}{\Delta t} \cdot \Delta t \\
&\approx \vec{r}'(t_i) \Delta t,
\end{aligned}$$

où on considère le fait que Δt est petit et que $\vec{r}(t)$ est différentiable pour obtenir la dernière approximation.

Par conséquent,

$$\int_C \vec{F} \cdot d\vec{r} \approx \sum \vec{F}(\vec{r}_i) \cdot \Delta \vec{r}_i \approx \sum \vec{F}(\vec{r}(t_i)) \cdot \vec{r}'(t_i) \Delta t.$$

Noter que $\vec{F}(\vec{r}(t_i)) \cdot \vec{r}\,'(t_i)$ est la valeur en t_i d'une fonction d'une variable de t. Donc, cette dernière somme est en réalité une somme de Riemann d'une variable. Dans la limite, quand $\Delta t \to 0$, on obtient une intégrale définie :

$$\lim_{\Delta t \to 0} \sum \vec{F}(\vec{r}(t_i)) \cdot \vec{r}\,'(t_i)\,\Delta t = \int_a^b \vec{F}(\vec{r}(t)) \cdot \vec{r}\,'(t)\,dt.$$

Par conséquent, on a le résultat suivant :

Si $\vec{r}(t)$, pour $a \le t \le b$, est une paramétrisation lisse d'une courbe orientée C, et si $\vec{F}$ est un champ vectoriel continu sur C, alors

$$\int_C \vec{F} \cdot d\vec{r} = \int_a^b \vec{F}(\vec{r}(t)) \cdot \vec{r}\,'(t)\,dt.$$

En langage courant, pour calculer l'intégrale curviligne de $\vec{F}$ sur C, il faut prendre le produit scalaire de $\vec{F}$ évalué sur C avec le vecteur vitesse $\vec{r}\,'(t)$ de la paramétrisation de C, puis intégrer le long de la courbe.

Même si on suppose que C est lisse, on peut utiliser la même formule pour calculer les intégrales curvilignes sur les courbes qui ne sont *lisses* que *par morceaux*, comme les frontières d'un rectangle. Si C est lisse par morceaux, on applique la formule à chacun des morceaux lisses et on additionne les résultats.

Exemple 1 Calculez $\int_C \vec{F} \cdot d\vec{r}$ quand $\vec{F} = (x + y)\vec{i} + y\vec{j}$ et quand C est le quart du cercle unité, orienté dans le sens contraire des aiguilles d'une montre, comme le montre la figure 8.24.

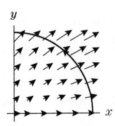

Figure 8.24 : Champ vectoriel $\vec{F} = (x + y)\vec{i} + y\vec{j}$ et quart de cercle C

Solution Puisque tous les vecteurs dans $\vec{F}$ s'orientent généralement le long de C dans une direction opposée à celle de C, on s'attend à ce que la réponse soit négative. La première étape consiste à exprimer l'équation paramétrique de C par

$$\vec{r}(t) = x(t)\vec{i} + y(t)\vec{j} = \cos t\,\vec{i} + \sin t\,\vec{j}, \quad 0 \le t \le \frac{\pi}{2}.$$

En substituant la paramétrisation en $\vec{F}$, on obtient $\vec{F}(x(t), y(t)) = (\cos t + \sin t)\vec{i} + \sin t\,\vec{j}$. Le vecteur $\vec{r}\,'(t) = x'(t)\vec{i} + y'(t)\vec{j} = -\sin t\,\vec{i} + \cos t\,\vec{j}$. Alors,

$$\int_C \vec{F} \cdot d\vec{r} = \int_0^{\pi/2} ((\cos t + \sin t)\vec{i} + \sin t\,\vec{j}) \cdot (-\sin t\,\vec{i} + \cos t\,\vec{j})\,dt$$

$$= \int_0^{\pi/2} (-\cos t \sin t - \sin^2 t + \sin t \cos t)\,dt$$

$$= \int_0^{\pi/2} -\sin^2 t\,dt = -\frac{\pi}{4} \approx -0{,}7854.$$

La réponse est donc négative, comme on le prévoyait.

Exemple 2   Considérez le champ vectoriel $\vec{F} = x\vec{i} + y\vec{j}$.

a) Supposez que C_1 est le segment de droite reliant $(1, 0)$ et $(0, 2)$ et que C_2 fait partie d'une parabole ayant son sommet en $(0, 2)$, reliant les mêmes points dans le même ordre (voir la figure 8.25). Vérifiez que

$$\int_{C_1} \vec{F} \cdot d\vec{r} = \int_{C_2} \vec{F} \cdot d\vec{r}.$$

b) Si C est le triangle présenté à la figure 8.26, montrez que $\int_C \vec{F} \cdot d\vec{r} = 0$.

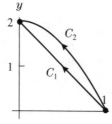
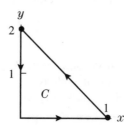

Figure 8.25   **Figure 8.26**

Solution   a) On paramètre C_1 par $\vec{r}(t) = (1 - t)\vec{i} + 2t\vec{j}$ avec $0 \leq t \leq 1$. Alors, $\vec{r}'(t) = -\vec{i} + 2\vec{j}$, donc

$$\int_{C_1} \vec{F} \cdot d\vec{r} = \int_0^1 \vec{F}(1 - t, 2t) \cdot (-\vec{i} + 2\vec{j})\, dt = \int_0^1 ((1 - t)\vec{i} + 2t\vec{j}) \cdot (-\vec{i} + 2\vec{j})\, dt$$

$$= \int_0^1 (5t - 1)\, dt = \frac{3}{2}.$$

Pour trouver l'équation paramétrique de C_2, on considère qu'il fait partie d'une parabole dont le sommet est en $(0, 2)$. Donc, son équation est de la forme $y = -kx^2 + 2$ pour un k quelconque. Puisque la parabole croise l'axe des x en $(1, 0)$, on trouve que $k = 2$ et que $y = -2x^2 + 2$. Par conséquent, on utilise la paramétrisation $\vec{r}(t) = t\vec{i} + (-2t^2 + 2)\vec{j}$ avec $0 \leq t \leq 1$, où $\vec{r}' = \vec{i} - 4t\vec{j}$. Cela trace C_2 à l'inverse, puisque $t = 0$ produit $(0, 2)$ et que $t = 1$ produit $(1, 0)$. Ainsi, on fait de $t = 0$ la limite supérieure de l'intégration et de $t = 1$, la limite inférieure :

$$\int_{C_2} \vec{F} \cdot d\vec{r} = \int_1^0 \vec{F}(t, -2t^2 + 2) \cdot (\vec{i} - 4t\vec{j})\, dt = -\int_0^1 (t\vec{i} + (-2t^2 + 2)\vec{j}) \cdot (\vec{i} - 4t\vec{j})\, dt$$

$$= -\int_0^1 (8t^3 - 7t)\, dt = \frac{3}{2}.$$

Donc, les intégrales curvilignes le long de C_1 et de C_2 ont la même valeur.

b) On divise $\int_C \vec{F} \cdot d\vec{r}$ en trois morceaux ; on a déjà calculé l'un de ces morceaux (le morceau reliant $(1, 0)$ à $(0, 2)$, où l'intégrale curviligne a la valeur $3/2$). Le morceau allant de $(0, 2)$ à $(0, 0)$ peut être paramétré par $\vec{r}(t) = (2 - t)\vec{j}$ avec $0 \leq t \leq 2$. Le morceau allant de $(0, 0)$ à $(1, 0)$ peut être paramétré par $\vec{r}(t) = t\vec{i}$ avec $0 \leq t \leq 1$. Alors,

$$\int_C \vec{F} \cdot d\vec{r} = \frac{3}{2} + \int_0^2 \vec{F}(0, 2 - t) \cdot (-\vec{j})\, dt + \int_0^1 \vec{F}(t, 0) \cdot \vec{i}\, dt$$

$$= \frac{3}{2} + \int_0^2 (2 - t)\vec{j} \cdot (-\vec{j})\, dt + \int_0^1 t\vec{i} \cdot \vec{i}\, dt$$

$$= \frac{3}{2} + \int_0^2 (t - 2)\, dt + \int_0^1 t\, dt = \frac{3}{2} + (-2) + \frac{1}{2} = 0.$$

Exemple 3   Soit C la courbe fermée constituée du demi-cercle supérieur de rayon 1 et la droite formant son diamètre le long de l'axe des x, orientée dans le sens contraire des aiguilles d'une montre (voir la figure 8.27). Trouvez $\int_C \vec{F} \cdot d\vec{r}$, où $\vec{F}(x, y) = -y\vec{i} + x\vec{j}$.

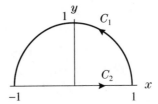

Figure 8.27 : Courbe $C = C_1 + C_2$ pour l'exemple 3

Solution   On écrit $C = C_1 + C_2$, où C_1 est le demi-cercle et où C_2 est la droite, et on calcule $\int_{C_1} \vec{F} \cdot d\vec{r}$ et $\int_{C_2} \vec{F} \cdot d\vec{r}$ séparément. On trouve l'équation paramétrique de C_1 par $\vec{r}(t) = \cos t\vec{i} + \sin t\vec{j}$, avec $0 \le t \le \pi$. Alors,

$$\int_{C_1} \vec{F} \cdot d\vec{r} = \int_0^\pi (-\sin t\vec{i} + \cos t\vec{j}) \cdot (-\sin t\vec{i} + \cos t\vec{j})\, dt$$

$$= \int_0^\pi (\sin^2 t + \cos^2 t)\, dt = \int_0^\pi 1\, dt = \pi.$$

Pour C_2, on a $\int_{C_2} \vec{F} \cdot d\vec{r} = 0$, puisque le champ vectoriel $\vec{F}$ n'a pas de composante $\vec{i}$ le long de l'axe des x (où $y = 0$) et qu'il est donc perpendiculaire à C_2 en tous les points.

Finalement, on peut écrire

$$\int_C \vec{F} \cdot d\vec{r} = \int_{C_1} \vec{F} \cdot d\vec{r} + \int_{C_2} \vec{F} \cdot d\vec{r} = \pi + 0 = \pi.$$

Il n'est pas accidentel que le résultat de $\int_{C_1} \vec{F} \cdot d\vec{r}$ soit le même que celui de la longueur de la courbe C_1 (voir les problèmes 14 et 15, un peu plus loin).

L'exemple 4 illustre le calcul d'une intégrale curviligne sur un chemin situé dans un espace à trois dimensions.

Exemple 4   Une particule se déplace le long de l'hélice circulaire C donnée par $\vec{r}(t) = \cos t\vec{i} + \sin t\vec{j} + 2t\vec{k}$ et est soumise à une force $\vec{F} = x\vec{i} + z\vec{j} - xy\vec{k}$. Trouvez le travail total accompli sur la particule par la force pour $0 \le t \le 3\pi$.

Solution   Le travail fourni est donné par une intégrale curviligne qu'on évalue en utilisant la paramétrisation donnée :

$$\text{Travail effectué} = \int_C \vec{F} \cdot d\vec{r} = \int_0^{3\pi} \vec{F}(\vec{r}(t)) \cdot \vec{r}\,'(t)\, dt$$

$$= \int_0^{3\pi} (\cos t\vec{i} + 2t\vec{j} - \cos t \sin t\vec{k}) \cdot (-\sin t\vec{i} + \cos t\vec{j} + 2\vec{k})\, dt$$

$$= \int_0^{3\pi} (-\cos t \sin t + 2t \cos t - 2 \cos t \sin t)\, dt$$

$$= \int_0^{3\pi} (-3 \cos t \sin t + 2t \cos t)\, dt = -4.$$

La notation $\int_C P\, dx + Q\, dy + Rdz$

Il existe une autre notation relativement courante pour les intégrales curvilignes. Étant donné les fonctions $P(x, y, z)$, $Q(x, y, z)$, $R(x, y, z)$ et une courbe orientée C, on considère le champ vectoriel $\vec{F} = P\vec{i} + Q\vec{j} + R\vec{k}$. On peut écrire

$$\int_C \vec{F} \cdot d\vec{r} = \int_C P(x, y, z)dx + Q(x, y, z)dy + R(x, y, z)dz.$$

Noter que la relation entre les deux notations est plus facile à retenir si on utilise $d\vec{r} = dx\vec{i} + dy\vec{j} + dz\vec{k}$.

Exemple 5   Évaluez $\displaystyle\int_C xy\, dx - y^2\, dy$, où C est le segment de droite entre $(0, 0)$ et $(2, 6)$.

Solution   On paramètre C par $\vec{r}(t) = x(t)\vec{i} + y(t)\vec{j} = t\vec{i} + 3t\vec{j}$ pour $0 \le t \le 2$. Par conséquent,

$$\int_C xy\, dx - y^2\, dy = \int_C (xy\vec{i} - y^2\vec{j}) \cdot d\vec{r} = \int_0^2 (3t^2\vec{i} - 9t^2\vec{j}) \cdot (\vec{i} + 3\vec{j})\, dt = \int_0^2 (-24t^2)\, dt = -64.$$

L'indépendance de la paramétrisation

Puisqu'il existe plusieurs manières différentes d'exprimer l'équation paramétrique d'une courbe orientée donnée, on peut se demander ce qu'il advient de la valeur d'une intégrale curviligne donnée si on choisit une autre paramétrisation. La réponse est que le choix de la paramétrisation ne change rien. Puisqu'on avait au départ défini l'intégrale curviligne sans faire référence à une paramétrisation particulière, elle est exactement comme on l'avait prévu.

Exemple 6   Considérez le chemin orienté qu'est le segment de droite L passant de $(0, 0)$ à $(1, 1)$. Calculez l'intégrale curviligne du champ vectoriel $\vec{F} = (3x - y)\vec{i} + x\vec{j}$ le long de L en utilisant chacune des paramétrisations ci-après.

a) $A(t) = (t, t), \quad 0 \le t \le 1$ b) $D(t) = (e^t - 1, e^t - 1), \quad 0 \le t \le \ln 2$

Solution   La droite L a l'équation $y = x$. L'un et l'autre, $A(t)$ et $D(t)$, donnent une paramétrisation de L : chacune a des coordonnées égales et commence en $(0, 0)$ pour se terminer en $(1, 1)$. Maintenant, on calcule l'intégrale curviligne du champ vectoriel $\vec{F} = (3x - y)\vec{i} + x\vec{j}$ à l'aide de chaque paramétrisation.

a)   En utilisant $A(t)$, on obtient

$$\int_L \vec{F} \cdot d\vec{r} = \int_0^1 ((3t - t)\vec{i} + t\vec{j}) \cdot (\vec{i} + \vec{j})\, dt = \int_0^1 3t\, dt = \frac{3t^2}{2}\Bigg|_0^1 = \frac{3}{2}.$$

b)   En utilisant $D(t)$, on a

$$\int_L \vec{F} \cdot d\vec{r} = \int_0^{\ln 2} ((3(e^t - 1) - (e^t - 1))\vec{i} + (e^t - 1)\vec{j}) \cdot (e^t\vec{i} + e^t\vec{j})\, dt$$

$$= \int_0^{\ln 2} 3(e^{2t} - e^t)\, dt = 3\left(\frac{e^{2t}}{2} - e^t\right)\Bigg|_0^{\ln 2} = \frac{3}{2}.$$

Les réponses identiques illustrent le fait que la valeur d'une intégrale curviligne est indépendante de la paramétrisation du chemin. Les problèmes 17 à 19, un peu plus loin, présentent une autre manière de considérer la question.

Problèmes de la section 8.2

Pour les problèmes 1 à 10, calculez l'intégrale curviligne du champ vectoriel donné le long du chemin donné.

1. $\vec{F}(x, y) = \ln y\,\vec{i} + \ln x\,\vec{j}$ et C est la courbe définie paramétriquement par $(2t, t^3)$ pour $2 \le t \le 4$.

2. $\vec{F} = x\,\vec{i} + y\,\vec{j}$ et C est la droite entre l'origine et le point $(3, 3)$.

3. $\vec{F}(x, y) = x^2\,\vec{i} + y^2\,\vec{j}$ et C est la droite entre le point $(1, 2)$ et le point $(3, 4)$.

4. $\vec{F} = 2y\,\vec{i} - (\sin y)\,\vec{j}$ parcouru dans le sens contraire des aiguilles d'une montre et C est le cercle unité commençant au point $(1, 0)$.

5. $\vec{F}(x, y) = e^x\,\vec{i} + e^y\,\vec{j}$ et C est la partie de l'ellipse $x^2 + 4y^2 = 4$ reliant le point $(0, 1)$ au point $(2, 0)$ dans le sens des aiguilles d'une montre.

6. $\vec{F}(x, y) = xy\,\vec{i} + (x - y)\,\vec{j}$ et C est le triangle reliant les points $(1, 0)$, $(0, 1)$ et $(-1, 0)$ dans le sens des aiguilles d'une montre.

7. $\vec{F} = x\,\vec{i} + 2zy\,\vec{j} + x\,\vec{k}$ et C est donné par $\vec{r} = t\,\vec{i} + t^2\,\vec{j} + t^3\,\vec{k}$ pour $1 \le t \le 2$.

8. $\vec{F} = x^3\,\vec{i} + y^2\,\vec{j} + z\,\vec{k}$ et C est la droite entre l'origine et le point $(2, 3, 4)$.

9. $\vec{F} = -y\,\vec{i} + x\,\vec{j} + 5\,\vec{k}$ et C est l'hélice circulaire $x = \cos t$, $y = \sin t$ $z = t$, pour $0 \le t \le 4\pi$.

10. $\vec{F} = e^y\,\vec{i} + \ln(x^2 + 1)\,\vec{j} + \vec{k}$ et C est le cercle de rayon 2 dans le plan des yz, centré à l'origine et parcouru comme le présente la figure 8.28.

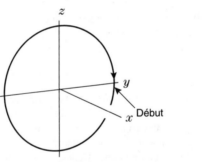

Figure 8.28

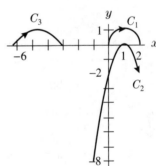

Figure 8.29

11. Trouvez les paramétrisations des courbes orientées présentées à la figure 8.29. La courbe C_1 est un demi-cercle de rayon 1, centré au point $(1, 0)$. La courbe C_2 est une portion de parabole qui a son sommet au point $(1, 0)$ et l'intersection avec l'axe des y en -2. La courbe C_3 est un arc de la courbe sinus.

12. Supposez que C est un segment de droite allant du point $(0, 0)$ au point $(4, 12)$ et que $\vec{F} = xy\,\vec{i} + x\,\vec{j}$.

   a) Est-ce que la valeur de $\int_C \vec{F} \cdot d\vec{r}$ est supérieure, inférieure ou égale à zéro ? Donnez une explication géométrique.

   b) Le segment C a pour paramétrisation $(x(t), y(t)) = (t, 3t)$ pour $0 \le t \le 4$. Utilisez cette information pour calculer $\int_C \vec{F} \cdot d\vec{r}$.

   c) Supposez qu'une particule quitte le point $(0, 0)$, se déplace le long de la droite allant vers le point $(4, 12)$, s'arrête avant de l'atteindre puis recule, s'arrête de nouveau et change de direction, et termine enfin son parcours au point $(4, 12)$. Tous les parcours se font le long du segment de droite reliant le point $(0, 0)$ au point $(4, 12)$. Si ce chemin s'appelle C', expliquez pourquoi $\int_{C'} \vec{F} \cdot d\vec{r} = \int_C \vec{F} \cdot d\vec{r}$.

d) Une paramétrisation pour un chemin comme C' est donnée par

$$(x(t), y(t)) = \left(\frac{1}{3}(t^3 - 6t^2 + 11t),\, (t^3 - 6t^2 + 11t)\right), \quad 0 \le t \le 4.$$

Vérifiez qu'elle commence au point $(0, 0)$ et se termine au point $(4, 12)$. Vérifiez également que tous les points de C' se trouvent sur le segment de droite reliant le point $(0, 0)$ au point $(4, 12)$. Quelles sont les valeurs de t où la particule change de direction ?

e) Trouvez $\int_{C'} \vec{F} \cdot d\vec{r}$ en utilisant la paramétrisation de la partie d). Obtenez-vous la même réponse qu'à la partie b)?

13. Dans l'exemple 6 qu'on vient de voir, on a intégré $\vec{F} = (3x - y)\vec{i} + x\vec{j}$ sur deux paramétrisations de la droite allant de $(0, 0)$ à $(1, 1)$, obtenant ainsi $3/2$ chaque fois. Maintenant, calculez l'intégrale curviligne le long de deux chemins différents ayant les mêmes extrémités, et montrez que les réponses sont différentes.

a) Le chemin (t, t^2) avec $0 \le t \le 1$.   b) Le chemin (t^2, t) avec $0 \le t \le 1$.

14. Considérez le champ vectoriel $\vec{F} = -y\vec{i} + x\vec{j}$. Soit C le cercle unité orienté dans le sens contraire des aiguilles d'une montre.

a) Montrez que $\vec{F}$ a une norme constante de 1 sur le cercle C.
b) Montrez que $\vec{F}$ est toujours tangent au cercle C.
c) Montrez que $\int_C \vec{F} \cdot d\vec{r} =$ Longueur de C.

15. Supposez que, le long d'une courbe C, un champ vectoriel $\vec{F}$ est toujours tangent à C dans la direction de l'orientation et qu'il a une norme constante $\|\vec{F}\| = m$. Utilisez la définition de l'intégrale curviligne pour expliquer pourquoi

$$\int_C \vec{F} \cdot d\vec{r} = m \cdot \text{Longueur de } C.$$

16. Considérez le chemin orienté qu'est le segment de droite L allant de $(0, 0)$ à $(1, 1)$. Calculez l'intégrale curviligne du champ vectoriel $\vec{F} = (3x - y)\vec{i} + x\vec{j}$ le long de L en utilisant chacune des paramétrisations ci-après.

a) $B(t) = (2t, 2t), \quad 0 \le t \le 1/2$ b) $C(t) = \left(\dfrac{t^2 - 1}{3}, \dfrac{t^2 - 1}{3}\right), \quad 1 \le t \le 2$

Dans l'exemple 6 qu'on vient de voir, deux paramétrisations $A(t)$ et $D(t)$ sont utilisées pour convertir une intégrale curviligne en intégrale définie. Dans le problème 16, deux autres paramétrisations $B(t)$ et $C(t)$ sont utilisées sur la même intégrale curviligne. Dans les problèmes 17 à 19, montrez que deux intégrales définies correspondant à deux des paramétrisations données sont égales en trouvant une substitution qui convertit une intégrale en une autre. Cela constitue une autre manière de comprendre pourquoi un changement de la paramétrisation de la courbe n'entraîne pas un changement de la valeur de l'intégrale curviligne.

17. $A(t)$ et $B(t)$ 18. $A(t)$ et $C(t)$ 19. $A(t)$ et $D(t)$

20. L'escalier en colimaçon d'un édifice a la forme d'une hélice circulaire dont le rayon est de 5 m. Entre deux étages de l'édifice, les marches font une révolution complète et montent de 4 m. Une personne portant un sac d'épicerie monte deux étages. La masse combinée de la personne et du sac d'épicerie est de 70 kg et la force de gravitation est de $70g$ vers le bas, où g est l'accélération provoquée par la gravité. Calculez le travail fourni par la personne pour vaincre la gravité.

8.3   LES CHAMPS DE GRADIENT ET LES CHAMPS CONSERVATIFS

Pour une fonction f d'une variable, le théorème fondamental du calcul énonce que l'intégrale définie d'un taux de variation f' donne la variation totale en f :

$$\int_a^b f'(t)\, dt = f(b) - f(a).$$

Qu'en est-il des fonctions de deux variables ou plus ? La quantité qui décrit le taux de variation est le champ vectoriel gradient. Si on connaît le gradient d'une fonction f, peut-on calculer la variation totale en f entre deux points ? La réponse est oui, si on utilise une intégrale curviligne.

La recherche de la variation totale en f à partir de grad f : le théorème fondamental

Pour trouver le changement en f entre deux points P et Q, on choisit un chemin lisse C de P à Q, puis on divise le chemin en plusieurs petits morceaux (voir la figure 8.30). Tout d'abord, on estime la variation en f lors du déplacement $\Delta \vec{r}_i$ de $\vec{r}_i$ à $\vec{r}_{i+1}$. On suppose que $\vec{u}$ est un vecteur unitaire orienté dans la direction de $\Delta \vec{r}_i$. Ensuite, le changement en f est donné par

$$f(\vec{r}_{i+1}) - f(\vec{r}_i) \approx \text{Taux de variation de } f \times \text{Distance parcourue dans la direction de } \vec{u}$$
$$= f_{\vec{u}}(\vec{r}_i) \|\Delta \vec{r}_i\|$$
$$= \text{grad} f \cdot \vec{u} \|\Delta \vec{r}_i\|$$
$$= \text{grad} f \cdot \Delta \vec{r}_i, \qquad \text{puisque } \Delta \vec{r}_i = \|\Delta \vec{r}_i\|\vec{u}.$$

Donc, si on fait la somme de tous les morceaux du chemin, la variation totale en f est donnée par

$$\text{Variation totale} = f(Q) - f(P) \approx \sum_{i=0}^{n-1} \text{grad} f(\vec{r}_i) \cdot \Delta \vec{r}_i.$$

Dans la limite, quand $\|\Delta \vec{r}_i\|$ tend vers zéro, on obtient le résultat suivant :

Théorème fondamental du calcul pour les intégrales curvilignes

On suppose que C est un chemin orienté, lisse par morceaux, ayant comme point de départ P et comme point final Q. Si f est une fonction dont le gradient est continu sur le chemin C, alors

$$\int_C \text{grad} f \cdot d\vec{r} = f(Q) - f(P).$$

Noter qu'il existe plusieurs chemins différents de P à Q (voir la figure 8.31). Cependant, la valeur de l'intégrale curviligne $\int_C \text{grad} f \cdot d\vec{r}$ dépend uniquement des extrémités de C ; elle ne dépend pas du comportement de C entre elles[2].

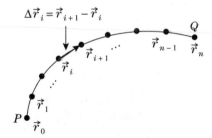

Figure 8.30 : Subdivision du chemin allant de P à Q. On estime la variation en f le long de $\Delta \vec{r}_i$.

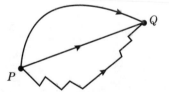

Figure 8.31 : Il existe plusieurs chemins différents de P à Q qui donnent tous la même valeur pour $\int_C \text{grad} f \cdot d\vec{r}$.

---

2. Le problème 13 (voir les problèmes de révision à la fin du chapitre) montre comment le théorème fondamental des intégrales curvilignes peut être déduit à partir du théorème fondamental du calcul d'une variable.

Exemple 1   Supposez que grad f est partout perpendiculaire à la courbe reliant P et Q, qui est présentée à la figure 8.32.

   a) Expliquez pourquoi vous vous attendez à ce que le chemin reliant P et Q soit une courbe de niveau.

   b) En utilisant l'intégrale curviligne, montrez que $f(P) = f(Q)$.

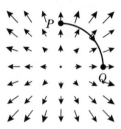

Figure 8.32 : Champ vectoriel gradient de la fonction f

Solution   a) Le gradient de f est partout perpendiculaire au chemin allant de P à Q, comme c'est le cas pour une courbe de niveau.

   b) Considérez le chemin entre P et Q, présenté à la figure 8.32, et évaluez l'intégrale curviligne

$$\int_C \operatorname{grad} f \cdot d\vec{r} = f(Q) - f(P).$$

Puisque grad f est partout perpendiculaire au chemin, l'intégrale curviligne est nulle. Par conséquent, $f(Q) = f(P)$.

Exemple 2   Considérez le champ vectoriel $\vec{F} = x\vec{i} + y\vec{j}$. Dans l'exemple 2 de la section 8.2, on a calculé les intégrales $\int_{C_1} \vec{F} \cdot d\vec{r}$ et $\int_{C_2} \vec{F} \cdot d\vec{r}$ sur les courbes orientées présentées à la figure 8.33, et on a trouvé qu'elles étaient les mêmes. Trouvez une fonction scalaire f avec grad $f = \vec{F}$. Ainsi, trouvez une manière plus facile de calculer les intégrales curvilignes et expliquez comment on aurait pu s'attendre à ce qu'elles soient les mêmes.

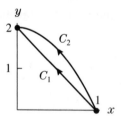

Figure 8.33 : Trouver l'intégrale curviligne de $\vec{F} = x\vec{i} + y\vec{j}$ sur les courbes C_1 et C_2

Solution   Un choix possible pour f est

$$f(x, y) = \frac{x^2}{2} + \frac{y^2}{2}.$$

On peut vérifier que grad $f = x\vec{i} + y\vec{j}$. Maintenant, on peut utiliser le théorème fondamental pour calculer l'intégrale curviligne. Puisque $\vec{F} = \text{grad}\, f$, on a

$$\int_{C_1} \vec{F} \cdot d\vec{r} = \int_{C_1} \text{grad}\, f \cdot d\vec{r} = f(0, 2) - f(1, 0) = \frac{3}{2}.$$

Noter que le calcul semble identique à celui de C_2. Puisque la valeur de l'intégrale dépend uniquement de la valeur de f aux extrémités, elle est la même peu importe le chemin choisi.

Les champs vectoriels indépendants du chemin (ou conservatifs)

Dans l'exemple 2, l'intégrale curviligne était indépendante du chemin compris entre les deux extrémités (fixes). On donne un nom particulier aux champs vectoriels dont les intégrales curvilignes ont cette propriété.

> Un champ vectoriel $\vec{F}$ est **indépendant du chemin** (ou **conservatif**) si, pour deux points quelconques P et Q, l'intégrale curviligne $\int_C \vec{F} \cdot d\vec{r}$ a la même valeur le long de tout chemin C entre P et Q se trouvant dans le domaine de $\vec{F}$.

Par ailleurs, si l'intégrale curviligne $\int_C \vec{F} \cdot d\vec{r}$ dépend du chemin C reliant P à Q, alors $\vec{F}$ est un champ vectoriel *dépendant du chemin*.

Maintenant, on suppose que $\vec{F}$ est un champ gradient, donc $\vec{F} = \text{grad}\, f$. Si C est un chemin allant de P à Q, le théorème fondamental des intégrales curvilignes énonce que

$$\int_C \vec{F} \cdot d\vec{r} = f(Q) - f(P).$$

Puisque le côté droit de cette équation ne dépend pas du chemin mais seulement de ses extrémités, le champ vectoriel $\vec{F}$ est indépendant du chemin. Ainsi, on obtient le résultat important suivant :

> Si $\vec{F}$ est un champ vectoriel gradient, alors $\vec{F}$ est indépendant du chemin.

Pourquoi se soucier des champs vectoriels indépendants du chemin (ou conservatifs)

Bon nombre de champs vectoriels fondamentaux de la nature sont indépendants du chemin — par exemple, le champ de gravitation et le champ électrique des particules au repos. Le fait que le champ gravitationnel soit indépendant du chemin signifie que le travail fourni par la gravité, quand un objet se déplace, dépend uniquement des points de départ et d'arrivée et non du chemin emprunté. Par exemple, le travail fourni par la gravité (calculé par l'intégrale curviligne) qui s'exerce sur une bicyclette qu'on transporte jusqu'au sixième étage est le même que l'on emprunte un escalier ou un ascenseur.

Quand un champ vectoriel est indépendant du chemin, on peut définir l'*énergie potentielle* d'un corps. Lorsque le corps change de position, l'énergie potentielle varie d'une quantité égale au travail accompli par le champ vectoriel, lequel dépend uniquement des positions initiale et finale. Si le travail fourni n'avait pas été indépendant du chemin, l'énergie potentielle dépendrait à la fois de la position actuelle du corps *et* de la manière dont il s'est rendu jusque là, ce qui rendrait impossible la définition d'une énergie potentielle utile.

Le problème 22, à la fin de la section, explique la raison pour laquelle des champs vectoriels de force indépendants du chemin sont également appelés des champs vectoriels *conservatifs*. En effet, quand une particule se déplace sous l'influence d'un champ vectoriel conservatif, *l'énergie totale* de la particule est *conservée*. Il s'avère que le champ de force s'obtient à partir du gradient de la fonction d'énergie potentielle.

Les champs indépendants du chemin et les champs gradients

On a vu que tous les champs gradients sont indépendants du chemin. Mais qu'en est-il dans le cas contraire ? Autrement dit, si on a un champ vectoriel indépendant du chemin $\vec{F}$, peut-on trouver une fonction f telle que $\vec{F} = \text{grad } f$? La réponse est oui.

Comment construire f à partir de $\vec{F}$

D'abord, on note qu'il existe plusieurs choix pour f, puisqu'on peut ajouter une constante à f sans modifier grad f. Si on choisit un point de départ P, alors en additionnant ou en soustrayant une constante à f, on peut s'assurer que $f(P) = 0$. Pour tout autre point Q, on définit $f(Q)$ par la formule

$$f(Q) = \int_C \vec{F} \cdot d\vec{r}, \quad \text{où } C \text{ est tout chemin entre } P \text{ et } Q.$$

Puisque $\vec{F}$ est indépendant du chemin, le chemin choisi entre P et Q n'a pas d'importance. Par ailleurs, si $\vec{F}$ n'est pas indépendant du chemin, alors différents choix pourraient donner différentes valeurs pour $f(Q)$, donc f ne serait pas une fonction (une fonction doit avoir une valeur unique en chaque point).

Il reste encore à démontrer que le gradient de la fonction f est véritablement $\vec{F}$; cette démonstration est effectuée un peu plus loin. Cependant, en construisant une fonction f ainsi, on obtient les résultats suivants :

> Si $\vec{F}$ est un champ vectoriel indépendant du chemin, alors $\vec{F} = \text{grad } f$ pour un certain f.

En combinant ces deux résultats, on obtient

> Un champ vectoriel $\vec{F}$ est indépendant du chemin si et seulement si $\vec{F}$ est un champ vectoriel gradient.

La fonction f a suffisamment d'importance pour qu'on y donne un nom particulier :

> Si un champ vectoriel $\vec{F}$ est de la forme $\vec{F} = \text{grad } f$ pour une fonction scalaire f, alors f s'appelle une **fonction potentiel** du champ vectoriel $\vec{F}$.

Avertissement

Les physiciens utilisent la convention selon laquelle ϕ est une fonction potentiel pour un champ vectoriel $\vec{F}$ si $\vec{F} = -\text{grad } \phi$ (voir le problème 21, un peu plus loin).

Exemple 3   Montrez que le champ vectoriel $\vec{F}(x, y) = y \cos x \vec{i} + \sin x \vec{j}$ est indépendant du chemin.

Solution   Si on peut trouver une fonction potentiel f, alors $\vec{F}$ doit être indépendant du chemin. On veut que grad $f = \vec{F}$. Puisque

$$\frac{\partial f}{\partial x} = y \cos x,$$

f doit avoir la forme

$$f(x, y) = y \sin x + g(y), \quad \text{où } g(y) \text{ est une fonction de } y \text{ seulement.}$$

De plus, puisque grad $f = \vec{F}$, on doit avoir

$$\frac{\partial f}{\partial y} = \sin x,$$

et la dérivation de $f(x, y) = y \sin x + g(y)$ produit

$$\frac{\partial f}{\partial y} = \sin x + g'(y).$$

Par conséquent, il faut avoir $g'(y) = 0$. Donc, $g(y) = C$, où C est une constante. Donc,

$$f(x, y) = y \sin x + C$$

est une fonction potentiel de $\vec{F}$. Ainsi, $\vec{F}$ est indépendant du chemin.

Exemple 4 Le champ de force gravitationnelle $\vec{F}$ d'un objet de masse M est donné par

$$\vec{F} = -\frac{GM}{r^3}\vec{r}.$$

Montrez que $\vec{F}$ est un champ gradient en trouvant la fonction potentiel pour $\vec{F}$.

Solution Tous les vecteurs de force s'orientent vers l'origine. Si $\vec{F} = \text{grad } f$, les vecteurs de force doivent être perpendiculaires aux surfaces de niveau de f. Donc, les surfaces de niveau de f doivent être des sphères. De plus, si grad $f = \vec{F}$, alors $\|\text{grad } f\| = \|\vec{F}\| = GM/r^2$ est le taux de variation de f dans la direction s'orientant vers l'origine. Maintenant, en dérivant par rapport à r, on obtient le taux de variation dans une direction radialement orientée vers l'extérieur. Ainsi, si $w = f(x, y, z)$, on a

$$\frac{dw}{dr} = -\frac{GM}{r^2} = GM\left(-\frac{1}{r^2}\right) = GM\frac{d}{dr}\left(\frac{1}{r}\right).$$

Donc, on tente

$$w = \frac{GM}{r} \quad \text{ou} \quad f(x, y, z) = \frac{GM}{\sqrt{x^2 + y^2 + z^2}}.$$

On calcule

$$f_x = \frac{\partial}{\partial x}\frac{GM}{\sqrt{x^2 + y^2 + z^2}} = \frac{-GMx}{\left(x^2 + y^2 + z^2\right)^{3/2}},$$

$$f_y = \frac{\partial}{\partial y}\frac{GM}{\sqrt{x^2 + y^2 + z^2}} = \frac{-GMy}{\left(x^2 + y^2 + z^2\right)^{3/2}},$$

$$f_z = \frac{\partial}{\partial z}\frac{GM}{\sqrt{x^2 + y^2 + z^2}} = \frac{-GMz}{\left(x^2 + y^2 + z^2\right)^{3/2}}.$$

Alors,

$$\text{grad } f = f_x\vec{i} + f_y\vec{j} + f_z\vec{k} = \frac{-GM}{\left(x^2 + y^2 + z^2\right)^{3/2}}(x\vec{i} + y\vec{j} + z\vec{k}) = \frac{-GM}{r^3}\vec{r} = \vec{F}.$$

Les calculs montrent que $\vec{F}$ est un champ gradient et que $f = GM/r$ est une fonction potentiel de $\vec{F}$.

La raison pour laquelle les champs vectoriels indépendants du chemin sont des champs gradients : la démonstration que grad $f = \vec{F}$

On suppose que $\vec{F}$ est un champ vectoriel indépendant du chemin. Précédemment, on a défini la fonction f qui, on l'espère, va satisfaire à grad $f = \vec{F}$ comme suit :

$$f(x_0, y_0) = \int_C \vec{F} \cdot d\vec{r},$$

où C est un chemin entre un point de départ fixe P et un point $Q = (x_0, y_0)$. Cette intégrale a la même valeur pour tout chemin entre P et Q, car $\vec{F}$ est indépendant du chemin. Maintenant, on démontre pourquoi grad $f = \vec{F}$. On considère les champs vectoriels dans un espace à deux dimensions ; le raisonnement pour un espace à trois dimensions est essentiellement le même.

D'abord, on écrit l'intégrale curviligne en fonction des composantes $\vec{F}(x, y) = F_1(x, y)\vec{i} + F_2(x, y)\vec{j}$ et des composantes $d\vec{r} = dx\vec{i} + dy\vec{j}$:

$$f(x_0, y_0) = \int_C F_1(x, y)dx + F_2(x, y)dy.$$

On veut calculer les dérivées partielles de f, c'est-à-dire le taux de variation de f en (x_0, y_0) parallèlement aux axes. Pour ce faire, il faut choisir un chemin qui atteint le point (x_0, y_0) sur un segment de droite horizontal ou vertical. Soit C' un chemin partant de P qui s'arrête un peu avant Q en un point fixe (a, b) et soit L_x et L_y les chemins présentés à la figure 8.34. Alors, on peut diviser l'intégrale curviligne en trois morceaux. Puisque $d\vec{r} = \vec{j}\,dy$ sur L_y et que $d\vec{r} = \vec{i}\,dx$ sur L_x, on a

$$f(x_0, y_0) = \int_{C'} \vec{F} \cdot d\vec{r} + \int_{L_y} \vec{F} \cdot d\vec{r} + \int_{L_x} \vec{F} \cdot d\vec{r} = \int_{C'} \vec{F} \cdot d\vec{r} + \int_b^{y_0} F_2(a, y)dy + \int_a^{x_0} F_1(x, y_0)dx.$$

Les deux premières intégrales ne font pas intervenir x_0. En considérant x_0 comme une variable et en dérivant par rapport à celle-ci, on a

$$f_{x_0}(x_0, y_0) = \frac{\partial}{\partial x_0} \int_{C'} \vec{F} \cdot d\vec{r} + \frac{\partial}{\partial x_0} \int_b^{y_0} F_2(a, y)dy + \frac{\partial}{\partial x_0} \int_a^{x_0} F_1(x, y_0)dx$$

$$= 0 + 0 + F_1(x_0, y_0) = F_1(x_0, y_0).$$

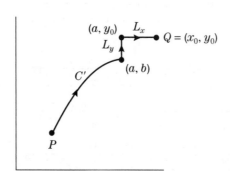

Figure 8.34 : Le chemin $C' + L_y + L_x$ est utilisé pour montrer que $f_x = F_1$.

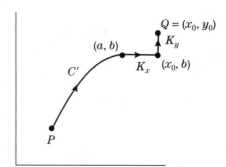

Figure 8.35 : Le chemin $C' + K_x + K_y$ est utilisé pour montrer que $f_y = F_2$.

Ainsi,

$$f_x(x, y) = F_1(x, y).$$

Un calcul similaire pour y, si on utilise le chemin allant de P à Q présenté à la figure 8.35, produit

$$f_{y_0}(x_0, y_0) = F_2(x_0, y_0).$$

Ainsi, comme on l'a prévu,

$$\text{grad } f = f_x \vec{i} + f_y \vec{j} = F_1 \vec{i} + F_2 \vec{j} = \vec{F}.$$

Résumé

On a étudié deux différents types de champs vectoriels : les champs vectoriels indépendants du chemin et les champs vectoriels gradients. Il s'avère qu'ils sont les mêmes. Voici brièvement les définitions et les propriétés de ces champs vectoriels :

- Les **champs vectoriels indépendants du chemin** ont la propriété selon laquelle, pour deux points quelconques P et Q, l'intégrale curviligne le long d'un chemin entre P et Q est la même, peu importe le chemin choisi ;
- Les **champs vectoriels gradients** sont de la forme grad f pour une fonction scalaire f, appelée la fonction potentiel du champ vectoriel ;
- Les **champs vectoriels gradients sont indépendants du chemin** selon le théorème fondamental des intégrales curvilignes,

$$\int_C \text{grad } f \cdot d\vec{r} = f(Q) - f(P) \,;$$

- Les **champs vectoriels indépendants du chemin sont des champs gradients,** car on peut utiliser une intégrale curviligne et l'indépendance du chemin pour construire une fonction potentiel.

Problèmes de la section 8.3

1. Le champ vectoriel $\vec{F}(x, y) = x\vec{i} + y\vec{j}$ est indépendant du chemin. Calculez géométriquement les intégrales curvilignes sur les trois chemins A, B et C (voir la figure 8.36) de $(1, 0)$ à $(0, 1)$ et vérifiez qu'elles sont égales. Ici A est une portion d'un cercle, B est une droite et C est constitué de deux segments de droite se croisant dans un angle droit.

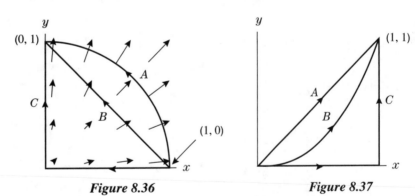

Figure 8.36   *Figure 8.37*

2. Le champ vectoriel $\vec{F}(x, y) = x\vec{i} + y\vec{j}$ est indépendant du chemin. Calculez algébriquement les intégrales curvilignes sur les trois chemins A, B et C (voir la figure 8.37) de $(0, 0)$ à $(1, 1)$ et vérifiez qu'elles sont égales. Ici A est un segment de droite, B est une partie du graphe de $f(x) = x^2$ et C est constitué de deux segments de droite se croisant dans un angle droit.

Pour les problèmes 3 à 6, déterminez si oui ou non les champs vectoriels donnés pourraient être des champs vectoriels gradients. Justifiez votre réponse.

3. $\vec{F}(x, y) = x\vec{i}$

4. $\vec{G}(x, y) = (x^2 - y^2)\vec{i} - 2xy\vec{j}$

5. $\vec{F}(x, y, z) = \dfrac{-z}{\sqrt{x^2 + z^2}} \vec{i} + \dfrac{y}{\sqrt{x^2 + z^2}} \vec{j} + \dfrac{x}{\sqrt{x^2 + z^2}} \vec{k}$

6. $\vec{F}(\vec{r}) = \vec{r}/\|\vec{r}\|^3$, où $\vec{r} = x\vec{i} + y\vec{j} + z\vec{k}$

Pour les champs vectoriels des problèmes 7 à 10, trouvez l'intégrale curviligne le long de la courbe C entre l'origine le long de l'axe des x et le point $(3, 0)$, puis dans le sens contraire des aiguilles d'une montre autour de la circonférence du cercle $x^2 + y^2 = 9$ jusqu'au point $(3/\sqrt{2}, 3/\sqrt{2})$.

7. $\vec{F} = x\vec{i} + y\vec{j}$ $\qquad\qquad\qquad$ 8. $\vec{H} = -y\vec{i} + x\vec{j}$

9. $\vec{F} = y(x+1)^{-1}\vec{i} + \ln(x+1)\vec{j}$

10. $\vec{G} = (ye^{xy} + \cos(x+y))\vec{i} + (xe^{xy} + \cos(x+y))\vec{j}$

11. Supposez que grad $f = 2xe^{x^2}\sin y\vec{i} + e^{x^2}\cos y\vec{j}$. Trouvez la variation en f entre $(0, 0)$ et $(1, \pi/2)$:
    a) en calculant une intégrale curviligne ; $\qquad$ b) en calculant f.

12. L'intégrale curviligne de $\vec{F} = (x+y)\vec{i} + x\vec{j}$ le long de chacun des chemins suivants est $3/2$:

    1. le chemin (t, t^2), avec $0 \le t \le 1$;
    2. le chemin (t^2, t), avec $0 \le t \le 1$;
    3. le chemin (t, t^n), avec $n > 0$ et $0 \le t \le 1$.

    Vérifiez cette assertion
    a) en utilisant la paramétrisation donnée pour calculer l'intégrale curviligne ;
    b) en utilisant le théorème fondamental du calcul des intégrales curvilignes.

13. Considérez le champ vectoriel $\vec{F}(x, y) = x\vec{j}$ montré à la figure 8.38.

    a) Trouvez les chemins C_1, C_2 et C_3 de P à Q de telle sorte que

    $$\int_{C_1} \vec{F} \cdot d\vec{r} = 0 \qquad \int_{C_2} \vec{F} \cdot d\vec{r} > 0 \quad \text{et} \quad \int_{C_3} \vec{F} \cdot d\vec{r} < 0.$$

    b) $\vec{F}$ est-il un champ gradient ?

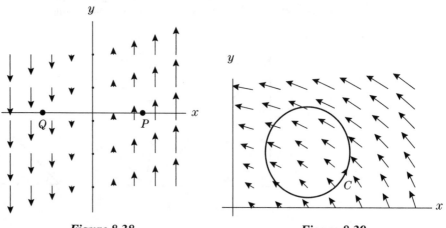

Figure 8.38 $\qquad\qquad\qquad\qquad$ *Figure 8.39*

14. Considérez le champ vectoriel $\vec{F}$ tracé à la figure 8.39.

    a) L'intégrale curviligne $\int_C \vec{F} \cdot d\vec{r}$ est-elle positive, négative ou nulle ?
    b) D'après votre réponse à la partie a), pouvez-vous déterminer si oui ou non $\vec{F} = \text{grad } f$ pour une fonction f ?
    c) Laquelle des formules suivantes correspond le mieux à ce champ vectoriel ?

    $$\vec{F}_1 = \frac{x}{x^2+y^2}\vec{i} + \frac{x}{x^2+y^2}\vec{j}, \quad \vec{F}_2 = -y\vec{i} + x\vec{j}, \quad \vec{F}_3 = \frac{-y}{(x^2+y^2)^2}\vec{i} + \frac{x}{(x^2+y^2)^2}\vec{j}.$$

Pour les problèmes 15 à 18, chacun des énoncés est *faux*. Expliquez pourquoi ou donnez un contre-exemple.

15. Si $\int_C \vec{F} \cdot d\vec{r} = 0$ pour un chemin fermé particulier C, alors $\vec{F}$ est indépendant du chemin.

16. $\int_C \vec{F} \cdot d\vec{r}$ est la variation totale en $\vec{F}$ le long de C.

17. Si les champs vectoriels $\vec{F}$ et $\vec{G}$ ont $\int_C \vec{F} \cdot d\vec{r} = \int_C \vec{G} \cdot d\vec{r}$ pour un chemin C particulier, alors $\vec{F} = \vec{G}$.

18. Si la variation totale d'une fonction f le long d'une courbe C est nulle, alors C doit être une courbe de niveau de f.

19. Supposez qu'une particule soumise à une force $\vec{F}(x, y) = y\vec{i} - x\vec{j}$ se déplace dans le sens des aiguilles d'une montre le long de l'arc du cercle unité, centré à l'origine, qui commence en $(-1, 0)$ et se termine en $(0, 1)$.

    a) Trouvez le travail fourni par $\vec{F}$. Expliquez le signe de votre réponse.
    b) $\vec{F}$ est-il indépendant du chemin ? Justifiez votre réponse.

20. Une particule se déplace avec le vecteur position $\vec{r}(t) = x(t)\vec{i} + y(t)\vec{j} + z(t)\vec{k}$. Soit $\vec{v}(t)$ et $\vec{a}(t)$ ses vecteurs vitesse et accélération. Montrez que

$$\frac{1}{2}\frac{d}{dt}\|\vec{v}(t)\|^2 = \vec{a}(t) \cdot \vec{v}(t).$$

21. Soit $\vec{F}$ un champ vectoriel indépendant du chemin. En physique, la fonction potentiel ϕ est habituellement choisie de manière à satisfaire à l'équation $\vec{F} = -\nabla\phi$. Ce problème illustre la signification du signe négatif[3].

    a) Soit le plan des xy qui représente une partie de la surface de la Terre avec l'axe des z s'orientant vers l'extérieur de la Terre. (On suppose que l'échelle est suffisamment petite pour qu'un plan plat soit une bonne approximation de la surface de la Terre.) Soit $\vec{r} = x\vec{i} + y\vec{j} + z\vec{k}$ avec $z \geq 0$, et soit x, y, z (en mètres) le vecteur position d'une roche de masse unité. La fonction d'énergie potentielle gravitationnelle de la roche est $\phi(x, y, z) = gz$, où $g \approx 9,8$ m/s^2. Décrivez, en langage courant, les surfaces de niveau de ϕ. L'énergie potentielle augmente-t-elle ou diminue-t-elle proportionnellement à la hauteur au-dessus de la Terre ?
    b) Quelle est la relation entre le vecteur gravitationnel $\vec{F}$ et le vecteur $\nabla\phi$? Expliquez la signification du signe négatif dans l'équation $\vec{F} = -\nabla\phi$.

22. Dans ce problème, on développe le principe de conservation de l'énergie. L'énergie cinétique d'une particule de masse m se déplaçant à une vitesse v est $(1/2)mv^2$. Supposez que la particule a une énergie potentielle $f(\vec{r})$ à la position $\vec{r}$ à cause d'un champ de force $\vec{F} = -\nabla f$. Si la particule se déplace avec le vecteur position $\vec{r}(t)$ et à la vitesse $\vec{v}(t)$, alors le principe de conservation de l'énergie énonce que

Énergie totale = Énergie cinétique + Énergie potentielle = $\frac{1}{2}m\|\vec{v}(t)\|^2 + f(\vec{r}(t)) =$ Constante.

Soit P et Q deux points dans l'espace et soit C un chemin de P à Q paramétré par $\vec{r}(t)$ pour $t_0 \leq t \leq t_1$, où $\vec{r}(t_0) = P$ et où $\vec{r}(t_1) = Q$.

   a) En utilisant le résultat du problème 20 et la loi de Newton, $\vec{F} = m\vec{a}$, montrez que

   Travail fourni par $\vec{F}$ au fur et à mesure que la particule se déplace le long de C = Énergie cinétique en Q – Énergie cinétique en P.

   b) Utilisez le théorème fondamental du calcul des intégrales curvilignes afin de montrer que

   Travail fourni par $\vec{F}$ au fur et à mesure que la particule se déplace le long de C = Énergie potentielle en P – Énergie potentielle en Q.

   c) Utilisez les parties a) et b) pour montrer que l'énergie totale en P est la même qu'en Q.

Ce problème permet d'expliquer la raison pour laquelle les champs vectoriels de force qui sont *indépendants du chemin* sont normalement appelés des champs vectoriels (de force) *conservatifs*.

---

3. Adapté d'ARNOLD, V.I. *Mathematical Methods of Classical Mechanics*, 2e édition, Graduate Texts in Mathematics, Springer.

8.4 LES CHAMPS VECTORIELS DÉPENDANTS DU CHEMIN ET LE THÉORÈME DE GREEN

On suppose qu'on a un champ vectoriel, mais qu'on ignore s'il est indépendant du chemin. Comment peut-on déterminer s'il a une fonction potentiel, autrement dit, s'il s'agit d'un champ gradient ?

Comment déterminer si un champ vectoriel est dépendant du chemin en utilisant des intégrales curvilignes

Exemple 1

Le champ vectoriel $\vec{F}$ montré à la figure 8.40 est-il indépendant du chemin ? En n'importe quel point, $\vec{F}$ a une norme égale à la distance depuis l'origine et a une direction perpendiculaire à la droite reliant le point à l'origine.

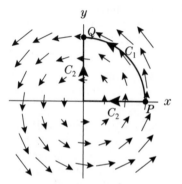

Figure 8.40 : Ce champ vectoriel est-il indépendant du chemin ?

Solution

On choisit $P = (1, 0)$ et $Q = (0, 1)$, et deux chemins entre eux : C_1, un quart de cercle de rayon 1, et C_2, formé par des parties des axes des x et des y (voir la figure 8.40). Le long de C_1, l'intégrale curviligne $\int_{C_1} \vec{F} \cdot d\vec{r} > 0$, puisque $\vec{F}$ s'oriente dans la direction de la courbe. Le long de C_2, cependant, on a $\int_{C_2} \vec{F} \cdot d\vec{r} = 0$, puisque $\vec{F}$ est perpendiculaire à C_2 partout. Par conséquent, $\vec{F}$ n'est pas indépendant du chemin.

Les champs dépendants du chemin et la circulation

Il convient de noter que le champ vectoriel de l'exemple précédent a une circulation non nulle autour de l'origine. Que peut-on dire de la circulation d'un champ vectoriel général indépendant du chemin autour d'une courbe fermée C ? On suppose que C est une courbe fermée *simple,* autrement dit, une courbe qui ne se croise pas elle-même. Si P et Q sont deux points quelconques sur le chemin, alors on peut considérer la courbe C (orientée dans la direction présentée à la figure 8.41) comme étant constituée du chemin C_1 suivi de $-C_2$. Puisque $\vec{F}$ est indépendant du chemin, on sait que

$$\int_{C_1} \vec{F} \cdot d\vec{r} = \int_{C_2} \vec{F} \cdot d\vec{r}.$$

Par conséquent, on voit que la circulation autour de C est nulle :

$$\int_{C} \vec{F} \cdot d\vec{r} = \int_{C_1} \vec{F} \cdot d\vec{r} + \int_{-C_2} \vec{F} \cdot d\vec{r} = \int_{C_1} \vec{F} \cdot d\vec{r} - \int_{C_2} \vec{F} \cdot d\vec{r} = 0.$$

Si la courbe C se croise elle-même, on la divise en courbes fermées simples (voir la figure 8.42) et on applique le même raisonnement à chacune d'elles.

On suppose maintenant qu'on sait que l'intégrale curviligne autour de toute courbe fermée est nulle. Pour deux points quelconques P et Q avec deux chemins C_1 et C_2 entre eux, on crée une courbe fermée C (voir la figure 8.41). Puisque la circulation autour de cette courbe fermée C est nulle, les intégrales curvilignes le long des deux chemins C_1 et C_2 sont égales. Par conséquent, $\vec{F}$ est indépendant du chemin.

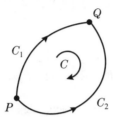

Figure 8.41 : Courbe fermée simple C divisée en deux morceaux C_1 et C_2

Figure 8.42 : Une courbe C qui se croise elle-même peut être divisée en courbes fermées simples.

Par conséquent, on a le résultat suivant :

Un champ vectoriel est indépendant du chemin si et seulement si $\displaystyle\int_C \vec{F} \cdot d\vec{r} = 0$ pour toute courbe fermée C.

Ainsi, pour savoir si un champ est *dépendant du chemin*, on cherche un chemin fermé ayant une circulation non nulle. Par exemple, le champ vectoriel de l'exemple 1 a une circulation non nulle autour d'un cercle centré à l'origine, ce qui indique qu'il est dépendant du chemin.

Comment déterminer si un champ vectoriel est dépendant du chemin algébriquement : le rotationnel

Exemple 2   Le champ vectoriel $\vec{F} = 2xy\vec{i} + xy\vec{j}$ a-t-il une fonction potentiel ? Le cas échéant, trouvez-la.

Solution   On suppose que $\vec{F}$ a une fonction potentiel f. Donc, $\vec{F} = \text{grad}\,f$. Cela signifie que

$$\frac{\partial f}{\partial x} = 2xy \quad \text{et} \quad \frac{\partial f}{\partial y} = xy.$$

En intégrant l'expression pour $\partial f/\partial x$, on voit qu'il faut avoir

$$f(x, y) = x^2 y + C(y), \quad \text{où } C(y) \text{ est une fonction de } y.$$

En dérivant cette expression pour $f(x, y)$ par rapport à y et en considérant le fait que $\partial f/\partial y = xy$, on obtient

$$\frac{\partial f}{\partial y} = x^2 + C'(y) = xy.$$

Ainsi, il faut avoir

$$C'(y) = xy - x^2.$$

Cependant, cette expression pour $C'(y)$ est impossible, car $C'(y)$ est une fonction de y seulement. Cet argument montre qu'il n'y a pas de fonction potentiel pour le champ vectoriel $\vec{F}$.

Existe-t-il une manière plus simple de déterminer si un champ vectoriel n'a pas de fonction potentiel, mis à part celle qui consiste à tenter en vain de trouver la fonction potentiel ? La réponse est oui. D'abord, on observe un champ vectoriel à deux dimensions $\vec{F} = F_1\vec{i} + F_2\vec{j}$. Si $\vec{F}$ est un champ gradient, alors il y a une fonction potentiel f telle que

$$\vec{F} = F_1\vec{i} + F_2\vec{j} = \frac{\partial f}{\partial x}\vec{i} + \frac{\partial f}{\partial y}\vec{j}.$$

Par conséquent,

$$F_1 = \frac{\partial f}{\partial x} \quad \text{et} \quad F_2 = \frac{\partial f}{\partial y}.$$

On suppose que f a des dérivées partielles secondes continues. En vertu de l'égalité des dérivées partielles mixtes,

$$\frac{\partial F_1}{\partial y} = \frac{\partial^2 f}{\partial y \partial x} = \frac{\partial^2 f}{\partial x \partial y} = \frac{\partial F_2}{\partial x}.$$

Ainsi, on a le résultat suivant :

Si $\vec{F}(x,\,y) = F_1\vec{i} + F_2\vec{j}$ est un champ vectoriel gradient avec des dérivées partielles continues, alors

$$\frac{\partial F_2}{\partial x} - \frac{\partial F_1}{\partial y} = 0.$$

On appelle $\dfrac{\partial F_2}{\partial x} - \dfrac{\partial F_1}{\partial y}$ le **rotationnel scalaire** à deux dimensions ou le scalaire du champ vectoriel $\vec{F}$.

Notez qu'on sait maintenant que si $\vec{F}$ est un champ de gradient, alors son rotationnel est nul. On ne sait pas (encore) si l'inverse s'applique. (Autrement dit, si le rotationnel est zéro, $\vec{F}$ doit-il être un champ gradient ?) Cependant, le rotationnel permet déjà de démontrer qu'un champ vectoriel n'est *pas* un champ gradient.

Exemple 3   Montrez que $\vec{F} = 2xy\vec{i} + xy\vec{j}$ ne peut être un champ vectoriel gradient.

Solution   On a $F_1 = 2xy$ et $F_2 = xy$. Puisque $\partial F_1/\partial y = 2x$ et que $\partial F_2/\partial x = y$, dans ce cas

$$\partial F_2/\partial x - \partial F_1/\partial y \neq 0.$$

Donc, $\vec{F}$ ne peut être un champ gradient.

On dispose maintenant de deux manières de montrer qu'un champ vectoriel $\vec{F}$ dans le plan est dépendant du chemin. On peut évaluer $\int_C \vec{F} \cdot d\vec{r}$ pour une courbe fermée quelconque et trouver qu'elle est non nulle ou on peut montrer que $\partial F_2/\partial x - \partial F_1/\partial y \neq 0$. Il est naturel de penser que

$$\int_C \vec{F} \cdot d\vec{r} \quad \text{et} \quad \frac{\partial F_2}{\partial x} - \frac{\partial F_1}{\partial y}$$

peuvent être reliés. Cette relation correspond au théorème de Green.

Le théorème de Green

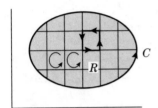

Figure 8.43 : Région R bornée par une courbe fermée C et divisée en plusieurs petites régions ΔR

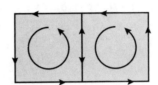

Figure 8.44 : Deux petites courbes fermées adjacentes

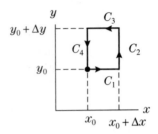

Figure 8.45 : Petite courbe fermée ΔC divisée en C_1, C_2, C_3 et C_4

On obtient l'énoncé du théorème de Green en divisant la région en petits morceaux et en observant la relation qui existe entre l'intégrale curviligne et le rotationnel sur chacun d'eux.

Dans un espace à deux dimensions, une courbe fermée simple C divise le plan en points à l'intérieur et en points à l'extérieur de C. On considère $\int_C \vec{F} \cdot d\vec{r}$, où C est orienté comme sur la figure 8.43. On divise la région R, à l'intérieur de C, en petits morceaux, chacun étant borné par une courbe fermée ayant l'orientation présentée. La figure 8.44 montre que si on additionne la circulation autour de toutes ces petites courbes fermées, chaque côté commun d'une paire de courbes adjacentes est compté deux fois, une fois dans chaque direction. Ainsi, les intégrales le long de ces côtés s'annulent. Par conséquent, les intégrales curvilignes le long de tous les côtés à l'intérieur de la région R s'annulent, ce qui donne

$$\begin{array}{c} \text{Circulation de } \vec{F} \\ \text{autour de } C \end{array} = \sum_{\Delta C} \begin{array}{c} \text{Circulation de } \vec{F} \\ \text{autour de la petite courbe } \Delta C \end{array}$$

Maintenant, on estime l'intégrale curviligne autour de l'une de ces petites courbes fermées ΔC. On divise ΔC en C_1, C_2, C_3 et C_4, comme le montre la figure 8.45. Puis, on calcule les intégrales curvilignes le long de C_1 et de C_3, où $\Delta \vec{r}$ est parallèle à l'axe des x. Donc,

$$\Delta \vec{r} = \Delta x \vec{i} .$$

Par conséquent, pour C_1 et C_3,

$$\vec{F} \cdot \Delta \vec{r} = (F_1 \vec{i} + F_2 \vec{j}) \cdot \Delta x \vec{i} = F_1 \Delta x.$$

Cependant, la fonction F_1 est évaluée en (x, y_0) le long de C_1 et en $(x, y_0 + \Delta y)$ le long de C_3. Donc,

$$\int_{C_1} \vec{F} \cdot d\vec{r} + \int_{C_3} \vec{F} \cdot d\vec{r} = \int_{C_1} F_1(x, y_0)\, dx + \int_{C_3} F_1(x, y_0 + \Delta y)\, dx$$

$$= \int_{x=x_0}^{x_0 + \Delta x} F_1(x, y_0)\, dx + \int_{x_0 + \Delta x}^{x=x_0} F_1(x, y_0 + \Delta y)\, dx$$

$$= \int_{x=x_0}^{x_0 + \Delta x} F_1(x, y_0)\, dx - \int_{x=x_0}^{x_0 + \Delta x} F_1(x, y_0 + \Delta y)\, dx$$

$$= \int_{x=x_0}^{x_0 + \Delta x} (F_1(x, y_0) - F_1(x, y_0 + \Delta y))\, dx.$$

Puisque F_1 est différentiable et que Δy est petit,

$$F_1(x, y_0) - F_1(x, y_0 + \Delta y) = -(F_1(x, y_0 + \Delta y) - F_1(x, y_0)) \approx -\frac{\partial F_1}{\partial y}(x, y_0)\, \Delta y.$$

Donc, on a

$$\int_{x=x_0}^{x_0 + \Delta x} (F_1(x, y_0) - F_1(x, y_0 + \Delta y)) \, dx \approx - \left(\int_{x=x_0}^{x_0 + \Delta x} \frac{\partial F_1}{\partial y} \, dx \right) \Delta y.$$

En supposant que $\dfrac{\partial F_1}{\partial y}(x, y_0)$ est approximativement constant sur l'intervalle $x_0 \leq x \leq x_0 + \Delta x$, on obtient

$$- \left(\int_{x=x_0}^{x_0 + \Delta x} \frac{\partial F_1}{\partial y} \, dx \right) \Delta y \approx - \frac{\partial F_1}{\partial y}(x, y_0) \left(\int_{x=x_0}^{x_0 + \Delta x} dx \right) \Delta y = - \frac{\partial F_1}{\partial y}(x_0, y_0) \Delta x \Delta y.$$

Selon un raisonnement similaire, le long de C_2 et de C_4, on a

$$\int_{C_2} \vec{F} \cdot d\vec{r} + \int_{C_4} \vec{F} \cdot d\vec{r} \approx \frac{\partial F_2}{\partial x} \Delta x \Delta y.$$

En combinant ces résultats pour C_1, C_2, C_3 et C_4, on obtient

$$\int_{\Delta C} \vec{F} \cdot d\vec{r} = \int_{C_1} \vec{F} \cdot d\vec{r} + \int_{C_2} \vec{F} \cdot d\vec{r} + \int_{C_3} \vec{F} \cdot d\vec{r} + \int_{C_4} \vec{F} \cdot d\vec{r} \approx \frac{\partial F_2}{\partial x} \Delta x \Delta y - \frac{\partial F_1}{\partial y} \Delta x \Delta y.$$

En faisant la somme de toutes les petites régions ΔC, on obtient

$$\int_{C} \vec{F} \cdot d\vec{r} \approx \sum_{\Delta C} \int_{\Delta C} \vec{F} \cdot d\vec{r} \approx \sum_{\Delta R} \left(\frac{\partial F_2}{\partial x} - \frac{\partial F_1}{\partial y} \right) \Delta x \Delta y.$$

La dernière somme est une somme de Riemann, qui permet de calculer l'approximation d'une intégrale double ; en prenant la limite quand Δx et Δy tendent vers zéro, on obtient :

Théorème de Green

Soit C une courbe simple fermée entourant la région R dans le plan et orientée de telle sorte que la région se trouve à gauche quand on se déplace autour de la courbe. On suppose que $\vec{F} = F_1 \vec{\imath} + F_2 \vec{\jmath}$ est un champ vectoriel lisse défini en tous les points de la région R et de la frontière C. Alors,

$$\int_{C} \vec{F} \cdot d\vec{r} = \int_{R} \left(\frac{\partial F_2}{\partial x} - \frac{\partial F_1}{\partial y} \right) dx \, dy.$$

La section 8.5 contient une preuve du théorème de Green basée sur la formule du changement de variables pour les intégrales doubles.

Le test du rotationnel pour les champs vectoriels dans le plan

On sait déjà que si $\vec{F} = F_1 \vec{\imath} + F_2 \vec{\jmath}$ est un champ de gradient ayant des dérivées partielles continues, alors

$$\frac{\partial F_2}{\partial x} - \frac{\partial F_1}{\partial y} = 0.$$

Maintenant, on montre que l'inverse s'applique si le domaine de $\vec{F}$ ne comporte pas de trous. On suppose que

$$\frac{\partial F_2}{\partial x} - \frac{\partial F_1}{\partial y} = 0,$$

et on montre que $\vec{F}$ est indépendant du chemin. Si C est une courbe simple fermée orientée dans le domaine de $\vec{F}$ et que R est la région à l'intérieur de C, alors

$$\int_R \left(\frac{\partial F_2}{\partial x} - \frac{\partial F_1}{\partial y} \right) dx\, dy = 0,$$

puisque l'intégrande est identiquement nulle. Par conséquent, selon le théorème de Green,

$$\int_C \vec{F} \cdot d\vec{r} = \int_R \left(\frac{\partial F_2}{\partial x} - \frac{\partial F_1}{\partial y} \right) dx\, dy = 0.$$

Par conséquent, $\vec{F}$ est indépendant du chemin et est donc un champ de gradient. Ce raisonnement est valide pour toute courbe fermée C pourvu que la région R se trouve entièrement dans le domaine de $\vec{F}$. Ainsi, on a le résultat suivant :

Test de rotationnel pour les champs vectoriels à deux dimensions

On suppose que $\vec{F} = F_1 \vec{i} + F_2 \vec{j}$ est un champ vectoriel ayant des dérivées partielles continues, de telle sorte que

- Le domaine de $\vec{F}$ a la propriété selon laquelle toute courbe fermée au sein de celui-ci encercle une région qui se trouve entièrement dans le domaine. En particulier, le domaine de $\vec{F}$ n'a pas de trous ;

- $\dfrac{\partial F_2}{\partial x} - \dfrac{\partial F_1}{\partial y} = 0.$

Alors, $\vec{F}$ est indépendant du chemin. Donc, $\vec{F}$ est un champ gradient et a une fonction potentiel.

La raison pour laquelle il est important que le domaine du champ vectoriel n'ait pas de trous

On suppose que le domaine du champ vectoriel $\vec{F}$ n'a pas de trous parce qu'il faut s'assurer que la région R, à l'intérieur de C, est effectivement contenue dans le domaine de $\vec{F}$. Sinon, on ne peut appliquer le théorème de Green. Les deux exemples suivants montrent que si $\partial F_2/\partial x - \partial F_1/\partial y = 0$ mais que le domaine de $\vec{F}$ contient un trou, alors $\vec{F}$ peut être soit indépendant du chemin, soit dépendant du chemin.

Exemple 4 Soit $\vec{F}$ le champ vectoriel donné par $\vec{F}(x, y) = \dfrac{-y\vec{i} + x\vec{j}}{x^2 + y^2}$.

a) Calculez $\dfrac{\partial F_2}{\partial x} - \dfrac{\partial F_1}{\partial y}$. Le test de rotationnel laisse-t-il sous-entendre que $\vec{F}$ est indépendant du chemin ?

b) Calculez $\displaystyle\int_C \vec{F} \cdot d\vec{r}$, où C est le cercle unité, centré à l'origine, et orienté dans le sens contraire des aiguilles d'une montre. $\vec{F}$ est-il un champ vectoriel indépendant du chemin ?

c) Expliquez la raison pour laquelle les réponses aux parties a) et b) ne contredisent pas le théorème de Green.

Solution   a) En prenant les dérivées partielles, on a

$$\frac{\partial F_2}{\partial x} = \frac{\partial}{\partial x}\left(\frac{x}{x^2 + y^2}\right) = \frac{1}{x^2 + y^2} - \frac{x \cdot 2x}{(x^2 + y^2)^2} = \frac{y^2 - x^2}{(x^2 + y^2)^2}.$$

De même,

$$\frac{\partial F_1}{\partial y} = \frac{\partial}{\partial y}\left(\frac{-y}{x^2 + y^2}\right) = \frac{-1}{x^2 + y^2} - \frac{y \cdot 2y}{(x^2 + y^2)^2} = \frac{y^2 - x^2}{(x^2 + y^2)^2}.$$

Ainsi,

$$\frac{\partial F_2}{\partial x} - \frac{\partial F_1}{\partial y} = 0.$$

Puisque $\vec{F}$ est non défini à l'origine, le domaine de $\vec{F}$ contient un trou. Par conséquent, le test du rotationnel ne s'applique pas ici.

b) Sur le cercle unité, $\vec{F}$ est tangent au cercle et $\|\vec{F}\| = 1$. Ainsi,

$$\int_C \vec{F} \cdot d\vec{r} = \|\vec{F}\| \cdot \text{Longueur de la courbe} = 1 \cdot 2\pi = 2\pi.$$

Puisque l'intégrale curviligne autour de la courbe fermée C est non nulle, $\vec{F}$ n'est pas indépendant du chemin.

c) Le domaine de $\vec{F}$ est le plan troué, comme le montre la figure 8.46. Puisque $\vec{F}$ n'est pas défini à l'origine, qui se trouve à l'intérieur de C, le théorème de Green ne s'applique pas. Dans ce cas,

$$2\pi = \int_C \vec{F} \cdot d\vec{r} \neq \int_R \left(\frac{\partial F_2}{\partial x} - \frac{\partial F_1}{\partial y}\right) dx\,dy = 0.$$

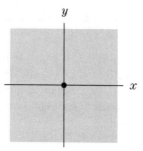

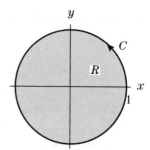

Figure 8.46 : Le domaine de $\vec{F}(x, y) = \frac{-y\vec{i} + x\vec{j}}{x^2 + y^2}$ est le plan moins l'origine.

Figure 8.47 : La région R n'est *pas* contenue dans le domaine de $\vec{F}(x, y) = \frac{-y\vec{i} + x\vec{j}}{x^2 + y^2}$.

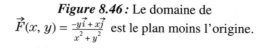

Bien que le champ vectoriel $\vec{F}$ du dernier exemple n'ait pas été défini à l'origine, cela n'empêche pas le champ vectoriel d'être indépendant du chemin, comme le montre l'exemple 5.

Exemple 5   Considérez le champ vectoriel $\vec{F}$ donné par $\vec{F}(x, y) = \dfrac{x\vec{i} + y\vec{j}}{x^2 + y^2}$.

a) Calculez $\dfrac{\partial F_2}{\partial x} - \dfrac{\partial F_1}{\partial y}$. Le test du rotationnel laisse-t-il sous-entendre que $\vec{F}$ est indépendant du chemin ?

b) Expliquez comment on sait que $\displaystyle\int_C \vec{F} \cdot d\vec{r} = 0$, où C est le cercle unité centré à l'origine et orienté dans le sens contraire des aiguilles d'une montre. Cela implique-t-il que $\vec{F}$ est indépendant du chemin ?

c) Vérifiez que $f(x, y) = \frac{1}{2} \ln(x^2 + y^2)$ est une fonction potentiel pour $\vec{F}$. Cela implique-t-il que $\vec{F}$ est indépendant du chemin ?

Solution   a) En prenant les dérivées partielles, on obtient

$$\frac{\partial F_2}{\partial x} = \frac{\partial}{\partial x}\left(\frac{y}{x^2 + y^2}\right) = \frac{-2xy}{(x^2 + y^2)^2} \quad \text{et} \quad \frac{\partial F_1}{\partial y} = \frac{\partial}{\partial y}\left(\frac{x}{x^2 + y^2}\right) = \frac{-2xy}{(x^2 + y^2)^2}.$$

Par conséquent,

$$\frac{\partial F_2}{\partial x} - \frac{\partial F_1}{\partial y} = 0.$$

Cela n'implique *pas* que $\vec{F}$ est indépendant du chemin : le domaine de $\vec{F}$ contient un trou puisque $\vec{F}$ est non défini à l'origine. Par conséquent, le test du rotationnel ne s'applique pas.

b) Puisque $\vec{F}(x, y) = x\vec{i} + y\vec{j} = \vec{r}$ sur le cercle unité C, le champ $\vec{F}$ est partout perpendiculaire à C. Donc,

$$\int_C \vec{F} \cdot d\vec{r} = 0.$$

Le fait que $\int_C \vec{F} \cdot d\vec{r} = 0$ quand C est le cercle unité n'implique *pas* que $\vec{F}$ est indépendant du chemin. Pour s'assurer que $\vec{F}$ est indépendant du chemin, il faut démontrer que $\int_C \vec{F} \cdot d\vec{r} = 0$ pour *toute* courbe fermée C dans le domaine de $\vec{F}$, et pas seulement pour le cercle unité.

c) Pour vérifier si grad $f = \vec{F}$, on dérive f :

$$f_x = \frac{1}{2}\frac{\partial}{\partial x} \ln(x^2 + y^2) = \frac{1}{2}\frac{2x}{x^2 + y^2} = \frac{x}{x^2 + y^2},$$

et

$$f_y = \frac{1}{2}\frac{\partial}{\partial y} \ln(x^2 + y^2) = \frac{1}{2}\frac{2y}{x^2 + y^2} = \frac{y}{x^2 + y^2},$$

de telle sorte que

$$\text{grad } f = \frac{-x\vec{i} + y\vec{j}}{x^2 + y^2} = \vec{F}.$$

Par conséquent, $\vec{F}$ est un champ gradient et il est donc indépendant du chemin — même si $\vec{F}$ est non défini à l'origine.

Le test du rotationnel pour les champs vectoriels à trois dimensions

Le test de rotationnel constitue une manière pratique de déterminer si un champ vectoriel à deux dimensions est indépendant du chemin. Heureusement, il existe un test similaire pour les champs vectoriels à trois dimensions, même si on ne pourra le justifier avant le chapitre 10.

Si $\vec{F}(x, y, z) = F_1\vec{i} + F_2\vec{j} + F_3\vec{k}$ est un champ vectoriel dans un espace à trois dimensions, on définit un nouveau champ vectoriel, le rotationnel de $\vec{F}$ noté rot $\vec{F}$, dans un espace à trois dimensions, par

$$\text{rot } \vec{F} = \left(\frac{\partial F_3}{\partial y} - \frac{\partial F_2}{\partial z}\right)\vec{i} + \left(\frac{\partial F_1}{\partial z} - \frac{\partial F_3}{\partial x}\right)\vec{j} + \left(\frac{\partial F_2}{\partial x} - \frac{\partial F_1}{\partial y}\right)\vec{k}.$$

On peut utiliser le rotationnel du champ vectoriel $\vec{F}$ pour déterminer si le champ vectoriel $\vec{F}$ est indépendant du chemin.

Test du rotationnel pour les champs vectoriels à trois dimensions

On suppose que $\vec{F}$ est un champ vectoriel à trois dimensions ayant des dérivées partielles continues, de telle sorte que

- le domaine de $\vec{F}$ a la propriété selon laquelle toute courbe fermée qui s'y trouve peut être déformée continûment en un point et demeurer en tout temps dans le domaine ;
- le rot $\vec{F} = \vec{0}$.

Alors, $\vec{F}$ est indépendant du chemin. Donc, $\vec{F}$ est un champ gradient et il a une fonction potentiel.

En ce qui concerne le test de rotationnel pour les champs vectoriels à deux dimensions, le domaine de $\vec{F}$ ne doit comporter aucun trou. Cela signifie que si $\vec{F}$ était défini sur une courbe fermée C, alors il était également défini en tous les points à l'intérieur de C. Pour vérifier s'il y a des trous, on peut essayer de les « prendre au lasso » au moyen d'une courbe fermée. Si on peut déformer toutes les courbes fermées du domaine vers un point sans rencontrer de trou, c'est-à-dire sans s'écarter du domaine, alors le domaine n'a pas de trous. Dans un espace à trois dimensions, on doit satisfaire à la même condition : il faut être capable de déformer toutes les courbes fermées vers un point, comme on le ferait avec un lasso, sans quitter le domaine.

Exemple 6   Déterminez si les champs vectoriels suivants sont indépendants du chemin et si le test de rotationnel s'applique.

a) $\vec{F} = \dfrac{x\vec{i} + y\vec{j} + z\vec{k}}{\left(x^2 + y^2 + z^2\right)^{3/2}}$ b) $\vec{G} = \dfrac{-y\vec{i} + x\vec{j}}{x^2 + y^2}$

Solution   a) On suppose que $f = -(x^2 + y^2 + z^2)^{-1/2}$. Alors, $f_x = x(x^2 + y^2 + z^2)^{-3/2}$ et, de même, grad $f = \vec{F}$. Par conséquent, $\vec{F}$ est un champ gradient ; il est donc indépendant du chemin. Les calculs montrent que le rotationnel $\vec{F} = \vec{0}$. Le domaine de $\vec{F}$ est tout l'espace à trois dimensions moins l'origine, et on peut déformer continûment toute courbe fermée vers un point sans quitter le domaine. Par conséquent, le test du rotationnel s'applique.

b) Soit C le cercle $x^2 + y^2 = 1$, $z = 0$ parcouru dans le sens contraire des aiguilles d'une montre lorsqu'il est vu depuis la partie positive de l'axe des z. Le champ vectoriel est partout tangent à cette courbe et il est de norme 1. Donc,

$$\int_C \vec{G} \cdot d\vec{r} = \|\vec{G}\| \cdot \text{Longueur de la courbe} = 1 \cdot 2\pi = 2\pi.$$

Puisque l'intégrale curviligne autour de la courbe fermée est non nulle, $\vec{G}$ est dépendant du chemin. Les calculs montrent que le rotationnel $\vec{G} = \vec{0}$. Cependant, le domaine de $\vec{G}$ est tout l'espace à trois dimensions moins l'axe des z, et il ne satisfait pas au critère de domaine du test de rotationnel. Par exemple, le cercle C est « pris au lasso » autour de l'axe des z, et ne peut être tiré vers un point sans toucher l'axe des z. Par conséquent, le test de rotationnel ne s'applique pas.

Problèmes de la section 8.4

1. L'exemple 1 de la présente section montre que le champ vectoriel de la figure 8.48 ne peut être un champ gradient si on démontre qu'il n'est pas indépendant du chemin. Voici une autre manière d'y arriver. Supposez que le champ vectoriel est le gradient d'une fonction f. Dessinez un diagramme montrant ce à quoi devraient ressembler les courbes de niveau de f, et identifiez-les. Expliquez aussi pourquoi il ne serait pas possible pour f d'avoir une valeur unique en un point donné.

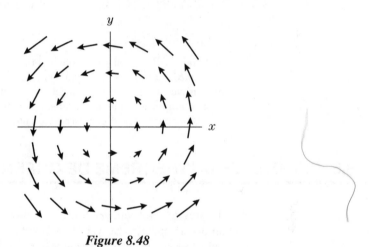

Figure 8.48

2. Répétez le problème 1 pour le champ vectoriel du problème 13 de la section 8.3.

3. Trouvez f si grad $f = 2xy\vec{i} + (x^2 + 8y^3)\vec{j}$.

4. Trouvez f si grad $f = (yze^{xyz} + z^2\cos(xz^2))\vec{i} + xze^{xyz}\vec{j} + (xye^{xyz} + 2xz\cos(xz^2))\vec{k}$.

Pour les problèmes 5 et 6, déterminez si le champ vectoriel donné est le gradient d'une fonction f. Le cas échéant, trouvez f. Sinon, justifiez votre réponse.

5. $y\vec{i} + y\vec{j}$

6. $(x^2 + y^2)\vec{i} + 2xy\vec{j}$

Les champs vectoriels des problèmes 7 à 10 ont-ils des fonctions potentiel, telles que $\vec{F} = $ grad f ? Le cas échéant, calculez-les.

7. $\vec{F} = (2xy^3 + y)\vec{i} + (3x^2y^2 + x)\vec{j}$

8. $\vec{F} = \dfrac{\vec{i}}{x} + \dfrac{\vec{j}}{y} + \dfrac{\vec{k}}{xy}$

9. $\vec{F} = \dfrac{\vec{i}}{x} + \dfrac{\vec{j}}{y} + \dfrac{\vec{k}}{z}$

10. $\vec{F} = 2x\cos(x^2 + z^2)\vec{i} + \sin(x^2 + z^2)\vec{j} + 2z\cos(x^2 + z^2)\vec{k}$

11. Considérez le champ vectoriel $\vec{F} = y\vec{i}$.

   a) Tracez le graphe de $\vec{F}$ et déterminez ensuite le signe de la circulation de $\vec{F}$ autour du cercle unité centré à l'origine et parcouru dans le sens contraire des aiguilles d'une montre.

   b) Utilisez le théorème de Green pour calculer la circulation dans la partie a) avec précision.

12. Supposez que $\vec{F} = x\vec{j}$. Montrez que l'intégrale curviligne de $\vec{F}$ autour d'une courbe fermée dans le plan des xy, orientée comme le montre le théorème de Green, mesure l'aire de la région renfermée dans la courbe.

Utilisez le résultat du problème 12 pour calculer l'aire de la région comprise à l'intérieur des courbes paramétrées pour les problèmes 13 à 15. Dans chaque cas, tracez le graphe de la courbe.

13. L'ellipse $x^2/a^2 + y^2/b^2 = 1$ paramétrée par $x = a \cos t$, $y = b \sin t$, pour $0 \leq t \leq 2\pi$.

14. L'hypocycloïde $x^{2/3} + y^{2/3} = a^{2/3}$ paramétrée par $x = a \cos^3 t$, $y = a \sin^3 t$, pour $0 \leq t \leq 2\pi$.

15. Le folium de Descartes, $x^3 + y^3 = 3xy$, paramétré par $x = \dfrac{3t}{1+t^3}$, $y = \dfrac{3t^2}{1+t^3}$, pour $0 \leq t < \infty$.

16. Supposez que R est la région comprise à l'intérieur de la moitié supérieure du cercle unité C, centré à l'origine, et qu'on veut calculer l'intégrale double

$$\int_R (2x - 2y)e^{x^2 + y^2} \, dA.$$

   a) Expliquez la raison pour laquelle la conversion de cette intégrale en intégrale itérée en coordonnées cartésiennes ne permet pas de la calculer.

   b) Puisque l'intégration itérée a échoué, on utilise une méthode numérique. Montrez comment on peut utiliser le théorème de Green pour convertir l'intégrale en intégrale d'une variable. Puis, évaluez l'intégrale d'une variable en utilisant des méthodes numériques ordinaires.

8.5 LA PREUVE DU THÉORÈME DE GREEN

Dans la présente section, on fournit la preuve du théorème de Green en se basant sur la formule du changement de variables pour les intégrales doubles. On suppose que le champ vectoriel $\vec{F}$ est donné en composantes par

$$\vec{F}(x, y) = F_1(x, y)\vec{i} + F_2(x, y)\vec{j}.$$

La preuve pour les rectangles

On démontre d'abord le théorème de Green quand R est une région rectangulaire, comme le montre la figure 8.49. L'intégrale curviligne, dans le théorème de Green, peut se noter

$$\int_C \vec{F} \cdot d\vec{r} = \int_{C_1} \vec{F} \cdot d\vec{r} + \int_{C_2} \vec{F} \cdot d\vec{r} + \int_{C_3} \vec{F} \cdot d\vec{r} + \int_{C_4} \vec{F} \cdot d\vec{r}$$

$$= \int_a^b F_1(x, c) \, dx + \int_c^d F_2(b, y) \, dy - \int_a^b F_1(x, d) \, dx - \int_c^d F_2(a, y) \, dy$$

$$= \int_c^d (F_2(b, y) - F_2(a, y)) \, dy + \int_a^b (-F_1(x, d) + F_1(x, c)) \, dx.$$

Par ailleurs, l'intégrale double, dans le théorème de Green, peut s'écrire sous forme d'intégrale itérée. On évalue l'intégrale intérieure en utilisant le théorème fondamental du calcul.

$$\int_R \left(\frac{\partial F_2}{\partial x} - \frac{\partial F_1}{\partial y} \right) dx\, dy = \int_R \frac{\partial F_2}{\partial x}\, dx\, dy + \int_R -\frac{\partial F_1}{\partial y}\, dx\, dy$$

$$= \int_c^d \int_a^b \frac{\partial F_2}{\partial x}\, dx\, dy + \int_a^b \int_c^d -\frac{\partial F_1}{\partial y}\, dy\, dx$$

$$= \int_c^d (F_2(b,\, y) - F_2(a,\, y))\, dy + \int_a^b (-F_1(x,\, d) + F_1(x,\, c))\, dx.$$

Puisque l'intégrale curviligne et l'intégrale double sont égales, on a démontré le théorème de Green pour les rectangles.

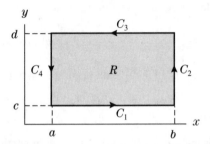

Figure 8.49 : Région rectangulaire R avec la frontière
C découpée en C_1, C_2, C_3 et C_4

La preuve pour les régions paramétrées par des rectangles

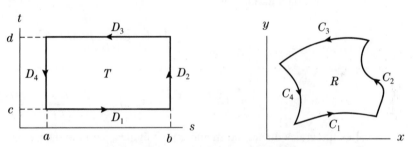

Figure 8.50 : Région courbée R dans le plan des xy correspondant à une région rectangulaire T dans le plan des st

Maintenant, on démontre le théorème de Green pour une région R qu'on peut transformer en région rectangulaire. On suppose un changement lisse de coordonnées

$$x = x(s,\, t), \quad y = y(s,\, t).$$

On considère la région courbée R dans le plan des xy correspondant à une région rectangulaire T dans le plan des st, comme sur la figure 8.50. On suppose que le changement de coordonnées est biunivoque à l'intérieur de T.

On démontre le théorème de Green pour R en utilisant le théorème de Green pour T et la formule du changement de variables pour les intégrales doubles qui est donnée à la section 5.8. Tout d'abord, on exprime l'intégrale curviligne autour de C,

$$\int_C \vec{F} \cdot d\vec{r},$$

comme une intégrale curviligne dans le plan des st autour du rectangle $D = D_1 + D_2 + D_3 + D_4$. En notation vectorielle, le changement de coordonnées est

$$\vec{r} = \vec{r}(s,\, t) = x(s,\, t)\vec{i} + y(s,\, t)\vec{j}$$

et donc,

$$\vec{F} \cdot d\vec{r} = \vec{F}(\vec{r}(s, t)) \cdot \frac{\partial \vec{r}}{\partial s} \ ds + \vec{F}(\vec{r}(s, t)) \cdot \frac{\partial \vec{r}}{\partial t} \ dt.$$

On définit le champ vectoriel $\vec{G}$ dans le plan des st avec les composantes

$$G_1 = \vec{F} \cdot \frac{\partial \vec{r}}{\partial s} \quad \text{et} \quad G_2 = \vec{F} \cdot \frac{\partial \vec{r}}{\partial t}.$$

Ensuite, si $\vec{u}$ est le vecteur position d'un point dans le plan des st, on a $\vec{F} \cdot d\vec{r} = G_1 \ ds + G_2 \ dt$ $= \vec{G} \cdot d\vec{u}$. Dans le problème 5, à la fin de la présente section, vous devrez démontrer que la formule des intégrales curvilignes le long des chemins paramétrés mène au résultat suivant :

$$\int_C \vec{F} \cdot d\vec{r} = \int_D \vec{G} \cdot d\vec{u}.$$

De plus, en utilisant la règle du produit et la règle de la dérivée en chaîne, on peut démontrer que

$$\frac{\partial G_2}{\partial s} - \frac{\partial G_1}{\partial t} = \left(\frac{\partial F_2}{\partial x} - \frac{\partial F_1}{\partial y} \right) \begin{vmatrix} \frac{\partial x}{\partial s} & \frac{\partial y}{\partial s} \\ \frac{\partial x}{\partial t} & \frac{\partial y}{\partial t} \end{vmatrix}$$

(voir le problème 6 à la fin de la présente section). Ainsi, selon la formule du changement de variables pour les intégrales doubles exposée à la section 5.8,

$$\int_R \left(\frac{\partial F_2}{\partial x} - \frac{\partial F_1}{\partial y} \right) dx \, dy = \int_T \left(\frac{\partial F_2}{\partial x} - \frac{\partial F_1}{\partial y} \right) \begin{vmatrix} \frac{\partial x}{\partial s} & \frac{\partial y}{\partial s} \\ \frac{\partial x}{\partial t} & \frac{\partial y}{\partial t} \end{vmatrix} ds \, dt = \int_T \left(\frac{\partial G_2}{\partial s} - \frac{\partial G_1}{\partial t} \right) ds \, dt.$$

Ainsi, on a montré que

$$\int_C \vec{F} \cdot d\vec{r} = \int_D \vec{G} \cdot d\vec{u}$$

et que

$$\int_R \left(\frac{\partial F_2}{\partial x} - \frac{\partial F_1}{\partial y} \right) dx \, dy = \int_T \left(\frac{\partial G_2}{\partial s} - \frac{\partial G_1}{\partial t} \right) ds \, dt.$$

Les intégrales du second membre sont égales, selon le théorème de Green pour les rectangles. Par conséquent, les intégrales du premier membre sont aussi égales, ce qui correspond au théorème de Green pour la région R.

Le collage des régions

En dernier lieu, on démontre que le théorème de Green s'applique pour une région formée par le collage de régions qu'on peut transformer en rectangles. La figure 8.51 montre deux régions R_1 et R_2 qui concordent pour former une région R. On divise la frontière de R en C_1, la partie partagée avec R_1, et C_2, la partie partagée avec R_2. On laisse C être la partie de la frontière de R_1 qu'elle partage avec R_2. Donc,

Frontière de $R = C_1 + C_2$,   Frontière de $R_1 = C_1 + C$,   Frontière de $R_2 = C_2 + (-C)$.

Noter que lorsque l'on considère la courbe C comme faisant partie de la frontière de R_2, elle reçoit l'orientation opposée à celle qu'elle a reçue en tant que frontière de R_1. Ainsi,

$$\int_{\text{Frontière de } R_1} \vec{F} \cdot d\vec{r} + \int_{\text{Frontière de } R_2} \vec{F} \cdot d\vec{r} = \int_{C_1 + C} \vec{F} \cdot d\vec{r} + \int_{C_2 + (-C)} \vec{F} \cdot d\vec{r}$$

$$= \int_{C_1} \vec{F} \cdot d\vec{r} + \int_C \vec{F} \cdot d\vec{r} + \int_{C_2} \vec{F} \cdot d\vec{r} - \int_C \vec{F} \cdot d\vec{r}$$

$$= \int_{C_1} \vec{F} \cdot d\vec{r} + \int_{C_2} \vec{F} \cdot d\vec{r}$$

$$= \int_{\text{Frontière de } R} \vec{F} \cdot d\vec{r}.$$

Donc, en appliquant le théorème de Green pour R_1 et R_2, on obtient

$$\int_R \left(\frac{\partial F_2}{\partial x} - \frac{\partial F_1}{\partial y} \right) dx\, dy = \int_{R_1} \left(\frac{\partial F_2}{\partial x} - \frac{\partial F_1}{\partial y} \right) dx\, dy + \int_{R_2} \left(\frac{\partial F_2}{\partial x} - \frac{\partial F_1}{\partial y} \right) dx\, dy$$

$$= \int_{\text{Frontière de } R_1} \vec{F} \cdot d\vec{r} + \int_{\text{Frontière de } R_2} \vec{F} \cdot d\vec{r}$$

$$= \int_{\text{Frontière de } R} \vec{F} \cdot d\vec{r},$$

ce qui correspond au théorème de Green pour R. Par conséquent, on a prouvé le théorème de Green pour toute région formée par le collage de régions qui sont paramétrées de manière lisse par des rectangles.

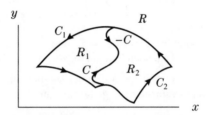

Figure 8.51 : Deux régions R_1 et R_2 collées pour former une région R

Exemple 1 Soit R l'anneau centré à l'origine avec un rayon interne de 1 et un rayon externe de 2. En utilisant des coordonnées polaires, démontrez que la preuve du théorème de Green s'applique à R (voir la figure 8.52).

Solution En coordonnées polaires, $x = r \cos t$ et $y = r \sin t$, l'anneau correspond au rectangle dans le plan des rt $1 \leq r \leq 2$, $0 \leq t \leq 2\pi$. Les côtés $t = 0$ et $t = 2\pi$ sont collés dans le plan des xy, le long de l'axe des x ; les deux autres côtés deviennent les cercles intérieur et extérieur de l'anneau. Ainsi, on a formé R en collant les extrémités d'un rectangle.

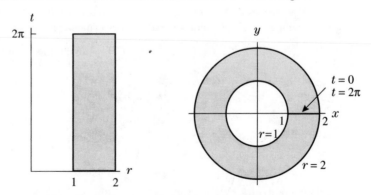

Figure 8.52 : Anneau R dans le plan des xy et rectangle correspondant $1 \leq r \leq 2$, $0 \leq t \leq 2\pi$ dans le plan des rt

Problèmes de la section 8.5

1. Soit R l'anneau centré en $(-1, 2)$ ayant un rayon interne de 2 et un rayon externe de 3. Montrez que R peut être paramétré par un rectangle.

2. Soit R la région se trouvant sous le premier arc du graphe de la fonction sinus. Montrez que R peut être paramétré par un rectangle.

3. Supposez que $f(x)$ et $g(x)$ sont deux fonctions lisses et que $f(x) \leq g(x)$ pour $a \leq x \leq b$. Soit R la région $f(x) \leq y \leq g(x)$, $a \leq x \leq b$.

   a) Tracez le graphe d'un exemple de cette région.
   b) Pour une constante x_0, trouvez l'équation paramétrique du segment de droite vertical en R, où $x = x_0$. Choisissez votre paramétrisation de manière telle que le paramètre commence à 0 et se termine à 1.
   c) En combinant les paramétrisations de la partie b) pour différentes valeurs de x_0, montrez que R peut être paramétré par un rectangle.

4. Supposez que $f(y)$ et $g(y)$ sont deux fonctions lisses et que $f(y) \leq g(y)$ pour $c \leq y \leq d$. Soit R la région $f(y) \leq x \leq g(y)$, $c \leq y \leq d$.

   a) Tracez le graphe d'un exemple de cette région.
   b) Pour une constante y_0, trouvez l'équation paramétrique du segment de droite horizontal en R, où $y = y_0$. Choisissez votre paramétrisation de telle sorte que le paramètre commence à 0 et se termine à 1.
   c) En combinant les paramétrisations de la partie b) pour différentes valeurs de y_0, montrez que R peut être paramétré par un rectangle.

5. Utilisez la formule pour calculer les intégrales curvilignes à l'aide d'une paramétrisation afin de prouver la véracité de l'égalité suivante.

$$\int_C \vec{F} \cdot d\vec{r} = \int_D \vec{G} \cdot d\vec{u}.$$

6. Utilisez la règle du produit et la règle de la dérivée en chaîne afin de prouver la véracité de la formule suivante :

$$\frac{\partial G_2}{\partial s} - \frac{\partial G_1}{\partial t} = \left(\frac{\partial F_2}{\partial x} - \frac{\partial F_1}{\partial y} \right) \begin{vmatrix} \frac{\partial x}{\partial s} & \frac{\partial y}{\partial s} \\ \frac{\partial x}{\partial t} & \frac{\partial y}{\partial t} \end{vmatrix}.$$

PROBLÈMES DE RÉVISION DU CHAPITRE HUIT

Pour les problèmes 1 et 2, considérez le champ vectoriel $\vec{F}$ illustré. Dites si vous prévoyez que l'intégrale curviligne $\int_C \vec{F} \cdot d\vec{r}$ sera positive, négative ou nulle le long de

a) A b) C_1, C_2, C_3, C_4 c) C, la courbe fermée constituée de tous les C regroupés.

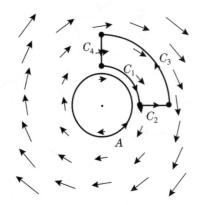

1.   2.

Pour les problèmes 3 à 5, calculez $\int_C \vec{F} \cdot d\vec{r}$ pour le $\vec{F}$ et la courbe C donnés.

3. $\vec{F} = (x^2 - y)\vec{i} + (y^2 + x)\vec{j}$ et C est la parabole $y = x^2 + 1$ parcourue de $(0, 1)$ à $(1, 2)$.

4. $\vec{F} = (3x - 2y)\vec{i} + (y + 2z)\vec{j} - x^2\vec{k}$ et C est le chemin constitué de la droite reliant le point $(0, 0, 0)$ au point $(1, 1, 1)$.

5. $\vec{F} = (2x - y + 4)\vec{i} + (5y + 3x - 6)\vec{j}$ et C est le triangle ayant ses sommets en $(0, 0)$, $(3, 0)$ et $(3, 2)$, parcouru dans le sens contraire des aiguilles d'une montre.

Les énoncés des problèmes 6 à 9 sont-ils vrais ou faux ? Justifiez votre réponse ou donnez un contre-exemple.

6. $\int_C \vec{F} \cdot d\vec{r}$ est un vecteur.

7. $\int_C \vec{F} \cdot d\vec{r} = \vec{F}(Q) - \vec{F}(P)$ quand P et Q sont les extrémités de C.

8. Le fait que l'intégrale curviligne d'un champ vectoriel $\vec{F}$ est nul autour du cercle unité $x^2 + y^2 = 1$ signifie que $\vec{F}$ doit être un champ vectoriel gradient.

9. Supposez que C_1 est un carré unité reliant les points $(0, 0)$, $(1, 0)$, $(1, 1)$ et $(0, 1)$, orienté dans le sens des aiguilles d'une montre et que C_2 est le même carré mais parcouru deux fois dans la direction opposée. Si $\int_{C_1} \vec{F} \cdot d\vec{r} = 3$, alors $\int_{C_2} \vec{F} \cdot d\vec{r} = -6$.

10. Soit $\vec{F} = x\vec{i} + y\vec{j}$, soit C_1 la droite reliant le point $(1, 0)$ au point $(0, 2)$ et soit C_2 la droite reliant le point $(0, 2)$ au point $(-1, 0)$. Est-ce que $\int_{C_1} \vec{F} \cdot d\vec{r} = -\int_{C_2} \vec{F} \cdot d\vec{r}$? Justifiez votre réponse.

11. Quelle est la valeur de $\int_C \vec{F} \cdot d\vec{r}$ si C est une courbe orientée qui va du point $(2, -6)$ au point $(4, 4)$ et si $\vec{F} = 6\vec{i} - 7\vec{j}$?

12. Supposez que P et Q se trouvent tous les deux sur la même courbe de niveau de f. Que pouvez-vous dire de la variation totale en f de P à Q ? Justifiez votre réponse en fonction de $\int_C \operatorname{grad} f \cdot d\vec{r}$, où C est une portion de la courbe qui va de P à Q.

13. Dans ce problème, on voit comment le théorème fondamental des intégrales curvilignes peut être développé à partir du théorème fondamental des intégrales définies ordinaires. Supposez que $(x(t), y(t))$ pour $a \leq t \leq b$ est une paramétrisation de C, avec les extrémités $P = (x(a), y(a))$ et $Q = (x(b), y(b))$. Les valeurs de f le long de C sont données par la fonction de variable simple $h(t) = f(x(t), y(t))$.

   a) Utilisez la règle de la dérivée en chaîne pour montrer que

   $$h'(t) = f_x(x(t), y(t))x'(t) + f_y(x(t), y(t))y'(t).$$

   b) Utilisez le théorème fondamental du calcul appliqué à $h(t)$ pour montrer que

   $$\int_C \operatorname{grad} f \cdot d\vec{r} = f(Q) - f(P).$$

14. Soit $\vec{F}(x, y)$ le champ vectoriel indépendant du chemin de la figure 8.53 (page suivante). Le champ vectoriel $\vec{F}$ relie à chaque point un vecteur unitaire s'orientant radialement vers l'extérieur. Les courbes C_1, C_2,..., C_7 ont les directions présentées. Considérez les intégrales curvilignes $\int_{C_i} \vec{F} \cdot d\vec{r}$, $i = 1,..., 7$. Sans calculer d'intégrales,

   a) dressez la liste de toutes les intégrales curvilignes qui, selon vos prévisions, seront nulles ;
   b) dressez la liste de toutes les intégrales curvilignes qui, selon vos prévisions, seront négatives ;
   c) disposez toutes les intégrales curvilignes positives dans ce qui est, selon vous, un ordre croissant.

15. Un *vortex libre* circulant autour de l'origine dans le plan des xy (ou autour de l'axe des z dans un espace à trois dimensions) a le champ vectoriel $\vec{v} = K(x^2 + y^2)^{-1}(-y\vec{i} + x\vec{j})$, où K est une constante. Le modèle de Rankine pour une tornade est basé sur l'hypothèse d'un noyau interne entouré par un vortex libre et qui effectue une rotation à une vitesse angulaire constante. Supposez que le noyau interne a un rayon de 100 m et que $\|\vec{v}\| = 3 \cdot 10^5$ m/h à une distance de 100 m du centre.

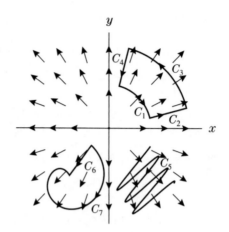

Figure 8.53

a) En supposant que la tornade exécute une rotation dans le sens contraire des aiguilles d'une montre (vue du haut du plan des xy) et que $\vec{v}$ est continu, déterminez ω et K de telle sorte que

$$\vec{v} = \begin{cases} \omega(-y\vec{i} + x\vec{j}) & \text{si } \sqrt{x^2 + y^2} < 100 \\ K(x^2 + y^2)^{-1}(-y\vec{i} + x\vec{j}) & \text{si } \sqrt{x^2 + y^2} \geq 100. \end{cases}$$

b) Tracez le graphe du champ vectoriel $\vec{v}$.

c) Calculez la circulation de $\vec{v}$ par rapport au cercle de rayon r centré à l'origine, parcouru dans le sens contraire des aiguilles d'une montre.

16. La figure 8.54 montre la vitesse tangentielle, en fonction du rayon, de la tornade qui a frappé Dallas le 2 avril 1957. Utilisez-la ainsi que le problème 15 pour estimer K et ω pour le modèle de Rankine de cette tornade[4].

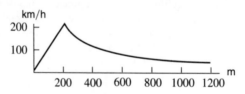

Figure 8.54

17. Un *champ vectoriel central* est un champ vectoriel dont la direction tend toujours vers un point fixe O (le centre) ou s'en éloigne, et dont la norme en un point P est une fonction de la distance entre P et O seulement. En deux dimensions, cela signifie que le champ vectoriel a une norme constante sur des cercles centrés en O. Les champs gravitationnels et électriques de sources sphériquement symétriques sont tous les deux des champs centraux.

a) Tracez le graphe d'un exemple de champ vectoriel central.

b) Supposez que le champ central $\vec{F}$ est un champ gradient, autrement dit, que $\vec{F} = \operatorname{grad} f$. Quelle devrait être la forme des courbes de f ? Tracez des courbes pour ce cas.

c) Tous les champs gradients sont-ils des champs vectoriels centraux ? Justifiez votre réponse.

d) À la figure 8.55, deux chemins sont présentés entre les points Q et P. En supposant que les trois cercles C_1, C_2 et C_3 sont centrés en O, expliquez pourquoi le travail fourni par un champ vectoriel central $\vec{F}$ est le même pour un chemin ou l'autre.

e) Il est vrai que tout champ vectoriel central est un champ gradient. Utilisez un raisonnement suggéré par la figure 8.55 pour expliquer la raison pour laquelle tout champ vectoriel central doit être indépendant du chemin.

---

4. Adapté de *Encyclopedia Britannica, Macropedia*, vol. 16, p. 477, « Climate and the Weather », Tornadoes and Waterspouts, 1991.

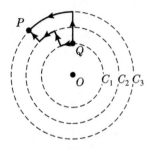

Figure 8.55

18. Considérez le champ vectoriel

$$\vec{F} = (-y^3 + y \sin(xy))\vec{i} + (4x(1 - y^2) + x \sin(xy))\vec{j}$$

défini sur le disque D de rayon 5 centré à l'origine dans le plan. Considérez l'intégrale curviligne $\int_C \vec{F} \cdot d\vec{r}$, où C est une courbe fermée contenue en D. Pour quelle courbe C la valeur de cette intégrale est-elle la plus grande ? [Indication : supposez que C est une courbe fermée, constituée de morceaux lisses, ne se croisant jamais elle-même et orientée dans le sens contraire des aiguilles d'une montre.]

CHAPITRE NEUF

LES INTÉGRALES DE FLUX

Dans le chapitre précédent, on a vu comment intégrer des champs vectoriels le long de courbes. Dans le présent chapitre, on définit un nouveau type d'intégrale, l'intégrale de flux, qui se situe sur une surface plutôt que le long d'une courbe. Si l'on observe un champ vectoriel qui représente la vitesse de l'écoulement d'un fluide, l'intégrale de flux indique le rythme auquel le fluide s'écoule à travers la surface. De plus, l'intégrale de flux apparaît dans la théorie de l'électricité et du magnétisme.

9.1 LE CONCEPT D'UNE INTÉGRALE DE FLUX

L'écoulement à travers une surface

On imagine de l'eau qui s'écoule à travers un filet de pêche tendu d'une rive à l'autre d'un cours d'eau. On suppose qu'on veut mesurer le rythme d'écoulement de l'eau à travers le filet, soit le volume de fluide qui passe à travers la surface par unité de temps (voir la figure 9.1). Ce rythme d'écoulement s'appelle le *flux* du fluide à travers la surface. On peut également calculer le flux des champs vectoriels, comme les champs électriques et magnétiques, pour lesquels il n'y a aucun écoulement.

Figure 9.1 : Flux permettant de mesurer le rythme
d'écoulement à travers une surface

L'orientation d'une surface

Avant de calculer le flux d'un champ vectoriel à travers une surface, on doit déterminer si la direction de l'écoulement à travers la surface est positive ; c'est ce qu'on appelle le choix d'une orientation[1].

> En chaque point d'une surface lisse, il y a deux normales unitaires : une dans chaque direction. **Choisir une orientation** signifie sélectionner l'une de ces normales en chaque point de la surface de manière continue. Le vecteur normal, qui est dans la direction de l'orientation, est noté $\vec{n}$. Pour une surface fermée, on choisit normalement l'orientation vers l'extérieur.

On dit que le flux à travers une partie d'une surface est positif si l'écoulement est dans la direction de l'orientation et qu'il est négatif s'il est dans la direction opposée (voir la figure 9.2).

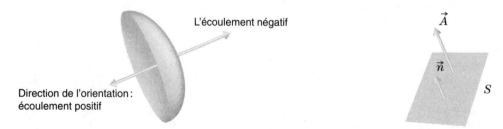

Figure 9.2 : Surface orientée montrant les
directions des écoulements positif et négatif

Figure 9.3 : Vecteur aire $\vec{A} = \vec{n}\,A$ d'une
surface plane ayant une aire A et une orientation $\vec{n}$

---

1. Même si on ne les étudie pas dans le présent ouvrage, il existe quelques surfaces pour lesquelles on ne peut faire ce choix (voir la fin de la section 9.1).

Le vecteur aire

Le flux traversant une surface plane dépend à la fois de son aire et de son orientation. Par conséquent, il est utile de représenter son aire par un vecteur, comme l'illustre la figure 9.3.

> Le **vecteur aire** d'une surface plane et orientée est un vecteur $\vec{A}$ tel que
> - la norme de $\vec{A}$ est l'aire de la surface ;
> - la direction de $\vec{A}$ est la direction du vecteur orientation $\vec{n}$.

Le flux d'un champ vectoriel constant à travers une surface plate

On suppose que le champ vectoriel de vitesse $\vec{v}$ d'un fluide est constant et que $\vec{A}$ est le vecteur aire d'une surface plane. Le flux passant à travers cette surface est le volume de fluide qui le traverse en une unité de temps. Le volume de la boîte orientée de la figure 9.4 a une aire transversale $\|\vec{A}\|$ et une hauteur $\|\vec{v}\| \cos \theta$. Donc, son volume est $(\|\vec{v}\| \cos \theta) \|\vec{A}\| = \vec{v} \cdot \vec{A}$. Par conséquent, on a le résultat suivant :

> Si $\vec{v}$ est constant et que $\vec{A}$ est le vecteur aire d'une surface plane, alors
>
> Flux à travers la surface $= \vec{v} \cdot \vec{A}$.

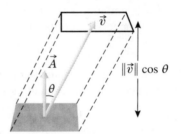

Figure 9.4 : Le flux de $\vec{v}$ à travers une surface ayant le vecteur aire $\vec{A}$ est le volume de cette boîte orientée.

Exemple 1   De l'eau s'écoule dans un tuyau cylindrique d'un rayon de 2 cm à une vitesse de 3 cm/s. Trouvez le flux du champ de vitesse à travers la région en forme d'ellipse présentée à la figure 9.5. La normale à l'ellipse forme un angle de θ avec la direction de l'écoulement et l'aire de l'ellipse est de $4\pi/(\cos \theta)$ cm^2.

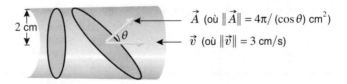

Figure 9.5 : Flux à travers la région en forme d'ellipse dans un tuyau cylindrique

Solution Il y a deux manières d'aborder ce problème. L'une consiste à utiliser la formule qu'on vient de développer, ce qui donne

$$\text{Flux à travers l'ellipse} = \vec{v} \cdot \vec{A} = \|\vec{v}\| \|\vec{A}\| \cos\theta = 3 \text{ (Aire de l'ellipse) } \cos\theta$$

$$= 3 \left(\frac{4\pi}{\cos\theta} \right) \cos\theta = 12\pi \text{ cm}^3/\text{s}.$$

La deuxième manière consiste à observer que le flux à travers l'ellipse est égal au flux à travers le cercle perpendiculaire au tuyau de la figure 9.5 (page précédente). Puisque le flux est le rythme auquel l'eau s'écoule dans le tuyau, on a

$$\text{Flux à travers le cercle} = \frac{\text{Vitesse}}{\text{de l'eau}} \times \frac{\text{Aire}}{\text{du cercle}} = \left(3 \frac{\text{cm}}{\text{s}} \right) (\pi 2^2 \text{ cm}^2) = 12\pi \text{ cm}^3/\text{s}.$$

Quand le champ vectoriel n'est pas constant ou que la surface n'est pas plane, on divise la surface en petits morceaux presque plats pour que le champ vectoriel soit approximativement constant sur chaque morceau, comme on le décrit ci-après.

L'intégrale de flux

Pour calculer le flux d'un champ vectoriel $\vec{F}$ qui n'est pas nécessairement constant à travers une surface S courbée et orientée, on divise la surface en une mosaïque composée de petits morceaux (les éléments de la surface) presque plats (telle une grille en fil de fer sur la surface), comme l'illustre la figure 9.6. On suppose qu'un élément en particulier a une aire ΔA. On choisit un vecteur orientation $\vec{n}$ (normal et unitaire) en un point sur l'élément et on définit le vecteur aire de l'élément $\Delta\vec{A}$ comme suit :

$$\Delta\vec{A} = \vec{n}\,\Delta A$$

(voir la figure 9.6). Si les éléments sont suffisamment petits, on peut supposer que $\vec{F}$ est approximativement constant sur chaque morceau. Alors, on sait que

$$\text{Flux à travers l'élément} \approx \vec{F} \cdot \Delta\vec{A}.$$

Alors,

$$\text{Flux à travers toute la surface} \approx \sum \vec{F} \cdot \Delta\vec{A},$$

où la somme est constituée des flux à travers tous les petits morceaux. Quand chaque pièce rapetisse et que $\|\Delta\vec{A}\| \to 0$, l'approximation s'améliore et on obtient

$$\text{Flux à travers } S = \lim_{\|\Delta\vec{A}\| \to 0} \sum \vec{F} \cdot \Delta\vec{A}.$$

Par conséquent, on a la définition suivante :

L'intégrale de flux du champ vectoriel $\vec{F}$ à travers la surface orientée S est

$$\int_S \vec{F} \cdot \Delta\vec{A} = \lim_{\|\Delta\vec{A}\| \to 0} \sum \vec{F} \cdot \Delta\vec{A}.$$

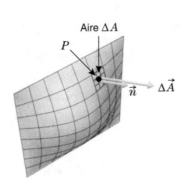

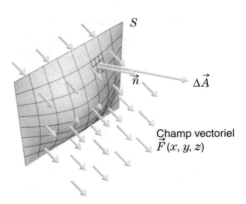

Figure 9.6 : Surface S divisée en petits morceaux presque plats, présentant un vecteur orientation typique $\vec{n}$ et un vecteur aire $\Delta\vec{A}$

Figure 9.7 : Flux d'un champ vectoriel à travers une surface courbée S

En calculant une intégrale de flux, on doit diviser la surface de manière raisonnable, sinon la limite peut ne pas exister. En pratique, ce problème survient rarement. Cependant, pour l'éviter, on peut utiliser la méthode de calcul des intégrales de flux présentée à la section 9.3 ainsi que la définition de l'intégrale de flux.

Le flux et l'écoulement de fluide

Si $\vec{v}$ est le champ de vitesse d'un fluide, on a

$$\text{Rythme de l'écoulement de fluide à travers la surface } S = \text{Flux de } \vec{v} \text{ à travers } S = \int_S \vec{v} \cdot d\vec{A}.$$

On mesure le rythme de l'écoulement de fluide en unités de volume par unité de temps.

Exemple 2   Trouvez le flux du champ vectoriel illustré à la figure 9.8 et donné par

$$\vec{B}\,(x, y, z) = \frac{-y\vec{i} + x\vec{j}}{x^2 + y^2}$$

à travers le carré S de côté 2 illustré à la figure 9.9, orienté dans la direction de $\vec{j}$.

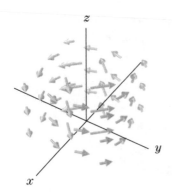

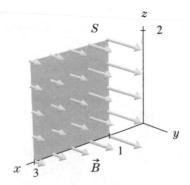

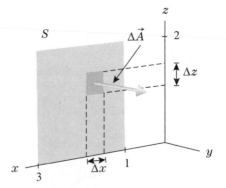

Figure 9.8 : Champ vectoriel $\vec{B}\,(x, y, z) = \frac{-y\vec{i} + x\vec{j}}{x^2 + y^2}$

Figure 9.9 : Flux de $\vec{B}$ à travers le carré S de côté 2 dans le plan des xy et orienté dans la direction de $\vec{j}$

Figure 9.10 : Petite pièce de la surface ayant une aire $\|\Delta\vec{A}\| = \Delta x \Delta z$

Solution   On considère une petite pièce rectangulaire ayant le vecteur aire $\Delta\vec{A}$ en S, avec les côtés Δx et Δz, de sorte que $\|\Delta\vec{A}\| = \Delta x\Delta z$. Puisque $\Delta\vec{A}$ s'oriente dans la direction de $\vec{j}$, on a $\Delta\vec{A} = \vec{j}\ \Delta x\Delta z$ (voir la figure 9.10, page précédente).

Au point $(x, 0, z)$ en S, en substituant $y = 0$ dans $\vec{B}$, on obtient $\vec{B}\ (x, 0, z) = (1/x)\vec{j}$. Par conséquent, on a

$$\text{Flux à travers une petite pièce} \approx \vec{B} \cdot \Delta\vec{A} = \left(\frac{1}{x}\vec{j}\right) \cdot (\vec{j}\ \Delta x\Delta z) = \frac{1}{x}\Delta x\Delta z.$$

Par conséquent,

$$\text{Flux à travers la surface} = \int_S \vec{B} \cdot d\vec{A} = \lim_{\|\Delta\vec{A}\| \to 0} \sum \vec{B} \cdot \Delta\vec{A} = \lim_{\substack{\Delta x \to 0 \\ \Delta z \to 0}} \sum \frac{1}{x}\Delta x\Delta z.$$

Cette dernière expression est une somme de Riemann pour l'intégrale double $\int_R \frac{1}{x}\ dA$, où R est le carré $1 \leq x \leq 3,\ 0 \leq z \leq 2$. Donc,

$$\text{Flux à travers la surface} = \int_S \vec{B} \cdot d\vec{A} = \int_R \frac{1}{x}\ dA = \int_0^2 \int_1^3 \frac{1}{x}\ dx\ dz = 2\ln 3.$$

Le résultat est positif puisque le champ vectoriel passe à travers la surface dans la direction positive.

Exemple 3   Chacun des champs vectoriels de la figure 9.11 est entièrement composé de vecteurs parallèles au plan des xy et est constant dans la direction de l'axe des z (c'est-à-dire que le champ vectoriel semble être le même dans n'importe quel plan parallèle au plan des xy). Pour chacun d'eux, on détermine le signe du flux passant à travers une surface fermée entourant l'origine : positif, négatif ou nul. Dans la partie a), la surface est un cube fermé ayant des faces parallèles aux axes ; dans les parties b) et c), la surface est un cylindre fermé. Dans chaque cas, on choisit l'orientation vers l'extérieur (voir la figure 9.12).

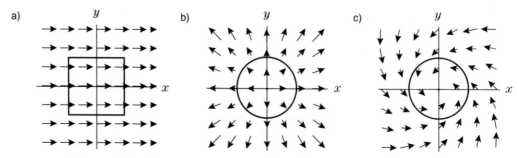

Figure 9.11 : Flux d'un champ vectoriel à travers les surfaces fermées dont les coupes transversales sont montrées dans le plan des xy

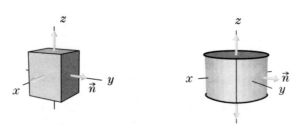

Figure 9.12 : Cube fermé et cylindre fermé, tous les deux orientés vers l'extérieur

Solution a) Puisque le champ vectoriel semble être parallèle aux faces du cube qui sont perpendiculaires aux axes des y et des z, on s'attend à ce que le flux à travers ces faces soit nul. Les flux à travers les deux faces perpendiculaires à l'axe des x semblent être égaux en norme et opposés en signe. On s'attend donc à ce que le flux net soit nul.

b) Puisque le dessus et le fond du cylindre sont parallèles à l'écoulement, le flux qui passe à travers eux est nul. Sur la surface circulaire du cylindre, $\vec{v}$ et $\Delta\vec{A}$ semblent être partout parallèles et orientés dans la même direction. On s'attend donc à ce que chaque terme $\vec{v} \cdot \Delta\vec{A}$ soit positif, et par conséquent, à ce que l'intégrale de flux $\int_S \vec{v} \cdot d\vec{A}$ soit positive.

c) Comme à la partie b), le flux à travers le dessus et le fond du cylindre est nul. Dans ce cas, $\vec{v}$ et $\Delta\vec{A}$ ne sont pas parallèles sur la surface circulaire du cylindre, mais puisque le fluide semble s'écouler vers l'intérieur en tourbillonnant, on s'attend à ce que chaque terme $\vec{v} \cdot \Delta\vec{A}$ soit négatif, et par conséquent, à ce que l'intégrale de flux soit négative.

Le calcul des intégrales de flux à l'aide de $d\vec{A} = \vec{n}\, d A$

Pour un petit élément de la surface ΔS de normale $\vec{n}$ et d'aire ΔA, le vecteur aire est $\Delta\vec{A} = \vec{n}\, \Delta A$. L'exemple 4 montre comment on peut utiliser cette relation pour calculer une intégrale de flux.

Exemple 4 Une charge électrique q est placée à l'origine dans un espace à trois dimensions. Le champ électrique résultant $\vec{E}(\vec{r})$ au point ayant le vecteur position $\vec{r}$ est donné par

$$\vec{E}(\vec{r}) = q\frac{\vec{r}}{\|\vec{r}\|^3}, \quad \vec{r} \neq \vec{0}.$$

Trouvez le flux de $\vec{E}$ vers l'extérieur de la sphère de rayon R centrée à l'origine (voir la figure 9.13).

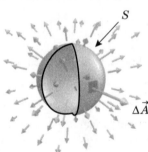

Figure 9.13 : Flux de $\vec{E} = q\vec{r}/\|\vec{r}\|^3$ à travers la surface d'une sphère de rayon R centrée à l'origine

Solution Ce champ vectoriel s'oriente de manière radiale vers l'extérieur depuis l'origine, dans la même direction que $\vec{n}$. Par conséquent, puisque $\vec{n}$ est un vecteur unitaire,

$$\vec{E} \cdot \Delta\vec{A} = \vec{E} \cdot \vec{n}\, \Delta A = \|\vec{E}\|\, \Delta A.$$

Sur la sphère, $\|\vec{E}\| = q/R^2$, alors

$$\int_S \vec{E} \cdot d\vec{A} = \lim_{\|\Delta\vec{A}\| \to 0} \sum \vec{E} \cdot \Delta\vec{A} = \lim_{\Delta A \to 0} \sum \frac{q}{R^2}\, \Delta A = \frac{q}{R^2} \lim_{\Delta A \to 0} \sum \Delta A.$$

La dernière somme donne l'approximation de l'aire de la sphère. À la limite, quand les subdivisions deviennent plus petites, on a

$$\lim_{\Delta A \to 0} \sum \Delta A = \text{Aire de la sphère}.$$

Par conséquent, le flux est donné par

$$\int_S \vec{E} \cdot d\vec{A} = \frac{q}{R^2} \lim_{\Delta A \to 0} \sum \Delta A = \frac{q}{R^2} \cdot \text{Aire de la sphère} = \frac{q}{R^2} (4\pi R^2) = 4\pi q.$$

Ce résultat est connu sous le nom de loi de Gauss.

Plutôt que d'utiliser des sommes de Riemann, on écrit souvent $d\vec{A} = \vec{n} \, dA$, comme dans l'exemple 5.

Exemple 5 Supposez que S est la surface du cube borné par les six plans $x = \pm 1$, $y = \pm 1$ et $z = \pm 1$. Calculez le flux du champ électrique $\vec{E}$ de l'exemple 4 traversant S vers l'extérieur.

Solution Il suffit de calculer le flux de $\vec{E}$ à travers une face simple, par exemple la face supérieure S_1 définie par $z = 1$, où $-1 \leq x \leq 1$ et où $-1 \leq y \leq 1$. Par symétrie, le flux de $\vec{E}$ à travers les cinq autres faces de S doit être le même.

Sur la surface supérieure S_1, on a $d\vec{A} = \vec{k} \, dx \, dy$ et

$$\vec{E}(x, y, 1) = q \frac{x\vec{i} + y\vec{j} + \vec{k}}{(x^2 + y^2 + 1)^{3/2}}.$$

L'intégrale de flux correspondante est donnée par

$$\int_{S_1} \vec{E} \cdot d\vec{A} = q \int_{-1}^{1} \int_{-1}^{1} \frac{x\vec{i} + y\vec{j} + \vec{k}}{(x^2 + y^2 + 1)^{3/2}} \cdot \vec{k} \, dx \, dy = q \int_{-1}^{1} \int_{-1}^{1} \frac{1}{(x^2 + y^2 + 1)^{3/2}} \, dx \, dy.$$

En calculant numériquement cette intégrale, on voit que

$$\text{Flux à travers la face supérieure} = \int_{S_1} \vec{E} \cdot d\vec{A} \approx 2{,}0944q.$$

Par conséquent,

$$\text{Flux total de } \vec{E} \text{ vers l'extérieur du cube} = \int_S \vec{E} \cdot d\vec{A} \approx 6(2{,}0944q) = 12{,}5664q.$$

L'exemple 4 qu'on vient de voir montrait que le flux de $\vec{E}$ à travers une sphère de rayon R centrée à l'origine est $4\pi q$. Puisque $4\pi \approx 12{,}5664$, l'exemple 5 suggère que

$$\text{Flux total de } \vec{E} \text{ vers l'extérieur du cube} = 4\pi q.$$

En calculant exactement l'intégrale de flux de l'exemple 5, il est possible de s'assurer que les flux de $\vec{E}$ à travers le cube et la sphère sont exactement égaux. Quand on pourra prendre en considération le théorème de divergence du chapitre 10, on verra pour quelle raison il en est ainsi.

Quelques remarques sur l'orientation

Deux difficultés peuvent survenir quand on choisit l'orientation. La première est que dans le cas où la surface n'est pas lisse, elle peut ne pas comporter un vecteur normal en chaque point. Par exemple, un cube n'a pas de vecteur normal le long de ses arêtes. Quand on a une surface comme un cube, qui est constitué d'un nombre fini de morceaux lisses, on choisit une orientation pour chaque morceau distinct. La meilleure manière de le faire est généralement claire. Par exemple, sur le cube, on choisit l'orientation vers l'extérieur sur chaque face (voir la figure 9.14).

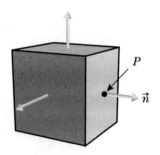

Figure 9.14 : Champ vectoriel de l'orientation $\vec{n}$ sur la surface du cube déterminée par le choix du vecteur unitaire normal au point P

Figure 9.15 : Le ruban de Möbius est un exemple de surface non orientable.

La deuxième difficulté est qu'il existe des surfaces qu'on ne peut absolument pas orienter, tel le *ruban de Möbius* de la figure 9.15.

Problèmes de la section 9.1

1. Soit $\vec{F}(x, y, z) = z\vec{i}$. Pour chacune des surfaces de a) à e), déterminez si le flux de $\vec{F}$ à travers la surface est positif, négatif ou nul. Dans chaque cas, l'orientation de la surface est indiquée par le vecteur normal donné.

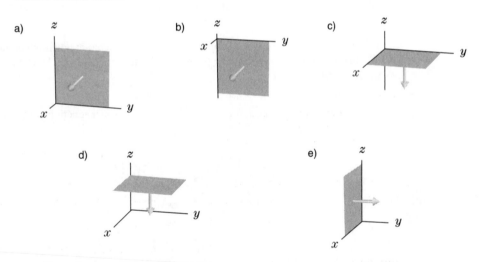

2. Répétez le problème 1 avec $\vec{F}(x, y, z) = -z\vec{i} + x\vec{k}$.

3. Répétez le problème 1 avec le champ vectoriel $\vec{F}(\vec{r}) = \vec{r}$.

4. Disposez les intégrales de flux suivantes,

$$\int_{S_i} \vec{F} \cdot d\vec{A}$$

avec $i = 1, 2, 3, 4$, en ordre croissant si $\vec{F} = -\vec{i} - \vec{j} + \vec{k}$ et si S_i sont les surfaces ci-après :

- S_1 est un carré horizontal de côté 1 ayant un coin en $(0, 0, 2)$, situé au-dessus du premier quadrant du plan des xy, et orienté vers le haut.
- S_2 est un carré horizontal de côté 1 ayant un coin en $(0, 0, 3)$, situé au-dessus du troisième quadrant du plan des xy, et orienté vers le haut.

- S_3 est un carré de côté $\sqrt{2}$ situé dans le plan des xz, ayant un coin à l'origine, un bord le long de la partie positive de l'axe des x, un autre le long de la partie négative de l'axe des z, et orienté dans la direction négative de l'axe des y.
- S_4 est un carré de côté $\sqrt{2}$ ayant un coin à l'origine, un bord le long de la partie positive de l'axe des y, un coin en $(1, 0, 1)$, et orienté vers le haut.

5. Calculez le flux du champ vectoriel $\vec{v} = 2\vec{i} + 3\vec{j} + 5\vec{k}$ à travers chacune des régions rectangulaires de a) à d), en supposant qu'elles sont respectivement orientées comme l'illustrent les figures ci-dessous.

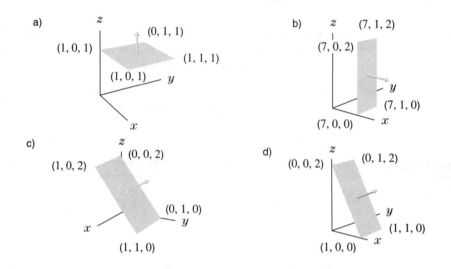

6. La figure 9.16 montre une coupe transversale du champ magnétique de la Terre. Déterminez si le flux magnétique traversant une plaque horizontale orientée vers le haut est positif, négatif ou nul si la plaque est

a) au pôle Nord ;   b) au pôle Sud ;   c) à l'équateur.

[Remarque : vous devez supposer que les pôles magnétiques et géographiques de la Terre coïncident.]

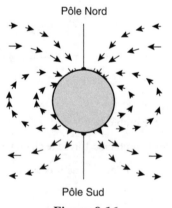

Figure 9.16

7. a) Déterminez quel serait le flux électrique traversant la surface cylindrique qui est placée dans le champ électrique constant de la figure 9.17. Justifiez votre réponse.
   b) Que pouvez-vous dire si le cylindre est placé vers le haut, comme à la figure 9.18 ? Justifiez votre réponse.

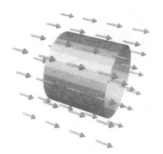

Figure 9.17

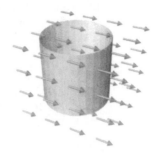

Figure 9.18

Pour les problèmes 8 à 14, calculez l'intégrale de flux du champ vectoriel à travers la surface S.

8. $\vec{F} = 2\vec{i}$ et S est un disque de rayon 2 dans le plan $x + y + z = 2$, orienté vers le haut.

9. $\vec{F} = -y\vec{i} + x\vec{j}$ et S est la plaque carrée dans le plan des yz ayant des coins en $(0, 1, 1)$, $(0, -1, 1)$, $(0, 1, -1)$ et $(0, -1, -1)$, orientée dans la direction de l'axe des x.

10. $\vec{F} = -y\vec{i} + x\vec{j}$ et S est le disque de rayon 2 dans le plan des xy, orienté vers le haut et centré à l'origine.

11. $\vec{F} = \vec{r}$ et S est le disque de rayon 2, parallèle au plan des xy, orienté vers le haut et centré en $(0, 0, 2)$.

12. $\vec{F} = (2 - x)\vec{i}$ et S est le cube dont les sommets comprennent les points $(0, 0, 0)$, $(3, 0, 0)$, $(0, 3, 0)$ et $(0, 0, 3)$, orienté vers l'extérieur.

13. $\vec{F} = (x^2 + y^2)\vec{i} + xy\vec{j}$ et S est le carré situé dans le plan des xy et ayant des coins en $(1, 1, 0)$, $(-1, 1, 0)$, $(1, -1, 0)$, $(-1, -1, 0)$, orienté vers le haut.

14. $\vec{F} = \vec{r}/r^2$ et S est la sphère de rayon R centrée à l'origine, orientée vers l'extérieur.

15. Soit S le cube ayant les côtés de longueur 2, ayant les faces parallèles aux plans des coordonnées, centré à l'origine.

    a) Calculez le flux total du champ vectoriel constant $\vec{v} = -\vec{i} + 2\vec{j} + \vec{k}$ vers l'extérieur de S en calculant séparément le flux à travers chaque face.
    b) Calculez le flux vers l'extérieur de S pour n'importe quel champ vectoriel constant $\vec{v} = a\vec{i} + b\vec{j} + c\vec{k}$.
    c) Vos réponses aux parties a) et b) sont-elles logiques ? Justifiez votre réponse.

16. Soit S le tétraèdre ayant ses sommets à l'origine et en $(1, 0, 0)$, $(0, 1, 0)$ et $(0, 0, 1)$.

    a) Calculez le flux total du champ vectoriel constant $\vec{v} = -\vec{i} + 2\vec{j} + \vec{k}$ vers l'extérieur de S en calculant séparément le flux à travers chaque face.
    b) Calculez le flux vers l'extérieur de S de la partie a) pour n'importe quel champ vectoriel constant $\vec{v}$.
    c) Vos réponses aux parties a) et b) sont-elles logiques ? Justifiez votre réponse.

17. Supposez que l'axe des z porte une charge électrique de densité constante de λ unités de charge par unité de longueur, avec $\lambda > 0$, et que $\vec{E}$ est le champ électrique résultant.

    a) Tracez le graphe du champ électrique $\vec{E}$ dans le plan des xy, étant donné que

    $$\vec{E}(x, y, z) = 2\lambda \frac{x\vec{i} + y\vec{j}}{x^2 + y^2}\ .$$

    b) Calculez le flux de $\vec{E}$ vers l'extérieur du cylindre $x^2 + y^2 = R^2$ pour $0 \le z \le h$.

18. Expliquez la raison pour laquelle, si $\vec{F}$ a une norme constante sur S, qu'il est normal à S partout et qu'il est dans la direction de l'orientation, alors

$$\int_S \vec{F} \cdot d\vec{A} = \|\vec{F}\| \cdot \text{Aire de } S.$$

19. Soit $P(x, y, z)$ la pression au point (x, y, z) dans un fluide au repos et $\vec{F}(x, y, z) = P(x, y, z)\vec{k}$. Soit S la surface d'un corps submergé dans le fluide. Si S est orienté vers l'intérieur, montrez que $\int_S \vec{F} \cdot d\vec{A}$ est la force ascensionnelle exercée sur le corps et due à la pression du fluide qui l'entoure. [Indication : considérez que $\vec{F} \cdot d\vec{A} = P(x, y, z)\vec{k} \cdot d\vec{A} = (P(x, y, z)\, d\vec{A}) \cdot \vec{k}$.]

20. Considérez la fonction $\rho(x, y, z)$ qui donne la densité de charge électrique aux points dans l'espace. Le champ vectoriel $\vec{J}(x, y, z)$ donne la densité de courant électrique en n'importe quel point dans l'espace et il est défini de telle sorte que le courant à travers une petite aire $d\vec{A}$ est donné par

$$\text{Courant à travers une petite aire} \approx \vec{J} \cdot d\vec{A}.$$

Supposez que S est une surface fermée renfermant un volume W.

a) Que représentent les intégrales suivantes dans le domaine de l'électricité ?

$$1. \int_W \rho\, dV \qquad 2. \int_S \vec{J} \cdot d\vec{A}$$

b) En considérant le fait qu'un courant électrique à travers une surface correspond à l'intensité à laquelle la charge électrique passe à travers la surface par unité de temps, expliquez pourquoi

$$\int_S \vec{J} \cdot d\vec{A} = -\frac{\partial}{\partial t}\left(\int_W \rho\, dV\right).$$

21. Un fluide circule le long d'un tuyau cylindrique de rayon a dans la direction de $\vec{i}$. La vitesse du fluide à une distance radiale r du centre du tuyau est $\vec{v} = u(1 - r^2/a^2)\vec{i}$.

a) Quelle est la signification de la constante u ?
b) Quelle est la vitesse du fluide sur la paroi du tuyau ?
c) Trouvez le flux à travers une coupe transversale circulaire du tuyau.

22. Supposez qu'une région à trois dimensions a une température qui varie d'un point à l'autre. Soit $T(x, y, z)$ la température en un point (x, y, z). La loi du refroidissement de Newton affirme que grad T est proportionnel au champ vectoriel du flux de chaleur $\vec{F}$, où $\vec{F}$ s'oriente dans la direction dans laquelle la chaleur circule et a une norme qui est égale à l'intensité du flux de chaleur.

a) Supposez que $\vec{F} = k$ grad T pour une constante k. Quel est le signe de k ?
b) Expliquez pourquoi cette forme de la loi du refroidissement de Newton est logique.
c) Soit W une région de l'espace comprise dans la surface S. Expliquez pourquoi

$$\begin{matrix}\text{Proportion de chaleur} \\ \text{perdue dans } W\end{matrix} = k \int_S (\text{grad } T) \cdot d\vec{A}.$$

23. Ce problème permet d'étudier le comportement du champ électrique produit par un fil infiniment long et droit, chargé uniformément. (Il n'y a pas de courant qui passe dans le fil — toutes les charges sont fixes.) On suppose que le fait que le fil soit infiniment long signifie qu'on peut considérer le champ électrique comme étant normal à n'importe quel cylindre ayant pour axe le fil. On suppose aussi que la norme du champ est constante sur n'importe quel cylindre de ce type. Notez E_r la norme du champ électrique causé par le fil en tout point tel un cylindre de rayon r (voir la figure 9.19).

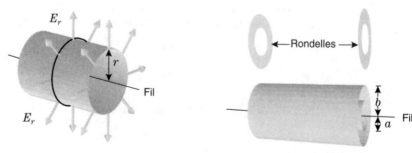

Figure 9.19   *Figure 9.20*

Imaginez une surface fermée S composée de deux cylindres, un de rayon a et un autre de rayon b, plus grand. Tous les deux sont coaxiaux avec le fil, et ils sont munis de deux rondelles placées aux extrémités (voir la figure 9.20). Noter que l'orientation de S vers l'extérieur signifie qu'une normale sur le cylindre extérieur s'oriente vers l'extérieur du fil et qu'une normale sur le cylindre intérieur s'oriente vers le fil.

a) Expliquez pourquoi le flux de $\vec{E}$ (le champ électrique) à travers les rondelles est nul.

b) La loi de Gauss affirme que le flux d'un champ électrique à travers une surface fermée S est proportionnel à la quantité de charge électrique à l'intérieur de S. Expliquez pourquoi la loi de Gauss laisse entendre que le flux traversant le cylindre intérieur est le même que le flux traversant le cylindre extérieur. (Noter que la charge sur le fil *ne* se trouve *pas* à l'intérieur de la surface S.)

c) Utilisez la partie b) pour montrer que $E_b/E_a = a/b$.

d) Expliquez pourquoi la partie c) montre que l'intensité du champ causée par un fil infiniment long et chargé uniformément est proportionnelle à $1/r$.

24. Considérez une feuille plane, infinie, couverte uniformément d'une charge. Comme dans le cas du fil chargé du problème 23, la symétrie montre que le champ électrique $\vec{E}$ est perpendiculaire à la feuille et qu'il a la même norme en tous les points qui se trouvent à la même distance de la feuille. Utilisez la loi de Gauss (décrite au problème 23) pour expliquer pourquoi le champ causé par la feuille chargée est le même en tous les points dans l'espace à l'extérieur de la feuille, sur n'importe quel côté de celle-ci. [Indication : considérez le flux à travers la boîte comme ayant des côtés parallèles à la feuille montrée à la figure 9.21.]

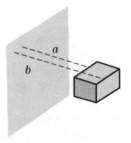

Figure 9.21

9.2   LES INTÉGRALES DE FLUX POUR LES GRAPHES, LES CYLINDRES ET LES SPHÈRES

Dans la section 9.1, on a calculé les intégrales de flux dans certains cas simples. Dans la présente section, on apprend comment calculer un flux à travers des surfaces qui sont des graphes de fonctions, à travers des cylindres et à travers des sphères. Dans la section 9.3, on verra comment calculer un flux à travers des surfaces plus générales.

Le flux d'un champ vectoriel à travers le graphe de $z = f(x, y)$

On suppose que S est le graphe de la fonction différentiable $z = f(x, y)$, orientée vers le haut, et que $\vec{F}$ est un champ vectoriel lisse. Dans la section 9.1, on a subdivisé la surface en petits morceaux ayant le vecteur aire $\Delta\vec{A}$ et on a défini le flux de $\vec{F}$ à travers S comme suit :

$$\int_S \vec{F} \cdot d\vec{A} = \lim_{\|\Delta\vec{A}\| \to 0} \sum \vec{F} \cdot \Delta\vec{A}.$$

Comment divise-t-on S en petits morceaux ? On peut notamment utiliser les coupes transversales de f avec la constante x ou y et prendre les pièces dans une représentation de la surface sous forme de grille en fil de fer. On doit donc calculer le vecteur aire de l'une de ces pièces, laquelle a presque la forme d'un parallélogramme.

Le vecteur aire d'un petit élément de surface en forme de parallélogramme

D'après la définition géométrique du produit vectoriel donnée à la section 2.4, le vecteur $\vec{v} \times \vec{w}$ a une norme qui est égale à l'aire du parallélogramme formé par $\vec{v}$ et $\vec{w}$ ainsi qu'une direction perpendiculaire à ce parallélogramme et déterminée par la règle de la main droite. Par conséquent, on a

$$\text{Vecteur aire d'un parallélogramme} = \vec{A} = \vec{v} \times \vec{w}.$$

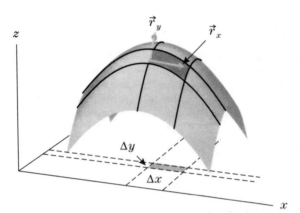

Figure 9.22 : Surface montrant un rectangle paramétré et les vecteurs tangents $\vec{r}_x$ et $\vec{r}_y$

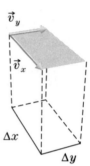

Figure 9.23 : Pièce en forme de parallélogramme dans le plan tangent à la surface

On considère le petit élément de surface se trouvant au-dessus de la région rectangulaire et ayant les côtés Δx et Δy dans le plan des xy (montré à la figure 9.22). On calcule l'approximation du vecteur aire $\Delta \vec{A}$ de cet élément à l'aide du vecteur aire de l'élément correspondant dans le plan tangent à la surface (voir la figure 9.23). Cet élément est le parallélogramme déterminé par les vecteurs $\vec{v}_x$ et $\vec{v}_y$, donc son vecteur aire est donné par

$$\Delta \vec{A} \approx \vec{v}_x \times \vec{v}_y.$$

Pour trouver $\vec{v}_x$ et $\vec{v}_y$, il faut considérer qu'un point sur la surface a le vecteur position $\vec{r} = x\vec{i} + y\vec{j} + f(x, y)\vec{k}$. Par conséquent, une coupe transversale de S avec y constant a un vecteur tangent

$$\vec{r}_x = \frac{\partial \vec{r}}{\partial x} = \vec{i} + f_x \vec{k},$$

et une coupe transversale avec x constant a le vecteur tangent

$$\vec{r}_y = \frac{\partial \vec{r}}{\partial y} = \vec{j} + f_y \vec{k}.$$

Les vecteurs $\vec{r}_x$ et $\vec{v}_x$ sont parallèles, car ils sont les tous deux tangents à la surface et se situent dans le plan des xz. Puisque la composante x de $\vec{r}_x$ est $\vec{i}$ et que la composante x de $\vec{v}_x$ est $(\Delta x)\vec{i}$, on a $\vec{v}_x = (\Delta x)\vec{r}_x$. De même, on a $\vec{v}_y = (\Delta y)\vec{r}_y$. Donc, le vecteur aire s'orientant vers le haut du parallélogramme est

$$\Delta \vec{A} \approx \vec{v}_x \times \vec{v}_y = (\vec{r}_x \times \vec{r}_y)\, \Delta x \Delta y = (-f_x \vec{i} - f_y \vec{j} + \vec{k})\, \Delta x\, \Delta y.$$

Il s'agit de l'approximation du vecteur aire $\Delta \vec{A}$ sur la surface. En remplaçant $\Delta \vec{A}$, Δx et Δy par $d\vec{A}$, dx et dy, on écrit

$$d\vec{A} = (-f_x \vec{i} - f_y \vec{j} + \vec{k}) \, dx \, dy.$$

Flux de $\vec{F}$ à travers une surface donnée par un graphe de $z = f(x, y)$

On suppose que la surface S est la partie du graphe de $z = f(x, y)$ se trouvant au-dessus d'une région R, dans le plan des xy, et que S est orienté vers le haut. Le flux de $\vec{F}$ à travers S est

$$\int_S \vec{F} \cdot d\vec{A} = \int_R \vec{F}(x, y, f(x, y)) \cdot (-f_x \vec{i} - f_y \vec{j} + \vec{k}) \, dx \, dy.$$

Exemple 1   Calculez $\int_S \vec{F} \cdot d\vec{A}$, où $\vec{F}(x, y, z) = z\vec{k}$ et où S est la plaque rectangulaire ayant les coins en $(0, 0, 0)$, $(1, 0, 0)$, $(0, 1, 3)$ et $(1, 1, 3)$, orientée vers le haut.

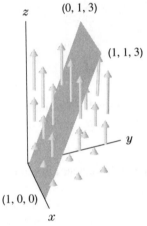

Figure 9.24 : Champ vectoriel $\vec{F} = z\vec{k}$ sur la surface rectangulaire S

Solution   On trouve pour le plan S l'équation de la forme $z = f(x, y)$. Puisque f est linéaire, avec une pente x égale à 0 et une pente y égale à 3, et que $f(0, 0) = 0$, on a

$$z = f(x, y) = 0 + 0x + 3y = 3y.$$

Ainsi, on a

$$d\vec{A} = (-f_x \vec{i} - f_y \vec{j} + \vec{k}) \, dx \, dy = (0\vec{i} - 3\vec{j} + \vec{k}) \, dx \, dy = (-3\vec{j} + \vec{k}) \, dx \, dy.$$

Par conséquent, l'intégrale de flux est

$$\int_S \vec{F} \cdot d\vec{A} = \int_0^1 \int_0^1 3y\vec{k} \cdot (-3\vec{j} + \vec{k}) \, dx \, dy = \int_0^1 \int_0^1 3y \, dx \, dy = 1,5.$$

Le flux d'un champ vectoriel à travers une surface cylindrique

On considère le cylindre de rayon R centré sur l'axe des z (voir la figure 9.25), orienté vers l'extérieur de l'axe des z. Le petit élément de surface, soit le rectangle paramétré de la figure 9.26, a une aire donnée par

$$\Delta A \approx R \, \Delta \theta \, \Delta z.$$

La normale unitaire vers l'extérieur $\vec{n}$ s'oriente dans la direction de $x\vec{i} + y\vec{j}$, donc

$$\vec{n} = \frac{x\vec{i} + y\vec{j}}{\| x\vec{i} + y\vec{j} \|} = \frac{R\cos\theta\,\vec{i} + R\sin\theta\,\vec{j}}{R} = \cos\theta\,\vec{i} + \sin\theta\,\vec{j}.$$

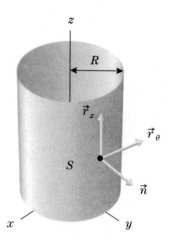

Figure 9.25 : Cylindre orienté vers l'extérieur

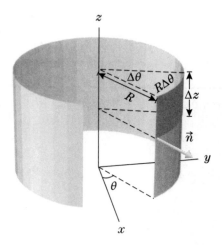

Figure 9.26 : Petite pièce ayant une aire $\Delta\vec{A}$ sur la surface d'un cylindre

Par conséquent, le vecteur aire du rectangle paramétré est approché par

$$\Delta\vec{A} = \vec{n} \, \Delta A \approx (\cos\theta\,\vec{i} + \sin\theta\,\vec{j}) \, R \, \Delta z \, \Delta\theta.$$

En remplaçant $\Delta\vec{A}$, Δz et $\Delta\theta$ par $d\vec{A}$, dz et $d\theta$, on écrit

$$d\vec{A} = (\cos\theta\,\vec{i} + \sin\theta\,\vec{j}) \, R \, dz \, d\theta.$$

D'où le résultat suivant :

Flux d'un champ vectoriel à travers un cylindre

Le flux de $\vec{F}$ à travers la surface cylindrique S, de rayon R et orientée vers l'extérieur de l'axe des z, est donné par

$$\int_S \vec{F} \cdot d\vec{A} = \int_T \vec{F}(R, \theta, z) \cdot (\cos\theta\,\vec{i} + \sin\theta\,\vec{j}) \, R \, dz \, d\theta,$$

où T est la région θz correspondant à S.

Exemple 2 Calculez $\int_S \vec{F} \cdot d\vec{A}$, où $\vec{F}(x, y, z) = y\vec{j}$ et où S est la partie du cylindre de rayon 2 centré sur l'axe des z avec $x \geq 0$, $y \geq 0$ et $0 \leq z \leq 3$. La surface est orientée vers l'axe des z.

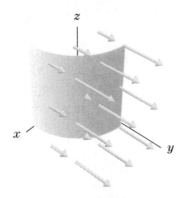

Figure 9.27 : Champ vectoriel
$\vec{F} = y\vec{j}$ sur la surface S

Solution En coordonnées cylindriques, on a $R = 2$ et $\vec{F} = y\vec{j} = 2 \sin \theta \vec{j}$. Puisque S est orienté vers l'axe des z, le flux à travers S est donné par

$$\int_S \vec{F} \cdot d\vec{A} = -\int_T 2 \sin \theta \vec{j} \cdot (\cos \theta \vec{i} + \sin \theta \vec{j}) 2 \, dz \, d\theta = -4 \int_0^{\pi/2} \int_0^3 \sin^2 \theta \, dz \, d\theta = -3\pi.$$

Le flux d'un champ vectoriel à travers une surface sphérique

On considère le morceau de la sphère de rayon R centrée à l'origine, orientée vers l'extérieur, comme l'illustre la figure 9.28 (page suivante). Le petit rectangle paramétré de cette même figure a une aire donnée par

$$\Delta A \approx R^2 \sin \phi \, \Delta\phi \, \Delta\theta.$$

La normale unitaire vers l'extérieur $\vec{n}$ s'oriente dans la direction de $\vec{r} = x\vec{i} + y\vec{j} + z\vec{k}$. Donc,

$$\vec{n} = \frac{\vec{r}}{\|\vec{r}\|} = \sin \phi \cos \theta \vec{i} + \sin \phi \sin \theta \vec{j} + \cos \phi \vec{k}.$$

Par conséquent, le vecteur aire du rectangle paramétré est approché par

$$\Delta \vec{A} \approx \vec{n} \, \Delta A = \frac{\vec{r}}{\|\vec{r}\|} \, \Delta A = (\sin \phi \cos \theta \vec{i} + \sin \phi \sin \theta \vec{j} + \cos \phi \vec{k}) \, R^2 \sin \phi \, \Delta\phi\Delta\theta.$$

En remplaçant $\Delta \vec{A}$, $\Delta\phi$ et $\Delta\theta$ par $d\vec{A}$, $d\phi$ et $d\theta$, on écrit

$$d\vec{A} = \frac{\vec{r}}{\|\vec{r}\|} \, dA = (\sin \phi \cos \theta \vec{i} + \sin \phi \sin \theta \vec{j} + \cos \phi \vec{k}) \, R^2 \sin \phi \, d\phi d\theta.$$

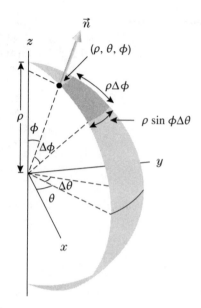

Figure 9.28 : Petite pièce ayant une aire $\Delta \vec{A}$ sur la surface d'une sphère

Par conséquent, on obtient le résultat suivant :

Flux d'un champ vectoriel à travers une sphère

Le flux de $\vec{F}$ à travers la surface sphérique S de rayon R orientée vers l'extérieur de l'origine est donné par

$$\int_S \vec{F} \cdot d\vec{A} = \int_S \vec{F} \cdot \frac{\vec{r}}{\|\vec{r}\|} \; dA$$

$$= \int_T \vec{F}(R, \theta, \phi) \cdot (\sin\phi\cos\theta\,\vec{i} + \sin\phi\sin\theta\,\vec{j} + \cos\phi\,\vec{k})\, R^2 \sin\phi\, d\phi\, d\theta,$$

où T est la région $\theta\phi$ correspondant à S.

Exemple 3   Trouvez le flux de $\vec{F} = z\vec{k}$ à travers S, l'hémisphère supérieur de rayon 2 centré à l'origine, orienté vers l'extérieur.

Solution   L'hémisphère S est paramétré par les coordonnées sphériques θ et ϕ, avec $0 \leq \theta \leq 2\pi$ et $0 \leq \phi \leq \pi/2$. Puisque $R = 2$ et que $\vec{F} = z\vec{k} = 2\cos\phi\,\vec{k}$, le flux est

$$\int_S \vec{F} \cdot d\vec{A} = \int_S 2\cos\phi\,\vec{k} \cdot (\sin\phi\cos\theta\,\vec{i} + \sin\phi\sin\theta\,\vec{j} + \cos\phi\,\vec{k})\, 4\sin\phi\, d\phi\, d\theta$$

$$= \int_0^{2\pi} \int_0^{\pi/2} 8\sin\phi\cos^2\phi\, d\phi\, d\theta = 2\pi \left(8 \left(\frac{-\cos^3\phi}{3} \right) \Big|_{\phi=0}^{\pi/2} \right) = \frac{16\pi}{3}.$$

Exemple 4   Le champ magnétique $\vec{B}$ causé par un *dipôle magnétique idéal* $\vec{\mu}$ situé à l'origine est défini comme

$$\vec{B}(\vec{r}) = -\frac{\vec{\mu}}{\|\vec{r}\|^3} + \frac{3(\vec{\mu} \cdot \vec{r})\vec{r}}{\|\vec{r}\|^5}.$$

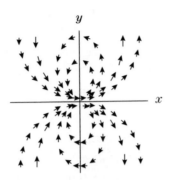

Figure 9.29 : Champ magnétique d'un dipôle $\vec{i}$

à l'origine : $\vec{B} = -\dfrac{\vec{i}}{\|\vec{r}\|^3} + \dfrac{3(\vec{i}\cdot\vec{r})\vec{r}}{\|\vec{r}\|^5}$

La figure 9.29 montre le graphe de $\vec{B}$ dans le plan $z = 0$ pour le dipôle $\vec{\mu} = \vec{i}$. Noter que $\vec{B}$ est semblable au champ magnétique d'un aimant ayant le pôle Nord à l'extrémité du vecteur $\vec{i}$ et le pôle Sud à l'origine du vecteur $\vec{i}$.

Calculez le flux vers l'extérieur de $\vec{B}$ à travers la sphère S centrée à l'origine et de rayon R.

Solution   Puisque $\vec{i} \cdot \vec{r} = x$ et que $\|\vec{r}\| = R$ sur la sphère de rayon R, on a

$$\int_S \vec{B} \cdot d\vec{A} = \int_S \left(-\frac{\vec{i}}{\|\vec{r}\|^3} + \frac{3(\vec{i}\cdot\vec{r})\vec{r}}{\|\vec{r}\|^5}\right) \cdot \frac{\vec{r}}{\|\vec{r}\|} \ dA = \int_S \left(-\frac{\vec{i}\cdot\vec{r}}{\|\vec{r}\|^4} + \frac{3(\vec{i}\cdot\vec{r})\|\vec{r}\|^2}{\|\vec{r}\|^6}\right) dA$$

$$= \int_S \frac{2\vec{i}\cdot\vec{r}}{\|\vec{r}\|^4} \ dA = \int_S \frac{2x}{\|\vec{r}\|^4} \ dA = \frac{2}{R^4} \int_S x \ dA.$$

Mais la sphère S est centrée à l'origine. Ainsi, la contribution à l'intégrale de chaque valeur x positive est annulée par la contribution de la valeur x négative correspondante ; alors, $\int_S x \ dA = 0$. Par conséquent,

$$\int_S \vec{B} \cdot d\vec{A} = \frac{2}{R^4} \int_S x \ dA = 0.$$

Problèmes de la section 9.2

Pour les problèmes 1 à 12, calculez le flux du champ vectoriel $\vec{F}$ à travers la surface S.

1. $\vec{F} = (x - y)\vec{i} + z\vec{j} + 3x\vec{k}$ et S est la partie du plan $z = x + y$ au-dessus du rectangle $0 \le x \le 2$, $0 \le y \le 3$, orientée vers le haut.

2. $\vec{F} = \vec{r}$ et S est la partie du plan $x + y + z = 1$ au-dessus du rectangle $0 \le x \le 2$, $0 \le y \le 3$, orientée vers le bas.

3. $\vec{F} = \vec{r}$ et S est la partie de la surface $z = x^2 + y^2$ au-dessus du disque $x^2 + y^2 \le 1$, orientée vers le bas.

4. $\vec{F}(x, y, z) = 2x\vec{j} + y\vec{k}$ et S est la partie de la surface $z = -y + 1$ au-dessus du carré $0 \le x \le 1$, $0 \le y \le 1$, orientée vers le haut.

5. $\vec{F} = 3x\vec{i} + y\vec{j} + z\vec{k}$ et S est la partie de la surface $z = -2x - 4y + 1$ au-dessus du triangle R, dans le plan des xy, avec les sommets en $(0, 0)$, $(0, 2)$ et $(1, 0)$, orientée vers le haut.

6. $\vec{F} = x\vec{i} + y\vec{j}$ et S est la partie de la surface $z = 25 - (x^2 + y^2)$ au-dessus du disque de rayon 5 centré à l'origine, orientée vers le haut.

7. $\vec{F} = \cos(x^2 + y^2)\vec{k}$ et S est comme dans le problème 6.

8. $\vec{F} = -y\vec{j} + z\vec{k}$ et S est la partie de la surface $z = y^2 + 5$ sur le rectangle $-2 \leq x \leq 1$, $0 \leq y \leq 1$, orientée vers le haut.

9. $\vec{F}(x, y, z) = -xz\vec{i} - yz\vec{j} + z^2\vec{k}$ et S est le cône $\sqrt{x^2 + y^2}$ pour $0 \leq z \leq 6$, orienté vers le haut.

10. $\vec{F} = y\vec{i} + \vec{j} - xz\vec{k}$ et S est la surface $y = x^2 + z^2$, avec $x^2 + z^2 \leq 1$, orientée dans la direction de l'axe des y.

11. $\vec{F} = xz\vec{i} + y\vec{k}$ et S est l'hémisphère $x^2 + y^2 + z^2 = 9$, $z \geq 0$, orienté vers le haut.

12. $\vec{F} = x^2\vec{i} + y^2\vec{j} + z^2\vec{k}$ et S est la surface triangulaire, orientée comme à la figure 9.30.

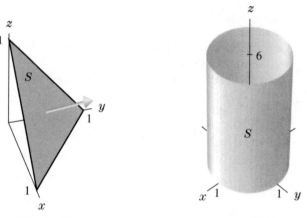

Figure 9.30   **Figure 9.31**

Pour les problèmes 13 et 14, calculez le flux du champ vectoriel $\vec{F}$ à travers la surface cylindrique illustrée à la figure 9.31, orientée vers l'extérieur de l'axe des z.

13. $\vec{F} = x\vec{i} + y\vec{j}$

14. $\vec{F} = xz\vec{i} + yz\vec{j} + z^3\vec{k}$

Pour les problèmes 15 et 16, calculez le flux du champ vectoriel $\vec{F}$ à travers la surface sphérique donnée S.

15. $\vec{F} = z^2\vec{k}$ et S est l'hémisphère supérieur de la sphère $x^2 + y^2 + z^2 = 25$, orienté vers l'extérieur de l'origine.

16. $\vec{F} = x\vec{i} + y\vec{j} + z\vec{k}$ et S est la surface de la sphère $x^2 + y^2 + z^2 = a^2$, orientée vers l'extérieur.

Pour les problèmes 17 et 18, une charge électrique q est placée à l'origine dans un espace à trois dimensions. Le champ électrique induit $\vec{E}(\vec{r})$ au point ayant le vecteur position $\vec{r}$ est donné par

$$\vec{E}(\vec{r}) = q\frac{\vec{r}}{\|\vec{r}\|^3}, \quad \vec{r} \neq \vec{0}.$$

17. Soit S le cylindre ouvert de hauteur $2H$ et de rayon R donné par $x^2 + y^2 = R^2$, $-H \leq z \leq H$, orienté vers l'extérieur.

a) Montrez que le flux de $\vec{E}$ (le champ électrique) à travers S est donné par

$$\int_S \vec{E} \cdot d\vec{A} = 4\pi q \frac{H}{\sqrt{H^2 + R^2}}.$$

b) Quelles sont les limites du flux $\int_S \vec{E} \cdot d\vec{A}$ si

1. $H \to 0$ ou $H \to \infty$ quand R est fixe ?
2. $R \to 0$ ou $R \to \infty$ quand H est fixe ?

18. Soit S le cylindre fermé, orienté vers l'extérieur, de hauteur $2H$ et de rayon R, dont la surface courbée est donnée par $x^2 + y^2 = R^2$, $-H \leq z \leq H$, dont le dessus est donné par $z = H$, $x^2 + y^2 \leq R^2$, et dont le dessous est donné par $z = -H$, $x^2 + y^2 \leq R^2$. Utilisez le résultat du problème 17 pour montrer que le flux du champ électrique $\vec{E}$ à travers S est donné par

$$\int_S \vec{E} \cdot d\vec{A} = 4\pi q.$$

Noter que le flux est indépendant de la hauteur H et du rayon R du cylindre.

19. Calculez le flux de

$$\vec{F} = (xz\,e^{yz})\,\vec{i} + xz\,\vec{j} + (5 + x^2 + y^2)\,\vec{k}$$

à travers le disque $x^2 + y^2 \leq 1$ dans le plan des xy, orienté vers le haut.

20. Calculez le flux de

$$\vec{H} = (e^{xy} + 3z + 5)\,\vec{i} + (e^{xy} + 5z + 3)\,\vec{j} + (3z + e^{xy})\,\vec{k}$$

à travers le carré de côté 2 ayant un sommet à l'origine, un bord le long de la partie positive de l'axe des y, un bord dans le plan des xz avec $x > 0$, $z > 0$, et la normale $\vec{n} = \vec{i} - \vec{k}$.

9.3 QUELQUES REMARQUES CONCERNANT LES INTÉGRALES DE FLUX SUR LES SURFACES PARAMÉTRÉES

On peut calculer la plupart des intégrales de flux qu'on est susceptible de rencontrer à l'aide des méthodes exposées aux sections 9.1 et 9.2. Dans la présente section, on considère brièvement le cas général suivant : comment calculer le flux d'un champ vectoriel lisse $\vec{F}$ à travers une surface orientée lisse S paramétrée par

$$\vec{r} = \vec{r}\,(s, t),$$

pour (s, t) dans une région R de l'espace des paramètres. La méthode est semblable à celle qui a été utilisée pour les graphes de la section 9.2. On considère un rectangle paramétré sur la surface S correspondant à une région rectangulaire ayant les côtés Δs et Δt dans l'espace des paramètres (voir la figure 9.32).

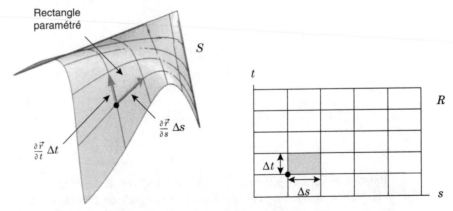

Figure 9.32 : Rectangle paramétré sur la surface S correspondant à une petite région rectangulaire dans l'espace des paramètres R

Si Δs et Δt sont petits, le vecteur aire $\Delta \vec{A}$ de la pièce correspond environ au vecteur aire du parallélogramme défini par les vecteurs

$$\vec{r}(s + \Delta s, t) - \vec{r}(s, t) \approx \frac{\partial \vec{r}}{\partial s}\, \Delta s, \quad \text{et} \quad \vec{r}(s, t + \Delta t) - \vec{r}(s, t) \approx \frac{\partial \vec{r}}{\partial t}\, \Delta t.$$

Par conséquent,

$$\Delta \vec{A} \approx \frac{\partial \vec{r}}{\partial s} \times \frac{\partial \vec{r}}{\partial t}\, \Delta s\, \Delta t.$$

On suppose que le vecteur $\partial \vec{r}/\partial s \times \partial \vec{r}/\partial t$ n'est jamais nul et qu'il s'oriente dans la direction du vecteur orientation unitaire normal $\vec{n}$. Si le vecteur $\partial \vec{r}/\partial s \times \partial \vec{r}/\partial t$ s'oriente dans la direction opposée à $\vec{n}$, on inverse l'ordre du produit vectoriel. En remplaçant $\Delta \vec{A}$, Δs et Δt par $d\vec{A}$, ds et dt, on écrit

$$d\vec{A} = \left(\frac{\partial \vec{r}}{\partial s} \times \frac{\partial \vec{r}}{\partial t} \right) ds\, dt.$$

Flux d'un champ vectoriel à travers une surface paramétrée

Le flux d'un champ vectoriel lisse $\vec{F}$ à travers une surface orientée lisse S paramétrée par $\vec{r} = \vec{r}(s, t)$, où (s, t) varie dans une région des paramètres R, est donné par

$$\int_S \vec{F} \cdot d\vec{A} = \int_R \vec{F}\,(\vec{r}(s, t)) \cdot \left(\frac{\partial \vec{r}}{\partial s} \times \frac{\partial \vec{r}}{\partial t} \right) ds\, dt.$$

On choisit la paramétrisation pour que $\partial \vec{r}/\partial s \times \partial \vec{r}/\partial t$ ne soit jamais nul et qu'il s'oriente partout dans la direction de $\vec{n}$.

Exemple 1   Trouvez le flux du champ vectoriel $\vec{F} = x\vec{i} + y\vec{j}$ à travers la surface S, orientée vers le bas et donnée par

$$x = 2s, \quad y = s + t, \quad z = 1 + s - t, \qquad \text{où } 0 \le s \le 1, \quad 0 \le t \le 1.$$

Solution   Puisque S est paramétré par

$$\vec{r}(s, t) = 2s\vec{i} + (s + t)\vec{j} + (1 + s - t)\vec{k},$$

on a

$$\frac{\partial \vec{r}}{\partial s} = 2\vec{i} + \vec{j} + \vec{k} \quad \text{et} \quad \frac{\partial r}{\partial t} = \vec{j} - \vec{k},$$

alors

$$\frac{\partial \vec{r}}{\partial s} \times \frac{\partial \vec{r}}{\partial t} = \begin{vmatrix} \vec{i} & \vec{j} & \vec{k} \\ 2 & 1 & 1 \\ 0 & 1 & -1 \end{vmatrix} = -2\vec{i} + 2\vec{j} + 2\vec{k}.$$

Puisque le vecteur $-2\vec{i} + 2\vec{j} + 2\vec{k}$ s'oriente vers le haut, on utilise $2\vec{i} - 2\vec{j} - 2\vec{k}$ pour une orientation vers le bas. Par conséquent, l'intégrale de flux est donnée par

$$\int_S \vec{F} \cdot d\vec{A} = \int_0^1 \int_0^1 (2s\vec{i} + (s + t)\vec{j}) \cdot (2\vec{i} - 2\vec{j} - 2\vec{k})\, ds\, dt$$

$$= \int_0^1 \int_0^1 (4s - 2s - 2t)\, ds dt = \int_0^1 \int_0^1 (2s - 2t)\, ds\, dt$$

$$= \int_0^1 \left(s^2 - 2st \Big|_{s=0}^{s=1} \right) dt = \int_0^1 (1 - 2t)\, dt = t - t^2 \Big|_0^1 = 0.$$

L'aire d'une surface paramétrée

L'aire ΔA d'un petit rectangle paramétré est la norme de son vecteur aire $\Delta\vec{A}$. Par conséquent,

$$\text{Aire de } S = \sum \Delta A = \sum \|\Delta\vec{A}\| \approx \sum \left\| \frac{\partial\vec{r}}{\partial s} \times \frac{\partial\vec{r}}{\partial t} \right\| \Delta s\, \Delta t.$$

En prenant la limite quand l'aire des rectangles paramétrés tend vers zéro, on en arrive à l'expression de l'aire de S suivante :

Aire d'une surface paramétrée

L'aire d'une surface S qui est paramétrée par $\vec{r} = \vec{r}(s, t)$, où (s, t) varie dans une région des paramètres R, est donnée par

$$\int_S d\vec{A} = \int_R \left\| \frac{\partial\vec{r}}{\partial s} \times \frac{\partial\vec{r}}{\partial t} \right\| ds\, dt.$$

Exemple 2   Calculez l'aire d'une sphère de rayon a.

Solution   On prend la sphère S de rayon a centrée à l'origine et on trouve son équation paramétrique avec les coordonnées sphériques ϕ et θ. La paramétrisation est

$$x = a \sin\phi \cos\theta, \quad y = a \sin\phi \sin\theta, \quad z = a \cos\phi \qquad \text{pour} \quad 0 \le \theta \le 2\pi, \quad 0 \le \phi \le \pi.$$

On calcule

$$\frac{\partial\vec{r}}{\partial\phi} \times \frac{\partial\vec{r}}{\partial\theta} = (a\cos\phi\cos\theta\,\vec{i} + a\cos\phi\sin\theta\,\vec{j} - a\sin\phi\,\vec{k}) \times (-a\sin\phi\sin\theta\,\vec{i} + a\sin\phi\cos\theta\,\vec{j})$$

$$= a^2(\sin^2\phi\cos\theta\,\vec{i} + \sin^2\phi\sin\theta\,\vec{j} + \sin\phi\cos\phi\,\vec{k})$$

et alors

$$\left\| \frac{\partial\vec{r}}{\partial\phi} \times \frac{\partial\vec{r}}{\partial\theta} \right\| = a^2 \sin\phi.$$

Par conséquent, on voit que l'aire de la sphère S est donnée par

$$\text{Aire} = \int_S dA = \int_R \left\| \frac{\partial\vec{r}}{\partial\phi} \times \frac{\partial\vec{r}}{\partial\theta} \right\| d\phi d\theta = \int_{\phi=0}^{\pi} \int_{\theta=0}^{2\pi} a^2 \sin\phi\, d\theta\, d\phi = 4\pi a^2.$$

Problèmes de la section 9.3

Pour les problèmes 1 à 5, calculez le flux du champ vectoriel $\vec{F}$ à travers la surface paramétrée S.

1. $\vec{F} = z\vec{k}$ et S est orienté vers l'axe des z et donné par

$$x = s + t, \quad y = s - t, \quad z = s^2 + t^2, \qquad 0 \le s \le 1, \quad 0 \le t \le 1.$$

2. $\vec{F} = y\vec{i} + x\vec{j}$ et S est orienté vers l'extérieur de l'axe des z et donné par

$$x = 3 \sin s, \quad y = 3 \cos s, \quad z = t + 1, \qquad 0 \le s \le \pi, \quad 0 \le t \le 1.$$

3. $\vec{F} = z\vec{i} + x\vec{j}$ et S est orienté vers le haut et donné par

$$x = s^2, \quad y = 2s + t^2, \quad z = 5t, \qquad 0 \le s \le 1, \quad 1 \le t \le 3.$$

4. $\vec{F} = -\dfrac{2}{x}\vec{i} + \dfrac{2}{y}\vec{j}$ et S est orienté vers le haut et est paramétré par a et θ, où

$$x = a \cos \theta, \quad y = a \sin \theta, \quad z = \sin a^2, \qquad 1 \le a \le 3, \quad 0 \le \theta \le \pi.$$

5. $\vec{F} = x^2 y^2 z \vec{k}$ et S est le cône $\sqrt{x^2 + y^2} = z$ avec $0 \le z \le R$, orienté vers le bas. Trouvez l'équation paramétrique du cône en utilisant les coordonnées cylindriques (voir la figure 9.33).

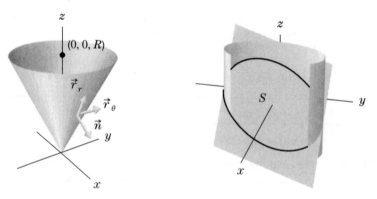

Figure 9.33   **Figure 9.34**

6. Trouvez l'aire de l'ellipse S dans le plan $2x + y + z = 2$ découpée par le cylindre circulaire $x^2 + y^2 = 2x$ (voir la figure 9.34).

7. Évaluez $\int_S \vec{F} \cdot d\vec{A}$, où $\vec{F} = (bx/a)\vec{i} + (ay/b)\vec{j}$ et où S est le cylindre elliptique orienté vers l'extérieur de l'axe des z, et donné par $x^2/a^2 + y^2/b^2 = 1$, $|z| \le c$, où a, b et c sont des constantes positives.

8. Considérez la surface S formée par une rotation du graphe de $y = f(x)$ autour de l'axe des x entre $x = a$ et $x = b$. Supposez que $f(x) \ge 0$ pour $a \le x \le b$. Montrez que l'aire de S est $2\pi \int_a^b f(x) \sqrt{1 + f'(x)^2}\, dx$.

Comme on l'a vu dans la section 9.1, la limite qui définit une intégrale de flux peut ne pas exister si on subdivise la surface de la mauvaise manière. Pour éviter ce problème, on peut prendre la formule d'une intégrale de flux sur une surface paramétrée qu'on a déjà élaborée dans la section 9.3, et l'utiliser pour la *définition* de l'intégrale de flux. Dans les problèmes 9 à 12, on étudie ce processus.

9. Utilisez la paramétrisation pour vérifier la formule (donnée à la section 9.2) d'une intégrale de flux sur un graphe de surface.

10. Utilisez la paramétrisation pour vérifier la formule (donnée à la section 9.2) d'une intégrale de flux sur une surface cylindrique.

11. Utilisez la paramétrisation pour vérifier la formule (donnée à la section 9.2) d'une intégrale de flux sur une surface sphérique.

12. Un problème qu'on a éprouvé lors de la définition d'une intégrale de flux est la dépendance de l'intégrale par rapport au choix de la paramétrisation. Cependant, le flux à travers une surface ne devrait pas dépendre de la manière dont la surface est paramétrée. Supposez que la surface S a deux paramétrisations, $\vec{r} = \vec{r}(s, t)$ pour (s, t) dans la région R de l'espace st, et $\vec{r} = r(u, v)$ pour (u, v) dans la région T de l'espace uv, et supposez que les deux paramétrisations sont reliées par le changement de variables

$$u = u(s, t) \quad v = v(s, t).$$

Supposez que le jacobien $\partial(u, v)/\partial(s, t)$ est positif en tous les points (s, t) dans R. Utilisez la formule de changement de variables pour les intégrales doubles exposée à la section 5.8 pour montrer que le calcul d'une intégrale de flux à l'aide de l'une ou l'autre paramétrisation donne le même résultat.

PROBLÈMES DE RÉVISION DU CHAPITRE NEUF

Pour les problèmes 1 et 2, soit $\vec{F}(\vec{r}) = \vec{r}$ et soit S une plaque carrée perpendiculaire à l'axe des z et centrée sur l'axe des z. Tracez, en fonction du temps, le flux de $\vec{F}$ à travers S quand S se déplace de la manière donnée.

1. S se déplace de très loin vers le haut, le long de la partie positive de l'axe des z et vers le bas, le long de la partie négative de l'axe des z. Supposez que S est orienté vers le haut.

2. S tourne autour d'un axe parallèle à l'axe des x, à travers le centre de S. Supposez que S est éloigné vers le haut sur l'axe des z de telle sorte que $\vec{r}$ est approximativement constant sur S quand S tourne, et que S est au départ orienté vers le haut.

3. Répétez les problèmes 1 et 2 avec $\vec{F}(\vec{r}) = \vec{r}/r^3$, où $r = \|\vec{r}\|$.

Pour les problèmes 4 à 7, trouvez le flux du champ vectoriel constant $\vec{v} = \vec{i} - \vec{j} + 3\vec{k}$ à travers les surfaces données.

4. Un disque de rayon 2 dans le plan des xy, orienté vers le haut.

5. Une plaque triangulaire d'aire 4 dans le plan des yz, orientée dans la direction de l'axe des x.

6. Une plaque carrée d'aire 4 dans le plan des yz, orientée dans la direction de l'axe des x.

7. La plaque triangulaire dont les sommets sont en $(1, 0, 0)$, $(0, 1, 0)$ et $(0, 0, 1)$, orientée vers l'extérieur de l'origine.

Pour les problèmes 8 à 15, calculez le flux du champ vectoriel donné $\vec{F}$ à travers la surface donnée S.

8. $\vec{F} = x\vec{i} + y\vec{j} + (z^2 + 3)\vec{k}$ et S est le rectangle $z = 4$, $0 \le x \le 2$, $0 \le y \le 3$, orienté dans la direction de l'axe des z.

9. $\vec{F} = z\vec{i} + y\vec{j} + 2x\vec{k}$ et S est le rectangle $z = 4$, $0 \le x \le 2$, $0 \le y \le 3$, orienté dans la direction de l'axe des z.

10. $\vec{F} = (x + \cos z)\vec{i} + y\vec{j} + 2x\vec{k}$ et S est le rectangle $x = 2$, $0 \le y \le 3$, $0 \le z \le 4$, orienté dans la direction de l'axe des x.

11. $\vec{F} = x^2\vec{i} + (x + e^y)\vec{j} - \vec{k}$ et S est le rectangle $y = -1$, $0 \le x \le 2$, $0 \le z \le 4$, orienté dans la direction négative de l'axe des y.

12. $\vec{F} = (5 + xy)\vec{i} + z\vec{j} + yz\vec{k}$ et S est la plaque carrée de 2×2 dans le plan des yz, centrée à l'origine, orientée dans la direction de l'axe des x.

13. $\vec{F} = x\vec{i} + y\vec{j}$ et S est la surface d'un cylindre fermé de rayon 2 et de hauteur 3, centré sur l'axe des z et ayant sa base dans le plan des xy.

14. $\vec{F} = -y\vec{i} + x\vec{j} + z\vec{k}$ et S est la surface d'un cylindre fermé de rayon 1 centré sur l'axe des z, ayant sa base dans le plan $z = -1$ et son dessus dans le plan $z = 1$.

15. $\vec{F} = x^2\vec{i} + y^2\vec{j} + z\vec{k}$ et S est le cône $z = \sqrt{x^2 + y^2}$, orienté vers le haut avec $x^2 + y^2 \leq 1$, $x \geq 0$, $y \geq 0$.

16. Supposez que de l'eau s'écoule dans un tuyau cylindrique d'un rayon de 2 cm et que sa vitesse est de $(3 - (3/4)r^2)$ cm/s à une distance de r cm du centre du tuyau. Trouvez le flux à travers la coupe transversale circulaire du tuyau, orientée de sorte que le flux soit positif.

17. Supposez que $\vec{E}$ est un champ électrique *uniforme* dans un espace à trois dimensions, de sorte que $\vec{E}(x, y, z) = a\vec{i} + b\vec{j} + c\vec{k}$, pour tous les points (x, y, z), où a, b et c sont des constantes. Montrez, à l'aide de la symétrie, que le flux de $\vec{E}$ à travers chacune des surfaces fermées S est nul :

a) S est le cube borné par les plans $x = \pm 1$, $y = \pm 1$ et $z = \pm 1$.
b) S est la sphère $x^2 + y^2 + z^2 = 1$.
c) S est le cylindre borné par $x^2 + y^2 = 1$, $z = 0$ et $z = 2$.

18. D'après la loi de Coulomb, le champ électrostatique $\vec{E}$, au point ayant le vecteur position $\vec{r}$ dans un espace à trois dimensions, créé par une charge q à l'origine, est donné par

$$\vec{E}(\vec{r}) = q\frac{\vec{r}}{\|\vec{r}\|^3}.$$

Soit S_a la sphère orientée vers l'extérieur dans un espace à trois dimensions, de rayon $a > 0$ et centrée à l'origine. Montrez que le flux du champ électrique résultant $\vec{E}$ à travers la surface S_a est égal à $4\pi q$ pour tout rayon a. Il s'agit de la loi de Gauss pour une charge ponctuelle simple.

19. Un fil droit infiniment long reposant le long de l'axe des z transporte un courant électrique I circulant dans la direction de $\vec{k}$. En magnétostatique, la loi d'Ampère affirme que le courant crée un champ magnétique $\vec{B}$ donné par

$$\vec{B}(x, y, z) = \frac{I}{2\pi} \frac{-y\vec{i} + x\vec{j}}{x^2 + y^2}.$$

a) Tracez le graphe du champ $\vec{B}$ dans le plan des xy.
b) Supposez que S_1 est un disque centré en $(0, 0, h)$, de rayon a, parallèle au plan des xy et orienté dans la direction de $\vec{k}$. Quel est le flux de $\vec{B}$ à travers S_1? Votre réponse semble-t-elle raisonnable?
c) Supposez que S_2 est le rectangle donné par $x = 0$, $a \leq y \leq b$ et $0 \leq z \leq h$, orienté dans la direction de $-\vec{i}$. Quel est le flux de $\vec{B}$ à travers S_2? Votre réponse semble-t-elle raisonnable?

20. En électrostatique, un *dipôle électrique idéal* est caractérisé par sa position dans un espace à trois dimensions et par son vecteur de moment dipôle $\vec{p}$. Le champ électrique $\vec{D}$ d'un dipôle électrique idéal situé à l'origine avec un moment dipôle $\vec{p}$, au point ayant le vecteur position $\vec{r}$, est donné par

$$\vec{D}(\vec{r}) = 3\frac{(\vec{r} \cdot \vec{p})\vec{r}}{\|\vec{r}\|^5} - \frac{\vec{p}}{\|\vec{r}\|^3}.$$

Supposez que $\vec{p} = p\vec{k}$, de sorte que le dipôle s'oriente dans la direction de $\vec{k}$ et a une norme p.

a) Quel est le flux de $\vec{D}$ à travers une sphère S centrée à l'origine et de rayon $a > 0$?
b) Le champ $\vec{D}$ est une approximation utile du champ électrique $\vec{E}$ produit par deux charges « égales et opposées », q en $\vec{r}_2$ et $-q$ en $\vec{r}_1$, où la distance $\|\vec{r}_2 - \vec{r}_1\|$ est petite. Le moment dipôle de cette configuration de charges est défini par $q(\vec{r}_2 - \vec{r}_1)$. La loi de Gauss en électrostatique affirme que le flux de $\vec{E}$ à travers S est égal à 4π fois la charge totale renfermée dans S. Quel est le flux de $\vec{E}$ à travers S si les charges en $\vec{r}_1$ et en $\vec{r}_2$ sont renfermées dans S? Comment cela se compare-t-il avec votre réponse pour le flux de $\vec{D}$ à travers S si $\vec{p} = q(\vec{r}_2 - \vec{r}_1)$?

CHAPITRE DIX

LE CALCUL DE CHAMPS VECTORIELS

On a vu deux manières d'intégrer des champs vectoriels à trois dimensions : le long des courbes et sur des surfaces. Maintenant, on examine deux façons de les dériver. Si l'on considère le champ vectoriel comme le champ de vitesse d'un écoulement de fluide, une méthode de dérivation (la divergence) permet d'indiquer la force nette du débit depuis un point ; une autre méthode (le rotationnel) révèle la force de rotation autour d'un point. Chaque méthode concorde avec l'un des moyens d'intégration pour former un équivalent vectoriel du théorème fondamental du calcul : le théorème de divergence reliant la divergence au flux et le théorème de Stokes reliant le rotationnel à la circulation autour d'un chemin fermé.

10.1   LA DIVERGENCE D'UN CHAMP VECTORIEL

On imagine que les champs vectoriels des figures 10.1 et 10.2 sont des champs de vitesse qui décrivent l'écoulement d'un fluide[1]. La figure 10.1 suggère un débit à partir de l'origine. Par exemple, il peut représenter le nuage de matière en expansion faisant partie de la théorie du big-bang sur l'origine de l'univers. On dit que l'origine est une *source*. La figure 10.2 suggère un écoulement vers l'intérieur de l'origine ; on dit alors que l'origine est un *puits*.

Dans la présente section, on utilise le flux vers l'extérieur d'une surface fermée qui entoure un point pour y mesurer le débit par unité de volume, également appelé la *divergence* ou la *densité de flux*.

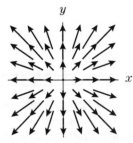

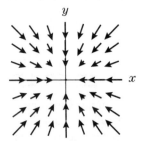

Figure 10.1 : Champ vectoriel présentant une source

Figure 10.2 : Champ vectoriel présentant un puits

La divergence : définition

On peut mesurer le débit par unité de volume d'un champ vectoriel en un point : on calcule le flux vers l'extérieur d'une petite sphère centrée en ce point, on le divise par le volume entouré par la sphère, puis on prend la limite de ce rapport du flux au volume quand la sphère se réduit autour du point.

Divergence : définition géométrique

La **divergence** (ou **densité de flux**) d'un champ vectoriel lisse $\vec{F}$, notée **div** $\vec{F}$, est une fonction de valeur scalaire définie par

$$\operatorname{div} \vec{F}\,(x, y, z) = \lim_{\text{Volume} \to 0} \frac{\int_S \vec{F} \cdot d\vec{A}}{\text{Volume de } S}.$$

Ici S est une sphère centrée en (x, y, z) et orientée vers l'extérieur, qui se réduit en (x, y, z) dans la limite.

On peut également calculer la limite à l'aide d'autres formes, comme les cubes de l'exemple 2. Le problème 2 de la section 10.6 explique la raison pour laquelle ce calcul est possible.

---

1. Même si les champs vectoriels ne représentent pas nécessairement des écoulements de fluide réalistes, il est utile de les considérer de cette manière.

> ### Divergence : définition algébrique (en termes de coordonnées cartésiennes)
>
> Si $\vec{F} = F_1\vec{i} + F_2\vec{j} + F_3\vec{k}$, alors
>
> $$\text{div } \vec{F} = \frac{\partial F_1}{\partial x} + \frac{\partial F_2}{\partial y} + \frac{\partial F_3}{\partial z}.$$

Exemple 1 Calculez la divergence de $\vec{F}(\vec{r}) = \vec{r}$ à l'origine

a) en utilisant la définition géométrique ;

b) en utilisant la définition algébrique.

Solution a) Dans l'exemple 4 de la section 9.1, on a trouvé que le flux de $\vec{F}$ vers l'extérieur de la sphère de rayon a, centrée à l'origine, est $4\pi a^3$. Par conséquent,

$$\text{div } \vec{F}(0, 0, 0) = \lim_{a \to 0} \frac{\text{Flux}}{\text{Volume}} = \lim_{a \to 0} \frac{4\pi a^3}{\frac{4}{3}\pi a^3} = \lim_{a \to 0} 3 = 3.$$

b) En coordonnées, $\vec{F}(x, y, z) = x\vec{i} + y\vec{j} + z\vec{k}$, alors

$$\text{div } \vec{F} = \frac{\partial}{\partial x}(x) + \frac{\partial}{\partial y}(y) + \frac{\partial}{\partial z}(z) = 1 + 1 + 1 = 3.$$

L'exemple 2 montre que la divergence peut être négative s'il y a un afflux net en un point.

Exemple 2 a) À l'aide de la définition géométrique, trouvez la divergence de $\vec{v} = -x\vec{i}$ en : 1. $(0, 0, 0)$. 2. $(2, 2, 0)$.

b) Montrez que la définition algébrique donne les mêmes résultats.

Solution a) 1. Le champ vectoriel $\vec{v} = -x\vec{i}$ est parallèle à l'axe des x, comme l'illustre la figure 10.3 (page suivante). Pour calculer la densité de flux, on utilise un cube S_1 centré à l'origine, ayant les côtés parallèles aux axes, de longueur $2c$. Par conséquent, le flux à travers les faces perpendiculaires à l'axe des y et à l'axe des z est nul (car le champ vectoriel est parallèle à ces faces). Sur les faces perpendiculaires à l'axe des x, le champ vectoriel et la normale vers l'extérieur sont parallèles, mais ils s'orientent dans des directions opposées. Sur la face en $x = c$, on a

$$\vec{v} \cdot \Delta\vec{A} = -c\|\Delta\vec{A}\|.$$

Sur la face en $x = -c$, le produit scalaire est encore négatif, et

$$\vec{v} \cdot \Delta\vec{A} = -c\|\Delta\vec{A}\|.$$

Par conséquent, le flux à travers le cube est donné par

$$\int_{S_1} \vec{v} \cdot d\vec{A} = \int_{\text{Face } x = -c} \vec{v} \cdot d\vec{A} + \int_{\text{Face } x = c} \vec{v} \cdot d\vec{A}$$

$$= -c \cdot \text{Aire d'une face} + (-c) \cdot \text{Aire de l'autre face} = -2c(2c)^2 = -8c^3.$$

Par conséquent,

$$\text{div } \vec{v}\,(0, 0, 0) = \lim_{\text{Volume} \to 0} \frac{\int_S \vec{v} \cdot d\vec{A}}{\text{Volume du cube}} = \lim_{c \to 0} \left(\frac{-8c^3}{(2c)^3} \right) = -1.$$

Puisque le champ vectoriel s'oriente vers l'intérieur, dans la direction du plan des yz, il est logique que la divergence soit négative à l'origine.

2. Considérez que S_2 est un cube, comme plus haut, mais que cette fois-ci, il est centré au point $(2, 2, 0)$ [voir la figure 10.3]. Comme précédemment, le flux à travers les faces perpendiculaires à l'axe des y et à l'axe des z est nul. Sur la face en $x = 2 + c$,

$$\vec{v} \cdot \Delta\vec{A} = -(2 + c)\|\Delta\vec{A}\|.$$

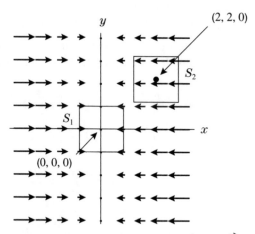

Figure 10.3 : Champ vectoriel $\vec{v} = -x\vec{i}$

Sur la face en $x = 2 - c$ ayant une normale vers l'extérieur, le produit scalaire est positif, et

$$\vec{v} \cdot \Delta\vec{A} = (2 - c)\|\Delta\vec{A}\|.$$

Par conséquent, le flux à travers le cube est donné par

$$\int_{S_2} \vec{v} \cdot d\vec{A} = \int_{\text{Face } x = 2 - c} \vec{v} \cdot d\vec{A} + \int_{\text{Face } x = 2 + c} \vec{v} \cdot d\vec{A}$$

$$= (2 - c) \cdot \text{Aire d'une face} - (2 + c) \cdot \text{Aire de l'autre face} = -2c(2c)^2 = -8c^3.$$

Puis, comme précédemment,

$$\text{div } \vec{v}\,(2, 2, 0) = \lim_{\text{Volume} \to 0} \frac{\int_S \vec{v} \cdot d\vec{A}}{\text{Volume du cube}} = \lim_{c \to 0} \left(\frac{-8c^3}{(2c)^3} \right) = -1.$$

Même si le champ vectoriel s'écoule en s'éloignant du point $(2, 2, 0)$ vers la gauche, la norme de ce débit est plus petite que celle de l'afflux de droite, donc le débit net est négatif.

b) Puisque $\vec{v} = -x\vec{i} + 0\vec{j} + 0\vec{k}$, la formule donne

$$\text{div } \vec{v} = \frac{\partial}{\partial x}(-x) + \frac{\partial}{\partial y}(0) + \frac{\partial}{\partial z}(0) = -1 + 0 + 0 = -1.$$

Pourquoi les deux définitions de la divergence donnent-elles le même résultat ?

La définition géométrique permet de définir div $\vec{F}$ comme étant la densité de flux de $\vec{F}$. Afin de comprendre pourquoi la définition algébrique décrit également la densité de flux, on imagine qu'on calcule le flux vers l'extérieur d'une surface S en forme de petite boîte en (x_0, y_0, z_0), ayant des côtés de longueur Δx, Δy et Δz parallèles aux axes. Sur S_1 (la face arrière de la boîte illustrée à la figure 10.4 de la page suivante, où $x = x_0$), la normale vers l'extérieur se trouve dans la direction négative de l'axe des x, alors $d\vec{A} = -dy\, dz\, \vec{i}$. En supposant que $\vec{F}$ est approximativement constant sur S_1, on a

$$\int_{S_1} \vec{F} \cdot d\vec{A} = \int_{S_1} \vec{F} \cdot (-\vec{i})\, dy\, dz \approx -F_1(x_0, y_0, z_0) \int_{S_1} dy\, dz$$

$$= -F_1(x_0, y_0, z_0) \cdot \text{Aire de } S_1 = -F_1(x_0, y_0, z_0)\, \Delta y\, \Delta z.$$

Sur S_2, la face où $x = x_0 + \Delta x$, la normale vers l'extérieur s'oriente dans la direction positive de l'axe des x, donc $d\vec{A} = dy\, dz\, \vec{i}$. Par conséquent,

$$\int_{S_2} \vec{F} \cdot d\vec{A} = \int_{S_2} \vec{F} \cdot \vec{i}\, dy\, dz \approx F_1(x_0 + \Delta x, y_0, z_0) \int_{S_2} dy\, dz$$

$$= F_1(x_0 + \Delta x, y_0, z_0) \cdot \text{Aire de } S_2 = F_1(x_0 + \Delta x, y_0, z_0)\, \Delta y\, \Delta z.$$

Donc,

$$\int_{S_1} \vec{F} \cdot d\vec{A} + \int_{S_2} \vec{F} \cdot d\vec{A} \approx F_1(x_0 + \Delta x, y_0, z_0)\Delta y \Delta z - F_1(x_0, y_0, z_0)\Delta y \Delta z$$

$$= \frac{F_1(x_0 + \Delta x, y_0, z_0) - F_1(x_0, y_0, z_0)}{\Delta x}\, \Delta x \Delta y \Delta z$$

$$\approx \frac{\partial F_1}{\partial x}\, \Delta x \Delta y \Delta z.$$

Selon un raisonnement analogue, la contribution au flux de S_3 et S_4 (les surfaces perpendiculaires à l'axe des y) est approximativement

$$\frac{\partial F_2}{\partial y}\, \Delta x \Delta y \Delta z,$$

et la contribution au flux de S_5 et S_6 est approximativement

$$\frac{\partial F_3}{\partial z}\, \Delta x \Delta y \Delta z.$$

Par conséquent, en additionnant ces contributions, on obtient

$$\text{Flux total à travers } S \approx \frac{\partial F_1}{\partial x}\, \Delta x \Delta y \Delta z + \frac{\partial F_2}{\partial y}\, \Delta x \Delta y \Delta z + \frac{\partial F_3}{\partial z}\, \Delta x \Delta y \Delta z.$$

Puisque le volume de la boîte est $\Delta x \Delta y \Delta z$, la densité de flux est

$$\frac{\text{Flux total à travers } S}{\text{Volume de la boîte}} \approx \frac{\dfrac{\partial F_1}{\partial x}\Delta x \Delta y \Delta z + \dfrac{\partial F_2}{\partial y}\Delta x \Delta y \Delta z + \dfrac{\partial F_3}{\partial z}\Delta x \Delta y \Delta z}{\Delta x \Delta y \Delta z}$$

$$= \frac{\partial F_1}{\partial x} + \frac{\partial F_2}{\partial y} + \frac{\partial F_3}{\partial z}.$$

Le problème 2 de la section 10.6 donne une justification plus détaillée du fait que les deux définitions produisent le même résultat.

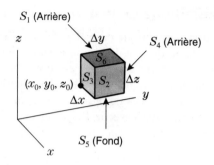

Figure 10.4 : Boîte utilisée pour trouver div $\vec{F}$ en (x_0, y_0, z_0)

Les champs vectoriels sans divergence

On dit qu'un champ vectoriel $\vec{F}$ est *sans divergence* ou *solénoïdal* si div $\vec{F} = 0$ partout où $\vec{F}$ est défini.

Exemple 3 La figure 10.5 montre, pour trois valeurs de la constante p, le champ vectoriel

$$\vec{E} = \frac{\vec{r}}{\|\vec{r}\|^p} \qquad \vec{r} \neq \vec{0}.$$

a) Trouvez une formule pour div $\vec{E}$.

b) Y a-t-il une valeur de p pour laquelle $\vec{E}$ est sans divergence ? Le cas échéant, trouvez-la.

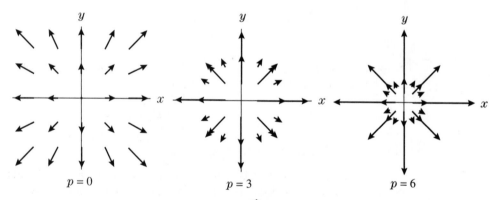

Figure 10.5 : Le champ vectoriel $\vec{E}(\vec{r}) = \vec{r}/\|\vec{r}\|^p$ pour $p = 0$, 3 et 6

Solution a) Les composantes de $\vec{E}$ sont

$$\vec{E} = \frac{x}{(x^2 + y^2 + z^2)^{p/2}}\vec{i} + \frac{y}{(x^2 + y^2 + z^2)^{p/2}}\vec{j} + \frac{z}{(x^2 + y^2 + z^2)^{p/2}}\vec{k}.$$

On calcule les dérivées partielles

$$\frac{\partial}{\partial x}\left(\frac{x}{(x^2 + y^2 + z^2)^{p/2}}\right) = \frac{1}{(x^2 + y^2 + z^2)^{p/2}} - \frac{px^2}{(x^2 + y^2 + z^2)^{(p/2)+1}}$$

$$\frac{\partial}{\partial y}\left(\frac{y}{(x^2 + y^2 + z^2)^{p/2}}\right) = \frac{1}{(x^2 + y^2 + z^2)^{p/2}} - \frac{py^2}{(x^2 + y^2 + z^2)^{(p/2)+1}}$$

$$\frac{\partial}{\partial z}\left(\frac{z}{(x^2 + y^2 + z^2)^{p/2}}\right) = \frac{1}{(x^2 + y^2 + z^2)^{p/2}} - \frac{pz^2}{(x^2 + y^2 + z^2)^{(p/2)+1}}.$$

Alors,

$$\text{div } \vec{E} = \frac{3}{(x^2 + y^2 + z^2)^{p/2}} - \frac{p(x^2 + y^2 + z^2)}{(x^2 + y^2 + z^2)^{(p/2)+1}}$$

$$= \frac{3-p}{(x^2 + y^2 + z^2)^{p/2}} = \frac{3-p}{\|\vec{r}\|^p}.$$

b) La divergence est nulle quand $p = 3$. Alors, $\vec{F}(\vec{r}) = \vec{r}/\|\vec{r}\|^3$ est un champ vectoriel sans divergence.

Les champs magnétiques

Les champs magnétiques représentent une classe importante de champs vectoriels sans divergence. L'une des lois de Maxwell sur l'électromagnétisme affirme que le champ magnétique $\vec{B}$ satisfait à

$$\text{div } \vec{B} = 0.$$

Exemple 4   On appelle une boucle de courant infinitésimal, semblable à celle qui est illustrée à la figure 10.6, un *dipôle magnétique*. Son intensité est décrite par un vecteur constant $\vec{\mu}$, appelé le moment dipolaire. Le champ magnétique créé par un dipôle magnétique ayant le moment $\vec{\mu}$ est

$$\vec{B} = -\frac{\vec{\mu}}{\|\vec{r}\|^3} + \frac{3(\vec{\mu} \cdot \vec{r})\vec{r}}{\|\vec{r}\|^5}, \qquad \vec{r} \neq \vec{0}.$$

Montrez que div $\vec{B} = 0$.

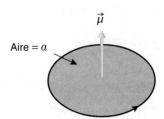

Figure 10.6 : Boucle de courant

Solution   Pour montrer que div $\vec{B} = 0$, on peut utiliser la version suivante de la règle du produit pour la divergence : si g est une fonction scalaire et $\vec{F}$, un champ vectoriel, alors

$$\text{div }(g\vec{F}) = (\text{grad } g) \cdot \vec{F} + g \text{ div } \vec{F}.$$

(voir le problème 12 de la section 10.1). Par conséquent, puisque div $\vec{\mu} = 0$, on a

$$\text{div }\left(\frac{\vec{\mu}}{\|\vec{r}\|^3}\right) = \text{div }\left(\frac{1}{\|\vec{r}\|^3}\,\vec{\mu}\right) = \text{grad }\left(\frac{1}{\|\vec{r}\|^3}\right) \cdot \vec{\mu} + \frac{1}{\|\vec{r}\|^3} \cdot 0$$

et

$$\text{div }\left(\frac{(\vec{\mu} \cdot \vec{r})\vec{r}}{\|\vec{r}\|^5}\right) = \text{grad}(\vec{\mu} \cdot \vec{r}) \cdot \frac{\vec{r}}{\|\vec{r}\|^5} + (\vec{\mu} \cdot \vec{r}) \text{ div }\left(\frac{\vec{r}}{\|\vec{r}\|^5}\right).$$

D'après les problèmes 18 et 19 de la section 3.5 et l'exemple 3 précédent, on a

$$\text{grad }\left(\frac{1}{\|\vec{r}\|^3}\right) = \frac{-3\vec{r}}{\|\vec{r}\|^5}, \quad \text{grad}(\vec{\mu} \cdot \vec{r}) = \vec{\mu}, \quad \text{div }\left(\frac{\vec{r}}{\|\vec{r}\|^5}\right) = \frac{-2}{\|\vec{r}\|^5}.$$

En réunissant ces résultats, on obtient

$$\text{div } \vec{B} = -\text{grad}\left(\frac{1}{\|\vec{r}\|^3}\right) \cdot \vec{\mu} + 3 \text{ grad}(\vec{\mu} \cdot \vec{r}) \cdot \frac{\vec{r}}{\|\vec{r}\|^5} + 3(\vec{\mu} \cdot \vec{r}) \text{ div}\left(\frac{\vec{r}}{\|\vec{r}\|^5}\right)$$

$$= \frac{3\vec{r} \cdot \vec{\mu}}{\|\vec{r}\|^5} + \frac{3\vec{\mu} \cdot \vec{r}}{\|\vec{r}\|^5} - \frac{6\vec{\mu} \cdot \vec{r}}{\|\vec{r}\|^5}$$

$$= 0.$$

Une autre notation pour la divergence

En utilisant $\nabla = \frac{\partial}{\partial x}\vec{i} + \frac{\partial}{\partial y}\vec{j} + \frac{\partial}{\partial z}\vec{k}$, on peut écrire

$$\text{div } \vec{F} = \nabla \cdot \vec{F} = \left(\frac{\partial}{\partial x}\vec{i} + \frac{\partial}{\partial y}\vec{j} + \frac{\partial}{\partial z}\vec{k}\right) \cdot (F_1\vec{i} + F_2\vec{j} + F_3\vec{k}) = \frac{\partial F_1}{\partial x} + \frac{\partial F_2}{\partial y} + \frac{\partial F_3}{\partial z}.$$

Problèmes de la section 10.1

1. Dessinez deux champs vectoriels qui ont une divergence positive partout.

2. Dessinez deux champs vectoriels qui ont une divergence négative partout.

3. Dessinez deux champs vectoriels qui ont une divergence nulle partout.

Pour les problèmes 4 à 10, trouvez la divergence du champ vectoriel donné. (Remarque : $\vec{r} = x\vec{i} + y\vec{j} + z\vec{k}$.)

4. $\vec{F}(x, y) = -x\vec{i} + y\vec{j}$

5. $\vec{F}(x, y) = -y\vec{i} + x\vec{j}$

6. $\vec{F}(x, y) = (x^2 - y^2)\vec{i} + 2xy\vec{j}$

7. $\vec{F}(\vec{r}) = \vec{a} \times \vec{r}$

8. $\vec{F}(x, y) = \dfrac{-y\vec{i} + x\vec{j}}{x^2 + y^2}$

9. $\vec{F}(\vec{r}) = \dfrac{\vec{r} - \vec{r}_0}{\|\vec{r} - \vec{r}_0\|}, \quad \vec{r} \neq \vec{r}_0$

10. $\vec{F}(x, y, z) = (-x + y)\vec{i} + (y + z)\vec{j} + (-z + x)\vec{k}$

11. Montrez que, si $\vec{a}$ est un vecteur constant et que $f(x, y, z)$ est une fonction, alors $\text{div}(f\vec{a}) = (\text{grad } f) \cdot \vec{a}$.

12. Montrez que, si $g(x, y, z)$ est une fonction de valeur scalaire et que $\vec{F}(x, y, z)$ est un champ vectoriel, alors

$$\text{div}(g\vec{F}) = (\text{grad } g) \cdot \vec{F} + g \text{ div } \vec{F}.$$

Pour les problèmes 13 à 15, utilisez le problème 12 avec $\vec{r} = x\vec{i} + y\vec{j} + z\vec{k}$ pour trouver la divergence du champ vectoriel donné.

13. $\vec{F}(\vec{r}) = \dfrac{1}{\|\vec{r}\|^p} \vec{a} \times \vec{r}$

14. $\vec{B} = \dfrac{1}{x^a} \vec{r}$

15. $\vec{G}(\vec{r}) = (\vec{b} \cdot \vec{r}) \vec{a} \times \vec{r}$

16. Lequel des deux champs vectoriels suivants a la plus grande divergence à l'origine ? Supposez que les échelles sont les mêmes sur chacun.

a) 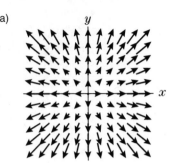   b)

17. Pour chacun des champs vectoriels suivants, dites si la divergence est positive, nulle ou négative au point indiqué.

a) 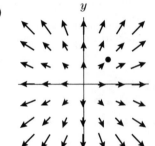   b) 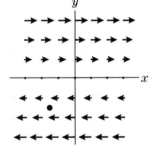   c)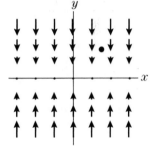

18. Soit $\vec{F}(x, y, z) = z\vec{k}$.

 a) Calculez div $\vec{F}$.
 b) Tracez le graphe de $\vec{F}$. Semble-t-il divergent ? Cela concorde-t-il avec votre réponse à la partie a) ?

19. Soit $\vec{F}(\vec{r}) = \vec{r} / \|\vec{r}\|^3$ (dans un espace à trois dimensions), $\vec{r} \neq \vec{0}$.

 a) Calculez div $\vec{F}$.
 b) Tracez le graphe de $\vec{F}$. Semble-t-il divergent ? Cela concorde-t-il avec votre réponse à la partie a) ?

Pour les problèmes 20 à 22, procédez comme suit.

 a) Trouvez le flux du champ vectoriel donné à travers un cube situé dans le premier octant et ayant un côté de longueur c, un coin à l'origine et des côtés le long des axes.
 b) Utilisez votre réponse à la partie a) pour trouver div $\vec{F}$ à l'origine en utilisant la définition géométrique.
 c) Calculez div $\vec{F}$ à l'origine en utilisant des dérivées partielles.

20. $\vec{F} = x\vec{i}$ 21. $\vec{F} = 2\vec{i} + y\vec{j} + 3\vec{k}$ 22. $\vec{F} = x\vec{i} + y\vec{j}$

23. a) Trouvez le flux du champ vectoriel $\vec{F} = x\vec{i} + y\vec{j}$ à travers la surface du cylindre fermé de rayon c et de hauteur c, centré sur l'axe des z et ayant une base dans le plan des xy (voir la figure 10.7, page suivante).
 b) Utilisez votre réponse à la partie a) pour trouver div $\vec{F}$ à l'origine en utilisant la définition géométrique.
 c) Calculez div $\vec{F}$ à l'origine en utilisant des dérivées partielles.

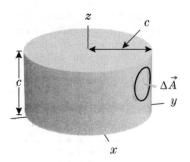

Figure 10.7

Les problèmes 24 et 25 portent sur des champs électriques. Une charge électrique produit un champ vectoriel $\vec{E}$, appelé champ électrique, qui représente la force agissant sur une charge positive unitaire placée en un point. Deux charges positives ou deux charges négatives se repoussent, tandis que deux charges de signe opposé s'attirent. La divergence de $\vec{E}$ est proportionnelle à la densité de la charge électrique (autrement dit, à la charge par unité de volume) avec une constante positive de proportionnalité.

24. Supposez qu'une certaine distribution de charge électrique produit le champ électrique illustré à la figure 10.8. Où sont concentrées les charges qui ont produit ce champ électrique ? Quelles concentrations sont positives et lesquelles sont négatives ?

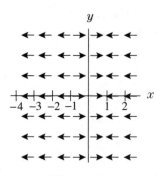

Figure 10.8

25. Le champ électrique au point $\vec{r}$, qui représente le résultat d'une charge ponctuelle à l'origine, est $\vec{E}(\vec{r}) = k\vec{r}/\|\vec{r}\|^3$.

    a) Calculez div $\vec{E}$ pour $\vec{r} \neq \vec{0}$.
    b) Calculez la limite donnée dans la définition géométrique de div $\vec{E}$ au point $(0, 0, 0)$.
    c) Expliquez ce que signifient vos réponses sur le plan de la densité de charge.

26. La divergence d'un champ vectoriel magnétique $\vec{B}$ doit être nulle partout. Lequel des champs vectoriels suivants ne peut être un champ vectoriel magnétique ?

    a) $\vec{B}(x, y, z) = -y\vec{i} + x\vec{j} + (x + y)\vec{k}$
    b) $\vec{B}(x, y, z) = -z\vec{i} + y\vec{j} + x\vec{k}$
    c) $\vec{B}(x, y, z) = (x^2 - y^2 - x)\vec{i} + (y - 2xy)\vec{j}$

27. Si $f(x, y, z)$ et $g(x, y, z)$ sont des fonctions ayant des dérivées partielles secondes continues, montrez que

$$\operatorname{div}(\operatorname{grad} f \times \operatorname{grad} g) = 0.$$

28. Au problème 22 de la section 9.2, on a montré que le taux de perte de chaleur d'un volume V dans une région de température non uniforme est égal à $k \int_S (\operatorname{grad} T) \cdot d\vec{A}$, où k est une constante, S est la surface qui borne V et $T(x, y, z)$ est la température au point (x, y, z) dans l'espace. En prenant la

limite quand V se contracte en un point, montrez que la dérivée $\partial T/\partial t = B \operatorname{div} \operatorname{grad} T$ en ce point, où B est une constante par rapport à x, y, z, mais qu'elle peut dépendre du temps t.

29. Un champ vectoriel dans le plan est une *source ponctuelle* si la direction de chacun de ses vecteurs s'oriente dans le sens opposé à l'origine en n'importe quel point, si sa norme dépend seulement de sa distance depuis l'origine et si sa divergence est nulle à l'extérieur de l'origine.

   a) Expliquez pourquoi une source ponctuelle doit être de la forme $\vec{v} = \left[f(x^2 + y^2) \right] (x\vec{i} + y\vec{j})$ pour une fonction positive f.

   b) Montrez que $\vec{v} = K(x^2 + y^2)^{-1}(x\vec{i} + y\vec{j})$ est une source ponctuelle $K > 0$.

   c) Déterminez la norme $\|\vec{v}\|$ de la source de la partie b) en fonction de la distance à partir de son centre.

   d) Tracez le graphe du champ vectoriel $\vec{v} = (x^2 + y^2)^{-1}(x\vec{i} + y\vec{j})$.

   e) Montrez que $\phi = \frac{K}{2} \log(x^2 + y^2)$ est une fonction potentiel de la source à la partie b).

30. Un champ vectoriel dans le plan est un *puits ponctuel* si la direction de chacun de ses vecteurs s'oriente vers l'origine en n'importe quel point, si sa norme dépend seulement de la distance depuis l'origine et si sa divergence est nulle à l'extérieur de l'origine.

   a) Expliquez pourquoi un puits ponctuel doit être de la forme $\vec{v} = \left[f(x^2 + y^2) \right] (x\vec{i} + y\vec{j})$ pour une fonction négative f quelconque.

   b) Montrez que $\vec{v} = K(x^2 + y^2)^{-1}(x\vec{i} + y\vec{j})$ est un puits ponctuel si $K < 0$.

   c) Déterminez la norme $\|\vec{v}\|$ du puits de la partie b) en fonction de la distance à partir de son centre.

   d) Dessinez le champ vectoriel $\vec{v} = -(x^2 + y^2)^{-1}(x\vec{i} + y\vec{j})$.

   e) Montrez que $\phi = \frac{K}{2} \log(x^2 + y^2)$ est une fonction potentiel du puits de la partie b).

10.2   LE THÉORÈME DE DIVERGENCE

Le théorème de divergence est un équivalent à plusieurs variables du théorème fondamental du calcul. Il affirme que l'intégrale de la densité de flux sur un solide est égale à l'intégrale de flux à travers la frontière de la région.

La frontière d'un solide

On peut comparer la frontière d'un solide à la peau située entre l'intérieur d'une région et l'espace qui l'entoure. Par exemple, la frontière d'une balle pleine est une surface sphérique ; la frontière d'un cube plein est constituée de ses six faces ; la frontière d'un cylindre plein est un tube scellé aux deux extrémités par des disques (voir la figure 10.9). On appelle une surface qui constitue la frontière d'un solide une *surface fermée*.

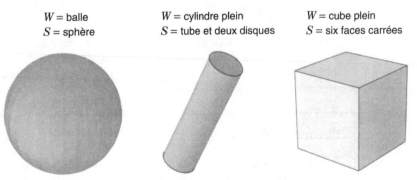

W = balle
S = sphère

W = cylindre plein
S = tube et deux disques

W = cube plein
S = six faces carrées

Figure 10.9 : Différents solides et leurs frontières

Le calcul du flux à partir de la densité de flux

On considère un solide W dans un espace à trois dimensions dont la frontière est la surface fermée S. Il existe deux manières de trouver le flux total d'un champ vectoriel $\vec{F}$ vers l'extérieur de W. L'une consiste à calculer le flux de $\vec{F}$ à travers S :

$$\text{Flux vers l'extérieur de } W = \int_S \vec{F} \cdot d\vec{A}.$$

L'autre consiste à utiliser div $\vec{F}$, lequel donne la densité de flux en n'importe quel point dans W. On subdivise W en petites boîtes, comme l'illustre la figure 10.10. Puis, pour une petite boîte de volume ΔV,

$$\text{Flux vers l'extérieur de la boîte} \approx \text{Densité de flux} \cdot \text{Volume} = \text{div } \vec{F} \, \Delta V.$$

Que se produit-il quand on additionne les flux vers l'extérieur de toutes les boîtes ? On considère deux boîtes adjacentes, comme l'illustre la figure 10.11. Le flux à travers la paroi mitoyenne est compté deux fois, c'est-à-dire une fois vers l'extérieur de chacune des deux boîtes. Quand on additionne les flux, ces deux contributions s'annulent et on obtient le flux vers l'extérieur de la région solide formée par l'assemblage des deux boîtes. En poursuivant ainsi, on trouve que

$$\text{Flux vers l'extérieur de } W = \sum \text{ Flux vers l'extérieur des petites boîtes} \approx \sum \text{ div } \vec{F} \, \Delta V.$$

On a calculé l'approximation du flux avec une somme de Riemann. Quand la subdivision s'affine, la somme tend vers une intégrale, donc

$$\text{Flux vers l'extérieur de } W = \int_W \text{div } \vec{F} \, dV.$$

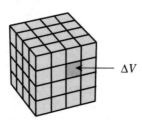

Figure 10.10 : Subdivision d'une région en petites boîtes

Les flux à travers la paroi interne s'annulent

Figure 10.11 : Addition du flux vers l'extérieur de boîtes adjacentes

On a calculé le flux de deux manières : comme une intégrale de flux et comme une intégrale de volume. Par conséquent, ces deux intégrales doivent être égales. Ce principe reste valable même si W n'est pas un solide rectangulaire, tel qu'indiqué sur la figure 10.10. Par conséquent, on a le résultat suivant.

Théorème de divergence

Si W est un solide dont la frontière S est une surface lisse par morceaux et si $\vec{F}$ est un champ vectoriel lisse qui est défini partout en W et sur S, alors

$$\int_S \vec{F} \cdot d\vec{A} = \int_W \text{div } \vec{F} \, dV,$$

où l'on donne à S l'orientation extérieure.

On démontrera le théorème de divergence en utilisant la définition algébrique de la divergence à la section 10.6.

Exemple 1   Utilisez le théorème de divergence pour calculer le flux du champ vectoriel $\vec{F}(\vec{r}) = \vec{r}$ à travers la sphère de rayon a centrée à l'origine.

Solution   À l'exemple 4 de la section 9.1, on a calculé directement l'intégrale de flux :

$$\int_S \vec{r} \cdot d\vec{A} = 4\pi a^3.$$

Maintenant, on utilise div $\vec{F} = 3$ et le théorème de divergence :

$$\int_S \vec{r} \cdot d\vec{A} = \int_W \operatorname{div} \vec{F} \, dV = \int_W 3 \, dV = 3\left(\frac{4}{3}\pi a^3\right) = 4\pi a^3.$$

Exemple 2   Utilisez le théorème de divergence pour calculer le flux du champ vectoriel

$$\vec{F}(x, y, z) = (x^2 + y^2)\vec{i} + (y^2 + z^2)\vec{j} + (x^2 + z^2)\vec{k}$$

à travers le cube de la figure 10.12.

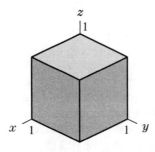

Figure 10.12

Solution   La divergence de $\vec{F}$ est div $\vec{F} = 2x + 2y + 2z$. Puisque div $\vec{F}$ est positif partout dans le premier quadrant, le flux à travers S est positif. Selon le théorème de divergence,

$$\int_S \vec{F} \cdot d\vec{A} = \int_0^1 \int_0^1 \int_0^1 2(x + y + z) \, dx \, dy \, dz = \int_0^1 \int_0^1 x^2 + 2x(y + z) \Big|_0^1 \, dy \, dz$$

$$= \int_0^1 \int_0^1 1 + 2(y + z) \, dy \, dz = \int_0^1 y + y^2 + 2yz \Big|_0^1 \, dz$$

$$= \int_0^1 (2 + 2z) \, dz = 2z + z^2 \Big|_0^1 = 3.$$

Le théorème de divergence et les champs vectoriels à divergence nulle

L'étude des champs vectoriels sans divergence est une application importante du théorème de divergence.

Exemple 3   Dans l'exemple 3 de la section 10.1, on a vu que le champ vectoriel suivant est sans divergence :

$$\vec{F}(\vec{r}) = \frac{\vec{r}}{\|\vec{r}\|^3}, \quad \vec{r} \neq \vec{0}.$$

Calculez $\int_S \vec{F} \cdot d\vec{A}$ en utilisant le théorème de divergence, si c'est possible, pour les surfaces suivantes :

a) S_1 est la sphère de rayon a centrée à l'origine.
b) S_2 est la sphère de rayon a centrée au point $(2a, 0, 0)$.

Solution   a) On ne peut utiliser directement le théorème de divergence parce que $\vec{F}$ n'est pas défini partout à l'intérieur de la sphère (il n'est pas défini à l'origine). Puisque $\vec{F}$ s'oriente vers l'extérieur partout sur S_1, le flux vers l'extérieur de S_1 est positif. Sur S_1,

$$\vec{F} \cdot d\vec{A} = \|\vec{F}\| dA = \frac{a}{a^3} dA,$$

alors

$$\int_{S_1} \vec{F} \cdot d\vec{A} = \frac{1}{a^2} \int_{S_1} dA = \frac{1}{a^2}(\text{Aire de } S_1) = \frac{1}{a^2} 4\pi a^2 = 4\pi.$$

Noter que le flux n'est pas nul, même si div $\vec{F}$ est nul partout où il est défini.

b) On suppose que W est le solide entouré par S_2. Puisque div $\vec{F} = 0$ partout dans W, on peut utiliser le théorème de divergence dans ce cas, ce qui donne

$$\int_{S_2} \vec{F} \cdot d\vec{A} = \int_W \text{div } \vec{F} \, dV = \int_W 0 \, dV = 0.$$

Le théorème de divergence s'applique à n'importe quel solide W et à sa frontière S, même dans les cas où la frontière est constituée de deux surfaces ou plus. Par exemple, si W est le solide entre la sphère S_1 de rayon 1 et la sphère S_2 de rayon 2, toutes les deux centrées au même point, alors la frontière de W est constituée de S_1 et de S_2. Le théorème de divergence nécessite l'orientation vers l'extérieur qui, sur S_2, s'éloigne du centre et qui, sur S_1, s'oriente vers le centre (voir la figure 10.13).

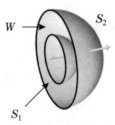

Figure 10.13 : Coupe transversale de la région W entre deux sphères, montrant les vecteurs orientation

Exemple 4   Soit S_1 la sphère de rayon 1 centrée à l'origine et soit S_2 l'ellipsoïde $x^2 + y^2 + 4z^2 = 16$, tous les deux orientés vers l'extérieur. Pour

$$\vec{F}(\vec{r}) = \frac{\vec{r}}{\|\vec{r}\|^3}, \quad \vec{r} \neq \vec{0},$$

montrez que

$$\int_{S_1} \vec{F} \cdot d\vec{A} = \int_{S_2} \vec{F} \cdot d\vec{A}.$$

Solution   L'ellipsoïde contient la sphère ; soit W le solide entre eux. Puisque W ne contient pas l'origine, div $\vec{F}$ est défini et il est égal à zéro partout en W. Par conséquent, si S est la frontière de W, alors

$$\int_S \vec{F} \cdot d\vec{A} = \int_W \text{div}\, \vec{F}\, dV = 0.$$

Puisque S est constitué de S_2 orienté vers l'extérieur et de S_1 orienté vers l'intérieur, alors

$$0 = \int_S \vec{F} \cdot d\vec{A} = \int_{S_2} \vec{F} \cdot d\vec{A} - \int_{S_1} \vec{F} \cdot d\vec{A},$$

et ainsi

$$\int_{S_2} \vec{F} \cdot d\vec{A} = \int_{S_1} \vec{F} \cdot d\vec{A}.$$

Dans l'exemple 3, on a montré que $\int_{S_1} \vec{F} \cdot d\vec{A} = 4\pi$, alors $\int_{S_2} \vec{F} \cdot d\vec{A} = 4\pi$ également. Noter qu'il aurait été plus difficile de calculer directement l'intégrale sur l'ellipsoïde.

Les champs électriques

Le champ électrique produit par une charge ponctuelle positive q placée à l'origine est

$$\vec{E} = q \frac{\vec{r}}{\|\vec{r}\|^3}.$$

À l'aide de l'exemple 3, on peut voir que le flux du champ électrique à travers n'importe quelle sphère centrée à l'origine est $4\pi q$. En fait, en se référant à l'exemple 4, on peut montrer que le flux de $\vec{E}$ à travers toute surface fermée simple contenant l'origine est $4\pi q$ (voir les problèmes de révision 20 et 21 à la fin du chapitre). Il s'agit d'un cas particulier de la loi de Gauss, laquelle affirme que le flux d'un champ électrique à travers toute surface fermée est proportionnel à la charge totale contenue par la surface. Carl Friedrich Gauss (1777-1855) a également découvert le théorème de divergence, qu'on appelle parfois le théorème de Gauss.

Les fonctions harmoniques

Une fonction ϕ de trois variables x, y et z est dite *harmonique* dans une région si div (grad ϕ) = 0 en n'importe quel point dans cette région. Cette équation s'écrit également $\nabla^2 \phi = 0$, car div (grad ϕ) = $\nabla \cdot (\nabla \phi)$. Par exemple, la température stationnaire dans une région de l'espace est harmonique, comme c'est le cas pour le potentiel électrique dans une région de l'espace sans charge. On peut déduire plusieurs des propriétés de base des fonctions harmoniques à partir du théorème de divergence (voir les problèmes 19, 23 et 25).

Exemple 5   Une fonction harmonique non constante ϕ ne peut avoir de maximum local. À l'aide du théorème de divergence, expliquez pourquoi cette affirmation est logique.

Solution   On suppose qu'une fonction non constante ϕ a un maximum local en (x, y, z). Pour la plupart des fonctions qu'on rencontre, cela signifie que, près de (x, y, z), le champ vectoriel grad ϕ s'oriente approximativement vers (x, y, z), car il s'oriente dans la direction de ϕ croissant. Si on prend une petite sphère S centrée en (x, y, z), orientée vers l'extérieur, on a alors

$$\int_S \text{grad}\, \phi \cdot d\vec{A} < 0.$$

Toutefois, cela s'avère impossible si ϕ est harmonique puisque, selon le théorème de divergence,

$$\int_S \text{grad}\, \phi \cdot d\vec{A} = \int_W \text{div}\,(\text{grad}\, \phi)\, dV = 0,$$

où W est la balle contenue par S. Par conséquent, une fonction harmonique ne peut avoir un maximum local.

La propriété de la valeur moyenne, découverte par Gauss, est une propriété importante des fonctions harmoniques. Si ϕ est une fonction harmonique dans la région contenue dans une sphère, alors la valeur de ϕ au centre de la sphère est égale à la valeur moyenne de ϕ sur la surface de la sphère. Par exemple, sous des conditions d'équilibre, la température en un point dans l'espace est égale à la valeur moyenne de la température sur toute sphère centrée en ce point.

Problèmes de la section 10.2

Pour les problèmes 1 à 3, calculez l'intégrale de flux $\int_S \vec{F} \cdot d\vec{A}$ de deux manières, si c'est possible : directement et en utilisant le théorème de divergence. Dans chaque cas, S est fermé et orienté vers l'extérieur.

1. $\vec{F}(\vec{r}) = \vec{r}$ et S est le cube qui entoure le volume $0 \le x \le 2$, $0 \le y \le 2$ et $0 \le z \le 2$.

2. $\vec{F}(x, y, z) = y\vec{j}$ et S est un cylindre vertical de hauteur 2 ayant sa base circulaire de rayon 1 dans le plan des xy, centré à l'origine. S comprend les disques qui scellent ses deux extrémités.

3. $\vec{F}(x, y, z) = -z\vec{i} + x\vec{k}$ et S est une pyramide carrée de hauteur 3 ayant sa base dans le plan des xy et un côté de longueur 1.

4. Supposez que V_1 et V_2 sont les solides rectangulaires situés dans le premier quadrant illustré à la figure 10.14. Tous les deux ont des côtés de longueur 1 qui sont parallèles aux axes ; V_1 a un coin à l'origine, tandis que V_2 a le coin correspondant au point $(1, 0, 0)$. Supposez que S_1 et S_2 sont les surfaces à six faces de V_1 et de V_2, respectivement. Supposez aussi que V est le volume en forme de boîte constitué de V_1 et de V_2 ensemble, et qui a une surface extérieure S. Les énoncés suivants sont-ils vrais ou faux ? Justifiez votre réponse.

    a) Si $\vec{F}$ est un champ vectoriel constant, alors $\int_S \vec{F} \cdot d\vec{A} = 0$.

    b) Si S_1, S_2 et S sont tous orientés vers l'extérieur et si $\vec{F}$ est un champ vectoriel

    $$\int_S \vec{F} \cdot d\vec{A} = \int_{S_1} \vec{F} \cdot d\vec{A} + \int_{S_2} \vec{F} \cdot d\vec{A}.$$

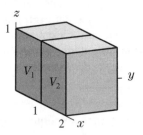

Figure 10.14

5. Calculez $\int_{S_2} \vec{F} \cdot d\vec{A}$, où $\vec{F} = x^2\vec{i} + 2y^2\vec{j} + 3z^2\vec{k}$ et où S_2 est comme au problème 4. Faites-le directement, puis en utilisant le théorème de divergence.

6. Utilisez le théorème de divergence pour évaluer l'intégrale de flux $\int_S (x^2\vec{i} + (y - 2xy)\vec{j} + 10z\vec{k}) \cdot d\vec{A}$, où S est la sphère de rayon 5 centrée à l'origine, orientée vers l'extérieur.

7. Utilisez le théorème de divergence pour calculer le flux du champ vectoriel $\vec{F}(x, y, z) = -z\vec{i} + x\vec{k}$ à travers la sphère de rayon a centrée à l'origine. Donnez une explication géométrique à votre réponse.

8. Supposez que $\vec{F}$ est un champ vectoriel avec div $\vec{F} = 10$. Trouvez le flux de $\vec{F}$ vers l'extérieur d'un cylindre de hauteur a et de rayon a, centré sur l'axe des z et ayant sa base dans le plan des xy.

9. Considérez le champ vectoriel $\vec{F} = \vec{r}/\|\vec{r}\|^3$.

    a) Calculez div $\vec{F}$ pour $\vec{r} \neq \vec{0}$.
    b) Trouvez le flux de $\vec{F}$ vers l'extérieur d'une boîte de côté a centrée à l'origine et ayant ses côtés parallèles aux axes.

10. Supposez que $\vec{G}$ est un champ vectoriel ayant la propriété selon laquelle $\vec{G} = \vec{r}$ pour $2 \leq \|\vec{r}\| \leq 7$ et que le flux de $\vec{G}$ à travers la sphère de rayon 3 centrée à l'origine est 8π. Trouvez le flux de $\vec{G}$ à travers la sphère de rayon 5 centrée à l'origine.

11. Supposez qu'un champ vectoriel $\vec{F}$ satisfait à div $\vec{F} = 0$ partout. Montrez que $\int_S \vec{F} \cdot d\vec{A} = 0$ pour chaque surface fermée S.

12. Le champ gravitationnel $\vec{F}$ d'une planète de masse m à l'origine est donné par

$$\vec{F} = -Gm \, \frac{\vec{r}}{\|\vec{r}\|^3}.$$

    Utilisez le théorème de divergence pour montrer que le flux du champ gravitationnel à travers la sphère de rayon a est indépendant de a. [Indication : considérez la région bornée par deux sphères concentriques.]

13. Le champ électrique $\vec{E}$ a la propriété de base suivante : sa divergence est nulle aux points où il n'y a pas de charge. Supposez que la seule charge se trouve le long de l'axe des z et que le champ électrique $\vec{E}$ s'oriente de manière radiale vers l'extérieur de l'axe des z. Supposez aussi que sa norme dépend seulement de la distance r depuis l'axe des z. Utilisez le théorème de divergence pour montrer que la norme du champ est proportionnelle à $1/r$. [Indication : considérez un solide constitué d'un cylindre de longueur finie dont l'axe est celui des z, duquel on a retiré un plus petit cylindre concentrique.]

14. Si une surface S est submergée dans un fluide incompressible, une force $\vec{F}$ est exercée sur un côté de la surface par la pression dans le fluide. Si on choisit un système de coordonnées où l'axe des z est vertical, avec la direction positive vers le haut et le niveau de fluide en $z = 0$, alors la composante de force dans la direction d'un vecteur unitaire $\vec{u}$ est donnée par l'expression suivante :

$$\vec{F} \cdot \vec{u} = -\int_S z\rho g\vec{u} \cdot d\vec{A},$$

où ρ est la densité du fluide (masse par volume), g est l'accélération provoquée par la gravité et où la surface est orientée du côté opposé à celui sur lequel la force est exercée. Dans ce problème, on considère une surface fermée complètement submergée qui contient un volume V. Comme on s'intéresse à la force du liquide sur la surface externe, S est orienté vers l'intérieur.

    a) Utilisez le théorème de divergence pour montrer que la force exercée dans les directions de $\vec{i}$ et de $\vec{j}$ est nulle.
    b) Utilisez le théorème de divergence pour montrer que la force exercée dans la direction de $\vec{k}$ est $\rho g V$, le poids du volume de fluide ayant le même volume que V. Il s'agit du *principe d'Archimède*.

15. La chaleur est générée à l'intérieur de la Terre par une désintégration radioactive. Supposez qu'elle est générée uniformément dans toute la Terre à un taux de 30 W/km^3. (Un watt est une unité de production de chaleur.) La chaleur se libère ensuite sur la surface de la Terre où elle se perd dans l'espace. Soit $\vec{F}(x, y, z)$ la diffusion de chaleur mesurée en watts par kilomètre carré. Par définition, le flux de $\vec{F}$ à travers une surface est la quantité de chaleur qui circule à travers la surface par unité de temps.

    a) Quelle est la valeur de div $\vec{F}$? Indiquez les unités.
    b) Supposez que la chaleur se répand symétriquement vers l'extérieur. Vérifiez que $\vec{F} = \alpha\vec{r}$, où $\vec{r} = x\vec{i} + y\vec{j} + z\vec{k}$ et où α est une constante convenable, satisfait aux conditions données. Trouvez α.

c) Soit $T(x, y, z)$ la température à l'intérieur de la Terre. La chaleur se propage conformément à l'équation $\vec{F} = -k \operatorname{grad} T$, où k est une constante. Expliquez pourquoi cette assertion est physiquement logique.

d) Si T est en degrés Celsius, alors $k = 30\,000$ W/km °C. Supposez que la Terre est une sphère d'un rayon de 6400 km avec une température de surface de 20 °C. Quelle est la température au centre de la Terre ?

16. Montrez que $\nabla^2 \phi(x, y, z) = \partial^2 \phi / \partial x^2 + \partial^2 \phi / \partial y^2 + \partial^2 \phi / \partial z^2$.

17. Montrez que les fonctions linéaires sont harmoniques.

18. Quelle est la condition relative aux coefficients constants a, b, c, d, e et f faisant en sorte que la fonction $ax^2 + by^2 + cz^2 + dxy + exz + fyz$ soit harmonique ?

19. Utilisez le théorème de divergence pour montrer que, si ϕ est harmonique sur une région W, alors $\int_S \nabla \phi \cdot d\vec{A} = 0$ pour chaque surface fermée S de W telle que la région délimitée par S se trouve entièrement dans W.

20. Soit $\phi = 1/(x^2 + y^2 + z^2)^{1/2} = 1/\|\vec{r}\|$.

a) Montrez que ϕ est harmonique partout sauf à l'origine.

b) Donnez une explication géométrique au fait que ϕ n'a pas de maximum local ou de minimum local.

c) Calculez $\int_S \nabla \phi \cdot d\vec{A}$, où S est la sphère de rayon 1 centrée à l'origine. Votre réponse contredit-elle l'affirmation du problème 19 ?

21. Montrez qu'une fonction harmonique non constante ne peut avoir un minimum local et qu'elle peut atteindre une valeur minimale dans une région fermée seulement sur la frontière.

22. Montrez que, si ϕ est une fonction harmonique, alors $\operatorname{div}(\phi \operatorname{grad} \phi) = \|\operatorname{grad} \phi\|^2$.

23. Supposez que ϕ est une fonction harmonique dans la région entourée par une surface fermée S et supposez que $\phi = 0$ en n'importe quel point de S. Montrez que $\phi = 0$ en n'importe quel point de la région entourée par S. [Indication : appliquez le théorème de divergence à $\int_S \phi \operatorname{grad} \phi \cdot d\vec{A}$ et utilisez le problème 22.]

24. Supposez que ϕ_1 et ϕ_2 sont des fonctions harmoniques dans la région entourée par une surface fermée S et supposez que $\phi_1 = \phi_2$ en n'importe quel point de S. Montrez que $\phi_1 = \phi_2$ en n'importe quel point de la région entourée par S. [Indication : utilisez le problème 23.]

25. Supposez que u et v sont des fonctions harmoniques dans une région W. Utilisez le théorème de divergence pour montrer que, pour chaque surface fermée S continue dans W, le volume entouré par S se trouve entièrement à l'intérieur de W

$$\int_S u \operatorname{grad} v \cdot d\vec{A} = \int_S v \operatorname{grad} u \cdot d\vec{A}.$$

10.3 LE ROTATIONNEL D'UN CHAMP VECTORIEL

La divergence d'un champ vectoriel est une sorte de dérivée scalaire qui permet de mesurer son débit par unité de volume. Maintenant, on présente une dérivée vectorielle, le rotationnel, qui permet de mesurer la circulation d'un champ vectoriel. On s'imagine tenir la roue à palettes présentée à la figure 10.15 pendant le mouvement illustré à la figure 10.16. La vitesse à laquelle tourne la roue à palettes (sa vitesse angulaire) mesure la force de la circulation. Noter que la vitesse angulaire dépend de la direction dans laquelle s'oriente la tige. La roue à palettes tourne dans un sens si la tige s'oriente vers le haut et tourne dans le sens opposé si la tige s'oriente vers le bas. Si la tige s'oriente horizontalement, la roue ne tourne pas, car le champ de vitesse frappe les pales opposées de la roue avec une force égale.

Figure 10.15 : Appareil
pour mesurer la circulation

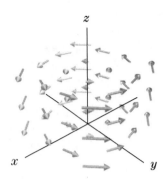

Figure 10.16 : Champ vectoriel ayant
une circulation autour de l'axe des z

La densité de circulation

On mesure la force de la circulation en utilisant une courbe fermée. On suppose que C est un cercle ayant un centre (x, y, z) dans le plan perpendiculaire à $\vec{n}$, traversé dans la direction déterminée à partir de $\vec{n}$ selon la règle de la main droite (voir les figures 10.17 et 10.18).

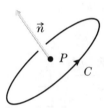

Figure 10.17 : La direction de C est
reliée à la direction de $\vec{n}$ selon la
règle de la main droite.

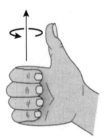

Figure 10.18 : Quand le pouce est orienté
vers $\vec{n}$, les doigts se replient vers l'avant,
autour de C.

On pose la définition suivante :

La **densité de circulation** d'un champ vectoriel lisse $\vec{F}$ en (x, y, z) autour de la direction du vecteur unitaire $\vec{n}$ est définie par

$$\operatorname{circ}_{\vec{n}} \vec{F}(x, y, z) = \lim_{\text{Aire} \to 0} \frac{\text{Circulation autour de } C}{\text{Aire à l'intérieur de } C} = \lim_{\text{Aire} \to 0} \frac{\int_C \vec{F} \cdot d\vec{r}}{\text{Aire à l'intérieur de } C},$$

pourvu que la limite existe.

La densité de circulation détermine la vitesse angulaire[2] de la roue à palettes de la figure 10.15 pourvu qu'on en fasse une qui soit suffisamment légère et petite et qu'on l'insère sans troubler le mouvement.

_____
2. En fait, cela équivaut à deux fois la vitesse angulaire. Voir l'exemple 3 de cette même section.

Exemple 1 Considérez le champ vectoriel $\vec{F}$ illustré à la figure 10.16 (page précédente). Supposez que $\vec{F}$ est parallèle au plan des xy et que, à la distance r depuis l'axe des z, il a une norme de $2r$. Calculez $\text{circ}_{\vec{n}} \vec{F}$ à l'origine pour

a) $\vec{n} = \vec{k}$ b) $\vec{n} = -\vec{k}$ c) $\vec{n} = \vec{\imath}$.

Solution a) Prenez un cercle C de rayon a dans le plan des xy, centré à l'origine et traversé dans une direction déterminée par $\vec{k}$ selon la règle de la main droite. Ensuite, puisque $\vec{F}$ est tangent à C partout et qu'il s'oriente vers l'avant autour de C, on a

$$\text{Circulation autour de } C = \int_C \vec{F} \cdot d\vec{r} = \|\vec{F}\| \cdot \text{Circonférence de } C = 2a(2\pi a) = 4\pi a^2.$$

Par conséquent, la densité de circulation est

$$\text{circ}_{\vec{k}} \vec{F} = \lim_{a \to 0} \frac{\text{Circulation autour de } C}{\text{Aire à l'intérieur de } C} = \lim_{a \to 0} \frac{4\pi a^2}{\pi a^2} = 4.$$

b) Si $\vec{n} = -\vec{k}$, le cercle est traversé dans la direction opposée, donc l'intégrale curviligne change de signe. Par conséquent,

$$\text{circ}_{-\vec{k}} \vec{F} = -4.$$

c) La circulation autour de $\vec{\imath}$ est calculée à l'aide des cercles situés dans le plan des yz. Puisque $\vec{F}$ est partout perpendiculaire à un tel cercle C,

$$\int_C \vec{F} \cdot d\vec{r} = 0.$$

Par conséquent, on a

$$\text{circ}_{\vec{\imath}} \vec{F} = \lim_{a \to 0} \frac{\int_C \vec{F} \cdot d\vec{r}}{\pi a^2} = \lim_{a \to 0} \frac{0}{\pi a^2} = 0.$$

Le rotationnel : définition

L'exemple 1 montre que la densité de circulation d'un champ vectoriel peut être positive, négative ou nulle, selon la direction. On suppose qu'il existe une direction dans laquelle la densité de circulation est la plus grande. Maintenant, on définit une quantité vectorielle simple qui incorpore toutes ces différentes densités de circulation.

Définition géométrique d'un rotationnel

Le rotationnel d'un champ vectoriel lisse $\vec{F}$, noté $\text{rot}\, \vec{F}$, est le champ vectoriel ayant les propriétés suivantes :

- La direction de $\text{rot}\, \vec{F}(x, y, z)$ est la direction de $\vec{n}$ pour laquelle $\text{circ}_{\vec{n}}(x, y, z)$ est le plus grand ;
- La norme de $\text{rot}\, \vec{F}(x, y, z)$ est la densité de circulation de $\vec{F}$ autour de cette direction. Si la densité de circulation est nulle autour de chaque direction, alors on définit le rotationnel comme étant $\vec{0}$.

> ### Définition algébrique du rotationnel (en termes de coordonnées cartésiennes)
>
> Si $\vec{F} = F_1\vec{i} + F_2\vec{j} + F_3\vec{k}$, alors
>
> $$\operatorname{rot} \vec{F} = \left(\frac{\partial F_3}{\partial y} - \frac{\partial F_2}{\partial z} \right)\vec{i} + \left(\frac{\partial F_1}{\partial z} - \frac{\partial F_3}{\partial x} \right)\vec{j} + \left(\frac{\partial F_2}{\partial x} - \frac{\partial F_1}{\partial y} \right)\vec{k}.$$

Exemple 2   Pour chaque champ de la figure 10.19, utilisez le graphique et la définition géométrique pour déterminer si le rotationnel à l'origine s'oriente vers le haut, vers le bas ou s'il est le vecteur nul. Puis, vérifiez votre réponse en utilisant la définition algébrique du rotationnel. Noter que les champs vectoriels n'ont pas de composantes z et sont indépendants de z.

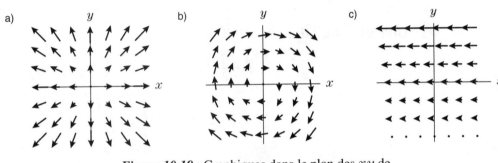

Figure 10.19 : Graphiques dans le plan des xy de
a) $\vec{F} = x\vec{i} + y\vec{j}$ b) $\vec{F} = y\vec{i} - x\vec{j}$ c) $\vec{F} = -(y + 1)\vec{i}$

Solution   a) Puisque ce champ vectoriel ne montre aucune rotation et que la circulation autour de toute courbe fermée semble nulle, on suppose que le rotationnel est le vecteur nul. La définition algébrique du rotationnel donne

$$\operatorname{rot} \vec{F} = \left(\frac{\partial (0)}{\partial y} - \frac{\partial y}{\partial z} \right)\vec{i} + \left(\frac{\partial x}{\partial z} - \frac{\partial (0)}{\partial x} \right)\vec{j} + \left(\frac{\partial y}{\partial x} - \frac{\partial x}{\partial y} \right)\vec{k} = \vec{0}.$$

b) Ce champ vectoriel tourne autour de l'axe des z. Selon la règle de la main droite, la densité de circulation autour de $\vec{k}$ est négative, alors on s'attend à ce que la composante z du rotationnel s'oriente vers le bas. La définition algébrique donne

$$\operatorname{rot} \vec{F} = \left(\frac{\partial (0)}{\partial y} - \frac{\partial (-x)}{\partial z} \right)\vec{i} + \left(\frac{\partial y}{\partial z} - \frac{\partial (0)}{\partial x} \right)\vec{j} + \left(\frac{\partial (-x)}{\partial x} - \frac{\partial y}{\partial y} \right)\vec{k} = -2\vec{k}.$$

c) Au premier coup d'œil, on peut s'attendre à ce que ce champ vectoriel ait un rotationnel nul, puisque tous les vecteurs sont parallèles à l'axe des x. Cependant, si on trouve la circulation autour de la courbe C de la figure 10.20 (page suivante), les côtés ne contribuent en rien (ils sont perpendiculaires au champ vectoriel), le bas contribue à une quantité négative (la courbe est dans la direction opposée au champ vectoriel) et le haut contribue à une quantité positive plus grande (la courbe est dans la même direction que celle du champ vectoriel, et la norme du champ vectoriel est plus grande sur le dessus qu'au fond). Par conséquent, la circulation autour de C est positive ; on s'attend donc à ce que le rotationnel soit non nul et qu'il s'oriente vers le haut. La définition algébrique donne

$$\operatorname{rot} \vec{F} = \left(\frac{\partial (0)}{\partial y} - \frac{\partial (0)}{\partial z} \right)\vec{i} + \left(\frac{\partial (-(y+1))}{\partial z} - \frac{\partial (0)}{\partial x} \right)\vec{j} + \left(\frac{\partial (0)}{\partial x} - \frac{\partial (-(y+1))}{\partial y} \right)\vec{k} = \vec{k}.$$

Dans ce cas, une autre manière de savoir si le rotationnel est non nul consiste à s'imaginer que le champ vectoriel représente la vitesse de l'eau en mouvement. Un bateau stationnaire sur l'eau a tendance à tourner quand l'eau se déplace plus vite sur un côté que sur l'autre.

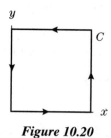

Figure 10.20

Une autre notation du rotationnel

En utilisant $\nabla = \dfrac{\partial}{\partial x}\vec{i} + \dfrac{\partial}{\partial y}\vec{j} + \dfrac{\partial}{\partial z}\vec{k}$, on peut écrire

$$\text{rot}\,\vec{F} = \nabla \times \vec{F} = \begin{vmatrix} \vec{i} & \vec{j} & \vec{k} \\ \frac{\partial}{\partial x} & \frac{\partial}{\partial y} & \frac{\partial}{\partial z} \\ F_1 & F_2 & F_3 \end{vmatrix}.$$

Exemple 3   Un volant tourne à une vitesse angulaire $\vec{\omega}$ et la vitesse d'un point P ayant le vecteur position $\vec{r}$ est donnée par $\vec{v} = \vec{\omega} \times \vec{r}$ (voir la figure 10.21). Calculez rot $\vec{v}$.

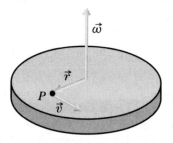

Figure 10.21 : Volant en rotation

Solution   Si $\vec{\omega} = \omega_1\vec{i} + \omega_2\vec{j} + \omega_3\vec{k}$, on a

$$\vec{v} = \vec{\omega} \times \vec{r} = \begin{vmatrix} \vec{i} & \vec{j} & \vec{k} \\ \omega_1 & \omega_2 & \omega_3 \\ x & y & z \end{vmatrix} = (\omega_2 z - \omega_3 y)\vec{i} + (\omega_3 x - \omega_1 z)\vec{j} + (\omega_1 y - \omega_2 x)\vec{k}.$$

Par conséquent,

$$\text{rot}\,\vec{v} = \begin{vmatrix} \vec{i} & \vec{j} & \vec{k} \\ \frac{\partial}{\partial x} & \frac{\partial}{\partial y} & \frac{\partial}{\partial z} \\ \omega_2 z - \omega_3 y & \omega_3 x - \omega_1 z & \omega_1 y - \omega_2 x \end{vmatrix}$$

$$= \left(\frac{\partial}{\partial y} \left(\omega_1 y - \omega_2 x \right) - \frac{\partial}{\partial z} \left(\omega_3 x - \omega_1 z \right) \right) \vec{i} + \left(\frac{\partial}{\partial z} \left(\omega_2 z - \omega_3 y \right) - \frac{\partial}{\partial x} \left(\omega_1 y - \omega_2 x \right) \right) \vec{j}$$

$$+ \left(\frac{\partial}{\partial x} \left(\omega_3 x - \omega_1 z \right) - \frac{\partial}{\partial y} \left(\omega_2 z - \omega_3 y \right) \right) \vec{k}$$

$$= 2 \omega_1 \vec{i} + 2 \omega_2 \vec{j} + 2 \omega_3 \vec{k} = 2 \vec{\omega}.$$

Par conséquent, comme on peut s'y attendre, rot $\vec{v}$ est parallèle à l'axe de rotation du volant (à savoir la direction de $\vec{\omega}$), et la norme de rot $\vec{v}$ augmente au fur et à mesure que la vitesse de rotation du volant croît (c'est-à-dire à mesure que la norme de $\vec{\omega}$ augmente).

Pourquoi les deux définitions du rotationnel donnent-elles le même résultat ?

En utilisant le théorème de Green, on peut montrer que pour rot $\vec{F}$ défini algébriquement

$$\boxed{\text{rot } \vec{F} \cdot \vec{n} = \text{circ}_{\vec{n}} \vec{F}.}$$

Cela montre que rot $\vec{F}$ défini en coordonnées cartésiennes satisfait à la définition géométrique, puisque le membre de gauche prend sa valeur maximale quand $\vec{n}$ s'oriente dans la même direction que rot $\vec{F}$ et, dans ce cas, sa valeur est $\|\text{rot } \vec{F}\|$.

L'exemple 4 illustre cette formule dans un cas particulier. Les problèmes 27 et 28 de cette même section montrent comment prouver que rot $\vec{F} \cdot \vec{n} = \text{circ}_{\vec{n}} \vec{F}$ en général.

Exemple 4   Utilisez la définition algébrique du rotationnel et le théorème de Green pour montrer que

$$(\text{rot } \vec{F}) \cdot \vec{k} = \text{circ}_{\vec{k}} \vec{F}.$$

Solution   Selon la définition algébrique du rotationnel, le membre de gauche de la formule est

$$(\text{rot } \vec{F}) \cdot \vec{k} = \frac{\partial F_2}{\partial x} - \frac{\partial F_1}{\partial y}.$$

On observe maintenant le membre de droite. La densité de circulation autour de $\vec{k}$ est calculée à partir des cercles perpendiculaires à $\vec{k}$; ainsi, la composante $\vec{k}$ de $\vec{F}$ n'y contribue pas, c'est-à-dire que la densité de circulation de $\vec{F}$ autour de $\vec{k}$ est la même que celle de $F_1 \vec{i} + F_2 \vec{j}$ autour de $\vec{k}$. Mais dans n'importe quel plan perpendiculaire à $\vec{k}$, z est constant. Donc, dans ce plan, F_1 et F_2 sont des fonctions de x et de y seulement. Par conséquent, on peut considérer $F_1 \vec{i} + F_2 \vec{j}$ comme un champ vectoriel à deux dimensions dans le plan horizontal passant par le point (x, y, z) où on calcule la densité de circulation. Soit C un cercle dans ce plan, de rayon a et centré en (x, y, z) et soit R la région entourée par C. Le théorème de Green affirme que

$$\int_C \left(F_1 \vec{i} + F_2 \vec{j} \right) \cdot d\vec{r} = \int_R \left(\frac{\partial F_2}{\partial x} - \frac{\partial F_1}{\partial y} \right) dA.$$

Quand le cercle est petit, $\partial F_2 / \partial x - \partial F_1 / \partial y$ est approximativement constant sur R, alors

$$\int_R \left(\frac{\partial F_2}{\partial x} - \frac{\partial F_1}{\partial y} \right) dA \approx \left(\frac{\partial F_2}{\partial x} - \frac{\partial F_1}{\partial y} \right) \cdot \text{Aire de } R = \left(\frac{\partial F_2}{\partial x} - \frac{\partial F_1}{\partial y} \right) \pi a^2.$$

Par conséquent, en prenant la limite quand le rayon du cercle tend vers zéro, on a

$$\text{circ}_{\vec{k}}\,\vec{F}(x, y, z) = \lim_{a \to 0} \frac{\displaystyle\int_C (F_1\vec{i} + F_2\vec{j}) \cdot d\vec{r}}{\pi a^2} = \lim_{a \to 0} \frac{\displaystyle\int_R \left(\frac{\partial F_2}{\partial x} - \frac{\partial F_1}{\partial y}\right) dA}{\pi a^2} = \frac{\partial F_2}{\partial x} - \frac{\partial F_1}{\partial y}.$$

Les champs vectoriels irrotationnels

On dit qu'un champ vectoriel est *sans rotationnel* ou *irrotationnel* si rot $\vec{F} = \vec{0}$ partout où $\vec{F}$ est défini.

Exemple 5 La figure 10.22 montre le champ vectoriel $\vec{B}$ pour trois valeurs de la constante p, où $\vec{B}$ est défini dans un espace à trois dimensions par

$$\vec{B} = \frac{-y\vec{i} + x\vec{j}}{(x^2 + y^2)^{p/2}}.$$

a) Trouvez une formule pour rot $\vec{B}$.

b) Existe-t-il une valeur de p pour laquelle $\vec{B}$ est irrotationnel ? Le cas échéant, trouvez-la.

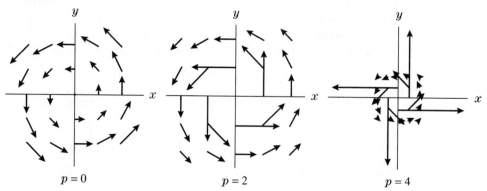

Figure 10.22 : Champ vectoriel $\vec{B}(\vec{r}) = (-y\vec{i} + x\vec{j})/(x^2 + y^2)^{p/2}$ pour $p = 0$, 2 et 4.

Solution a) On peut utiliser la version suivante de la règle du produit pour le rotationnel. Si ϕ est une fonction scalaire et $\vec{F}$, un champ vectoriel, alors

$$\text{rot}(\phi\vec{F}) = \phi\,\text{rot}\,\vec{F} + (\text{grad}\,\phi) \times \vec{F}$$

(voir le problème 17 de cette même section). On écrit $\vec{B} = \phi\vec{F} = \dfrac{1}{(x^2 + y^2)^{p/2}}\,(-y\vec{i} + x\vec{j})$.

Alors,

$$\text{rot}\,\vec{F} = \text{rot}(-y\vec{i} + x\vec{j}) = 2\vec{k}$$

$$\text{grad}\,\phi = \text{grad}\left(\frac{1}{(x^2 + y^2)^{p/2}}\right) = \frac{-p}{(x^2 + y^2)^{(p/2)+1}}\,(x\vec{i} + y\vec{j}).$$

Par conséquent, on a

$$\text{rot}\,\vec{B} = \frac{1}{(x^2 + y^2)^{p/2}}\,\text{rot}(-y\vec{i} + x\vec{j}) + \text{grad}\left(\frac{1}{(x^2 + y^2)^{p/2}}\right) \times (-y\vec{i} + x\vec{j})$$

$$= \frac{1}{(x^2 + y^2)^{p/2}}\,2\vec{k} + \frac{-p}{(x^2 + y^2)^{(p/2)+1}}\,(x\vec{i} + y\vec{j}) \times (-y\vec{i} + x\vec{j})$$

$$= \frac{1}{(x^2 + y^2)^{p/2}} 2\vec{k} + \frac{-p}{(x^2 + y^2)^{(p/2)+1}} (x^2 + y^2)\vec{k}$$

$$= \frac{2 - p}{(x^2 + y^2)^{p/2}} \vec{k}.$$

b) Le rotationnel est nul quand $p = 2$. Par conséquent, quand $p = 2$, le champ vectoriel est irrotationnel :

$$\vec{B} = \frac{-y\vec{i} + x\vec{j}}{x^2 + y^2}.$$

Problèmes de la section 10.3

Calculez le rotationnel des champs vectoriels des problèmes 1 à 7.

1. $\vec{F} = (x^2 - y^2)\vec{i} + 2xy\vec{j}$

2. $\vec{F}(\vec{r}) = \vec{r}/\|\vec{r}\|$

3. $\vec{F} = x^2\vec{i} + y^3\vec{j} + z^4\vec{k}$

4. $\vec{F} = e^x\vec{i} + \cos y\vec{j} + e^{z^2}\vec{k}$

5. $\vec{F} = 2yz\vec{i} + 3xz\vec{j} + 7xy\vec{k}$

6. $\vec{F} = (-x + y)\vec{i} + (y + z)\vec{j} + (-z + x)\vec{k}$

7. $\vec{F} = (x + yz)\vec{i} + (y^2 + xzy)\vec{j} + (zx^3y^2 + x^7y^6)\vec{k}$

8. Utilisez la définition géométrique pour trouver le rotationnel du champ vectoriel $\vec{F}(\vec{r}) = \vec{r}$. Vérifiez votre réponse à l'aide de la définition algébrique.

9. En utilisant vos réponses aux problèmes 3 et 4, faites une conjecture sur la valeur de rot $\vec{F}$ quand le champ vectoriel $\vec{F}$ a une forme particulière. (Quelle forme ?) Montrez pourquoi votre conjecture est vraie.

10. Soit $\vec{F}$ le champ vectoriel de la figure 10.16. Il tourne dans le sens contraire des aiguilles d'une montre autour de l'axe des z quand on le regarde d'en haut. Supposez que, à une distance r de l'axe des z, $\vec{F}$ a une norme de $2r$.

    a) Trouvez une formule pour $\vec{F}$.
    b) Trouvez rot $\vec{F}$ en utilisant la définition algébrique et faites la relation entre votre réponse et la densité de circulation.

11. Déterminez si chacun des champs vectoriels suivants a un rotationnel non nul à l'origine. Dans chaque cas, le champ vectoriel est montré dans le plan des xy. Supposez qu'il n'a pas de composante z et qu'il est indépendant de z.

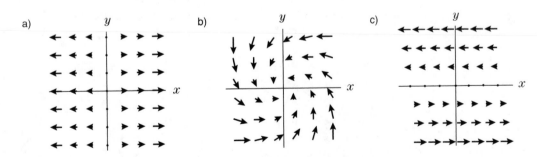

12. Un gros incendie se transforme en incendie dévastateur quand le courant d'air environnant prend un mouvement circulaire. Le courant d'air ascendant s'y rattachant a pour effet d'apporter plus d'air au feu, ce qui l'alimente plus rapidement. Des données montrent que des incendies dévastateurs se sont développés durant l'incendie de Chicago de 1871 et durant le bombardement

d'Hambourg, en Allemagne, au cours de la Seconde Guerre mondiale. Par contre, il n'y en a pas eu durant l'incendie de Londres de 1666. Expliquez comment on peut distinguer un incendie dévastateur en utilisant le rotationnel d'un champ vectoriel.

13. Montrez que rot $(\vec{F} + \vec{C}) = \text{rot } \vec{F}$ pour un champ vectoriel constant $\vec{C}$.

14. Pour tout champ vectoriel constant $\vec{c}$ et tout champ vectoriel $\vec{F}$, montrez que $\text{div}(\vec{F} \times \vec{c}) = \vec{c} \cdot \text{rot } \vec{F}$.

15. Au chapitre 8, on a vu comment le théorème fondamental du calcul pour les intégrales curvilignes implique que $\int_C \text{grad } f \cdot d\vec{r} = 0$ pour tout chemin fermé lisse C et toute fonction lisse f.

   a) Utilisez la définition géométrique du rotationnel pour déduire que rot grad $f = \vec{0}$.
   b) Vérifiez que rot grad $f = \vec{0}$ en utilisant la définition algébrique.

16. Si $\vec{F}$ est tout champ vectoriel dont les composantes ont des dérivées secondes partielles continues, montrez que div rot $\vec{F} = 0$.

17. Montrez que rot $(\phi\vec{F}) = \phi \text{ rot } \vec{F} + (\text{grad } \phi) \times \vec{F}$ pour une fonction scalaire ϕ et un champ vectoriel $\vec{F}$.

18. Un vortex qui tourne à une vitesse angulaire constante ω autour de l'axe des z a un champ de vitesse $\vec{v} = \omega(-y\vec{i} + x\vec{j})$.

   a) Tracez le graphe du champ vectoriel ayant $\omega = 1$ et celui du champ vectoriel ayant $\omega = -1$.
   b) Déterminez la vitesse $\|\vec{v}\|$ du vortex en fonction de la distance depuis son centre.
   c) Calculez div $\vec{v}$ et rot $\vec{v}$.
   d) Calculez la circulation de $\vec{v}$ dans le sens contraire des aiguilles d'une montre autour du cercle de rayon R dans le plan des xy, centré à l'origine.

Les problèmes 19 à 21 portent sur les champs vectoriels de la figure 10.23. Dans chaque cas, supposez que la coupe transversale est la même pour tous les autres plans parallèles à la coupe transversale donnée.

19. Trois des champs vectoriels ont un rotationnel nul en chaque point illustré. De quels champs s'agit-il ? Comment le savez-vous ?

20. Trois des champs vectoriels sont sans divergence en chaque point illustré. De quels champs s'agit-il ? Comment le savez-vous ?

21. Quatre des intégrales curvilignes $\int_{C_i} \vec{F} \cdot d\vec{r}$ sont nulles. Quelles sont-elles ? Comment le savez-vous ?

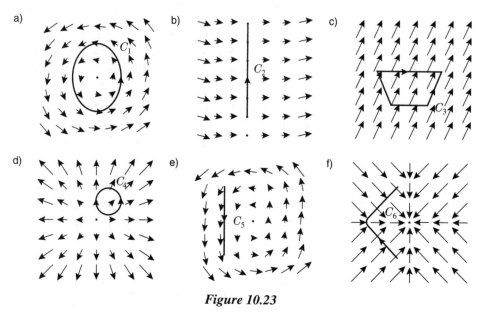

Figure 10.23

22. Montrez que, si ϕ est une fonction harmonique, alors grad ϕ est à la fois irrotationnel et sans divergence.

23. Le théorème d'Helmholtz affirme que chaque champ vectoriel $\vec{F}$ est égal à la somme d'un champ vectoriel irrotationnel et d'un champ vectoriel sans divergence. Montrez comment procéder, en supposant qu'il y a une fonction ϕ telle que $\nabla^2 \phi = \text{div } \vec{F}$.

24. Exprimez $(3x + 2y)\vec{i} + (4x + 9y)\vec{j}$ comme la somme d'un champ vectoriel irrotationnel et d'un champ vectoriel sans divergence.

25. Trouvez un champ vectoriel $\vec{F}$ tel que $\text{rot } \vec{F} = 2\vec{i} - 3\vec{j} + 4\vec{k}$. [Indication : essayez avec $\vec{F} = \vec{v} \times \vec{r}$ pour un vecteur $\vec{v}$ quelconque.]

26. La figure 10.24 donne le graphe d'un champ de vitesse $\vec{F} = y\vec{i} + x\vec{j}$ dans le plan des xy.

    a) Quelle est la direction de rotation d'une mince tige placée à l'origine le long de l'axe des x ?
    b) Quelle est la direction de rotation d'une mince tige placée à l'origine le long de l'axe des y ?
    c) Calculez $\text{rot } \vec{F}$.

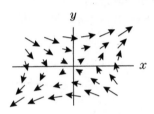

Figure 10.24

27. Soit $\vec{F}$ un champ vectoriel lisse et soit $\vec{u}$ et $\vec{v}$ des vecteurs constants. En utilisant la définition algébrique de $\text{rot } \vec{F}$, montrez que

$$\text{grad}(\vec{F} \cdot \vec{v}) \cdot \vec{u} - \text{grad}(\vec{F} \cdot \vec{u}) \cdot \vec{v} = (\text{rot } \vec{F}) \cdot \vec{u} \times \vec{v}.$$

28. Soit $\vec{F}$ un champ vectoriel lisse dans un espace à trois dimensions. Considérez un plan L dans un espace à trois dimensions paramétré par

$$\vec{r}(s, t) = \vec{r}_0 + s\vec{u} + t\vec{v},$$

où $\vec{u}$ et $\vec{v}$ sont des vecteurs unitaires orthogonaux. On peut considérer ce plan comme une copie du plan cartésien ayant les coordonnées s et t, situé dans un espace à trois dimensions. On définit un champ vectoriel $\vec{G}$ à deux dimensions dans ce plan par

$$\vec{G}(s, t) = \text{composante de } \vec{F}(\vec{r}(s, t)) \text{ parallèle à } L.$$

a) Montrez que $\vec{G} = G_1\vec{u} + G_2\vec{v}$, où $G_1 = \vec{F} \cdot \vec{u}$, et où $G_2 = \vec{F} \cdot \vec{v}$.
b) Montrez que

$$\frac{\partial G_2}{\partial s} - \frac{\partial G_1}{\partial t} = \text{grad}(\vec{F} \cdot \vec{v}) \cdot \vec{u} - \text{grad}(\vec{F} \cdot \vec{u}) \cdot \vec{v}.$$

c) Soit $\vec{n} = \vec{u} \times \vec{v}$. Utilisez la partie b) et le problème 27 pour déduire que

$$\text{rot } \vec{F} \cdot \vec{n} = \frac{\partial G_2}{\partial s} - \frac{\partial G_1}{\partial t}.$$

d) Utilisez la méthode de l'exemple 4 de cette même section et le théorème de Green pour conclure que

$$\text{rot } \vec{F}(\vec{r}_0) \cdot \vec{n} = \text{circ}_{\vec{n}} \vec{F}(\vec{r}_0).$$

Puisque $\vec{r}_0$, $\vec{u}$ et $\vec{v}$ peuvent être choisis comme vecteurs, cela démontre qu'en général,

$$(\text{rot } \vec{F}) \cdot \vec{n} = \text{circ}_{\vec{n}} \vec{F}.$$

10.4   LE THÉORÈME DE STOKES

Dans le théorème de divergence, on affirme que l'intégrale de la densité de flux sur un solide est égale au flux à travers la surface qui borne la région. De même, le théorème de Stokes affirme que l'intégrale de la densité de circulation sur une surface est égale à la circulation autour de la frontière de la surface.

La frontière d'une surface

La *frontière* d'une surface S est la courbe qui longe le bord de S (tel l'ourlet sur le bord d'un vêtement). Une orientation de S détermine une orientation pour sa frontière C comme suit. On utilise un vecteur normal positif $\vec{n}$ sur S, près de C et, à l'aide de la règle de la main droite, on détermine une direction de trajectoire autour de $\vec{n}$, ce qui permet d'établir une direction de trajectoire autour de la frontière C (voir la figure 10.25). Une autre manière de décrire l'orientation de C consiste à imaginer une personne qui avance le long de C, le corps droit dans la direction de la normale positive sur S, et pour qui la surface se trouverait à gauche. Noter que la frontière peut être composée de deux courbes ou plus, comme la surface de droite illustrée à la figure 10.25.

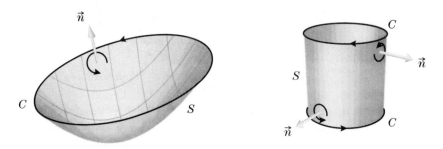

Figure 10.25 : Deux surfaces orientées et leurs frontières

Le calcul de la circulation avec la densité de circulation

On considère une courbe C fermée et orientée dans un espace à trois dimensions. On peut trouver la circulation d'un champ vectoriel $\vec{F}$ autour de C en calculant l'intégrale curviligne :

$$\frac{\text{Circulation}}{\text{autour de } C} = \int_C \vec{F} \cdot d\vec{r}.$$

Si C est la frontière d'une surface orientée S, il existe une autre manière de calculer la circulation en utilisant le rotationnel $\vec{F}$. On subdivise S en morceaux, comme on le voit sur la surface à gauche qui est illustrée à la figure 10.25. Si $\vec{n}$ est un vecteur normal, unitaire et positif, par rapport à un morceau ayant une aire ΔA, alors $\Delta \vec{A} = \vec{n}\Delta A$. De plus, $\text{circ}_{\vec{n}}\, \vec{F}$ est la densité de circulation de $\vec{F}$ autour de $\vec{n}$. Donc,

$$\begin{array}{c}\text{Circulation de } \vec{F} \text{ autour de} \\ \text{la frontière du morceau}\end{array} \approx (\text{circ}_{\vec{n}}\, \vec{F})\,\Delta A = ((\text{rot}\, \vec{F}) \cdot \vec{n}\,)\Delta A = (\text{rot}\, \vec{F}) \cdot \Delta \vec{A}.$$

Ensuite, on additionne les circulations autour de tous les petits morceaux. L'intégrale curviligne le long du côté commun d'une paire de morceaux adjacents apparaît avec un signe opposé dans chaque morceau, alors elle s'annule (voir la figure 10.26). Quand on additionne tous les morceaux, les côtés internes s'annulent et on se retrouve avec la circulation autour de C, qui est la frontière de la surface complète. Par conséquent,

$$\frac{\text{Circulation}}{\text{autour de } C} = \sum \begin{array}{c}\text{Circulation autour de} \\ \text{la frontière des morceaux}\end{array} \approx \sum \text{rot}\, \vec{F} \cdot \Delta \vec{A}.$$

En prenant la limite quand $\Delta A \to 0$, on obtient

$$\text{Circulation autour de } C = \int_S \text{rot } \vec{F} \cdot d\vec{A}.$$

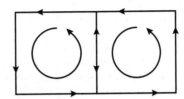

Figure 10.26 : Deux morceaux
adjacents de la surface

On a exprimé la circulation comme une intégrale curviligne autour de C et comme une intégrale de flux sur S. Par conséquent, les deux intégrales doivent être égales. Donc, on a

---

Théorème de Stokes

Si S est une surface lisse orientée ayant une frontière C orientée et lisse par morceaux, et si $\vec{F}$ est un champ vectoriel lisse qui est défini sur S et C, alors

$$\int_C \vec{F} \cdot d\vec{r} = \int_S \text{rot } \vec{F} \cdot d\vec{A}.$$

L'orientation de C est déterminée à partir de l'orientation de S selon la règle de la main droite.

Exemple 1 Soit $\vec{F}(x, y, z) = -2y\vec{i} + 2x\vec{j}$. Appliquez le théorème de Stokes pour trouver $\int_C \vec{F} \cdot d\vec{r}$, où C est un cercle

a) parallèle au plan des yz, de rayon a, centré en un point sur l'axe des x, avec n'importe quelle orientation ;

b) parallèle au plan des xy, de rayon a, centré en un point sur l'axe des z, orienté dans le sens contraire des aiguilles d'une montre quand on le regarde d'un point sur l'axe des z au-dessus du cercle.

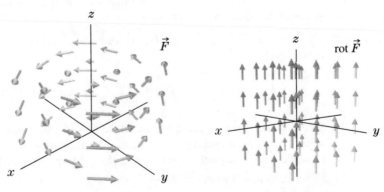

Figure 10.27 : Champs vectoriels $\vec{F}$ et rot $\vec{F}$

Solution   On a rot $\vec{F} = 4\vec{k}$. La figure 10.27 illustre les graphes de $\vec{F}$ et de rot $\vec{F}$.

a) Soit S le disque contenu dans C. Puisque S se trouve dans un plan vertical et que rot $\vec{F}$ s'oriente verticalement dans tous les sens, le flux de rot $\vec{F}$ à travers S est nul. D'où, selon le théorème de Stokes,

$$\int_C \vec{F} \cdot d\vec{r} = \int_S \text{rot } \vec{F} \cdot d\vec{A} = 0.$$

Il est logique que l'intégrale curviligne soit nulle. Si C est parallèle au plan des yz (même s'il ne se trouve pas dans le plan), la symétrie du champ vectoriel signifie que l'intégrale curviligne de $\vec{F}$ sur la moitié supérieure du cercle annule l'intégrale curviligne sur la moitié inférieure.

b) Soit S le disque horizontal contenu dans C. Puisque rot $\vec{F}$ est un champ vectoriel constant qui s'oriente dans la direction de $\vec{k}$, on a, selon le théorème de Stokes,

$$\int_C \vec{F} \cdot d\vec{r} = \int_S \text{rot } F \cdot d\vec{A} = \|\text{rot } \vec{F}\| \cdot \text{Aire de } S = 4\pi a^2.$$

Puisque $\vec{F}$ tourne autour de l'axe des z dans la même direction que C, on s'attend à ce que l'intégrale curviligne soit positive. En effet, dans l'exemple 1 de la section 10.3, on a calculé directement cette intégrale curviligne.

Les champs vectoriels irrotationnels

Le théorème de Stokes s'applique à n'importe quelle surface orientée S et à sa frontière C, même dans les cas où la frontière est constituée de deux courbes ou plus. Cette application est particulièrement utile dans l'étude des champs vectoriels irrotationnels.

Exemple 2   Un courant I circule le long de l'axe des z dans la direction de $\vec{k}$. Le champ magnétique induit $\vec{B}(x, y, z)$ est

$$\vec{B}(x, y, z) = \frac{2I}{c}\left(\frac{-y\vec{i} + x\vec{j}}{x^2 + y^2}\right),$$

où c est la vitesse de la lumière. Dans l'exemple 5 de la section 10.3, on a montré que rot $\vec{B} = \vec{0}$.

a) Calculez la circulation de $\vec{B}$ autour du cercle C_1 de rayon a dans le plan des xy, centré à l'origine et orienté dans le sens contraire des aiguilles d'une montre quand on le regarde d'en haut.

b) Utilisez la partie a) et le théorème de Stokes pour calculer $\int_{C_2} \vec{B} \cdot d\vec{r}$, où C_2 est l'ellipse $x^2 + 9y^2 = 9$ dans le plan $z = 2$, orientée dans le sens contraire des aiguilles d'une montre quand on la regarde d'en haut.

Solution   a) Sur le cercle C_1, on a $\|\vec{B}\| = 2I/(ca)$. Puisque $\vec{B}$ est tangent à C_1 partout et qu'il s'oriente vers l'avant autour de C_1,

$$\int_{C_1} \vec{B} \cdot d\vec{r} = \int_{C_1} \|\vec{B}\| \, dr = \frac{2I}{ca} \cdot \text{Longueur de } C_1 = \frac{2I}{ca} \cdot 2\pi a = \frac{4\pi I}{c}.$$

b) Soit S la surface conique qui s'étend de C_1 à C_2 à la figure 10.28. La frontière de cette surface a deux morceaux, $-C_2$ et C_1. L'orientation de C_1 conduit à la normale vers l'extérieur sur S, laquelle nous force à choisir l'orientation dans le sens des aiguilles d'une montre sur C_2. Selon le théorème de Stokes,

$$\int_S \text{rot } \vec{B} \cdot d\vec{A} = \int_{-C_2} \vec{B} \cdot d\vec{r} + \int_{C_1} \vec{B} \cdot d\vec{r} = -\int_{C_2} \vec{B} \cdot d\vec{r} + \int_{C_1} \vec{B} \cdot d\vec{r}.$$

Puisque rot $\vec{B} = \vec{0}$, on a $\int_S$ rot $\vec{B} \cdot d\vec{A} = 0$. Donc, les deux intégrales curvilignes doivent être égales :

$$\int_{C_2} \vec{B} \cdot d\vec{r} = \int_{C_1} \vec{B} \cdot d\vec{r} = \frac{4\pi I}{c}.$$

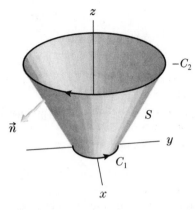

Figure 10.28 : Surface reliant C_1 à C_2, orientée pour satisfaire aux conditions du théorème de Stokes

Les champs rotationnels

On appelle un champ vectoriel $\vec{F}$ un *champ rotationnel* si $\vec{F}$ = rot $\vec{G}$ pour un certain champ vectoriel $\vec{G}$. On se rappelle que si $\vec{F}$ = grad f, alors on appelle f une fonction potentiel. Par analogie, si un champ vectoriel $\vec{F}$ = rot $\vec{G}$, alors $\vec{G}$ est appelé un *vecteur potentiel* de $\vec{F}$. L'exemple 3 montre que le flux d'un champ rotationnel à travers une surface dépend seulement de la frontière de la surface. Cela s'apparente au fait que l'intégrale curviligne d'un champ gradient dépend seulement des points finaux du chemin.

Exemple 3   Supposez que $\vec{F}$ = rot $\vec{G}$. Supposez aussi que S_1 et S_2 sont deux surfaces orientées ayant la même frontière C. Montrez que, si S_1 et S_2 déterminent la même orientation sur C (comme à la figure 10.29, page suivante), alors

$$\int_{S_1} \vec{F} \cdot d\vec{A} = \int_{S_2} \vec{F} \cdot d\vec{A}$$

Si S_1 et S_2 déterminent des orientations opposées sur C, alors

$$\int_{S_1} \vec{F} \cdot d\vec{A} = -\int_{S_2} F \cdot d\vec{A}.$$

Solution   Puisque $\vec{F}$ = rot $\vec{G}$, selon le théorème de Stokes, on a

$$\int_{S_1} \vec{F} \cdot d\vec{A} = \int_{S_1} \text{rot } \vec{G} \cdot d\vec{A} = \int_C \vec{G} \cdot d\vec{r}$$

et

$$\int_{S_2} F \cdot d\vec{A} = \int_{S_2} \text{rot } \vec{G} \cdot d\vec{A} = \int_C \vec{G} \cdot d\vec{r}.$$

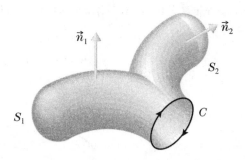

Figure 10.29 : Le flux d'un rotationnel est le même à travers les deux surfaces S_1 et S_2 si elles déterminent la même orientation sur la frontière C.

Dans chaque cas, on doit calculer l'intégrale curviligne à droite en utilisant l'orientation déterminée par la surface. Par conséquent, les deux intégrales de flux de $\vec{F}$ sont les mêmes si les orientations sont les mêmes et elles sont opposées si les orientations sont opposées.

Problèmes de la section 10.4

1. Pouvez-vous utiliser le théorème de Stokes pour calculer l'intégrale curviligne $\int_C (2x\vec{i} + 2y\vec{j} + 2z\vec{k}) \cdot d\vec{r}$, où C est la droite partant du point $(1, 2, 3)$ et allant au point $(4, 5, 6)$? Justifiez votre réponse.

Pour les problèmes 2 à 5, calculez l'intégrale curviligne donnée en utilisant le théorème de Stokes.

2. $\int_C \vec{F} \cdot d\vec{r}$, où $\vec{F} = (z - 2y)\vec{i} + (3x - 4y)\vec{j} + (z + 3y)\vec{k}$ et où C est le cercle $x^2 + y^2 = 4$, $z = 1$, orienté dans le sens contraire des aiguilles d'une montre quand on le regarde d'en haut.

3. $\int_C \vec{F} \cdot d\vec{r}$, où $\vec{F} = (2x - y)\vec{i} + (x + 4y)\vec{j}$ et où C est un cercle de rayon 10, centré à l'origine

   a) dans le plan des xy, orienté dans le sens des aiguilles d'une montre quand on le regarde depuis la partie positive de l'axe des z ;

   b) dans le plan des yz, orienté dans le sens des aiguilles d'une montre quand on le regarde depuis la partie positive de l'axe des x.

4. $\int_C \vec{F} \cdot d\vec{r}$, avec $\vec{F} = \vec{r}/\|\vec{r}\|^3$, où C est le chemin constitué des segments de droite partant de $(1, 0, 1)$, passant par $(1, 0, 0)$ et $(0, 0, 1)$ et revenant en $(1, 0, 1)$.

5. Trouvez la circulation du champ vectoriel $\vec{F} = xz\vec{i} + (x + yz)\vec{j} + x^2\vec{k}$ autour du cercle $x^2 + y^2 = 1$, $z = 2$, orienté dans le sens contraire des aiguilles d'une montre quand on le regarde d'en haut.

6. Calculez l'intégrale curviligne $\int_C ((yz^2 - y)\vec{i} + (xz^2 + x)\vec{j} + 2xyz\vec{k}) \cdot d\vec{r}$, où C est le cercle de rayon 3 dans le plan des xy, centré à l'origine, orienté dans le sens contraire des aiguilles d'une montre quand on le regarde de la partie positive de l'axe des z. Faites ce calcul de deux manières : a) directement ;   b) en utilisant le théorème de Stokes.

7. Soit S la surface donnée par $z = 1 - x^2$ pour $0 \leq x \leq 1$ et $-2 \leq y \leq 2$, orientée vers le haut. Vérifiez le théorème de Stokes pour $\vec{F} = xy\vec{i} + yz\vec{j} + xz\vec{k}$. Tracez le graphe de la surface S et de la courbe C qui borne S.

8. Vérifiez le théorème de Stokes pour $\vec{F} = y\vec{i} + z\vec{j} + x\vec{k}$ et S, le paraboloïde $z = 1 - (x^2 + y^2)$, $z \geq 0$, orienté vers le haut. [Indication : utilisez des coordonnées polaires.]

9. Supposez que C est une courbe fermée dans le plan des xy, orientée dans le sens contraire des aiguilles d'une montre quand on la regarde d'en haut. Montrez que $\frac{1}{2}\int_C(-y\vec{i}+x\vec{j})\cdot d\vec{r}$ est égal à l'aire de la région R du plan des xy contenue dans C.

10. Les graphes des champs vectoriels $\vec{F}$ et $\vec{G}$ sont illustrés dans les figures 10.30 et 10.31. Chaque champ vectoriel n'a pas de composante z et est indépendant de z. Supposez que tous les axes ont la même échelle.

   a) Que pouvez-vous dire de div $\vec{F}$ et de div $\vec{G}$ à l'origine ?
   b) Que pouvez-vous dire de rot $\vec{F}$ et de rot $\vec{G}$ à l'origine ?
   c) Y a-t-il une surface fermée autour de l'origine telle que $\vec{F}$ a un flux non nul à travers celle-ci ?
   d) Répétez la partie c) pour $\vec{G}$.
   e) Y a-t-il une courbe fermée autour de l'origine telle que $\vec{F}$ a une circulation non nulle autour de celle-ci ?
   f) Répétez la partie e) pour $\vec{G}$.

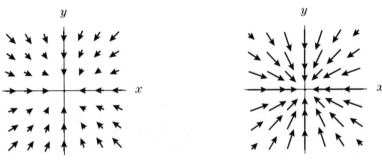

Figure 10.30 : Coupe transversale de $\vec{F}$ ***Figure 10.31 :*** Coupe transversale de $\vec{G}$

11. Utilisez le théorème de Stokes pour montrer que $\int_S \text{rot}\,\vec{F}\cdot d\vec{A}=0$ pour toute surface S qui est la frontière d'un solide W. Utilisez la définition géométrique de la divergence pour déduire que div rot $\vec{F}=0$.

12. Montrez que le théorème de Green constitue un cas particulier du théorème de Stokes.

13. Un champ vectoriel $\vec{F}$ est défini partout sauf sur l'axe des z, et rot $\vec{F}=\vec{0}$ partout où $\vec{F}$ est défini. Que pouvez-vous dire de $\int_C \vec{F}\cdot d\vec{r}$ si C est un cercle de rayon 1 dans le plan des xy, et si le centre de C se trouve : a) à l'origine ?   b) au point $(2,0)$?

14. Évaluez $\int_C(-z\vec{i}+y\vec{j}+x\vec{k})\cdot d\vec{r}$, où C est un cercle de rayon 2 autour de l'axe des y avec l'orientation indiquée à la figure 10.32 (page suivante).

15. Soit $\vec{F}=-z\vec{j}+y\vec{k}$. Soit C le cercle de rayon a dans le plan des yz orienté dans le sens des aiguilles d'une montre, comme on le voit depuis la partie positive de l'axe des x. Soit S le disque dans le plan des yz contenu dans C, orienté dans la direction positive de l'axe des x (voir la figure 10.33, page suivante).

   a) Évaluez directement $\int_C \vec{F}\cdot d\vec{r}$.
   b) Évaluez directement $\int_S \text{rot}\,\vec{F}\cdot d\vec{A}$.
   c) Les réponses aux parties a) et b) ne sont pas pareilles. Expliquez pourquoi cela ne contredit pas le théorème de Stokes.

16. Soit $\vec{F}=(8yz-z)\vec{j}+(3-4z^2)\vec{k}$.

   a) Montrez que $\vec{G}=4yz^2\vec{i}+3x\vec{j}+xz\vec{k}$ est un potentiel de $\vec{F}$.
   b) Évaluez $\int_S \vec{F}\cdot d\vec{A}$, où S est l'hémisphère de rayon 5 illustré à la figure 10.34 (page suivante), orienté vers le haut. [Indication : utilisez l'exemple 3 de cette même section pour simplifier le calcul.]

17. Soit $\vec{F}=-y\vec{i}+x\vec{j}+\cos(xy)z\vec{k}$ et soit S la surface de l'hémisphère unité inférieur $x^2+y^2+z^2=1$, $z\le 0$, avec une normale qui s'oriente vers l'extérieur. Trouvez $\int_S \text{rot}\,\vec{F}\cdot d\vec{A}$.

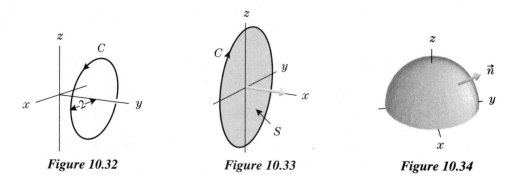

Figure 10.32   **Figure 10.33**   **Figure 10.34**

18. L'eau d'une baignoire a un champ de vitesse près du renvoi, pour x, y, z (en centimètres), donné par

$$\vec{F} = -\frac{y + xz}{\left(z^2 + 1\right)^2} \, \vec{i} - \frac{yz - x}{\left(z^2 + 1\right)^2} \, \vec{j} - \frac{1}{z^2 + 1} \, \vec{k} \ \text{cm/s}.$$

a) Le renvoi de la baignoire est un disque dans le plan des xy ayant son centre à l'origine et un rayon de 1 cm. Trouvez le rythme auquel l'eau se vide de la baignoire (c'est-à-dire le rythme auquel l'eau s'écoule par le disque). Indiquez les unités.

b) Trouvez la divergence de $\vec{F}$.

c) Trouvez le flux de l'eau à travers l'hémisphère de rayon 1, centré à l'origine, qui se trouve sous le plan des xy et orienté vers le bas.

d) Trouvez $\int_C \vec{G} \cdot d\vec{r}$, où C est le bord du renvoi, orienté dans le sens des aiguilles d'une montre quand on le regarde d'en haut, et où

$$\vec{G} = \frac{1}{2} \left(\frac{y}{z^2 + 1} \, \vec{i} - \frac{x}{z^2 + 1} \, \vec{j} - \frac{x^2 + y^2}{\left(z^2 + 1\right)^2} \, \vec{k} \right).$$

e) Calculez rot $\vec{G}$.

f) Expliquez pourquoi vos réponses aux parties c) et d) sont les mêmes.

10.5 LES TROIS THÉORÈMES FONDAMENTAUX

On a vu trois versions à plusieurs variables du théorème fondamental du calcul. Dans la présente section, on examine certaines conséquences reliées à ces théorèmes.

Théorème fondamental du calcul pour les intégrales curvilignes

$$\int_C \operatorname{grad} f \cdot d\vec{r} = f(Q) - f(P).$$

Théorème de Stokes

$$\int_S \operatorname{rot} \vec{F} \cdot d\vec{A} = \int_C \vec{F} \cdot d\vec{r}.$$

Théorème de divergence

$$\int_W \operatorname{div} \vec{F} \, dV = \int_S \vec{F} \cdot d\vec{A}.$$

Noter que, dans chaque cas, la région d'intégration à droite est la frontière de la région à gauche (sauf que pour le premier théorème, on évalue simplement f aux points frontière). L'intégrande à gauche est une sorte de dérivée de l'intégrande à droite (voir la figure 10.35).

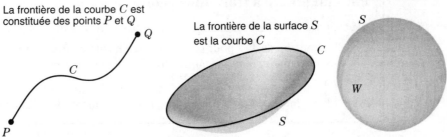

Figure 10.35 : Régions et leurs frontières pour les trois théorèmes fondamentaux

Le gradient et le rotationnel

On suppose que $\vec{F}$ est un champ gradient lisse tel que $\vec{F} = \operatorname{grad} f$ pour une fonction f quelconque. En utilisant le théorème du calcul fondamental pour les intégrales curvilignes, on a vu, au chapitre 8, que

$$\int_C \vec{F} \cdot d\vec{r} = 0$$

pour toute courbe fermée C. Par conséquent, pour tout vecteur unitaire $\vec{n}$

$$\operatorname{circ}_{\vec{n}} \vec{F} = \lim_{\text{Aire} \to 0} \frac{\int_C \vec{F} \cdot d\vec{r}}{\text{Aire de } C} = \lim_{\text{Aire} \to 0} \frac{0}{\text{Aire}} = 0,$$

où la limite est prise sur les cercles C dans un plan perpendiculaire à $\vec{n}$, et orientés selon la règle de la main droite. Par conséquent, la densité de circulation de $\vec{F}$ est nulle dans toute direction, alors rot $\vec{F} = \vec{0}$, c'est-à-dire que

$$\boxed{\operatorname{rot} \operatorname{grad} f = \vec{0}.}$$

(On peut aussi vérifier cette formule en utilisant la définition algébrique du rotationnel [voir le problème 15 de la section 10.3]).

Le contraire est-il vrai ? Est-ce que tout champ vectoriel dont le rotationnel est nul est un champ gradient ? On suppose que rot $\vec{F} = \vec{0}$ et on considère l'intégrale curviligne $\int_C \vec{F} \cdot d\vec{A}$ pour une courbe fermée C contenue dans le domaine de $\vec{F}$. Si C est la courbe frontière d'une surface orientée S qui se trouve entièrement dans le domaine de rot $\vec{F}$, alors le théorème de Stokes affirme que

$$\int_C \vec{F} \cdot d\vec{r} = \int_S \operatorname{rot} \vec{F} \cdot d\vec{A} = \int_S \vec{0} \cdot d\vec{A} = 0.$$

Si on savait que $\int_C \vec{F} \cdot d\vec{r} = 0$ pour toute courbe fermée C, alors $\vec{F}$ serait indépendant du chemin et il serait donc un champ gradient. Par conséquent, on doit savoir si chaque courbe fermée dans le domaine de $\vec{F}$ est la frontière d'une surface orientée contenue dans le domaine. Il peut être assez difficile à déterminer si une courbe donnée est la frontière d'une surface (on suppose, par exemple, que la courbe est nouée d'une manière compliquée). Cependant, si la courbe peut se réduire de manière continue en un point, en restant tout le temps dans le domaine de $\vec{F}$, alors elle est la frontière d'une surface, à savoir la surface qu'elle balaye quand elle se réduit en un point[3]. Par conséquent, on a démontré le test d'un champ gradient déjà énoncé au chapitre 8.

Test du rotationnel pour les champs vectoriels dans un espace à trois dimensions

On suppose que $\vec{F}$ est un champ vectoriel lisse sur un espace à trois dimensions tel que

- le domaine de $\vec{F}$ a pour propriété que chaque courbe fermée qu'il contient peut se réduire en un point de manière lisse en demeurant en tout temps dans le domaine ;
- rot $\vec{F} = \vec{0}$.

Alors, $\vec{F}$ est indépendant du chemin et, par conséquent, il est un champ gradient.

L'exemple 6 de la section 8.4 montre comment appliquer le test du rotationnel.

Le rotationnel et la divergence

Dans la présente section, on utilise le deuxième des théorèmes fondamentaux afin d'obtenir un test pour savoir si un champ vectoriel est un champ rotationnel, c'est-à-dire un champ de la forme $\vec{F} = $ rot $\vec{G}$ pour un $\vec{G}$ quelconque.

Exemple 1   Supposez que $\vec{F}$ est un champ rotationnel lisse. Utilisez le théorème de Stokes pour montrer que, pour toute surface fermée S contenue dans le domaine de $\vec{F}$,

$$\int_S \vec{F} \cdot d\vec{A} = 0.$$

Solution   On suppose que $\vec{F} = $ rot $\vec{G}$. On trace le graphe d'une courbe fermée C sur la surface S en divisant S en deux surfaces S_1 et S_2 (voir la figure 10.36). On choisit l'orientation de C qui correspond à S_1. Alors, l'orientation de C qui correspond à S_2 est l'opposée. Alors, en utilisant le théorème de Stokes,

$$\int_{S_1} \vec{F} \cdot d\vec{A} = \int_{S_1} \text{rot } \vec{G} \cdot d\vec{A} = \int_C \vec{G} \cdot d\vec{r} = -\int_{S_2} \text{rot } \vec{G} \cdot d\vec{A} = -\int_{S_2} \vec{F} \cdot d\vec{A}.$$

Par conséquent, pour toute surface fermée S, on a

$$\int_S \vec{F} \cdot d\vec{A} = \int_{S_1} \vec{F} \cdot d\vec{A} + \int_{S_2} \vec{F} \cdot d\vec{A} = 0.$$

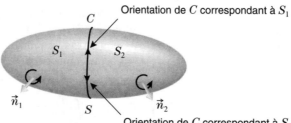

Figure 10.36 : Surface fermée S divisée en deux surfaces S_1 et S_2

---

3. La surface peut se croiser elle-même, mais cela importe peu pour démontrer le théorème de Stokes qu'on présentera à la section 10.6.

Par conséquent, si $\vec{F} = \operatorname{rot} \vec{G}$, on utilise le résultat de l'exemple 1 pour obtenir

$$\operatorname{div} \vec{F} = \lim_{\text{Volume} \to 0} \frac{\int_S \vec{F} \cdot d\vec{A}}{\text{Volume inclus en } S} = \lim_{\text{Volume} \to 0} \frac{0}{\text{Volume}} = 0,$$

où la limite est prise sur les sphères S qui se réduisent en un point. On conclut donc que

$$\boxed{\operatorname{div} \operatorname{rot} \vec{G} = 0.}$$

(On peut aussi vérifier cette formule en utilisant des coordonnées [voir le problème 16 de la section 10.3].)

On cherche à savoir si chaque champ vectoriel dont la divergence est nulle est un champ rotationnel. Il s'avère qu'on a l'équivalent suivant du test du rotationnel, mais on ne le démontrera pas.

Test de divergence pour les champs vectoriels dans un espace à trois dimensions

On suppose que $\vec{F}$ est un champ vectoriel lisse sur un espace à trois dimensions tel que
- le domaine de $\vec{F}$ a pour propriété que chaque surface fermée qu'il contient est la frontière d'un solide entièrement contenu dans le domaine ;
- $\operatorname{div} \vec{F} = 0$.

Alors, $\vec{F}$ est un champ rotationnel.

Exemple 2   Considérez le champ vectoriel $\vec{E} = q \dfrac{\vec{r}}{\|\vec{r}\|^3}$ et $\vec{B} = \dfrac{2I}{c} \left(\dfrac{-y\vec{i} + x\vec{j}}{x^2 + y^2} \right)$.

a) Calculez $\operatorname{div} \vec{E}$ et $\operatorname{div} \vec{B}$.

b) $\vec{E}$ et $\vec{B}$ satisfont-ils au test de divergence ?

c) Lequel de $\vec{E}$ ou de $\vec{B}$ est un champ rotationnel ?

Solution   a) L'exemple 3 de la section 10.1 montre que $\operatorname{div} \vec{E} = 0$. Le calcul suivant montre également que $\operatorname{div} \vec{B} = 0$:

$$\operatorname{div} \vec{B} = \frac{2I}{c} \left(\frac{\partial}{\partial x} \left(\frac{-y}{x^2 + y^2} \right) + \frac{\partial}{\partial y} \left(\frac{x}{x^2 + y^2} \right) + \frac{\partial}{\partial z} (0) \right)$$

$$= \frac{2I}{c} \left(\frac{2xy}{(x^2 + y^2)^2} + \frac{-2yx}{(x^2 + y^2)^2} \right) = 0.$$

b) Puisque le domaine de $\vec{E}$ est un espace à trois dimensions moins l'origine, on peut dire qu'une région est contenue dans le domaine si elle ne contient pas l'origine. Par conséquent, la surface d'une sphère centrée à l'origine est contenue dans le domaine de $\vec{E}$, mais la boule pleine à l'intérieur de la sphère ne l'est pas. Par conséquent, $\vec{E}$ ne satisfait pas au test de divergence.

Le domaine de $\vec{B}$ est l'espace à trois dimensions moins l'axe des z. Donc, une région est contenue dans le domaine si elle évite l'axe des z. Si S est une surface qui borne un solide W, alors l'axe des z ne peut percer W sans percer également S. Par conséquent, si S évite l'axe des z, W en fait autant. Ainsi, $\vec{B}$ satisfait au test de divergence.

c) Dans l'exemple 3 de la section 10.2, on a calculé le flux de $\vec{r}/\|\vec{r}\|^3$ à travers une sphère centrée à l'origine, et on a obtenu 4π. Alors, le flux de $\vec{E}$ à travers cette sphère est $4\pi q$. Ainsi, $\vec{E}$ ne peut être un champ rotationnel car, selon l'exemple 1, le flux d'un champ rotationnel à travers une surface fermée est nul.

Par ailleurs, $\vec{B}$ satisfait au test de divergence. Donc, il doit s'agir d'un champ rotationnel. En fait, le problème 5 ci-dessous montre que

$$\vec{B} = \mathrm{rot}\left(\frac{-I}{c} \ln(x^2 + y^2)\vec{k}\right).$$

Problèmes de la section 10.5

Lequel des champs vectoriels des problèmes 1 et 2 est un champ gradient ?

1. $\vec{F} = yz\vec{i} + (xz + z^2)\vec{j} + (xy + 2yz)\vec{k}$ 2. $\vec{G} = -y\vec{i} + x\vec{j}$

3. Soit $\vec{B} = b\vec{k}$ pour une constante b. Montrez que les champs vectoriels suivants sont tous des vecteurs potentiel de $\vec{B}$.   a) $\vec{A} = -by\vec{i}$ b) $\vec{A} = bx\vec{j}$ c) $\vec{A} = \frac{1}{2}\vec{B} \times \vec{r}$

4. Trouvez un potentiel pour le champ vectoriel constant $\vec{B}$ dont la valeur en chaque point est $\vec{b}$.

5. Montrez que $\vec{A} = \dfrac{-I}{c} \ln(x^2 + y^2)\vec{k}$ est un vecteur potentiel de $\vec{B} = \dfrac{2I}{c}\left(\dfrac{-y\vec{i} + x\vec{j}}{x^2 + y^2}\right)$.

6. Y a-t-il un champ vectoriel $\vec{G}$ tel que $\mathrm{rot}\,\vec{G} = y\vec{i} + x\vec{j}$? Comment le savez-vous ?

Pour chaque champ vectoriel des problèmes 7 et 8, déterminez s'il existe un vecteur potentiel. Si c'est le cas, trouvez-en un.

7. $\vec{F} = 2x\vec{i} + (3y - z^2)\vec{j} + (x - 5z)\vec{k}$ 8. $\vec{G} = x^2\vec{i} + y^2\vec{j} + z^2\vec{k}$

9. Une charge électrique q à l'origine produit un champ électrique $\vec{E} = q\vec{r}/\|\vec{r}\|^3$.

a) Est-ce que $\mathrm{rot}\,\vec{E} = \vec{0}$?
b) $\vec{E}$ satisfait-il au test du rotationnel ?
c) $\vec{E}$ est-il un champ gradient ?

10. Supposez que c est la vitesse de la lumière. Un mince fil le long de l'axe des z qui transporte un courant I produit un champ magnétique

$$\vec{B} = \frac{2I}{c}\left(\frac{-y\vec{i} + x\vec{j}}{x^2 + y^2}\right).$$

a) Est-ce que $\mathrm{rot}\,\vec{B} = \vec{0}$?
b) $\vec{B}$ satisfait-il au test du rotationnel ?
c) $\vec{B}$ est-il un champ gradient ?

11. Pour une constante p, considérez le champ vectoriel $\vec{E} = \dfrac{\vec{r}}{\|\vec{r}\|^p}$.

a) Trouvez $\mathrm{rot}\,\vec{E}$.
b) Trouvez le domaine de $\vec{E}$.
c) Pour quelles valeurs de p $\vec{E}$ satisfait-il au test du rotationnel ? Pour ces valeurs de p, trouvez une fonction potentiel pour $\vec{E}$.

12. Le champ magnétique $\vec{B}$ créé par un dipôle magnétique ayant le moment $\vec{\mu}$ satisfait à $\mathrm{div}\,\vec{B} = 0$ et est donné par

$$\vec{B} = -\frac{\vec{\mu}}{\|\vec{r}\|^3} + \frac{3(\vec{\mu} \cdot \vec{r})\vec{r}}{\|\vec{r}\|^5} , \quad \vec{r} \neq \vec{0}.$$

a) $\vec{B}$ satisfait-il au test de divergence ?

b) Montrez qu'un vecteur potentiel de $\vec{B}$ est donné par $\vec{A} = \dfrac{\vec{\mu} \times \vec{r}}{\|\vec{r}\|^3}$.

[Indication : utilisez le problème 17 de la section 10.3. Les équations de l'exemple 3 de la section 10.3, du problème 19 de la section 3.5 et du problème 24 de la section 2.4 peuvent également être utiles.]

c) Votre réponse à la partie a) contredit-elle votre réponse à la partie b) ? Justifiez votre réponse.

13. Supposez que $\vec{A}$ est un vecteur potentiel de $\vec{B}$.

a) Montrez que $\vec{A}$ + grad ψ est aussi un potentiel de $\vec{B}$ pour toute fonction ψ ayant des dérivées partielles secondes continues. (On appelle les vecteurs potentiel $\vec{A}$ et $\vec{A}$ + grad ψ des *équivalents de jauge* et on appelle la transformation, pour tout ψ, de $\vec{A}$ à $\vec{A}$ + grad ψ, une *transformation de jauge*.)

b) Quelle est la divergence de $\vec{A}$ + grad ψ ? Comment devrait-on choisir ψ pour que $\vec{A}$ + grad ψ ait une divergence nulle ? (Si div $\vec{A} = 0$, on dit du vecteur potentiel magnétique $\vec{A}$ qu'il est une *jauge de Coulomb*.)

La condition du test de rotationnel à trois dimensions sur la réduction de courbes peut être établie de manière plus précise comme suit. Une courbe C est dite *homotope* à un point P s'il y a une famille de courbes fermées paramétrées C_s, $0 \le s \le 1$ ayant les paramétrisations

$$\vec{r} = \vec{r}_s(t), \quad a \le t \le b,$$

de telle sorte que C_0 soit la courbe originale C et que C_1 soit le point P. (Par conséquent, quand s se déplace de 0 à 1, la courbe C_s diminue, passant de C à P. Imaginez une animation qui, au temps s, montre C_s.) Il faut que $\vec{r}_s(t)$ soit lisse en fonction des deux variables s et t. Noter que puisque les courbes C_s sont fermées, on doit avoir $\vec{r}_s(a) = \vec{r}_s(b)$ pour chaque s. Donc, le test du rotationnel comprend la condition suivante : chaque courbe fermée dans le domaine de $\vec{F}$ est homotope à un point, de telle sorte que C_s se trouve dans le domaine de $\vec{F}$ pour chaque s. Les problèmes 14 à 16 tiennent compte de ces notions.

14. Soit C le cercle de rayon 1 dans le plan des xy, centré à l'origine. Écrivez une famille de courbes C_s qui réduisent C de manière continue à l'origine.

15. Montrez que toute courbe C paramétrée lisse dans un espace à trois dimensions peut être réduite de manière continue en n'importe quel point P. [Indication : réduisez le long de droites qui relient la courbe à P.]

16. Si C est une courbe fermée qui est homotope à un point P, montrez que C est la frontière d'une surface S qui est paramétrée de manière continue par un rectangle (S peut se croiser elle-même). [Indication : utilisez les deux variables s et t pour trouver l'équation paramétrique de la surface.]

10.6 LA DÉMONSTRATION DU THÉORÈME DE DIVERGENCE ET DU THÉORÈME DE STOKES

Dans la présente section, on démontre le théorème de divergence et le théorème de Stokes en utilisant leurs définitions algébriques.

La démonstration du théorème de divergence

Pour le théorème de divergence, on utilise la même approche que pour le théorème de Green. D'abord, on démontre le théorème pour les régions rectangulaires, puis on utilise la formule du changement de variables afin de le démontrer pour les régions paramétrées par des régions rectangulaires. Finalement, on colle ces régions ensemble pour former des régions générales.

La démonstration pour les solides rectangulaires ayant des côtés parallèles aux axes

On considère un champ vectoriel lisse $\vec{F}$ défini sur le solide rectangulaire V: $a \leq x \leq b$, $c \leq y \leq d$, $e \leq z \leq f$ (voir la figure 10.37). On commence par calculer le flux de $\vec{F}$ à travers les deux faces de V perpendiculaires à l'axe des x, soit A_1 et A_2, toutes les deux étant orientées vers l'extérieur :

$$\int_{A_1} \vec{F} \cdot d\vec{A} + \int_{A_2} \vec{F} \cdot d\vec{A} = -\int_e^f \int_c^d F_1(a, y, z)\, dy\, dz + \int_e^f \int_c^d F_1(b, y, z)\, dy\, dz$$

$$= \int_e^f \int_c^d (F_1(b, y, z) - F_1(a, y, z))\, dy\, dz.$$

Selon le théorème fondamental du calcul,

$$F_1(b, y, z) - F_1(a, y, z) = \int_a^b \frac{\partial F_1}{\partial x}\, dx.$$

Donc,

$$\int_{A_1} \vec{F} \cdot d\vec{A} + \int_{A_2} \vec{F} \cdot d\vec{A} = \int_e^f \int_c^d \int_a^b \frac{\partial F_1}{\partial x}\, dx\, dy\, dz = \int_V \frac{\partial F_1}{\partial x}\, dV.$$

Selon un raisonnement similaire, on peut montrer que

$$\int_{A_3} \vec{F} \cdot d\vec{A} + \int_{A_4} \vec{F} \cdot d\vec{A} = \int_V \frac{\partial F_2}{\partial y}\, dV \quad \text{et} \quad \int_{A_5} \vec{F} \cdot d\vec{A} + \int_{A_6} \vec{F} \cdot d\vec{A} = \int_V \frac{\partial F_3}{\partial z}\, dV.$$

en les additionnant, on obtient

$$\int_A \vec{F} \cdot d\vec{A} = \int_V \left(\frac{\partial F_1}{\partial x} + \frac{\partial F_2}{\partial y} + \frac{\partial F_3}{\partial z} \right) dV = \int_V \operatorname{div} \vec{F}\, dV.$$

Il s'agit du théorème de divergence pour la région V.

La démonstration pour les régions paramétrées par des solides rectangulaires

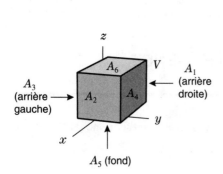

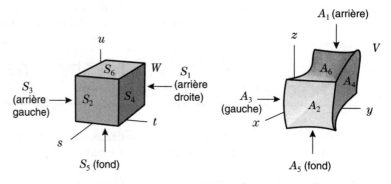

Figure 10.37 : Solide rectangulaire V dans l'espace xyz

Figure 10.38 : Solide rectangulaire W dans l'espace stu et solide courbé correspondant V dans l'espace xyz

Maintenant, on suppose qu'on a un changement lisse de coordonnées

$$x = x(s, t, u), \quad y = y(s, t, u), \quad z = z(s, t, u).$$

On considère un solide courbe V dans l'espace xyz correspondant à un solide rectangulaire W dans l'espace stu (voir la figure 10.38). On suppose que le changement de coordonnées est biunivoque à l'intérieur de W et que son jacobien est positif sur W. On démontre le théorème de divergence pour V en utilisant le théorème de divergence pour W.

Soit A la frontière de V. Pour démontrer le théorème de divergence pour V, on doit montrer que

$$\int_A \vec{F} \cdot d\vec{A} = \int_V \text{div } \vec{F} \, dV.$$

D'abord, on exprime le flux à travers A comme l'intégrale de flux dans l'espace stu sur S, la frontière de la région rectangulaire W. En notation vectorielle, le changement de coordonnées est

$$\vec{r} = \vec{r}(s, t, u) = x(s, t, u)\vec{i} + y(s, t, u)\vec{j} + z(s, t, u)\vec{k}.$$

La face A_1 de V est paramétrée par

$$\vec{r} = \vec{r}(a, t, u), \quad c \le t \le d, \quad e \le u \le f.$$

Donc, sur cette face,

$$d\vec{A} = \pm \frac{\partial \vec{r}}{\partial t} \times \frac{\partial \vec{r}}{\partial u}.$$

En fait, pour que $d\vec{A}$ s'oriente vers l'extérieur, on doit choisir le signe négatif. (Le problème 3 de cette même section montre comment cela découle du fait que le jacobien est positif.) Par conséquent, si S_1 est la face $s = a$ de W,

$$\int_{A_1} \vec{F} \cdot d\vec{A} = -\int_{S_1} \vec{F} \cdot \frac{\partial \vec{r}}{\partial t} \times \frac{\partial \vec{r}}{\partial u} \, dt \, du.$$

L'élément d'aire qui s'oriente vers l'extérieur de la région sur S_1 est $d\vec{S} = -\vec{i} \, dt \, du$. Par conséquent, si on choisit un champ vectoriel $\vec{G}$ dans l'espace stu dont la composante dans la direction s est

$$G_1 = \vec{F} \cdot \frac{\partial \vec{r}}{\partial t} \times \frac{\partial \vec{r}}{\partial u},$$

on a

$$\int_{A_1} \vec{F} \cdot d\vec{A} = \int_{S_1} \vec{G} \cdot d\vec{S}.$$

De la même manière, si on définit les composantes t et u de $\vec{G}$ par

$$G_2 = \vec{F} \cdot \frac{\partial \vec{r}}{\partial u} \times \frac{\partial \vec{r}}{\partial s} \quad \text{et} \quad G_3 = \vec{F} \cdot \frac{\partial \vec{r}}{\partial s} \times \frac{\partial \vec{r}}{\partial t},$$

alors

$$\int_{A_i} \vec{F} \cdot d\vec{A} = \int_{S_i} \vec{G} \cdot d\vec{S}, \quad i = 2, ..., 6$$

(voir le problème 4). En additionnant les intégrales pour toutes les faces, on trouve que

$$\int_A \vec{F} \cdot d\vec{A} = \int_S \vec{G} \cdot d\vec{S}.$$

Puisqu'on a déjà démontré le théorème de divergence pour la région rectangulaire W, on a

$$\int_S \vec{G} \cdot d\vec{S} = \int_W \text{div } \vec{G} \, dW,$$

où

$$\operatorname{div} \vec{G} = \frac{\partial G_1}{\partial s} + \frac{\partial G_2}{\partial t} + \frac{\partial G_3}{\partial u}.$$

Les problèmes 5 et 6 de cette même section montrent que

$$\frac{\partial G_1}{\partial s} + \frac{\partial G_2}{\partial t} + \frac{\partial G_3}{\partial u} = \left| \frac{\partial (x, y, z)}{\partial (s, t, u)} \right| \left(\frac{\partial F_1}{\partial x} + \frac{\partial F_2}{\partial y} + \frac{\partial F_3}{\partial z} \right).$$

Alors, selon la formule du changement de variables dans les intégrales triples de la section 5.8,

$$\int_V \operatorname{div} \vec{F} \, dV = \int_V \left(\frac{\partial F_1}{\partial x} + \frac{\partial F_2}{\partial y} + \frac{\partial F_3}{\partial z} \right) dx \, dy \, dz$$

$$= \int_W \left(\frac{\partial F_1}{\partial x} + \frac{\partial F_2}{\partial y} + \frac{\partial F_3}{\partial z} \right) \left| \frac{\partial (x, y, z)}{\partial (s, t, u)} \right| ds \, dt \, du$$

$$= \int_W \left(\frac{\partial G_1}{\partial s} + \frac{\partial G_2}{\partial t} + \frac{\partial G_3}{\partial u} \right) ds \, dt \, du$$

$$= \int_W \operatorname{div} \vec{G} \, dW.$$

En résumé, on a montré que

$$\int_A \vec{F} \cdot d\vec{A} = \int_S \vec{G} \cdot d\vec{S}$$

et

$$\int_V \operatorname{div} \vec{F} \, dV = \int_W \operatorname{div} \vec{G} \, dW.$$

Selon le théorème de divergence pour les solides rectangulaires, les membres de droite de ces équations sont égaux. Alors, les membres de gauche sont aussi égaux. Cela démontre le théorème de divergence pour la région courbe V.

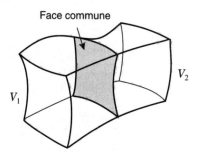

Figure 10.39 : Région V formée en collant V_1 et V_2

Le collage des régions

Comme on l'a fait dans la démonstration du théorème de Green, on démontre le théorème de divergence pour des régions plus générales en collant de plus petites régions le long de faces communes. On suppose que la région solide V est formée en collant les solides V_1 et V_2 le long d'une face commune, comme l'illustre la figure 10.39.

On forme la surface A qui borne V en joignant les surfaces A_1 et A_2 qui bornent V_1 et V_2, puis en éliminant la face commune. L'intégrale de flux vers l'extérieur d'un champ vectoriel $\vec{F}$ à travers A_1 comprend l'intégrale qui traverse la face commune, et l'intégrale de flux vers l'extérieur de $\vec{F}$ à travers A_2 inclut l'intégrale qui se trouve sur la même face mais qui est orientée dans la direction opposée. Par conséquent, quand on additionne les intégrales, les contributions de la face commune s'annulent et on obtient l'intégrale de flux à travers A. Par conséquent, on a

$$\int_A \vec{F} \cdot d\vec{A} = \int_{A_1} \vec{F} \cdot d\vec{A} + \int_{A_2} \vec{F} \cdot d\vec{A}.$$

Mais on a aussi

$$\int_V \text{div } \vec{F} \, dV = \int_{V_1} \text{div } \vec{F} \, dV + \int_{V_2} \text{div } \vec{F} \, dV.$$

Donc, le théorème de divergence pour V découle du théorème de divergence pour V_1 et V_2. Par conséquent, on a démontré le théorème de divergence pour toute région formée en collant des régions qu'on peut paramétrer de manière continue au moyen de solides rectangulaires.

Exemple 1   Soit V une balle sphérique de rayon 2, centrée à l'origine, dont on a retiré une balle concentrique de rayon 1. À l'aide de coordonnées sphériques, montrez que la démonstration du théorème de divergence qu'on a faite s'applique à V.

Solution   On coupe V en deux hémisphères creux W, comme ceux qui sont illustrés à la figure 10.40. En coordonnées sphériques, W est le rectangle $1 \le \rho \le 2$, $0 \le \phi \le \pi$, $0 \le \theta \le \pi$. Chaque face de ce rectangle devient une partie de la frontière de W. Les faces $\rho = 1$ et $\rho = 2$ deviennent les surfaces hémisphériques intérieure et extérieure qui forment une partie de la frontière de W. Les faces $\theta = 0$ et $\theta = \pi$ deviennent les deux moitiés de la partie plane de la frontière de W. Les faces $\phi = 0$ et $\phi = \pi$ deviennent les segments de droite le long de l'axe des z. On peut former V en collant deux régions solides comme W le long des surfaces planes où $\theta = $ constante.

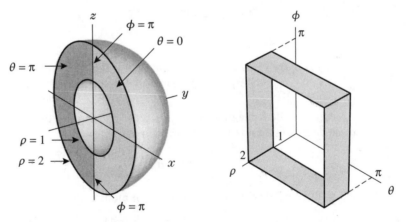

Figure 10.40 : Hémisphère creux W et région rectangulaire correspondante dans l'espace $\rho\theta\phi$

La démonstration du théorème de Stokes

On considère une surface orientée A, bornée par la courbe B. On veut démontrer le théorème de Stokes :

$$\int_A \text{rot } \vec{F} \cdot d\vec{A} = \int_B \vec{F} \cdot d\vec{r}.$$

On suppose que A a une paramétrisation lisse $\vec{r} = \vec{r}\,(s, t)$, de manière telle que A correspond à une région R dans le plan des st et que B correspond à la frontière C de R (voir la figure 10.41). On démontre le théorème de Stokes pour la surface A et pour un champ vectoriel $\vec{F}$ en exprimant les intégrales des deux membres de l'équation en fonction de s et de t, et en utilisant le théorème de Green dans le plan des st.

Premièrement, si on convertit l'intégrale curviligne $\int_B \vec{F} \cdot d\vec{r}$ en une intégrale curviligne autour de C,

$$\int_B \vec{F} \cdot d\vec{r} = \int_C \vec{F} \cdot \frac{\partial \vec{r}}{\partial s}\ ds + \vec{F} \cdot \frac{\partial \vec{r}}{\partial t}\ dt.$$

Donc, si on définit un champ vectoriel à deux dimensions $\vec{G} = (G_1, G_2)$ dans le plan des st par

$$G_1 = \vec{F} \cdot \frac{\partial \vec{r}}{\partial s} \quad \text{et} \quad G_2 = \vec{F} \cdot \frac{\partial \vec{r}}{\partial t},$$

alors,

$$\int_B \vec{F} \cdot d\vec{r} = \int_C \vec{G} \cdot d\vec{s},$$

où $\vec{s}$ sert à noter le vecteur position d'un point dans le plan des st.

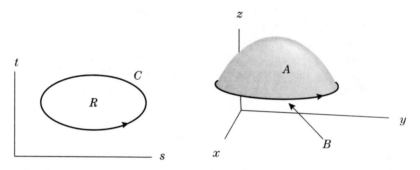

Figure 10.41 : Région R dans le plan des st et surface correspondante A dans l'espace xyz ; la courbe C correspond à la frontière de B

Que dire de l'intégrale de flux $\int_A \operatorname{rot} \vec{F} \cdot d\vec{A}$ qui se trouve au membre de gauche du théorème de Stokes ? En termes de paramétrisation,

$$\int_A \operatorname{rot} \vec{F} \cdot d\vec{A} = \int_R \operatorname{rot} \vec{F} \cdot \frac{\partial \vec{r}}{\partial s} \times \frac{\partial \vec{r}}{\partial t}\ ds\, dt.$$

Au problème 7 de cette même section, on montre que

$$\operatorname{rot} \vec{F} \cdot \frac{\partial \vec{r}}{\partial s} \times \frac{\partial \vec{r}}{\partial t} = \frac{\partial G_2}{\partial s} - \frac{\partial G_1}{\partial t}.$$

Par conséquent,

$$\int_A \operatorname{rot} \vec{F} \cdot d\vec{A} = \int_R \left(\frac{\partial G_2}{\partial s} - \frac{\partial G_1}{\partial t} \right) ds\, dt.$$

On a déjà vu que

$$\int_B \vec{F} \cdot d\vec{r} = \int_C \vec{G} \cdot d\vec{s}.$$

Selon le théorème de Green, les membres de droite des deux dernières équations sont égaux. Par conséquent, les membres de gauche sont aussi égaux, ce qu'il fallait pour démontrer pour le théorème de Stokes.

Problèmes de la section 10.6

1. Soit W un cylindre circulaire plein le long de l'axe des z, duquel on a retiré un plus petit cylindre concentrique. Trouvez l'équation paramétrique de W à l'aide d'un solide rectangulaire dans l'espace $r\theta z$, où r, θ et z sont des coordonnées cylindriques.

2. Dans cette section, on a démontré le théorème de divergence en utilisant la définition algébrique de la divergence. Maintenant, on utilise le théorème de divergence pour montrer que cette définition est la même que la définition géométrique. Supposez que $\vec{F}$ est lisse dans un voisinage de (x_0, y_0, z_0); soit U_R la boule de rayon R ayant un centre en (x_0, y_0, z_0). Soit m_R la valeur minimale de div $\vec{F}$ sur U_R et soit M_R la valeur maximale.

   a) Soit S_R la sphère qui borne U_R. Montrez que

   $$m_R \leq \frac{\int_{S_R} \vec{F} \cdot d\vec{A}}{\text{Volume de } U_R} \leq M_R.$$

   b) Expliquez pourquoi on peut conclure que

   $$\lim_{R \to 0} \frac{\int_{S_R} \vec{F} \cdot d\vec{A}}{\text{Volume de } U_R} = \text{div } \vec{F} \, (x_0, y_0, z_0).$$

   c) Expliquez pourquoi l'énoncé à la partie b) reste vrai si on remplace U_R par un cube de côté R, centré en (x_0, y_0, z_0).

   Pour les problèmes 3 à 6, trouvez les détails manquants de la démonstration du théorème de divergence.

3. La figure 10.38 de la section 10.6 montre le solide V dans l'espace xyz paramétré par un solide rectangulaire W dans un espace stu au moyen du changement de coordonnées

   $$\vec{r} = \vec{r}\,(s, t, u), \qquad a \leq s \leq b, \quad c \leq t \leq d, \quad e \leq u \leq f.$$

   Supposez que $\dfrac{\partial \vec{r}}{\partial s} \cdot \left(\dfrac{\partial \vec{r}}{\partial t} \times \dfrac{\partial \vec{r}}{\partial u} \right)$ est positif.

   a) Soit A_1 la face de V correspondant à la face $s = a$ de W. Montrez que $\dfrac{\partial \vec{r}}{\partial s}$, s'il n'est pas nul, s'oriente vers W.

   b) Montrez que $-\dfrac{\partial \vec{r}}{\partial t} \times \dfrac{\partial \vec{r}}{\partial u}$ est une normale s'orientant vers l'extérieur sur A_1.

   c) Trouvez une normale s'orientant vers l'extérieur sur A_2, la face de V où $s = b$.

4. Montrez que pour les cinq autres faces du solide V utilisé dans la démonstration du théorème de divergence (voir la section 10.6),

   $$\int_{A_i} \vec{F} \cdot d\vec{A} = \int_{S_i} \vec{G} \cdot d\vec{S}, \quad i = 2, 3, 4, 5, 6.$$

5. Supposez que $\vec{F}$ est un champ vectoriel et que $\vec{a}$, $\vec{b}$, $\vec{c}$ sont des vecteurs. Dans ce problème, on démontre la formule

   $$\text{grad}(\vec{F} \cdot \vec{b} \times \vec{c}) \cdot \vec{a} + \text{grad}(\vec{F} \cdot \vec{c} \times \vec{a}) \cdot \vec{b} + \text{grad}(\vec{F} \cdot \vec{a} \times \vec{b}) \cdot \vec{c} = (\vec{a} \cdot \vec{b} \times \vec{c}) \, \text{div } \vec{F}.$$

   a) En interprétant la divergence comme une densité de flux, expliquez pourquoi la formule est logique. [Indication : considérez le flux vers l'extérieur d'un petit parallélépipède ayant des côtés parallèles à $\vec{a}$, à $\vec{b}$ et à $\vec{c}$.]

   b) Dites combien de termes il y a dans l'expansion du membre de gauche de la formule algébrique, sans faire l'expansion.

   c) Écrivez tous les termes du membre de gauche qui contiennent $\partial F_1 / \partial x$. Montrez que ces termes s'additionnent pour donner $\vec{a} \cdot \vec{b} \times \vec{c} \, \dfrac{\partial F_1}{\partial x}$.

   d) Écrivez tous les termes qui contiennent $\partial F_1 / \partial y$. Montrez que leur somme équivaut à zéro.

   e) Expliquez comment les expressions comportant les sept autres dérivées partielles se résolvent et comment ces expressions démontrent la véracité de la formule.

6. Soit $\vec{F}$ un champ vectoriel lisse à trois dimensions et soit

$$x = x(s, t, u), \quad y = y(s, t, u), \quad z = z(s, t, u)$$

un changement de variables lisse qu'on écrit sous forme vectorielle :

$$\vec{r} = \vec{r}(s, t, u) = x(s, t, u)\vec{i} + y(s, t, u)\vec{j} + z(s, t, u)\vec{k}.$$

Définissez un champ vectoriel $\vec{G} = (G_1, G_2, G_3)$ dans l'espace stu par

$$G_1 = \vec{F} \cdot \frac{\partial \vec{r}}{\partial t} \times \frac{\partial \vec{r}}{\partial u}, \quad G_2 = \vec{F} \cdot \frac{\partial \vec{r}}{\partial u} \times \frac{\partial \vec{r}}{\partial s} \quad \text{et} \quad G_3 = \vec{F} \cdot \frac{\partial \vec{r}}{\partial s} \times \frac{\partial \vec{r}}{\partial t}.$$

a) Montrez que

$$\frac{\partial G_1}{\partial s} + \frac{\partial G_2}{\partial t} + \frac{\partial G_3}{\partial u} = \frac{\partial \vec{F}}{\partial s} \cdot \frac{\partial \vec{r}}{\partial t} \times \frac{\partial \vec{r}}{\partial u} + \frac{\partial \vec{F}}{\partial t} \cdot \frac{\partial \vec{r}}{\partial u} \times \frac{\partial \vec{r}}{\partial s} + \frac{\partial \vec{F}}{\partial u} \cdot \frac{\partial \vec{r}}{\partial s} \times \frac{\partial \vec{r}}{\partial t}.$$

b) Soit $\vec{r}_0 = \vec{r}(s_0, t_0, u_0)$ et soit

$$\vec{a} = \frac{\partial \vec{r}}{\partial s}(\vec{r}_0), \quad \vec{b} = \frac{\partial \vec{r}}{\partial t}(\vec{r}_0) \quad \text{et} \quad \vec{c} = \frac{\partial \vec{r}}{\partial u}(\vec{r}_0).$$

Utilisez la règle de la dérivée en chaîne pour montrer que

$$\left(\frac{\partial G_1}{\partial s} + \frac{\partial G_2}{\partial t} + \frac{\partial G_3}{\partial u} \right)\Bigg|_{\vec{r} = \vec{r}_0} = \text{grad}(\vec{F} \cdot \vec{b} \times \vec{c}) \cdot \vec{a} + \text{grad}(\vec{F} \cdot \vec{c} \times \vec{a}) \cdot \vec{b} + \text{grad}(\vec{F} \cdot \vec{a} \times \vec{b}) \cdot \vec{c}.$$

c) Utilisez le problème 5 pour montrer que

$$\frac{\partial G_1}{\partial s} + \frac{\partial G_2}{\partial t} + \frac{\partial G_3}{\partial u} = \left| \frac{\partial(x, y, z)}{\partial(s, t, u)} \right| \left(\frac{\partial F_1}{\partial x} + \frac{\partial F_2}{\partial y} + \frac{\partial F_3}{\partial z} \right).$$

7. Ce problème termine la démonstration du théorème de Stokes. Soit $\vec{F}$ un champ vectoriel lisse à trois dimensions et soit S une surface paramétrée par $\vec{r} = \vec{r}(s, t)$. Soit $\vec{r}_0 = \vec{r}(s_0, t_0)$ un point fixe sur S. On définit un champ vectoriel dans un espace st comme à la section 10.6 :

$$G_1 = \vec{F} \cdot \frac{\partial \vec{r}}{\partial s} \quad \text{et} \quad G_2 = \vec{F} \cdot \frac{\partial \vec{r}}{\partial t}.$$

a) Soit $\vec{a} = \frac{\partial \vec{r}}{\partial s}(\vec{r}_0)$ et $\vec{b} = \frac{\partial \vec{r}}{\partial t}(\vec{r}_0)$. Montrez que

$$\frac{\partial G_1}{\partial t}(\vec{r}_0) - \frac{\partial G_2}{\partial s}(\vec{r}_0) = \text{grad}(\vec{F} \cdot \vec{a}) \cdot \vec{b} - \text{grad}(\vec{F} \cdot \vec{b}) \cdot \vec{a}.$$

b) Utilisez le problème 27 de la section 10.3 pour montrer que

$$\text{rot}\, \vec{F} \cdot \frac{\partial \vec{r}}{\partial s} \times \frac{\partial \vec{r}}{\partial t} = \frac{\partial G_2}{\partial s} - \frac{\partial G_1}{\partial t}.$$

PROBLÈMES DE RÉVISION DU CHAPITRE DIX

1. Utilisez la définition géométrique de la divergence pour trouver div $\vec{v}$ à l'origine, où $\vec{v} = -2\vec{r}$. Assurez-vous d'obtenir le même résultat en utilisant la définition algébrique.

2. Pouvez-vous évaluer l'intégrale de flux du problème de révision 12 de la section 9.3 en appliquant le théorème de divergence ? Justifiez votre réponse.

3. Si V est un volume entouré d'une surface fermée S, montrez que $\frac{1}{3} \displaystyle\int_S \vec{r} \cdot d\vec{A} = V$.

4. Utilisez le problème 3 pour calculer le volume d'une sphère de rayon R en supposant que son aire est $4\pi R^2$.

5. Utilisez le problème 3 pour calculer le volume d'un cône de rayon b et de hauteur h. [Indication : placez le cône avec sa pointe vers le bas et son axe le long de la partie positive de l'axe des z.]

6. a) Trouvez le flux du champ vectoriel $\vec{F} = 2x\vec{i} - 3y\vec{j} + 5z\vec{k}$ à travers une boîte ayant quatre de ses coins aux points (a, b, c), $(a + w, b, c)$, $(a, b + w, c)$, $(a, b, c + w)$ et un côté de longueur w (voir la figure 10.42).

    b) Utilisez la définition géométrique et la partie a) pour trouver div $\vec{F}$ au point (a, b, c).

    c) Trouvez div $\vec{F}$ en utilisant des dérivées partielles.

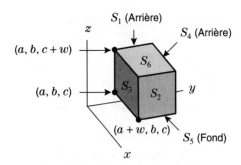

Figure 10.42

7. Supposez que $\vec{F} = (3x + 2)\vec{i} + 4x\vec{j} + (5x + 1)\vec{k}$. Utilisez la méthode du problème 6 pour trouver div $\vec{F}$ au point (a, b, c) de deux façons différentes.

8. Calculez l'intégrale de flux $\int_S (x^3\vec{i} + 2y\vec{j} + 3\vec{k}) \cdot d\vec{A}$, où S est la surface rectangulaire $2 \times 2 \times 2$ centrée à l'origine, orientée vers l'extérieur. Faites-le de deux manières :

    a) directement ;   b) selon le théorème de divergence.

Les énoncés des problèmes 9 à 16 sont-ils vrais ou faux ? Supposez que $\vec{F}$ et $\vec{G}$ sont des champs vectoriels lisses à trois dimensions. Justifiez votre réponse.

9. rot $\vec{F}$ est un champ vectoriel.   **10.** $\text{grad}(fg) = (\text{grad } f) \cdot (\text{grad } g)$

11. $\text{div}(\vec{F} + \vec{G}) = \text{div } \vec{F} + \text{div } \vec{G}$ **12.** $\text{grad}(\vec{F} \cdot \vec{G}) = \vec{F}(\text{div } \vec{G}) + (\text{div } \vec{F})\vec{G}$

13. $\text{rot}(f\vec{G}) = (\text{grad } f) \times \vec{G} + f(\text{rot } \vec{G})$

14. div $\vec{F}$ est un scalaire dont la valeur peut varier d'un point à un autre.

15. Si $\int_S \vec{F} \cdot d\vec{A} = 12$ et si S est un disque plat d'aire 4π, alors div $\vec{F} = 3/\pi$.

16. Si $\vec{F}$ est comme l'illustre la figure 10.43, alors rot $\vec{F} \cdot \vec{j} > 0$.

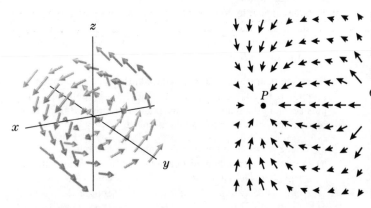

Figure 10.43   **Figure 10.44**

17. La figure 10.44 (page précédente) montre la partie d'un champ vectoriel $\vec{E}$ qui se trouve dans le plan des xy. Supposez que le champ vectoriel est indépendant de z, de sorte que toutes les coupes transversales horizontales se ressemblent. Que pouvez-vous dire de div $\vec{E}$ aux points marqués P et Q, en supposant qu'il est défini ?

18. Supposez que $\vec{F} = \vec{r}/\|\vec{r}\|^3$. Trouvez $\int_S \vec{F} \cdot d\vec{A}$, où S est l'ellipsoïde $x^2 + 2y^2 + 3z^2 = 6$. Expliquez votre calcul.

19. Un champ vectoriel central est de la forme $\vec{F} = f(r)\vec{r}$, où f est une fonction de $r = \|\vec{r}\|$. Montrez que tout champ vectoriel central est irrotationnel.

20. Selon la loi de Coulomb, le champ électrostatique $\vec{E}$ au point $\vec{r}$ créé par une charge q à l'origine est donné par

$$\vec{E}(\vec{r}) = q\frac{\vec{r}}{\|\vec{r}\|^3}.$$

a) Calculez div $\vec{E}$.

b) Soit S_a la sphère de rayon a centrée à l'origine et orientée vers l'extérieur. Montrez que le flux de $\vec{E}$ à travers S_a est $4\pi q$.

c) Auriez-vous pu utiliser le théorème de divergence à la partie b) ? Justifiez votre réponse.

d) Soit S une surface arbitraire, fermée et orientée vers l'extérieur qui entoure l'origine. Montrez que le flux de $\vec{E}$ à travers S est encore une fois $4\pi q$. [Indication : appliquez le théorème de divergence au solide qui se trouve entre une petite sphère S_a et la surface S.]

21. Selon la loi de Coulomb, le champ électrique $\vec{E}$ au point $\vec{r}$ dû à une charge q au point $\vec{r}_0$ est donné par

$$\vec{E}(\vec{r}) = q\frac{(\vec{r} - \vec{r}_0)}{\|\vec{r} - \vec{r}_0\|^3}.$$

Supposez que S est une surface fermée orientée vers l'extérieur et que $\vec{r}_0$ ne se trouve pas sur S. Utilisez le problème 20 pour montrer que

$$\int_S \vec{E} \cdot d\vec{A} = \begin{cases} 4\pi q & \text{si } q \text{ se trouve à l'intérieur de } S, \\ 0 & \text{si } q \text{ se trouve à l'extérieur de} \end{cases}$$

22. Au point ayant le vecteur position $\vec{r}$, le champ électrique $\vec{E}$ d'un dipôle électrique idéal ayant le moment $\vec{p}$ situé à l'origine est donné par

$$\vec{E}(\vec{r}) = 3\frac{(\vec{r} \cdot \vec{p})\vec{r}}{\|\vec{r}\|^5} - \frac{\vec{p}}{\|\vec{r}\|^3}.$$

a) Calculez div $\vec{E}$.

b) Supposez que S est une surface lisse fermée, orientée vers l'extérieur, qui entoure l'origine. Calculez le flux de $\vec{E}$ à travers S. Pouvez-vous utiliser directement le théorème de divergence pour calculer le flux ? Justifiez votre réponse. [Indication : calculez d'abord le flux du champ du dipôle $\vec{E}$ à travers une sphère S_a orientée vers l'extérieur ayant son centre à l'origine et de rayon a. Puis, appliquez le théorème de divergence à la région W qui se trouve entre S et une petite sphère S_a.]

23. En raison de travaux routiers, la circulation sur l'autoroute ralentit de manière linéaire, passant de 55 mi/h à 15 mi/h sur une distance de 2000 pi, demeure à 15 mi/h sur une distance de 5000 pi, puis accélère de manière linéaire pour atteindre 55 mi/h sur les 1000 pi suivants, après quoi elle reprend une vitesse constante de 55 mi/h.

a) Tracez le graphe du champ de vitesse de la circulation.

b) Écrivez une formule pour le champ de vitesse $\vec{v}$ (en milles par heure) en fonction de la distance à x pi depuis le point initial de ralentissement. (Prenez la direction du mouvement comme étant $\vec{i}$ et considérez séparément les diverses sections de la route.)

c) Calculez div $\vec{v}$ en $x = 1000, 5000, 7500, 10\,000$. Assurez-vous d'inclure les unités appropriées.

24. Le champ de vitesse $\vec{v}$ du problème 23 ne fournit pas une description complète du débit de la circulation, car il ne tient pas compte, par exemple, de l'espace entre les véhicules. Soit ρ la densité de la circulation (en voitures par mille) sur l'autoroute, où on suppose que ρ dépend seulement de x.

a) En vous aidant de votre expérience de conducteur, placez en ordre croissant : $\rho(0)$, $\rho(1000)$ et $\rho(5000)$.

b) Quelles sont les unités et l'interprétation du champ vectoriel $\rho\vec{v}$?

c) Vous attendez-vous à ce que $\rho\vec{v}$ soit constant ? Justifiez votre réponse. Que cela signifie-t-il pour $\rho\vec{v}$?

d) Déterminez $\rho(x)$ si $\rho(0) = 75$ voitures/mi et si $\rho\vec{v}$ est constant.

e) Si l'autoroute comprend deux voies, trouvez la distance approximative (en pieds) entre les voitures en $x = 0$, 1000 et 5000.

25. a) Un fleuve coule à travers le plan des xy dans la direction positive de l'axe des x et autour d'une roche circulaire de rayon 1 centrée à l'origine. La vitesse du fleuve peut être modélisée en utilisant la fonction potentiel $\phi = x + (x/(x^2 + y^2))$. Calculez le champ de vitesse $\vec{v} = \text{grad } \phi$.

b) Montrez que div $\vec{v} = 0$.

c) Montrez que l'écoulement de $\vec{v}$ est tangent au cercle $x^2 + y^2 = 1$. Cela signifie qu'il n'y a pas d'eau qui traverse le cercle. Toute l'eau à l'extérieur doit alors s'écouler autour du cercle.

d) Utilisez un ordinateur pour tracer le graphe du champ vectoriel $\vec{v}$ dans la région située à l'extérieur du cercle unité.

26. Évaluez

$$\vec{F} = (\text{grad } \phi) + \vec{v} \times \vec{r},$$

où

$$\phi(x, y, z) = \tfrac{1}{2}(a_1 x^2 + b_2 y^2 + c_3 z^2 + (a_2 + b_1)xy + (a_3 + c_1)xz + (b_3 + c_2)yz)$$

et où

$$\vec{v} = \tfrac{1}{2}((c_2 - b_3)\vec{i} + (a_3 - c_1)\vec{j} + (b_1 - a_2)\vec{k}).$$

Expliquez pourquoi on peut écrire chaque champ vectoriel linéaire sous la forme $(\text{grad } \phi) + \vec{v} \times \vec{r}$.

Dans les problèmes 27 et 28, on considère le fait que le champ électrique $\vec{E}$ est relié à la densité de charge $\rho(x, y, z)$, en unités de charge par volume, par l'équation

$$\text{div } \vec{E} = 4\pi\rho.$$

De plus, il y a un potentiel électrique ϕ dont le gradient donne le champ électrique :

$$\vec{E} = -\text{ grad } \phi.$$

27. Calculez, et décrivez en langage courant, le champ électrique et la distribution de charge correspondant à la fonction potentiel définie comme suit :

$$\phi = \begin{cases} x^2 + y^2 + z^2 & \text{pour } x^2 + y^2 + z^2 \le \dfrac{b^2}{4} \\[2ex] \dfrac{b^2}{4} - \dfrac{b^3}{4(x^2 + y^2 + z^2)^{1/2}} & \text{pour } \dfrac{b^2}{4} \le x^2 + y^2 + z^2. \end{cases}$$

28. Un champ vectoriel qui peut représenter un champ électrique est donné par

$$\vec{E} = 10xy\vec{i} + (5x^2 - 5y^2)\vec{j}.$$

a) Calculez l'intégrale curviligne de $\vec{E}$ de l'origine au point (a, b) le long du chemin qui circule en ligne droite de l'origine au point $(a, 0)$, puis directement de $(a, 0)$ au point (a, b).

b) Calculez l'intégrale curviligne de $\vec{E}$ entre les mêmes points qu'au problème a), mais en passant par le point $(0, b)$.

c) Pourquoi vos réponses aux parties a) et b) suggèrent-elles que $\vec{E}$ peut en effet être un champ électrique ?

d) Trouvez le potentiel électrique ϕ et calculez grad ϕ pour confirmer que $\vec{E} = -\text{grad } \phi$.

29. Les relations entre le champ électrique $\vec{E}$, le champ magnétique $\vec{B}$, la densité de charge ρ et la densité de courant $\vec{J}$ en un point dans l'espace sont décrites par les équations

$$\text{div } \vec{E} = 4\pi\rho,$$

$$\text{rot } \vec{B} - \frac{1}{c}\frac{\partial \vec{E}}{\partial t} = \frac{4\pi}{c}\vec{J},$$

où c est une constante (la vitesse de la lumière).

a) En utilisant les résultats du problème 16 de la section 10.3, montrez que

$$\frac{\partial \rho}{\partial t} + \text{div } \vec{J} = 0.$$

b) Qu'indique l'équation à la partie a) sur les densités de charge et de courant ? Expliquez, de façon intuitive, pourquoi cette indication est raisonnable.

c) Selon vous, pourquoi l'équation à la partie a) s'appelle-t-elle l'équation de conservation de charge ?

30. Un champ vectoriel est un *point source* à l'origine dans un espace à trois dimensions si sa direction est vers l'extérieur de l'origine en n'importe quel point, si sa norme dépend seulement de la distance depuis l'origine et si sa divergence est nulle sauf à l'origine. (On peut utiliser ce type de champ vectoriel pour modéliser un photon s'échappant d'une étoile ou un neutrino s'échappant d'une supernova.)

a) Montrez que $\vec{v} = K(x^2 + y^2 + z^2)^{-3/2}(x\vec{i} + y\vec{j} + z\vec{k})$ est un point source à l'origine si $K > 0$.

b) Déterminez la norme $\|\vec{v}\|$ de la source à la partie a) en fonction de la distance depuis son centre.

c) Calculez le flux de $\vec{v}$ à travers une sphère de rayon r centrée à l'origine.

d) Calculez le flux de $\vec{v}$ à travers une surface fermée qui ne contient pas l'origine.

31. Une propriété de base du champ magnétique $\vec{B}$ est que rot $\vec{B} = 0$ dans une région où il n'y a pas de courant. Considérez le champ magnétique autour d'un long fil mince qui transporte un courant constant. La norme du champ magnétique dépend seulement de la distance par rapport au fil, et sa direction est toujours tangente au cercle qui entoure le fil, traversé dans une direction reliée à la direction du courant par la règle de la main droite. Utilisez le théorème de Stokes pour déduire que la norme du champ magnétique est proportionnelle à la réciproque de la distance depuis le fil. [Indication : considérez un anneau autour du fil. Sa frontière comporte deux morceaux : un cercle intérieur et un cercle extérieur.]

32. La vitesse d'un vortex naturel (par exemple dans le cas d'une tornade, d'un tuyau de descente ou d'un tourbillon) est une fonction décroissante de la distance depuis son centre. Ainsi, le modèle de vitesse angulaire constante du problème 18 de la section 10.3 n'est pas approprié. Un *vortex libre* qui circule autour de l'axe des z a un champ vectoriel $\vec{v} = K(x^2 + y^2)^{-1}(-y\vec{i} + x\vec{j})$, où K est une constante.

a) Tracez le graphe du champ vectoriel ayant $K = 1$ et du champ vectoriel ayant $K = -1$.

b) Déterminez la vitesse $\|\vec{v}\|$ du vortex en fonction de la distance depuis son centre.

c) Calculez div $\vec{v}$.

d) Montrez que rot $\vec{v} = \vec{0}$.

e) Calculez la circulation de $\vec{v}$ dans le sens contraire des aiguilles d'une montre autour du cercle de rayon R à l'origine.

f) Les calculs des parties d) et e) montrent que $\vec{v}$ a le rot $\vec{0}$, mais qu'il a une circulation non nulle autour de la courbe fermée de la partie e). Expliquez pourquoi cela ne contredit pas le théorème de Stokes.

ANNEXES

A   LA RÉVISION DE LA LINÉARITÉ LOCALE POUR LES FONCTIONS D'UNE VARIABLE

Si on agrandit le graphe d'une fonction lisse d'une variable $y = f(x)$ autour du point $x = a$, le graphe ressemble de plus en plus à une droite et devient donc indifférenciable de sa droite tangente en ce point (voir la figure A.1).

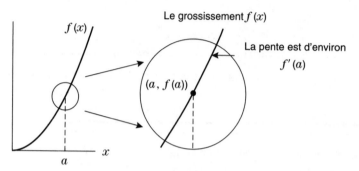

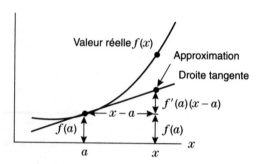

***Figure A.1* :** Agrandissement d'une portion d'une fonction d'une variable jusqu'à ce que le graphe soit presque droit

***Figure A.2* :** Linéarisation locale selon l'approximation de la droite tangente

La pente de la droite tangente est la dérivée $f'(a)$, et la droite passe par le point $(a, f(a))$. Donc, son équation est

$$y = f(a) + f'(a)(x - a)$$

(voir la figure A.2). Maintenant, on calcule l'approximation des valeurs de f à partir des valeurs de y depuis la droite tangente, ce qui donne le résultat ci-après.

Approximation de la droite tangente pour les valeurs de *x* près de *a*

$$f(x) \approx f(a) + f'(a)(x - a)$$

On considère a comme fixe, de telle sorte que $f(a)$ et $f'(a)$ sont des constantes et que l'expression figurant dans le membre de droite est linéaire en x. Quand f est approximativement une fonction linéaire de x près de a, on dit que f est *localement linéaire* près de $x = a$.

Exemple 1   Trouvez la linéarisation locale en $x = 2$ de la fonction d'une variable u, sachant que $u(2) = 135$ et que $u'(2) = 16$.

Solution   Puisque $u(2) = 135$ et que $u'(2) = 16$, l'approximation de la droite tangente à $u(x)$ en $x = 2$ est

$$u(x) \approx u(2) + u'(2)(x - 2) = 135 + 16(x - 2) \quad \text{pour } x \text{ près de 2.}$$

B   LES MAXIMUMS ET LES MINIMUMS DES FONCTIONS D'UNE VARIABLE

Si f est une fonction d'une variable et si x est un point dans son domaine, on dit que

> - p est un *point critique* de f si $f'(p) = 0$ ou si $f'(p)$ est indéfini ;
> - f a un *maximum local* en un point critique x_0 si $f(x) \leq f(x_0)$ pour tout x près de x_0 ;
> - f a un *minimum local* en un point critique x_0 si $f(x) \geq f(x_0)$ pour tout x près de x_0 ;
> - f a un *maximum absolu* en x_0 si $f(x) \leq f(x_0)$ pour tout x ;
> - f a un *minimum absolu* en x_0 si $f(x) \geq f(x_0)$ pour tout x.

Les extremums absolus (soit les maximums et les minimums absolus) ne peuvent se trouver qu'en des extremums locaux ou aux extrémités d'un intervalle (voir la figure B.3). Pour trouver les extremums locaux, on doit d'abord trouver les points critiques. Pour trouver les extremums absolus, on doit évaluer la fonction aux points critiques et aux extrémités de l'intervalle (s'ils sont inclus).

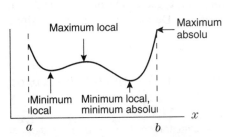

Figure B.3 : Extremums locaux et extremums absolus sur un intervalle fermé $a \leq x \leq b$

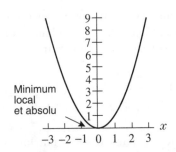

Figure B.4 : Extremums de $f(x) = x^2$ sur une droite réelle

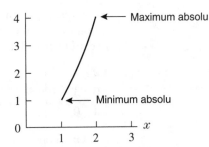

Figure B.5 : Extremums de $f(x) = x^2$ restreint à $1 \leq x \leq 2$

Les fonctions n'ont pas nécessairement d'extremums locaux ou absolus — cela dépend de la fonction et du domaine considérés. Par exemple, $f(x) = x^2$ a un minimum local en $x = 0$, et ce minimum local est aussi le minimum absolu, mais elle n'a pas de maximum local ou absolu (voir la figure B.4). Par ailleurs, si on considère la même fonction sur le domaine $1 \leq x \leq 2$, alors f a un minimum absolu en $x = 1$ et un maximum absolu en $x = 2$ (voir la figure B.5).

> Pour trouver les points critiques, on résout l'équation
>
> $$f' = 0 \quad (\text{ou } f' \text{ indéfini}).$$
>
> Pour déterminer si un point critique est un maximum local, un minimum local, ou ni l'un ni l'autre, on utilise le test de la dérivée seconde :
>
> - si $f'(p) = 0$ et que $f''(p) < 0$, alors f a un maximum local en p ;
> - si $f'(p) = 0$ et que $f''(p) > 0$, alors f a un minimum local en p.

C LES DÉTERMINANTS

On présente le déterminant d'un tableau de nombres. Chaque tableau de nombres d'ordre deux (deux lignes et deux colonnes) a un autre nombre qui y est associé, appelé son déterminant, lequel est donné par

$$\begin{vmatrix} a_1 & a_2 \\ b_1 & b_2 \end{vmatrix} = a_1 b_2 - a_2 b_1.$$

Par exemple,

$$\begin{vmatrix} 2 & 5 \\ -4 & -6 \end{vmatrix} = 2(-6) - 5(-4) = 8.$$

Chaque tableau de nombres d'ordre trois a également un déterminant qui y est associé, lequel est défini en fonction de déterminants d'ordre deux comme suit :

$$\begin{vmatrix} a_1 & a_2 & a_3 \\ b_1 & b_2 & b_3 \\ c_1 & c_2 & c_3 \end{vmatrix} = a_1 \begin{vmatrix} b_2 & b_3 \\ c_2 & c_3 \end{vmatrix} - a_2 \begin{vmatrix} b_1 & b_3 \\ c_1 & c_3 \end{vmatrix} + a_3 \begin{vmatrix} b_1 & b_2 \\ c_1 & c_2 \end{vmatrix}.$$

Noter que le déterminant du tableau d'ordre deux multiplié par a_i est le déterminant du tableau qu'on trouve en éliminant la rangée et la colonne contenant a_i. De plus, on remarque le signe négatif dans le deuxième terme. Voici un exemple :

$$\begin{vmatrix} 2 & 1 & -3 \\ 0 & 3 & -1 \\ 4 & 0 & 5 \end{vmatrix} = 2 \begin{vmatrix} 3 & -1 \\ 0 & 5 \end{vmatrix} - 1 \begin{vmatrix} 0 & -1 \\ 4 & 5 \end{vmatrix} + (-3) \begin{vmatrix} 0 & 3 \\ 4 & 0 \end{vmatrix} = 2(15 + 0) - 1(0 - (-4)) + (-3)(0 - 12) = 62.$$

On suppose que les vecteurs $\vec{a}$ et $\vec{b}$ ont les composantes $\vec{a} = a_1 \vec{i} + a_2 \vec{j} + a_3 \vec{k}$ et $\vec{b} = b_1 \vec{i} + b_2 \vec{j} + b_3 \vec{k}$. On se rappelle que le produit vectoriel $\vec{a} \times \vec{b}$ est donné par l'expression

$$\vec{a} \times \vec{b} = (a_2 b_3 - a_3 b_2)\vec{i} + (a_3 b_1 - a_1 b_3)\vec{j} + (a_1 b_2 - a_2 b_1)\vec{k}.$$

Noter que si on fait l'expansion du déterminant suivant, on obtient le produit vectoriel

$$\begin{vmatrix} \vec{i} & \vec{j} & \vec{k} \\ a_1 & a_2 & a_3 \\ b_1 & b_2 & b_3 \end{vmatrix} = \vec{i}\,(a_2 b_3 - a_3 b_2) - \vec{j}\,(a_1 b_3 - a_3 b_1) + \vec{k}\,(a_1 b_2 - a_2 b_1) = \vec{a} \times \vec{b}.$$

Les déterminants constituent une manière utile de calculer les produits vectoriels.

D LA RÉVISION DES FORMULES D'INTÉGRATION DES FONCTIONS D'UNE VARIABLE

L'intégrale d'une variable : définition

L'intégrale d'une variable

$$\int_a^b f(x)\,dx$$

est définie comme une limite des *sommes de Riemann*, qu'on peut construire comme suit. On divise l'intervalle $a \le x \le b$ en n subdivisions égales, chacune de largeur Δx. Donc, $\Delta x = (b - a)/n$.

On suppose que $x_0, x_1, x_2, ..., x_n$ sont les extrémités des subdivisions, comme dans les figures D.6 et D.7. On construit deux sommes de Riemann particulières :

$$\text{Somme de gauche} = f(x_0)\Delta x + f(x_1)\Delta x + \cdots + f(x_{n-1})\Delta x$$

et

$$\text{Somme de droite} = f(x_1)\Delta x + f(x_2)\Delta x + \cdots + f(x_n)\Delta x.$$

Pour définir l'intégrale définie, on prend la limite de ces sommes quand n tend vers l'infini.

L'**intégrale définie** de f, entre a et b, notée

$$\int_a^b f(x)\, dx,$$

est la limite des sommes de gauche ou de droite ayant n subdivisions quand n devient arbitrairement grand. En d'autres mots,

$$\int_a^b f(x)\, dx = \lim_{n \to \infty} (\text{somme de gauche}) = \lim_{n \to \infty} \left(\sum_{i=0}^{n-1} f(x_i)\Delta x \right)$$

et

$$\int_a^b f(x)\, dx = \lim_{n \to \infty} (\text{somme de droite}) = \lim_{n \to \infty} \left(\sum_{i=1}^{n} f(x_i)\Delta x \right).$$

Chacune de ces sommes est appelée une *somme de Riemann*, f est appelé l'*intégrande* et a et b sont appelés les *limites d'intégration*.

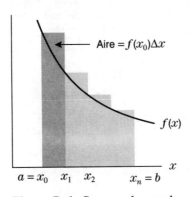

Figure D.6 : Somme de gauche

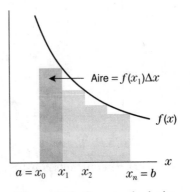

Figure D.7 : Somme de droite

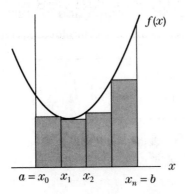

Figure D.8 : Somme inférieure

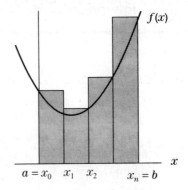

Figure D.9 : Somme supérieure

On obtient d'autres sommes de Riemann en évaluant la fonction en d'autres points dans chaque sous-intervalle, et pas seulement aux extrémités gauche et droite. Graphiquement, cela signifie que le graphe de la fonction peut croiser le sommet de chaque rectangle en n'importe quel point, et pas seulement aux extrémités. La figure D.8 (page précédente) montre tous les rectangles qui se trouvent sous la courbe, ce qui donne une sous-estimation de l'intégrale appelée *somme inférieure*. La figure D.9 (page précédente) montre une *somme supérieure* de la même intégrale.

Les interprétations de l'intégrale définie

L'interprétation de l'intégrale définie comme une aire

Si $f(x)$ est positif, on peut interpréter chaque terme $f(x_0)\Delta x$, $f(x_1)\Delta x$,... dans une somme de Riemann gauche ou droite comme l'aire d'un rectangle. Quand la largeur Δx des rectangles tend vers zéro, les rectangles correspondent plus exactement à la courbe du graphe, et la somme de leurs aires se rapproche de plus en plus de l'aire sous la courbe (voir l'aire ombrée à la figure D.10). Par conséquent, on conclut que

> Si $f(x) \geq 0$ et $a < b$:
>
> $$\text{Aire sous le graphe de } f \text{ entre } a \text{ et } b = \int_a^b f(x)\, dx.$$

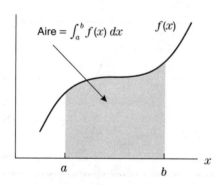

Figure D.10 : Intégrale définie $\int_a^b f(x)\, dx$

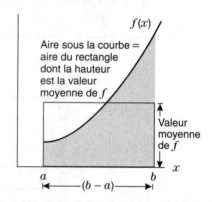

Figure D.11 : Aire et valeur moyenne

L'interprétation de l'intégrale définie comme une valeur moyenne

On peut utiliser l'intégrale définie pour calculer la valeur moyenne d'une fonction :

> $$\text{Valeur moyenne de } f \text{ entre } a \text{ et } b = \frac{1}{b-a} \int_a^b f(x)\, dx.$$

Si $f(x) \geq 0$, on peut considérer la valeur moyenne de f comme la hauteur du rectangle ayant la base $(b - a)$ et dont l'aire est égale à l'aire sous le graphe de f pour $a \leq x \leq b$ (voir la figure D.11).

L'interprétation de l'intégrale définie quand $f(x)$ représente une densité

Si $f(x)$ représente une densité (une densité de population ou la densité d'une substance, par exemple), alors on peut calculer la masse totale ou la population totale en utilisant une intégrale définie. On divise la région en petits morceaux et on trouve la population ou la masse de chacun en multipliant la densité par la taille de ce morceau. En prenant la limite, on obtient :

Si $f(x)$ représente la densité d'une substance le long de l'intervalle $a \leq x \leq b$, la

$$\text{Masse totale} = \int_a^b f(x)\, dx.$$

Le théorème fondamental du calcul

On suppose que $f = F'$. Puisque $F'(t)$ est le taux de variation de $F(t)$ par rapport à t et que l'intégrale définie d'un taux de variation d'une quantité est la variation totale de cette quantité, on trouve que

$$\int_a^b F'(t)\, dt = \int_a^b (\text{Taux de variation de } F(t))\, dt = \text{Variation dans } F(t) \text{ entre } a \text{ et } b = F(b) - F(a).$$

Par conséquent, on a

Théorème fondamental du calcul

Si $f = F'$, alors

$$\int_a^b f(t)\, dt = F(b) - F(a).$$

On peut appliquer le théorème fondamental du calcul afin d'évaluer les intégrales définies quand on peut trouver une primitive ou une intégrale indéfinie pour l'intégrande. L'annexe E donne une petite table d'intégrales indéfinies.

Problèmes de l'annexe D

Pour les problèmes 1 à 20, trouvez une primitive pour chacune des fonctions données.

1. $\displaystyle\int \left(x^2 + 2x + \frac{1}{x}\right) dx$

2. $\displaystyle\int \frac{t+1}{t^2}\, dt$

3. $\displaystyle\int \frac{(t+2)^2}{t^3}\, dt$

4. $\displaystyle\int \sin t\, dt$

5. $\displaystyle\int \cos 2t\, dt$

6. $\displaystyle\int \frac{x}{x^2+1}\, dx$

7. $\displaystyle\int \tan \theta\, d\theta$

8. $\displaystyle\int e^{5z}\, dz$

9. $\displaystyle\int t e^{t^2+1}\, dt$

10. $\displaystyle\int \frac{dz}{1+z^2}$

11. $\displaystyle\int \frac{dz}{1+4z^2}$

12. $\displaystyle\int \sin^2 \theta \cos \theta\, d\theta$

13. $\displaystyle\int \sin 5\theta \cos^3 5\theta\, d\theta$

14. $\displaystyle\int \sin^3 z \cos^3 z\, dz$

15. $\displaystyle\int \frac{(\ln x)^2}{x}\, dx$

16. $\displaystyle\int \cos\theta \sqrt{1+\sin\theta}\; d\theta$ 17. $\displaystyle\int xe^x\, dx$ 18. $\displaystyle\int t^3\, e^t\, dt$

19. $\displaystyle\int x\ln x\, dx$ 20. $\displaystyle\int \frac{1}{\cos^2\theta}\, d\theta$

Pour les problèmes 21 à 25, trouvez l'intégrale définie à l'aide de deux méthodes (par le théorème fondamental et numériquement).

21. $\displaystyle\int_1^3 x(x^2+1)^{70}\, dx$ 22. $\displaystyle\int_0^1 \frac{dx}{x^2+1}$ 23. $\displaystyle\int_0^{10} ze^{-z}\, dz$

24. $\displaystyle\int_{-\pi/3}^{\pi/4} \sin^3\theta \cos\theta\, d\theta$ 25. $\displaystyle\int_1^4 \frac{e^{\sqrt{x}}}{\sqrt{x}}\, dx$

26. Le graphe de dy/dt par rapport à t se trouve à la figure D.12. Supposez que les trois régions ombrées ont chacune une aire de 2. En supposant que $y = 0$ quand $t = 0$, tracez le graphe de y par rapport à t et indiquez toutes les caractéristiques particulières du graphe (comme la hauteur, les maximums et les minimums, les points d'inflexion, etc.). Portez une attention particulière à la relation qui existe entre les graphes. Inscrivez t_1, t_2, ..., t_5 sur l'axe des t[1].

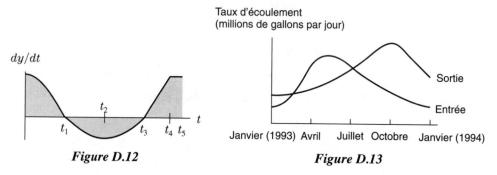

Figure D.12   **Figure D.13**

27. Le réservoir Quabbin de la partie ouest du Massachusetts approvisionne en eau la plus grande partie de la ville de Boston. Le graphe de la figure D.13 représente le débit d'entrée et de sortie de l'eau du réservoir Quabbin pendant l'année 1993.

a) Tracez le graphe possible de la quantité d'eau dans le réservoir en fonction du temps.

b) Au cours de l'année 1993, à quel moment la quantité d'eau dans le réservoir était-elle la plus grande ? La plus petite ? Inscrivez ces points sur le graphe que vous avez tracé à la partie a).

c) Quand la quantité d'eau diminuait-elle le plus rapidement ? Inscrivez ce temps sur la figure D.13 et sur le graphe que vous avez tracé à la partie a).

d) En juillet 1994, la quantité d'eau dans le réservoir était environ la même qu'en janvier 1993. Tracez les graphes possibles des entrées et des sorties d'eau du réservoir pour la première moitié de 1994. Expliquez votre graphe.

28. Le taux de consommation de pétrole dans le monde augmente continuellement. Supposez que le taux (en milliards de barils par année) est donné par la fonction $r = f(t)$, où t est mesuré en années, et que $t = 0$ est le début de 1990.

a) Écrivez une intégrale définie qui représente la quantité totale de pétrole consommée entre le début de 1990 et le début de 1995.

b) Supposez que $r = 32e^{0,05t}$. À l'aide d'une somme de gauche avec cinq subdivisions, trouvez une valeur approximative pour la quantité totale de pétrole consommée entre le début de 1990 et le début de 1995.

c) Interprétez chacun des cinq termes de la somme de la partie b) en fonction de la consommation de pétrole.

---

1. Tiré de TAYLOR, Peter D. *Calculus : The Analysis of Functions*, Toronto, Wall & Emerson Inc., 1992.

29. Une tige a une longueur de 2 m. À une distance de x m de son extrémité gauche, la densité de la tige est donnée par

$$\rho(x) = 2 + 6x \text{ g/m.}$$

a) Écrivez une somme de Riemann qui calcule l'approximation de la masse totale de la tige.
b) Trouvez la masse exacte en convertissant la somme en une intégrale.

30. On peut mesurer l'approximation de la densité de voitures (en voitures par mille) du Pennsylvania Turnpike sur une distance de 20 mi par

$$\rho(x) = 300 \left(2 + \sin(4\sqrt{x + 0{,}15})\right),$$

où x est la distance (en milles) depuis le poste de péage Breezewood.

a) Tracez un graphe de cette fonction pour $0 \leq x \leq 20$.
b) Écrivez une somme qui calcule l'approximation du nombre total de voitures sur cette distance de 20 mi.
c) Trouvez le nombre total de voitures sur cette distance de 20 mi.

31. Circle City, une métropole type, comprend une population très dense près de son centre. Cette densité diminue progressivement vers les limites de la ville. En fait, la densité de sa population est de $10\,000(3 - r)$ habitants/mi^2 à une distance de r mi du centre de la ville.

a) En supposant que la densité de la population aux limites de la ville est nulle, trouvez le rayon de la ville.
b) Quelle est la population totale de la ville ?

32. La densité du pétrole d'une nappe de pétrole circulaire à la surface de l'océan, à une distance de r m du centre de la nappe, est donnée par $\rho(r) = 50/(1 + r)$ kg/m^2.

a) Si la nappe s'étend de $r = 0$ à $r = 10\,000$ m, trouvez une somme de Riemann qui calcule l'approximation de la masse totale du pétrole de cette nappe.
b) Trouvez la valeur exacte de la masse de pétrole de la nappe en transformant la somme trouvée à la partie a) en une intégrale. Évaluez l'intégrale.
c) À quelle distance r la moitié du pétrole de la nappe est-elle localisée ?

33. Un modèle exponentiel de la densité de l'atmosphère de la Terre indique que si la température de l'atmosphère était constante, la densité de l'atmosphère en fonction de la hauteur h (en mètres) au-dessus de la surface de la Terre serait donnée par

$$\rho(h) = 1{,}28 e^{-0{,}000\,124h} \text{ kg/m}^3.$$

a) Écrivez (sans l'évaluer) une somme qui calcule l'approximation de la masse de la portion de l'atmosphère située entre $h = 0$ et $h = 100$ m (c'est-à-dire les 100 premiers m au-dessus du niveau de la mer). Supposez que le rayon de la Terre est de 6370 km.
b) Trouvez la réponse exacte en transformant la somme trouvée à la partie a) en une intégrale. Évaluez celle-ci.

34. De l'eau s'écoule dans un tuyau cylindrique d'un rayon de 1 po. Puisque l'eau est visqueuse et qu'elle colle au tuyau, le taux d'écoulement varie en fonction de la distance par rapport au centre. La vitesse de l'eau à une distance de r po du centre est de $10(1 - r^2)$ po/s. Quel est le taux (en pouces cubes par seconde) d'écoulement de l'eau dans le tuyau ?

35. Le réflecteur contenu dans un phare de voiture a la forme de la parabole $x = \frac{4}{9} y^2$, avec une coupe transversale circulaire (voir la figure D.14, page suivante).

a) Trouvez une somme de Riemann qui calcule l'approximation du volume contenu dans ce phare.
b) Trouvez exactement le volume.

36. Faites tourner la courbe en forme de cloche $y = e^{-x^2/2}$ (voir la figure D.15, page suivante) autour de l'axe des y ; elle forme un solide de révolution en forme de colline. En la coupant horizontalement, trouvez le volume de cette colline.

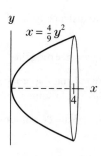

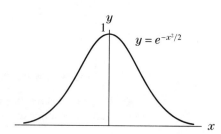

Figure D.14   **Figure D.15**

37. La circonférence d'un tronc d'arbre en différentes hauteurs au-dessus du sol est donnée dans la table suivante.

Hauteur (pi)	0	20	40	60	80	100	120
Circonférence (pi)	26	22	19	14	6	3	1

Supposez que toutes les coupes transversales du tronc sont des cercles. Évaluez le volume du tronc d'arbre en utilisant la règle du trapézoïde.

38. Aux États-Unis, la plupart des États prévoient manquer bientôt d'espace pour déposer leurs ordures. À New York, les ordures solides sont empilées dans des dépotoirs en forme de pyramide ayant des bases carrées. (Le plus grand dépotoir de ce genre se trouve à Staten Island.) Une petite communauté a un dépotoir ayant une base d'une longueur de 100 verges. Une verge au-dessus de sa base, le parallèle à la base mesure 99 verges. Dans ce dépotoir, on peut accumuler les ordures sur une hauteur de 20 verges. (Le sommet de la pyramide n'est jamais atteint.) Si le dépotoir reçoit 65 verges^3 d'ordures par jour, combien faudra-t-il de temps pour le remplir ?

E   LA TABLE D'INTÉGRALES

Une petite table d'intégrales indéfinies

I.   Les fonctions de base

1. $\displaystyle\int x^n\,dx = \frac{1}{n+1}\,x^{n+1} + C, \quad n \neq -1$

2. $\displaystyle\int \frac{1}{x}\,dx = \ln|x| + C$

3. $\displaystyle\int a^x\,dx = \frac{1}{\ln a}\,a^x + C$

4. $\displaystyle\int \ln x\,dx = x\ln x - x + C, \quad x > 0$

5. $\displaystyle\int \sin x\,dx = -\cos x + C$

6. $\displaystyle\int \cos x\,dx = \sin x + C$

7. $\displaystyle\int \tan x\,dx = -\ln|\cos x| + C$

II.   Les produits de e^x, de $\cos x$ et de $\sin x$

8. $\displaystyle\int e^{ax}\sin(bx)\,dx = \frac{1}{a^2+b^2}\,e^{ax}\bigl[a\sin(bx) - b\cos(bx)\bigr] + C$

9. $\displaystyle\int e^{ax}\cos(bx)\,dx = \frac{1}{a^2+b^2}\,e^{ax}\bigl[a\cos(bx) + b\sin(bx)\bigr] + C$

10. $\displaystyle\int \sin(ax)\sin(bx)\,dx = \frac{1}{b^2-a^2}\Big[a\cos(ax)\sin(bx) - b\sin(ax)\cos(bx)\Big] + C, \quad a \neq b$

11. $\displaystyle\int \cos(ax)\cos(bx)\,dx = \frac{1}{b^2-a^2}\Big[b\cos(ax)\sin(bx) - a\sin(ax)\cos(bx)\Big] + C, \quad a \neq b$

12. $\displaystyle\int \sin(ax)\cos(bx)\,dx = \frac{1}{b^2-a^2}\Big[b\sin(ax)\sin(bx) + a\cos(ax)\cos(bx)\Big] + C, \quad a \neq b$

III. Le produit du polynôme $p(x)$ avec $\ln x, e^x, \cos x$ et $\sin x$

13. $\displaystyle\int x^n \ln x\,dx = \frac{1}{n+1}x^{n+1}\ln x - \frac{1}{(n+1)^2}x^{n+1} + C, \quad n \neq -1, \quad x > 0$

14. $\displaystyle\int p(x)e^{ax}\,dx = \frac{1}{a}p(x)e^{ax} - \frac{1}{a}\int p'(x)e^{ax}\,dx$

$$= \frac{1}{a}p(x)e^{ax} - \frac{1}{a^2}p'(x)e^{ax} + \frac{1}{a^3}p''(x)e^{ax} - \cdots$$
$$(+ - + - \ldots) \quad \text{(Les signes alternent.)}$$

15. $\displaystyle\int p(x)\sin ax\,dx = -\frac{1}{a}p(x)\cos ax + \frac{1}{a}\int p'(x)\cos ax\,dx$

$$= -\frac{1}{a}p(x)\cos ax + \frac{1}{a^2}p'(x)\sin ax + \frac{1}{a^3}p''(x)\cos ax - \cdots$$
$$(- + + - - + + \ldots) \text{ (Les signes alternent par paires après le premier terme.)}$$

16. $\displaystyle\int p(x)\cos ax\,dx = \frac{1}{a}p(x)\sin ax - \frac{1}{a}\int p'(x)\sin ax\,dx$

$$= \frac{1}{a}p(x)\sin ax + \frac{1}{a^2}p'(x)\cos ax - \frac{1}{a^3}p''(x)\sin ax - \cdots$$
$$(+ + - - + + - - \ldots) \text{ (Les signes alternent par paires.)}$$

IV. Les puissances entières de $\sin x$ et de $\cos x$

17. $\displaystyle\int \sin^n x\,dx = -\frac{1}{n}\sin^{n-1}x\cos x + \frac{n-1}{n}\int \sin^{n-2}x\,dx, \quad n \text{ positif}$

18. $\displaystyle\int \cos^n x\,dx = \frac{1}{n}\cos^{n-1}x\sin x + \frac{n-1}{n}\int \cos^{n-2}x\,dx, \quad n \text{ positif}$

19. $\displaystyle\int \frac{1}{\sin^m x}\,dx = \frac{-1}{m-1}\frac{\cos x}{\sin^{m-1}x} + \frac{m-2}{m-1}\int \frac{1}{\sin^{m-2}x}\,dx, \quad m \neq 1, m \text{ positif}$

20. $\displaystyle\int \frac{1}{\sin x}\,dx = \frac{1}{2}\ln\left|\frac{(\cos x)-1}{(\cos x)+1}\right| + C$

21. $\displaystyle\int \frac{1}{\cos^m x}\,dx = \frac{1}{m-1}\frac{\sin x}{\cos^{m-1}x} + \frac{m-2}{m-1}\int \frac{1}{\cos^{m-2}x}\,dx, \quad m \neq 1, m \text{ positif}$

22. $\displaystyle\int \frac{1}{\cos x}\,dx = \frac{1}{2}\ln\left|\frac{(\sin x)+1}{(\sin x)-1}\right| + C$

23. $\displaystyle\int \sin^m x\cos^n x\,dx$: Si m est impair, soit $w = \cos x$. Si n est impair, soit $w = \sin x$. Si m et n sont pairs et non négatifs, convertissez-les tous deux en $\sin x$ ou en $\cos x$ (en utilisant $\sin^2 x + \cos^2 x = 1$) [référez-vous aux intégrales IV-17 ou IV-18]. Si m et n sont pairs et que l'un d'eux est négatif, convertissez-les en n'importe quelle fonction qui est dans le dénominateur (référez-vous aux intégrales IV-19 ou IV-21). On a omis le cas où m et n sont tous les deux pairs et négatifs.

V. Le quadratique dans le dénominateur

24. $\displaystyle\int \frac{1}{x^2 + a^2}\, dx = \frac{1}{a}\arctan\frac{x}{a} + C, \quad a \neq 0$

25. $\displaystyle\int \frac{bx + c}{x^2 + a^2}\, dx = \frac{b}{2}\ln|x^2 + a^2| + \frac{c}{a}\arctan\frac{x}{a} + C, \quad a \neq 0$

26. $\displaystyle\int \frac{1}{(x - a)(x - b)}\, dx = \frac{1}{a - b}\left(\ln|x - a| - \ln|x - b|\right) + C, \quad a \neq b$

27. $\displaystyle\int \frac{cx + d}{(x - a)(x - b)}\, dx = \frac{1}{a - b}\left[(ac + d)\ln|x - a| - (bc + d)\ln|x - b|\right] + C, \quad a \neq b$

VI. Les intégrandes comprenant $\sqrt{a^2 + x^2}$, $\sqrt{a^2 - x^2}$, $\sqrt{x^2 - a^2}$, $a > 0$

28. $\displaystyle\int \frac{1}{\sqrt{a^2 - x^2}}\, dx = \arcsin\frac{x}{a} + C$

29. $\displaystyle\int \frac{1}{\sqrt{x^2 \pm a^2}}\, dx = \ln\left|x + \sqrt{x^2 \pm a^2}\right| + C$

30. $\displaystyle\int \sqrt{a^2 \pm x^2}\, dx = \frac{1}{2}\left(x\sqrt{a^2 \pm x^2} + a^2\int \frac{1}{\sqrt{a^2 \pm x^2}}\, dx\right) + C$

31. $\displaystyle\int \sqrt{x^2 - a^2}\, dx = \frac{1}{2}\left(x\sqrt{x^2 - a^2} - a^2\int \frac{1}{\sqrt{x^2 - a^2}}\, dx\right) + C$

F LA RÉVISION DES FONCTIONS DE DENSITÉ ET DES PROBABILITÉS

Pour les décideurs, il est important de comprendre comment sont distribuées les diverses quantités dans la population. Par exemple, l'échelle des salaires fournit des renseignements utiles sur la structure économique d'une société. Dans la présente section, on étudie la distribution de l'âge aux États-Unis. Pour allouer des fonds à l'éducation, aux services de santé et à l'aide sociale, le gouvernement doit connaître le nombre de personnes faisant partie de chaque groupe d'âge. On verra comment représenter ce type de données au moyen d'une fonction de densité.

Distribution de l'âge aux États-Unis

TABLEAU F.1 *Répartition de l'âge aux États-Unis en 1990*

Groupe d'âge	Pourcentage de la population totale
0 à 20	30 %
20 à 40	31 %
40 à 60	24 %
60 à 80	14 %
Plus de 80	1 %

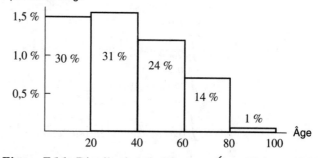

Figure F.16 : Distribution de l'âge aux États-Unis en 1990

On suppose qu'on dispose des données du tableau F.1, qui présente la distribution de l'âge de la population des États-Unis en 1990. Pour représenter graphiquement ces données, on utilise un *histogramme*, qui consiste en une barre verticale au-dessus de chaque groupe d'âge de manière que l'*aire* sous chaque barre représente le pourcentage de la population qui se trouve dans ce groupe d'âge. L'aire totale de tous les rectangles correspond à 100 % = 1. On suppose qu'aucune personne n'est âgée de plus de 100 ans ; donc le dernier groupe d'âge est celui des 80 à 100 ans. Pour le groupe d'âge compris entre 0 et 20 ans, la base du rectangle est 20, et on veut que l'aire soit de 30 %, donc la hauteur doit être de 30 %/20 = 1,5 %. Noter que l'axe vertical est mesuré en pourcentage par année (voir la figure F.16).

Exemple 1   En 1990, estimez quel était le pourcentage de la population des États-Unis qui avait :

a) entre 20 et 60 ans ;
b) moins de 10 ans ;
c) entre 75 et 80 ans ou entre 80 et 85 ans.

Solution   a) On additionne les pourcentages. On a 31 % + 24 % = 55 %.

b) Pour trouver le pourcentage de la population âgée de moins de 10 ans, on suppose, par exemple, que la population était distribuée uniformément dans le groupe des 0 à 20 ans. (Cela laisse entendre que les bébés sont nés à un rythme relativement constant au cours des 20 dernières années, ce qui est sans doute raisonnable.) Si on émet cette hypothèse, alors on peut dire que le pourcentage de personnes âgées de moins de 10 ans était égal à environ la moitié de celui du groupe des 0 à 20 ans, soit 15 %. Noter qu'on obtient le même résultat en calculant l'aire du rectangle de 0 à 10 (voir la figure F.17).

c) Pour trouver le pourcentage de la population âgée entre 75 et 80 ans, puisque 14 % des Américains, en 1990, étaient compris dans le groupe des 60 à 80 ans, on peut appliquer le même raisonnement et dire que 1/4 (14 %) = 3,5 % de la population faisait partie de ce groupe d'âge. Ce résultat est représenté par une aire ombrée dans la figure F.17.

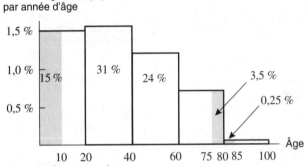

Figure F.17 : Âges aux États-Unis en 1990 — divers sous-groupes
(pour l'exemple 1)

Donc, dans ce cas, l'hypothèse selon laquelle l'âge de la population était distribué uniformément à l'intérieur de chaque rectangle n'est pas juste ; il y avait certainement plus de personnes comprises dans le groupe des 60 à 65 ans que dans le groupe des 75 à 80 ans. Par conséquent, l'estimation de 3,5 % est sans doute trop élevée.

En se basant une fois de plus sur l'hypothèse (erronée) selon laquelle l'âge de chaque groupe était distribué uniformément, on trouverait que le pourcentage compris entre 80 et 85 ans était de 1/4 (1 %) = 0,25 % (voir la figure F.17). Cette estimation est également faible — il y avait certainement plus de personnes dans le groupe des 80 à 85 ans que dans le groupe des 95 à 100 ans, par exemple ; donc, l'estimation de 0,25 % est trop faible. De plus, même si le pourcentage du groupe des 80 à 85 ans était certainement plus petit que celui du groupe des 75 à 80 ans, la différence entre 0,25 % et 3,5 % (un facteur de 14) est déraisonnablement élevée. On peut s'attendre à ce que la transition d'un groupe d'âge à l'autre soit plus continue et progressive.

Le lissage de l'histogramme

On pourrait obtenir de meilleures estimations si les groupes d'âge étaient plus petits (chaque groupe de la figure F.16 s'étale sur 20 ans, ce qui est assez élevé) ou si l'histogramme était plus lisse. On suppose qu'on dispose des données plus détaillées du tableau F.2, ce qui donne le nouvel histogramme de la figure F.18.

Plus les données sont détaillées, plus le relief supérieur de l'histogramme devient lisse. Cependant, l'aire sous n'importe laquelle des barres représente toujours le pourcentage de la population de ce groupe d'âge. On imagine, dans une certaine mesure, qu'on remplace le relief supérieur de l'histogramme par une courbe lisse, de telle sorte que l'aire sous la courbe au-dessus d'un groupe d'âge soit la même que l'aire du rectangle correspondant. L'aire totale sous toute la courbe correspond encore une fois à 100 % = 1 (voir la figure F.18).

La fonction de la densité de l'âge

Si t est l'âge (en années), on définit $p(t)$, la *fonction de densité* de l'âge, comme une fonction qui « lisse » l'histogramme de l'âge. Cette fonction a la propriété suivante :

$$\text{Fraction de la population comprise entre les âges } a \text{ et } b = \text{Aire sous le graphe de } p \text{ entre } a \text{ et } b = \int_a^b p(t)dt$$

Si a et b sont les âges les plus petits et les plus grands possible (par exemple $a = 0$ et $b = 100$), de telle sorte que les âges de toute la population soient compris entre a et b, alors

$$\int_a^b p(t)dt = \int_0^{100} p(t)dt = 1.$$

TABLEAU F.2   *Âges aux États-Unis en 1990 (plus détaillés)*

Groupe d'âge	Pourcentage de la population totale
0 à 10	15 %
10 à 20	15 %
20 à 30	16 %
30 à 40	15 %
40 à 50	13 %
50 à 60	11 %
60 à 70	9 %
70 à 80	5 %
80 à 90	1 %

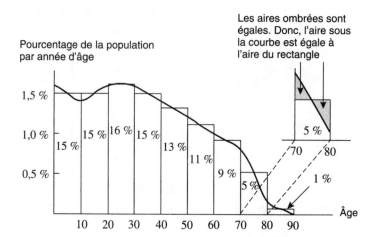

Figure F.18 : Lissage de l'histogramme de l'âge

Que révèle la fonction de densité de l'âge *p* ? Noter qu'on n'a pas discuté de la signification de $p(t)$ en tant que tel, mais *seulement* de l'intégrale $\int_a^b p(t)dt$. On analyse cette signification de manière plus approfondie. On suppose, par exemple, que $p(10) = 0{,}015 = 1{,}5$ % par année. Cela *n'indique pas* que 1,5 % de la population est âgée précisément de 10 ans (où 10 ans signifie exactement 10, et non pas 10 1/2, 10 1/4 ou 10,1). Cependant, $p(10) = 0{,}015$ révèle que, pour un petit intervalle Δt d'environ 10, la fraction de la population dont l'âge se trouve dans cet intervalle est environ $p(10)\,\Delta t = 0{,}015\,\Delta t$. Noter que les unités de $p(t)$ sont en *pourcentage par année*. Donc, $p(t)$ doit être multiplié par un nombre d'années si on veut obtenir un pourcentage de la population.

La fonction de densité

Pour généraliser la notion de distribution de l'âge, on examine la fonction de densité générale. On suppose qu'on désire savoir comment une certaine caractéristique x est distribuée au sein d'une population. Par exemple, x peut représenter la taille ou l'âge si la population est constituée de personnes, ou encore la puissance (en watts) s'il s'agit d'objets tels que des ampoules. Puis, on définit une fonction de densité générale comme ayant les propriétés suivantes :

La fonction $p(x)$ est une **fonction de densité** si

$$\begin{matrix} \text{Fraction de la population} \\ \text{pour laquelle } x \text{ se situe} \\ \text{entre } a \text{ et } b \end{matrix} = \begin{matrix} \text{Aire sous le} \\ \text{graphe de } p \\ \text{entre } a \text{ et } b \end{matrix} = \int_a^b p(x)\,dx.$$

$$\int_{-\infty}^{\infty} p(x)\,dx = 1 \quad \text{et} \quad p(x) \geq 0 \quad \text{pour tout } x.$$

La fonction de densité doit être non négative si son intégrale donne toujours une fraction de la population. De plus, la fraction de la population avec x entre $-\infty$ et ∞ est 1 parce que la population en entier possède la caractéristique x entre $-\infty$ et ∞. La fonction $p(t)$, qu'on a utilisée pour aplanir l'histogramme de l'âge, satisfait à cette définition de la fonction de densité. On n'attribue pas directement de signification à la valeur de $p(x)$; on interprète plutôt $p(x)\,\Delta x$ comme la fraction de la population ayant cette caractéristique dans un court intervalle de longueur Δx autour de x.

Exemple 2   Le graphe de la figure F.19 montre la distribution du nombre d'années d'études achevées par des adultes dans une population. Que nous indique le graphe ?

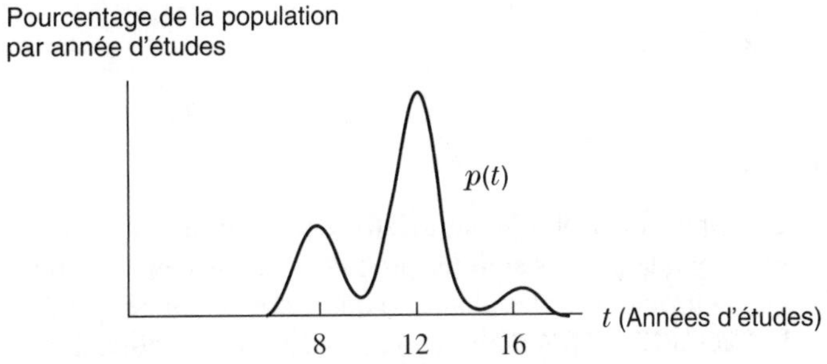

Figure F.19 : Distribution du nombre d'années d'études

Solution   Le fait que la plus grande partie de l'aire sous le graphe de la fonction de densité soit concentrée en deux pics, centrés en 8 et en 12 ans, indique que la majorité de la population appartient à l'un des deux groupes suivants : celui des personnes qui ont achevé 8 années d'études et celui des personnes qui ont achevé 12 années d'études. Il existe un plus petit groupe de personnes qui ont achevé 16 années d'études.

On mesure souvent l'approximation de la fonction de densité par des formules, comme dans l'exemple 3.

Exemple 3   Trouvez des formules raisonnables qui représentent la fonction de densité de la distribution de l'âge aux États-Unis, en supposant que la fonction est constante à 1,5 % jusqu'à 40 ans, puis qu'elle chute de manière linéaire.

Solution On doit construire une fonction linéaire dont la pente est décroissante à partir de l'âge de 40 ans, de telle sorte que $p(40) = 1{,}5\ \%/\text{année} = 0{,}015$ et que $\int_0^{100} p(t)\,dt = 1$. Supposez que b est tel qu'à la figure F.20. Puisque

$$\int_0^{100} p(t)\,dt = \int_0^{40} p(t)\,dt + \int_{40}^{100} p(t)\,dt = 40(0{,}015) + \frac{1}{2}(0{,}015)b = 1,$$

on a

$$\frac{0{,}015}{2}\,b = 0{,}4, \quad \text{ce qui donne} \quad b \approx 53{,}3.$$

Par conséquent, la pente de la droite est $-0{,}015/53{,}3 \approx -0{,}000\,28$. Donc, pour $40 \le t \le 40 + 53{,}3 = 93{,}3$,

$$p(t) - 0{,}015 = -0{,}000\,28\,(t - 40),$$
$$p(t) = 0{,}0262 - 0{,}000\,28t.$$

Selon cette méthode d'aplanissement des données, aucune personne n'est âgée de plus de 93,3 ans.

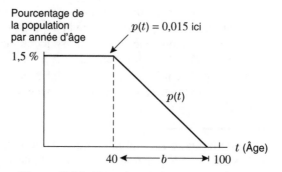

Figure F.20 : Fonction de la densité de l'âge

La probabilité

On suppose qu'on choisit aléatoirement un membre de la population des États-Unis et qu'on se demande quelles sont les probabilités que cette personne soit âgée entre 60 et 65 ans. On dit que la probabilité (les chances) que cette personne soit dans un certain groupe d'âge est égale à la fraction de la population comprise dans ce groupe d'âge. On considère la fonction de densité $p(t)$ définie précédemment pour décrire la distribution de l'âge aux États-Unis. On peut utiliser la fonction de densité pour calculer les probabilités comme suit :

$$\begin{array}{c} \text{Probabilité que l'âge} \\ \text{de cette personne se situe} \\ \text{entre } a \text{ et } b \end{array} = \begin{array}{c} \text{Fraction de la population} \\ \text{entre les âges } a \text{ et } b \end{array} = \int_a^b p(t)\,dt.$$

La médiane et la moyenne

Il est souvent utile de pouvoir donner une valeur « moyenne » à une distribution. La *médiane* et la *moyenne* sont les deux mesures employées couramment.

La médiane

Une **médiane** est une valeur T telle que la moitié de la population a des valeurs de x inférieures (ou égales) à T et que l'autre moitié de la population a des valeurs de x supérieures (ou égales) à T. Ainsi, une médiane T satisfait à

$$\int_{-\infty}^{T} p(x)\, dx = 0,5,$$

où p est la fonction de densité. En d'autres mots, la moitié de l'aire sous le graphe de p se trouve à gauche de T.

Exemple 4 Trouvez l'âge médian aux États-Unis en 1990 en utilisant la fonction de densité de l'âge donnée par

$$p(t) = \begin{cases} 0,015 & \text{pour } 0 \le t \le 40 \\ 0,0262 - 0,000\,28t & \text{pour } 40 < t \le 93,3. \end{cases}$$

Solution On veut trouver la valeur de T telle que

$$\int_{-\infty}^{T} p(t)\, dt = \int_{0}^{T} p(t)\, dt = 0,5.$$

Puisque $p(t) = 1,5\ \%$ jusqu'à l'âge de 40 ans, on a

$$\text{Médiane} = T = \frac{50\ \%}{1,5\ \%} \approx 33 \text{ ans}$$

(voir la figure F.21).

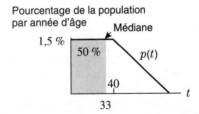

Figure F.21 : Médiane de la distribution de l'âge

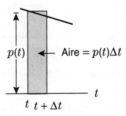

Figure F.22 : L'aire ombrée est le pourcentage de la population dont l'âge se situe entre t et $t + \Delta t$.

La moyenne

La *moyenne* est une autre valeur utilisée couramment. Pour trouver la moyenne de N nombres, on additionne les nombres et on divise la somme par N. Par exemple, la moyenne des nombres 1, 2, 7 et 10 est $(1 + 2 + 7 + 10)/4 = 5$. L'âge moyen de toute la population américaine est donc défini par

$$\frac{\Sigma \text{ Âges de tous les habitants des États-Unis}}{\text{Nombre total d'habitants aux États-Unis}}.$$

Le calcul direct de la somme de tous les âges représenterait une tâche énorme. On trouve donc l'approximation de la somme au moyen d'une intégrale. Il suffit de « couper » l'axe de l'âge et de considérer les personnes dont l'âge se situe entre t et $t + \Delta t$. Combien y en a-t-il ?

Le pourcentage de la population dont l'âge se situe entre t et $t + \Delta t$ est l'aire sous le graphe de p entre ces points, laquelle est bien approchée par l'aire du rectangle, $p(t)\Delta t$ (voir la figure F.22, page précédente). Si le nombre total de personnes de cette population est N, alors

$$\begin{array}{c}\text{Nombre de personnes dont l'âge}\\ \text{se situe entre } t \text{ et } t + \Delta t\end{array} \approx p(t)\Delta t N.$$

L'âge de toutes les personnes est d'environ t :

$$\begin{array}{c}\text{Somme des âges de toutes les personnes}\\ \text{dont l'âge se situe entre } t \text{ et } t + \Delta t\end{array} \approx tp(t)\Delta t N.$$

Ainsi, en additionnant et en factorisant un N, on obtient

$$\text{Somme des âges de toutes les personnes} \approx \left(\sum tp(t)\Delta t\right) N.$$

Dans la limite, quand on permet à Δt de diminuer à zéro, la somme devient une intégrale. Donc,

$$\text{Somme des âges de toutes les personnes} = \left(\int_0^{100} tp(t)dt\right) N.$$

Ainsi, quand N est égal au nombre total des habitants des États-Unis, et en supposant qu'aucune personne n'est âgée de plus de 100 ans,

$$\text{Âge moyen} = \frac{\text{Somme des âges de toutes les personnes des États-Unis}}{N} = \int_0^{100} tp(t)dt.$$

On peut présenter ce même raisonnement pour n'importe quelle fonction[2] de densité $p(x)$.

Si une quantité a la fonction de densité $p(x)$,

$$\textbf{Valeur moyenne} \text{ de la quantité} = \int_{-\infty}^{\infty} xp(x)dx.$$

On peut démontrer que la moyenne est le point sur l'axe horizontal où la région sous le graphe de la fonction de densité, si elle était faite de carton, serait équilibrée.

Exemple 5   Trouvez l'âge moyen de la population américaine en utilisant la fonction de densité de l'exemple 4.

---

2. À la condition que toutes les intégrales impropres et pertinentes convergent.

Solution   Les formules approximatives pour p sont

$$p(t) = \begin{cases} 0{,}015 & \text{pour } 0 \leq t \leq 40 \\ 0{,}0262 - 0{,}000\,28t & \text{pour } 40 < t \leq 93{,}3. \end{cases}$$

En utilisant ces formules, on calcule

$$\text{Âge moyen} = \int_0^{100} tp(t)dt = \int_0^{40} t(0{,}015)dt + \int_{40}^{93{,}3} t(0{,}0262 - 0{,}000\,28t)dt$$

$$= 0{,}015\frac{t^2}{2}\bigg|_0^{40} + 0{,}0262\frac{t^2}{2}\bigg|_{40}^{93{,}3} - 0{,}000\,28\frac{t^3}{3}\bigg|_{40}^{93{,}3} \approx 35 \text{ ans.}$$

La figure F.23 illustre la moyenne.

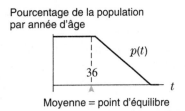

Pourcentage de la population
par année d'âge

$p(t)$

36

t

Moyenne = point d'équilibre

Figure F.23 : Moyenne de la distribution de l'âge

Les distributions normales

Selon vous, quel sera le taux de précipitations pour votre ville cette année ? Si vous vivez à Anchorage, en Alaska, la réponse varie autour de 15 po (avec la neige). Bien sûr, vous ne vous attendez pas à ce qu'il tombe exactement 15 po de pluie. Certaines années, il en tombera plus, et d'autres moins. Cependant, pour la plupart des années, le taux de précipitations annuelles sera d'environ 15 po ; ce taux sera rarement de beaucoup inférieur ou supérieur à 15 po. À quoi ressemble la fonction de densité des précipitations ? Pour répondre à cette question, on doit observer les données sur les précipitations pendant plusieurs années. Le graphe en question a la forme d'une cloche qui atteint un sommet à 15 po et dont la pente est décroissante de manière symétrique de chaque côté. Il s'agit d'un exemple de distribution normale.

On utilise couramment les distributions normales pour modéliser des phénomènes réels, tels que des notes d'examen ou le nombre de passagers d'un avion. Une distribution normale est caractérisée par sa *moyenne* μ et par son *écart type* σ. La moyenne révèle l'endroit où sont regroupées les données : l'emplacement du sommet central. L'écart type indique la proximité à laquelle les données sont réunies autour de la moyenne. Une petite valeur de σ révèle que les données sont proches de la moyenne ; une grande valeur de σ indique que les données sont éparpillées. On donne la formule de la distribution normale ci-dessous.

Une **distribution normale** a une fonction de densité de la forme

$$p(x) = \frac{1}{\sigma\sqrt{2\pi}}\,e^{-(x-\mu)^2/(2\sigma^2)},$$

où μ est la moyenne de la distribution et où σ est l'écart type avec $\sigma > 0$.

Le facteur de $1/(\sigma\sqrt{2\pi}\,)$, situé devant la fonction, rend l'aire sous le graphe égale à 1. Le fait que le facteur $\sqrt{2\pi}$ soit présent est l'une des remarquables découvertes en mathématiques.

Pour modéliser les précipitations à Anchorage, on utilise une distribution normale avec $\mu = 15$. On peut évaluer l'écart type en observant les données ; on supposera qu'il est égal à 1 (voir la figure F.24).

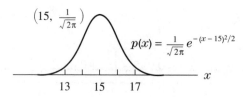

$$\left(15,\ \frac{1}{\sqrt{2\pi}}\right) \qquad p(x) = \frac{1}{\sqrt{2\pi}}\,e^{-(x-15)^2/2}$$

$$13 \qquad 15 \qquad 17 \qquad\qquad x$$

Figure F.24 : Distribution normale avec $\mu = 15$ et $\sigma = 1$

Dans l'exemple 6, on vérifie que pour une distribution normale, un certain pourcentage des données se trouve toujours à l'intérieur d'un certain nombre d'écarts types de la moyenne.

Exemple 6 Pour les précipitations à Anchorage, utilisez la distribution normale et la fonction de densité

$$p(x) = \frac{1}{\sqrt{2\pi}}\,e^{-(x-15)^2/2}$$

pour calculer la fraction des années avec un taux de précipitations annuelles se situant entre

a)   14 et 16 po ;   b)   13 et 17 po ;   c)   12 et 18 po.

Solution a) La fraction des années avec un taux de précipitations annuelles se situant entre 14 et 16 po est $\int_{14}^{16} \frac{1}{\sqrt{2\pi}}\,e^{-(x-15)^2/2}\,dx$.

Puisqu'il n'y a pas de primitive élémentaire pour $e^{-(x-15)^2/2}$, on trouve numériquement l'intégrale. Sa valeur se situe autour de 0,68.

$$\begin{array}{l}\text{Fraction des années avec un taux} \\ \text{de précipitations annuelles} \\ \text{se situant entre 14 et 16 po}\end{array} = \int_{14}^{16} \frac{1}{\sqrt{2\pi}}\,e^{-(x-15)^2/2}\,dx \approx 0{,}68.$$

b) De nouveau, en trouvant numériquement l'intégrale, on obtient

$$\begin{array}{l}\text{Fraction des années avec un taux} \\ \text{de précipitations annuelles} \\ \text{se situant entre 13 et 17 po}\end{array} = \int_{13}^{17} \frac{1}{\sqrt{2\pi}}\,e^{-(x-15)^2/2}\,dx \approx 0{,}95.$$

c) Aussi

$$\begin{array}{l}\text{Fraction des années avec un taux} \\ \text{de précipitations annuelles} \\ \text{se situant entre 12 et 18 po}\end{array} = \int_{12}^{18} \frac{1}{\sqrt{2\pi}}\,e^{-(x-15)^2/2}\,dx \approx 0{,}997.$$

Puisque 0,95 est très proche de 1, on s'attend à ce que la plupart du temps, le taux de précipitations annuelles varie entre 13 et 17 po.

Noter que dans l'exemple précédent, l'écart type est de 1 po. Donc, les précipitations comprises entre 14 et 16 po/année se trouvent dans les limites de 1 écart type de la moyenne. De même, les précipitations de 13 et 17 po se trouvent à l'intérieur de 2 écarts types de la moyenne, et les précipitations de 12 et 18 po se trouvent à l'intérieur de 3 écarts types de la moyenne. Les fractions des observations à l'intérieur de un, de deux et de trois écarts types de la moyenne (calculés dans l'exemple précédent) s'appliquent à toute distribution normale.

Règles générales pour une distribution normale

- Environ 68 % des observations se trouvent à l'intérieur de un écart type de la moyenne ;
- Environ 95 % des observations se trouvent à l'intérieur de deux écarts types de la moyenne ;
- Plus de 99 % des observations se trouvent à l'intérieur de trois écarts types de la moyenne.

Problèmes de l'annexe F

Pour les problèmes 1 à 3, tracez les graphes d'une fonction de densité qui peuvent représenter la distribution du revenu d'une population ayant les caractéristiques suivantes :

1. Une importante classe de revenu moyen.

2. Une petite classe de revenu moyen, une petite classe de revenu élevé et une importante classe de faible revenu.

3. Une petite classe de revenu moyen, une importante classe de faible revenu et une importante classe de revenu élevé.

4. Un grand nombre de personnes passent un test normalisé et reçoivent des notes décrites par la fonction de densité p, dont le graphe est présenté à la figure F.25. La fonction de densité laisse-t-elle entendre que la plupart des gens obtiennent une note de près de 50 ? Justifiez votre réponse.

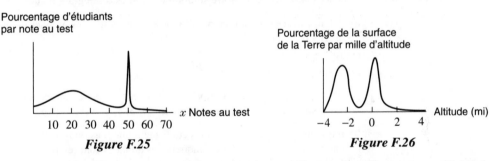

Figure F.25 *Figure F.26*

5. La figure F.26 montre la distribution de l'altitude (en milles) sur la surface terrestre. L'altitude positive décrit le terrain au-dessus du niveau de la mer ; l'altitude négative montre le terrain sous le niveau de la mer (c'est-à-dire le fond de l'océan).

   a) Décrivez, en langage courant, l'altitude de la plus grande partie de la surface terrestre.
   b) Environ quelle fraction de la surface terrestre se trouve sous le niveau de la mer ?

6. Considérez un pendule dont le balancement décrit un petit angle. La coordonnée x du poids se déplace entre $-a$ et a, comme le montre la figure F.27.

   a) Tracez le graphe de la fonction de densité pour l'emplacement de la coordonnée x du poids du pendule (c'est-à-dire que vous ne devez pas tenir compte du mouvement vertical). Pour ce faire, imaginez un appareil photo qui prend des photographies du pendule à des moments aléatoires. Où a-t-on le plus de chances de trouver le poids ? Le moins de chances ? [Indication : considérez la vitesse du pendule en différents points sur son parcours. L'appareil photo a-t-il plus de chances de prendre une photo du poids en un point sur son parcours où il se déplace rapidement ou en un point où il se déplace lentement ?]

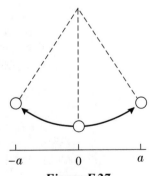

Figure F.27

b) Tracez le graphe de la fonction

$$f(x) = \begin{cases} \dfrac{1}{\pi\sqrt{a^2 - x^2}} & -a < x < a\,; \\[2mm] 0 & |x| \geq a. \end{cases}$$

Comment ce graphe se compare-t-il avec celui que vous avez tracé à la partie a) ?

c) Supposez que la fonction donnée à la partie b) est la fonction de densité du pendule. Selon vous, que devrait être

$$\int_{-a}^{a} \frac{1}{\pi\sqrt{a^2 - x^2}}\, dx\,?$$

Vérifiez ce résultat en calculant l'intégrale.

d) D'un point de vue physique, semble-t-il raisonnable que $f(x)$ « s'agrandisse » en a et en $-a$? Justifiez votre réponse.

7. La répartition des scores de Q.I. est souvent modélisée par la distribution normale avec une moyenne de 100 et un écart type de 15.

a) Écrivez une formule pour la fonction de densité des scores de Q.I.

b) Estimez la fraction de la population qui a un Q.I. se situant entre 115 et 120.

8. Montrez que l'aire sous le graphe de la fonction de densité de la distribution normale

$$p(x) = \frac{1}{\sqrt{2\pi}}\, e^{-(x-15)^2/2}$$

est 1. Cette fonction n'a pas de primitive élémentaire, donc vous devez procéder numériquement. Indiquez clairement dans votre solution les limites d'intégration que vous avez utilisées.

9. a) À l'aide d'une calculatrice ou d'un ordinateur, tracez les graphes de la fonction de densité de la distribution normale

$$p(x) = \frac{1}{\sigma\sqrt{2\pi}}\, e^{-(x-\mu)^2/(2\sigma^2)}$$

1. pour un μ fixe (par exemple $\mu = 5$) et un σ variable (par exemple $\sigma = 1, 2, 3$) ;
2. pour un μ variable (par exemple $\mu = 4, 5, 6$) et un σ fixe (par exemple $\sigma = 1$).

b) Expliquez comment les graphes confirment que μ est la moyenne de la distribution et que σ est une mesure de la proximité à laquelle les données sont réunies autour de la moyenne.

10. Soit v la vitesse (en mètres par seconde) d'une molécule d'oxygène, et soit $p(v)$ la fonction de densité de la distribution de la vitesse des molécules d'oxygène à la température ambiante. Maxwell a démontré que

$$p(v) = av^2 e^{-mv^2/(2kT)},$$

où $k = 1{,}4 \times 10^{-23}$ est la constante de Boltzmann, T est la température (en degrés Kelvin) [à la température ambiante, $T = 293$] et $m = 5 \times 10^{-26}$ est la masse de la molécule d'oxygène (en kilogrammes).

a) Trouvez la valeur de a.

b) Estimez la médiane et la vitesse moyenne. Trouvez le maximum de $p(v)$.

c) Comment vos réponses à la partie b) pour la moyenne et le maximum de $p(v)$ varient-elles quand T varie ?

G   LA RÉVISION DES COORDONNÉES POLAIRES

Les coordonnées polaires représentent une autre manière de décrire des points dans un plan des xy. On peut considérer les coordonnées x et y comme des directives indiquant comment se rendre en un point. Pour se rendre au point (1, 2), il suffit de se déplacer horizontalement de 1 unité et verticalement de 2 unités. On peut considérer les coordonnées polaires de la même manière. Il y a une coordonnée r qui indique quelle distance parcourir le long du rayon qui s'étend du point jusqu'à l'origine, et il y a la coordonnée θ (un angle), qui indique l'angle que forme le rayon avec la partie positive de l'axe des x (voir la figure G.28).

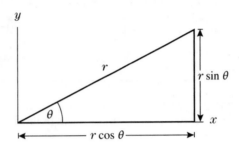

Figure G.28 : Coordonnées polaires

Exemple 1   Donnez les coordonnées polaires des points (1, 0), (0, 1), (−1, 0) et (1, 1).

Solution   Pour vous rendre au point (1, 0), vous vous déplacez de 1 unité le long de l'axe horizontal. Donc, sa coordonnée r est 1 et sa coordonnée θ est 0, puisque vous vous déplacez le long de l'axe des x.

Le point (0, 1) se trouve également à 1 unité de l'origine. Donc, vous commencez de la même manière que précédemment, en vous déplaçant de 1 unité le long du rayon. Puis, vous devez aller autour du cercle de rayon 1 à travers un arc de $\pi/2$ pour vous rendre au point (0, 1). Donc, $r = 1$ et $\theta = \pi/2$.

Le point (−1, 0) a également une coordonnée r égale à 1 mais, cette fois, vous devez vous déplacer à mi-chemin autour du cercle pour vous y rendre. Donc, sa coordonnée θ est π.

Le point (1, 1) se trouve à une distance de $\sqrt{2}$ de l'origine, et le rayon partant de l'origine et allant jusqu'à ce point forme un angle de $\pi/4$ avec le rayon horizontal. Par conséquent, il a une coordonnée r égale à $\sqrt{2}$ et une coordonnée θ égale à $\pi/4$ (voir la figure G.29).

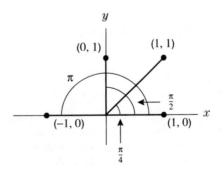

Figure G.29 : Quatre points montrant les coordonnées
algébriques et polaires

La conversion entre des coordonnées polaires et des coordonnées algébriques

On suppose qu'un point a des coordonnées algébriques (x, y) [voir la figure G.28, page précédente]. La distance r entre le point et l'origine est la longueur de l'hypoténuse, laquelle est $\sqrt{x^2 + y^2}$ selon le théorème de Pythagore. L'angle θ formé avec la partie positive de l'axe des x satisfait à $\tan \theta = y/x$.

Par ailleurs, si on donne r et θ, alors, selon la trigonométrie, on peut voir que $x = r \cos \theta$ et que $y = r \sin \theta$.

Relation entre des coordonnées algébriques et des coordonnées polaires

$$x = r \cos \theta \qquad r = \sqrt{x^2 + y^2}$$

$$y = r \sin \theta \qquad \tan \theta = y/x.$$

Exemple 2   Donnez les coordonnées algébriques des points à l'aide des coordonnées polaires $(2, 3\pi/2)$ et $(2, 1)$.

Solution   Les deux points ont une coordonnée r égale à 2. Donc, ils se trouvent à deux unités de l'origine. Le premier a une coordonnée θ égale à $3\pi/2$, laquelle équivaut aux trois quarts d'une révolution complète. Donc, il se situe aux trois quarts de la distance autour du cercle de rayon 2 en $(0, -2)$.

Le deuxième point a une coordonnée θ égale à 1. Selon les formules ci-dessus, on voit que

$$x = 2 \cos 1 = 1{,}0806 \quad \text{et} \quad y = 2 \sin 1 = 1{,}6830.$$

Problèmes de l'annexe G

Pour les problèmes 1 à 7, donnez les coordonnées algébriques pour les points ayant les coordonnées polaires (r, θ). Les angles sont mesurés en radians.

1. $(1, 0)$ 2. $(0, 1)$ 3. $(2, \pi)$ 4. $(\sqrt{2}, 5\pi/4)$

5. $(5, -\pi/6)$ 6. $(3, \pi/2)$ 7. $(1, 1)$

Pour les problèmes 8 à 15, donnez les coordonnées polaires pour les points ayant les coordonnées algébriques suivantes. Choisissez $0 \le \theta < 2\pi$.

8. $(1, 0)$ 9. $(0, 2)$ 10. $(1, 1)$ 11. $(-1, 1)$

12. $(-3, -3)$ 13. $(0{,}2, -0{,}2)$ 14. $(3, 4)$ 15. $(-3, 1)$

16. Chaque point dans le plan peut être représenté par une paire de coordonnées polaires, mais les coordonnées polaires (r, θ) sont-elles uniquement déterminées par les coordonnées algébriques (x, y) ? En d'autres mots, pour chaque paire de coordonnées algébriques représentant un point, existe-t-il une seule et unique paire de coordonnées polaires pour ce point ? Justifiez votre réponse.

Section 1.1

1. a) 80 °F à 90 °F
   b) 60 °F à 72 °F
   c) 60 °F à 100 °F

11. a) Décroissante
    b) Croissante

15. La moitié de la longueur de la vague originale
    Vitesse = 2 sièges/s

Section 1.2

1. B, B, B

3. $(1, -1, -3)$; devant, à gauche, au-dessous

9. Cylindre de rayon 2 le long de l'axe des x

11. Q

13. $(1,5, 0,5, -0,5)$

15. $(-4, 2, 7)$

19. $(x - 1)^2 + (y - 2)^2 + (z - 3)^2 = 25$

Section 1.3

1. a) Diminue
   b) Augmente

3. a) Bol
   b) Ni l'un ni l'autre
   c) Assiette
   d) Bol
   e) Assiette

5. a) I
   b) V
   c) IV
   d) II
   e) III

9. Direction positive des x

Section 1.4

11. a) A
    b) B
    c) A

23. a) III)
    b) I)
    c) V)
    d) II)
    e) IV)

27. a) II) E)
    b) I) D)
    c) III) G)

29. $\alpha + \beta > 1$: croissante
    $\alpha + \beta = 1$: constante
    $\alpha + \beta < 1$: décroissante

Section 1.5

1. $\Delta z = 0,4$; $z = 2,4$

3. $f(x, y) = 2 - \frac{1}{2} \cdot x - \frac{2}{3} \cdot y$

5. $z = 4 + 3x + y$

7. Non

9. $f(x, y) = 2x - 0,5y + 1$

11. $-1,0$

13. $f(x, y) = 3 - 2x + 3y$

19. a) Non
    b) Non
    c) Non
    e) 0,5 de la note moyenne

Section 1.6

3. a) I
   b) II

7. Sphères

9. $9x - \frac{5}{2}y + \frac{1}{3}z + \frac{67}{6}$

11. $-(3/2)x - 3y + 3z - 4$

13. Hyperboloïde à deux nappes

15. Paraboloïde elliptique

17. Ellipsoïde

19. Sphère

Section 1.7

3. b) Oui

5. 0

7. 0

9. 1

13. $\pm \sqrt{(1 - c)/c}$

15. Non

Problèmes de révision du chapitre 1

1. Droite verticale passant par (2, 1, 0)

3. $(x/5) + (y/3) + (z/2) = 1$

11. Ne peut être vrai.

13. Peut être vrai.

15. Vrai

17. $3x - 5y + 1 = c$

19. $2x^2 + y^2 = k$

23. $g(x, y) = 3x + y$

Section 2.1

1. $\vec{p} = 2\vec{w}$
   $\vec{q} = \vec{r}\vec{u}$
   $\vec{r} = \vec{u} + \vec{w}$
   $\vec{s} = 2\vec{w} - \vec{u}$
   $\vec{t} = \vec{u} - \vec{w}$

3. $\sqrt{11}$

5. $-15\vec{i} + 25\vec{j} + 20\vec{k}$

7. $\sqrt{65}$

9. $\vec{i} + 3\vec{j}$

11. $-4,5\vec{i} + 8\vec{j} + 0,5\vec{k}$

13. $\sqrt{11}$

15. 5,6

17. $\vec{i} + 4\vec{j}$

19. $-\vec{i}$

23. $3\vec{i} + 4\vec{j}$

25. $\vec{a} = \vec{b} = \vec{c} = 3\vec{k}$
    $\vec{d} = 2\vec{i} + 3\vec{k}$
    $\vec{e} = \vec{j}$
    $\vec{f} = -2\vec{i}$

27. $\|\vec{u}\| = \sqrt{6}$
    $\|\vec{v}\| = \sqrt{5}$

29. a) $(3/5)\vec{i} + (4/5)\vec{j}$
    b) $6\vec{i} + 8\vec{j}$

Section 2.2

1. Scalaire

3. Vecteur

5. a) $50\vec{i}$
   b) $-50\vec{j}$
   c) $25\sqrt{2}\,\vec{i} - 25\sqrt{2}\,\vec{j}$
   d) $-25\sqrt{2}\,\vec{i} + 25\sqrt{2}\,\vec{j}$

7. $180\vec{i} + 72\vec{j}$

9. P
   Vers le centre

11. (79,00, 79,33, 89,00, 68,33, 89,33)

13. 48,3° au nord-est
    744 km/h

15. 548,6 km/h

Section 2.3

1. -38

3. 14

5. 238

7. 1,91 rad (109,5°)

9. $\vec{u} \perp \vec{v}$ pour $t = 2$ ou -1
   Aucune valeur de t ne rend $\vec{u}$
   parallèle à $\vec{v}$.

11. $3\vec{i} + 4\vec{j} - \vec{k}$
    (multiples de)

13. $-x + 2y + z = 1$

15. $2x - 3y + 7z = 19$

17. $3x + y + z = -1$

19. $\vec{a} = -\frac{8}{21}\vec{d} + \left(\frac{79}{21}\vec{i} + \frac{10}{21}\vec{j} - \frac{118}{21}\vec{k}\right)$

21. 38,7°

25. Bantous

Section 2.4

1. $-\vec{i}$

3. $-\vec{i} + \vec{j} + \vec{k}$

5. $-2\vec{i} + 2\vec{j}$

7. $\vec{a} \times \vec{b} = -2\vec{i} - 7\vec{j} - 13\vec{k}$
   $\vec{a} \cdot (\vec{a} \times \vec{b}) = 0$
   $\vec{b} \cdot (\vec{a} \times \vec{b}) = 0$

9. Valeur maximale : 6,
   Valeur minimale : 0

11. $x + y + z = 1$

13. a) 1,5
    b) $y = 1$

15. $4x + 26y + 14z = 0$

19. b) $\vec{c} \perp \vec{a}$ et $\|\vec{c}\| = \|\vec{a}\|$
    c) $-a_2 b_1 + a_1 b_2$

Problèmes de révision du chapitre 2

3. $\vec{p} = -\frac{4\sqrt{5}}{5}\vec{i} - \frac{2\sqrt{5}}{5}\vec{j}$

5. $-\vec{u}, \vec{v}, \vec{v} - \vec{u}, \vec{u} - \vec{v}$

7. a) $t = 1$
   b) Aucune valeur de t
   c) Toute valeur de t

9. $-2\vec{k}$

11. $\vec{i} - \vec{j}$

13. $\sqrt{6}/2$

15. $\vec{n} = 4\vec{i} + 6\vec{k}$

17. a) $(21/5, 0, 0)$
    b) $(0, -21, 0)$ et $(0, 0, 3)$
       (par exemple)
    c) $\vec{n} = 5\vec{i} - \vec{j} + 7\vec{k}$
       (par exemple)
    d) $21\vec{j} + 3\vec{k}$
       (par exemple)

19. $-\vec{i}/2 + \sqrt{3}\,\vec{j}/2$
    $-\vec{i}/2 - \sqrt{3}\,\vec{j}/2$

21. Vecteur

25. a) $30\vec{i} - 2\vec{k}$
    $20\vec{i} + 15\vec{j} - 5\vec{k}$
    $12\vec{i} + 30\vec{j} + 3\vec{k}$

b) $30\vec{i} + \vec{j}$
   $20\vec{i} + 16\vec{j} - 3\vec{k}$
   $12\vec{i} + 31\vec{j} + 5\vec{k}$

27. 38,7° au sud-est

33. $9x - 16y + 12z = 5$
    0,23

Section 3.1

1. $f_x(3, 2) \approx 2$
   $f_y(3, 2) \approx -1$

3. c) Positif
   d) Négatif

5. a) Tous les deux négatifs
   b) Tous les deux négatifs

7. a) $\partial P/\partial t$: \$/mois
      Taux de variation des
      versements dans le temps
      Négatif
   b) $\partial P/\partial r$: \$/point de
      pourcentage
      Taux de variation des
      versements avec le taux
      d'intérêt ;
      Positif

9. a) Négatif
   b) Positif

11. $f_T(5, 20) \approx 1$

13. a) 2,5, 0,02
    b) 3,33, 0,02
    c) 3,33, 0,02

15. -1

Section 3.2

1. -1

3. $2xy + 10x^4 y$

5. y

7. $a/(2\sqrt{x})$

9. $21x^5 y^6 - 96x^4 y^2 + 5x$

11. $(a + b)/2$

13. $2B/u_0$

15. $2mv/r$

17. Gm_1/r^2

19. $-2\pi r/T^2$

21. $\epsilon_0 E$

23. $c \cos(ct - 5x)$

25. $(15a^2 bcx^7 - 1)/(ax^3 y)$

27. $\left[x^2 y(-3\lambda + 10) - 3\lambda^4(8\lambda^2 - 27\lambda + 50)\right]/2(\lambda^2 - 3\lambda + 5)^{3/2}$

29. $\pi xy / \sqrt{2\pi xyw - 13x^7 y^3 v}$

31. $z_x = 7x^6 + yx^{y-1}$
    $z_y = 2^y \ln 2 + x^y \ln x$

33. 13,6

35. a) 3,3, 2,5

b) 4,1, 2,1
c) 4, 2

37. a) Pre^{rt}
    b) e^{rt}

39. $h_x(2, 5) = -0,38$ pi/siège
    $h_t(2, 5) = -0,76$ pi/s

Section 3.3

1. $z = 6 + 3x + y$

3. $z = -4 + 2x + 4y$

5. $z = 9 + 6(x - 3) + 9(y - 1)$

7. $P(r, L) \approx 80 + 2,5(r - 8)$
   $+ 0,02(L - 4000)$, $P(r, L) \approx 120$
   $+ 3,33(r - 8) + 0,02(L - 6000)$,
   $P(r, L) \approx 160 + 3,33(r - 13)$
   $+ 0,02(L - 7000)$

11. $df = y \cos(xy)\, dx + x \cos(xy)\, dy$

13. $dg = (2u + v)\, du + u\, dv$

15. $df = dx - dy$

17. $dP \approx 2,395\, dK + 0,008\, dL$

19. $df = \frac{1}{3}\, dx + 2\, dy$
    $f(1,04,\ 1,98) \approx 2,973$

21. a) Augmente
    b) Augmente
    c) 55 J

23. l est 1 % ; g est 2 %

Section 3.4

1. a) 1,01
   b) 0,98

3. 1

5. 2,12

7. $x > 2$

9. a) Négatif
   b) Négatif

11. $\nabla z = \frac{1}{y}\cos\left(\frac{x}{y}\right)\vec{i}$
    $- \frac{x}{y^2}\cos\left(\frac{x}{y}\right)\vec{j}$

13. $\nabla z = e^y\vec{i} + e^y(1 + x + y)\vec{j}$

15. $\nabla z = 2x\cos(x^2 + y^2)\vec{i}$
    $+ 2y\cos(x^2 + y^2)\vec{j}$

17. $2m\vec{i} + 2n\vec{j}$

19. $-\frac{(t^2 - 2t + 4)}{2s\sqrt{s}}\vec{i} + \frac{(2t - 2)}{\sqrt{s}}\vec{j}$

21. $\left(\frac{5\alpha}{\sqrt{5\alpha^2 + \beta}}\right)\vec{i} + \left(\frac{1}{2\sqrt{5\alpha^2 + \beta}}\right)\vec{j}$

23. $50\vec{i} + 96\vec{j}$

25. $(1/2)\vec{i} + (1/2)\vec{j}$

27. a) $2/\sqrt{13}$
    b) $1/\sqrt{17}$
    c) $\vec{i} + \frac{1}{2}\vec{j}$

29. a) $-\sqrt{2}/2$

b) $\sqrt{3} + 1/2$

31. $4,4$

33. $(3\sqrt{5} - 2\sqrt{2})\vec{i} + (4\sqrt{2} - 3\sqrt{5})\vec{j}$

35. $y = 2x - 7$

37. P

39. a) P, Q

c) $\|\text{grad } f\|$

$f_{\vec{u}} = \|\text{grad } f\| \cos \theta$

Section 3.5

1. $10/3$

3. $2z + 3x + 2y = 17$

5. $x + 3y + 7z = -9$

$\vec{i} + 3\vec{j} + 7\vec{k}$

7. a) $6,33\vec{i} + 0,76\vec{j}$

b) $-34,69$

9. b) Vallée

11. a) $x = y = 0$ et $z \neq 0$

b) $y = 0$; $2x - y + 2z = 3$

c) $-\vec{j}$, $\frac{2}{3}\vec{i} - \frac{1}{3}\vec{j} + \frac{2}{3}\vec{k}$

13. $2x - y - z = 4$

Section 3.6

1. $\frac{dz}{dt} = e^{-t} \sin(t)(2 \cos t - \sin t)$

3. $(t^3 - 2)/(t + t^4)$

5. $2e^{1-t^2}(1 - 2t^2)$

7. $\frac{\partial z}{\partial u} = (e^{-v \cos u} - v \cos(u)e^{-u \sin v})$

$\sin v - (-u \sin(v)e^{-v \cos u}$

$+ e^{-u \sin v})v \sin u$

$\frac{\partial z}{\partial v} = (e^{-v \cos u} - v \cos(u)e^{-u \sin v})$

$u \cos v + (-u \sin(v)e^{-v \cos u}$

$+ e^{-u \sin v}) \cos u$

9. $\frac{\partial z}{\partial u} = e^v/u$

$\frac{\partial z}{\partial v} = e^v \ln u$

11. $\frac{\partial z}{\partial u} = 2ue^{(u^2 - v^2)}(1 + u^2 + v^2)$

$\frac{\partial z}{\partial v} = 2ve^{(u^2 - v^2)}(1 - u^2 - v^2)$

13. $\frac{\partial z}{\partial u} = \frac{1}{vu} \cos\left(\frac{\ln u}{v}\right)$

$\frac{\partial z}{\partial v} = \frac{\ln u}{v^2} \cos\left(\frac{\ln u}{v}\right)$

15. $\frac{\partial w}{\partial u} = \frac{\partial w}{\partial x}\frac{\partial x}{\partial u} + \frac{\partial w}{\partial y}\frac{\partial y}{\partial u} + \frac{\partial w}{\partial z}\frac{\partial z}{\partial u}$

$\frac{\partial w}{\partial v} = \frac{\partial w}{\partial x}\frac{\partial x}{\partial v} + \frac{\partial w}{\partial y}\frac{\partial y}{\partial v} + \frac{\partial w}{\partial z}\frac{\partial z}{\partial v}$

17. $-0,6$

21. $\left(\frac{\partial U}{\partial P}\right)_T = \left(\frac{\partial U}{\partial V}\right)_T \left(\frac{\partial V}{\partial P}\right)_T$

23. a) $\frac{\partial z}{\partial r} = \cos\theta\frac{\partial z}{\partial x} + \sin\theta\frac{\partial z}{\partial y}$

$\frac{\partial z}{\partial \theta} = r(\cos\theta\frac{\partial z}{\partial y} - \sin\theta\frac{\partial z}{\partial x})$

b) $\frac{\partial z}{\partial y} = \sin\theta\frac{\partial z}{\partial r} + \frac{\cos\theta}{r}\frac{\partial z}{\partial \theta}$

$\frac{\partial z}{\partial x} = \cos\theta\frac{\partial z}{\partial r} - \frac{\sin\theta}{r}\frac{\partial z}{\partial \theta}$

Section 3.7

1. $f_{xx} = 2, f_{yy} = 2$

$f_{yx} = 2, f_{xy} = 2$

3. $f_{xx} = 0, f_{xy} = e^y = f_{yx}$

$f_{yy} = xe^y$

5. $f_{xx} = -(\sin(x^2 + y^2))4x^2$

$+ 2\cos(x^2 + y^2)$

$f_{xy} = -(\sin(x^2 + y^2))4xy = f_{yx}$

$f_{yy} = -(\sin(x^2 + y^2))4y^2$

$+ 2\cos(x^2 + y^2)$

7. $f_{xx} = -\left(\sin(\frac{x}{y})\right)\left(\frac{1}{y^2}\right)$

$f_{xy} = -\left(\sin(\frac{x}{y})\right)\left(\frac{-x}{y^2}\right)\left(\frac{1}{y}\right)$

$+ \left(\cos(\frac{x}{y})\right)\left(\frac{-1}{y^2}\right) = f_{yx}$

$f_{yy} = -\left(\sin(\frac{x}{y})\right)\left(\frac{-x}{y^2}\right)^2$

$+ \left(\cos(\frac{x}{y})\right)\left(\frac{2x}{y^3}\right)$

9. $z_{yy} = 0$

11. a) Positif

b) Nul

c) Positif

d) Nul

e) Nul

13. a) Négatif

b) Nul

c) Négatif

d) Nul

e) Nul

15. a) Nul

b) Négatif

c) Nul

d) Négatif

e) Nul

17. a) Négatif

b) Négatif

c) Nul

d) Nul

e) Nul

19. a) Négatif

b) Positif

c) Positif

d) Positif

e) Négatif

Section 3.8

1. a) $u(4, 1) \approx 56,05$ °C

$u(8, 1) \approx 70,05$ °C

b) $u(6, 2) \approx 62,1$ °C

3. $c = D(a^2 + b^2)$

13. $a = -b^2$

15. a) $u(0, t) = 0$

$u(1, t) = 0$

b) $a = -b^2 = -(\pi k)^2$

pour tout entier k

17. $A = a/(b^2 + c^2)$,

$a > 0$

Section 3.9

1. $Q(x, y) = 1 - 2x^2 - y^2$

3. $Q(x, y) = -y + x^2 - y^2/2$

5. $L(x, y) = 2e + e(x - 1)$

$+ 3e(y - 1)$

$Q(x, y) = 2e + e(x - 1)$

$+ 3e(y - 1) + e(x - 1)(y - 1)$

$+ 2e(y - 1)^2$

7. $L(x, y) = \sqrt{2} + \frac{1}{\sqrt{2}}(x - 1)$

$+ \frac{1}{\sqrt{2}}(y - 1)$

$Q(x, y) = \sqrt{2} + \frac{1}{\sqrt{2}}(x - 1)$

$+ \frac{1}{\sqrt{2}}(y - 1) + \frac{1}{4\sqrt{2}}(x - 1)^2$

$- \frac{1}{2\sqrt{2}}(x - 1)(y - 1) + \frac{1}{4\sqrt{2}}(y - 1)^2$

9. $L(x, y) = \frac{e}{2} + \frac{e}{4}(x - 1) + \frac{e}{4}(y - 1)$

$Q(x, y) = \frac{e}{2} + \frac{e}{4}(x - 1) + \frac{e}{4}(y - 1)$

$- \frac{e}{8}(x - 1)^2 + \frac{e}{4}(x - 1)(y - 1)$

$+ \frac{e}{8}(y - 1)^2$

11. $L(x, y) = \frac{\pi}{4} + \frac{1}{2}(x - 1) - \frac{1}{2}(y - 1)$

$Q(x, y) = \frac{\pi}{4} + \frac{1}{2}(x - 1) - \frac{1}{2}(y - 1)$

$- \frac{1}{4}(x - 1)^2 + \frac{1}{4}(y - 1)^2$

15. a) xy

$1 - \frac{1}{2}(x - \frac{\pi}{2})^2 - \frac{1}{2}(y - \frac{\pi}{2})^2$

17. a) $L(x, y) = 1, |E_L(x, y)| \leq 0,047$

b) $Q(x, y) = 1 + (1/2)x^2$

$- (1/2)y^2, |E_Q(x, y)| \leq 0,0047$

19. a) $L(x, y) = 0,$

$|E_L(x, y)| \leq 0,14$

b) $Q(x, y) = x^2 + y^2,$

$|E_Q(x, y)| \leq 0,036$

Section 3.10

1. b) Non

c) Non

d) Non

e) Existe, non continue

3. b) Oui

c) Oui

d) Non

e) Existe, non continue

5. b) Oui

d) Non

f) Non

7. c) Non

e) Non

9. a) Non

Problèmes de révision du chapitre 3

1. $\partial z/\partial x = \frac{14x + 7}{(x^2 + x - y) - 6}$

$\partial z/\partial y = -7(x^2 + x - y)^6$

3. $\partial f/\partial p = (1/q)e^{p/q}$

$\partial f/\partial q = -(p/q^2)e^{p/q}$

5. $\partial z/\partial x = 4x^3 - 7x^6y^3 + 5y^2$
$\partial z/\partial y = -3x^7y^2 + 10xy$

7. $\partial w/\partial s = \ln(s+t) + \frac{s}{(s+t)}$
$\partial w/\partial t = \frac{s}{(s+t)}$

9. $84/5$

11. Faux

13. Vrai

15. Faux

17. a) $f_w(2, 2) \approx 2,78$
$f_z(2, 2) \approx 4,01$
b) $f_w(2, 2) \approx 2,773$
$f_z(2, 2) = 4$

19. a) Négatif, positif, vers le haut si positif, vers le bas si négatif
b) $\pi < t < 2\pi$
c) $0 < x < 3\pi/2$ et
$0 < t < \pi/2$ ou $3\pi/2$
$< t < 5\pi/2$

23. a) $\partial g/\partial m = G/r^2$
$\partial g/\partial r = -2Gm/r^3$

29. $3e/\sqrt{5}$

31. $f_{\vec{u}}(3, 1) \approx -1,64$

33. $\pm 4\sqrt{\frac{2}{11}} \left(\frac{1}{2}, -\frac{1}{2}, \frac{3}{2}\right)$

35. a) $-14, 2,5$
b) $-2,055$
c) $14,221$ en direction de $-14\vec{i} + 2,5\vec{j}$
d) $f(x, y) = f(2, 3) = 7,56$
e) Par exemple, $v = 2,5\vec{i} + 14\vec{j}$
f) $-0,32$

37. a) $\left.\dfrac{\partial w}{\partial u}\right|_{(1, \pi)} = 3 + \pi$
$\left.\dfrac{\partial w}{\partial v}\right|_{(1, \pi)} = 4 - \pi$
b) $\left.\dfrac{\partial w}{\partial t}\right|_{t=1} = 5\pi - 3\pi^2$

41. $x - y$

43. b) $x^2 + y^2 + z^2 = c^2$
c) Vers l'extérieur, décroissante exponentiellement

Section 4.1

1. A : non
B : oui, maximum
C : oui, selle

5. Points-selle : $(1, -1), (-1, 1)$
Maximum local $(-1, -1)$
Minimum local $(1, 1)$

7. $(1, -1)$ et $(-1, 1)$ sont tous les deux des points-selle.

9. Points critiques : $(0, 0), (\pm\pi, 0),$
$(\pm 2\pi, 0), (\pm 3\pi, 0)\dots$

Minimum local : $(0, 0), (\pm 2\pi, 0),$
$(\pm 4\pi, 0)\dots$
Points-selle : $(\pm\pi, 0), (\pm 3\pi, 0),$
$(\pm 5\pi, 0)\dots$

11. Maximum local : $(1, 5)$

13. Minimum local

15. Maximum local

17. a) $(1, 3)$ est un minimum.

Section 4.2

1. Mississippi :
87 à 88 (maximum),
83 à 87 (minimum)
Alabama :
88 à 89 (maximum),
83 à 87 (minimum)
Pennsylvanie :
89 à 90 (maximum),
70 (minimum)
New York :
81 à 84 (maximum),
74 à 76 (minimum)
Californie :
100 à 101 (maximum),
65 à 68 (minimum)
Arizona :
102 à 107 (maximum),
85 à 87 (minimum)
Massachusetts :
81 à 84 (maximum),
70 (minimum)

3. Ni l'un ni l'autre

5. Minimum = 0 en $(0, 0)$
(pas sur la frontière)
maximum = 2 en $(1, 1),$
$(1, -1), (-1, -1)$ et $(-1, 1)$
(sur la frontière)

7. Maximum = 0 en $(0, 0)$
(pas sur la frontière)
Minimum -2 en $(1, -1),$
$(-1, -1), (-1, 1)$ et $(1, 1)$
(sur la frontière)

9. $q_1 = 300, q_2 = 225$

11. $h = 25\%, t = 25\ ^\circ C$

15. $l = w = h = 45$ cm

17. $y = 2/3 - x/2$

19. a) $255,2$ millions
c) $320,6$ millions

21. b) $0,2575$

Section 4.3

1. Minimum $= -\sqrt{2}$, maximum $= \sqrt{2}$

3. Minimum $= \frac{3}{4}$, pas de maximum

5. Minimum $= \sqrt{2}$, maximum $= 2$

7. Minimum $= -\sqrt{35}$,
maximum $= \sqrt{35}$

9. Maximum = 0, pas de minimum

11. Maximum $= \frac{3}{\sqrt{6}}$, minimum $= -\frac{3}{\sqrt{6}}$

13. Maximum $= \frac{\sqrt{2}}{4}$, minimum $= -\frac{\sqrt{2}}{4}$

15. Maximum $= f\left(\frac{1}{\sqrt{5}}, \frac{3}{\sqrt{5}}\right) = 2\sqrt{5}$
Minimum $= f\left(-\frac{1}{\sqrt{5}}, -\frac{3}{\sqrt{5}}\right) = -2\sqrt{5}$

17. Maximum : 1
Minimum : -1

19. $q_1 = 50$ unités
$q_2 = 150$ unités

21. b) $S = 1000 - 10l$

23. $r = \sqrt[3]{\frac{50}{\pi}}$
$h = 2\sqrt[3]{\frac{50}{\pi}}$

25. Le long de la droite $x = 2y$

27. c) $D = 10, N = 20,$
$V \approx 9,779$
d) $\lambda = 14,67$
e) 68 \$, augmentation

Problèmes de révision du chapitre 4

1. Maximum local : $(\pi/3, \pi/3)$

3. $(\sqrt{2}, -\sqrt{2}/2)$, point-selle

7. Maximums : $(-1, 1)$ et $(1, -1)$,
minimum : $(0, 0)$

9. $p_1 = 110, p_2 = 115$

11. $K = 20$
$L = 30$
$C = 7000$ \$

13. a) Réduire K de $1/2$ unité,
augmenter L de 1 unité

15. $-\frac{1}{2m^2}\left(1 + \frac{2(v_1v_2)^{1/2}}{v_1 + v_2}\right)$; semaines^2

17. $d \approx 5,37$ m, $w \approx 6,21$ m, $\theta = \pi/3$ radi

19. b) $-$grad d

21. a) $a/(v_1 \cos\theta_1) + b/(v_2 \cos\theta_2)$

23. $d \approx 0,9148$

Section 5.1

1. Somme inférieure : $0,34$
Somme supérieure : $0,62$

3. Somme supérieure : $46,63$
Somme inférieure : 8
Moyenne $\approx 27,3$

5. Positive

7. $40/3$

9. $\int_R w(x, y)\, dx\, dy \approx 2700$ pi^3,
où R est la région $0 \leq x \leq 60$
$0 \leq y \leq 8$

11. a) Environ 148 tornades
b) Environ 56 tornades
c) Environ 2 tornades

13. a) Positive
    b) Positive
    c) Positive
    d) Nulle
    e) Nulle
    f) Nulle
    g) Négative
    h) Nulle
    i) Négative
    j) Nulle
    k) Nulle
    l) Positive
    m) Positive
    n) Positive
    o) Nulle
    p) Nulle

Section 5.2

1. $\frac{4}{15}(9\sqrt{3} - 4\sqrt{2} - 1) = 2{,}381\,76$

3. $32/9$

5. $\int_1^4 \int_1^2 f\, dy\, dx$ ou $\int_1^2 \int_1^4 f\, dx\, dy$

7. $\int_1^4 \int_{(x-1)/3}^2 f\, dy\, dx$

9. $(e^4 - 1)(e^3 - e)$

11. $\approx -2{,}68$

13. 14

15. $\frac{e-1}{2}$

17. $\frac{2}{9}(3\sqrt{3} - 2\sqrt{2})$

19. $\int_{-5}^5 \int_{-\sqrt{25-y^2}}^{\sqrt{25-y^2}} (25 - x^2 - y^2)\, dx\, dy$

21. $\int_0^4 \int_{y-4}^{(4-y)/2} (4 - 2x - y)\, dx\, dy$

23. Volume = 6

25. $1/10$

27. $\frac{1}{2}(1 - \cos 1) = 0{,}23$

Section 5.3

1. 2

3. $a + b + 2c$

7. Les limites sont illogiques.

9. Les limites sont illogiques.

13. $\frac{15}{2}$

15. $\int_{-1}^1 \int_{-\sqrt{1-x^2}}^{\sqrt{1-x^2}} \int_{-\sqrt{1-z^2}}^{\sqrt{1-z^2}} dy\, dz\, dx$

17. $m = 1/36\text{ g}\,;(\overline{x}, \overline{y}, \overline{z})$
    $= (1/4,\, 1/8,\, 1/12)$

19. $m(b^2 + c^2)/3$

Section 5.4

1. $0{,}7854$

3. $0{,}7966$

5. 4

7. $0{,}79$

9. 4

Section 5.5

1. $\int_{\pi/4}^{3\pi/4} \int_0^2 f\, r\, dr\, d\theta$

3. $\int_0^{2\pi} \int_0^{\sqrt{2}} f\, r\, dr\, d\theta$

13. 0

15. $-2/3$

17. 6

19. $32\pi(\sqrt{2} - 1)/3$

21. a) $\int_{\pi/2}^{3\pi/2} \int_1^4 \delta(r, \theta)\, r\, dr\, d\theta$
    b) $1.$
    c) Environ 39 000

Section 5.6

1. $200\pi/3$

3. 25π

5. $\int_0^1 \int_0^{2\pi} \int_0^4 \delta \cdot r\, dr\, d\theta\, dz$

7. $\int_0^{2\pi} \int_0^{\pi/6} \int_0^3 \delta \cdot \rho^2 \sin\phi\, d\rho\, d\phi\, d\theta$

9. $\int_0^3 \int_0^1 \int_0^5 \delta\, dz\, dy\, dx$

11. π

13. a) Positive
    b) Nulle

15. $25\pi/6$

17. 27π

19. $3/\sqrt{2}$

21. $3/4$

25. $3I = \frac{6}{5}a^2\,; I = \frac{2}{5}a^2$

Section 5.7

1. a) $20/27$
   b) $199/243$

3. a) $k = 8$
   b) $1/3$

5. $\int_{65}^{100} \int_{0,8}^1 f(x, y)\, dx\, dy$

7. $f(x, y) = \frac{30}{\pi}\, e^{-50(x-5)^2 - 18(y-15)^2}$

9. a) $\int_\theta^{\frac{\pi}{6}} \int_{\frac{1}{\cos\theta}}^4 p(r, \theta)\, r\, dr\, d\theta$

   b) $\int_{\frac{\pi}{6}}^{\frac{\pi}{6} + \frac{\pi}{12}} \int_{\frac{1}{\cos\theta}}^4 p(r, \theta)\, r\, dr\, d\theta$
   $+ \int_{\frac{\pi}{6} + \frac{\pi}{12}}^{\frac{2\pi}{6}} \int_{\frac{1}{\sin\theta}}^4 p(r, \theta)\, r\, dr\, d\theta$

Section 5.8

3. $\rho^2 \sin\phi$

5. $13{,}5$

7. 9

Problèmes de révision du chapitre 5

1. 9200 mi^3

7. $85/12$

9. $10(e - 2)$

11. $-4\cos 4 + 2\sin 4 + 3\cos 3$
    $- 2\sin 3 - 1$

13. $\int_0^4 \int_{\frac{y}{2}-2}^{-y+4} f(x, y)\, dx\, dy$
    ou $\int_{-2}^0 \int_0^{2x+4} f(x, y)\, dy\, dx$
    $+ \int_0^4 \int_0^{-x+4} f(x, y)\, dy\, dx$

17. $162\pi/5$

19. 8π

21. ≈ 183

23. $8\pi R^5/15$

25. $2\pi Gm(r_2 - r_1 - \sqrt{r_2^2 + h^2} + \sqrt{r_1^2 + h^2}$

27. $40\sqrt{2}\,,\, 54\sqrt{2}$

Section 6.1

1. La particule se déplace sur des segments de droites de $(0, 1)$ à $(1, 0)$ à $(0, -1)$ à $(-1, 0)$, puis elle revient à $(0, 1)$.

3. La particule se déplace sur des segments de droites de $(-1, 1)$ à $(1, 1)$ à $(-1, -1)$ à $(1, -1)$, puis elle revient à $(-1, 1)$.

5. Dans le sens des aiguilles d'une montre pour tous les t

7. Dans le sens des aiguilles d'une montre : $t < 0$
   Dans le sens contraire des aiguilles d'une montre: $t > 0$

9. Dans le sens contraire des aiguilles d'une montre : $t > 0$

13. $x = -2,\, y = t$

15. $x = -2\cos t,\, y = 2\sin t,\, 0 \le t \le 2\pi$

17. $x = 5\cos t,\, y = 7\sin t,\, 0 \le t \le 2\pi$

19. a) À droite de $(2, 4)$
    b) De $(-1, -3)$ à $(2, 4)$
    c) $t < -2/3$

21. a) $a = b = 0,\, k = 5$ ou -5
    b) $a = 0,\, b = 5,\, k = 5$ ou -5
    c) $a = 10,\, b = -10,$
       $k = \sqrt{200}$ ou $-\sqrt{200}$

23. $x = 2\cos t,\, y = 0,\, z = 2\sin t$

25. $x = 2 + 3t,\, y = 3 - t,\, z = -1 + t$

27. $x = 1,\quad y = 0,\quad z = t$

29. $x = 1 + 2t,\quad y = 2 + 4t,\quad z = 5 - t$

31. Oui

33. a) Des droites
    b) Non
    c) $(1, 2, 3)$

Section 6.2

1. a) Tous les deux donnent l'équation paramétrique de la droite $y = 3x - 2$

   b) Pente = 3,0, intersection : $y = -2$

3. b) $-\vec{i} - 10\vec{j} - 7\vec{k}$

   c) $\vec{r} = (1-t)\vec{i} + (3-10t)\vec{j} - 7t\vec{k}$

5. a) Spirale

   b) $\vec{v}(2) = -2{,}24\,\vec{i} + 0{,}08\vec{j}$, $\vec{v}(4) = 2{,}38\,\vec{i} - 3{,}37\vec{j}$, $\vec{v}(6) = 2{,}63\,\vec{i} + 5{,}48\vec{j}$

   c) $\vec{v}(2) = -2{,}235\,\vec{i} + 0{,}077\vec{j}$, $\vec{v}(4) = 2{,}374\,\vec{i} - 3{,}371\vec{j}$, $\vec{v}(6) = 2{,}637\,\vec{i} + 5{,}482\vec{j}$

7. $\vec{v} = -2t\sin(t^2)\vec{i} + 2t\cos(t^2)\vec{j}$, vitesse $= 2|t|$, la particule s'arrête quand $t = 0$.

9. $\vec{v} = (2t-2)\vec{i} + (3t^2-3)\vec{j} + (2t^3 - 12t^2)\vec{k}$, vitesse $= \left((2t-2)^2 + (3t^2-3)^2 + (12t^3 - 12t^2)^2\right)^{1/2}$, la particule s'arrête en $t = 1$.

11. $\vec{v} = -3\sin t\,\vec{i} + 4\cos t\vec{j}$, $\vec{a} = -3\cos t\,\vec{i} - 4\sin t\vec{j}$

13. $\vec{v} = 3\vec{i} + \vec{j} - \vec{k}$, $\quad \vec{a} = \vec{0}$

15. $D = \sqrt{42}$

17. $D \approx 24{,}6$

19. $x = 5 + 3(t-7)$, $y = 4 + 1(t-7)$, $z = 3 + 2(t-7)$

21. a) $\vec{v}(2) \approx -4\vec{i} + 5\vec{j}$, Vitesse $\approx \sqrt{41}$

    b) $t = 1{,}5$ environ

    c) $t = 3$ environ

23. a) Non

    b) $t = 5$

    c) $\vec{v}(5) \approx 0{,}959\vec{i} + 0{,}284\vec{j} + 2\vec{k}$

    d) $\vec{r} \approx 0{,}284\vec{i} - 0{,}959\vec{j} + 10\vec{k} + (t-5)(0{,}959\vec{i} + 0{,}284\vec{j} + 2\vec{k})$

25. $\vec{r}(t) = 22{,}1t\vec{i} + 66{,}4t\vec{j} + (442{,}7t - 4{,}9t^2)\vec{k}$

27. a) $x(t) = 5\sin t$, $y(t) = 5\cos t$, $z(t) = 8$

    b) $\vec{v} = -5\vec{j}$, $\vec{a} = -5\vec{i}$

    c) $x_{tt}(t) = y_{tt}(t) = 0$, $z_{tt} = (t) = -g$, $x_t(0) = z_t(0) = 0$, $y_t(0) = -5$, $x_t(0) = 5$, $y_t(0) = 0$, $z_t(0) = 8$

29. a) C, E

    b) E, C

    c) Oui, quand le faisceau de lumière est tangent au littoral

d) La vitesse n'est pas définie dans les coins.

31. $-(2t + 4t^3)/(1 + t^2 + t^4)^2$

Section 6.3

1. Un disque horizontal de rayon 5 dans le plan $z = 7$

3. Un cylindre de rayon 5 autour de l'axe des z, $0 \le z \le 7$

5. Un cône de hauteur et de rayon 5

7. Cylindre, coupe transversale elliptique

9. $x = a\cos\theta$, $y = a\sin\theta$, $z = z$

11. $x = u$, $y = v$, $z = 2u + v - 1$

13. Non

15. Cercle horizontal

17. $x = 5\sin\phi\cos\theta$
    $y = 5\sin\phi\sin\theta$
    $z = 5\cos\phi$

19. $x = a + d\sin\phi\cos\theta$, $y = b + d\sin\phi\sin\theta$, $z = c + d\cos\phi$ pour $0 \le \phi \le \pi$ et $0 \le \theta \le 2\pi$

21. Si $\theta < \pi$, alors $(\theta + \pi, \pi/4)$
    Si $\theta \ge \pi$, alors $(\theta - \pi, \pi/4)$

23. $x = u\cos v$, $y = u\sin v$, $z = u$ pour $0 \le v \le 2\pi$

25. a) $x = r\cos\theta$, $0 \le r \le a$, $y = r\sin\theta$, $0 \le \theta < 2\pi$, $z = \dfrac{hr}{a}$

    b) $x = \dfrac{az}{h}\cos\theta$, $0 \le z \le h$, $y = \dfrac{az}{h}\sin\theta$, $0 \le \theta < 2\pi$, $z = z$

27. $x = \left(\left(\frac{z}{10}\right)^2 + 1\right)\cos\theta$, $y = \left(\left(\frac{z}{10}\right)^2 + 1\right)\sin\theta$, $z = z$, $0 \le \theta \le 2\pi$, $0 \le z \le 10$

29. a) $z = (x^2/2) + (y^2/2)$ $0 \le x + y \le 2$ $0 \le x - y \le 2$

31. a) $x^2 + y^2 + z^2 = 1$, $x, y, z \ge 0$

33. $\vec{r}(t) = x_0\vec{i} + y_0\vec{j} + z_0\vec{k} + a\cos t\,\vec{u} + a\sin t\,\vec{v}$

35. a) $x = \left(\cos\left(\frac{\pi}{3}t\right) + 3\right)\cos\theta$ $y = \left(\cos\left(\frac{\pi}{3}t\right) + 3\right)\sin\theta$ $z = t \quad 0 \le \theta \le 2\pi, 0 \le t \le 48$

    b) 456π po^3

Section 6.4

1. Cercle : $(x-2)^2 + (y-2)^2 = 1$

3. Parabole : $y = (x-2)^2$, $1 \le x \le 3$

5. Implicite : $x^2 - 2x + y^2 = 0$, $y < 0$, explicite : $y = -\sqrt{-x^2 + 2x}$, paramétrique : $x = 1 + \cos t$, $y = \sin t$, avec $\pi \le t \le 2\pi$

7. $x + 2y = 0$

11. a) $z = 1{,}054\ 217$

    b) $m(x, y, z) \approx 0 + 6x - 7(y-1) - 4(z-1)$, $f_2(0{,}01, 0{,}98) \approx 1{,}05$

    c) $\partial f_2/\partial x$ en $(0, 1)$ est $3/2$, $\partial f_2/\partial y$ en $(0, 1)$ est $-7/4$

13. a) Graphe tangent au plan

    b) $z \approx 7 - (2/5)(x-3) - (4/5)(y-5)$

15. a) $S = \ln\left(a^a(1-a)^{(1-a)}\right) + \ln b - a\ln p_1 - (1-a)\ln p_2$

    b) $b = \dfrac{e^c\,p_1^a\,p_2^{(1-a)}}{a^a(1-a)^{(1-a)}}$

Section 6.5

1. 250 000 stades ou 46 000 km

5. Pas toujours fermées

Problèmes de révision du chapitre 6

1. $x = t$, $y = 5$

3. $x = 4 + 4\sin t$, $y = 4 - 4\cos t$

5. $x = 2 - t$, $y = -1 + 3t$, $z = 4 + t$

7. $x = 1 + 2t$, $y = 1 - 3t$, $z = 1 + 5t$

9. $x = 3\cos t$ $y = 5$ $z = -3\sin t$

11. a) I) $= C_4$, II) $= C_1$, III) $= C_2$, IV) $= C_6$

    b) $C_3 : 0{,}5\cos t\,\vec{i} - 0{,}5\sin t\vec{j}$, $C_5 : -2\cos\left(\frac{t}{2}\right)\vec{i}$, $-2\sin\left(\frac{t}{2}\right)\vec{j}$

13. a) Dans la direction donnée par le vecteur : $\vec{i} - \vec{j}$

    b) Les directions données par les vecteurs unitaires : $\dfrac{1}{\sqrt{2}}\vec{i} + \dfrac{1}{\sqrt{2}}\vec{j}$ $-\dfrac{1}{\sqrt{2}}\vec{i} - \dfrac{1}{\sqrt{2}}\vec{j}$

    c) -4

15. Équation linéaire : $x = 1 + 2t$ $y = 2 + 3t$

$z = 3 + 4t$

La plus courte distance : $\sqrt{174}/29$

17. L'équation de la courbe est
$x = 1 - 2y^2, -1 \leq y \leq 1.$

19. a) $(2, 3, 0)$
    b) 2
    c) Non, pas sur la droite

21. a) $x = (V \cos A) \cdot t - 15$
    $y = -16t^2 + (V \sin A)t + 6$
    c) $A \approx 52°$

23. a) $(x, y) = (t, 1)$
    b) $(x, y) = (t + \cos t, 1 - \sin t)$

25. $x = 2 - 2s - 2t,$
    $y = 3 - 3s - 0,5t,$
    $z = -1,6 + 3,6s + 1,6t$

29. a) $a = 0,0893, b = 4,48$
    b) $a = 0,427, b = 8,26$
    c) $a = 1,43, b = 21,4$

31. a) Elle s'étend.
    b) Elle s'étend.
    c) Elle est comprimée.
    d) Soit $c < 0$.

Section 7.1

1. a) IV
   b) III
   c) I
   d) II

9. $\vec{V} = -y\,\vec{i}$

11. $\vec{V} = -x\,\vec{i} - y\,\vec{j} = -\vec{r}$

13. $\vec{V} = -y\,\vec{i} + x\,\vec{j}$

15. $\vec{F}(x, y) = x\,\vec{i}$
    (par exemple)

17. $\vec{F}(x, y) = \dfrac{y\,\vec{i} - x\,\vec{j}}{\sqrt{x^2 + y^2}}$
    (par exemple)

Section 7.2

1. $y = $ constante

3. $y = -\frac{2}{3}x + c$

9. a) III
   b) I
   c) II
   d) V
   e) VI
   f) IV

Problèmes de révision du chapitre 7

1. b)   1.   Oui
        2.   Non
        3.   Oui
        4.   Non

5. a) $\dfrac{1}{x^2 + y^2 + z^2}$
   b) $\dfrac{1}{\sqrt{x^2 + y^2 + z^2}}$

c) $\dfrac{x}{\sqrt{x^2 + y^2 + z^2}}\,\vec{i} + \dfrac{y}{\sqrt{x^2 + y^2 + z^2}}\,\vec{j}$
   $+ \dfrac{z}{\sqrt{x^2 + y^y + z^2}}\,\vec{k}$

d) $\dfrac{-x}{\sqrt{x + y^2 + z^2}}\,\vec{i} + \dfrac{-y}{\sqrt{x^2 + y^2 + z^2}}\,\vec{j}$
   $+ \dfrac{-z}{\sqrt{x^2 + y^y + z^2}}\,\vec{k}$

e) $\dfrac{\cos t}{2\sqrt{2}}\,\vec{i} + \dfrac{\sin t}{2\sqrt{2}}\,\vec{j} + \dfrac{1}{2\sqrt{2}}\,\vec{k}$

f) $\dfrac{1}{\sqrt{2}}$

Section 8.1

1. Positive

3. Positive

5. $\int_{C_3} \vec{F} \cdot d\vec{r} < \int_{C_1} \vec{F} \cdot d\vec{r}$
   $< \int_{C_2} \vec{F} \cdot d\vec{r}$

7. Positive

9. 0

11. 0

13. 16

15. 32

19. C_1, C_2

21. a) Différentes valeurs
    b) Différentes valeurs

23. a) Différentes valeurs
    b) Différentes valeurs

27. $-GMm/8000$

Section 8.2

1. $116,28$

3. $82/3$

5. $e^2 - e$

7. $85,32$

9. 24π

11. $C_1 : (t, \sqrt{2t - t^2}), 0 \leq t \leq 2$
    $C_2 : (t, -2(t - 1)^2), -1 \leq t \leq 2$
    $C_3 : (t, \sin t), -2\pi \leq t \leq -\pi$

13. a) $11/6$
    b) $7/6$

Section 8.3

3. Oui

5. Non

7. $9/2$

9. $\dfrac{3}{\sqrt{2}} \ln\left(\dfrac{3}{\sqrt{2}} + 1\right)$

11. a) e
    b) e

13. b) Non

19. a) $\pi/2$
    b) Non

21. a) Augmente

Section 8.4

3. $f(x, y) = x^2 y + 2y^4 + K$
   $K = $ constante

5. Non

7. Oui, $f = x^2 y^3 + xy + C$

9. Oui, $f = \ln A|xyz|$, où A est une constante positive.

11. b) $-\pi$

13. πab

15. $3/2$

Section 8.5

1. $x = -1 + r \cos \theta,$
   $y = 2 + r \sin \theta,$
   $2 \leq r \leq 3, 0 \leq \theta \leq 2\pi$

3. $x = s$
   $y = tg(s) + (1 - t)f(s),$
   $a \leq s \leq b, 0 \leq t \leq 1$

Problèmes de révision du chapitre 8

1. a) Négative
   b) C_1 : positive
      C_2, C_4 : nulles
      C_3 : négative
   c) Négative

3. 2

5. 12

7. Faux

9. Vrai

11. -58

15. a) $\omega = 3000$ rad/h
       $K = 3 \cdot 10^7$ m$^2 \cdot$ rad/h
    c) $r < 100$ m, la circulation est
       $2\omega\pi r^2$.
       $r \geq 100$ m, la circulation est
       $2K\pi$.

17. b) Cercles
    c) Non

Section 9.1

1. a) Positif
   b) Négatif
   c) Nul
   d) Nul
   e) Nul

3. a) Nul
   b) Nul
   c) Nul
   d) Négatif
   e) Nul

5. a) 5
   b) 4
   c) 11
   d) 9

7. a) Nul
   b) Nul

9. Nulle

11. 8π

13. Nulle

15. a) Nul
    b) Nul

17. b) $4\pi\lambda h$

21. a) Vitesse maximale
    b) 0
    c) $\pi u a^2/2$

Section 9.2

1. 6

3. $\pi/2$

5. $7/3$

7. $\pi \sin 25$

9. 1296π

11. $-81\pi/4$

13. 12π

15. $625\pi/2$

17. b) 1. $\lim_{H\to 0} \int_S \vec{E} \cdot d\vec{A} = 0$
       $\lim_{H\to\infty} \int_S \vec{E} \cdot d\vec{A} = 4\pi q$
    2. $\lim_{R\to 0} \int_S \vec{E} \cdot d\vec{A} = 4\pi q$
       $\lim_{R\to\infty} \int_S \vec{E} \cdot d\vec{A} = 0$

19. $11\pi/2$

Section 9.3

1. $4/3$

3. 195

5. $-\pi R^7/28$

7. $2\pi c(a^2 + b^2)$

Problèmes de révision du chapitre 9

5. 4

7. 1,5

9. 12

11. $-8(1 + e^{-1})$

13. 24π

15. $(\pi/6) - 1/3$

19. b) 0
    c) $Ih \ln|b/a|/2\pi$

Section 10.1

5. 0

7. 0

9. $2/\|\vec{r} - \vec{r}_0\|$

13. 0

15. $\vec{b} \cdot (\vec{a} \times \vec{r})$

17. a) Positive
    b) Nulle
    c) Négative

19. a) 0

21. a) Flux $= c^3$
    b) 1
    c) 1

23. a) $2\pi c^3$
    b) 2
    c) 2

25. a) 0
    b) Non défini

Section 10.2

1. 24

3. Nul

5. $\int_{S_2} \vec{F} \cdot d\vec{A} = 8$

9. a) 0
   b) 4π

11. $\int_S \vec{F} \cdot d\vec{A} = \int_R \operatorname{div} \vec{F}\, dV = 0$

15. a) 30 W/km^3
    b) $\alpha = 10 \text{ W/km}^3$
    d) 6847 °C

Section 10.3

1. $4y\vec{k}$

3. $\vec{0}$

5. $4x\vec{i} - 5y\vec{j} + z\vec{k}$

7. $(2x^3yz + 6x^7y^5 - xy)\vec{i} + (-3x^2y^2z - 7x^6y^6 + y)\vec{j} + (yz - z)\vec{k}$

9. $\operatorname{rot}(F_1(x)\vec{i} + F_2(y)\vec{j} + F_3(z)\vec{k}) = 0$

11. a) Rotationnel nul
    b) Rotationnel non nul
    c) Rotationnel non nul

19. c), d), f)

21. C_2, C_3, C_4, C_6

23. $\nabla\phi + (\vec{F} - \nabla\phi)$

25. $\vec{F} = (-\frac{3}{2}z - 2y)\vec{i} + (2x - z)\vec{j} + (y + \frac{3}{2}x)\vec{k}$

Section 10.4

1. Non

3. a) -200π
   b) 0

5. π

13. a) On ne peut rien dire.
    b) 0

15. a) $-2\pi a^2$
    b) $2\pi a^2$
    c) Orientations non reliées

17. -2π

Section 10.5

1. Oui

7. Oui
   $(-xy + 5yz)\vec{i} + (2xy + xz^2)\vec{k}$

9. a) Oui
   b) Oui
   c) Oui

11. a) $\operatorname{rot} \vec{E} = \vec{0}$
    b) Espace à trois dimensions moins un point si $p > 0$
       Espace à trois dimensions si $p \le 0$
    c) Satisfait au test pour tous les p
       $\phi(r) = r^{2-p}$ si $p \ne 2$
       $\phi(r) = \ln r$ si $p = 2$

15. $\vec{r} = (1 - s)\vec{r}(t) + s\vec{r}_0$
    $a \le t \le b$

Section 10.6

5. b) 54

Problèmes de révision du chapitre 10

1. $\operatorname{div} \vec{v} = -6$

5. $\pi b^2 h/3$

7. $\operatorname{div} \vec{F} = 3$

9. Vrai

11. Vrai

13. Vrai

15. Faux

17. $\operatorname{div} \vec{E}(P) \le 0$, $\operatorname{div} \vec{E}(Q) \ge 0$

23. b) $\vec{v}(x) = (55 - x/50)\vec{i}$ mi/h
       si $0 \le x < 2000$
       $\vec{v}(x) = 15\vec{i}$ mi/h
       si $2000 \le x < 7000$
       $\vec{v}(x) = (15 + (x - 7000)/25)\vec{i}$
       mi/h si $7000 \le x < 8000$
       $\vec{v}(x) = 55\vec{i}$ mi/h si $x \ge 8000$
    c) $\operatorname{div} \vec{v}(1000) = -1/50$
       $\operatorname{div} \vec{v}(5000) = 0$
       $\operatorname{div} \vec{v}(7500) = 1/25$
       $\operatorname{div} \vec{v}(10\,000) = 0$
       mi/h/pi

25. a) $\vec{v} = \left(1 + \dfrac{y^2 - x^2}{(x^2 + y^2)^2}\right)\vec{i} + \dfrac{-2xy}{(x^2 + y^2)^2}\vec{j}$

Annexe D

1. $(1/3)x^3 + x^2 + \ln|x| + C$,
   C est une constante.

3. $\ln|t| - 4/t - 2/t^2 + C$,
   C est une constante.

5. $(1/2)\sin 2t + C$, C est une constante.

7. $-\ln|\cos\theta| + C$, C est une constante.

9. $(1/2)e^{t^2+1} + C$, C est une constante.

11. $(1/2)\tan^{-1} 2z + C$, C est une constante.

13. $(-1/20)\cos^4 5\theta + C$, C est une constante.

15. $(1/3)(\ln x)^3 + C$, C est une constante.

17. $xe^x - e^x + C$, C est une constante.

19. $(1/2)x^2 \ln x - (1/4)x^2 + C$, C est une constante.

21. $(1/142)(10^{71} - 2^{71})$

23. $-11e^{-10} + 1$

25. $2e(e-1) \approx 9{,}34$

27. b) Le maximum est en juillet 1993,
    le minimum en janvier 1994.

c) Augmente plus vite en mai 1993.

Diminue plus vite en octobre 1993.

29. a) $\sum\limits_{i=1}^{N} \rho(x_i)\Delta x$

b) $16\,\text{g}$

31. a) $3\,\text{mi}$

b) $282{,}743$

33. a) $\sum_{i=0}^{N-1} 4\pi(r_e + h_i)^2$
    $\times 1{,}28e^{-0{,}000124h_i}\Delta h$

b) $6{,}48 \times 10^{16}$

35. a) $\sum_{1=0}^{N} \pi \frac{9x_i}{4} \Delta x$

b) 18π

37. $2267{,}32\,\text{pi}^3$

Annexe F

5. b) Environ $3/4$

7. a) $p(x) = \dfrac{e^{-\frac{1}{2}\left(\frac{x-100}{15}\right)^2}}{15\sqrt{2\pi}}$

b) $6{,}7\,\%$ de la population

Annexe G

1. $(1, 0)$

3. $(-2, 0)$

5. $\left(\frac{5\sqrt{3}}{2}, -\frac{5}{2}\right)$

7. $(\cos 1, \sin 1)$

9. $(2, \pi/2)$

11. $(\sqrt{2}, 3\pi/4)$

13. $(0{,}28, 7\pi/4)$

15. $(3{,}16, 2{,}82)$

INDEX